CB134938

INTRODUÇÃO À ECONOMIA

TRADUÇÃO DA 8ª EDIÇÃO NORTE-AMERICANA

Dados Internacionais de Catalogação na Publicação (CIP)

M278i Mankiw, N. Gregory.
Introdução à economia / N. Gregory Mankiw ; tradução: Allan Vidigal Hastings, Elisete Paes e Lima, Ez2 Translate ; revisão técnica: Manuel José Nunes Pinto. – São Paulo, SP : Cengage, 2023.
720 p. : il. ; 28 cm.

6. reimpr. da 4. ed. brasileira de 2020.
Inclui glossário e índice.
Tradução de: Principles of economics (8. ed.).
ISBN 978-85-221-2791-7

1. Economia. 2. Mercado. 3. Setor público. 4. Empresas - Custos. I. Hastings, Allan Vidigal. II. Lima, Elisete Paes e. III. Ez2 Translate. IV. Pinto, Manuel José Nunes. V. Título.

CDU 33
CDD 330

Índice para catálogo sistemático:
1. Economia 33

(Bibliotecária responsável: Sabrina Leal Araujo – CRB 8/10213)

INTRODUÇÃO À
ECONOMIA

TRADUÇÃO DA 8ª EDIÇÃO NORTE-AMERICANA

N. GREGORY MANKIW
Harvard University

Tradução:
Priscilla Rodrigues da Silva Lopes

Revisão técnica:
Manuel José Nunes Pinto
Economista, com especialização em Finanças e Economia de Empresas, é mestre em Administração. Professor universitário por mais de três décadas, foi reitor do Centro Universitário Alvares Penteado, da Fundação Escola Alvares Penteado (Fecap), além de executivo de grandes grupos empresariais nacionais e internacionais.

CENGAGE

Austrália • Brasil • México • Cingapura • Reino Unido • Estados Unidos

CENGAGE

Introdução à economia – Tradução da 8ª edição norte-americana
4ª edição brasileira
N. Gregory Mankiw

Gerente editorial: Noelma Brocanelli

Editora de desenvolvimento: Salete Del Guerra

Supervisora de produção gráfica: Fabiana Alencar Albuquerque

Produção gráfica: Soraia Scarpa

Título original: Principles of economics – 8th Edition

ISBN 13: 978-1-305-58512-6

ISBN 10: 1-305-58512-7

Tradução: Edições anteriores: Allan Vidigal Hastings, Elisete Paes e Lima e Ez2 Translate. Trechos novos desta edição: Priscilla Rodrigues da Silva e Lopes

Revisão técnica: Carlos Roberto Martins Passos (*in memoriam*) (4ª ed.), Manuel José Nunes Pinto (demais edições)

Copidesque: Sandra Regina Scapin

Revisão: Joana Figueiredo e Monica Aguiar

Projeto gráfico: Alberto Mateus

Diagramação: Crayon Editorial

Design de capa: Renata Buono/Buono Disegno

© 2018, 2015 Cengage Learning
© 2020 Cengage Learning Edições Ltda.

Todos os direitos reservados. Nenhuma parte deste livro poderá ser reproduzida, sejam quais forem os meios empregados, sem a permissão por escrito da Editora. Aos infratores aplicam-se as sanções previstas nos artigos 102, 104, 106, 107 da Lei n. 9.610, de 19 de fevereiro de 1998.

Esta editora empenhou-se em contatar os responsáveis pelos direitos autorais de todas as imagens e de outros materiais utilizados neste livro. Se porventura for constatada a omissão involuntária na identificação de algum deles, dispomo-nos a efetuar, futuramente, os possíveis acertos.

A Editora não se responsabiliza pelo funcionamento dos links contidos neste livro que possam estar suspensos.

Para informações sobre nossos produtos, entre em contato pelo telefone **0800 11 19 39**

Para permissão de uso de material desta obra, envie seu pedido para **direitosautorais@cengage.com**

© 2020 Cengage Learning. Todos os direitos reservados.

ISBN 13: 978-85-221-2791-7
ISBN 10: 85-221-2791-3

Cengage Learning
Condomínio E-Business Park
Rua Werner Siemens, 111 – Prédio 11 – Torre A – Conjunto 12
Lapa de Baixo – CEP 05069-900 – São Paulo – SP
Tel.: (11) 3665-9900 Fax: 3665-9901
SAC: 0800 11 19 39

Para suas soluções de curso e aprendizado, visite **www.cengage.com.br**

Impresso no Brasil
Printed in Brazil
6. Reimpressão – 2023

Para Catherine, Nicholas e Peter,
minhas outras contribuições para a próxima geração.

Agradecimentos

Ao escrever este livro, tive a colaboração de muitas pessoas talentosas. Na verdade, a lista dos que contribuíram para este projeto é tão longa, e suas contribuições tão valiosas, que não é justo apenas um nome na capa.

Vou começar pelos colegas de profissão. A colaboração deles trouxe enormes benefícios às muitas edições anteriores deste livro. Nas revisões e pesquisas, eles apresentaram sugestões, identificaram desafios e compartilharam ideias da própria experiência de sala de aula. Devo muito a eles pelas perspectivas que trouxeram ao texto. Infelizmente, a lista se tornou longa demais para agradecer aos que contribuíram com as edições anteriores, embora os estudantes, ao lerem esta edição, ainda se beneficiem com seus *insights*.

David Hakes (University of Northern Iowa) foi muito importante neste processo. David, um professor dedicado, foi um confiável amplificador de ideias e um parceiro esforçado para reunir comigo o excelente pacote de suplementos. Além disso, agradeço especialmente a Ron Cronovich, criterioso instrutor e conselheiro de confiança, por seus muitos anos de consulta.

Um agradecimento especial à equipe de professores economistas que trabalhou no material de apoio desta edição, muitos dos quais trabalham nele desde a primeira edição. Agradeço a Ken McCormick por sua contribuição com o material de apoio e a Ken Brown, Sarah Cosgrove, Harold Elder, Michael Enz, Lisa Jepsen, Bryce Kanago, Daniel Marburger, Amanda Nguyen, Alicia Rosburg, Forrest Spence e Kelvin Wong pela elaboração de novas questões e atualização das existentes.

Os seguintes revisores da sétima edição forneceram sugestões para refinar o conteúdo, a organização e a abordagem da oitava edição.

Mark Abajian, *San Diego Mesa College*
Rahi Abouk, *University of Wisconsin Milwaukee*
Mathew Abraham, *Indiana University - Purdue University Indianapolis*
Nathanael Adams, *Cardinal Stritch University*
Seemi Ahmad, *Dutchess Community College*
May Akabogu-Collins, *Mira Costa College-Oceanside*
Ercument Aksoy, *Los Angeles Valley College*
Basil Al-Hashimi, *Mesa Community College*
Rashid Al-Hmoud, *Texas Tech University*
William Aldridge, *University of Alabama-Tuscaloosa*
Donald L. Alexander, *Western Michigan University*
Hassan Aly, *Ohio State University*
Michelle Amaral, *University of the Pacific*
Shahina Amin, *University of Northern Iowa*
Catalina Amuedo-Dorantes, *San Diego State University*
Vivette Ancona, *Hunter College-CUNY*
Aba Anil, *University of Utah*
Diane Anstine, *North Central College*
Carolyn Arcand, *University of Massachusetts Boston*
Becca Arnold, *San Diego Community College*
Ali Ataiifar, *Delaware County Community College*
Shannon Aucoin, *University of Louisiana Lafayette*
Lisa Augustyniak, *Lake Michigan College*
Wesley Austin, *University of Louisiana Lafayette*
Dennis Avola, *Framingham State University*
Regena M. Aye, *Allen Community College*
Sang Hoo Bae, *Clark University*
Karen Baehler, *Hutchinson Community College*
Sahar Bahmani, *University of Wisconsin-Parkside*
Mohsen Bahmani-Oskooee, *University of Wisconsin Milwaukee*
Richard Baker, *Copiah-Lincoln Community College*
Stephen Baker, *Capital University*
Tannista Banerjee, *Auburn University*
Bob Barnes, *DePaul University*
Hamid Bastin, *Shippensburg University*
James Bathgate, *Western Nevada College*
Leon Battista, *Albertus Magnus College*
Gerald Baumgardner, *Susquehanna University*
Christoph Bauner, *University of Massachusetts-Amherst*
Elizabeth Bayley, *University of Delaware*
Ergin Bayrak, *University of Southern California*
Nihal Bayraktar, *Pennsylvania State University*
Mike Belleman, *St. Clair County Community College*
Audrey Benavidez, *Del Mar College*
Cynthia Benelli, *University of California Santa Barbara*
Charles Bennett, *Gannon University*

Bettina Berch, *Borough of Manhattan Community College*
Stacey Bertke, *Owensboro Community & Technical College*
Tibor Besedes, *Georgia Institute of Technology*
Abhijeet Bhattacharya, *Illinois Valley Community College*
Ronald Bishop, *Lake Michigan College*
Thomas Bishop, *California State Channel Islands*
Nicole Bissessar, *Kent State University-Ashtabula*
Janet Blackburn, *San Jacinto South College*
Jeanne Boeh, *Augsburg College*
Natalia Boliari, *Manhattan College*
Antonio Bos, *Tusculum College*
Jennifer Bossard, *Doane College*
James Boudreau, *University of Texas-Pan American*
Mike Bowyer, *Montgomery Community College*
William Brennan, *Minnesota State University-Mankato*
Genevieve Briand, *Washington State University*
Scott Broadbent, *Western Kentucky University*
Greg Brock, *Georgia Southern University*
Ivy Broder, *American University*
Todd Broker, *Murray State University*
Stacey Brook, *University of Iowa*
Keith Brouhle, *Grinnell College*
Byron Brown, *Michigan State University*
Crystal Brown, *Anderson University*
Kris Bruckerhoff, *University of Minnesota-Crookston*
Christopher Brunt, *Lake Superior State University*
Laura Bucila, *Texas Christian University*
Donna Bueckman, *University of Tennessee-Knoxville*
Don Bumpass, *Sam Houston State University*
Joe Bunting, *St. Andrews University*
Benjamin Burden, *Temple College*
Mariya Burdina, *University of Central Oklahoma*
Rob Burrus, *University of North Carolina-Wilmington*
James Butkiewicz, *University of Delaware*
William Byrd, *Troy University*
Anna Cai, *University of Alabama-Tuscaloosa*
Samantha Cakir, *Macalester College*
Michael Carew, *Baruch College*
William Carner, *Westminster College*
Craig Carpenter, *Albion College*
John Carter, *California State University-Stanislaus*
Ginette Carvalho, *Fordham University*
Onur Celik, *Quinnipiac University*
Avik Chakrabarti, *University of Wisconsin-Milwaukee*
Kalyan Chakraborty, *Emporia State University*
Suparna Chakraborty, *Baruch College-CUNY*
Dustin Chambers, *Salisbury University*
Silvana Chambers, *Salisbury University*
Krishnamurti Chandrasekar, *New York Institute of Technology*
Yong Chao, *University of Louisville*
David Chaplin, *Northwest Nazarene University*
Xudong Chen, *Baldwin-Wallace College*
Yi-An Chen, *University of Washington, Seattle*
Kirill Chernomaz, *San Francisco State University*
Ron Cheung, *Oberlin College*
Hui-Chu Chiang, *University of Central Oklahoma*
Mainul Chowdhury, *Northern Illinois University*
Dmitriy Chulkov, *Indiana University Kokomo*
Lawrence Cima, *John Carroll University*
Cindy Clement, *University of Maryland*
Matthew Clements, *St. Edward's University*
Sondra Collins, *University of Southern Mississippi*
Tina Collins, *San Joaquin Valley College*
Scott Comparato, *Southern Illinois University*
Kathleen Conway, *Carnegie Mellon University*
Stephen Cotten, *University of Houston Clear Lake*
Jim Cox, *Georgia Perimeter College*
Michael Craig, *University of Tennessee-Knoxville*
Matt Critcher, *University of Arkansas Community College at Batesville*
George Crowley, *Troy University, Troy*
David Cullipher, *Arkansas State University-Mountain Home*
Dusan Curcic, *University of Virginia*
Norman Cure, *Macomb Community College*
Maria DaCosta, *University of Wisconsin-EauClaire*
Bruce Dalgaard, *St. Olaf College*
Anusua Datta, *Philadelphia University*
Earl Davis, *Nicholls State University*
Amanda Dawsey, *University of Montana*
Prabal De, *City College of New York*
Rooj Debasis, *Kishwaukee College*
Dennis Debrecht, *Carroll University*
William DeFrance, *University of Michigan-Flint*
Theresa J. Devine, *Brown University*
Paramita Dhar, *Central Connecticut State University*
Ahrash Dianat, *George Mason University*
Stephanie Dieringer, *University of South Florida St. Petersburg*
Liang Ding, *Macalester College*
Parks Dodd, *Georgia Institute of Technology*
Veronika Dolar, *Long Island University*
Zachary Donohew, *University of Central Arkansas*

Kirk Doran, *University of Notre Dame*
Craig Dorsey, *College of DuPage*
Caf Dowlah, *Queensborough Community College-CUNY*
Tanya Downing, *Cuesta College*
Michael J. Driscoll, *Adelphi University*
Ding Du, *Northern Arizona University*
Kevin Dunagan, *Oakton Community College*
Nazif Durmaz, *University of Houston-Victoria*
Tomas Dvorak, *Union College*
Eva Dziadula, *Lake Forest College*
Dirk Early, *Southwestern University*
Ann Eike, *University of Kentucky*
Harold Elder, *University of Alabama-Tuscaloosa*
Lynne Elkes, *Loyola University Maryland*
Diantha Ellis, *Abraham Baldwin College*
Noha Emara, *Columbia University*
Michael Enz, *Framingham State University*
David Epstein, *The College of New Jersey*
Lee Erickson, *Taylor University*
Sarah Estelle, *Hope College*
Pat Euzent, *University of Central Florida-Orlando*
Timothy Ewest, *Wartburg College*
Yang Fan, *University of Washington*
Amir Farmanesh, *University of Maryland*
MohammadMahdi Farsiabi, *Wayne State University*
Julie Finnegan, *Mendocino College*
Ryan Finseth, *University of Montana*
Donna Fisher, *Georgia Southern University*
Nikki Follis, *Chadron State College*
Joseph Franklin, *Newberry College*
Matthew Freeman, *Mississippi State University*
Gary Frey, *City College of New York*
Ted Fu, *Shenandoah University*
Winnie Fung, *Wheaton College*
Marc Fusaro, *Arkansas Tech University*
Todd Gabe, *University of Maine*
Mary Gade, *Oklahoma State University*
Jonathan Gafford, *Columbia State Community College*
Iris Geisler, *Austin Community College*
Jacob Gelber, *University of Alabama at Birmingham*
Robert Gentenaar, *Pima Downtown Community College*
Soma Ghosh, *Albright College*
Edgar Ghossoub, *University of Texas at San Antonio*
Alex Gialanella, *Manhattanville College*
Bill Gibson, *University of Vermont*
Kenneth Gillingham, *Yale University*
Gregory Gilpin, *Montana State University*
Robert Godby, *University of Wyoming*
Jayendra Gokhale, *Oregon State University*
Joel Goldhar, *IIT/Stuart School of Business*
Michael Goode, *Central Piedmont Community College*
Michael J. Gootzeit, *University of Memphis*
Jackson Grant, *US Air Force Academy*
Jeremy Groves, *Northern Illinois University*
Ilhami Gunduz, *Brooklyn College-CUNY*
Roberts Halsey, *Indiana University*
Michele Hampton, *Cuyahoga Community College Eastern*
James Hartley, *Mount Holyoke College*
Mike Haupert, *University of Wisconsin LaCrosse*
David Hedrick, *Central Washington University*
Evert Van Der Heide, *Calvin College*
Sara Helms, *Samford University*
Jessica Hennessey, *Furman University*
Thomas Henry, *Mississippi State University*
Alexander Hill, *University of Colorado-Boulder*
Bob Holland, *Purdue University*
Paul Holmes, *Ashland University*
Kim Hoolda, *Fordham University*
Aaron Hoshide, *University of Maine*
Michael Hoyte, *York College*
Glenn Hsu, *University of Central Oklahoma*
Kuang-Chung Hsu, *University of Central Oklahoma*
Jim Hubert, *Seattle Central Community College*
George Hughes, *University of Hartford*
Andrew Hussey, *University of Memphis*
Christopher Hyer, *University of New Mexico*
Kent Hymel, *California State University-Northridge*
Miren Ivankovic, *Anderson University*
Eric Jacobson, *University of Delaware*
Bolormaa Jamiyansuren, *Augsburg College*
Justin Jarvis, *Orange Coast College*
Andres Jauregui, *Columbus State University*
Ricot Jean, *Valencia College*
Michal Jerzmanowski, *Clemson University*
Bonnie Johnson, *California Lutheran University*
Bruce Johnson, *Centre College*
Paul Johnson, *University of Alaska Anchorage*
Philipp Jonas, *KV Community College*
Adam Jones, *University of North Carolina-Wilmington*
Jason Jones, *Furman University*
Roger Jordan, *Baker College*
James Jozefowicz, *Indiana University of Pennsylvania*
Sujana Kabiraj, *Louisiana State University*
Simran Kahai, *John Carroll University*
Leo Kahane, *Providence College*

Venoo Kakar, *San Francisco State University*
David Kalist, *Shippensburg University*
Lillian Kamal, *University of Hartford*
Willie Kamara, *North Lake College*
Robert Kane, *State University of New York-Fredonia*
David Karemera, *St. Cloud State University*
Logan Kelly, *University of Wisconsin*
Craig Kerr, *California State Polytechnic University-Pomona*
Wahhab Khandker, *University of Wisconsin–LaCrosse*
Jongsung Kim, *Bryant University*
Kihwan Kim, *Rutgers*
Elsy Kizhakethalackal, *Bowling Green State University*
Todd Knoop, *Cornell College*
Fred Kolb, *University of Wisconsin-EauClaire*
Oleg Korenok, *Virginia Commonwealth University*
Janet Koscianski, *Shippensburg University*
Kafui Kouakou, *York College*
Mikhail Kouliavtsev, *Stephen F. Austin State University*
Maria Kula, *Roger Williams University*
Nakul Kumar, *Bloomsburg University*
Ben Kyer, *Francis Marion University*
Yuexing Lan, *Auburn Montgomery*
Daniel Lawson, *Oakland Community College*
Elena Lazzari, *Marygrove College*
Quan Le, *Seattle University*
Chun Lee, *Loyola Marymount University*
Daniel Lee, *Shippensburg University*
Jihoon Lee, *Northeastern University*
Jim Lee, *Texas A&M–Corpus Christi*
Junghoon Lee, *Emory University*
Ryan Lee, *Indiana University*
Sang Lee, *Southeastern Louisiana University*
James Leggette, *Belhaven University*
Bozena Leven, *The College of New Jersey*
Qing Li, *College of the Mainland*
Zhen Li, *Albion College*
Carlos Liard-Muriente, *Central Connecticut State University*
Larry Lichtenstein, *Canisius College*
Jenny Liu, *Portland State University*
Jialu Liu, *Allegheny College*
Sam Liu, *West Valley College*
Xuepeng Liu, *Kennesaw State University*
Jie Ma, *Indiana University*
Michael Machiorlatti, *Oklahoma City Community College*
Bruce Madariaga, *Montgomery College and Northwestern University*
Brinda Mahalingam, *University of Alabama-Huntsville*
C. Lucy Malakar, *Lorain County Community College*
Paula Manns, *Atlantic Cape Community College*
Gabriel Manrique, *Winona State University*
Dan Marburger, *Arizona State University*
Hardik Marfatia, *Northeastern Illinois University*
Christina Marsh, *Wake Forest University*
William McAndrew, *Gannon University*
Katherine McClain, *University of Georgia*
Michael McIlhon, *Century College*
Steven McMullen, *Hope College*
Jennifer McNiece, *Howard Payne University*
Robert Menafee, *Sinclair Community College*
Fabio Mendez, *Loyola University Maryland*
Charles Meyrick, *Housatonic Community College*
Heather Micelli, *Mira Costa College*
Laura Middlesworth, *University of Wisconsin–Eau Claire*
Meghan Mihal, *St. Thomas Aquinas College*
Eric Miller, *Oakton Community College*
Phillip Mixon, *Troy University–Troy*
Evan Moore, *Auburn University–Montgomery*
Francis Mummery, *California State University–Fullerton*
John Mundy, *St. Johns River State University*
Charles Murray, *The College of Saint Rose*
James Murray, *University of Wisconsin–LaCrosse*
Christopher Mushrush, *Illinois State University*
John Nader, *Davenport University*
Max Grunbaum Nagiel, *Daytona State College*
Mihai Nica, *University of Central Oklahoma*
Scott Niederjohn, *Lakeland College*
Mark Nixon, *Fordham University*
George Norman, *Tufts University*
David O'Hara, *Metropolitan State University*
Brian O'Roark, *Robert Morris University*
Yanira Ogrodnik, *Post University*
Wafa Orman, *University of Alabama in Huntsville*
Glenda Orosco, *Oklahoma State University Institute of Technology*
Orgul Ozturk, *University of South Carolina*
Jennifer Pakula, *Saddleback College*
Maria Papapavlou, *San Jacinto Central College*
Nitin Paranjpe, *Wayne State University*
Irene Parietti, *Felician College*
Jooyoun Park, *Kent State University*
Dodd Parks, *Georgia Institute of Technology*
Jason Patalinghug, *University of New Haven*
Michael Patton, *St. Louis Community College–Wildwood*
Wesley Pech, *Wofford College*

Josh Phillips, *Iowa Central Community College*
Germain Pichop, *Oklahoma City Community College*
Lodovico Pizzati, *University of Southern California*
Florenz Plassmann, *Binghamton University*
Lana Podolak, *Community College of Beaver County*
Gyan Pradhan, *Eastern Kentucky University*
Curtis Price, *University of Southern Indiana*
Silvia Prina, *Case Western Reserve University*
Thomas Prusa, *Rutgers University*
Conrad Puozaa, *University of Mississippi*
John Stuart Rabon, *Missouri State University*
Mark Reavis, *Arkansas Tech University*
Robert Rebelein, *Vassar College*
Agne Reizgeviciute, *California State University-Chico*
Matt Rendleman, *Southern Illinois University*
Judith Ricks, *Onondaga Community College*
Chaurey Ritam, *Binghamton University*
Jared Roberts, *North Carolina State University*
Josh Robinson, *University of Alabama-Birmingham*
Kristen Roche, *Mount Mary College*
Antonio Rodriguez, *Texas A&M International University*
Debasis Rooj, *Kishwaukee College*
Larry Ross, *University of Alaska*
Subhasree Basu Roy, *Missouri State University*
Jeff Rubin, *Rutgers University-New Brunswick*
Jason C. Rudbeck, *University of Georgia*
Jeff Ruggiero, *University of Dayton*
Robert Rycroft, *University of Mary Washington*
Allen Sanderson, *University of Chicago*
Malkiat Sandhu, *San Jose City College*
Lisle Sanna, *Ursinus College*
Nese Sara, *University of Cincinnati*
Naveen Sarna, *Northern Virginia Community College-Alexandria*
Eric Sartell, *Whitworth University*
Martin Schonger, *Princeton University*
Andy Schuchart, *Iowa Central Community College*
Michael Schultz, *Menlo College*
Jessica Schuring, *Central College*
Danielle Schwarzmann, *Towson University*
Gerald Scott, *Florida Atlantic University*
Elan Segarra, *San Francisco State University*
Bhaswati Sengupta, *Iona College*
Reshmi Sengupta, *Northern Illinois University*
Dan Settlage, *University of Arkansas-Fort Smith*
David Shankle, *Blue Mountain College*
Alex Shiu, *McLennan Community College*
Robert Shoffner, *Central Piedmont Community College*
Mark Showalter, *Brigham Young University*
Sanchit Shrivastava, *University of Utah*
Johnny Shull, *Wake Tech Community College*
Suann Shumaker, *Las Positas College*
Nicholas Shunda, *University of Redlands*
Milan Sigetich, *Southern Oregon University*
Jonathan Silberman, *Oakland University*
Joe Silverman, *Mira Costa College-Oceanside*
Silva Simone, *Murray State University*
Harmeet Singh, *Texas A&M University-Kingsville*
Catherine Skura, *Sandhills Community College*
Gary Smith, *Canisius College*
Richard Smith, *University of South Florida-St. Petersburg*
Joe Sobieralski, *Southwestern Illinois College-Belleville*
Mario Solis-Garcia, *Macalester College*
Arjun Sondhi, *Wayne State University*
Soren Soumbatiants, *Franklin University*
Matt Souza, *Indiana University - Purdue University Columbus*
Nekeisha Spencer, *Binghamton University*
Dean Stansel, *Florida Gulf Coast University*
Sylwia Starnawska, *D'Youville College*
Keva Steadman, *Augustana College*
Rebecca Stein, *University of Pennsylvania*
Dale Steinreich, *Drury University*
Paul Stock, *University of Mary Hardin-Baylor*
Michael Stroup, *Stephen F. Austin State University*
Edward Stuart, *Northeastern Illinois University*
Yang Su, *University of Washington*
Yu-hsuan Su, *University of Washington*
Samanta Subarna, *The College of New Jersey*
Abdul Sukar, *Cameron University*
Burak Sungu, *Miami University*
John Susenburger, *Utica College*
James Swofford, *University of South Alabama*
Vera Tabakova, *East Carolina University*
Ariuna Taivan, *University of Minnesota-Duluth*
Eftila Tanellari, *Radford University*
Eric Taylor, *Central Piedmont Community College*
Erdal Tekin, *Georgia State University*
Noreen Templin, *Butler Community College*
Thomas Tenerelli, *Central Washington University*
Anna Terzyan, *California State University-Los Angeles*
Petros Tesfazion, *Ithaca College*
Charles Thompson, *Brunswick Community College*
Flint Thompson, *Chippewa Valley Technical College*
Deborah Thorsen, *Palm Beach State College-Central*
James Tierney, *University of California Irvine*

Julie Trivitt, *Arkansas Tech University*
Arja Turunen-Red, *University of New Orleans*
Mark Tuttle, *Sam Houston State University*
Jennifer VanGilder, *Ursinus College*
Ross van Wassenhove, *University of Houston*
Ben Vaughan, *Trinity University*
Roumen Vesselinov, *Queens College, City University of New York*
Rubina Vohra, *St. Peter's College*
Will Walsh, *Samford University*
Chih-Wei Wang, *Pacific Lutheran University*
Jingjing Wang, *University of New Mexico*
Chad Wassell, *Central Washington University*
Christine Wathen, *Middlesex Community College*
J. Douglas Wellington, *Husson University*
Adam Werner, *California Polytechnic State University*
Sarah West, *Macalester College*
Elizabeth Wheaton, *Southern Methodist University*
Oxana Wieland, *University of Minnesota, Crookston*
Christopher Wimer, *Bowling Green State University-Firelands College*
Do Youn Won, *University of Utah*
Kelvin Wong, *University of Minnesota*
Ken Woodward, *Saddleback College*
Irena Xhurxhi, *York College*
Xu Xu, *Mississippi State University*
Ying Yang, *University of Rhode Island*
Young-Ro Yoon, *Wayne State University*
Eric Zemjic, *Kent State University*
Yongchen Zhao, *Towson University*
Zhen Zhu, *University of Central Oklahoma*
Kent Zirlott, *University of Alabama-Tuscaloosa*
Joseph Zwiller, *Lake Michigan College*

A equipe de editores que trabalhou neste livro[1] aperfeiçoou-o tremendamente. Jane Tufts, editora de desenvolvimento, fez uma edição espetacular, como sempre. Michael Parthenakis, gerente sênior de produtos, fez um trabalho magnífico ao supervisionar as muitas pessoas envolvidas neste projeto tão grande. Anita Verma, desenvolvedora sênior de conteúdo, foi fundamental para reunir um amplo grupo de excelentes revisores que me forneceram *feedback* da edição anterior, enquanto organizavam um outro grupo para revisar os novos textos. Coleen Farmer, gerente sênior de projetos de conteúdo teve a paciência e a dedicação necessárias para transformar meu manuscrito nesta obra. Pamela Rockwell, coeditora de texto, refinou minha prosa, e o indexador da Lumina Datamatic preparou um índice cuidadoso e completo. John Carey, gerente executivo de marketing, trabalhou longas horas na divulgação para leitores potenciais do livro. O restante da equipe da Cengage foi, como sempre, profissional, entusiasta e dedicado.

Sou grato também a Denis Fedin e Nina Vendhan, duas estrelas da graduação de Harvard, que me ajudaram a refinar o manuscrito e a revisar as provas desta edição.

Como sempre, agradeço à minha editora "particular", Deborah Mankiw. Como primeira leitora de quase tudo o que escrevo, ela continua oferecendo a dose certa de críticas e incentivos.

Finalmente, gostaria de mencionar meus três filhos, Catherine, Nicholas e Peter. A contribuição deles foi entender um pai que passou muitas horas pesquisando. Nós quatro temos muito em comum – adoramos sorvete (preferência que aparece no Capítulo 4).

N. Gregory Mankiw

1. Aqui o autor agradece à equipe da Cengage/EUA pelo excelente trabalho realizado nos originais desta edição. (NE)

Sumário

Sobre o autor **XXV**
Prefácio **XXVII**
Estrutura do livro XXVII
O que há de novo nesta edição XXVIII
Recursos para a aprendizagem XXVIII
Material de apoio on-line XXXI

PARTE I
INTRODUÇÃO

CAPÍTULO 1
Dez princípios de economia 2

Como as pessoas tomam decisões **3**
Princípio 1: As pessoas enfrentam *tradeoffs* 3
Princípio 2: O custo de alguma coisa é aquilo de que você desiste para obtê-la 4
Princípio 3: As pessoas racionais pensam na margem 4
Princípio 4: As pessoas reagem a incentivos 6
Como as pessoas interagem **7**
Princípio 5: O comércio pode ser bom para todos 7
Princípio 6: Os mercados são geralmente uma boa maneira de organizar a atividade econômica 7
Princípio 7: Às vezes os governos podem melhorar os resultados dos mercados 9
Como a economia funciona **10**
Princípio 8: O padrão de vida de um país depende de sua capacidade de produzir bens e serviços 10
Princípio 9: Os preços sobem quando o governo emite moeda demais 11
Princípio 10: A sociedade enfrenta um *tradeoff* de curto prazo entre inflação e desemprego 11
Conclusão **12**
Resumo **13**
Conceitos-chave **14**
Questões para revisão **14**
Problemas e aplicações **14**

CAPÍTULO 2
Pensando como um economista 16

O economista como cientista **16**
O método científico: observação, teoria e mais observação 17
O papel das hipóteses 17
Modelos econômicos 18
Nosso primeiro modelo: o diagrama do fluxo circular 18
Nosso segundo modelo: a fronteira de possibilidades de produção 20
Microeconomia e macroeconomia 22
O economista como conselheiro de políticas **23**
Análise positiva *versus* análise normativa 23
Economistas em Washington 24
Por que os conselhos dos economistas nem sempre são seguidos 25
Por que os economistas divergem **25**
Divergências quanto ao julgamento científico 26
Divergências quanto a valores 26
Percepção *versus* realidade 27
Pergunte aos especialistas: Revenda de ingressos 28
Vamos em frente 28
Resumo **29**
Conceitos-chave **30**
Questões para revisão **30**
Problemas e aplicações **30**
Apêndice – Gráficos: uma breve revisão **32**

CAPÍTULO 3
Interdependência e ganhos comerciais 40

Uma parábola para a economia moderna **40**
Possibilidades de produção 41
Especialização e comércio 42
Vantagem comparativa: a força motriz da especialização **44**
Vantagem absoluta 44
Custo de oportunidade e vantagem comparativa 44
Vantagem comparativa e comércio 45
O preço do comércio 46
Aplicações da vantagem comparativa **47**
Serena Williams deve cortar seu próprio gramado? 47

Os Estados Unidos devem comerciar com outros países? 48
Pergunte aos especialistas: Comércio entre a China e os EUA 49
Conclusão 49
Resumo 50
Conceitos-chave 50
Questões para revisão 50
Problemas e aplicações 51

PARTE II

COMO FUNCIONAM OS MERCADOS

CAPÍTULO 4

As forças de mercado da oferta e da demanda 54

Mercados e competição 54
O que é mercado? 54
O que é competição? 55
Demanda 56
A curva da demanda: a relação entre preço e quantidade demandada 56
Demanda de mercado *versus* demanda individual 56
Deslocamentos da curva de demanda 58
Oferta 60
A curva de oferta: a relação entre preço e quantidade ofertada 60
Oferta de mercado *versus* oferta individual 61
Deslocamentos da curva de oferta 61
Oferta e demanda reunidas 64
Equilíbrio 64
Três passos para analisar mudanças do equilíbrio 65
Pergunte aos especialistas: Manipulação de preços 69
Conclusão: Como os preços alocam recursos 69
Resumo 71
Conceitos-chave 71
Questões para revisão 71
Problemas e aplicações 72

CAPÍTULO 5

Elasticidade e sua aplicação 74

A elasticidade da demanda 74
A elasticidade-preço da demanda e seus determinantes 75
Cálculo da elasticidade-preço da demanda 76
O método do ponto médio: uma maneira melhor de calcular variações percentuais e elasticidades 76
A variedade das curvas de demanda 77
Receita total e elasticidade-preço da demanda 78
Elasticidade e receita total ao longo de uma curva de demanda linear 79
Outras elasticidades da demanda 81
A elasticidade da oferta 82
A elasticidade-preço da oferta e seus determinantes 83
Cálculo da elasticidade-preço da oferta 83
A variedade das curvas de oferta 84
Três aplicações da oferta, demanda e elasticidade 85
Boas notícias para a agricultura podem ser más notícias para os agricultores? 86
Por que a Opep não conseguiu manter elevado o preço do petróleo? 87
A política de proibição das drogas aumenta ou diminui os crimes relacionados a elas? 89
Conclusão 90
Resumo 91
Conceitos-chave 91
Questões para revisão 92
Problemas e aplicações 92

CAPÍTULO 6

Oferta, demanda e políticas do governo 94

Controle de preços 94
Como os preços máximos afetam os resultados do mercado 95
Pergunte aos especialistas: Controle de aluguéis 96
Como os preços mínimos afetam os resultados de mercado 96
Avaliação do controle de preços 97
Impostos 98
Como os impostos cobrados dos vendedores afetam os resultados de mercado 99
Como os impostos cobrados dos compradores afetam os resultados de mercado 100
Elasticidade e incidência tributária 101
Conclusão 103
Resumo 104
Conceitos-chave 104
Questões para revisão 104
Problemas e aplicações 105

PARTE III
MERCADOS E BEM-ESTAR

CAPÍTULO 7
Consumidores, produtores e eficiência dos mercados 110

Excedente do consumidor 110
Disposição para pagar 111
Usando a curva de demanda para medir o excedente do consumidor 112
Como um preço baixo eleva o excedente do consumidor 113
O que mede o excedente do consumidor? 114
Excedente do produtor 115
Custo e disposição para vender 115
Uso da curva de oferta para medir o excedente do produtor 116
Como um preço mais alto aumenta o excedente do produtor 117
Eficiência de mercado 118
O planejador social benevolente 118
Avaliação do equilíbrio de mercado 119
Pergunte aos especialistas: Oferta de rins 121
Conclusão: Eficiência e falha de mercado 121
Resumo 123
Conceitos-chave 123
Questões para revisão 123
Problemas e aplicações 124

CAPÍTULO 8
Aplicação: os custos da tributação 127

O peso morto dos impostos 127
Como um imposto afeta os participantes do mercado 128
Peso morto e ganhos comerciais 130
Determinantes do peso morto 131
O peso morto e a receita fiscal à medida que os impostos variam 133
Pergunte aos especialistas: A curva de Laffer 134
Conclusão 134
Resumo 135
Conceitos-chave 136
Questões para revisão 136
Problemas e aplicações 136

CAPÍTULO 9
Aplicação: comércio internacional 138

Os determinantes do comércio 138
O equilíbrio sem comércio 138
Preço mundial e vantagem comparativa 139
Os ganhadores e perdedores no comércio internacional 140
Ganhos e perdas de um país exportador 140
Ganhos e perdas de um país importador 142
Os efeitos de uma tarifa 143
Lições para a política comercial 145
Outros benefícios do comércio internacional 146
Os argumentos em favor da restrição ao comércio 147
O argumento dos empregos 147
O argumento da segurança nacional 148
O argumento da indústria nascente 148
O argumento da competição desleal 148
O argumento da proteção como instrumento de barganha 149
Conclusão 149
Resumo 150
Conceitos-chave 151
Questões para revisão 151
Problemas e aplicações 151

PARTE IV
A ECONOMIA DO SETOR PÚBLICO

CAPÍTULO 10
Externalidades 156

Externalidades e ineficiência do mercado 157
Economia do bem-estar: recapitulação 157
Externalidades negativas 158
Externalidades positivas 159
Políticas públicas para as externalidades 160
Políticas de comando e controle: regulamentação 160
Pergunte aos especialistas: Vacinas 161
Política baseada no mercado 1: impostos corretivos e subsídios 161
Pergunte aos especialistas: Taxas de carbono 162
Política baseada no mercado 2: licenças de poluição negociáveis 162
Objeções à análise econômica da poluição 164
Soluções privadas para as externalidades 165
Tipos de solução privada 165

O teorema de Coase 165
Por que as soluções privadas nem sempre funcionam 166
Conclusão 167
Resumo 168
Conceitos-chave 169
Questões para revisão 169
Problemas e aplicações 169

CAPÍTULO 11

Bens públicos e recursos comuns 172

Os diferentes tipos de bens 172
Bens públicos 174
O problema dos caronas 174
Alguns bens públicos importantes 175
A difícil tarefa da análise de custo-benefício 176
Recursos comuns 177
A Tragédia dos comuns 177
Alguns recursos comuns importantes 178
Pergunte aos especialistas: Precificação do congestionamento 178
Conclusão: A importância dos direitos de propriedade 179
Resumo 180
Conceitos-chave 180
Questões para revisão 181
Problemas e aplicações 181

CAPÍTULO 12

A concepção do sistema tributário 183

Um panorama financeiro do governo norte--americano 184
Impostos coletados pelo governo federal dos Estados Unidos 185
Impostos coletados por governos estaduais e municipais 186
Impostos e eficiência 187
O peso morto 188
Ônus administrativo 188
Alíquotas marginal e média do imposto 189
Tributação por montante único 190
Impostos e equidade 190
O princípio dos benefícios 190
O princípio da capacidade de pagamento 191
Incidência tributária e equidade tributária 192
Conclusão: O *tradeoff* entre equidade e eficiência 193
Resumo 194
Conceitos-chave 194
Questões para revisão 195
Problemas e aplicações 195

PARTE V

COMPORTAMENTO DA EMPRESA E ORGANIZAÇÃO DA INDÚSTRIA

CAPÍTULO 13

Os custos de produção 198

O que são custos? 198
Receita total, custo total e lucro 199
Custos como custos de oportunidade 199
O custo do capital como custo de oportunidade 200
Lucro econômico *versus* lucro contábil 200
Produção e custos 201
A função de produção 201
Da função de produção à curva de custo total 202
As diversas medidas do custo 204
Custos fixos e variáveis 205
Custos médio e marginal 205
Curvas de custos e suas formas 206
Curvas de custos típicas 208
Custos no curto e no longo prazo 209
A relação entre custo total médio no curto e no longo prazo 209
Economias e deseconomias de escala 210
Conclusão 211
Resumo 212
Conceitos-chave 213
Questões para revisão 213
Problemas e aplicações 213

CAPÍTULO 14

Empresas em mercados competitivos 216

O que é um mercado competitivo? 216
O significado da competição 216
A receita de uma empresa competitiva 217
Maximização do lucro e a curva de oferta de uma empresa competitiva 218
Um exemplo simples de maximização do lucro 218

A curva de custo marginal e a decisão de oferta da empresa 219
A decisão da empresa de suspender as atividades no curto prazo 221
Leite derramado e outros custos irrecuperáveis 222
A decisão da empresa de entrar ou sair do mercado no longo prazo 223
Medindo o lucro da empresa competitiva por meio de um gráfico 224
A curva de oferta em um mercado competitivo 225
O curto prazo: oferta do mercado com um número fixo de empresas 225
O longo prazo: oferta do mercado com entrada e saída de empresas 226
Por que as empresas competitivas se mantêm em atividade quando têm lucro zero? 227
A mudança na demanda no curto e no longo prazo 228
Por que a curva de oferta no longo prazo pode ter inclinação ascendente 228
Conclusão: Por trás da curva de oferta 230
Resumo 231
Conceitos-chave 232
Questões para revisão 232
Problemas e aplicações 232

CAPÍTULO 15
Monopólio 235

Por que surgem os monopólios 236
Recursos de monopólio 236
Monopólios criados pelo governo 237
Monopólios naturais 237
Como os monopólios decidem produzir e como determinar o preço 238
Monopólio *versus* competição 238
A receita de um monopólio 239
Maximização do lucro 241
O lucro de um monopolista 242
O custo do monopólio em relação ao bem--estar 244
O peso morto 244
O lucro do monopólio: um custo social? 246
Discriminação de preço 246
Uma parábola sobre a determinação do preço 247
A moral da história 248
Análise da discriminação de preços 248
Exemplos de discriminação de preços 249
Política pública quanto aos monopólios 250
Aumento da competição com as leis antitruste 251
Pergunte aos especialistas: Fusões de companhias aéreas 251
Regulamentação 252
Propriedade pública 253
Não fazer nada 253
Conclusão: A prevalência dos monopólios 253
Resumo 255
Conceitos-chave 255
Questões para revisão 256
Problemas e aplicações 256

CAPÍTULO 16
Competição monopolística 261

Entre o monopólio e a competição perfeita 261
Competição com produtos diferenciados 263
A empresa monopolisticamente competitiva no curto prazo 263
O equilíbrio no longo prazo 264
Competição monopolística *versus* competição perfeita 265
A competição monopolística e o bem-estar social 267
Publicidade 268
O debate sobre publicidade 268
A publicidade como sinal de qualidade 269
Marcas 270
Conclusão 271
Resumo 272
Conceitos-chave 273
Questões para revisão 273
Problemas e aplicações 273

CAPÍTULO 17
Oligopólio 275

Mercados com poucos vendedores 275
Um exemplo de duopólio 276
Competição, monopólios e cartéis 276
O equilíbrio para um oligopólio 277
Pergunte aos especialistas: Equilíbrio de Nash 278
Como o tamanho de um oligopólio afeta o resultado de mercado 279
A economia da cooperação 280
O dilema dos prisioneiros 280

Oligopólios como um dilema dos prisioneiros 281
Outros exemplos do dilema dos prisioneiros 282
O dilema dos prisioneiros e o bem-estar social 283
Por que as pessoas às vezes cooperam 284
Política pública quanto aos oligopólios 284
Restrição ao comércio e a legislação antitruste 285
Controvérsias sobre a política antitruste 285
Conclusão 287
Resumo 288
Conceitos-chave 288
Questões para revisão 289
Problemas e aplicações 289

PARTE VI
A ECONOMIA DOS MERCADOS DE TRABALHO

CAPÍTULO 18
Os mercados de fatores de produção 294

A demanda por mão de obra 295
A empresa competitiva maximizadora de lucros 295
A função da produção e o produto marginal do trabalho 296
O valor do produto marginal e a demanda por mão de obra 297
O que faz a curva de demanda por trabalho se deslocar? 298
A oferta de mão de obra 300
O *tradeoff* entre trabalho e lazer 300
O que faz a curva de oferta de mão de obra se deslocar? 301
Pergunte aos especialistas: Imigração 301
Equilíbrio no mercado de trabalho 302
Deslocamentos da oferta de mão de obra 302
Deslocamentos da demanda de mão de obra 303
Os outros fatores de produção: terra e capital 305
Equilíbrio nos mercados de terra e de capital 305
Elos entre os fatores de produção 306
Conclusão 307
Resumo 308
Conceitos-chave 309
Questões para revisão 309
Problemas e aplicações 309

CAPÍTULO 19
Ganhos e discriminação 312

Alguns determinantes dos salários de equilíbrio 312
Diferenciais compensatórios 312
Capital humano 313
Talento, esforço e sorte 313
Pergunte aos especialistas: Desigualdade e qualificações 314
Uma visão alternativa da educação: sinalização 314
O fenômeno dos superastros 315
Salários acima do equilíbrio: legislação do salário-mínimo, sindicatos e salários de eficiência 316
A economia da discriminação 316
Medindo a discriminação no mercado de trabalho 317
Discriminação por parte dos empregadores 318
Discriminação por parte de clientes e governos 319
Conclusão 319
Resumo 320
Conceitos-chave 321
Questões para revisão 321
Problemas e aplicações 321

CAPÍTULO 20
Desigualdade de renda e pobreza 323

A mensuração da desigualdade 324
Desigualdade de renda nos Estados Unidos 324
Desigualdade ao redor do mundo 325
A taxa de pobreza 326
Problemas na mensuração da desigualdade 327
Mobilidade econômica 329
A filosofia política da redistribuição de renda 329
Utilitarismo 329
Liberalismo 330
Libertarismo 332
Políticas de redução da pobreza 332
Legislação do salário-mínimo 333
Bem-estar social 333
Imposto de renda negativo 334
Transferências em espécie 335
Programas antipobreza e incentivos ao trabalho 335

Conclusão 336
Resumo 337
Conceitos-chave 337
Questões para revisão 338
Problemas e aplicações 338

PARTE VII
TÓPICOS DE ESTUDOS AVANÇADOS

CAPÍTULO 21
A teoria da escolha do consumidor 342

A restrição orçamentária: o que o consumidor pode gastar 343
Preferências: o que o consumidor quer 344
Representação das preferências com curvas de indiferença 344
Quatro propriedades das curvas de indiferença 345
Dois exemplos extremos de curvas de indiferença 346
Otimização: o que o consumidor escolhe 348
As escolhas ótimas do consumidor 348
Como as variações na renda afetam as escolhas do consumidor 350
Como as variações nos preços afetam as escolhas do consumidor 351
Efeito renda e efeito substituição 352
Derivando a curva de demanda 353
Três aplicações 354
Todas as curvas de demanda têm inclinação negativa? 354
Como os salários afetam a oferta de trabalho? 355
Como as taxas de juros afetam a poupança das famílias? 357
Conclusão: As pessoas pensam realmente assim? 359
Resumo 360
Conceitos-chave 361
Questões para revisão 361
Problemas e aplicações 362

CAPÍTULO 22
Fronteiras da microeconomia 364

Informação assimétrica 364
Ações ocultas: principais, agentes e risco moral 365
Características ocultas: seleção adversa e o problema dos "abacaxis" 366
Sinalização para transmitir informação particular 367
Seleção para descobrir informações privadas 368
Informação assimétrica e política pública 368
Economia política 369
O paradoxo eleitoral de Condorcet 369
O teorema da impossibilidade de Arrow 370
O eleitor mediano é o rei 371
Os políticos também são pessoas 372
Economia comportamental 373
As pessoas nem sempre são racionais 373
As pessoas se importam com a justiça 375
As pessoas são inconsistentes ao longo do tempo 375
Conclusão 376
Resumo 377
Conceitos-chave 378
Questões para revisão 378
Problemas e aplicações 378

PARTE VIII
DADOS MACROECONÔMICOS

CAPÍTULO 23
Medindo a renda nacional 382

Renda e despesa da economia 383
Mensuração do produto interno bruto 384
"PIB é o valor de mercado..." 384
"... de todos ..." 384
"... bens e serviços" 385
"... finais ..." 385
"... produzidos ..." 385
"... em um país" 385
"... em um dado período" 386
Os componentes do PIB 386
Consumo 387
Investimento 388
Compras do governo 388
Exportações líquidas 388
PIB real *versus* PIB nominal 389
Um exemplo numérico 389
O deflator do PIB 391
O PIB é uma boa medida de bem-estar econômico? 392
Conclusão 393
Resumo 394

Conceitos-chave 394
Questões para revisão 394
Problemas e aplicações 395

CAPÍTULO 24
Medindo o custo de vida 398

O índice de preços ao consumidor 399
Como é calculado o índice de preços ao consumidor 399
Problemas no cálculo do custo de vida 401
O deflator do PIB *versus* o índice de preços ao consumidor 403
Corrigindo as variáveis econômicas dos efeitos da inflação 404
Valores monetários em diferentes épocas 404
Indexação 405
Taxas de juros reais e nominais 406
Conclusão 407
Resumo 408
Conceitos-chave 409
Questões para revisão 409
Problemas e aplicações 409

PARTE IX
A ECONOMIA REAL NO LONGO PRAZO

CAPÍTULO 25
Produção e crescimento 412

Crescimento econômico ao redor do mundo 413
Produtividade: seu papel e seus determinantes 416
Por que a produtividade é tão importante 417
Como a produtividade é determinada 417
Crescimento econômico e políticas públicas 420
Poupança e investimento 420
Rendimentos decrescentes e o efeito de alcance 420
Investimento estrangeiro 422
Educação 422
Saúde e nutrição 423
Direitos de propriedade e estabilidade política 424
Livre comércio 425
Pesquisa e desenvolvimento 426
Crescimento populacional 426
Pergunte aos especialistas: Inovação e crescimento 426
Conclusão: A importância do crescimento no longo prazo 428
Resumo 429
Conceitos-chave 430
Questões para revisão 430
Problemas e aplicações 430

CAPÍTULO 26
Poupança, investimento e sistema financeiro 432

Instituições financeiras na economia dos Estados Unidos 433
Mercados financeiros 433
Intermediários financeiros 435
Juntando tudo 437
Poupança e investimento nas contas da renda nacional 437
Algumas identidades importantes 437
O significado da poupança e do investimento 439
O mercado de fundos disponíveis para empréstimos 439
Oferta e demanda de fundos para empréstimos 440
Política 1: incentivos à poupança 441
Política 2: incentivos ao investimento 443
Política 3: déficits e superávits orçamentários do governo 444
Pergunte aos especialistas: Política fiscal e poupança 445
Conclusão 446
Resumo 447
Conceitos-chave 448
Questões para revisão 448
Problemas e aplicações 448

CAPÍTULO 27
As ferramentas básicas das finanças 451

Valor presente: medindo o valor do dinheiro no tempo 451
Administração do risco 454
Aversão ao risco 454
Os mercados de seguros 455
Diversificação do risco específico da empresa 455
O *tradeoff* entre risco e retorno 456
Avaliação de ativos 458
Análise fundamentalista 458
A hipótese dos mercados eficientes 458

Irracionalidade do mercado 459
Pergunte aos especialistas: Diversificação 460
Conclusão 460
Resumo 461
Conceitos-chave 461
Questões para revisão 461
Problemas e aplicações 462

CAPÍTULO 28

Desemprego 464

Identificando o desemprego 465
Como se mede o desemprego? 465
A taxa de desemprego mede o que queremos? 468
Por quanto tempo os desempregados ficam sem trabalho? 468
Por que sempre há algumas pessoas desempregadas? 469
Procura de emprego 470
Por que o desemprego friccional é inevitável? 470
Política pública e procura de emprego 472
Seguro-desemprego 472
Legislação do salário-mínimo 473
Sindicatos e negociação coletiva 474
A economia dos sindicatos 475
Os sindicatos são benéficos ou prejudiciais à economia? 476
A teoria dos salários de eficiência 476
Saúde do trabalhador 477
Rotatividade do trabalhador 477
Qualidade do trabalhador 478
Esforço do trabalhador 478
Conclusão 478
Resumo 479
Conceitos-chave 480
Questões para revisão 480
Problemas e aplicações 480

PARTE X

MOEDA E PREÇOS NO LONGO PRAZO

CAPÍTULO 29

O sistema monetário 484

O significado da moeda 485
As funções da moeda 485
Tipos de moeda 486
Moeda na economia norte-americana 487
O sistema do Federal Reserve 488
A organização do Fed 488
O Comitê Federal de Mercado Aberto 489
Os bancos e a oferta de moeda 490
O caso simples do sistema de 100% de reserva bancária 490
Criação de moeda por meio do sistema de reservas bancárias fracionárias 491
O multiplicador da moeda 492
Capital bancário, alavancagem e a crise financeira de 2008-2009 493
Os instrumentos de controle monetário do Fed 495
Como o Fed influencia a quantidade de reservas 495
Como o Fed influencia a taxa de reserva 497
Problemas com o controle da oferta de moeda 497
A taxa de fundos federais 498
Conclusão 499
Resumo 500
Conceitos-chave 500
Questões para revisão 501
Problemas e aplicações 501

CAPÍTULO 30

Crescimento da moeda e inflação 504

A teoria clássica da inflação 505
O nível de preços e o valor da moeda 505
Oferta de moeda, demanda de moeda e equilíbrio monetário 506
Os efeitos de uma injeção de moeda 507
Um breve olhar sobre o processo de ajuste 508
A dicotomia clássica e a neutralidade monetária 509
Velocidade e equação quantitativa 510
O imposto inflacionário 512
O efeito Fisher 512
Os custos da inflação 515
Queda no poder aquisitivo? A falácia da inflação 515
Custos de sola de sapato 515
Custos de menu 516
Variabilidade dos preços relativos e alocação distorcida de recursos 517
Distorções tributárias induzidas pela inflação 517
Confusão e inconveniência 519

Um custo especial de inflação inesperada: redistribuições arbitrárias da riqueza 519
A inflação é ruim, mas a deflação pode ser pior 520
Conclusão 520
Resumo 521
Conceitos-chave 522
Questões para revisão 522
Problemas e aplicações 522

PARTE XI
A MACROECONOMIA DAS ECONOMIAS ABERTAS

CAPÍTULO 31

Macroeconomia das economias abertas: conceitos básicos 526

Os fluxos internacionais de bens e capital 526
O fluxo de bens: exportações, importações e exportações líquidas 527
O fluxo de recursos financeiros: fluxo líquido de capitais externos 527
Igualdade das exportações líquidas e investimento externo líquido 529
Poupança, investimento e sua relação com os fluxos internacionais 530
Juntando tudo 531
Pergunte aos especialistas: Equilíbrios comerciais e negociações comerciais 532
Os preços das transações internacionais: taxas de câmbio real e nominal 532
Taxa de câmbio nominal 532
Taxa de câmbio real 533
Uma primeira teoria da determinação da taxa de câmbio: paridade do poder de compra 535
A lógica fundamental da paridade do poder de compra 536
Implicações da paridade do poder de compra 536
Limitações da paridade do poder de compra 537
Conclusão 538
Resumo 539
Conceitos-chave 540
Questões para revisão 540
Problemas e aplicações 540

CAPÍTULO 32

Teoria macroeconômica da economia aberta 542

Oferta e demanda de fundos para empréstimos e de câmbio 543
O mercado de fundos de empréstimos 543
O mercado de câmbio de moeda estrangeira 544
Equilíbrio na economia aberta 547
Investimento externo líquido: o elo entre os dois mercados 547
Equilíbrio simultâneo nos dois mercados 547
Como políticas e eventos afetam uma economia aberta 548
Déficits orçamentários do governo 549
Política comercial 552
Instabilidade política e fuga de capitais 554
Pergunte aos especialistas: Manipulação de moeda 556
Conclusão 556
Resumo 557
Conceitos-chave 557
Questões para revisão 558
Problemas e aplicações 558

PARTE XII
FLUTUAÇÕES ECONÔMICAS NO CURTO PRAZO

CAPÍTULO 33

Demanda agregada e oferta agregada 562

Três fatos-chave sobre as flutuações econômicas 563
Fato 1: As flutuações econômicas são irregulares e imprevisíveis 563
Fato 2: A maioria das variáveis macroeconômicas flutua conjuntamente 563
Fato 3: Com a queda na produção, o desemprego cresce 563
A explicação das flutuações econômicas no curto prazo 565
Pressupostos da economia clássica 565
A realidade das flutuações no curto prazo 565
O modelo de demanda agregada e oferta agregada 566
A curva de demanda agregada 567
Por que a curva de demanda agregada tem inclinação negativa 567

Por que a curva de demanda agregada se desloca 569
A curva de oferta agregada 572
Por que a curva de oferta agregada é vertical no longo prazo 572
Por que a curva de oferta agregada de longo prazo se desloca 572
O uso da demanda agregada e da oferta agregada para representar o crescimento de longo prazo e a inflação 574
Por que a curva de oferta agregada tem inclinação positiva no curto prazo 575
Por que a curva de oferta agregada de curto prazo se desloca 578
Duas causas das flutuações econômicas 580
Os efeitos de um deslocamento na demanda agregada 580
Os efeitos de um deslocamento na oferta agregada 583
Conclusão 585
Resumo 586
Conceitos-chave 587
Questões para revisão 587
Problemas e aplicações 587

CAPÍTULO 34

A influência das políticas monetária e fiscal sobre a demanda agregada 590

Como a política monetária influencia a demanda agregada 591
Teoria da preferência pela liquidez 591
A inclinação negativa da curva de demanda agregada 594
Variações na oferta de moeda 596
O papel das metas de taxas de juros na política do Fed 597
O limite inferior a zero 597
Como a política fiscal influencia a demanda agregada 598
Alterações nas compras do governo 598
O efeito multiplicador 599
Uma fórmula para o multiplicador de despesas 599
Outras aplicações do efeito multiplicador 601
O efeito deslocamento 601
Alterações nos impostos 602
O uso da política para estabilizar a economia 604
A favor da política ativa de estabilização 604
O caso contra uma política ativa de estabilização 605
Pergunte aos especialistas: Estímulos econômicos 605
Estabilizadores automáticos 606
Conclusão 607
Resumo 608
Conceitos-chave 608
Questões para revisão 609
Problemas e aplicações 609

CAPÍTULO 35

O *tradeoff* entre inflação e desemprego no curto prazo 612

A curva de Phillips 612
Origens da curva de Phillips 613
Demanda agregada, oferta agregada e a curva de Phillips 613
Deslocamentos na curva de Phillips: o papel das expectativas 615
A curva de Phillips no longo prazo 615
O significado de "natural" 616
Reconciliando teoria e evidência 617
A curva de Phillips de curto prazo 618
O experimento natural para a hipótese da taxa natural 620
Deslocamentos na curva de Phillips: o papel dos choques de oferta 621
O custo de reduzir a inflação 623
A taxa de sacrifício 623
Expectativas racionais e a possibilidade de desinflação sem custo 625
A desinflação de Volcker 625
A era Greenspan 627
A curva de Phillips durante a crise financeira 628
Conclusão 629
Resumo 630
Conceitos-chave 630
Questões para revisão 630
Problemas e aplicações 631

PARTE XIII

CONSIDERAÇÕES FINAIS

CAPÍTULO 36

Seis debates sobre a política macroeconômica 634

Os formuladores de políticas monetária e fiscal deveriam tentar estabilizar a economia? 634

A favor: os formuladores de políticas deveriam tentar estabilizar a economia 634
Contra: os formuladores de políticas não deveriam tentar estabilizar a economia 635
O governo deveria combater as recessões com o aumento dos gastos em vez do corte dos impostos? 636
A favor: o governo deveria combater as recessões com o aumento dos gastos 636
Contra: o governo deveria combater as recessões com o corte de impostos 637
A política monetária deveria ser feita por regras, e não discricionariamente? 638
A favor: a política monetária deveria ser feita por regras 639
Contra: a política monetária não deveria ser feita por regras 640
O banco central deveria buscar a inflação zero? 640
A favor: o banco central deveria buscar a inflação zero 641
Contra: o banco central não deveria buscar a inflação zero 642
O governo deveria equilibrar seu orçamento? 644
A favor: o governo deveria equilibrar seu orçamento 644
Contra: o governo não deveria equilibrar seu orçamento 645
A legislação tributária deveria ser reformada para estimular a poupança? 646
A favor: a legislação tributária deveria ser reformada para estimular a poupança 646
Contra: a legislação tributária não deveria ser alterada para estimular a poupança 647
Pergunte aos especialistas: A tributação do capital e do trabalho 648
Conclusão 649
Resumo 650
Questões para revisão 650
Problemas e aplicações 651

Glossário 653
Índice remissivo 661

Sobre o autor

N. Gregory Mankiw é professor de Economia na Harvard University. Estudou Economia na Princeton University e no Massachusetts Institute of Technology (MIT). Leciona Macroeconomia, Microeconomia, Estatística e Princípios de Economia. Há muito tempo, chegou a ser instrutor de iatismo em Long Beach Island.

Escritor prolífico, o professor Mankiw participa regularmente de debates acadêmicos e políticos. Tem trabalhos publicados em jornais especializados, como o *American Economic Review, Journal of Political Economy* e *Quarterly Journal of Economics*, além de outras publicações mais populares, como *The New York Times* e *The Wall Street Journal*. Também é autor do *best seller Macroeconomia* (Worth Publishers), manual de nível intermediário. Além de lecionar, pesquisar e escrever, Mankiw é pesquisador associado do National Bureau of Economic Research, conselheiro do Federal Reserve Bank de Boston e Nova York e do Congressional Budget Office, e membro do comitê de desenvolvimento de testes do Educational Testing Service (ETS), para o exame Advanced Placement em economia. Entre 2003 e 2005, foi presidente do Conselho de Assessores Econômicos da presidência do governo de George W. Bush.

Mankiw mora em Wellesley, Massachusetts, com a esposa, Deborah, três filhos, Catherine, Nicholas e Peter, e o cachorro Tobin, um *border terrier*.

Prefácio

"Economia é o estudo da humanidade nos afazeres cotidianos." Assim escreveu Alfred Marshall, o grande economista do século XIX, em seu livro *Princípios de economia*. Embora tenhamos aprendido muito sobre economia desde a época de Marshall, essa definição é tão verdadeira hoje quanto o foi em 1890, quando a primeira edição do livro foi publicada.

Por que você, como aluno de Economia no início do século XXI, deve se envolver no estudo deste assunto? Existem três razões.

A primeira é que isso o ajudará a entender o mundo em que vive. Há muitas perguntas sobre economia que poderão aguçar sua curiosidade. Por que é tão difícil encontrar apartamentos em grandes cidades? Por que as companhias aéreas cobram menos por uma passagem de ida e volta se a pessoa passa a noite de sábado no destino? Por que o cachê de Robert Downey Jr. é tão alto nos filmes em que atua? Por que o padrão de vida é tão baixo em muitos países africanos? Por que alguns países têm altas taxas de inflação, enquanto outros têm preços estáveis? Por que é fácil conseguir emprego em determinadas épocas e tão difícil em outras? Essas são apenas algumas das perguntas que um curso de economia ajuda a responder.

A segunda razão é que você pode se tornar um participante mais perspicaz na economia. Na vida diária, você toma muitas decisões econômicas. Como aluno, decide quantos anos permanecer na escola. Depois que consegue emprego, decide quanto gastar, quanto economizar e como investir sua poupança. Algum dia, você poderá dirigir um pequeno negócio ou uma grande empresa e terá de decidir que preços cobrar pelos produtos que oferece. As ideias desenvolvidas neste livro apresentam novas perspectivas sobre como tomar essas decisões. Você não ficará rico apenas com o estudo de economia, mas terá algumas ferramentas que poderão ajudá-lo nesse empreendimento.

A terceira razão é que o estudo de economia proporcionará melhor entendimento sobre o potencial e sobre os limites da política econômica. As questões econômicas estão sempre na mente dos formuladores de políticas em todas as esferas do governo: municipal, estadual e federal. Quais são os ônus associados a formas alternativas de tributação? Quais são os efeitos do livre comércio com outros países? Qual é a melhor forma de proteger o meio ambiente? De que forma o déficit orçamentário do governo afeta a economia? Como eleitor, você ajuda a escolher as políticas que orientam a alocação de recursos da sociedade. Entender economia ajuda a pôr em prática essa responsabilidade. Quem sabe um dia você mesmo poderá ser um formulador de políticas.

Portanto, os princípios de economia podem ser aplicados a muitas situações da vida, e você se sentirá recompensado por ter estudado economia se, no futuro, tiver a oportunidade de gerir um negócio, dirigir o país ou mesmo se estiver lendo um jornal.

N. Gregory Mankiw

Estrutura do livro

Este clássico da Economia tem um texto teórico e prático primoroso e está estruturado em 13 partes.

A **Parte I - Introdução** tem 3 capítulos que tratam dos *Dez princípios de economia, Pensando como um economista* e *Interdependência e ganhos comerciais*. A **Parte II - Como funcionam os mercados** aborda, além do funcionamento dos mercados, *Elasticidade e sua aplicação* e *Oferta, demanda e políticas do governo*. *Consumidores, produtores e eficiência dos mercados, Aplicação: os custos da tributação, Aplicação: comércio internacional* são assuntos da **Parte III -Mercados e bem-estar**. A **Parte IV - A economia do setor público** fala sobre *Externalidades, Bens públicos e recursos comuns, A concepção do sistema tributário*. Já a **Parte V - Comportamento da empresa e organização da indústria** traz assuntos como *Empresas em mercados* *competitivos, Monopólio, Competição monopolista, Oligopólio.* A **Parte VI – A economia dos mercados de trabalho** tem capítulos tratando de *mercados de fatores de produção, ganhos e discriminação, Desigualdade de renda e pobreza* e a **Parte VII – Tópicos de estudos avançados** destaca *A teoria da escolha do consumidor* e as *Fronteiras da microeconomia.* **Os dados macroeconômicos** são tratados na **Parte VIII** e traz capítulos que ensinam a *medir a renda nacional* e o *custo de vida*. Na **Parte IX – A economia real no longo prazo** serão apresentados os temas *Produção e crescimento, Poupança, investimento e sistema financeiro* e *As ferramentas básicas das finanças*, além de abordar o *Desemprego*. **Moeda e preços no longo prazo** são tratados na **Parte X** e descreve o *Sistema monetário* e o *Crescimento da moeda e inflação*. Finalizando, as partes XI, XII e XIII tratam, respectivamente, da macroeconomia e da teoria macroeconômica das economias abertas e faz as considerações finais sobre a política macroeconômica, apresentando seis debates.

O que há de novo nesta edição

A obra está extremamente **atualizada para o cenário econômico global pós-crise 2008**, em que decorreram inúmeras transformações da abordagem e do conhecimento econômico. Destaques no texto como *Pergunte aos especialistas*, introduzidas na 8ª edição, procuram dirimir dúvidas relevantes, fornecendo a estatística das respostas dadas pelas várias correntes dos especialistas entre os que concordam, discordam e os que estão em dúvida sobre as questões levantadas.

Fique por dentro das notícias e os *Estudos de casos* foram atualizados ou substituídos para refletir o cenário atual, e foram disponibilizados na internet como material de apoio do livro. Os textos estão apresentados por capítulo em um arquivo PDF. No texto, haverá uma indicação de que você pode complementar o estudo por meio da leitura de textos disponibilizados on-line por meio de símbolos. O símbolo sinaliza que há estudo de caso como complemento do conteúdo apresentado naquele tópico. O símbolo indica que você encontrará notícias atuais sobre o conteúdo tratado no tópico.

Recursos para a aprendizagem

Para auxiliar no estudo e auxiliar na aprendizagem, o livro oferece alguns recursos que torna o estudo ainda mais interessante. São eles:

Tabelas e figuras (resumos e gráficos)

Tabela 1
Dez princípios de economia

Como as pessoas tomam decisões
1: As pessoas enfrentam *tradeoff*.
2: O custo de alguma coisa é aquilo de que você desiste para obtê-la.
3: As pessoas racionais pensam na margem.
4: As pessoas reagem a incentivos.

Como as pessoas interagem
5: O comércio pode ser bom para todos.
6: Os mercados são, geralmente, uma boa maneira de organizar a atividade econ
7: Às vezes, os governos podem melhorar os resultados dos mercados.

Como a economia funciona
8: O padrão de vida de um país depende de sua capacidade de produzir bens e s
9: Os preços sobem quando o governo emite moeda demais.
10: A sociedade enfrenta um *tradeoff* de curto prazo entre inflação e desemprego

Saiba mais sobre (quadros de complementação teórica)

Saiba mais sobre

ADAM SMITH E A MÃO INVISÍVEL

Pode ser mera coincidência o fato de o grande livro de Adam Smith, *A riqueza das naç*
cado em 1776, ano exato em que os revolucionários norte-americanos assinaram a
Independência. Entretanto, os dois documentos compartilham um ponto de vista predomi
indivíduos tomarão melhores decisões se puderem agir por conta própria, sem a mão op
para conduzir suas ações. Essa filosofia política proporciona a base intelectual para a eco
e, de maneira mais geral, para a sociedade livre.

Por que as economias descentralizadas de mercado funcionam tão bem? Isso ocorre pc
tratam com carinho e bondade? De forma alguma. Adam Smith descreveu o modo comc
gem em uma economia de mercado da seguinte maneira:

O homem tem quase que constantes oportunidades para esperar ajuda de seus seme
esperar obtê-la somente da benevolência. Terá maiores chances de ser bem-sucedido
o amor-próprio deles a seu favor e mostrar-lhe que é para sua própria vantagem fazer
deles se exige. [...] Dê-me aquilo que desejo e terá o que deseja, eis o significado de
maneira obtemos um do outro uma parte muito maior dos ofícios de que necessitamo
Não é da benevolência do açougueiro, do cervejeiro ou do padeiro que esperamc
da consideração que eles têm pelos seus próprios interesses. Dirigimo-nos não à sua hı
seu amor-próprio, e nunca falamos com eles de nossas próprias necessidades, mas
Ninguém, exceto o mendigo, escolhe depender principalmente da benevolência dos
Cada indivíduo [...] não tem a intenção de promover o interesse público, nem sal
la [...] Não pensa senão no próprio ganho, e, nesse caso, como em muitos

Teste rápido (intercalados por tema)

Teste rápido Dê um exemplo de declaração positiva e um de declaração normativa que, de algum modo, tenha relação com sua rotina. • Aponte três órgãos do governo que sejam regularmente assessorados por economistas.

Pergunte aos especialistas

Revenda de ingressos

"Leis que limitam a revenda de ingressos de eventos esportivos e de entretenimento podem prejudicar, na média, os possíveis espectadores."

Pergunte aos especialistas (estatística de questões controversas)

Principais termos explicados ao lado do texto

ciclo de negócios
flutuações da atividade econômica, medidas pelo número de pessoas empregadas ou pela produção de bens e serviços

Teste rápido do capítulo (testes globais do conteúdo do capítulo)

Teste rápido do capítulo

1. Economia, em sua melhor definição, é o estudo de:
a. Como a sociedade administra seus recursos escassos.
b. Como administrar uma empresa com mais lucratividade.
c. Como prever inflação, desemprego e preços de ações.
d. Como o governo pode evitar os danos de interesses próprios não controlados.

2. O custo de oportunidade de ir ao cinema é:
a. O preço do ingresso.
b. O preço do ingresso mais o custo do refrigerante e da pipoca comprados no cinema.
c. O valor total dos gastos necessários para ir ao cinema mais o valor do seu tempo.
d. Zero, desde que você goste do filme e considere isso uma maneira válida de usar tempo e dinheiro.

Uma mudança marginal é aquela que:
ão é importante para políticas públicas.
a incrementalmente um plano existente.
n resultado ineficiente.
ia incentivos.

m Smith refere-se:

resu
dos
c. À c
tem
eles
d. À f
mer
par

5. Os
de
a. Pro
b. Cor
exte
c. Alc
d. Tod

6. Se
ten
a. O b
siva
b. Os

Resumo (tópicos resumidos do capítulo)

RESUMO

- Os economistas tentam abo
com a objetividade de cientist
cientistas, eles formulam hipót
constroem modelos simplifica
o mundo que os cerca. Dois m
simples são o diagrama do f
teira de possibilidades de
O campo da econom
pos: micr

Conceitos-chave

CONCEITOS-CHAVE

economia, p. 2
escassez, p. 2
eficiência, p. 3
igualdade, p. 3
custo de oportunidade, p. 4
pessoa racional, p. 4

Questões para revisão

QUESTÕES PARA REVISÃO

1. Dê três exemplos de *tradeoffs* i
que você se depara na vida.
2. Quais itens você incluiria para d
de oportunidade de férias no Di
3. A água é necessária para a vida
ginal de um copo d'água é gr
4. Por que os formuladores
pensar sobre os incent

Problemas e aplicações Com respostas em inglês no material de apoio on-line.

PROBLEMAS E APLICAÇÕES

1. Descreva alguns *tradeoffs* e
seguintes situações:
a. Uma família ao decidir se
novo.
b. Um membro do Congr
star nos parque

Além de:

Apêndice (complementação de conteúdo essencial)
Notas de rodapé elucidativas
Conclusão (desfecho conclusivo do capítulo)

Material de apoio on-line

Estão disponíveis para **alunos e professores** os seguintes materiais:

- *Fique por dentro das notícias* e *Estudos de casos.*
- Glossário com os termos reunidos em um só arquivo e em ordem alfabética para facilitar a busca.
- Respostas em inglês para *Problemas e aplicações.*

Para os **professores**, estão disponíveis **slides em Power Point**® e **Manual do professor** em inglês para utilizar como apoio em aulas.

Atenção: para ter acesso ao material de apoio on-line, entre no site da Cengage (www.cengage.com.br). No canto direito, escolha MATERIAIS DE APOIO PARA ESTUDANTES se você for aluno ou MATERIAIS DE APOIO PARA PROFESSORES se você for professor. Se você ainda não for cadastrado, faça o cadastro para ter acesso aos materiais. Se já for cadastrado, basta fazer o login.

Parte I

Introdução

CAPÍTULO 1

Dez princípios de economia

A palavra *economia* vem do termo grego *oikonomos* e pode ser entendida como "aquele que administra um lar". Em princípio, essa origem pode parecer estranha, mas, na verdade, os lares e a economia têm muito em comum.

Uma família precisa tomar muitas decisões. Precisa decidir quais tarefas cada membro desempenha e o que cada um deles recebe em troca: Quem faz o jantar? Quem lava a roupa? Quem pode repetir a sobremesa? Quem dirige o carro? Em resumo, cada família precisa alocar seus recursos escassos (tempo, sobremesa, quilometragem do carro) a seus diversos membros, levando em consideração as habilidades, os esforços e os desejos de cada um de seus membros.

Assim como uma família, uma sociedade deve tomar muitas decisões. Precisa encontrar uma forma de decidir que tarefas serão executadas e por quem. Precisa de algumas pessoas para produzir alimentos, de outras para fazer roupas e ainda de outras para desenvolver programas de computador. Uma vez que a sociedade tiver alocado as pessoas (assim como terras, prédios e máquinas) para realizar diversas tarefas, deverá também alocar os bens e serviços que elas produzem. Deve decidir quem comerá caviar e quem comerá batatas. Deve decidir quem vai andar de Tesla e quem vai andar de ônibus.

escassez
a natureza limitada dos recursos da sociedade

A gestão dos recursos da sociedade é importante porque estes são escassos. **Escassez** significa que a sociedade tem recursos limitados e, portanto, não pode produzir todos os bens e serviços que as pessoas desejam ter. Assim como cada membro de uma família não pode ter tudo o que deseja, cada indivíduo de uma sociedade não pode ter um padrão de vida tão alto quanto aquele ao qual aspire.

economia
o estudo de como a sociedade administra seus recursos escassos

Economia é o estudo de como a sociedade administra seus recursos escassos. Na maioria das sociedades, os recursos são alocados não por um único planejador central, mas pelos atos combinados de milhões de famílias e empresas. Os economistas, portanto, estudam como as pessoas tomam decisões: quanto trabalham, o que compram, quanto poupam e como investem suas economias. Estudam também como as pessoas interagem umas com as outras. Por exemplo, eles examinam como compradores e vendedores de um bem determinam juntos o preço pelo qual o bem será vendido e a quantidade a ser vendida. Por fim, os economistas analisam as forças e as tendências que afetam a economia como um todo, incluindo o crescimento da renda média, a parcela da população que não consegue encontrar trabalho e a taxa à qual os preços estão subindo.

O estudo da economia apresenta muitas facetas, porém o campo é unificado por diversas ideias centrais. Neste capítulo, trataremos dos *Dez princípios de economia*. Não se preocupe se não entender todos eles imediatamente ou se não considerá-los totalmente convincentes. Nos capítulos seguintes, essas ideias serão aprofundadas. Esses princípios nos fornecem uma noção mais ampla sobre economia. Considere este capítulo como uma "prévia das próximas atrações".

1_1 COMO AS PESSOAS TOMAM DECISÕES

Não há nada de misterioso sobre o que é uma "economia", e não importa se estamos falando da economia de Los Angeles, dos Estados Unidos ou do mundo todo. Quando abordamos aspectos relacionados à economia, referimo-nos a um grupo de pessoas que interagem umas com as outras enquanto levam sua vida. Como o comportamento de uma economia reflete o comportamento das pessoas que a compõem, começaremos nosso estudo com quatro princípios de tomadas de decisões individuais.

1_1A Princípio 1: As pessoas enfrentam *tradeoffs*[1]

Certamente você conhece o provérbio: "Nada é de graça". Ele expressa uma grande verdade. Para conseguirmos algo que queremos, precisamos abrir mão de outra coisa de que gostamos. A tomada de decisões exige escolher um objetivo em detrimento de outro.

Consideremos, por exemplo, uma estudante que precise decidir como alocar seu recurso mais precioso – o tempo. Ela pode passar todo o seu tempo estudando economia ou psicologia, ou pode dividir seu tempo entre as duas disciplinas. Para cada hora que passa estudando uma matéria, ela abre mão de uma hora que poderia usar para estudar a outra. E, para cada hora que passa estudando qualquer uma das duas matérias, abre mão de uma hora que poderia gastar cochilando, andando de bicicleta, vendo TV ou trabalhando meio período para ganhar dinheiro para alguma despesa extra.

Ou consideremos um casal envolvido com decisões sobre como gastar a renda familiar. Esse casal pode destinar a renda para comprar comida, roupas ou pagar uma viagem para a família. Pode, ainda, poupar parte da renda para a aposentadoria ou para a faculdade dos filhos. Quando decide gastar um dólar a mais em qualquer uma dessas coisas, tem um dólar a menos para gastar em outras coisas.

Quando as pessoas estão agrupadas em sociedade, deparam-se com tipos diferentes de *tradeoff*. O *tradeoff* clássico se dá entre "armas e manteiga". Quanto mais uma sociedade gasta com defesa nacional (armas) para proteger suas linhas costeiras de agressores estrangeiros, menos ela pode gastar com bens de consumo (manteiga) para elevar o padrão de vida nos lares. Também importante na sociedade moderna é o *tradeoff* entre um meio ambiente limpo e um alto nível de renda. As leis que exigem que empresas reduzam a poluição elevam o custo da produção de bens e serviços. Em razão dos custos mais elevados, essas empresas obtêm menos lucros, pagam salários menores, cobram preços mais altos ou alguma combinação desses três fatores. Embora as regulamentações concernentes à poluição promovam um ambiente mais limpo e, em consequência, melhor saúde, elas provocam a redução de renda de proprietários, trabalhadores e clientes das empresas regulamentadas.

eficiência
a propriedade que a sociedade tem de obter o máximo possível a partir de seus recursos escassos

igualdade
a propriedade de distribuir a prosperidade econômica de maneira uniforme entre os membros da sociedade

Outro *tradeoff* que a sociedade enfrenta é entre eficiência e igualdade. **Eficiência** significa que a sociedade está obtendo o máximo que pode de seus recursos escassos. **Igualdade** significa que os benefícios advindos desses recursos estão sendo distribuídos de maneira uniforme entre os membros da sociedade. Em outras palavras, a eficiência se refere ao tamanho do bolo econômico e a igualdade, à maneira como o bolo é dividido em partes individuais.

Quando as políticas do governo são formuladas, esses dois objetivos, de modo geral, entram em conflito. Vamos considerar, por exemplo, as políticas que têm por objetivo atingir a distribuição mais igualitária do bem-estar econômico. Algumas delas, como o sistema de bem-estar ou o seguro-desemprego, procuram ajudar os membros mais necessitados da

1. Em economia, *tradeoff* é um termo que define uma situação de escolha conflitante, isto é, quando uma ação econômica que visa à resolução de determinado problema acarreta, inevitavelmente, outros. Por exemplo, em determinadas circunstâncias, a redução da taxa de desemprego apenas poderá ser obtida com o aumento da taxa de inflação, o que resultará em um *tradeoff* entre inflação e desemprego. (NRT)

sociedade. Outras, como o imposto de renda das pessoas físicas, requerem que os financeiramente bem-sucedidos contribuam mais que outros para sustentar o governo. Embora proporcionem mais igualdade, essas políticas reduzem a eficiência. Quando o governo redistribui renda dos ricos para os pobres, reduz a recompensa pelo trabalho árduo; com isso, as pessoas trabalham menos e produzem menos bens e serviços. Em outras palavras, quando o governo tenta cortar o bolo econômico em fatias mais iguais, o bolo diminui de tamanho.

Reconhecer que as pessoas enfrentam *tradeoffs* não nos diz, por si só, quais as decisões que elas tomarão ou desejariam tomar. Uma estudante não deveria abandonar o estudo de psicologia apenas porque isso aumenta o tempo disponível para estudar economia. A sociedade não deveria deixar de proteger o meio ambiente só porque as regulamentações ambientais reduzem o padrão de vida material. Os pobres não deveriam ser ignorados só porque ajudá-los distorce os incentivos ao trabalho. Ainda assim, reconhecer os *tradeoffs* em nossa vida é importante porque as pessoas somente podem tomar boas decisões se compreenderem as opções que estão disponíveis a elas. Nosso estudo de economia, portanto, inicia-se com o reconhecimento dos *tradeoffs* da vida.

1_1B Princípio 2: O custo de alguma coisa é aquilo de que você desiste para obtê-la

Como as pessoas enfrentam *tradeoffs*, a tomada de decisões exige comparar os custos e os benefícios de possibilidades alternativas de ação. Em muitos casos, contudo, o custo de uma ação não é tão claro quanto pode parecer à primeira vista.

Vamos considerar, por exemplo, a decisão de ir à faculdade. Os benefícios principais são o enriquecimento intelectual e uma vida com melhores oportunidades de emprego. Mas qual é o custo? Para responder a essa pergunta, você talvez se sinta tentado a somar os gastos que tem com anuidades, livros, moradia e alimentação. Entretanto, esse total não representa aquilo que você sacrifica para passar um ano na faculdade.

Há dois problemas com esse cálculo. Primeiro, ele inclui algumas coisas que não são, na verdade, custos para frequentar a faculdade. Mesmo que você abandone os estudos, precisará de um lugar para dormir e de comida para se alimentar. Os custos de moradia e alimentação somente serão custos se forem mais caros na faculdade do que em outro lugar. Segundo, esse cálculo ignora o maior custo de cursar a faculdade – o tempo. Quando você passa um ano assistindo às aulas, lendo livros e fazendo trabalhos, não pode dedicar esse tempo a um emprego. Para a maioria dos alunos, os salários que deixam de ganhar enquanto estão na faculdade são os principais custos de sua educação.

custo de oportunidade
aquilo de que devemos abrir mão para obter algum item

pessoa racional
aquela que, sistemática e objetivamente, faz o máximo para alcançar seus objetivos

O **custo de oportunidade** de um item é aquilo de que você abre mão para obtê-lo. Quando decidem, por exemplo, cursar uma faculdade, os tomadores de decisões precisam estar cientes dos custos de oportunidade que acompanham cada ação possível – de fato, geralmente eles estão. Atletas universitários que podem ganhar milhões se abandonar os estudos e se dedicar ao esporte profissional estão bem cientes de que, para eles, o custo de oportunidade de cursar a faculdade é muito elevado. Não é surpreendente, portanto, muitas vezes, eles chegarem à conclusão de que o benefício de uma educação superior não compensa o custo de fazê-la.

1_1C Princípio 3: As pessoas racionais pensam na margem

Os economistas presumem que as pessoas são racionais. Uma **pessoa racional** faz o melhor para alcançar seus objetivos, sistemática e objetivamente, conforme as oportunidades disponíveis. Ao estudar economia, você conhecerá empresas que decidem quantas pessoas vão contratar e a quantidade de bens que serão manufaturados e vendidos para maximizar os lucros. Também encontrará indivíduos que decidem quanto tempo passam trabalhando e que bens e serviços vão comprar com a renda obtida para que possam conseguir alto nível de satisfação.

mudança marginal um pequeno ajuste incremental em um plano de ação

Uma pessoa racional sabe que as decisões que tomamos durante a vida raramente são "preto no branco", com diversos tons de cinza. Na hora do jantar, a decisão não é entre jejuar e comer até não poder mais, mas aceitar uma colherada a mais de purê de batatas ou não. Quando chega a hora das provas, sua escolha não é entre não estudar mais nada e ficar estudando 24 horas por dia, mas, sim, passar uma hora a mais revendo anotações ou ver TV. Os economistas usam a expressão **mudança marginal** para descrever um pequeno ajuste incremental em um plano de ação existente. Lembre-se de que *margem* pressupõe a existência de "extremidades", portanto mudanças marginais são ajustes ao redor das extremidades daquilo que você está fazendo. A pessoa racional, em geral, toma decisões comparando esses *benefícios marginais* com *custos marginais*.

Por exemplo, suponha que você esteja considerando ligar para uma amiga com seu telefone celular. Você decide que falar com ela durante 10 minutos lhe proporcionaria um benefício avaliado em $ 7. Seu plano de telefonia custa $ 40 por mês, mais $ 0,50 por minuto em todas as chamadas realizadas. Em geral, você utiliza 100 minutos por mês, então, sua conta mensal total é de $ 90 ($ 0,50 por minuto vezes 100 minutos, mais a taxa fixa de $ 40). Sob tais circunstâncias, você deveria fazer a ligação? Você pode ser tentado a raciocinar da seguinte forma: "Já que eu pago $ 90 por 100 minutos de ligações todos os meses, o minuto médio ao telefone custa $ 0,90; portanto, uma chamada de 10 minutos custa $ 9. Como o custo de $ 9 é maior do que o benefício de $ 7, não farei a ligação". Essa conclusão, no entanto, está errada. Embora o custo *médio* de uma chamada de 10 minutos seja $ 9, o custo *marginal* - o montante do aumento em sua conta, caso você faça a chamada extra - é apenas $ 5. Você só tomará a decisão certa se comparar o benefício marginal com o custo marginal. Como o benefício marginal de $ 7 é maior do que o custo marginal de $ 5, você deve fazer a ligação. Esse é um princípio que as pessoas compreendem de forma inata: os usuários de telefones celulares com minutos ilimitados (ou seja, minutos gratuitos na margem) são mais propensos a fazer chamadas longas e fúteis.

Pensar na margem também funciona para decisões empresariais. Considere uma companhia aérea que tenha de decidir quanto cobrar de passageiros que estejam na lista de espera. Suponhamos que o voo de um avião de 200 lugares, costa a costa, através do país, custe à empresa $ 100 mil. Nesse caso, o custo médio de cada assento será de $ 100 mil/200, ou seja, $ 500. Talvez alguém sugira que essa empresa não deve vender uma passagem por menos de $ 500. Na verdade, uma empresa racional consegue encontrar formas de aumentar seus lucros pensando na margem. Imaginemos que o avião esteja prestes a decolar com dez assentos vagos e que um passageiro na fila de espera esteja disposto a pagar $ 300 pela passagem. A empresa deve vender a passagem a esse preço? Claro que sim. Se o avião está com assentos vagos, o custo de acrescentar mais um passageiro é mínimo. Embora o custo *médio* por passageiro seja de $ 500, o custo *marginal* é apenas o custo do saquinho de amendoins e do refrigerante que o passageiro extra consumirá. Desde que o passageiro pague mais que o custo marginal, vender a passagem para ele é lucrativo.

A tomada de decisões marginais pode ajudar a explicar outros fenômenos intrigantes da economia. Eis uma pergunta clássica: por que a água é tão barata e os diamantes tão caros? A água é essencial para a sobrevivência humana, os diamantes não. Contudo, por algum motivo, há pessoas que preferem desembolsar mais dinheiro por um diamante a fazê-lo por um copo de água. O motivo é que o desejo de pagar por um bem baseia-se no benefício marginal que uma unidade extra deste proporcionaria. O benefício marginal, por sua vez, depende de quantas unidades a pessoa já possui. A água é essencial, porém o benefício marginal de um copo a mais é pequeno, pois a água existe em abundância. Ninguém precisa de diamantes para sobreviver, mas, como são raros, o benefício marginal é considerado alto.

Um tomador de decisões racional executa uma ação se, e somente se, o benefício marginal exceder o custo marginal. Esse princípio explica por que as pessoas usam tanto seus telefones celulares, por que as companhias aéreas vendem passagens abaixo do custo médio e por que se paga mais por diamantes que por água. É necessário algum tempo para nos acostumarmos com a lógica do raciocínio marginal, entretanto o estudo da economia oferece muitas oportunidades para praticar.

1_1D Princípio 4: As pessoas reagem a incentivos

incentivo
algo que induz a pessoa a agir

Um **incentivo** é algo que induz uma pessoa a agir, tal como a perspectiva de uma punição ou recompensa. Como as pessoas racionais tomam decisões comparando custo e benefício, elas respondem a incentivos. Você verá que os incentivos desempenham um papel importante no estudo da economia. Certo economista sugeriu que todo o conhecimento econômico poderia ser simplesmente resumido com a seguinte frase: "Pessoas reagem a incentivos. O resto são comentários".

Os incentivos são cruciais para analisar o funcionamento do mercado. Por exemplo, quando o preço da maçã aumenta, as pessoas optam por comer menos maçãs. Ao mesmo tempo, os fazendeiros com pomares de macieiras decidem contratar mais trabalhadores e colher mais maçãs. Em outras palavras, o preço mais alto do mercado proporciona um incentivo para que os compradores consumam menos e um incentivo para que os vendedores produzam mais. Como veremos, o efeito do preço sobre o comportamento de consumidores e produtores é crucial para entender como a economia de mercado aloca recursos escassos.

Os formuladores de políticas públicas nunca devem se esquecer dos incentivos: muitas políticas alteram os custos e benefícios para as pessoas e, portanto, alteram seu comportamento. O imposto sobre a gasolina é um incentivo ao uso de carros menores, que consomem menos gasolina. Esse é um dos motivos de os carros menores serem mais usados na Europa, onde os impostos sobre a gasolina são mais altos que nos Estados Unidos, onde são mais baixos. O imposto também incentiva as pessoas a revezar carros, a usar o transporte público e a morar mais perto do local de trabalho. Se os impostos fossem mais altos, mais pessoas começariam a usar carros híbridos, e, se fossem muito altos, elas os substituiriam por carros elétricos.

Quando os formuladores de políticas deixam de considerar como suas políticas afetam os incentivos, eles provocam consequências indesejadas. Vamos pensar, por exemplo, na política pública quanto à segurança no trânsito. Hoje, todos os carros têm cintos de segurança, o que não ocorria há 60 anos. Em 1965, o livro *Unsafe at any speed* [Inseguro em qualquer velocidade], de Ralph Nader, gerou grande preocupação pública com a segurança. O Congresso norte-americano reagiu com leis que impunham os cintos de segurança como equipamento obrigatório em todos os carros novos.

Que efeito tem uma lei de cintos de segurança sobre a segurança no trânsito? O efeito direto é óbvio: quando uma pessoa usa cinto de segurança, a probabilidade de que sobreviva a um acidente grave aumenta. Mas a história não acaba aí, uma vez que a lei também afeta o comportamento ao alterar incentivos. O comportamento em questão está relacionado ao modo como os motoristas conduzem seus carros. Dirigir devagar e com cautela é custoso porque consome tempo e energia do motorista. Ao decidirem o nível de cuidado tomado ao dirigir, as pessoas racionais comparam, talvez de forma inconsciente, o benefício marginal de dirigir com cuidado ao custo marginal. Dessa forma, elas dirigem mais devagar e com mais cuidado quando o benefício do aumento da segurança é elevado. Por exemplo, quando as estradas estão molhadas e escorregadias, as pessoas dirigem com mais atenção e em velocidades mais baixas que quando as pistas estão secas.

Consideremos agora como uma lei sobre cintos de segurança afeta o cálculo de custo-benefício de um motorista. Os cintos de segurança reduzem o custo dos acidentes porque diminuem a probabilidade de ferimento ou morte. Em outras palavras, os cintos de segurança reduzem os benefícios de dirigir de forma lenta e cuidadosa. As pessoas reagem aos cintos de segurança da mesma maneira que reagiriam a uma melhora das condições das estradas - dirigindo com velocidade mais alta e com menos cuidado. Assim, o resultado de uma lei de cintos de segurança é um maior número de acidentes. A diminuição da condução cuidadosa tem um efeito claro e adverso sobre os pedestres, que passam a ter maiores chances de se envolver em um acidente, todavia (ao contrário dos motoristas) não gozam do benefício da maior segurança decorrente da utilização do cinto de segurança.

À primeira vista, essa discussão sobre os incentivos e os cintos de segurança pode parecer mera especulação. Mas, em um estudo realizado em 1975, o economista Sam Peltzman demonstrou que as leis de segurança no trânsito apresentavam muitos efeitos como esse. De acordo com as evidências apresentadas por Peltzman, essas leis produzem tanto menos mortes por acidente quanto um maior número de acidentes. O resultado líquido é uma pequena variação do número de mortes de motoristas e um aumento do número de mortes de pedestres.

A análise que Peltzman fez da segurança no trânsito é um exemplo incomum e controverso do princípio geral, segundo o qual as pessoas reagem a incentivos. Ao analisarmos qualquer política, precisamos considerar não apenas seus efeitos diretos, mas também os efeitos indiretos e menos óbvios que operam por meio dos incentivos. Se a política mudar os incentivos, ela provocará alteração no comportamento das pessoas.

Teste rápido Descreva um *tradeoff* importante que você tenha enfrentado recentemente. • Cite um exemplo de uma ação que tenha tanto um custo de oportunidade monetário quanto não monetário. • Descreva um incentivo que seus pais lhe ofereceram numa tentativa de influenciar seu comportamento.

1_2 COMO AS PESSOAS INTERAGEM

Os quatro princípios anteriores abordaram aspectos relacionados à forma de os indivíduos tomarem decisões. Enquanto levamos nossa vida, muitas de nossas decisões não nos afetam exclusivamente, mas também outras pessoas. Os próximos três princípios dizem respeito a como as pessoas interagem umas com as outras.

1_2A Princípio 5: O comércio pode ser bom para todos

Como pessoa bem informada, você sabe que a China concorre com os Estados Unidos na economia mundial. De certa forma isso é verdade, pois as empresas norte-americanas e chinesas produzem muitos bens do mesmo tipo. Companhias nos EUA e na China competem pelos mesmos clientes nos mercados de roupas, brinquedos, painéis solares, pneus automotivos e muitos outros itens.

É fácil se enganar, porém, ao pensar na competição entre países. O comércio entre os Estados Unidos e a China não é como uma competição esportiva, em que um lado ganha e o outro perde. De fato, o oposto é verdadeiro: o comércio entre dois países pode ser bom para ambas as partes.

Para sabermos o porquê, vamos pensar em como o comércio afeta sua família. Quando um parente seu procura por emprego, está concorrendo com membros de outras famílias que também querem estar empregados. As famílias também competem umas com as outras quando vão às compras, uma vez que cada uma delas quer comprar os melhores bens aos menores preços. Assim, de certa forma, cada família existente na economia está concorrendo com todas as demais.

Apesar dessa competição, sua família não se daria melhor isolando-se de todas as outras. Se o fizesse, precisaria produzir sua própria comida, confeccionar suas próprias roupas e construir sua própria casa. É evidente que sua família se beneficia muito da própria habilidade de comerciar com outras pessoas. O comércio permite que as pessoas se especializem na atividade em que são melhores, agricultura, costura ou construção. Ao comerciarem com os outros, as pessoas podem comprar uma maior variedade de bens e serviços a um custo menor.

Assim como as famílias, os países beneficiam-se da possibilidade de comerciar uns com os outros. O comércio permite que eles se especializem naquilo que fazem melhor e desfrutem de uma maior variedade de bens e serviços. Os chineses, como os franceses, os egípcios e os brasileiros, são tanto nossos parceiros na economia mundial quanto nossos concorrentes.

1_2B Princípio 6: Os mercados são geralmente uma boa maneira de organizar a atividade econômica

O colapso do comunismo na União Soviética e no Leste Europeu no final dos anos 1980 e início dos anos 1990 foi uma das mais importantes mudanças mundiais no século passado. Os países comunistas operavam com base na premissa de que as autoridades do governo estavam na melhor posição para alocar os recursos escassos da economia. Os planejadores centrais decidiam que bens e serviços produzir, quanto produzir de

economia de mercado uma economia que aloca recursos por meio das decisões descentralizadas de muitas empresas e famílias quando estas interagem nos mercados de bens e serviços

cada um deles e quem os produziria e consumiria. A teoria por trás do planejamento central era a de que apenas o governo poderia organizar a atividade econômica de maneira que promovesse o bem-estar econômico de todo o país.

A maioria dos países que tiveram economias de planejamento central abandonou esse sistema e está tentando desenvolver economias de mercado. Em uma **economia de mercado**, as decisões do planejador central são substituídas pelas decisões de milhões de empresas e famílias. As empresas decidem quem contratar e o que produzir. As famílias decidem em que empresas trabalhar e o que comprar com seus rendimentos. Essas empresas e famílias interagem no mercado, em que os preços e o interesse próprio guiam suas decisões.

À primeira vista, o sucesso das economias de mercado é enigmático. Em uma economia de mercado, ninguém cuida do bem-estar econômico de toda a sociedade. Os mercados livres contêm muitos compradores e vendedores de diversos bens e serviços, e todos estão interessados, antes de tudo, em seu próprio bem-estar. Ainda assim, apesar da tomada descentralizada de decisões e de tomadores de decisões movidos pelo interesse particular, as economias de mercado têm se mostrado muito bem-sucedidas na organização da atividade econômica para promover o bem-estar econômico geral.

Saiba mais sobre

ADAM SMITH E A MÃO INVISÍVEL

Pode ser mera coincidência o fato de o grande livro de Adam Smith, *A riqueza das nações*, ter sido publicado em 1776, ano exato em que os revolucionários norte-americanos assinaram a sua Declaração da Independência. Entretanto, os dois documentos compartilham um ponto de vista predominante na época: os indivíduos tomarão melhores decisões se puderem agir por conta própria, sem a mão opressiva do governo para conduzir suas ações. Essa filosofia política proporciona a base intelectual para a economia de mercado e, de maneira mais geral, para a sociedade livre.

Por que as economias descentralizadas de mercado funcionam tão bem? Isso ocorre porque as pessoas se tratam com carinho e bondade? De forma alguma. Adam Smith descreveu o modo como as pessoas interagem em uma economia de mercado da seguinte maneira:

> *O homem tem quase que constantes oportunidades para esperar ajuda de seus semelhantes, e seria vão esperar obtê-la somente da benevolência. Terá maiores chances de ser bem-sucedido se puder interessar o amor-próprio deles a seu favor e mostrar-lhe que é para sua própria vantagem fazer para ele aquilo que deles se exige. [...] Dê-me aquilo que desejo e terá o que deseja, eis o significado de tal oferta; e dessa maneira obtemos um do outro uma parte muito maior dos ofícios de que necessitamos.*
>
> *Não é da benevolência do açougueiro, do cervejeiro ou do padeiro que esperamos nosso jantar, mas da consideração que eles têm pelos seus próprios interesses. Dirigimo-nos não à sua humanidade, mas ao seu amor-próprio, e nunca falamos com eles de nossas próprias necessidades, mas de suas vantagens. Ninguém, exceto o mendigo, escolhe depender principalmente da benevolência dos cidadãos. [...]*
>
> *Cada indivíduo [...] não tem a intenção de promover o interesse público, nem sabe o quanto o está promovendo. [...] Não pensa senão no próprio ganho, e, nesse caso, como em muitos outros, é conduzido por uma mão invisível a promover um fim que não fazia parte de sua intenção. E nem sempre é pior para a sociedade que não fizesse parte. Ao perseguir seu próprio interesse, ele promove o interesse da sociedade de modo mais eficaz do que faria se realmente se prestasse a promovê-lo.*

O que Smith está dizendo é que os participantes da economia são motivados por seus próprios interesses e que a "mão invisível" do mercado conduz esses interesses de maneira que seja promovido o bem-estar econômico geral.

Muitos dos princípios de Smith permanecem no seio da economia moderna. Nossa análise nos capítulos posteriores nos permitirá expressar com mais precisão as conclusões de Smith e analisar plenamente os pontos fortes e fracos da mão invisível do mercado.

O economista Adam Smith, em seu livro *A riqueza das nações - Uma investigação sobre a natureza e as causas da riqueza das nações*, publicado em 1776, fez a mais famosa observação de toda a economia: "as famílias e empresas, ao interagirem em mercados, atuam como se fossem guiadas por uma 'mão invisível' que as leva a resultados de mercado desejáveis". Um de nossos objetivos neste livro é entender como essa mão invisível faz sua mágica.

Ao estudar economia, você aprenderá que os preços são o instrumento com que a mão invisível conduz a atividade econômica. Em qualquer mercado, o comprador observa o preço ao determinar a demanda e o vendedor analisa o preço ao decidir a oferta. Como resultado dessas decisões, os preços do mercado refletem não só o valor de um bem para a sociedade, mas também o custo de sua manufatura. A visão de Adam Smith era de que os preços se ajustam para direcionar a oferta e a demanda, de modo a alcançar resultados que, em muitos casos, maximizam o bem-estar da sociedade como um todo.

A visão de Smith apresenta um importante corolário: quando o governo impede que os preços se ajustem de forma natural à oferta e à demanda, impede que a mão invisível coordene as decisões de famílias e empresas que compõem a economia. Esse corolário explica por que os impostos têm um efeito adverso sobre a alocação de recursos: eles distorcem os preços e, com isso, as decisões das empresas e famílias. Explica também o mal ainda maior que pode ser causado por políticas de controle direto dos preços, como a de controle dos aluguéis. E explica o fracasso do comunismo. Nos países comunistas, os preços não eram determinados pelo mercado, mas ditados pelos planejadores centrais. Os planejadores não tinham as informações necessárias sobre o gasto dos consumidores e os custos dos produtores que, em uma economia de mercado, são refletidas nos preços. Os planejadores centrais falharam porque tentaram conduzir a economia com uma mão amarrada nas costas - a mão invisível do mercado.

1_2C Princípio 7: Às vezes os governos podem melhorar os resultados dos mercados

Se a mão invisível do mercado é grande, por que precisamos do governo? Um dos objetivos do estudo de economia é refinar nossa visão sobre o papel e os objetivos adequados das políticas governamentais.

Um dos motivos por que precisamos do governo é que a mão invisível poderá fazer maravilhas apenas se o governo garantir o cumprimento das regras e mantiver as instituições principais da economia. Mais importante, as economias de mercado precisam das instituições para garantir o **direito de propriedade** de modo que os indivíduos tenham condições de possuir e controlar os recursos escassos. Os fazendeiros não cultivarão alimentos se acharem que suas colheitas serão roubadas, os restaurantes só servirão refeições se tiverem a garantia de que os clientes pagarão antes de ir embora, e uma companhia de entretenimento não produzirá DVDs se muitos consumidores em potencial fizerem cópias ilegais. Todos nós confiamos no governo para providenciar polícia e tribunais a fim de fazer valer o direito sobre aquilo que produzimos - e a mão invisível conta com nossa habilidade para garantir esses direitos.

direito de propriedade habilidade de um indivíduo para possuir e exercer controle sobre recursos escassos

falha de mercado uma situação em que o mercado, por si só, fracassa ao alocar recursos eficientemente

externalidade o impacto das ações de uma pessoa sobre o bem-estar de outras que não tomam parte da ação

Há, ainda, outra razão que justifica o fato de precisarmos de governo: a mão invisível é poderosa, mas não é onipotente. Há dois motivos genéricos para que um governo intervenha na economia - promover a eficiência e promover a igualdade. Ou seja, a maioria das políticas visa aumentar o bolo econômico e mudar a forma como ele é dividido.

Consideremos primeiro o objetivo da eficiência. Embora a mão invisível leve os mercados a alocar os recursos de forma eficiente para maximizar o tamanho do bolo econômico, isso nem sempre acontece. Os economistas usam a expressão **falha de mercado** para se referirem a uma situação em que o mercado, por si só, não consegue produzir uma alocação eficiente de recursos. Como veremos, uma possível causa de falha de mercado é a **externalidade**, que é o impacto das ações de uma pessoa sobre o bem-estar dos que estão

poder de mercado
a capacidade que um único agente econômico (ou um pequeno grupo de agentes) tem de influenciar de forma significativa os preços do mercado

próximos. Um exemplo clássico de uma externalidade é a poluição. Outra causa possível de uma falha de mercado é o **poder de mercado**, que se refere à capacidade de uma pessoa (ou um pequeno grupo de pessoas) influenciar de forma indevida os preços de mercado. Se, por exemplo, todas as pessoas de uma cidade precisarem de água, porém houver apenas um poço, o proprietário do poço não estará sujeito à forte competição por meio da qual a mão invisível costuma controlar os interesses particulares. Quando há externalidades ou poder de mercado, políticas públicas bem concebidas podem aumentar a eficiência econômica.

Consideremos o objetivo da igualdade. Mesmo que a mão invisível produza resultados eficientes, ela pode apresentar grandes disparidades no bem-estar econômico. Uma economia de mercado recompensa as pessoas de acordo com a capacidade delas de produzir coisas pelas quais outras pessoas estejam dispostas a pagar. O melhor jogador de basquete do mundo ganha mais do que o melhor jogador de xadrez simplesmente porque as pessoas estão dispostas a pagar mais para assistir a uma partida de basquete do que para assistir a um jogo de xadrez. A mão invisível não garante que todos tenham comida suficiente, roupas decentes e atendimento médico adequado. Essa desigualdade pode, dependendo da filosofia política, exigir a intervenção do governo. Na prática, muitas políticas públicas, como o imposto de renda e o sistema de seguridade social, têm por objetivo atingir uma distribuição mais igualitária do bem-estar econômico.

Dizer que o governo *pode*, por vezes, melhorar os resultados do mercado não significa que ele sempre o *fará*. A política pública não é feita por anjos, mas por um processo político que está longe de ser perfeito. Às vezes, as políticas são concebidas somente para recompensar os politicamente poderosos. Outras vezes, são feitas por líderes bem-intencionados, mas mal-informados. À medida que estudar economia, você se tornará um melhor juiz de quando uma política de governo é justificável pelo fato de ela promover eficiência ou igualdade e quando não é.

Teste rápido Por que um país fica em melhor situação quando não se isola dos outros países? • Por que existem mercados e, segundo os economistas, qual é o papel do governo sobre eles?

1_3 COMO A ECONOMIA FUNCIONA

Começamos por uma discussão sobre como as pessoas tomam decisões e depois vimos como elas interagem umas com as outras. Juntas, todas essas decisões e interações formam "a economia". Os três últimos princípios referem-se ao funcionamento da economia.

1_3A Princípio 8: O padrão de vida de um país depende de sua capacidade de produzir bens e serviços

Em todo o mundo, as diferenças de padrão de vida são assustadoras. Em 2014, o norte-americano médio tinha uma renda de cerca de $ 55 mil. No mesmo ano, o mexicano médio ganhava cerca de $ 17 mil, o chinês médio cerca de $ 13 mil e o nigeriano médio apenas $ 6 mil. Não surpreendentemente, essa grande variação do nível de rendimento se reflete em diversos indicadores de qualidade de vida. Os cidadãos de países de renda elevada têm mais televisores e carros, melhor nutrição, melhor assistência médica e uma expectativa de vida mais longa que os cidadãos de países de baixa renda.

As mudanças do padrão de vida ao longo do tempo também são grandes. Nos Estados Unidos, as rendas cresceram historicamente cerca de 2% ao ano (após ajustes que ocorreram por causa de alterações no custo de vida). A essa taxa, a renda média dobra a cada 35 anos. No último século, a renda média dos Estados Unidos aumentou aproximadamente oito vezes.

produtividade
a quantidade de bens e serviços produzidos por unidade de insumo de mão de obra

O que explica essas grandes diferenças de padrão de vida entre países e ao longo do tempo? A resposta é surpreendentemente simples. Quase todas as variações de padrão de vida podem ser atribuídas a diferenças de **produtividade** entre países, ou seja, a quantidade de bens e serviços produzidos por unidade de insumo de mão de obra. Em países onde os trabalhadores podem produzir uma grande quantidade de bens e serviços por unidade de tempo, a maioria das pessoas desfruta de padrões de vida elevados; em nações onde os trabalhadores são menos produtivos, a maioria das pessoas precisa enfrentar uma existência com maior escassez e, portanto, menos confortável. De forma semelhante, a taxa de crescimento da produtividade de um país determina a taxa de crescimento de sua renda média.

A relação fundamental entre produtividade e padrões de vida é simples, mas suas implicações são profundas. Se a produtividade é o determinante principal do padrão de vida, outras explicações devem ser de importância secundária. Por exemplo, poderia ser tentador creditar aos sindicatos de trabalhadores ou às leis de salário-mínimo a elevação do padrão de vida dos trabalhadores norte-americanos durante o século passado. Mas a verdadeira heroína dos trabalhadores norte-americanos é sua produtividade crescente. Vejamos outro exemplo: alguns especialistas afirmaram que a competição crescente do Japão e de outros países explica o lento crescimento da renda nos Estados Unidos nas décadas de 1970 e 1980. Mas, na verdade, o vilão não era a competição internacional e, sim, o menor crescimento da produtividade no país.

A relação entre produtividade e padrão de vida também traz implicações profundas para a política pública. Quando se pensa sobre como alguma política afetará os padrões de vida, a questão-chave é como ela afetará nossa capacidade de produzir bens e serviços. Para elevar os padrões de vida, os formuladores de políticas precisam elevar a produtividade, de forma a garantir que os trabalhadores tenham uma boa educação, disponham das ferramentas de que precisam para produzir bens e serviços e tenham acesso à melhor tecnologia disponível.

1_3B Princípio 9: Os preços sobem quando o governo emite moeda demais

inflação
um aumento do nível geral de preços da economia

Na Alemanha, em janeiro de 1921, um jornal custava 30 centavos de marco. Menos de dois anos depois, em novembro de 1922, o mesmo jornal custava 70.000.000 de marcos. Todos os outros preços da economia subiram na mesma medida. Esse episódio é um dos exemplos mais espetaculares de **inflação**, um aumento no nível geral de preços da economia.

Embora os Estados Unidos nunca tenham conhecido uma inflação próxima da que houve na Alemanha na década de 1920, a inflação tem sido, por vezes, um problema econômico. Durante os anos de 1970, por exemplo, quando o nível geral de preços mais do que dobrou, o presidente Gerald Ford referiu-se à inflação como o "inimigo público número 1". No entanto, na primeira década do século XXI, a inflação ficou em torno de 2,5% ao ano; a essa taxa, seriam necessários quase 30 anos para que os preços dobrassem. Como uma inflação elevada impõe diversos custos à sociedade, mantê-la em níveis baixos é um objetivo dos formuladores de políticas econômicas de todo o mundo.

O que causa a inflação? Em quase todos os casos de inflação elevada ou persistente, o culpado é o aumento na quantidade de moeda. Quando um governo emite grandes quantidades de moeda, o valor desta cai. Na Alemanha, no início da década de 1920, quando os preços estavam, em média, triplicando a cada mês, a quantidade de moeda também triplicava mensalmente. Embora menos dramática, a história econômica dos Estados Unidos aponta para uma conclusão semelhante: a inflação elevada da década de 1970 estava associada a um rápido crescimento da quantidade de moeda, e a baixa inflação dos anos 1980, a um lento crescimento da quantidade de moeda.

1_3C Princípio 10: A sociedade enfrenta um *tradeoff* de curto prazo entre inflação e desemprego

Embora o nível mais alto de preços seja, no longo prazo, o primeiro efeito do aumento da quantidade de moeda, no curto prazo, a situação é mais complexa e mais controversa. Muitos economistas descrevem os efeitos de curto prazo da injeção monetária como:

- O aumento da quantidade de moeda na economia estimula o nível geral de consumo e, portanto, a demanda por bens e serviços.
- O aumento da demanda pode, com o tempo, levar as empresas a elevar os preços, porém, nesse ínterim, esse aumento também incentiva as empresas a contratar mais mão de obra e a aumentar a quantidade de bens e serviços produzidos.
- Maior contratação significa menor desemprego.

Essa linha de raciocínio leva a um amplo *tradeoff* final na economia: um *tradeoff* de curto prazo entre a inflação e o desemprego.

Embora alguns economistas ainda questionem essas ideias, a maioria aceita que a sociedade enfrenta um *tradeoff* de curto prazo entre inflação e desemprego. Isso significa que, em um período de um ou dois anos, muitas políticas econômicas empurram a inflação e o desemprego em direções opostas. Os formuladores de políticas enfrentam esse *tradeoff* sem considerar se tanto a inflação quanto o desemprego se apresentam em níveis elevados (como ocorreu no início da década de 1980), em níveis baixos (como na década de 1990) ou em níveis intermediários. Esse *tradeoff* de curto prazo é de grande importância para a análise do **ciclo de negócios** – as flutuações irregulares e imprevisíveis na atividade econômica, medidas pela produção de bens e serviços ou pelo número de pessoas empregadas.

ciclo de negócios
flutuações da atividade econômica, medidas pelo número de pessoas empregadas ou pela produção de bens e serviços

Os formuladores de políticas podem explorar o *tradeoff* de curto prazo entre inflação e desemprego usando diversos instrumentos de política econômica. Ao mudarem os montantes referentes aos gastos do governo, ao total arrecadado de impostos e às emissões de moeda, os formuladores de políticas poderão influenciar a demanda global por bens e serviços. As mudanças na demanda, por sua vez, influenciam a combinação de inflação e desemprego que a economia apresenta no curto prazo. Uma vez que esses instrumentos de política econômica são potencialmente tão poderosos, a maneira como os formuladores de políticas devem utilizá-los para controlar a economia e mesmo se devem ou não utilizá-los é objeto de constante debate.

O debate esquentou nos primeiros anos da presidência de Barack Obama. Em 2008 e 2009, os Estados Unidos e outros países sofreram uma profunda crise econômica. Problemas no sistema financeiro, causados por aplicações ruins no mercado imobiliário, transbordaram para o restante da economia. Nesse contexto, houve uma redução significativa de renda e o aumento do desemprego. Os formuladores de políticas reagiram de diversas maneiras para aumentar a demanda agregada por bens e serviços. A principal medida do presidente Obama foi a edição de um pacote de estímulos mediante a redução de impostos e o aumento dos gastos por parte do governo. Ao mesmo tempo, o Federal Reserve aumentou a oferta de moeda. O objetivo dessas políticas era reduzir o desemprego. Alguns temiam, porém, que tais políticas pudessem, com o tempo, levar a um nível excessivo de inflação.

Teste rápido Enumere e descreva resumidamente os três princípios que descrevem como a economia funciona.

1_4 CONCLUSÃO

Agora você já teve uma amostra do que trata a economia. Nos capítulos posteriores, desenvolveremos muitos assuntos específicos sobre as pessoas, os mercados e as economias. Dominá-los exigirá algum esforço, mas não será uma tarefa árdua. O campo da economia se baseia em algumas grandes ideias que podem ser aplicadas em muitas situações diferentes.

Ao longo do livro, faremos referência aos *Dez princípios de economia* que destacamos neste capítulo e resumimos na Tabela 1. Mantenha esses princípios em mente, pois até a mais sofisticada das análises econômicas se fundamenta neles.

Tabela 1
Dez princípios de economia

Como as pessoas tomam decisões
1: As pessoas enfrentam *tradeoff*.
2: O custo de alguma coisa é aquilo de que você desiste para obtê-la.
3: As pessoas racionais pensam na margem.
4: As pessoas reagem a incentivos.

Como as pessoas interagem
5: O comércio pode ser bom para todos.
6: Os mercados são, geralmente, uma boa maneira de organizar a atividade econômica.
7: Às vezes, os governos podem melhorar os resultados dos mercados.

Como a economia funciona
8: O padrão de vida de um país depende de sua capacidade de produzir bens e serviços.
9: Os preços sobem quando o governo emite moeda demais.
10: A sociedade enfrenta um *tradeoff* de curto prazo entre inflação e desemprego.

Teste rápido do capítulo

1. Economia, em sua melhor definição, é o estudo de:
a. Como a sociedade administra seus recursos escassos.
b. Como administrar uma empresa com mais lucratividade.
c. Como prever inflação, desemprego e preços de ações.
d. Como o governo pode evitar os danos de interesses próprios não controlados.

2. O custo de oportunidade de ir ao cinema é:
a. O preço do ingresso.
b. O preço do ingresso mais o custo do refrigerante e da pipoca comprados no cinema.
c. O valor total dos gastos necessários para ir ao cinema mais o valor do seu tempo.
d. Zero, desde que você goste do filme e considere isso uma maneira válida de usar tempo e dinheiro.

3. Uma mudança marginal é aquela que:
a. Não é importante para políticas públicas.
b. Altera incrementalmente um plano existente.
c. Torna um resultado ineficiente.
d. Não influencia incentivos.

4. A "mão invisível" de Adam Smith refere-se:
a. Aos métodos sutis e geralmente ocultos que as empresas usam para lucrar às custas do consumidor.
b. À capacidade de os mercados livres alcançarem resultados desejados, apesar do interesse próprio dos participantes do mercado.
c. À capacidade que a regulamentação do governo tem de beneficiar consumidores, mesmo quando eles não estão cientes das regulamentações.
d. À forma como os produtores ou consumidores em mercados não regulamentados impõem custos a participantes indiretamente envolvidos.

5. Os governos podem intervir em uma economia de mercado para:
a. Proteger direitos de propriedade.
b. Corrigir uma falha de mercado decorrente de externalidades.
c. Alcançar uma distribuição de renda mais igualitária.
d. Todas as alternativas acima.

6. Se uma nação apresenta inflação alta e persistente, a explicação mais provável é:
a. O banco central está emitindo quantidades excessivas de moeda.
b. Os sindicatos estão negociando salários excessivamente altos.
c. O governo está impondo níveis excessivos de tributação.
d. As empresas estão usando seu poder de monopólio para impor escaladas excessivas de preço.

RESUMO

- As lições fundamentais sobre a tomada de decisões individual são as seguintes: as pessoas enfrentam *tradeoffs* entre objetivos alternativos, o custo de qualquer ação é medido em termos de oportunidades abandonadas, as pessoas racionais tomam decisões depois de comparar custos marginais e benefícios marginais, e os indivíduos mudam o comportamento quando há incentivos.

- As lições fundamentais sobre as interações entre pessoas são as seguintes: o comércio e a interdependência podem ser mutuamente benéficos, os mercados costumam ser uma boa maneira de coordenar a atividade econômica entre as pessoas, e o governo pode potencialmente melhorar os resultados do mercado quando corrige uma falha de mercado ou promove maior igualdade econômica.
- As lições fundamentais sobre a economia como um todo são estas: a produtividade é a fonte fundamental dos padrões de vida, o aumento na emissão de moeda é a causa fundamental da inflação e a sociedade enfrenta um *tradeoff* de curto prazo entre inflação e desemprego.

CONCEITOS-CHAVE

economia, p. 2
escassez, p. 2
eficiência, p. 3
igualdade, p. 3
custo de oportunidade, p. 4
pessoa racional, p. 4
mudança marginal, p. 5
incentivo, p. 6
economia de mercado, p. 8
direito de propriedade, p. 9
externalidade, p. 9
falha de mercado, p. 9
poder de mercado, p. 10
produtividade, p. 10
inflação, p. 11
ciclo de negócios, p. 12

QUESTÕES PARA REVISÃO

1. Dê três exemplos de *tradeoffs* importantes com que você se depara na vida.
2. Quais itens você incluiria para descobrir o custo de oportunidade de férias no Disney World?
3. A água é necessária para a vida. O benefício marginal de um copo d'água é grande ou pequeno?
4. Por que os formuladores de políticas devem pensar sobre os incentivos?
5. Por que o comércio entre países não é como um jogo, em que alguns vencem e outros perdem?
6. O que a "mão invisível" do mercado faz?
7. Explique as duas principais causas de falhas de mercado e dê um exemplo de cada.
8. Por que a produtividade é importante?
9. O que é inflação e quais são suas causas?
10. Como a inflação e o desemprego estão relacionados no curto prazo?

PROBLEMAS E APLICAÇÕES

1. Descreva alguns *tradeoffs* enfrentados nas seguintes situações:
   a. Uma família ao decidir se compra um carro novo.
   b. Um membro do Congresso ao decidir quanto gastar nos parques nacionais.
   c. O presidente de uma empresa ao decidir se abre uma nova fábrica.
   d. Um professor ao decidir o quanto preparar para uma aula.
   e. Um recém-formado ao decidir se cursa pós-graduação.

2. Você está tentando decidir se tira férias ou não. A maioria dos custos (passagem aérea, hotel, rendimentos que deixam de ser ganhos) se mede em dólares, mas os benefícios são psicológicos. Como se pode comparar os benefícios com os custos?

3. Você pretendia passar o sábado trabalhando, mas um amigo o convida para jogar futebol. Qual é o verdadeiro custo de ir jogar futebol? Agora suponha que você planeje passar o dia estudando. Nesse caso, qual é o custo de ir jogar futebol? Explique.

4. Você ganha \$ 100 em um bolão de basquete. Você pode escolher entre gastar o dinheiro agora e guardá-lo por um ano, depositando em uma conta de poupança que paga juros de 5%. Qual é o custo de oportunidade de gastar os \$ 100 agora?

5. A empresa que você administra investiu $ 5 milhões no desenvolvimento de um novo produto, mas ele ainda não foi concluído. Em recente reunião, seu pessoal de vendas relatou que a introdução de produtos concorrentes reduziu o volume previsto de vendas de seu novo produto para $ 3 milhões. Se o custo de completar o desenvolvimento e fazer o produto fosse $ 1 milhão, valeria a pena gastar esse dinheiro? Qual é o valor máximo que você deveria pagar para concluir o desenvolvimento?

6. Um projeto de lei de 1996, que reformulou programas antipobreza do governo federal, limitou muitos beneficiários a apenas dois anos de benefícios.
   a. Como isso afeta os incentivos ao trabalho?
   b. Como isso poderia representar um *tradeoff* entre igualdade e eficiência?

7. Explique se cada uma das seguintes atividades do governo é motivada pela preocupação com a igualdade ou com a eficiência. Quando a preocupação for com a eficiência, discuta o tipo de falha de mercado em questão.
   a. Regulamentar os preços de TV a cabo.
   b. Dar às pessoas pobres tíquetes que podem ser usados para comprar comida.
   c. Proibir que as pessoas fumem em locais públicos.
   d. Dividir a Standard Oil (que já possuiu 90% de todas as refinarias de petróleo) em várias pequenas empresas.
   e. Aumentar as alíquotas do imposto de renda das pessoas com renda elevada.
   f. Aprovar leis para punir quem dirigir alcoolizado ou sob efeito de drogas.

8. Discuta cada uma das afirmativas a seguir do ponto de vista da igualdade e da eficiência.
   a. "É preciso garantir a todos os membros da sociedade o melhor atendimento médico possível."
   b. "Os trabalhadores que são demitidos deveriam estar qualificados a receber os benefícios do seguro-desemprego até que encontrassem trabalho."

9. De que maneira seu padrão de vida é diferente do de seus pais ou avós quando tinham sua idade? O que causou essas mudanças?

10. Suponhamos que os norte-americanos decidam poupar uma parte maior da renda que recebem. Se os bancos emprestarem essa poupança extra para as empresas, que empregam esses fundos para construir novas fábricas, como esse aumento de poupança poderá levar a um crescimento rápido da produtividade? Quem se beneficiará da maior produtividade? A sociedade terá um "almoço gratuito"?

11. Durante a Guerra pela Independência dos EUA, as colônias norte-americanas não conseguiam obter carga fiscal suficiente para financiar completamente seus esforços de guerra. Para compensar a diferença, essas colônias decidiram emitir mais moeda. A emissão de moeda para cobrir gastos às vezes é chamada de "imposto inflacionário". Quem você acha que é "taxado" quando se emite mais moeda? Por quê?

CAPÍTULO 2

Pensando como um economista

Cada campo de estudo tem sua própria linguagem e sua própria maneira de pensar. Os matemáticos falam de axiomas, integrais e espaços vetoriais. Os psicólogos falam de ego, id e dissonância cognitiva. Os advogados falam de comarcas, delitos contratuais e embargos promissórios.

Em economia não é diferente. Oferta, demanda, elasticidade, vantagem comparativa, excedente do consumidor, peso morto - esses termos são parte da linguagem dos economistas. Nos próximos capítulos, você encontrará muitos termos novos e algumas palavras comuns que os economistas empregam de maneira especializada. À primeira vista, essa nova linguagem pode parecer desnecessariamente enigmática, mas, como você verá, tem valor por proporcionar uma maneira nova e útil de pensar sobre o mundo em que vivemos.

O principal objetivo deste livro é ajudar você a aprender a maneira de pensar do economista. É claro que, assim como ninguém se torna um matemático, psicólogo ou advogado da noite para o dia, aprender a pensar como um economista leva algum tempo. Mas, com uma combinação de teoria e exemplos de economia, além de material de apoio on-line[1] com "Estudos de caso" e notícias atuais da área em "Por dentro das notícias", este livro oferece uma excelente oportunidade para o desenvolvimento e para a prática dessa habilidade.

Antes de entrarmos na substância e nos detalhes da teoria econômica, será bom ter uma visão geral de como os economistas encaram o mundo. Este capítulo, portanto, discute a metodologia utilizada no campo da economia. O que distingue a maneira como os economistas enfrentam um problema qualquer? O que significa pensar como um economista?

2_1 O ECONOMISTA COMO CIENTISTA

Os economistas procuram abordar seu campo de estudo com a objetividade dos cientistas. Estudam a economia da mesma forma como um físico estuda a matéria e um biólogo estuda a vida: eles desenvolvem teorias, colhem dados e os analisam na tentativa de confirmar ou refutar suas teorias.

Para os iniciantes, pode parecer estranho afirmar que a economia é uma ciência. Afinal de contas, os economistas não trabalham com tubos de ensaio nem telescópios. Mas a essência da ciência é o *método científico* - o desenvolvimento e o teste imparcial de teorias sobre como funciona o mundo. Esse método de investigação aplica-se tanto ao estudo da economia de um país quanto ao da gravidade da Terra ou da evolução das espécies. Como disse Albert Einstein, "A ciência nada mais é que o refinamento do pensamento cotidiano".

Embora o comentário de Einstein seja verdadeiro tanto para as ciências sociais, como a economia, quanto para as ciências naturais, como a física, a maioria das pessoas não está habituada a enxergar a sociedade com os olhos de um cientista. Assim sendo, verificaremos aqui como os economistas aplicam a lógica da ciência com o objetivo de examinar o funcionamento de uma economia.

1. Leia o Prefácio para mais detalhes sobre o material de apoio on-line.

2_1A O método científico: observação, teoria e mais observação

Segundo a lenda, Isaac Newton, o famoso cientista e matemático do século XVII, ficou intrigado um dia ao ver uma maçã cair da árvore. Essa observação o levou a desenvolver uma teoria da gravidade que se aplica não só a uma maçã que cai no chão, mas também a qualquer objeto no universo. Testes posteriores da teoria de Newton demonstraram que ela funciona muito bem em diversas circunstâncias (embora, como mais tarde observaria Einstein, não em todas). Por ter sido muito bem-sucedida para explicar observações, a teoria de Newton é até hoje ensinada em cursos de física em todo o mundo.

Essa interação entre teoria e observação também ocorre no campo da economia. Um economista poderia viver em um país que passa por rápidos aumentos de preços e ser levado por essa observação a desenvolver uma teoria da inflação. A teoria poderia afirmar que a inflação elevada surge quando o governo emite muita moeda. Para testar essa teoria, o economista poderia coletar e analisar dados sobre preços e moedas em diferentes países. Se o aumento na quantidade de moeda não estivesse relacionado com a taxa de crescimento dos preços, o economista começaria a duvidar da validade de sua teoria da inflação. Se o aumento na quantidade de moeda e a inflação estivessem fortemente correlacionados nos dados internacionais, como de fato ocorre, o economista passaria a confiar mais em sua teoria.

Embora os economistas usem a teoria e a observação da mesma maneira que os outros cientistas, eles enfrentam um obstáculo que torna sua tarefa especialmente difícil: na economia, conduzir experimentos é difícil e, às vezes, impossível. Os físicos que estudam a gravidade podem deixar cair quantos objetos quiserem em seus laboratórios para gerar dados a fim de testar suas teorias. Em comparação, os economistas que estudam a inflação não podem manipular a política monetária de um país simplesmente para gerar dados úteis. Os economistas, assim como os astrônomos e biólogos que estudam a evolução, em geral têm de se satisfazer com quaisquer dados que o mundo possa lhes dar.

Para encontrar um substituto para os experimentos em laboratório, os economistas prestam muita atenção aos experimentos naturais que a história oferece. Por exemplo, quando uma guerra no Oriente Médio interrompe o fluxo de petróleo, os preços dessa mercadoria "explodem" em todo o mundo. Para os consumidores de petróleo e derivados, isso diminui o padrão de vida. Para os formuladores de políticas econômicas, representa uma escolha difícil quanto à melhor forma de reagir. Mas, para os cientistas econômicos, oferece uma oportunidade para estudar os impactos de um recurso natural essencial sobre as economias do mundo. Neste livro, portanto, trataremos de muitos episódios históricos, que são importantes para o estudo porque permitem verificar como a economia funcionou no passado e, o que é mais importante, ilustrar e avaliar as teorias econômicas do presente.

2_1B O papel das hipóteses

Se você perguntar a um físico quanto tempo levaria para uma bolinha de gude cair do alto de um edifício de dez andares, ele provavelmente responderá à questão supondo que a bolinha cai no vácuo. Naturalmente, essa suposição é falsa. Na verdade, o edifício está cercado de ar, cujo atrito sobre a bolinha em queda reduz sua velocidade. Mas o físico esclarecerá, corretamente, que o atrito sobre a bolinha é tão pequeno que seu efeito é insignificante. Admitir que a bolinha cai no vácuo simplifica muito o problema sem afetar substancialmente a resposta.

Os economistas adotam hipóteses pelo mesmo motivo: elas podem simplificar o mundo complexo em que vivemos e torná-lo mais fácil de entender. Para estudarmos os efeitos do comércio internacional, por exemplo, podemos supor que o mundo consiste em apenas dois países e que cada um produz apenas dois bens. É claro que o mundo real é composto de vários países, e cada um deles produz milhares de diferentes tipos de bens. Entretanto, quando adotamos a hipótese de dois países e dois bens, podemos concentrar mais nosso pensamento na essência do problema. Uma vez que tenhamos entendido o comércio internacional em um mundo imaginário com dois países e dois bens, estaremos em melhores condições de entender o comércio internacional no mundo mais complexo em que vivemos.

A arte do pensamento científico – em física, biologia ou economia – está em decidir quais hipóteses adotar. Suponhamos que deixaremos cair uma bola de praia do alto do edifício em vez de uma bolinha de gude. Nossos físicos perceberiam que a suposição de não fricção é menos precisa nesse caso: a fricção exerce uma força maior sobre a bola de praia do que sobre a bolinha de gude pelo fato de a bola ser muito maior. A hipótese de que a gravidade opera no vácuo é razoável para estudar a queda de uma bolinha de gude, mas não de uma bola de praia.

Da mesma forma, os economistas usam diferentes hipóteses para responder a diferentes questões. Vamos supor que queremos estudar o que acontece com a economia quando o governo muda a quantidade de dólares em circulação. Uma parte importante dessa análise, como veremos, é a maneira como os preços reagem. Muitos dos preços da economia só mudam raramente; o preço das revistas, por exemplo, leva vários anos para mudar. O conhecimento desse fato pode nos levar a formular diferentes hipóteses ao estudarmos os efeitos da mudança da política em diferentes horizontes de tempo. Para estudarmos os efeitos de curto prazo da política, podemos supor que os preços mudam pouco. Podemos até formular uma hipótese extrema e artificial de que todos os preços são completamente constantes. Para estudarmos os efeitos de longo prazo da política, entretanto, podemos supor que todos os preços sejam completamente variáveis. Assim como um físico usa diferentes hipóteses para estudar a queda de bolinhas de gude e de bolas de praia, os economistas utilizam diferentes hipóteses para estudar os efeitos de curto e de longo prazo de uma mudança na quantidade de moeda.

2_1c Modelos econômicos

Os professores de biologia do ensino médio ensinam anatomia básica com réplicas plásticas do corpo humano. Esses modelos apresentam todos os principais órgãos – coração, fígado, rins, e assim por diante – e permitem que os professores mostrem para seus alunos, de uma maneira simples, como as principais partes do corpo encaixam-se umas nas outras. Como esses modelos de plástico são estilizados e omitem muitos detalhes, ninguém os confundiria com uma pessoa. Mas, apesar dessa falta de realismo – e, na verdade, por causa dessa falta de realismo –, estudar os modelos é útil para aprender como funciona o corpo humano.

Os economistas também usam modelos para aprender sobre o mundo, mas, em vez de serem feitos de plástico, os modelos econômicos são compostos de diagramas e equações. Como o modelo de plástico dos professores de biologia, os modelos econômicos omitem muitos detalhes para permitir que vejamos o que realmente importa. Assim como o modelo do professor de biologia não mostra todos os músculos e vasos capilares do corpo, os modelos dos economistas não incluem todas as características da economia.

Ao usarmos modelos para examinar diversas questões econômicas ao longo do livro, você verá que todos são construídos com hipóteses. Da mesma maneira que um físico inicia a análise de uma bolinha de gude em queda supondo que não haja atrito, os economistas adotam hipóteses para muitos dos detalhes da economia que são irrelevantes para o estudo da questão analisada. Todos os modelos – em física, biologia ou economia – simplificam a realidade para que possamos compreendê-la melhor.

2_1d Nosso primeiro modelo: o diagrama do fluxo circular

A economia consiste em milhões de pessoas envolvidas em muitas atividades – comprar, vender, trabalhar, contratar, fabricar etc. Para entendermos como a economia funciona, precisamos encontrar alguma maneira de simplificar nosso pensamento sobre todas essas atividades. Em outras palavras, precisamos de um modelo que explique, em termos gerais, como a economia está organizada e como seus participantes interagem uns com os outros.

diagrama do fluxo circular
um modelo visual da economia que mostra como os dólares circulam pelos mercados entre as famílias e as empresas

A Figura 1 apresenta um modelo visual da economia chamado **diagrama do fluxo circular**. Nesse modelo, a economia é simplificada para incluir apenas dois tipos de tomadores de decisões: famílias e empresas. As empresas

Figura 1
O fluxo circular

Este diagrama é uma representação esquemática da organização da economia. As decisões são tomadas por famílias e empresas que interagem nos mercados de bens e serviços (onde as famílias são compradoras, e as empresas, vendedoras), e nos mercados, pelos fatores de produção (onde as empresas são compradoras, e as famílias, vendedoras). O conjunto externo de setas representa o fluxo de dinheiro, enquanto o conjunto interno refere-se ao fluxo correspondente de insumos e produtos.

produzem bens e serviços usando insumos, como trabalho, terra e capital (prédios e máquinas), os quais são chamados *fatores de produção*. As famílias são proprietárias dos fatores de produção e consomem todos os bens e serviços que as empresas produzem.

As famílias e as empresas interagem em dois tipos de mercado. Nos *mercados de bens e serviços*, as famílias são compradoras, e as empresas, vendedoras. Mais especificamente, as famílias compram os bens e serviços que as empresas produzem. Nos *mercados de fatores de produção*, as famílias são vendedoras, e as empresas, compradoras. Nesses mercados, as famílias fornecem os insumos que as empresas usam para produzir bens e serviços. O diagrama do fluxo circular oferece uma maneira simples de organizar todas as transações econômicas que ocorrem entre as famílias e as empresas na economia.

Os dois conjuntos de flechas do diagrama de fluxo circular são distintos, mas estão relacionados. O conjunto interno representa o fluxo de insumos e produtos. As famílias vendem o uso de seu trabalho, terra e capital para as empresas nos mercados de fatores de produção. As empresas, então, utilizam esses fatores para produzir bens e serviços, que, por sua vez, são vendidos para as famílias no mercado de bens e serviços. O conjunto externo do diagrama representa o fluxo correspondente de dólares. As famílias gastam dinheiro para comprar bens e serviços das empresas. As empresas usam parte da receita dessas vendas para pagar pelos fatores de produção, como o salário de seus trabalhadores. O que sobra é o lucro dos proprietários da empresa, que são também membros das famílias.

Vamos dar uma volta pelo fluxo circular, acompanhando o caminho que faz uma nota ao passar de pessoa para pessoa na economia. Vamos imaginar que a nota comece em uma família; dentro da sua carteira, digamos. Se você quer comprar uma xícara de café, deve levar sua nota a um dos mercados de bens e serviços da economia, por exemplo, a Starbucks mais próxima, onde você a gasta em sua bebida predileta. Ao passar pela caixa registradora da loja, a nota torna-se receita da empresa. Entretanto, o dinheiro não fica muito tempo na Starbucks, porque a empresa o utiliza para comprar insumos nos mercados de fatores de produção. Por exemplo, a Starbucks pode usar a nota para pagar o aluguel ao locador em troca do espaço que utiliza ou para pagar o salário de seus funcionários. Seja como for, o dinheiro entra para a renda de alguma família e volta à carteira de alguém. Nesse ponto, a história do fluxo circular da economia recomeça.

O diagrama do fluxo circular da Figura 1 é um modelo bem simples da economia. Um modelo de fluxo circular mais complexo e realista incluiria, por exemplo, os papéis representados pelo governo e pelo comércio internacional. (Uma parte daquele dólar que você deu à Starbucks pode ser usada para pagar impostos ou comprar grãos de café de um produtor no Brasil.) No entanto, esses detalhes não são cruciais para uma compreensão básica de como a economia é organizada. Por causa de sua simplicidade, é útil ter em mente o diagrama do fluxo circular ao pensar sobre como os componentes da economia se encaixam.

2_1E Nosso segundo modelo: a fronteira de possibilidades de produção

Diferentemente do que ocorre com o diagrama do fluxo circular, a maioria dos modelos econômicos se constrói com as ferramentas da matemática. Trataremos agora do mais simples deles, chamado *fronteira das possibilidades de produção*, e veremos como ele ilustra algumas ideias econômicas básicas.

fronteira de possibilidades de produção
um gráfico que mostra as combinações de produto que a economia tem possibilidade de produzir dados os fatores de produção e a tecnologia de produção disponíveis

Embora as economias reais produzam milhares de bens e serviços, vamos imaginar uma economia que produza apenas dois bens: carros e computadores. Juntas, a indústria automobilística e a de computadores usam todos os fatores de produção da economia. A **fronteira de possibilidades de produção** é um gráfico que mostra as diversas combinações de produção - nesse caso, entre carros e computadores - que a economia pode produzir dados os fatores de produção e a tecnologia produtiva disponíveis, os quais as empresas podem usar para transformar esses fatores em produto.

A Figura 2 mostra essa fronteira de possibilidades de produção. Se a economia emprega todos os recursos na indústria automobilística, produz 1.000 carros, mas nenhum computador. Se emprega todos os recursos na indústria de computadores, ela produz 3.000 computadores, mas nenhum carro. Os dois pontos finais da fronteira representam essas possibilidades extremas.

Mais provavelmente, a economia divide seus recursos entre as duas indústrias, com o objetivo de produzir alguns carros e alguns computadores. Por exemplo, ela pode produzir 600 carros e 2.200 computadores, representados na figura pelo ponto A. Ou, ao transferir alguns dos fatores de produção da indústria de informática para a automobilística, consegue produzir 700 carros e 2.000 computadores, representados pelo ponto B.

Como os recursos são escassos, nem todo resultado esperado é viável. Por exemplo, independentemente de como os recursos são alocados entre as duas indústrias, a economia não pode produzir a quantidade de

Figura 2
A fronteira de possibilidades de produção[1]

A fronteira de possibilidades de produção mostra as combinações de produtos – neste caso, carros e computadores – que a economia tem a possibilidade de produzir. A economia pode produzir qualquer combinação na fronteira ou dentro dela. Pontos fora da fronteira não são viáveis, dados os recursos da economia. A inclinação da fronteira de possibilidades de produção mede o custo de oportunidade de um carro em termos de computadores. Este custo de oportunidade varia, dependendo da quantidade de cada um desses bens que a economia estiver produzindo.

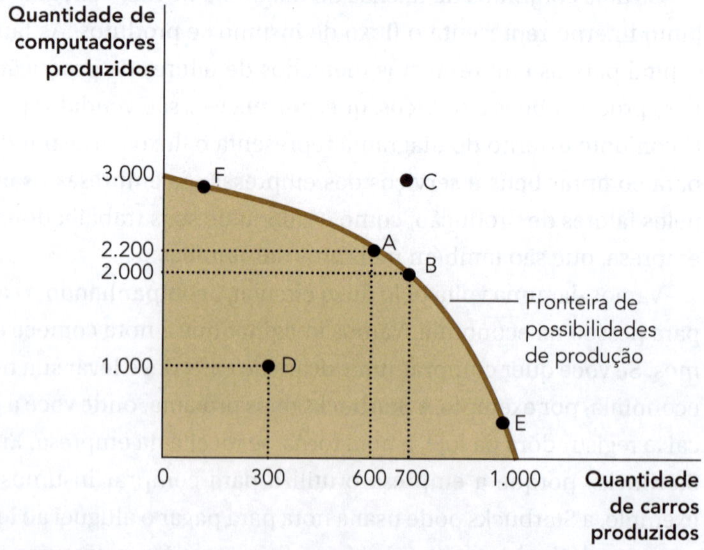

1. A fronteira de possibilidades de produção (FPP) é também chamada *curva de possibilidades de produção* (CPP). (NRT)

carros e computadores representada pelo ponto C. Se não houver tecnologia disponível para a fabricação de carros e computadores, a economia não terá fatores de produção suficientes para suportar esse nível de produtos. Com os recursos que possui, consegue produzir em qualquer ponto na fronteira de possibilidades de produção, ou dentro dela, mas não consegue produzir em um ponto fora dela.

Podemos afirmar que um resultado é *eficiente* quando a economia consegue obter o máximo dos escassos recursos disponíveis. Os pontos na fronteira de possibilidades de produção (em vez de dentro dela) representam níveis eficientes. Quando a economia está produzindo em um ponto, por exemplo, no ponto A, não existe possibilidade de produzir maior quantidade de um bem sem diminuir a produção de outro. O ponto D representa um resultado *ineficiente*. Por algum motivo, talvez o alto desemprego, a economia está produzindo menos do que poderia com os recursos disponíveis: apenas 300 carros e 1.000 computadores. Se a fonte de ineficiência for eliminada, conseguirá aumentar a produção dos dois produtos. Por exemplo, se a economia se mover do ponto D para o ponto A, a produção de carros aumentará de 300 para 600, e a de computadores, de 1.000 para 2.200.

Um dos *Dez princípios de economia* discutidos no Capítulo 1 é o de que as pessoas enfrentam *tradeoffs*. A fronteira de possibilidades de produção mostra um *tradeoff* que a sociedade enfrenta. Uma vez que tenhamos atingido os pontos de eficiência na fronteira, a única maneira de produzir mais de um bem é produzir menos de outro. Quando a economia se move do ponto A para o B, por exemplo, a sociedade produz mais 100 carros, à custa de 200 computadores a menos na produção.

Esse *tradeoff* ajuda a entender outro dos *Dez princípios de economia*: o custo de uma coisa é aquilo de que você desiste para obtê-la. Isso se chama *custo de oportunidade*. A fronteira de possibilidades de produção mostra que o custo de oportunidade de um bem é medido em termos de outro. Quando a sociedade se move do ponto A para o B, deixa de produzir 200 computadores para produzir 100 carros adicionais. Ou seja, no ponto A, o custo de oportunidade de 100 carros é de 200 computadores. Visto de outra forma, o custo de oportunidade de cada carro é de dois computadores. Observe que o custo de oportunidade de um carro se iguala à inclinação da fronteira de possibilidades de produção. (Se você não lembra o que é inclinação, veja o apêndice deste capítulo.)

O custo de oportunidade de um carro em relação ao número de computadores não é constante nessa economia, depende de quantos desses bens ela produz, o que se reflete no formato da fronteira de possibilidades de produção. Como na Figura 2 a inclinação é para fora, o custo de oportunidade de um carro é maior quando a economia produz mais carros e menos computadores, como acontece no ponto E, onde a inclinação é acentuada. Quando a economia produz menos carros e mais computadores, como no ponto F, ela não é tão acentuada, e o custo de oportunidade de um carro é menor.

Os economistas acreditam que a fronteira de possibilidades de produção, geralmente, apresenta esse formato. Quando a economia usa a maior parte de seus recursos para produzir computadores, os recursos mais adequados para produzir carros, como mão de obra qualificada, estão sendo empregados na indústria de computadores. Como esses trabalhadores provavelmente não têm habilidade para isso, a economia não vai perder muito na produção de computadores para aumentar a produção de carros em apenas uma unidade. Assim, no ponto F, o custo de oportunidade de um carro em relação a computadores é pequeno, e a fronteira fica relativamente plana. Em contrapartida, quando a economia emprega a maior parte de seus recursos para produzir carros, como no ponto E, os recursos mais adequados para isso já estão na indústria automobilística. Para produzir um carro a mais, é preciso retirar alguns dos melhores técnicos da indústria da informática e transformá-los em técnicos da indústria automobilística. Desse modo, a produção de um carro adicional implicará perda substancial na produção de computadores. O custo de oportunidade de um carro é alto, e a fronteira fica bem inclinada.

A fronteira de possibilidades de produção mostra o *tradeoff* entre a saída de bens diferentes em determinado período, mas ele pode se modificar com o tempo. Por exemplo, imagine que um avanço tecnológico na indústria da informática aumente o número de computadores que um trabalhador consegue produzir por semana. Esse avanço aumenta o conjunto de oportunidades da sociedade. Para cada número determinado de carros, a economia pode produzir mais computadores. Mesmo que não produza nenhum computador, ela ainda pode produzir 1.000 carros, então um ponto da fronteira permanece igual. O restante, porém, se altera, como demonstra a Figura 3.

Essa figura ilustra o crescimento econômico. A sociedade pode mover a produção de um ponto da fronteira antiga para um ponto na nova. O ponto escolhido depende da preferência pelos dois bens. Nesse exemplo, a sociedade se move do ponto A para o G, produzindo mais computadores (2.300 em vez de 2.200) e mais carros (650 em vez de 600).

A fronteira de possibilidades de produção simplifica uma economia complexa para destacar e esclarecer algumas ideias básicas como escassez, eficiência, *tradeoffs*, custo de oportunidade e crescimento econômico. À medida que avançarmos no estudo de economia, essas ideias surgirão novamente de diversas formas. A fronteira de possibilidades de produção nos oferece uma maneira simples de pensar nelas.

Figura 3
Um deslocamento da fronteira de possibilidades de produção
Um avanço tecnológico na indústria da informática possibilita à economia produzir mais computadores para qualquer número de carros. Como resultado, a fronteira das possibilidades de produção se desloca para fora. Se a economia se move do ponto A para o ponto G, a produção de carros e computadores aumenta.

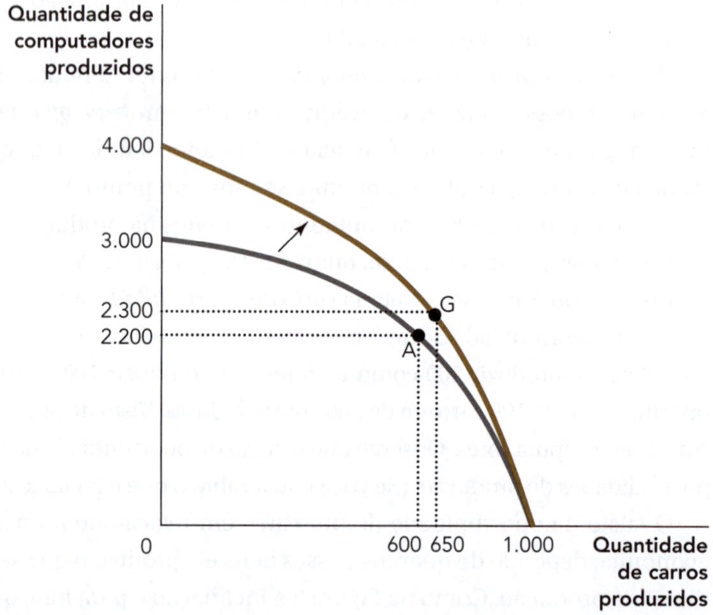

2_1F Microeconomia e macroeconomia

Muitos assuntos são estudados em diferentes níveis. Consideremos a biologia, por exemplo. Os biólogos moleculares estudam os compostos químicos que compõem os seres vivos. Biólogos celulares estudam as células que são feitas de muitos compostos químicos e são, ao mesmo tempo, os elementos que compõem os organismos vivos. Os biólogos evolutivos estudam as muitas variedades de plantas e animais e como as espécies mudam gradualmente com o passar dos séculos.

microeconomia
o estudo de como famílias e empresas tomam decisões e de como interagem nos mercados

macroeconomia
o estudo dos fenômenos da economia como um todo, incluindo inflação, desemprego e crescimento econômico

A economia também é estudada em diversos níveis. Podemos estudar as decisões de famílias ou empresas, tomadas individualmente. Ou a interação entre famílias e empresas nos mercados de bens e serviços específicos. Ou a operação da economia como um todo, que é a soma das atividades de todos os tomadores de decisões em todos os mercados.

O campo da economia divide-se tradicionalmente em dois amplos subcampos. A **microeconomia** é o estudo de como as famílias e empresas tomam decisões e de como elas interagem em mercados específicos. A **macroeconomia** é o estudo de fenômenos que englobam toda a economia. Um microeconomista pode estudar os efeitos do controle de aluguéis sobre os imóveis residenciais na cidade de Nova

York, o impacto da competição estrangeira sobre a indústria automobilística dos Estados Unidos ou os efeitos da frequência escolar obrigatória sobre os ganhos dos trabalhadores. Um macroeconomista pode estudar os efeitos de empréstimos feitos pelo governo federal, as mudanças da taxa de desemprego ao longo do tempo ou as políticas alternativas para promover a elevação do padrão de vida nacional.

A microeconomia e a macroeconomia estão intimamente ligadas. Como as mudanças na economia como um todo resultam das decisões de milhões de pessoas, é impossível entender os desdobramentos macroeconômicos sem considerar as decisões microeconômicas a eles associadas. Por exemplo, um macroeconomista pode estudar os efeitos de um corte no imposto de renda sobre a produção geral de bens e serviços. Para analisar a questão, ele precisa levar em consideração de que maneira o corte de impostos afeta as decisões das famílias sobre quanto gastar em bens e serviços.

Apesar da ligação inerente entre a microeconomia e a macroeconomia, os dois campos são distintos. Como tratam de questões diferentes, cada um deles tem seu próprio campo de atuação e frequentemente são ensinadas em cursos separados.

Teste rápido Em que sentido a economia é uma ciência? • Desenhe uma fronteira de possibilidades de produção de uma sociedade que produz alimentos e roupas. Indique um ponto de eficiência, um ponto de ineficiência e um ponto impossível de ser atingido. Mostre os efeitos de uma seca na fronteira de possibilidades de produção. • Defina microeconomia e macroeconomia.

2_2 O ECONOMISTA COMO CONSELHEIRO DE POLÍTICAS

Muitas vezes, pede-se que os economistas expliquem as causas de acontecimentos econômicos. Por que, por exemplo, o desemprego entre adolescentes é maior do que entre trabalhadores mais velhos? Às vezes, solicita-se que os economistas recomendem políticas que melhorem os resultados da economia. O que, por exemplo, o governo deveria fazer para melhorar o bem-estar econômico dos adolescentes? Quando tentam explicar o mundo, os economistas são cientistas. Quando tentam ajudar a melhorar a situação, são conselheiros políticos.

2_2A Análise positiva *versus* análise normativa

Para ajudar a esclarecer os dois papéis que os economistas desempenham, vamos começar examinando o uso da linguagem. Como cientistas e conselheiros políticos têm objetivos diferentes, usam a linguagem de maneiras diferentes.

Por exemplo, suponhamos que duas pessoas estejam discutindo a respeito do salário-mínimo. Seguem duas afirmativas que poderíamos ouvir delas:

POLLY: As leis do salário-mínimo causam desemprego.
NORMA: O governo deveria aumentar o salário-mínimo.

declarações positivas declarações que tentam descrever o mundo como ele é

declarações normativas declarações que tentam prescrever como o mundo deveria ser

Ignorando, por enquanto, se você concorda com essas afirmações ou discorda delas, observe que Polly e Norma diferem quanto ao que estão tentando dizer. Polly fala como cientista: está fazendo uma afirmação de como o mundo funciona. Norma fala como assessora de política: está fazendo uma declaração sobre como gostaria de mudar o mundo.

Em geral, as declarações a respeito do mundo são de dois tipos. O tipo de afirmação de Polly é positivo. **Declarações positivas** são descritivas e referem-se a como o mundo *é*. A declaração de Norma é normativa. **Declarações normativas** são prescritivas e referem-se a como o mundo *deveria ser*.

Uma diferença fundamental entre as declarações positivas e as normativas está em como julgamos sua validade. Podemos, em princípio, confirmar ou refutar as afirmações positivas por meio do exame de evidências. Um economista poderia avaliar a declaração de Polly analisando dados sobre as variações no salário-mínimo e no desemprego ao longo do tempo. Em comparação, avaliar declarações normativas envolve tanto valores quanto fatos. A declaração de Norma não pode ser julgada apenas com a utilização de dados. Decidir o que é política boa ou ruim não é apenas uma questão de ciência, envolve também nossa visão sobre ética, religião e filosofia política.

Embora declarações positivas e normativas sejam diferentes, estão intimamente interligadas no conjunto de crenças de um indivíduo. Em particular, uma visão positiva do mundo afeta a visão normativa sobre quais políticas são necessárias. A afirmação de Polly de que o salário-mínimo provoca desemprego, se verdadeira, pode levá-la a rejeitar a conclusão de Norma de que o governo deveria aumentar o salário-mínimo. Além disso, as conclusões normativas não resultam apenas da análise positiva, pois também envolvem juízos de valor.

À medida que estudar economia, tenha em mente a distinção entre declarações positivas e normativas, pois isso o ajudará a manter o foco na tarefa. Grande parte da economia é positiva: ela tenta apenas explicar seu funcionamento. No entanto, aqueles que usam a economia, muitas vezes, têm metas normativas: querem aprender a melhorar a economia. Quando ouvir economistas fazendo declarações normativas, você saberá que falam como consultores políticos, não como cientistas.

2_2B Economistas em Washington

O presidente Harry Truman disse, uma vez, que gostaria de encontrar um economista que tivesse um só braço. Quando pedia conselhos a seus economistas, eles sempre respondiam: "Por um lado... Por outro..."[2]

Truman estava certo ao perceber que os conselhos dos economistas nem sempre são diretos. Essa tendência está enraizada em um dos *Dez princípios de economia*: as pessoas enfrentam *tradeoffs*. Os economistas estão cientes de que *tradeoffs* estão incluídos na maioria das decisões políticas. Uma política pode aumentar a eficiência ao custo da igualdade. Pode ajudar gerações futuras em detrimento das gerações atuais. Um economista que diz que todas as decisões políticas são fáceis não é um economista confiável.

Truman não foi o único presidente a confiar no conselho de economistas. Desde 1946, o presidente dos Estados Unidos é orientado pelo Council of Economics Advisers (Conselho de Assessores Econômicos), que consiste de três membros e uma equipe composta de algumas dezenas de economistas. O conselho, cujo escritório fica a apenas alguns metros da Casa Branca, não tem outra obrigação a não ser assessorar o presidente e escrever anualmente o *Economic Report of the President* (relatório econômico do presidente), que discute desenvolvimentos recentes na economia e apresenta a análise do conselho sobre as questões políticas correntes.

O presidente também recebe insumos de economistas de muitos departamentos administrativos. Os economistas do Office of Management and Budget (Departamento de Gestão e Orçamento) ajudam a formular planos de gastos e políticas regulatórias. Os economistas do Departamento do Tesouro ajudam a formular a política tributária. Os economistas do Departamento do Trabalho analisam dados sobre os trabalhadores e sobre as pessoas que estão procurando emprego com o objetivo de ajudar na formulação de políticas para o mercado de trabalho. Os economistas do Departamento de Justiça ajudam a aplicar as leis antitruste do país.

Também há economistas no governo que não pertencem ao Poder Executivo. Para obter avaliações independentes das políticas propostas, o Congresso é assessorado pelo Congressional Budget Office (Departamento de Orçamento do Congresso), composto de economistas. O Federal Reserve, instituição que estabelece a política monetária do país, emprega centenas de economistas para analisar o desenvolvimento da economia nos Estados Unidos e em todo o mundo.

A influência de economistas sobre a política vai além de seu papel como assessores: as pesquisas e os textos produzidos por eles afetam indiretamente a política. O economista John Maynard Keynes fez a seguinte observação:

2. Tradução da expressão "*On the one hand... On the other hand...*", em que "*hand*" significa "mão", daí o trocadilho com a palavra "braço". Mas o sentido da expressão em inglês é tal qual o traduzido no texto. (NRT)

> As ideias dos economistas e dos filósofos políticos, tanto quando eles estão certos como quando estão errados, são mais poderosas do que geralmente se entende. Na verdade, o mundo é regido por pouca coisa a mais. Homens práticos, que acreditam ser isentos de influências intelectuais, costumam ser escravos de algum economista já falecido. Os loucos em posições de comando, que ouvem vozes no ar, destilam seu frenesi a partir de algum escriba acadêmico de poucos anos atrás.

Embora essas palavras tenham sido escritas em 1935, ainda hoje são verdadeiras. Na realidade, o "escriba acadêmico" que hoje influencia a política pública é quase sempre o próprio Keynes.

2_2C Por que os conselhos dos economistas nem sempre são seguidos

Qualquer economista que atue como conselheiro de presidentes ou de outros líderes sabe que nem sempre suas recomendações serão ouvidas. Embora seja frustrante, é fácil entender o motivo. O processo pelo qual a política econômica é realmente feita difere em muitos aspectos do processo político idealizado, como apresentado nos livros de economia.

Neste livro, sempre que abordarmos política econômica, o foco principal será uma questão: qual é a melhor política a ser seguida pelo governo? Agimos como se as políticas fossem determinadas por um rei benevolente. Depois que esse rei determina as políticas corretas, não há problemas para colocá-las em prática.

No mundo real, encontrar as políticas corretas é apenas parte do trabalho de um líder; às vezes, a mais fácil. Depois que o presidente ouve as ideias dos conselheiros econômicos sobre as melhores políticas, ele também ouve outros consultores. Os conselheiros de comunicação o instruem a respeito da maneira de explicar as políticas ao público e tentam antecipar qualquer dificuldade que possa tornar o desafio mais difícil. Os conselheiros de imprensa informam como a mídia reproduzirá as propostas e que opiniões provavelmente serão divulgadas nos editoriais em toda a nação. Os conselheiros sobre assuntos legislativos mostram a visão do Congresso sobre as propostas, quais emendas serão sugeridas e a probabilidade de transformar uma versão das propostas em lei. Os conselheiros políticos apresentam os grupos que podem apoiar ou se opor a elas, como tais propostas afetarão sua imagem perante diferentes grupos de eleitores e se afetarão o apoio para quaisquer outras iniciativas do presidente. Após analisar todas as informações, ele então decide como proceder.

Fazer política econômica em uma democracia representativa é uma tarefa árdua - e sempre há boas razões pelas quais os presidentes (e outros políticos) não levam adiante as políticas que os economistas defendem. Os economistas apresentam informações cruciais ao processo político, mas suas considerações são apenas um dos ingredientes de uma receita complexa.

Teste rápido Dê um exemplo de declaração positiva e um de declaração normativa que, de algum modo, tenha relação com sua rotina. • Aponte três órgãos do governo que sejam regularmente assessorados por economistas.

2_3 POR QUE OS ECONOMISTAS DIVERGEM

"Se todos os economistas fossem colocados lado a lado, não chegariam a nenhuma conclusão." Esse gracejo de George Bernard Shaw é revelador. Os economistas, como um grupo, são criticados por dar conselhos conflitantes aos formuladores de políticas. O presidente Ronald Reagan, certa vez, brincou ao dizer que, se o jogo Trivial Pursuit[3] tivesse sido criado por economistas, teria cem perguntas e 3.000 respostas.

Por que os economistas aparecem de modo tão frequente dando conselhos conflitantes aos formuladores de políticas? Há dois motivos básicos:

3. Trata-se de um jogo de perguntas e respostas, semelhante ao Quest, da Grow. (NE)

- Os economistas podem discordar quanto à validade de teorias positivas alternativas sobre o funcionamento do mundo.
- Os economistas podem ter valores diferentes e, portanto, visões normativas diferentes sobre que políticas devem ser realizadas.

Vamos discutir cada um desses motivos.

2_3A Divergências quanto ao julgamento científico

Há muitos séculos, os astrônomos debatiam se a Terra ou o Sol seriam o centro do sistema solar. Mais recentemente, os meteorologistas têm discutido se a Terra está passando por um aquecimento global e, em caso positivo, porquê. A ciência é a busca pela compreensão do mundo que nos cerca. Não é de surpreender que, à medida que a busca continua, os cientistas podem divergir quanto à direção em que a verdade se encontra.

Os economistas frequentemente divergem pelo mesmo motivo. A economia é uma ciência jovem e ainda há muito a aprender. Os economistas, às vezes, divergem porque têm palpites diferentes sobre a validade de teorias alternativas ou sobre o tamanho de parâmetros importantes, que avaliam como as variáveis econômicas estão relacionadas.

Por exemplo, os economistas divergem quanto à pertinência de o governo cobrar impostos sobre a renda das famílias ou sobre seu consumo (despesas). Os que defendem a mudança do atual imposto de renda para um imposto sobre o consumo acreditam que a mudança incentivará as famílias a poupar mais, porque a renda poupada seria isenta de impostos. Poupanças maiores, por sua vez, liberariam os recursos para o acúmulo de capital e levariam a um rápido crescimento da produtividade e dos padrões de vida. Os que defendem a tributação sobre a renda corrente acreditam que a poupança das famílias não responderia muito a mudanças nas leis tributárias. Esses dois grupos de economistas têm diferentes opiniões normativas sobre o sistema tributário porque têm diferentes opiniões positivas a respeito do grau de resposta da poupança aos incentivos tributários.

2_3B Divergências quanto a valores

Vamos supor que Pedro e Paulo retirem a mesma quantidade de água do poço de sua cidade. Para pagar pela manutenção do poço, a cidade cobra um imposto de seus moradores. Pedro tem uma renda de $ 150.000 e é taxado em $ 15.000, ou 10% de sua renda. Paulo tem uma renda de $ 30.000 e é taxado em $ 6.000, ou 20% de sua renda.

Essa política é justa? Se não é, quem paga muito e quem paga pouco? Faz alguma diferença se a baixa renda de Paulo decorre de algum problema médico ou da sua decisão de seguir a carreira de ator? Faz diferença se a alta renda de Pedro se deve a uma grande herança ou à sua disposição para trabalhar muitas horas em uma atividade fatigante?

Essas são questões difíceis sobre as quais as pessoas provavelmente discordam. Se a cidade contratasse dois especialistas para estudar como deveria taxar os moradores para pagar pelo poço, não seria surpreendente que eles oferecessem conselhos conflitantes.

Esse exemplo simples mostra por que os economistas às vezes divergem a respeito de políticas públicas. Como vimos anteriormente, durante a discussão sobre análise positiva e análise normativa, as políticas não podem ser julgadas somente com base na ciência. Algumas vezes, os economistas podem dar conselhos conflitantes porque têm valores diferentes. Aperfeiçoar a ciência econômica não vai nos dizer se é Pedro ou Paulo quem está pagando demais.

2_3C Percepção *versus* realidade

Como existem diferenças de julgamento científico e de valores, é inevitável que haja divergência entre os economistas. Mas não devemos exagerar o grau dessa divergência. Os economistas concordam entre si com muito mais frequência do que se imagina.

A Tabela 1 contém 20 proposições de política econômica. Em pesquisas com economistas profissionais, tais proposições foram endossadas pela esmagadora maioria dos entrevistados. A maior parte delas não receberia o mesmo apoio consensual do público em geral.

A primeira proposição da tabela é sobre controle de aluguéis, uma política que estabelece o valor máximo legal no total que os proprietários podem cobrar. Quase todos os economistas acreditam que o controle dos aluguéis afeta de modo negativo a disponibilidade e a qualidade da moradia e que essa é uma forma muito dispendiosa de ajudar os membros mais necessitados da sociedade. Ainda assim, muitos governos municipais optam por ignorar as advertências dos economistas e estabelecem tetos para os aluguéis que os proprietários podem cobrar de seus inquilinos.

Tabela 1
Proposições com as quais a maioria dos economistas concorda

Proposições (e porcentagem de economistas que concordam com elas)

1. Estabelecer um teto para os aluguéis reduz a quantidade e a qualidade das moradias disponíveis. (93%)
2. Tarifas e cotas de importação costumam reduzir o bem-estar econômico geral. (93%)
3. Taxas de câmbio flexíveis e flutuantes permitem um arranjo monetário internacional eficaz. (90%)
4. A política fiscal (por exemplo, cortes de impostos e/ou aumento dos gastos do governo) tem efeitos estimulantes significativos sobre uma economia que esteja abaixo do pleno emprego. (90%)
5. Os Estados Unidos não deveriam restringir a terceirização de outros países. (90%)
6. O crescimento econômico em países desenvolvidos, como os Estados Unidos, leva a níveis mais elevados de bem-estar. (88%)
7. Os Estados Unidos deveriam eliminar os subsídios agrícolas. (85%)
8. Uma política fiscal apropriadamente desenvolvida pode aumentar a taxa de formação de capital no longo prazo. (85%)
9. Os governos municipais e estaduais deveriam eliminar os subsídios para franquias de esportes profissionais. (85%)
10. O orçamento federal deve ser equilibrado durante o ciclo de negócios, não anualmente. (85%)
11. A diferença entre os fundos da Seguridade Social e os gastos se tornará insustentável nos próximos 50 anos se as políticas atuais permanecerem inalteradas. (85%)
12. Os pagamentos em dinheiro aumentam o bem-estar dos beneficiários mais do que as transferências em mercadorias de igual valor monetário. (84%)
13. Um grande déficit orçamentário federal tem efeitos adversos sobre a economia. (83%)
14. A redistribuição de renda nos Estados Unidos é um papel legítimo do governo. (83%)
15. A inflação é causada principalmente pelo crescimento excessivo da oferta de moeda. (83%)
16. Os Estados Unidos não devem banir safras geneticamente modificadas. (82%)
17. O salário-mínimo aumenta o desemprego entre trabalhadores jovens e não qualificados. (79%)
18. O governo deveria reestruturar o sistema de assistência social nos moldes de um "imposto de renda negativo". (79%)
19. Os impostos sobre efluentes e as permissões para poluição negociáveis são uma abordagem melhor no controle da poluição do que a imposição de tetos à poluição. (78%)
20. Os subsídios do governo sobre o etanol nos Estados Unidos devem ser reduzidos ou eliminados. (78%)

Fonte: Richard M. Alston, J. R. Kearl e Michael B. Vaughn, Is There Consensus among Economists in the 1990s?, *American Economic Review*, maio 1992, p. 203-209; Dan Fuller e Doris Geide-Stevenson, Consensus among Economists Revisited, *Journal of Economics Education*, outono 2003, p. 369-387; Robert Whaples, Do Economists Agree on Anything? Yes!, *Economists' Voice*, nov. 2006, p. 1-6; Robert Whaples, The Policy Views of American Economic Association Members: The Results of a New Survey, *Econ Journal Wath*, set. 2009, p. 337-348.

A segunda proposição da tabela refere-se a tarifas e cotas de importação, duas políticas que restringem o comércio entre as nações. Por motivos que discutiremos em outros capítulos, quase todos os economistas se opõem a essas barreiras ao livre comércio. Todavia, ao longo dos anos, o presidente e o Congresso optaram por restringir a importação de determinados bens.

Por que políticas como o controle de aluguéis e as barreiras comerciais persistem se os especialistas estão unidos contra elas? Pode ser que a realidade dos processos políticos permaneça sendo um obstáculo que não pode ser removido. Mas também pode ser que os economistas ainda não tenham convencido o público em geral de que elas são indesejáveis. Um dos objetivos deste livro é fazer com que você entenda a visão que os economistas têm desses e de outros temas e, talvez, convencê-lo de que essa é a visão correta.

À medida que lê este livro, de vez em quando você encontrará pequenas seções chamadas "Pergunte aos especialistas". Elas são baseados no IGM Economics Experts Panel[4], uma pesquisa permanente realizada com vários dos maiores economistas do mundo. Todas as semanas, esses especialistas recebem uma afirmação e devem responder se concordam, discordam ou não têm certeza. Os resultados apresentados nestas seções darão a você uma noção de quando os economistas estão unidos, quando estão divididos e quando não sabem o que pensar.

Nesta primeira seção, você pode ver um exemplo relacionado à revenda de ingressos de eventos esportivos e de entretenimento. Os legisladores, às vezes, tentam proibir a revenda de ingressos, ou o *scalping*[5], como também é chamada, mas os resultados da pesquisa mostram que muitos economistas estão do lado dos cambistas, não dos legisladores.

Pergunte aos especialistas

Revenda de ingressos

"Leis que limitam a revenda de ingressos de eventos esportivos e de entretenimento podem prejudicar, na média, os possíveis espectadores."

Fonte: IGM Economic Experts Panel, 16 de abril de 2012.

Teste rápido Por que os conselheiros econômicos da presidência podem divergir quanto a questões de política econômica?

2_4 VAMOS EM FRENTE

Os dois primeiros capítulos deste livro apresentaram a você as ideias e os métodos da economia. Agora estamos prontos para trabalhar. No próximo capítulo, começaremos a aprender em mais detalhes os princípios do comportamento e da política econômicos.

Ao avançar pelo livro, você precisará explorar muitas das suas habilidades intelectuais. Pode ser útil ter em mente um conselho do grande economista John Maynard Keynes:

> O estudo da economia não parece exigir talentos especializados de grau mais elevado que o normal. Não é... um assunto fácil, se comparado com a filosofia ou a ciência pura? Uma disciplina fácil em que bem poucos se sobressaem! O paradoxo pode ser explicado talvez pelo fato de que o especialista em economia deve possuir uma *combinação* rara de dons. Deve ser matemático, historiador, estadista,

4. Painel dos especialistas econômicos da IGM. (NRT)

5. Grosso modo, poderia ser entendido como "atravessador". (NRT)

filósofo - em certa medida. Deve compreender símbolos e falar por meio de palavras. Deve contemplar o particular em termos gerais e abordar o abstrato e o concreto em uma só linha de pensamento. Deve estudar o presente à luz do passado, com a intenção de compreender o futuro. Nenhuma parte da natureza do homem ou das suas instituições deve ficar inteiramente fora da sua atenção. Deve ser, ao mesmo tempo, determinado e desinteressado, tão distante e incorruptível quanto um artista, mas, por vezes, tão próximo da terra quanto um político.

É um grande encargo, mas, com prática, você se sentirá cada vez mais habituado a pensar como um economista.

Teste rápido do capítulo

1. Um modelo econômico é:

a. Um maquinismo que reproduz o funcionamento da economia.
b. Uma descrição detalhada e realista da economia.
c. Uma representação simplificada de algum aspecto da economia.
d. Um programa de computador que prevê o futuro da economia.

2. O diagrama do fluxo circular ilustra que, nos mercados de fatores de produção:

a. As famílias são vendedoras e as empresas são compradoras.
b. As famílias são compradoras e as empresas são vendedoras.
c. As famílias e as empresas são compradoras.
d. As famílias e as empresas são vendedoras.

3. Um ponto dentro da fronteira de possibilidades de produção é:

a. Eficiente, mas não viável.
b. Viável, mas não eficiente.
c. Eficiente e viável.
d. Nem eficiente nem viável.

4. Uma economia produz cachorros-quentes e hambúrgueres. Se a descoberta de um notável benefício dos cachorros-quentes para a saúde mudasse a preferência dos consumidores, haveria:

a. Uma expansão da fronteira de possibilidades de produção.
b. Uma contração da fronteira de possibilidades de produção.
c. Uma movimentação da economia ao longo da fronteira de possibilidades de produção.
d. Uma movimentação da economia dentro da fronteira de possibilidades de produção.

5. Todos os assuntos tratados nos itens a seguir fazem parte do estudo da microeconomia, EXCETO:

a. O impacto dos impostos do cigarro sobre o comportamento dos adolescentes fumantes.
b. O papel do poder de mercado da Microsoft na precificação de softwares.
c. A efetividade de programas de combate à pobreza na redução da falta de moradias.
d. A influência do déficit orçamentário do governo sobre o crescimento econômico.

6. Qual das alternativas a seguir é uma declaração positiva, e não normativa?

a. A lei X reduzirá a renda nacional.
b. A lei X é uma boa legislação.
c. O congresso deve aprovar a lei X.
d. O presidente deve vetar a lei X.

RESUMO

- Os economistas tentam abordar sua disciplina com a objetividade de cientistas. Como todos os cientistas, eles formulam hipóteses apropriadas e constroem modelos simplificados para entender o mundo que os cerca. Dois modelos econômicos simples são o diagrama do fluxo circular e a fronteira de possibilidades de produção.
- O campo da economia se divide em dois subcampos: microeconomia e macroeconomia. Os microeconomistas estudam a tomada de decisões pelas famílias e pelas empresas, e a interação entre elas no mercado. Os macroeconomistas estudam as forças e tendências que afetam a economia como um todo.
- Uma declaração positiva é uma afirmação sobre como o mundo é. Uma declaração normativa é uma declaração sobre como o mundo deveria ser. Quando os economistas fazem declarações normativas, estão agindo mais como assessores políticos que como cientistas.
- Os economistas que assessoram os formuladores de políticas oferecem conselhos conflitantes por causa

de diferenças de julgamento científico ou de diferenças de valores. Em outras situações, os economistas estão unidos em torno dos conselhos que oferecem, mas os formuladores de políticas podem optar por ignorar tais conselhos em razão das muitas forças e restrições impostas pelo processo político.

CONCEITOS-CHAVE

diagrama do fluxo circular, p. 18
fronteira de possibilidades de produção, p. 20
macroeconomia, p. 22
microeconomia, p. 22
declarações normativas, p. 23
declarações positivas, p. 23

QUESTÕES PARA REVISÃO

1. Por que a economia é considerada uma ciência?
2. Por que os economistas formulam hipóteses?
3. Um modelo econômico deveria descrever exatamente a realidade?
4. Cite uma forma como sua família interage no mercado de fatores e uma forma como interage no mercado de produtos.
5. Cite uma interação econômica que o diagrama de fluxo circular não abrange.
6. Desenhe e explique uma fronteira de possibilidades de produção para uma economia que produz leite e biscoitos. O que acontecerá a essa fronteira se uma doença matar metade das vacas dessa economia?
7. Use uma fronteira de possibilidades de produção para descrever a ideia de "eficiência".
8. Quais são os dois subcampos em que a economia se divide? Explique cada um deles.
9. Qual é a diferença entre as declarações positivas e as normativas? Dê um exemplo de cada.
10. Por que os economistas às vezes oferecem conselhos conflitantes aos formuladores de políticas?

PROBLEMAS E APLICAÇÕES

1. Desenhe um diagrama do fluxo circular. Identifique as partes do modelo que correspondem ao fluxo de bens e serviços e ao fluxo de dólares em cada uma das atividades a seguir.
   a. Selena paga $ 1 por um litro de leite.
   b. Stuart ganha $ 8 por hora trabalhando em um restaurante.
   c. Sarah paga $ 40 por um corte de cabelo.
   d. Sally recebe $ 20.000 referentes aos 10% que possui da Acme Industrial.
2. Imagine uma sociedade que produza bens militares e bens de consumo, aos quais chamaremos, respectivamente, de "armas" e "manteiga".
   a. Desenhe um gráfico de uma fronteira de possibilidades de produção para armas e manteiga. Usando o conceito de custo de oportunidade, explique por que ela provavelmente se curvará para fora.
   b. Indique um ponto que a economia não seja capaz de atingir. Indique um ponto possível de ser atingido, mas ineficiente.
   c. Imagine que nessa sociedade haja dois partidos políticos: os Falcões (que querem forças armadas poderosas) e as Pombas (que querem forças armadas menos poderosas). Indique um ponto em sua fronteira de possibilidades de produção que os Falcões desejariam escolher e um ponto que as Pombas gostariam de escolher.
   d. Imagine que um país vizinho agressivo decida reduzir o tamanho das suas forças armadas. Como resultado, tanto os Falcões quanto as Pombas reduzem a produção desejada de armas na mesma quantidade. Que partido obteria o maior "dividendo de paz", medido pelo aumento da produção de manteiga? Explique.
3. O primeiro princípio econômico que discutimos no Capítulo 1 é o de que as pessoas se deparam com *tradeoffs*. Use a fronteira de possibilidades de produção para ilustrar o *tradeoff* da sociedade entre um meio ambiente não poluído e a quanti-

dade de produto industrial. O que, em sua opinião, determina o formato e a posição da fronteira? Mostre o que acontece com a fronteira se engenheiros desenvolvem um motor para carro praticamente livre de emissões de poluentes.

4. Uma economia é composta de três trabalhadores: Larry, Moe e Curly. Cada um deles trabalha 10 horas por dia e consegue produzir dois serviços: cortar grama e lavar carros. Em uma hora, Larry consegue cortar um gramado ou lavar um carro; Moe consegue cortar um gramado ou lavar dois carros; Curly consegue cortar dois gramados ou lavar um carro.
   a. Calcule quanto de cada serviço é produzido nas seguintes circunstâncias, que identificamos como A, B, C e D:
      - Os três passam o tempo todo cortando grama. (A)
      - Os três passam o tempo todo lavando carros. (B)
      - Os três passam metade do tempo em cada atividade. (C)
      - Larry passa a metade do tempo em cada atividade, Moe apenas lava carros e Curly apenas corta grama. (D)
   b. Represente graficamente a fronteira de possibilidades de produção para essa economia. Com base em suas respostas para a parte (a), identifique os pontos A, B, C e D em seu gráfico.
   c. Explique por que a fronteira de possibilidades de produção tem esse formato.
   d. Alguma das alocações calculadas no item (a) é ineficiente? Explique.

5. Classifique os seguintes tópicos como pertencentes à microeconomia ou à macroeconomia.
   a. A decisão de uma família a respeito de quanto deve poupar.
   b. O efeito de regulamentações do governo sobre as emissões automotivas.
   c. O impacto de uma poupança nacional maior sobre o crescimento econômico.
   d. A decisão de uma empresa a respeito de quantos trabalhadores contratar.
   e. A relação entre taxa de inflação e mudanças na quantidade de dinheiro.

6. Classifique cada uma das declarações apresentadas a seguir como positiva ou normativa. Explique.
   a. A sociedade enfrenta um *tradeoff* de curto prazo entre inflação e desemprego.
   b. Uma redução na emissão de moeda vai reduzir a taxa de inflação.
   c. O Federal Reserve deve reduzir a emissão de moeda.
   d. A sociedade deve exigir que os beneficiários de programas sociais procurem emprego.
   e. Alíquotas de impostos mais baixas encorajam mais trabalho e mais economia.

Apêndice

GRÁFICOS: UMA BREVE REVISÃO

Muitos dos conceitos que os economistas estudam podem ser expressos por meio de números - o preço da banana, a quantidade de bananas vendidas, o custo do cultivo da banana, e assim por diante. Essas variáveis econômicas muitas vezes estão relacionadas umas com as outras. Quando o preço das bananas sobe, as pessoas compram menos bananas. Uma forma de expressar as relações entre variáveis é por meio de gráficos.

Os gráficos servem para duas coisas. Primeiro, quando se desenvolvem teorias econômicas, eles proporcionam uma maneira de expressar visualmente ideias que não ficariam tão claras se fossem descritas com equações ou palavras. Segundo, durante a análise de dados econômicos, oferecem uma forma poderosa de descobrir e interpretar padrões. Independentemente de estarmos trabalhando com teorias ou dados, os gráficos fornecem uma lente através da qual é possível reconhecer uma floresta a partir de uma grande quantidade de árvores.

A informação numérica pode ser expressa graficamente de várias formas, assim como um pensamento pode ser expresso de várias maneiras por meio de palavras. Um bom escritor escolhe palavras que tornarão um argumento claro, uma descrição agradável ou uma cena dramática. Um economista eficaz escolhe o tipo de gráfico mais adequado às suas finalidades.

Neste apêndice, abordaremos como os economistas usam gráficos para estudar as relações matemáticas entre variáveis, além de algumas armadilhas que podem surgir no uso de métodos gráficos.

Gráficos de uma só variável

Três gráficos comuns são mostrados na Figura A-1. O *gráfico de pizza,* no painel (a), mostra como se divide a renda total nos Estados Unidos entre as fontes de renda, incluindo a remuneração dos empregados (salário), lucros corporativos etc. Cada fatia da pizza representa a participação de uma fonte no total. O *gráfico de barras* do painel (b) compara a renda em quatro países; a altura de cada barra representa a renda média em cada país. O *gráfico de série temporal* do painel (c) traça a crescente produtividade no setor de negócios dos Estados Unidos ao longo do tempo; a altura da linha mostra o produto por hora a cada ano. Você, provavelmente, já viu gráficos semelhantes em jornais e revistas.

Figura A-1

Tipos de gráfico

O gráfico de pizza, no painel (a), mostra como a renda nacional dos Estados Unidos deriva de diversas fontes. O gráfico de barras, no painel (b), compara a renda média em quatro países. O gráfico de série temporal, no painel (c), mostra a produtividade do trabalho nas empresas dos Estados Unidos ao longo do tempo.

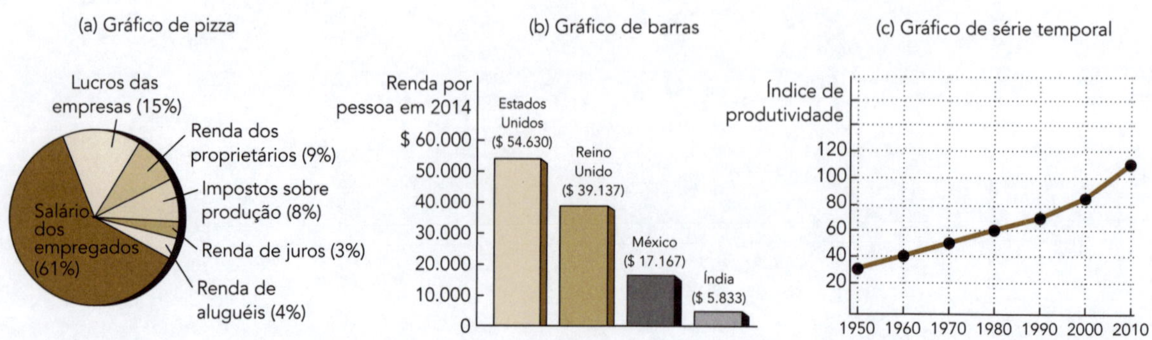

Gráficos de duas variáveis: o sistema de coordenadas

Embora os três gráficos da Figura A-1 sejam úteis para mostrar como uma variável muda ao longo do tempo ou de um indivíduo para outro, eles são bastante limitados no que se refere a quanto podem nos dizer. Eles apresentam informações sobre uma só variável. Os economistas, muitas vezes, estão interessados nas relações entre as variáveis, por isso precisam apresentar duas variáveis em um único gráfico. O uso do *sistema de coordenadas* torna isso possível.

Suponhamos que você queira examinar a relação entre o tempo de estudo e a nota média dos alunos. Para cada aluno de sua classe, você pode registrar um par de números: número de horas semanais de estudo e nota média obtida. Esses números podem, então, ser colocados entre parênteses, formando um *par ordenado*, e representados como um único ponto no gráfico. Albert E., por exemplo, é representado pelo par ordenado (25 horas/semana, nota 3,5), enquanto seu despreocupado colega Alfred E. é representado pelo par ordenado (5 horas/semana, nota 2,0).

Podemos fazer um gráfico desses pares ordenados em uma grade bidimensional. O primeiro número de cada par ordenado, chamado *coordenada x*, mostra a localização horizontal do ponto. O segundo número, chamado *coordenada y*, mostra a localização vertical do ponto. O ponto que tem coordenadas *x* e *y* iguais a zero é chamado *origem*. As duas coordenadas de cada par ordenado nos dizem onde o ponto está localizado em relação à origem: unidades *x* à direita da origem e unidades *y* acima dela.

A Figura A-2 representa graficamente as notas médias em relação ao tempo de estudo de Albert E., Alfred E. e seus colegas. Esse tipo de gráfico é chamado *gráfico de dispersão* porque representa pontos dispersos. Ao olhar para ele, percebemos imediatamente que os pontos mais à direita (que indicam maior tempo de estudo) tendem a ocupar posições mais elevadas (indicando melhores notas). Como o tempo de estudo e as notas costumam mover-se na mesma direção, dizemos que há uma *correlação positiva* entre essas duas variáveis. No entanto, se fizéssemos um gráfico do tempo gasto em festas e um das notas, provavelmente concluiríamos que mais tempo dedicado a festas está associado com notas menores; poderíamos dizer, então, que existe uma *correlação negativa*, já que as duas variáveis se movem em direções opostas. Em ambos os casos, o sistema de coordenadas permite ver com facilidade a correlação entre as duas variáveis.

Figura A-2
Usando o sistema de coordenadas

A nota média é medida no eixo vertical, e o tempo de estudo, no eixo horizontal. Albert E., Alfred E. e seus colegas de classe são representados por diversos pontos. Podemos ver pelo gráfico que os alunos que estudam mais tendem a tirar melhores notas.

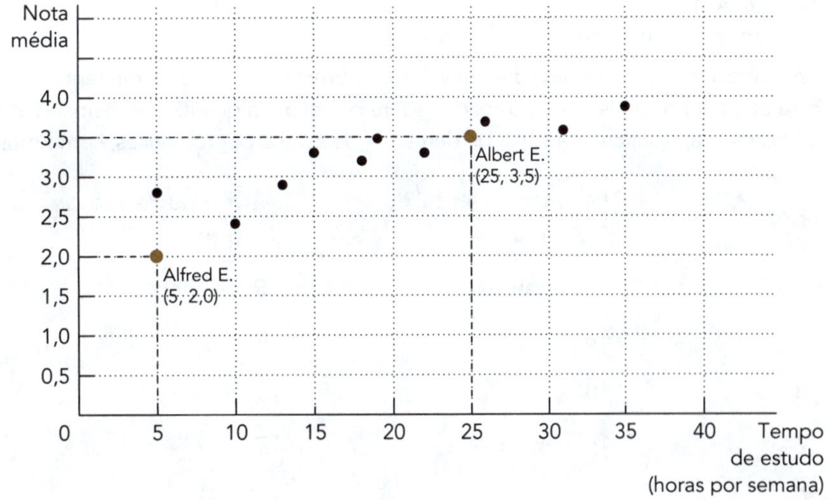

Curvas no sistema de coordenadas

Alunos que estudam mais tendem a ter notas mais altas, mas há outros fatores que influenciam as notas. Preparar-se com antecedência, por exemplo, é um fator importante, como também talento, atenção dos professores e até comer bem no café da manhã. Um gráfico de dispersão, como o da Figura A-2, não procura isolar o efeito que o estudo tem sobre as notas do efeito de outras variáveis. Muitas vezes, no entanto, os economistas preferem ver como uma variável afeta outra, mantendo tudo o mais constante.[6]

Para vermos como isso é feito, vamos considerar um dos gráficos mais importantes em economia: a *curva da demanda*. A curva de demanda representa o efeito do preço de um bem sobre a quantidade do bem que os consumidores desejam comprar. Antes de ver uma curva de demanda, contudo, considere a Tabela A-1, que mostra como o número de romances que Emma compra depende da sua renda e do preço desses livros. Quando os romances estão baratos, Emma os compra em grande quantidade. À medida que ficam mais caros, ela os pega emprestado da biblioteca, em vez de comprá-los, ou opta por ir ao cinema em vez de ler. De maneira semelhante, para qualquer preço dado, ela compra mais romances quando sua renda é mais alta, ou seja, quando sua renda aumenta, Emma gasta parte da renda adicional em romances e parte em outros bens.

Temos agora três variáveis - o preço dos romances, a renda e o número de livros comprados -, mais do que podemos representar em um gráfico bidimensional. Para representarmos graficamente as informações da Tabela A-1, teremos de manter constante uma das três variáveis e traçar a relação entre as outras duas. Como a curva de demanda representa a relação entre preço e quantidade demandada, manteremos constante a renda de Emma e mostraremos como o número de livros que ela compra varia de acordo com o preço.

Suponhamos que a renda de Emma seja de $ 40 mil por ano. Se colocarmos o número de romances comprados no eixo *x* e o preço destes no eixo *y*, poderemos representar graficamente a coluna do meio da Tabela A-1. Quando os pontos que representam esses dados da tabela - (5 romances, $ 10), (9 romances, $ 9), e assim por diante - são ligados, eles formam uma linha. Essa linha, representada na Figura A-3, é conhecida como a curva da demanda por romances e nos diz quantos romances Emma compra por qualquer preço dado, mantendo a renda constante. A curva da demanda é descendente, indicando que um preço maior reduz a quantidade de romances demandados. Como a quantidade demandada de romances e o preço se movem em direções opostas, dizemos que as duas variáveis estão *negativamente relacionadas* ou *inversamente relacionadas*. (Na situação inversa, quando duas variáveis se movem na mesma direção, a curva que as representa é ascendente, e dizemos que as variáveis são *positivamente relacionadas* ou *diretamente relacionadas*.)

Tabela A-1
Romances comprados por Emma

Esta tabela mostra o número de romances que Emma compra para diferentes níveis de renda e de preços. Para qualquer nível de renda, os dados sobre o preço e a quantidade demandada podem ser representados graficamente, resultando a curva da demanda de Emma por romances, como mostram as figuras A-3 e A-4.

Preço	Para uma renda de $ 30 mil:	Para uma renda de $ 40 mil:	Para uma renda de $ 50 mil:
$ 10	2 romances	5 romances	8 romances
9	6	9	12
8	10	13	16
7	14	17	20
6	18	21	24
5	22	25	28
	Curva da demanda, D_3	Curva da demanda, D_1	Curva da demanda, D_2

6. Para "mantendo tudo o mais constante" também é usual a expressão latina *ceteris paribus* ou *coeteris paribus*. (NRT)

Figura A-3
Curva da demanda

A linha D_1 mostra como a quantidade de romances que Emma compra depende do preço destes quando sua renda permanece constante. Como o preço e a quantidade demandada estão negativamente relacionados, a curva da demanda é descendente.

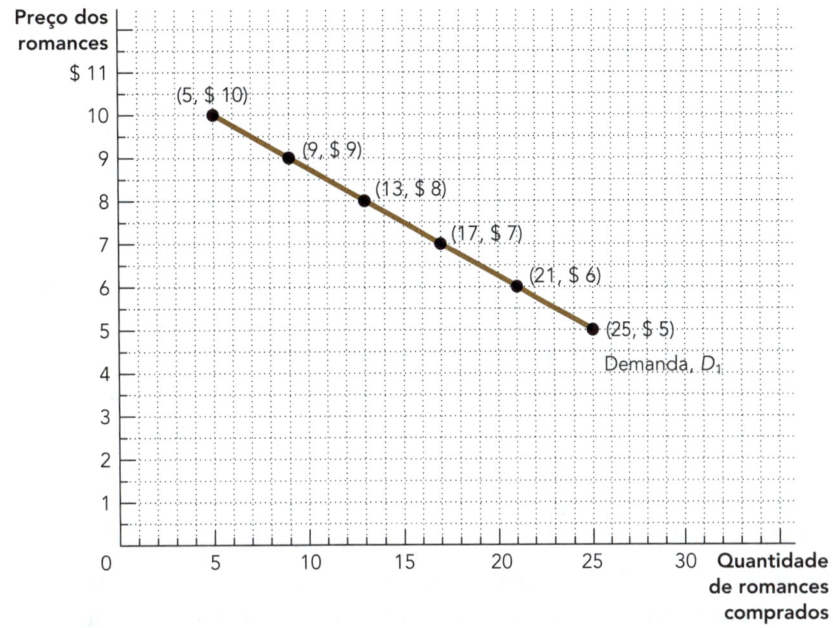

Suponhamos agora que a renda de Emma aumente para $ 50 mil por ano. Para qualquer preço dado, ela comprará mais romances do que comprava quando ganhava menos. Assim como traçamos anteriormente a curva de demanda de Emma por romances com dados da coluna do meio da Tabela A-1, traçaremos agora uma nova curva de demanda com os dados da coluna da direita da tabela. Essa nova curva de demanda (curva D_2) está representada ao lado da curva anterior (curva D_1) na Figura A-4; a nova curva é semelhante à que traçamos antes, mas situa-se mais à direita. Dizemos, assim, que a curva de demanda de Emma por romances *desloca-se* para a direita quando sua renda aumenta. Da mesma forma, se a renda de Emma caísse para $ 30 mil por ano, ela compraria menos livros para qualquer preço dado e sua curva de demanda se deslocaria para a esquerda (curva D_3).

Figura A-4
Deslocamento das curvas de demanda

A localização da curva de demanda de Emma por romances depende de quanto ela ganha. Quanto mais ela ganhar, mais romances poderá comprar a cada preço determinado e mais para a direita sua curva de demanda se deslocará. A curva D_1 representa a curva de demanda original de Emma quando sua renda é $ 30 mil por ano. Se sua renda aumentar para $ 40 mil por ano, sua curva de demanda se deslocará para D_2. Se sua renda cair para $ 20 mil por ano, sua curva de demanda se deslocará para D_3.

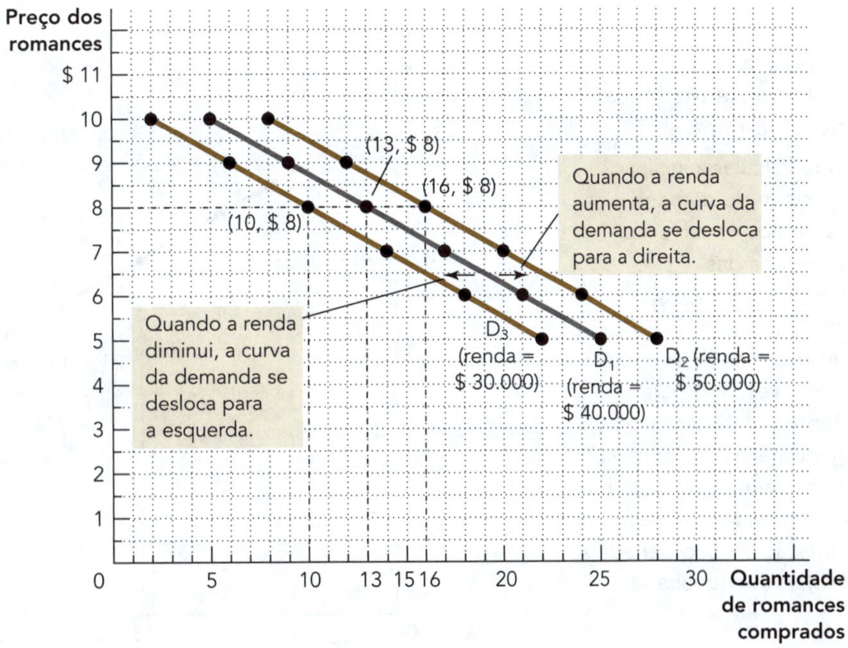

Em economia, é importante distinguir entre *movimentos ao longo de uma curva* e *deslocamentos de uma curva*. Como vemos na Figura A-3, se Emma ganhar $ 40 mil por ano e os romances custarem $ 8 cada, ela comprará 13 romances por ano. Se o preço cair para $ 7, o número de romances comprados aumentará para 17 por ano. A curva de demanda, entretanto, se manterá fixa no mesmo lugar. Ela ainda comprará o mesmo número de romances *a cada preço*, mas, com a queda do preço, ela se moverá da esquerda para a direita ao longo da sua curva de demanda. No entanto, se o preço dos romances permanecer fixo em $ 8, mas sua renda aumentar para $ 50 mil por ano, Emma aumentará suas compras de romances de 13 para 16 por ano. Como ela compra mais romances *a cada preço*, sua curva de demanda desloca-se para fora (para a direita), como mostra a Figura A-4.

Há uma maneira simples de dizer quando é necessário deslocar uma curva: *quando uma variável que não está representada nos eixos muda, a curva se desloca.* A renda não está nem no eixo *x* nem no *y* do gráfico, portanto, quando a renda de Emma muda, sua curva de demanda deve deslocar-se. Isso também é verdadeiro para qualquer mudança que afete os hábitos de compra de Emma, além da alteração dos preços dos romances. Se, por exemplo, a biblioteca pública fechar e Emma tiver de comprar todos os livros que quiser ler, ela demandará mais romances a cada preço e sua curva de demanda se deslocará para a direita. Se o preço do ingresso do cinema cair e Emma passar mais tempo assistindo a filmes e menos tempo lendo, ela irá demandar menos romances a cada preço e sua curva de demanda se deslocará para a esquerda. Mas quando muda uma variável de um dos dois eixos do gráfico, a curva não se desloca. Interpretamos essa mudança como um movimento ao longo da curva.

Inclinação

Uma pergunta que poderíamos fazer sobre Emma é: em que medida seus hábitos de compra reagem ao preço? Olhe para a curva de demanda representada na Figura A-5. Se essa curva for muito inclinada, isso quer dizer que Emma compra quase o mesmo número de romances, estejam eles mais caros ou mais baratos. Se essa curva for muito plana, estará indicando que o número de romances que Emma adquire é mais sensível a alterações no preço. Para responder a perguntas a respeito de em que medida uma variável responde a mudanças em outra variável, podemos usar o conceito de *inclinação*.

Figura A-5
Cálculo da inclinação de uma linha

Para calcular a inclinação da curva de demanda, podemos observar as variações das coordenadas *x* e *y* à medida que nos deslocamos do ponto (21 romances, $ 6) para o ponto (13 romances, $ 8). A inclinação da linha é a razão entre a variação da coordenada *y* (–2) e a variação da coordenada *x* (+8), que é igual a –¼.

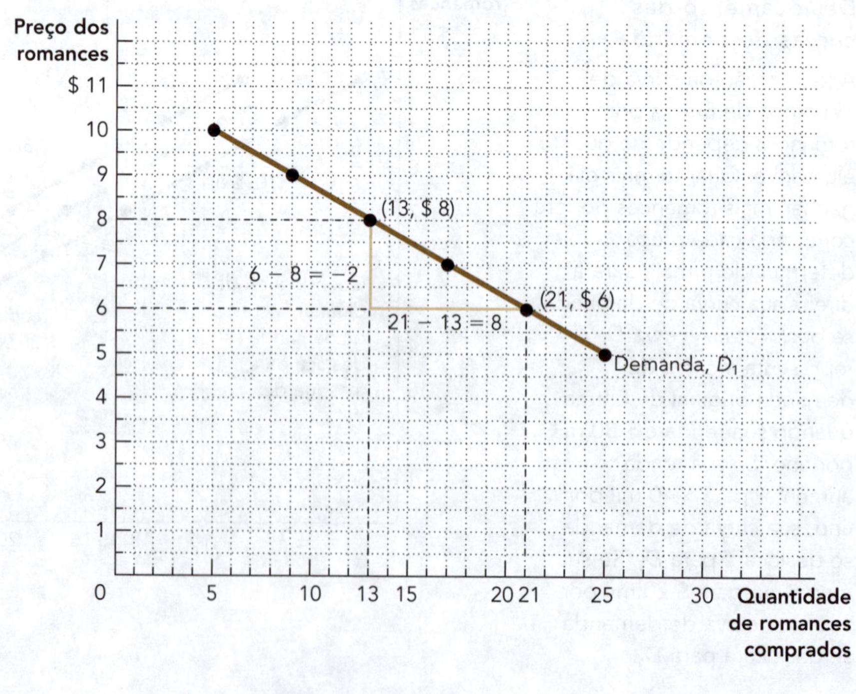

A inclinação de uma linha é a razão entre a distância vertical percorrida e a distância horizontal percorrida à medida que nos movemos ao longo da linha. Essa definição costuma ser escrita matematicamente da seguinte forma:

$$\text{Inclinação} = \frac{\Delta y}{\Delta x}$$

onde a letra grega Δ (delta) representa a variação de uma variável. Em outras palavras, a inclinação de uma linha é igual ao "aumento" (variação de y) dividido pela "distância" (variação de x). A inclinação será um pequeno número positivo no caso de linhas ascendentes com pouca inclinação, um grande número positivo no caso de linhas com forte inclinação ascendente e um número negativo para linhas com inclinação descendente. Uma linha horizontal terá inclinação zero porque, nesse caso, a variável y nunca muda; dizemos que as linhas verticais têm inclinação infinita porque a variável y pode assumir qualquer valor sem que a variável x mude.

Qual é a inclinação da curva de demanda de Emma por romances? Em primeiro lugar, como a inclinação da curva é descendente, sabemos que será negativa. Para calcularmos um valor numérico da inclinação, precisamos escolher dois pontos da linha. Com a renda de Emma em $ 40 mil, ela comprará 21 romances a $ 6 ou 13 romances a $ 8.

Quando aplicamos a fórmula da inclinação, estamos interessados em saber a variação entre esses dois pontos. Em outras palavras, o que nos interessa é a diferença entre eles, o que nos permite concluir que precisamos subtrair um conjunto de valores do outro, como se segue:

$$\text{Inclinação} = \frac{\Delta y}{\Delta x} = \frac{\text{primeira coordenada } y - \text{segunda coordenada } y}{\text{primeira coordenada } x - \text{segunda coordenada } x} = \frac{6-8}{21-13} = \frac{-2}{8} = \frac{-1}{4}$$

A Figura A-5 representa graficamente o funcionamento desse cálculo. Tente calcular a inclinação da curva de demanda de Emma usando dois pontos diferentes. O resultado deve ser exatamente o mesmo: $-1/4$. Uma das propriedades das linhas retas é que elas têm a mesma inclinação em todos os pontos. Isso não se aplica a outros tipos de curvas, que são mais inclinadas em alguns pontos que em outros.

A inclinação da curva de demanda de Emma nos diz algo sobre o quanto suas compras respondem a mudanças de preço. Uma inclinação pequena (um número próximo de zero) significa que a curva de demanda de Emma é quase horizontal. Nesse caso, o número de romances que ela compra muda substancialmente em resposta a mudanças de preço. Uma inclinação maior (número bem maior que zero) significa que a curva de demanda de Emma é quase vertical. Nesse caso, o número de romances comprados muda pouco quando os preços variam.

Causa e efeito

Os economistas costumam usar gráficos para propor argumentos sobre como a economia funciona. Em outras palavras, usam gráficos para explicar como um conjunto de eventos *causa* um outro conjunto de eventos. Com um gráfico como a curva de demanda, não há dúvida quanto ao que é causa e o que é efeito. Como estamos variando o preço e mantendo constantes todas as demais variáveis, sabemos que as alterações de preço dos romances causam alterações na quantidade destes demandada por Emma. É preciso recordar, entretanto, que nossa curva de demanda provém de um exemplo hipotético. Quando se fazem gráficos com dados da vida real, muitas vezes é mais difícil determinar como uma variável afeta a outra.

O primeiro problema é que é difícil manter todo o restante constante quando se estuda a relação entre duas variáveis. Se não conseguimos manter constantes as outras variáveis, podemos concluir que uma variável de nosso gráfico está causando variações na outra quando, na verdade, essas variações são causadas por uma terceira *variável omitida* que não consta do gráfico. Além disso, ainda que tenhamos identificado as duas variáveis corretas para nossa análise, podemos nos deparar com um segundo problema: a *causalidade reversa*. Em outras palavras, poderíamos concluir que A causa B quando, na verdade, B é que causa A. As armadilhas da variável omitida e da causalidade reversa exigem que tenhamos cautela ao usar gráficos para chegar a conclusões sobre causas e efeitos.

Variáveis omitidas Vamos usar um exemplo para ver como a omissão de uma variável pode levar a um gráfico enganoso. Imaginemos que o governo, pressionado pela preocupação pública com o grande número de mortes por câncer, contrate a Big Brother Serviços Estatísticos Ltda. para realizar um estudo exaustivo. A Big Brother examina muitos itens encontrados na casa das pessoas para ver quais estão associados ao risco de câncer e relata uma forte relação entre duas variáveis: o número de isqueiros que uma família tem e a probabilidade de que alguém da família venha a ter câncer. A Figura A-6 mostra essa relação.

O que devemos concluir desse resultado? A Big Brother propõe uma resposta política imediata. Recomenda que o governo desencoraje o uso de isqueiros, instituindo um imposto sobre sua venda, e que exija que sejam fixadas etiquetas de advertência nos isqueiros dizendo: "A Big Brother concluiu que este isqueiro faz mal à saúde".

Quando se julga a validade da análise da Big Brother, uma questão é fundamental: a Big Brother manteve constante cada variável relevante com exceção daquela sob consideração? Se a resposta for negativa, os resultados serão suspeitos. Uma explicação simples para a Figura A-6 é que as pessoas que têm mais isqueiros têm maior probabilidade de serem fumantes e que é o fumo, não os isqueiros, que causa o câncer. Se a Figura A-6 não mantém constante a quantidade de fumo, não nos diz o real efeito de ter um isqueiro.

Essa história ilustra um princípio importante: quando um gráfico é usado para dar sustentação a um argumento de causa e efeito, é importante perguntar se os movimentos de alguma variável omitida podem explicar os resultados observados.

Causalidade reversa Os economistas também poderão se enganar quanto à causalidade se interpretarem mal sua direção. Para saber como isso pode acontecer, suponha que a Associação dos Anarquistas da América encomende um estudo sobre a criminalidade e chegue à Figura A-7, que representa o número de crimes violentos por mil habitantes nas grandes cidades em relação ao número de policiais por mil habitantes. Os anarquistas observam que a curva tem inclinação positiva e afirmam que, como o policiamento aumenta a violência urbana em vez de diminuí-la, a polícia deveria ser abolida.

Se pudéssemos realizar um experimento controlado, evitaríamos o perigo da causalidade reversa. Para fazermos tal experimento, determinaríamos aleatoriamente o número de policiais em diferentes cidades e, então, examinaríamos a correlação entre policiamento e criminalidade. A Figura A-7, contudo, não se baseia em um experimento como esse. Ela simplesmente nos permite observar que as cidades mais violentas têm mais policiais. A explicação para isso pode estar no fato de que cidades mais violentas empregam mais policiais. Em outras palavras, em vez de ser o número de policiais que determina a criminalidade, é a

Figura A-6
Gráfico com uma variável omitida

A curva ascendente mostra que os membros de famílias com mais isqueiros são mais propensos a desenvolver câncer. No entanto, não devemos concluir que possuir isqueiros causa câncer, já que o gráfico não considera o número de cigarros fumados.

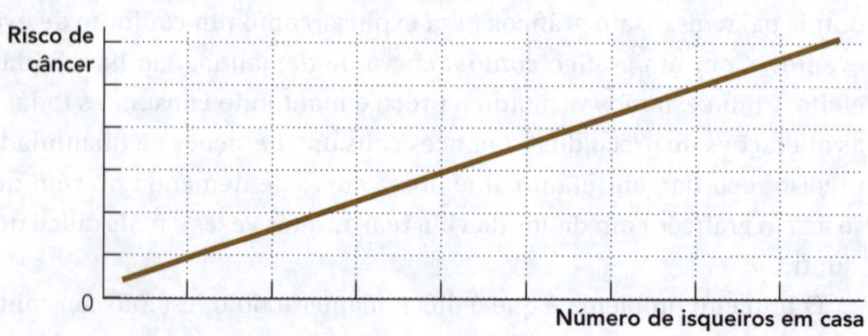

Figura A-7
Gráfico que sugere causalidade reversa

A curva ascendente mostra que cidades com concentração maior de policiais são mais perigosas. No entanto, o gráfico não nos diz se a polícia causa o crime ou se cidades flageladas pelo crime contratam mais policiais.

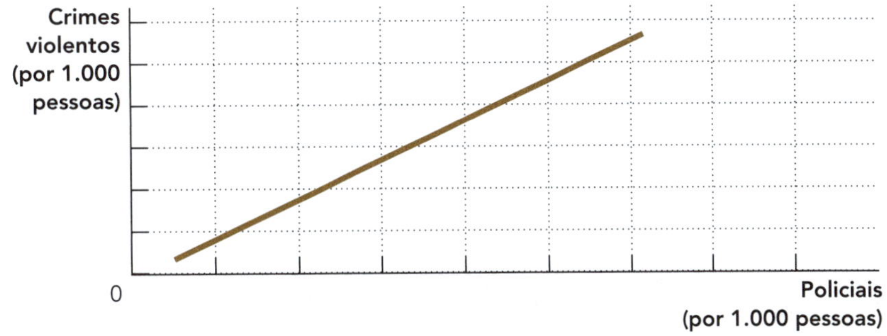

criminalidade que determina o número de policiais. Nada do gráfico, por si só, nos permite determinar a direção da causalidade.

Pode parecer que uma maneira simples de determinar a direção da causalidade seja observar qual das variáveis se move primeiro. Se o crime aumentar e então houver uma expansão da força policial, chegaremos a uma conclusão. Se verificarmos que a força policial se expande e, posteriormente, a criminalidade aumenta, chegaremos a outra conclusão. Contudo, há sempre uma falha nessa abordagem: as pessoas, por vezes, mudam seu comportamento não por causa de uma alteração nas circunstâncias atuais, mas em razão de uma mudança nas suas *expectativas* quanto às condições futuras. Uma cidade que esteja esperando por uma grande onda de crime no futuro, por exemplo, poderia muito bem contratar imediatamente mais policiais. Esse problema é ainda mais fácil de perceber no caso de bebês e minivans. Os casais muitas vezes compram minivans antes do nascimento do bebê. A minivan vem antes da criança, mas isso não nos leva a concluir que a venda desse tipo de veículo cause crescimento populacional.

Não há um conjunto completo de regras que nos diga com exatidão quando é correto extrair conclusões causais de gráficos. Mas ter em mente que isqueiros não causam câncer (variável omitida) e que minivans não fazem aumentar o tamanho das famílias (causalidade reversa) impedirá que você se deixe enganar por muitos argumentos econômicos falhos.

CAPÍTULO 3

Interdependência e ganhos comerciais

Imagine um dia comum em sua vida. Você acorda pela manhã e toma um copo de suco de laranjas cultivadas na Flórida e uma xícara de café produzido no Brasil. Enquanto toma o café da manhã, assiste a um noticiário transmitido de Nova York em sua TV fabricada na China. Veste-se com roupas feitas de algodão produzido na Geórgia e costuradas na Tailândia. Vai para a aula em um carro feito de peças fabricadas em mais de 12 países espalhados pelo mundo. Então, abre seu livro de economia escrito por um autor que vive em Massachusetts, publicado por uma empresa com sede em Ohio e impresso em papel feito com árvores cultivadas em Oregon.

Todos os dias, dependemos de muitas pessoas, a maioria das quais não conhecemos, para nos fornecerem os bens e serviços de que desfrutamos. Essa interdependência é possível porque as pessoas comerciam umas com as outras. Essas pessoas que nos fornecem esses bens e serviços não fazem isso porque são generosas. Nem há um órgão governamental que as obrigue a satisfazer nossas necessidades. Em vez disso, elas fornecem a nós e a outros consumidores os bens e serviços que produzem porque recebem algo em troca.

Em capítulos posteriores, veremos como nossa economia coordena as atividades de milhões de pessoas com gostos e habilidades diferentes. Como ponto de partida desta análise, consideremos aqui os motivos da interdependência econômica. Um dos *Dez princípios de economia*, que destacamos no Capítulo 1, é o de que o comércio pode ser bom para todos. Neste capítulo, examinaremos esse princípio mais detalhadamente. O que, exatamente, as pessoas têm a ganhar quando comerciam umas com as outras? Por que optam por ser interdependentes?

As respostas a essas perguntas são fundamentais para entendermos a moderna economia global. Atualmente, na maioria dos países, muitos bens e serviços consumidos são importados de outros países, e muitos bens e serviços produzidos são exportados para consumidores externos. A análise feita neste capítulo explica a interdependência não só entre os indivíduos, mas também entre as nações. Como veremos, os ganhos resultantes do comércio são praticamente os mesmos se você pagar por um corte de cabelo em seu salão favorito ou por uma camiseta produzida por alguém no outro lado do mundo.

3_1 UMA PARÁBOLA PARA A ECONOMIA MODERNA

Para entender por que as pessoas optam por depender dos outros para os bens e serviços de que precisam e como essa escolha melhora a vida delas, vamos examinar uma economia simples. Imaginemos que existam dois bens no mundo: carne e batatas. E que haja duas pessoas no mundo – uma pecuarista e um plantador de batatas – que gostariam de comer tanto carne como batatas.

Os ganhos comerciais ficam mais claros se a pecuarista só puder produzir carne e se o agricultor só puder produzir batatas. Neste cenário, ambos poderiam optar por não ter nada a ver um com o outro. Mas depois de vários meses comendo só carne assada, cozida, grelhada e frita, a pecuarista poderia concluir que a autossuficiência não é tão boa assim. O agricultor, que vinha comendo batatas fritas, assadas, cozidas e purê de batatas, provavelmente concordaria. É fácil perceber que o comércio permitiria a eles desfrutar de uma maior variedade: cada um poderia, então, comer um bife com batata assada ou um hambúrguer com fritas.

Embora essa cena ilustre com a máxima simplicidade como todos podem se beneficiar com o comércio, os ganhos seriam similares se tanto a pecuarista quanto o agricultor pudessem produzir também o outro bem, mas a um custo maior. Suponha, por exemplo, que o produtor de batatas seja capaz de criar gado e produzir carne, mas que ele não seja muito bom nisso. De forma similar, suponha que a pecuarista seja capaz de cultivar batatas, mas que sua terra não seja muito apropriada para isso. Nesse caso, é fácil perceber que cada um deles se beneficiaria caso se especializasse naquilo que faz melhor e depois comerciasse com o outro.

Mas os ganhos advindos do comércio não são tão óbvios assim quando uma pessoa é melhor na produção de *todos* os bens. Suponhamos, por exemplo, que a pecuarista seja melhor que o agricultor tanto no trato do gado quanto no cultivo de batatas. Nesse caso, será que um dos dois optaria pela autossuficiência? Ou, ainda, haveria motivo para comerciarem um com o outro? Para respondermos a essa pergunta, precisaremos analisar mais detalhadamente os fatores que afetam a decisão.

3_1A Possibilidades de produção

Suponhamos que o agricultor e a pecuarista trabalhem 8 horas por dia cada um e possam dedicar esse tempo ao cultivo de batatas, à criação de gado ou a uma combinação das duas coisas. A tabela (a) na Figura 1 mostra a quantidade de tempo que cada um deles precisa para produzir 1 kg de cada um dos bens. O agricultor pode produzir 1 kg de batatas em 15 minutos e 1 kg de carne em 60 minutos. A pecuarista, que é mais produtiva nas duas atividades, consegue produzir 1 kg de batatas em 10 minutos e 1 kg de carne em 20 minutos. As duas últimas colunas da tabela na Figura 1 mostram a quantidade de carne ou de batatas que o agricultor e a pecuarista conseguirão produzir se trabalharem 8 horas por dia produzindo um só tipo de alimento.

O painel (b) da Figura 1 ilustra as quantidades de carne e de batatas que o agricultor consegue produzir. Se dedicar todas as 8 horas de seu dia de trabalho ao cultivo de batatas, ele produz 32 kg de batatas (medidos no eixo horizontal) e não produz carne. Se dedicar todo o seu tempo à produção de carne, ele produz 8 kg de carne (medidos no eixo vertical) e não produz batatas. Se dividir seu tempo igualmente entre as duas atividades, dedicando 4 horas a cada uma, produz 16 kg de batatas e 4 kg de carne. A figura mostra os três resultados possíveis e outras possibilidades intermediárias.

Esse gráfico é a fronteira de possibilidades de produção do agricultor. Como vimos no Capítulo 2, as fronteiras de possibilidades de produção representam as diversas combinações de produtos que uma economia pode produzir. Elas ilustram um dos *Dez princípios de economia* do Capítulo 1: as pessoas enfrentam *tradeoffs*. Aqui, o agricultor enfrenta um *tradeoff* entre produzir carne ou batatas.

Você deve se lembrar que a fronteira de possibilidades de produção apresentada no Capítulo 2 foi desenhada com a curvatura para fora. Nesse caso, a taxa na qual uma sociedade poderia trocar um bem por outro dependia da quantidade produzida. Aqui, entretanto, a tecnologia que um agricultor emprega para produzir carne e batatas (como mostra a Figura 1) permite a alternância entre os dois bens em proporção constante. Sempre que o agricultor gasta uma hora a menos produzindo carne e uma hora a mais produzindo batatas, ele reduz a produção de carne em 1 kg e aumenta a de batatas em 4 kg, não importa a quantidade produzida. Portanto, a fronteira de possibilidades de produção apresenta-se em linha reta.

O painel (c) da Figura 1 mostra a fronteira de possibilidades de produção da pecuarista. Se dedicar todas as 8 horas de seu dia à produção de batatas, ela produz 48 kg de batatas e não produz carne. Se dedicar todo o seu tempo à produção de carne, ela produz 24 kg de carne, mas não produz batatas. Se dividir seu tempo, dedicando 4 horas a cada atividade, ela produz 24 kg de batatas e 12 kg de carne. Novamente, a fronteira de possibilidades de produção mostra todos os resultados possíveis.

Figura 1

A fronteira de possibilidades de produção

O painel (a) mostra as oportunidades de produção disponíveis ao agricultor e à pecuarista.
O painel (b) mostra as combinações de carne e batatas que o agricultor pode produzir.
O painel (c) mostra as combinações de carne e batatas que a pecuarista pode produzir.
Ambas as fronteiras de possibilidades de produção são derivadas, assumindo-se que o agricultor e a pecuarista trabalhem 8 horas por dia cada. Se não houver comércio, a fronteira de possibilidades de produção individual também é a fronteira de possibilidades de consumo de cada um deles.

(a) Oportunidades de produção

	Minutos necessários para produzir 1 kg de:		Quantidade produzida em 8 horas	
	Carne	**Batatas**	**Carne**	**Batatas**
Agricultor	60 min/kg	15 min/kg	8 kg	32 kg
Pecuarista	20 min/kg	10 min/kg	24 kg	48 kg

(b) Fronteira de possibilidades de produção do agricultor

(c) Fronteira de possibilidades de produção da pecuarista

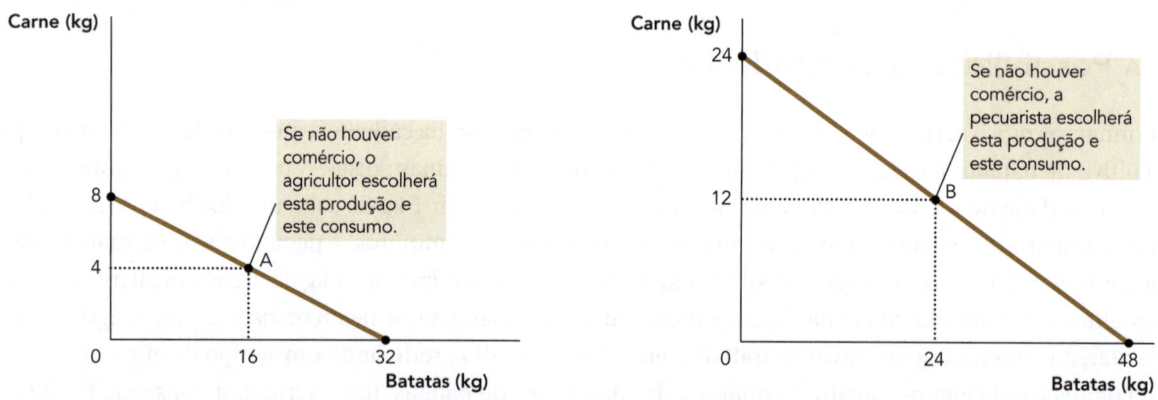

Se o agricultor e a pecuarista optarem pela autossuficiência e não por comerciar um com o outro, cada um consumirá exatamente o que produz. Nesse caso, a fronteira de possibilidades de produção também representa a fronteira de possibilidades de consumo. Ou seja, sem o comércio, a Figura 1 mostra as possíveis combinações de carne e batatas que o agricultor e a pecuarista podem produzir e consumir.

Essas fronteiras de possibilidades de produção são úteis para demonstrar os *tradeoffs* que o agricultor e a pecuarista precisam enfrentar, porém não nos dizem o que eles efetivamente farão. Para determinarmos suas escolhas, precisamos conhecer os gostos da pecuarista e do agricultor. Vamos supor que eles escolham as combinações identificadas pelos pontos A e B da Figura 1: o agricultor produz e consome 16 kg de batatas e 4 kg de carne, e a pecuarista produz e consome 24 kg de batatas e 12 kg de carne.

3_1B Especialização e comércio

Depois de vários anos comendo a combinação B, a pecuarista tem uma ideia e conversa com o agricultor:

PECUARISTA: Agricultor, meu amigo, tenho uma ótima proposta a lhe fazer! Sei como podemos melhorar nossa vida. Penso que você deveria parar de criar gado e dedicar todo o seu tempo ao cultivo de batatas. Pelos meus cálculos, se você trabalhar 8 horas por dia cultivando batatas, produzirá 32 kg delas. Se me der 15 kg desses 32 kg de batatas, darei, em troca, 5 kg de carne. No fim das contas, você terá para comer 17 kg de batatas e 5 kg de carne por dia, em vez dos 16 kg de batatas e 4 kg de carne que tem hoje em dia. Se resolver participar do meu plano, terá mais de

Figura 2

Como o comércio expande o conjunto de oportunidades de consumo

A proposta de comércio entre o agricultor e a pecuarista oferece a cada um deles uma combinação de carne e batatas que seria impossível na ausência do comércio. No painel (a), o agricultor poderá consumir o equivalente ao ponto A* em vez do ponto A.
No painel (b), a pecuarista poderá consumir o equivalente ao ponto B* em vez do ponto B. O comércio permite que os dois consumam mais carne e mais batatas.

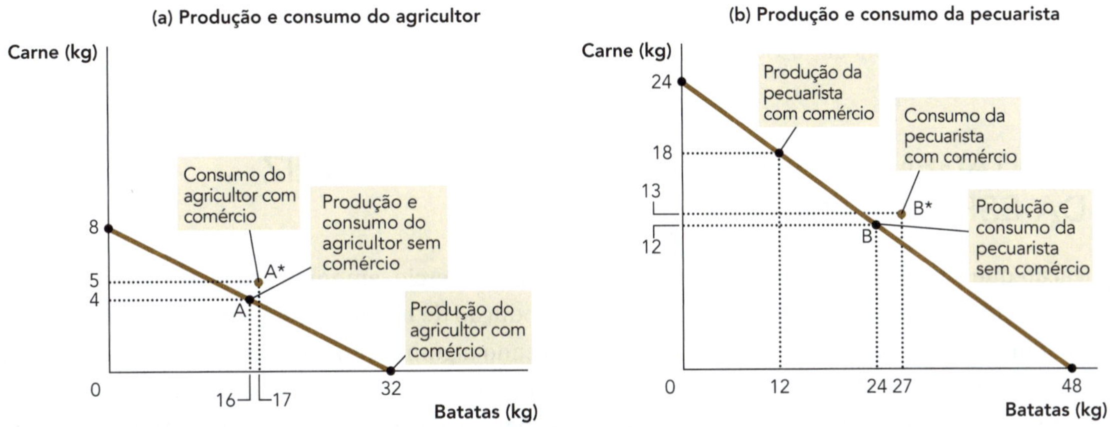

(c) Os ganhos do comércio: resumo

	Agricultor		Pecuarista	
	Carne	**Batatas**	**Carne**	**Batatas**
Sem comércio:				
Produção e consumo	4 kg	16 kg	12 kg	24 kg
Com comércio:				
Produção	0 kg	32 kg	18 kg	12 kg
Comércio	Recebe 5 kg	Dá 15 kg	Dá 5 kg	Recebe 15 kg
Consumo	5 kg	17 kg	13 kg	27 kg
GANHOS DO COMÉRCIO				
Aumento do consumo	+ 1 kg	+ 1 kg	+ 1 kg	+ 3 kg

ambos os alimentos. (Para ilustrar seu argumento, a pecuarista mostra ao agricultor o painel (a) da Figura 2.)

AGRICULTOR: (em tom cético) Parece uma boa ideia. Mas não entendo por que está me oferecendo isso. Se o negócio é tão bom para mim, ele não pode ser bom para você também.

PECUARISTA: Ah, mas é! Suponhamos que eu passe 6 horas por dia cuidando do gado e 2 horas por dia cultivando batatas. Então posso produzir 18 kg de carne e 12 kg de batatas. Depois de lhe dar 5 kg da minha carne em troca de 15 kg de suas batatas, ficarei com 13 kg de carne e 27 kg de batatas, em vez dos 12 kg de carne e 24 kg de batatas que agora produzo. Assim, também poderei consumir maior quantidade dos dois bens que atualmente produzo. (Ela aponta para o painel (b) da Figura 2.)

AGRICULTOR: Não sei... Isso parece muito bom para ser verdade.

PECUARISTA: Não é tão complicado quanto pode parecer à primeira vista. Veja, resumi minha proposta em uma tabela bem simples. (A pecuarista mostra ao agricultor uma cópia da tabela da Figura 2.)

AGRICULTOR: (depois de uma pausa para estudar a tabela) Os cálculos parecem estar certos, mas estou confuso. Como esse negócio pode ser bom para nós dois?

PECUARISTA: Nós dois nos beneficiamos porque o comércio permitirá que a gente se especialize no que fazemos melhor. Você vai passar mais tempo cultivando batatas e menos cuidando do gado. Vou passar mais tempo cuidando do gado e menos cultivando batatas. O resultado dessa especialização e do comércio é que cada um de nós poderá consumir mais carne e mais batatas sem precisar trabalhar um maior número de horas.

Teste rápido Represente graficamente a fronteira de possibilidades de produção de Robinson Crusoé, um náufrago que passava seu tempo colhendo cocos e pescando. Essa fronteira limitará o consumo de cocos e peixes se ele continuar a viver por si só? Ele estará sujeito aos mesmos limites se puder comerciar com os nativos da ilha?

3_2 VANTAGEM COMPARATIVA: A FORÇA MOTRIZ DA ESPECIALIZAÇÃO

A explicação que a pecuarista ofereceu sobre os ganhos do comércio, embora correta, contém um enigma. Se ela é melhor tanto na produção de carne quanto na produção de batatas, como o agricultor pode se especializar naquilo que faz melhor? Ele não parece estar fazendo alguma coisa melhor. Para resolver esse enigma, precisamos estudar o princípio da *vantagem comparativa.*

O primeiro passo para desenvolver esse princípio é pensar na seguinte pergunta: em nosso exemplo, quem pode produzir batatas ao menor custo – o agricultor ou a pecuarista? Há duas respostas possíveis, e nelas está a solução do nosso problema e a chave para entender os ganhos do comércio.

3_2A Vantagem absoluta

vantagem absoluta habilidade para produzir um bem empregando menor quantidade de insumos que outro produtor

Uma maneira de responder à questão sobre o custo da produção de batatas é comparar os insumos necessários para os dois produtores. Os economistas usam a expressão **vantagem absoluta** quando comparam a produtividade de uma pessoa, empresa ou nação com a de outra. Diz-se que o produtor que precisa de uma quantidade menor de insumos para produzir um bem tem uma vantagem absoluta na produção desse bem.

Em nosso exemplo, tempo é o único insumo, assim podemos determinar a vantagem absoluta avaliando quanto tempo cada tipo de produção exige. A pecuarista tem vantagem absoluta na produção tanto de carne quanto de batatas, porque precisa de menos tempo que o agricultor para produzir uma unidade de qualquer um dos dois alimentos. Ela precisa de apenas 20 minutos para produzir 1 kg de carne, enquanto ele necessita de 60 minutos. Da mesma forma, a pecuarista precisa de apenas 10 minutos para produzir 1 kg de batatas, enquanto o agricultor, 15 minutos. Com base nessas informações, podemos concluir que a pecuarista terá o menor custo de produção de batatas se medirmos o custo no que se refere à quantidade de insumos.

3_2B Custo de oportunidade e vantagem comparativa

Há outra maneira de analisar o custo da produção de batatas. Em vez de compararmos os insumos necessários, podemos comparar os custos de oportunidade. Lembre-se de que, como vimos no Capítulo 1, o **custo de oportunidade** de uma coisa é aquilo de que abrimos mão para obtê-la. Em nosso exemplo, adotamos a premissa de que o agricultor e a pecuarista passam 8 horas por dia trabalhando. Assim, o tempo gasto com o cultivo de batatas reduz o tempo disponível para produzir carne. Ao realocarem o tempo entre a produção dos dois bens, ambos abrem mão de unidades de um bem para produzir unidades

custo de oportunidade aquilo de que devemos abrir mão para obter algum item do outro; portanto, movem-se ao longo da fronteira de possibilidades de produção. O custo de oportunidade mede o *tradeoff* entre os dois bens que cada produtor enfrenta.

Consideremos, primeiro, o custo de oportunidade da pecuarista. De acordo com a tabela no painel (a) da Figura 1, produzir 1 kg de batatas lhe toma 10 minutos de trabalho. Quando a pecuarista gasta 10 minutos produzindo batatas, tem 10 minutos a menos para produzir carne. Como ela precisa de 20 minutos para produzir 1 kg de carne, 10 minutos de trabalho renderiam ½ kg de carne. Para a pecuarista, o custo de oportunidade da produção de 1 kg de batatas é de ½ kg de carne.

Vamos considerar, agora, o custo de oportunidade do agricultor. Produzir 1 kg de batatas toma 15 minutos de seu tempo. Como precisa de 60 minutos para produzir 1 kg de carne, 15 minutos de trabalho renderiam a ele ¼ kg de carne. Dessa forma, o custo de oportunidade de 1 kg de batatas para o agricultor é de ¼ kg de carne.

A Tabela 1 mostra os custos de oportunidade da carne e das batatas para os dois produtores. Observe que o custo de oportunidade da carne é o inverso do custo de oportunidade das batatas. Como 1 kg de batatas custa à pecuarista ½ kg de carne, 1 kg de carne lhe custa 2 kg de batatas. Da mesma forma, como 1 kg de batatas custa ao agricultor ¼ kg de carne, 1 kg de carne lhe custa 4 kg de batatas.

Tabela 1
Custo de oportunidade da carne e das batatas

	Custo de oportunidade	
	1 kg de carne	**1 kg de batatas**
Agricultor	4 kg de batatas	¼ kg de carne
Pecuarista	2 kg de batatas	½ kg de carne

vantagem comparativa
habilidade para produzir um bem com menor custo de oportunidade que outro produtor

Os economistas usam a expressão **vantagem comparativa** para descrever o custo de oportunidade de dois produtores. O produtor que abre mão de menor quantidade de outros bens para produzir o bem X tem menor custo de oportunidade de produção desse bem e, portanto, desfruta de uma vantagem comparativa na sua produção. Em nosso exemplo, o agricultor tem um custo de oportunidade menor por produzir batatas que a pecuarista: 1 kg de batatas custa ao agricultor apenas ¼ kg de carne, enquanto o custo da pecuarista é ½ kg de carne. Inversamente, a pecuarista tem menor custo de oportunidade na produção de carne que o agricultor: 1 kg de carne custa para a pecuarista 2 kg de batatas, ao passo que 1 kg de carne custa ao agricultor 4 kg de batatas. Assim, o agricultor tem uma vantagem comparativa na produção de batatas e a pecuarista tem uma vantagem comparativa na produção de carne.

Embora seja possível uma pessoa ter vantagem absoluta nos dois bens (como é o caso da pecuarista em nosso exemplo), é impossível que uma pessoa tenha vantagem comparativa nos dois bens. Como o custo de oportunidade de um bem é o inverso do custo de oportunidade do outro, se o custo de oportunidade de uma pessoa para um bem é relativamente elevado, seu custo de oportunidade para o outro bem tem de ser relativamente baixo. A vantagem comparativa reflete o custo de oportunidade relativo. A menos que duas pessoas tenham exatamente o mesmo custo de oportunidade, uma delas terá vantagem comparativa em um bem e a outra terá vantagem comparativa no outro bem.

3_2C Vantagem comparativa e comércio

Os ganhos resultantes da especialização e do comércio baseiam-se não só na vantagem absoluta, mas também na vantagem comparativa. Quando cada pessoa se especializa na produção do bem no qual tem vantagem comparativa, a produção total da economia aumenta. Esse aumento do bolo econômico pode ser utilizado para melhorar a situação de todos.

Em nosso exemplo, o agricultor passa mais tempo cultivando batatas e a pecuarista produzindo carne. Como resultado, a produção total de batatas aumenta de 40 kg para 44 kg, e a produção total de carne aumenta de 16 kg para 18 kg. O agricultor e a pecuarista dividem os benefícios do aumento da produção.

Também podemos observar os ganhos resultantes do comércio no que se refere ao preço que um paga ao outro. Como o agricultor e a pecuarista têm custos de oportunidades diferentes, os dois conseguiram uma pechincha. Ou seja, cada um deles se beneficia com o comércio ao obter um bem por um preço menor que o custo de oportunidade de cada um deles.

Vamos considerar a transação proposta do ponto de vista do agricultor. Ele recebe 5 kg de carne em troca de 15 kg de batatas. Ou seja, compra 1 kg de carne pelo preço de 3 kg de batatas. Esse preço da carne é inferior a seu custo de oportunidade para 1 kg de carne, que é de 4 kg de batatas. Com isso, o agricultor se beneficia com a transação porque obtém carne a um bom preço.

Agora vamos considerar o negócio do ponto de vista da pecuarista. Ela compra 15 kg de batatas ao preço de 5 kg de carne. Ou seja, o preço das batatas é de ⅓ kg de carne. Esse preço pelas batatas é inferior a seu custo de oportunidade de 1 kg de batatas, o qual é ½ kg de carne. A pecuarista se beneficia porque compra batatas por um bom preço.

A moral da história do agricultor e da pecuarista agora deve estar clara, quer dizer, *o comércio pode beneficiar todos os membros da sociedade porque permite que as pessoas se especializem em atividades nas quais têm uma vantagem comparativa.*

3_2D O preço do comércio

O princípio da vantagem comparativa estabelece que existem ganhos resultantes da especialização e do comércio; contudo, algumas perguntas ficam sem resposta: o que determina o preço de comercialização desses bens? De que modo os ganhos resultantes são divididos entre as partes? A resposta exata a essas perguntas está além do escopo deste capítulo, mas podemos fornecer uma regra geral: *para que ambas as partes tenham ganhos, o preço da comercialização deve ficar entre os custos de oportunidade.*

No exemplo dado, o agricultor e a pecuarista concordam em negociar a uma taxa de 3 kg de batatas por 1 kg de carne. Esse preço está entre o custo de oportunidade da pecuarista (2 kg de batatas por 1 kg de carne) e o custo de oportunidade do agricultor (4 kg de batatas por 1 kg de carne). O preço não precisa estar exatamente no meio para que as duas partes se beneficiem, mas deverá estar entre 2 e 4.

Para entender por que o preço precisa se manter nesse nível, considere o que aconteceria se o preço não se mantivesse. Se o preço da carne fosse menos que 2 kg de batatas, tanto a pecuarista quanto o agricultor desejariam comprar carne, pois o preço estaria abaixo do custo de oportunidade de cada um. Da mesma forma, se o preço da carne fosse maior que 4 kg de batatas, os dois prefeririam vender carne, pois o preço estaria acima do custo de oportunidade de cada um. Entretanto, essa economia tem apenas dois membros. Ambos não podem ser compradores de carne, tampouco vendedores. Alguém precisa assumir o outro lado da transação.

Um comércio mutuamente vantajoso pode ser estabelecido a um preço entre 2 e 4. Nessa restrição, a pecuarista deseja vender carne para comprar batatas, e o agricultor deseja vender batatas para comprar carne. Cada uma das partes pode comprar um bem por um preço menor que seu custo de oportunidade. Por fim, cada um se especializa na produção do bem que apresenta vantagem comparativa e, consequentemente, ambos se beneficiam.

Teste rápido Robinson Crusoé pode colher 10 cocos ou pescar 1 peixe por hora. Seu amigo Sexta-Feira pode colher 30 cocos ou pescar 2 peixes por hora. Qual é o custo de oportunidade de pescar 1 peixe para Robinson Crusoé? E para Sexta-Feira? Quem tem vantagem absoluta na pesca? E quem tem vantagem comparativa?

Saiba mais sobre

O LEGADO DE ADAM SMITH E DAVID RICARDO

Há tempos os economistas entendem os benefícios que o comércio proporciona. Eis o argumento do grande economista Adam Smith:

> *A máxima que todo chefe de família prudente deve seguir é nunca tentar fazer em casa o que lhe custará mais caro fazer do que comprar. O alfaiate não tenta produzir seus próprios sapatos, mas os compra do sapateiro. O sapateiro não tenta confeccionar suas próprias roupas, mas as compra do alfaiate. O fazendeiro não tenta fazer nem um nem outro, mas se vale desses artesãos. Todos constatam que é mais interessante usar suas capacidades naquilo em que têm vantagem sobre seus vizinhos e comprar, com parte do resultado de suas atividades ou, o que vem a dar no mesmo, com o preço de parte delas, aquilo de que venham a precisar.*

Essa citação é do livro de Adam Smith *A riqueza das nações*, publicado em 1776 e considerado um marco na análise do comércio e da interdependência econômica.

O livro de Smith inspirou David Ricardo, um corretor de valores milionário, a se tornar economista. Em seu livro de 1817, *Princípios de economia política e de tributação*, Ricardo desenvolveu o princípio da vantagem comparativa como hoje o conhecemos. Ele utilizou um exemplo com dois bens (vinho e tecido) e dois países (Inglaterra e Portugal) para mostrar que ambos os países podem se beneficiar com a abertura do comércio e se especializar com base na vantagem comparativa.

A teoria de David Ricardo marca o início da moderna economia internacional, mas sua defesa do livre comércio não foi um mero exercício acadêmico. Ele utilizou suas teorias na qualidade de membro do Parlamento britânico, em que fez oposição às Leis dos Cereais, que restringiam a importação destes.

As conclusões de Adam Smith e David Ricardo sobre os ganhos do comércio se sustentaram ao longo do tempo. Embora os economistas muitas vezes divirjam em questões de política econômica, estão unidos no apoio ao livre comércio. Ademais, o argumento central em favor do livre comércio não mudou muito nos dois últimos séculos. Embora o campo da economia tenha ampliado seu alcance e as teorias tenham sido refinadas desde os tempos de Smith e Ricardo, a oposição dos economistas às restrições ao comércio ainda são baseadas, em grande parte, no princípio da vantagem comparativa.

3_3 APLICAÇÕES DA VANTAGEM COMPARATIVA

O princípio da vantagem comparativa explica a interdependência e os ganhos do comércio. Como a interdependência prevalece no mundo de hoje, o princípio da vantagem comparativa tem muitas aplicações. Vamos apresentar aqui dois exemplos, um imaginário e outro de grande importância prática.

3_3A Serena Williams deve cortar seu próprio gramado?

Quando a tenista norte-americana Serena Williams compete no torneio de Wimbledon, ela passa bastante tempo correndo na grama. Uma das mais talentosas tenistas de todos os tempos, ela é capaz de acertar uma bola com uma velocidade e precisão com as quais a maioria dos atletas casuais pode apenas sonhar. E é muito provável que ela também seja talentosa em outras atividades físicas. Imaginemos, por exemplo, que Serena consiga aparar seu gramado mais rápido que qualquer outra pessoa. Mas será que o simples fato de ela ser *capaz* desse feito significa que *deva fazê-lo*?

Para respondermos a essa pergunta, podemos usar os conceitos de custo de oportunidade e de vantagem comparativa. Digamos que Serena consiga cortar a grama em 2 horas. Nesse mesmo tempo, ela poderia participar de um comercial de TV e ganhar $ 30 mil. Por sua vez, o garoto da casa vizinha, Forrest Gump, consegue cortar o mesmo o gramado em 4 horas. Ele poderia passar as mesmas 4 horas trabalhando no McDonald's e ganhar $ 50.

Nesse exemplo, Serena desfruta de vantagem absoluta para cortar a grama, porque consegue fazer o serviço em menos tempo. Entretanto, como o custo de oportunidade de Serena para cortar grama é de $ 30 mil e o custo de oportunidade de Gump é de apenas $ 50, Gump tem a vantagem comparativa para cortar a grama.

Nesse caso, os ganhos do comércio são enormes. Em vez de aparar seu próprio gramado, Serena deveria participar do comercial e contratar Gump para cortar a grama. Desde que Serena pague a Gump mais de $ 50 e menos de $ 30 mil, os dois sairão ganhando.

3_3B Os Estados Unidos devem comerciar com outros países?

importações
bens produzidos no exterior e vendidos internamente

exportações
bens produzidos internamente e vendidos no exterior

Assim como as pessoas podem se beneficiar da especialização e do comércio entre si, como no caso do agricultor e da pecuarista, as populações de diferentes países também podem. Muitos dos bens de que os norte-americanos desfrutam são produzidos no exterior e muitos dos bens produzidos nos Estados Unidos são vendidos a países estrangeiros. Os bens produzidos no exterior e vendidos internamente são chamados **importações**. Os bens produzidos internamente e vendidos no exterior são chamados **exportações**.

Para entender como os países podem se beneficiar do comércio, suponhamos que haja dois países - os Estados Unidos e o Japão - e dois bens - alimentos e carros. Imaginemos que os dois países produzam carros igualmente bem: cada trabalhador, norte-americano ou japonês, consegue produzir um carro por mês. Em contrapartida, como os Estados Unidos têm mais terra e de melhor qualidade, são melhores na produção de alimentos: um trabalhador norte-americano consegue produzir duas toneladas de alimento por mês, enquanto um trabalhador japonês pode produzir apenas uma.

O princípio da vantagem comparativa afirma que cada bem deve ser produzido pelo país que tem o menor custo de oportunidade para produzi-lo. Como o custo de oportunidade de um carro é de duas toneladas de alimentos nos Estados Unidos e de apenas uma tonelada de alimentos no Japão, este desfruta de uma vantagem comparativa na produção de carros. Assim, o Japão deveria produzir mais carros do que precisa para consumo interno e exportar parte da produção para os Estados Unidos. Da mesma forma, como o custo de oportunidade de uma tonelada de alimentos é de um carro no Japão, mas de apenas ½ carro nos Estados Unidos, este país tem uma vantagem comparativa na produção de alimentos. Os Estados Unidos deveriam, assim, produzir mais alimentos do que necessitam para consumo e exportar parte da produção para o Japão. Por meio da especialização e do comércio, os dois países podem ter mais comida e mais carros.

É claro que, no mundo real, as questões envolvidas no comércio entre as nações são mais complexas do que sugere este exemplo. Uma das questões mais importantes é o fato de cada país ter muitos cidadãos com interesses diferentes. O comércio internacional pode piorar a situação para algumas dessas pessoas, embora seja benéfico para o país como um todo. Quando os Estados Unidos exportam alimentos e importam carros, o impacto sobre os fazendeiros norte-americanos é diferente do impacto sobre os trabalhadores da indústria automobilística norte-americana. Mas, ao contrário das opiniões proferidas por políticos e comentaristas políticos, o comércio internacional não é uma guerra em que alguns países ganham e outros perdem. O comércio permite que todos os países atinjam maior prosperidade.

Pergunte aos especialistas

Comércio entre a China e os EUA

"O comércio com a China favorece a maioria dos norte-americanos porque, entre outras vantagens, eles podem comprar bens que são fabricados ou montados por um menor preço na China."

O que os economistas dizem?

"Alguns norte-americanos que trabalham na produção de bens competitivos, como roupas e móveis, são prejudicados pelo comércio com a China."

Fonte: IGM Economic Experts Panel, 19 de junho de 2012.

O que os economistas dizem?

Teste rápido Suponhamos que um neurocirurgião habilíssimo seja, por acaso, o digitador mais rápido do mundo. Ele deve digitar seus próprios trabalhos ou contratar uma secretária? Explique.

3_4 CONCLUSÃO

Você deve agora entender os benefícios de viver em uma economia interdependente. Quando o povo norte-americano compra meias da China, quando os habitantes do Maine tomam suco de laranja da Flórida e quando alguém contrata o filho do vizinho para cortar a grama, as mesmas forças econômicas estão em ação. O princípio da vantagem comparativa mostra que o comércio pode beneficiar a todos.

Depois de entender por que a interdependência é desejável, você talvez esteja se perguntando como isso é possível. Como as sociedades livres coordenam as diversas atividades de todas as pessoas envolvidas em suas economias? O que garante que os bens e serviços vão dos que os produzem para os que os deveriam consumir? Em um mundo com apenas duas pessoas, como a pecuarista e o agricultor, a resposta é simples: elas podem negociar diretamente e alocar recursos entre si. No mundo real, com bilhões de pessoas, a resposta não é tão óbvia. Abordaremos essa questão no próximo capítulo, no qual veremos que as sociedades livres alocam recursos por meio das forças de mercado da oferta e da demanda.

Teste rápido do capítulo

1. **Em uma hora, Mateo consegue lavar 2 carros ou aparar 1 gramado, enquanto Tyler consegue lavar 3 carros ou aparar 1 gramado. Quem tem a vantagem absoluta lavando carros e quem tem a vantagem absoluta aparando a grama?**
   a. Mateo lavando, Tyler aparando.
   b. Tyler lavando, Mateo aparando.
   c. Mateo lavando, nenhum deles aparando.
   d. Tyler lavando, nenhum deles aparando.

2. **Novamente, em uma hora, Mateo consegue lavar 2 carros ou aparar 1 gramado, enquanto Tyler consegue lavar 3 carros ou aparar 1 gramado. Quem tem a vantagem comparativa lavando carros e quem tem a vantagem comparativa aparando a grama?**
   a. Mateo lavando, Tyler aparando.
   b. Tyler lavando, Mateo aparando.
   c. Mateo lavando, nenhum deles aparando.
   d. Tyler lavando, nenhum deles aparando.

3. **Quando dois indivíduos produzem de forma eficiente e realizam um acordo mutuamente benéfico baseado na vantagem comparativa:**
   a. Ambos obtêm consumo fora de sua fronteira de possibilidades de produção.

b. Ambos obtêm consumo dentro de sua fronteira de possibilidades de produção.
c. Um indivíduo consome dentro de sua fronteira de possibilidades de produção, enquanto o outro consome fora dela.
d. Cada indivíduo consome um ponto em sua própria fronteira de possibilidades de produção.

4. Quais são os bens normalmente importados por uma nação?
a. Aqueles para os quais a nação tem uma vantagem absoluta.
b. Aqueles para os quais a nação tem uma vantagem comparativa.
c. Aqueles para os quais outras nações têm uma vantagem absoluta.
d. Aqueles para os quais outras nações têm uma vantagem comparativa.

5. Suponha que, nos Estados Unidos, produzir uma aeronave gaste 10 mil horas de trabalho e produzir uma camisa gaste 2 horas de trabalho. Na China, produzir uma aeronave leva 40 mil horas de trabalho, enquanto uma camisa requer 4 horas de trabalho. O que essas nações vão comercializar?
a. A China vai exportar aeronaves e os Estados Unidos vão exportar camisas.
b. A China vai exportar camisas e os Estados Unidos vão exportar aeronaves.
c. As duas nações vão exportar camisas.
d. Não há ganhos de comércio nessa situação.

6. Kayla consegue fazer o jantar em 30 minutos e lavar as roupas em 20 minutos. Sua colega de quarto leva metade do tempo para fazer cada tarefa. Como as colegas devem alocar o trabalho?
a. Kayla deve cozinhar mais, com base em sua vantagem comparativa.
b. Kayla deve lavar mais roupas, com base em sua vantagem comparativa.
c. Kayla deve lavar mais roupas, com base em sua vantagem absoluta.
d. Não há ganhos de comércio nesta situação.

RESUMO

- Cada pessoa consome bens e serviços produzidos por muitas outras pessoas tanto no mesmo país quanto no mundo todo. A interdependência e o comércio são desejáveis porque permitem que cada um deles possa desfrutar de uma maior quantidade e variedade de bens e serviços.
- Há duas maneiras de comparar a capacidade que duas pessoas têm de produzir um mesmo bem. Diz-se que a pessoa que produz o bem com menor quantidade de insumos tem *vantagem absoluta* na produção desse bem. Diz-se que a pessoa que tem o menor custo de oportunidade na produção de um dos bens tem uma *vantagem comparativa.* Os ganhos do comércio se baseiam na vantagem comparativa, não na vantagem absoluta.
- O comércio beneficia todas as pessoas porque permite que se especializem nas atividades em que tenham vantagem comparativa.
- O princípio da vantagem comparativa se aplica tanto aos países quanto às pessoas. Os economistas usam o princípio da vantagem comparativa para defender o livre comércio entre países.

CONCEITOS-CHAVE

custo de oportunidade, p. 44
vantagem absoluta, p. 44
vantagem comparativa, p. 45
exportações, p. 48
importações , p. 48

QUESTÕES PARA REVISÃO

1. Em que condições a fronteira de possibilidades de produção é linear, e não curva?
2. Explique a diferença entre vantagem absoluta e vantagem comparativa.
3. Dê um exemplo em que uma pessoa tenha vantagem absoluta em alguma atividade, enquanto outra pessoa tem vantagem comparativa.
4. O que é mais importante para o comércio: a vantagem absoluta ou a comparativa? Explique seu raciocínio usando o exemplo da resposta à questão 3.
5. Se duas partes comerciarem com base na vantagem comparativa e ambas ganharem, em que faixa o preço comercial deverá estar?
6. Por que os economistas se opõem a políticas que restrinjam o comércio entre as nações?

PROBLEMAS E APLICAÇÕES

1. Maria pode ler 20 páginas sobre economia em 1 hora e 50 páginas sobre sociologia em 1 hora. Ela passa 5 horas por dia estudando.
   a. Represente a fronteira de possibilidades de produção de Maria para a leitura de economia e de sociologia.
   b. Para Maria, qual é o custo de oportunidade da leitura de 100 páginas de sociologia?

2. Os trabalhadores norte-americanos e japoneses conseguem produzir, cada um, 4 carros por ano. Por ano, um trabalhador norte-americano consegue produzir 10 toneladas de grãos, enquanto um japonês produz 5 toneladas. Para simplificar, considere que cada país tem 100 milhões de trabalhadores.
   a. Para essa situação, construa uma tabela semelhante à da Figura 1.
   b. Faça o gráfico da fronteira de possibilidades de produção das economias norte-americana e japonesa.
   c. Para os Estados Unidos, qual é o custo de oportunidade de um carro? E de grãos? Para o Japão, qual é o custo de oportunidade de um carro? E de grãos? Faça uma tabela semelhante à Tabela 1.
   d. Qual dos dois países tem vantagem absoluta na produção de carros? E na produção de grãos?
   e. Qual dos dois países tem vantagem comparativa na produção de carros? E na produção de grãos?
   f. Sem o comércio, metade dos trabalhadores de cada país produz carros e a outra metade produz grãos. Qual é a quantidade de carros e de grãos produzida por país?
   g. A partir de uma posição sem comércio, apresente um exemplo em que o comércio melhore as condições de cada país.

3. Pat e Kris são colegas de quarto. Eles passam a maior parte do tempo estudando (claro), mas sempre têm um tempinho para suas atividades favoritas: fazer pizza e cerveja. Pat leva 4 horas para fazer 1 litro de cerveja e 2 horas para fazer uma pizza. Kris leva 6 horas para fazer 1 litro de cerveja e 4 horas para fazer uma pizza.
   a. Qual é o custo de oportunidade de cada um para fazer uma pizza? Quem tem vantagem absoluta na produção de pizza? Quem tem vantagem comparativa?
   b. Se Pat e Kris comerciarem, quem produzirá pizza para trocar por cerveja?
   c. O preço de uma pizza pode ser expresso por litros de cerveja. Qual é o maior preço pelo qual a pizza pode ser trocada, de modo que ambos fiquem satisfeitos? Qual é o preço mais baixo? Explique.

4. Suponhamos que haja 10 milhões de trabalhadores no Canadá e que cada um deles possa produzir 2 carros ou 30 toneladas de trigo por ano.
   a. Qual é o custo de oportunidade da produção de um carro no Canadá? E qual é o custo de oportunidade da produção de uma tonelada de trigo? Explique a relação entre o custo de oportunidade desses dois bens.
   b. Represente a fronteira de possibilidades de produção do Canadá. Se o país escolher consumir 10 milhões de carros, quantas toneladas de trigo poderá consumir sem comerciar? Indique esse ponto na fronteira de possibilidades de produção.
   c. Suponha, agora, que os Estados Unidos se proponham a comprar 10 milhões de carros do Canadá em troca de 20 toneladas de trigo por carro. Se o Canadá continuar a consumir 10 milhões de carros, quanto trigo o país poderá consumir a partir da negociação? Indique esse ponto no seu diagrama. O Canadá deve fechar o negócio?

5. A Inglaterra e a Escócia produzem bolinhos e suéteres. Suponha que um trabalhador inglês possa produzir 50 bolinhos ou 1 suéter por hora e que um trabalhador escocês possa produzir 40 bolinhos ou 2 suéteres por hora.
   a. Qual dos dois países tem vantagem absoluta na produção de cada bem? E qual dos dois países tem vantagem comparativa?

b. Se a Inglaterra e a Escócia decidirem comerciar, que mercadoria a Escócia venderia para a Inglaterra? Explique.
c. Se um trabalhador escocês produzisse somente 1 suéter por hora, a Escócia ainda poderia lucrar com o comércio? E a Inglaterra? Explique.

6. A tabela a seguir descreve as possibilidades de produção de duas cidades da Beisebolândia:

	Pares de meias vermelhas por trabalhador por hora	Pares de meias brancas por trabalhador por hora
Boston	3	3
Chicago	2	1

a. Na ausência de comércio, qual seria o preço das meias brancas (em termos de meias vermelhas) em Boston? E em Chicago?
b. Qual das duas cidades tem vantagem absoluta na produção das meias de cada cor? Qual delas tem a vantagem comparativa na produção das meias de cada cor?
c. Se as cidades comerciarem entre si, que cor de meias cada uma exportará?
d. Qual é a faixa de preços na qual o comércio pode ocorrer?

7. Um trabalhador alemão leva 400 horas para produzir um carro e 2 horas para produzir uma caixa de vinho. Um trabalhador francês leva 600 horas para produzir um carro e X horas para produzir uma caixa de vinho.
a. Com quais valores de X os ganhos do comércio seriam possíveis? Explique.
b. Com quais valores de X a Alemanha exportaria carros e importaria vinho? Explique.

8. Suponha que, em um ano, um trabalhador norte-americano produza 100 camisetas ou 20 computadores, enquanto um trabalhador chinês produz 100 camisetas ou 10 computadores.
a. Faça o gráfico da curva de possibilidades de produção para os dois países. Suponha que, sem comércio, os trabalhadores de cada país passem metade do tempo produzindo cada bem. Identifique esse ponto no gráfico.
b. Se esses países tivessem abertura comercial, qual deles exportaria camisetas? Dê um exemplo numérico específico e mostre-o no gráfico. Que país se beneficiaria com o comércio? Explique.
c. Com que preço por computador (em termos de camisetas) os dois países poderiam comerciar? Explique.
d. Suponha que a China iguale a produtividade norte-americana, de modo que um trabalhador chinês produza 100 camisetas ou 20 computadores. Que padrão de comércio pode ser previsto? De que modo o avanço na produtividade chinesa afeta o bem-estar econômico dos cidadãos dos dois países?

9. As afirmações a seguir são verdadeiras ou falsas? Explique suas respostas em cada caso.
a. "Dois países podem obter ganhos de comércio mesmo que um deles tenha vantagem absoluta na produção de todos os bens."
b. "Certas pessoas muito talentosas têm vantagem comparativa em tudo o que fazem."
c. "Se determinada transação comercial é boa para uma pessoa, não pode ser boa para a outra."
d. "Se determinada transação comercial é boa para uma pessoa, sempre será boa para a outra."
e. "Se o comércio é bom para um país, deve ser bom para todos nesse país."

Parte II

Como funcionam os mercados

CAPÍTULO 4

As forças de mercado da oferta e da demanda

Quando uma frente fria atinge a Flórida, o preço do suco de laranja aumenta nos supermercados norte-americanos. Quando o tempo esquenta na Nova Inglaterra a cada verão, o preço das diárias nos hotéis do Caribe despenca. Quando irrompe uma guerra no Oriente Médio, o preço da gasolina nos Estados Unidos aumenta e o preço dos Cadillacs usados cai. O que esses acontecimentos têm em comum? Todos mostram como funcionam a oferta e a demanda.

Oferta e *demanda* são as duas palavras que os economistas usam mais frequentemente – e com boas razões. A oferta e a demanda são as forças que fazem as economias de mercado funcionar. São elas que determinam a quantidade produzida de cada bem e o preço pelo qual o bem será vendido. Se quiser saber como a economia será afetada por qualquer acontecimento ou política, você precisa pensar, primeiro, nos impactos provocados sobre a oferta e a demanda.

Este capítulo introduz a teoria da oferta e da demanda. Ele considera como compradores e vendedores se comportam e interagem. Mostra como a oferta e a demanda determinam os preços em uma economia de mercado e como os preços, por sua vez, alocam os recursos escassos da economia.

4_1 MERCADOS E COMPETIÇÃO

Os termos *oferta* e *demanda* referem-se ao comportamento das pessoas à medida que interagem entre si em mercados competitivos. Antes de discutirmos o comportamento de compradores e vendedores, vamos aprofundar a análise dos termos *mercado* e *competição.*

4_1A O que é mercado?

mercado
grupo de compradores e vendedores de um bem ou serviço particular

Um **mercado** é um grupo de compradores e vendedores de determinado bem ou serviço. Os compradores, como grupo, determinam a demanda pelo produto, e os vendedores, também como grupo, determinam a oferta do produto.

Os mercados assumem diferentes formas. Às vezes são altamente organizados, como os mercados de muitas mercadorias agrícolas. Neles, compradores e vendedores encontram-se em lugares e horários determinados, onde um leiloeiro ajuda a estabelecer os preços e a organizar as vendas.

Mais frequentemente, os mercados são menos organizados. Consideremos, por exemplo, o mercado de sorvete em uma cidade qualquer. Os compradores de sorvete não se reúnem em um horário determinado. Os vendedores de sorvete estão em pontos diferentes da cidade e oferecem produtos diversos. Não há um leiloeiro para apregoar o preço do sorvete. Cada vendedor estabelece o preço do seu sorvete, e cada comprador decide quanto sorvete comprar em cada loja. No entanto, esses consumidores e produtores estão intimamente ligados. Os compradores de sorvete escolhem entre os vários vendedores para satisfazer sua vontade, e os vendedores tentam atrair a atenção dos compradores para que seu negócio tenha sucesso. Embora não seja tão organizado, esse grupo forma um mercado.

4_1B O que é competição?[1]

mercado competitivo
mercado em que há tantos compradores e vendedores que cada um deles tem impacto insignificante sobre o preço de mercado

O mercado de sorvete, como a maioria dos mercados em uma economia, é altamente competitivo. Cada comprador sabe que há vários vendedores para escolher, e cada vendedor tem consciência de que seu produto é semelhante àquele oferecido por outros. Desse modo, o preço do sorvete e a quantidade vendida não são determinados por um único comprador ou vendedor. Ao contrário, eles são determinados por todos os compradores e vendedores à medida que interagem.

Os economistas empregam a expressão **mercado competitivo** para descrever um mercado em que há tantos compradores e vendedores que cada um deles tem impacto insignificante sobre o preço do mercado. Cada vendedor de sorvete tem controle limitado sobre o preço porque os outros vendedores oferecem produtos similares. Um vendedor não tem muitos motivos para vender abaixo do preço vigente, e se cobrar mais que isso, os compradores farão suas compras em outro lugar. Da mesma forma, nenhum comprador pode influenciar o preço do sorvete, porque cada um deles compra uma pequena quantidade em relação ao total de sorvete comercializado no mercado.

Neste capítulo, faremos a suposição de que os mercados são *perfeitamente competitivos.* Para alcançar essa forma de competição, um mercado deve apresentar duas características: (1) os bens oferecidos para venda são todos iguais e (2) os compradores e vendedores são tão numerosos que nenhum deles é capaz de, individualmente, influenciar o preço de mercado. Como os compradores e vendedores dos mercados perfeitamente competitivos precisam aceitar o preço que o mercado determina, são chamados *tomadores de preços.* A preço de mercado, os compradores podem adquirir tudo o que desejam, e os vendedores podem vender tudo o que querem.

Há mercados em que o conceito de concorrência perfeita se aplica perfeitamente. No mercado de trigo, por exemplo, há milhares de agricultores que vendem trigo e milhões de consumidores que utilizam o grão e seus derivados. Como não há um comprador ou vendedor específico que seja capaz de influenciar o preço do trigo, cada um deles aceita o preço como dado.

Nem todos os bens e serviços, todavia, são negociados em mercados perfeitamente competitivos. Alguns mercados têm apenas um vendedor, que é quem determina o preço. Um vendedor nessas condições é chamado *monopólio.* Por exemplo, pode ser que a empresa de TV a cabo que presta serviços para você seja um monopólio: é possível que os moradores da sua cidade só possam comprar os serviços de uma empresa. Alguns mercados situam-se entre os extremos de competição perfeita e monopólio.

Apesar da diversidade dos tipos de mercado que há no mundo, presumir que há concorrência perfeita é uma simplificação útil e, portanto, um ponto de partida natural. Mercados perfeitamente competitivos são os mais fáceis de se analisar, porque todos os participantes tomam o preço como dado pelas condições do mercado. Ademais, como há certo grau de concorrência na maioria dos mercados, muitas das lições que aprenderemos estudando a oferta e a demanda sob condições de concorrência perfeita se aplicam também a mercados mais complexos.

Teste rápido O que é um mercado? • Quais são as características dos mercados perfeitamente competitivos?

1. Competição, ou concorrência, subdivide-se em perfeita e imperfeita. (NRT)

4_2 DEMANDA[2]

Começaremos nosso estudo dos mercados examinando o comportamento dos compradores. Para concentrar o pensamento, vamos tratar de um bem em particular: o sorvete.

4_2A A curva da demanda: a relação entre preço e quantidade demandada

quantidade demandada quantidade de um bem que os compradores desejam e podem comprar

lei da demanda afirmação de que, com tudo o mais mantido constante, a quantidade demandada de um bem diminui quando o preço dele aumenta

escala de demanda tabela que mostra a relação entre o preço de um bem e a quantidade demandada

curva de demanda gráfico da relação entre o preço de um bem e a quantidade demandada

A **quantidade demandada** de um bem qualquer é a quantidade desse bem que os compradores desejam e podem comprar. Como veremos, são muitas as coisas que determinam a quantidade demandada de qualquer bem, mas, quando se analisa o funcionamento dos mercados, há uma determinante, que representa um papel central: o preço do bem. Se o preço do sorvete subir para $ 20 a bola, você comprará menos sorvete. Poderá, por exemplo, comprar *frozen yogurt* em vez de sorvete. Se o preço do sorvete cair para $ 0,20 a bola, você comprará mais sorvete. Essa relação entre preço e quantidade demandada se aplica à maioria dos bens existentes na economia e, de fato, é tão universal que os economistas a chamam **lei da demanda**: com tudo o mais mantido constante, quando o preço de um bem aumenta, a quantidade demandada deste diminui; quando o preço diminui, a quantidade demandada do bem aumenta.

A tabela da Figura 1 mostra quantos sorvetes de casquinha Catarina compra por mês, a diferentes preços. Se o sorvete for de graça, ela consumirá 12 casquinhas por mês. A $ 0,50 por casquinha, ela comprará 10 casquinhas por mês. À medida que o preço aumentar, ela comprará cada vez menos sorvete de casquinha. Quando o preço atingir $ 3,00, Catarina não comprará nenhum sorvete. Essa escala é chamada **escala de demanda**, e mostra a relação entre o preço de um bem e sua quantidade demandada, mantidas constantes todas as demais coisas que influenciam a quantidade do bem que os consumidores desejam comprar.

O gráfico da Figura 1 usa os números da tabela para ilustrar a lei da demanda. Por convenção, o preço do sorvete é representado no eixo vertical, e a quantidade demandada, no eixo horizontal. A linha que relaciona preço e quantidade demandada é chamada **curva de demanda**. A inclinação da curva de demanda é voltada para baixo porque, com tudo mais mantido constante, um preço mais baixo significa uma quantidade maior demandada.

4_2B Demanda de mercado *versus* demanda individual

A curva de demanda da Figura 1 representa a demanda de uma pessoa por um produto. Para analisarmos como funcionam os mercados, precisamos determinar a *demanda de mercado*, que é a soma de todas as demandas individuais por determinado bem ou serviço.

A tabela da Figura 2 mostra as escalas de demanda por sorvete de duas pessoas: Catarina e Nicolau. A escala de demanda de Catarina nos diz quanto sorvete ela compra a cada preço, e a escala de demanda de Nicolau nos diz quanto sorvete ele compra a cada diferente preço. A demanda de mercado a cada preço é a soma das duas demandas individuais.

O gráfico da Figura 2 mostra as curvas de demanda que correspondem a essas escalas de demanda. Observe que somamos as duas curvas de demanda individuais horizontalmente para obtermos a curva de

2. A demanda é também denominada *procura.* O mesmo se aplica a todas as suas derivações. Assim, por exemplo, a quantidade demandada pode também ser chamada *quantidade procurada.* (NRT)

Figura 1

A escala de demanda e a curva de demanda de Catarina

A escala de demanda é uma tabela que mostra a quantidade demandada a cada preço. A curva de demanda, que representa graficamente a escala de demanda, mostra como a quantidade demandada do bem varia quando seu preço se altera. Como um preço menor aumenta a quantidade demandada, a curva de demanda se inclina para baixo.

Preço do sorvete de casquinha	Quantidade demandada do sorvete de casquinha
$ 0,00	12
0,50	10
1,00	8
1,50	6
2,00	4
2,50	2
3,00	0

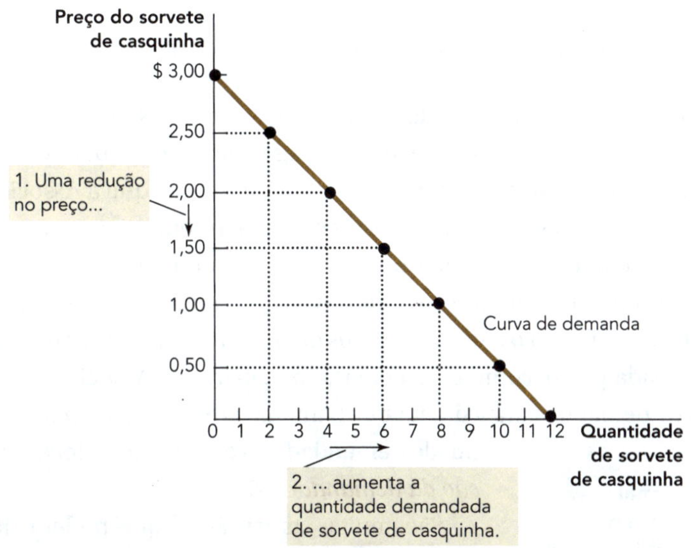

Figura 2

Demanda de mercado como a soma das demandas individuais

A quantidade demandada em um mercado é a soma das quantidades demandadas por todos os compradores a cada preço. Assim, a curva de demanda de mercado é encontrada somando-se horizontalmente as curvas de demanda individuais. Ao preço de $ 2,00, Catarina demanda 4 sorvetes de casquinha e Nicolau demanda 3. A quantidade demandada no mercado a esse preço é de 7 sorvetes.

Preço do sorvete de casquinha	Catarina		Nicolau		Mercado
$ 0,00	12	+	7	=	19 sorvetes de casquinha
0,50	10		6		16
1,00	8		5		13
1,50	6		4		10
2,00	4		3		7
2,50	2		2		4
3,00	0		1		1

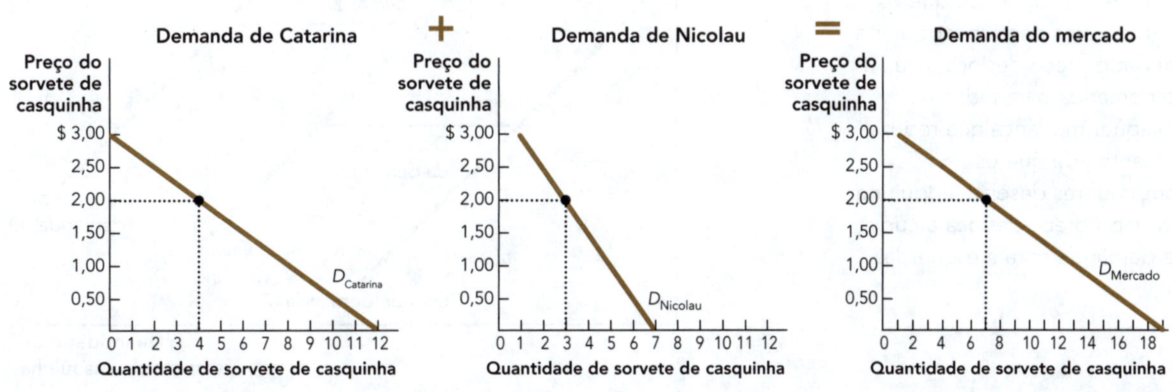

demanda de mercado. Ou seja, para encontrar a quantidade total demandada para qualquer preço, somamos as quantidades encontradas no eixo horizontal das curvas de demanda individuais. Como estamos interessados em analisar como os mercados funcionam, vamos trabalhar com mais frequência com a curva de demanda de mercado. A curva de demanda de mercado mostra como a quantidade total demandada de um bem varia conforme seu preço varia, enquanto todos os demais fatores que afetam a quantidade que os consumidores desejam comprar são mantidos constantes.

4_2C Deslocamentos da curva de demanda

Como a curva de demanda de mercado mantém constantes os muitos outros fatores, ela não precisa ser estável ao longo do tempo. Se acontecer algo que altere a quantidade demandada a cada preço dado, a curva de demanda se deslocará. Suponhamos, por exemplo, que a Associação Norte-Americana de Medicina descubra que as pessoas que tomam sorvete regularmente vivem mais tempo e são mais saudáveis. Essa descoberta aumentaria a demanda por sorvete. A qualquer preço dado, os compradores passariam a desejar comprar uma maior quantidade de sorvete, e, com isso, a curva de demanda se deslocaria.

A Figura 3 ilustra os deslocamentos da demanda. Qualquer mudança que aumente a quantidade demandada a cada preço, como a descoberta imaginária da Associação Norte-Americana de Medicina, desloca a curva de demanda para a direita e é chamada *aumento da demanda*. Qualquer mudança que reduza a quantidade demandada a cada preço desloca a curva para a esquerda e é chamada *redução da demanda*.

São muitas as variáveis que podem deslocar a curva de demanda. As mais importantes são:

Renda O que aconteceria com sua demanda por sorvete se você perdesse o emprego no verão? Ela provavelmente cairia. Uma renda menor significa que você tem menos renda para seus gastos totais, de modo que vai precisar gastar menos com alguns bens - e provavelmente com todos. Se a demanda por um bem diminui quando a renda cai, o bem é chamado **bem normal**.

bem normal
bem para o qual, tudo o mais mantido constante, um aumento na renda leva a um aumento da demanda

Nem todos os bens são normais. Se a demanda por um bem aumenta quando a renda cai, o bem é chamado **bem inferior**. Um exemplo de bem inferior pode ser a passagem de ônibus. Se sua renda diminuir, será menos provável que você compre um carro ou tome um táxi. É mais provável que ande de ônibus.

bem inferior
bem para o qual, tudo o mais mantido constante, um aumento na renda leva a uma diminuição da demanda

Figura 3
Deslocamentos da curva de demanda
Qualquer mudança que aumente a quantidade que os compradores desejam adquirir a um dado preço desloca a curva de demanda para a direita. Qualquer mudança que reduza a quantidade que os compradores desejam adquirir a um dado preço desloca a curva de demanda para a esquerda.

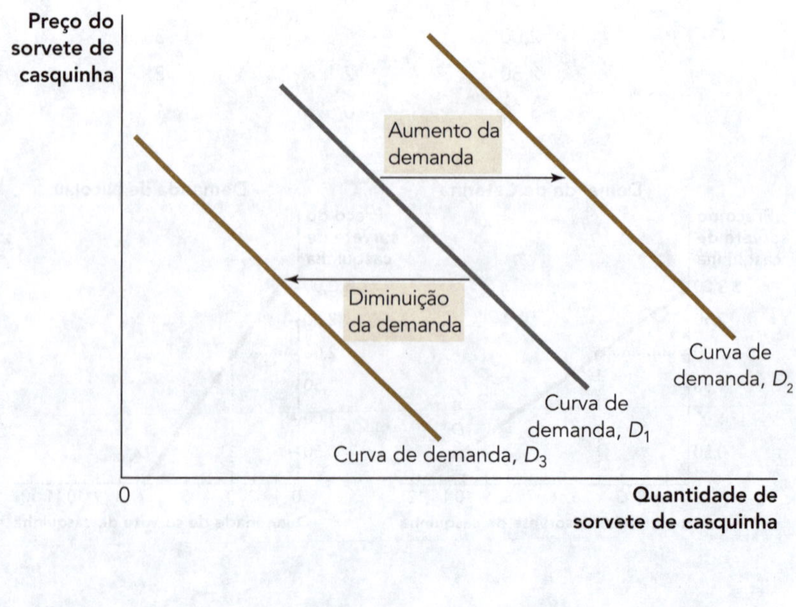

substitutos
dois bens para os quais o aumento do preço de um leva a um aumento da demanda pelo outro

complementares
dois bens para os quais o aumento do preço de um leva a uma redução da demanda pelo outro

Preços de bens relacionados Suponhamos que o preço do *frozen yogurt* caia. A lei da demanda diz que você comprará mais *frozen yogurt*. Ao mesmo tempo, você provavelmente comprará menos sorvete. Uma vez que o sorvete e o *frozen yogurt* são sobremesas geladas, doces e cremosas, ambos satisfazem desejos semelhantes. Quando uma queda do preço de um bem reduz a demanda por outro bem, os dois bens são chamados **substitutos**. Os substitutos são frequentemente pares de bens que podem ser usados um no lugar do outro, como cachorros-quentes e hambúrgueres, malhas de lã e moletons, ingressos de cinema e serviços de fluxo (*streaming*) de vídeos, através da internet.

Suponhamos agora que o preço da cobertura de chocolate quente caia. De acordo com a lei da demanda, você comprará mais cobertura. Mas, nesse caso, também comprará mais sorvete, porque sorvete e cobertura são frequentemente consumidos juntos. Quando uma queda do preço de um bem causa um aumento da demanda de outro, os dois bens são chamados **complementares**. Os bens complementares são frequentemente pares de bens que são usados em conjunto, como gasolina e carros, computadores e softwares, e CDs e CD *players*.

Gostos O mais óbvio determinante de sua demanda são seus gostos. Se você gosta de sorvete, comprará mais sorvete. Os economistas normalmente não tentam explicar os gostos porque eles se baseiam em forças históricas e psicológicas que estão além do campo de estudo da economia. No entanto, eles examinam o que acontece quando os gostos mudam.

Expectativas Suas expectativas quanto ao futuro podem afetar sua demanda por um bem ou serviço hoje. Por exemplo, se você tem a expectativa de obter uma renda maior no mês que vem, pode decidir economizar menos e gastar mais na compra de sorvete. Se você espera que o preço do sorvete diminua amanhã, pode estar menos disposto a comprar sorvete ao preço de hoje.

Número de compradores Além dos fatores mencionados anteriormente, que influenciam o comportamento de compradores individuais, a demanda de mercado depende do número desses compradores. Se Pedro se juntasse a Catarina e Nicolau como outro consumidor de sorvete, a quantidade demandada de mercado seria maior a cada preço e a curva de demanda aumentaria, isto é, se deslocaria para a direita.

Resumo A curva de demanda mostra o que acontece com a quantidade demandada de um bem quando seu preço muda, mantidas constantes todas as demais variáveis que influenciam os compradores. Quando uma dessas variáveis muda, a curva de demanda se desloca. A Tabela 1 relaciona as variáveis que exercem influência sobre a quantidade de um bem que os consumidores desejam comprar.

Se tiver dúvidas sobre deslocamentos da curva de demanda ou sobre como mover-se ao longo dela, releia a lição do apêndice do Capítulo 2. A curva se desloca quando há uma alteração em uma variável relevante que não é medida nos dois eixos. Como o preço está no eixo vertical, a mudança de preços representa um movimento ao longo da curva de demanda. Em contrapartida, a renda, os preços de bens relacionados, o gosto, as expectativas e o número de compradores não são medidos em nenhum eixo; portanto, qualquer alteração em uma dessas variáveis desloca a curva de demanda.

Teste rápido Dê um exemplo de uma escala mensal de demanda por pizza e represente graficamente a curva de demanda respectiva. • Dê um exemplo de algo que deslocaria essa curva de demanda e explique resumidamente sua resposta. • Uma mudança no preço da pizza deslocaria sua curva de demanda?

Tabela 1
Variáveis que influenciam os compradores

Esta tabela enumera as variáveis que exercem influência sobre a quantidade que os consumidores decidem comprar de um bem qualquer. Observe o papel especial que o preço do bem desempenha: uma mudança no preço do bem representa um movimento ao longo da curva de demanda, ao passo que uma mudança nas demais variáveis desloca a curva de demanda.

Variável	Uma mudança nesta variável...
Preço	Representa um movimento ao longo da curva de demanda
Renda	Desloca a curva de demanda
Preços de bens relacionados	Desloca a curva de demanda
Gostos	Desloca a curva de demanda
Expectativas	Desloca a curva de demanda
Número de compradores	Desloca a curva de demanda

4_3 OFERTA

Vamos agora nos voltar para o outro lado do mercado e examinar o comportamento dos vendedores. Mais uma vez, para concentrarmos o foco de nossa análise, vamos considerar o mercado de sorvete.

4_3A A curva de oferta: a relação entre preço e quantidade ofertada

quantidade ofertada quantidade de um bem que os vendedores estão dispostos e aptos a vender

lei da oferta afirmação de que, com tudo o mais mantido constante, a quantidade ofertada de um bem aumenta quando seu preço aumenta

escala de oferta tabela que mostra a relação entre o preço e a quantidade ofertada de um bem

curva de oferta gráfico da relação entre o preço de um bem e a quantidade ofertada

A **quantidade ofertada** de qualquer bem ou serviço é a quantidade que os vendedores querem e podem vender. Há muitos determinantes da quantidade ofertada, mas, novamente, o preço representa um papel central em nossa análise. Quando o preço do sorvete está elevado, vender sorvete é lucrativo e, portanto, a quantidade ofertada é grande. Os vendedores de sorvete trabalham por muitas horas, compram muitas máquinas de fabricar sorvete e contratam muitos trabalhadores. No entanto, quando o preço do sorvete está baixo, o negócio é menos lucrativo e os vendedores produzem menos sorvete. A um preço baixo, alguns vendedores podem até optar por fechar as portas, e, com isso, sua quantidade ofertada cai para zero. Essa relação entre preço e quantidade ofertada é chamada **lei da oferta**: com tudo o mais mantido constante, quando o preço de um bem aumenta, a quantidade ofertada desse bem também aumenta, e quando o preço de um bem cai, a quantidade ofertada desse bem também cai.

A tabela da Figura 4 mostra a quantidade ofertada por Ben, um vendedor de sorvete, a cada preço. A qualquer preço abaixo de $ 1,00, Ben não oferece nenhuma quantidade de sorvete. À medida que o preço aumenta, ele oferece uma quantidade cada vez maior. Essa é a **escala de oferta**, uma tabela que mostra a relação entre o preço e a quantidade ofertada de um bem, mantendo-se constantes todas as demais coisas que influenciam o quanto os produtores do bem desejam vendê-lo.

O gráfico da Figura 4 usa os dados da tabela para ilustrar a lei da oferta. A curva que relaciona o preço com a quantidade ofertada é chamada **curva de oferta**. A curva de oferta se inclina para cima porque, com tudo o mais mantido constante, um preço maior significa uma quantidade ofertada maior.

Figura 4

A escala de oferta e a curva de oferta de Ben

A escala de oferta mostra a quantidade ofertada a cada preço. A curva de oferta, que representa graficamente a escala de oferta, mostra como a quantidade ofertada do bem muda conforme seu preço varia. Como um preço mais elevado aumenta a quantidade ofertada, a curva de oferta se inclina para cima.

Preço do sorvete de casquinha	Quantidade ofertada de sorvetes de casquinha
$ 0,00	0
0,50	0
1,00	1
1,50	2
2,00	3
2,50	4
3,00	5

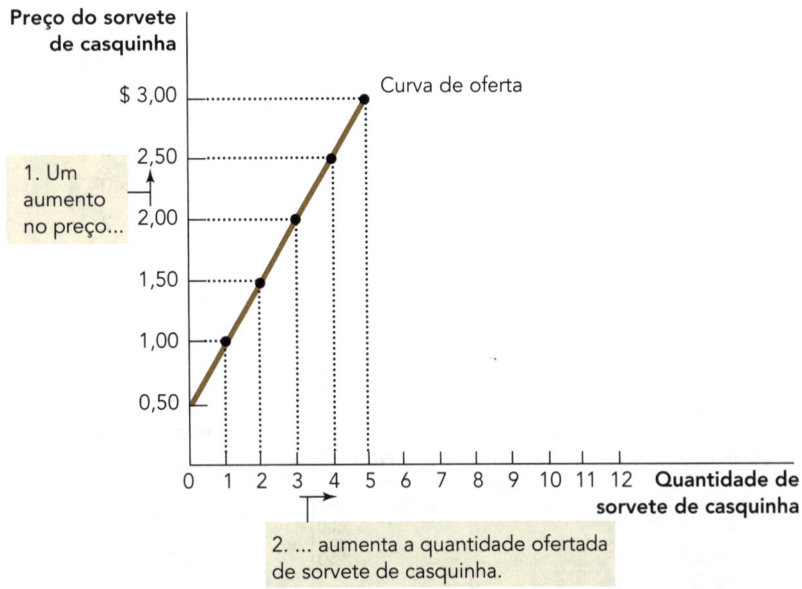

4_3B Oferta de mercado *versus* oferta individual

Assim como a demanda de mercado é a soma das demandas de todos os compradores, a oferta de mercado é a soma das ofertas de todos os vendedores. A tabela da Figura 5 mostra as escalas de oferta de dois produtores de sorvete, Ben e Jerry. A qualquer preço, a escala de oferta de Ben nos diz a quantidade de sorvete ofertada por este produtor, e a escala de oferta de Jerry nos diz a quantidade de sorvete ofertada por este outro produtor. A oferta de mercado é a soma das duas ofertas individuais.

O gráfico da Figura 5 mostra as curvas de oferta que correspondem às escalas de oferta. Assim como fazemos com as curvas de demanda, somamos *horizontalmente* as curvas de oferta individuais para obter a curva de oferta de mercado. Ou seja, para encontrarmos a quantidade ofertada total a cada preço, somamos as quantidades encontradas no eixo horizontal das curvas de oferta individuais. A curva de oferta de mercado mostra como a quantidade ofertada total varia à medida que o preço do bem varia, mantendo constantes todos os outros fatores, que influenciam as decisões dos produtores sobre a quantidade a ser vendida.

4_3C Deslocamentos da curva de oferta

Como a curva de oferta de mercado mantém constantes todos os demais fatores, a curva de oferta se desloca quando um dos fatores se modifica. Por exemplo, vamos supor que o preço do açúcar caia. O açúcar é um insumo utilizado na produção de sorvete, portanto, a queda no preço do açúcar torna mais lucrativa a venda de sorvete. Isso aumenta a oferta de sorvete: a qualquer preço dado, os vendedores agora estão dispostos a produzir uma quantidade maior. Com isso, a curva de oferta de sorvete se desloca para a direita.

A Figura 6 ilustra deslocamentos da oferta. Qualquer mudança que aumente a quantidade ofertada a cada preço, como uma queda do preço do açúcar, desloca a curva de oferta para a direita e é denominada *aumento da oferta.* Da mesma forma, qualquer mudança que reduza a quantidade ofertada a cada preço desloca a curva de oferta para a esquerda e é denominada *redução da oferta.*

Figura 5

Oferta de mercado como a soma das ofertas individuais

A quantidade ofertada em um mercado é a soma das quantidades ofertadas por todos os vendedores a cada preço. Assim, a curva de oferta de mercado é determinada somando-se horizontalmente as curvas de oferta individuais. Ao preço de $ 2,00, Ben oferta 3 sorvetes de casquinha, e Jerry, 4. A quantidade ofertada no mercado a este preço é de 7 sorvetes.

Preço do sorvete de casquinha	Ben		Jerry		Mercado
$ 0,00	0	+	0	=	0
0,50	0		0		0
1,00	1		0		1
1,50	2		2		4
2,00	3		4		7
2,50	4		6		10
3,00	5		8		13

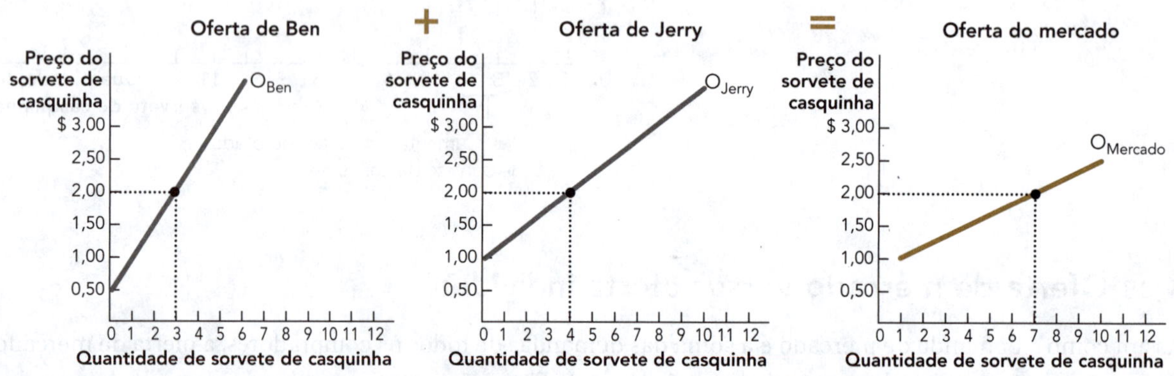

Figura 6

Descolamentos da curva de oferta

Qualquer mudança que aumente a quantidade que os vendedores desejam produzir a qualquer preço dado desloca a curva de oferta para a direita. Qualquer mudança que reduza a quantidade que os vendedores desejam produzir a qualquer preço dado desloca a curva de oferta para a esquerda.

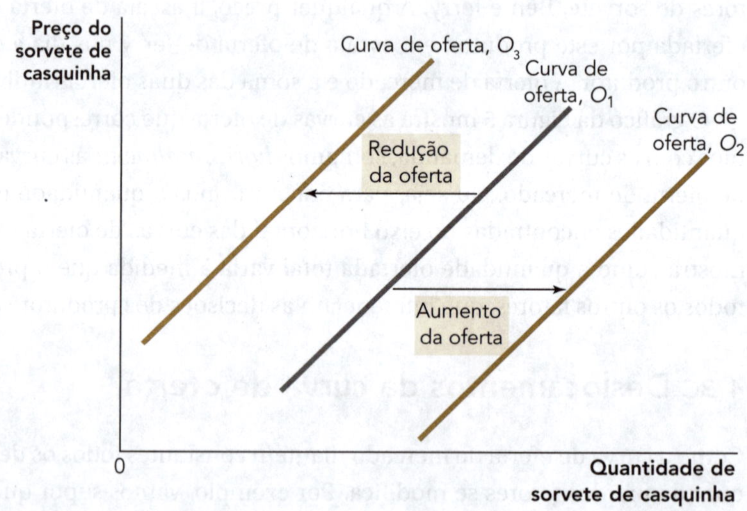

São muitas as variáveis que podem deslocar a curva de oferta. Aqui estão algumas das mais importantes:

Preço dos insumos Para produzir o sorvete, os vendedores usam diversos insumos: leite, açúcar, aromatizantes, máquinas de fabricar sorvete, as instalações onde o sorvete é produzido e os trabalhadores para misturar os ingredientes e operar as máquinas. Quando aumenta o preço de um ou mais desses insumos, a produção de sorvete se torna menos lucrativa e as empresas ofertam menos sorvete. Se o preço dos insumos subir substancialmente, algumas empresas poderão fechar e não ofertar nenhuma quantidade de sorvete. Assim, a oferta de um bem está negativamente relacionada com o preço dos insumos usados na sua produção.

Tecnologia A tecnologia utilizada para transformar os insumos em sorvete é também outro determinante da oferta. A invenção de máquinas de produzir sorvete, por exemplo, reduziu a quantidade de trabalho necessária para a produção de sorvete. Reduzindo os custos das empresas, os avanços na tecnologia aumentam a oferta de sorvete.

Expectativas A quantidade de sorvete de casquinha que uma empresa oferece hoje pode depender de suas expectativas quanto ao futuro. Se, por exemplo, uma empresa tiver a expectativa de que o preço do sorvete aumente no futuro, ela estocará parte de sua produção atual e ofertará menos hoje.

Número de vendedores Além dos fatores mencionados anteriormente que influenciam o comportamento de vendedores individuais, a oferta de mercado depende do número de vendedores. Se Ben e Jerry saíssem do ramo de sorvete, a oferta no mercado diminuiria.

Resumo A curva de oferta mostra o que acontece com a quantidade ofertada de um bem quando seu preço varia, mantidas constantes todas as demais variáveis que influenciam os vendedores. Quando uma dessas variáveis muda, a curva de oferta se desloca. A Tabela 2 enumera as variáveis que determinam a quantidade que os produtores decidem vender de um bem.

Mais uma vez, para certificar-se da deslocação da curva ou do movimento ao longo da curva de oferta, considere que a curva se desloca quando existe uma alteração em uma variável relevante que não esteja designada em nenhum dos eixos. O preço está no eixo vertical, então uma mudança de preço representa um movimento ao longo da curva de oferta. Em contrapartida, como os preços dos insumos, a tecnologia, as expectativas e o número de vendedores não são medidos nesses eixos, qualquer mudança em uma dessas variáveis desloca a curva de oferta.

Tabela 2
Variáveis que influenciam os vendedores

Esta tabela enumera as variáveis que exercem influência sobre a quantidade que os produtores decidem vender de um determinado bem. Observe o papel especial que o preço do bem desempenha: uma mudança no preço do bem representa um movimento ao longo da curva de oferta, ao passo que uma mudança de qualquer outra variável desloca a curva de oferta.

Variável	Uma mudança desta variável...
Preço	Representa um movimento ao longo da curva de oferta
Preço dos insumos	Desloca a curva de oferta
Tecnologia	Desloca a curva de oferta
Expectativas	Desloca a curva de oferta
Número de vendedores	Desloca a curva de oferta

Teste rápido Dê um exemplo de uma tabela de oferta mensal de pizza e trace a respectiva curva de oferta.• Dê um exemplo de algo que deslocaria essa curva de oferta e explique resumidamente sua resposta. • Uma mudança do preço da pizza deslocaria essa curva de oferta?

4_4 OFERTA E DEMANDA REUNIDAS

Tendo analisado a oferta e a demanda em separado, vamos agora combiná-las para ver como determinam a quantidade de um bem vendido no mercado e seu preço.

4_4A Equilíbrio

equilíbrio
uma situação na qual o preço de mercado atingiu o nível em que a quantidade ofertada é igual à quantidade demandada

preço de equilíbrio
o preço que iguala a quantidade ofertada e a quantidade demandada

quantidade de equilíbrio
a quantidade ofertada e a quantidade demandada ao preço de equilíbrio

excesso de oferta
uma situação em que a quantidade ofertada é maior que a quantidade demandada

excesso de demanda
uma situação em que a quantidade demandada é maior que a quantidade ofertada

A Figura 7 mostra a curva de oferta de mercado e a curva de demanda de mercado juntas. Observe que há um ponto em que ocorre intersecção das curvas de oferta e demanda, o qual é chamado **equilíbrio** do mercado. O preço nessa intersecção é chamado **preço de equilíbrio** e a quantidade é denominada **quantidade de equilíbrio.**

Aqui, o preço de equilíbrio é de $ 2 por sorvete e a quantidade de equilíbrio é de 7 sorvetes.

O dicionário define a palavra *equilíbrio* como uma situação em que diversas forças estão em igualdade – e isso também descreve o equilíbrio de mercado. *Ao preço de equilíbrio, a quantidade do bem que os compradores desejam e podem comprar é exatamente igual à quantidade que os vendedores desejam e podem vender.* O equilíbrio é, por vezes, chamado *preço de ajustamento do mercado* porque, a esse preço, o mercado está satisfeito: os compradores compraram tudo o que desejavam comprar e os vendedores venderam tudo o que desejavam vender.

As ações de compradores e vendedores conduzem naturalmente o mercado em direção ao equilíbrio entre oferta e demanda. Para saber por que isso ocorre, considere o que acontece quando o preço de mercado não é igual ao preço de equilíbrio.

Suponhamos, primeiro, que o preço de mercado esteja acima do preço de equilíbrio, como no painel (a) da Figura 8. Ao preço de $ 2,50 por sorvete, a quantidade ofertada (10 sorvetes) é superior à quantidade demandada (4 sorvetes). Há um **excesso de oferta** do bem: os fornecedores não conseguem vender tudo que querem ao preço vigente. Uma situação como essa é denominada *excesso de oferta.* Quando há um excesso de oferta no mercado de sorvete, os vendedores descobrem que seus *freezers* ficam lotados com esse produto que gostariam de vender, mas não conseguem. Eles respondem a esse excesso reduzindo os preços. Com a diminuição dos preços, a quantidade demandada aumenta e a quantidade ofertada diminui. Essas mudanças representam movimentos *ao longo* das curvas de oferta e de demanda, não deslocamentos nas curvas. Os preços continuam a cair até que o mercado atinja seu equilíbrio.

Suponhamos agora que o preço de mercado esteja abaixo do preço de equilíbrio, como no painel (b) da Figura 8. Nesse caso, o preço é de $ 1,50 por sorvete e a quantidade demandada do bem excede a quantidade ofertada. Há um **excesso de demanda** do bem: os compradores não conseguem comprar tudo que querem ao preço vigente. Uma situação como essa é denominada *excesso de demanda.* Quando ocorre uma escassez no mercado de sorvete, os compradores precisam esperar em longas filas por uma oportunidade para comprar um dos poucos sorvetes de casquinha que estão disponíveis. Havendo muitos compradores em busca de poucos bens, os vendedores podem reagir à escassez aumentando seus preços sem, com isso, perder vendas. Esses aumentos de preço fazem com que a quantidade demandada caia e a quantidade ofertada suba. Mais uma vez, essas mudanças representam movimentos *ao longo* das curvas de oferta e de demanda e movem o mercado em direção ao equilíbrio.

Assim, independentemente de o preço começar muito alto ou muito baixo, as atividades dos diversos compradores e vendedores conduzem automaticamente o mercado em direção ao preço de equilíbrio. Uma vez atingido o equilíbrio, todos os compradores e vendedores ficam satisfeitos e não há pressão nem para

Figura 7
O equilíbrio de oferta e demanda

O equilíbrio é encontrado no ponto em que ocorre intersecção da curva de oferta com a curva de demanda. Ao preço de equilíbrio, a quantidade ofertada é igual à quantidade demandada. Aqui, o preço de equilíbrio é $ 2,00: a este preço, são ofertados e demandados 7 sorvetes de casquinha.

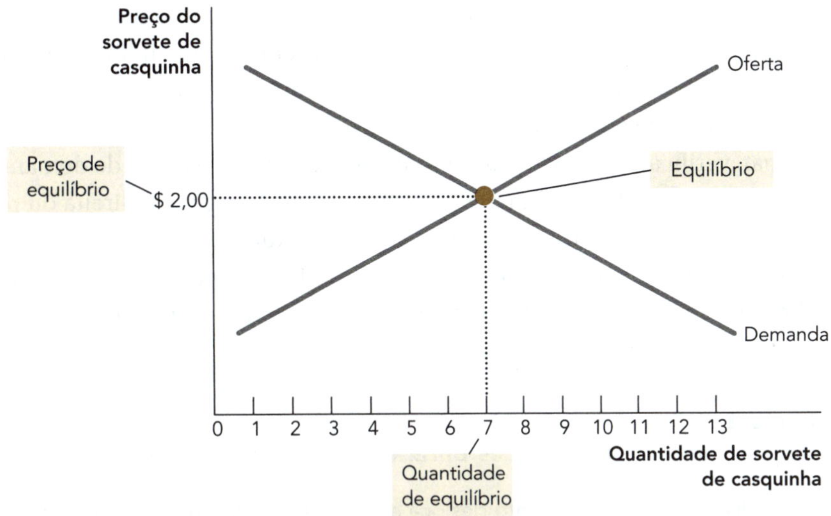

Figura 8
Mercados em desiquilíbrio

No painel (a) há um excesso de oferta. Como o preço de mercado de $ 2,50 está acima do preço de equilíbrio, a quantidade ofertada (10 sorvetes) excede a quantidade demandada (4 sorvetes). Os fornecedores tentam aumentar as vendas reduzindo o preço da casquinha, e isso conduz o preço a seu nível de equilíbrio. No painel (b) há escassez de oferta. Como o preço de mercado de $ 1,50 está abaixo do preço de equilíbrio, a quantidade demandada (10 sorvetes) excede a quantidade ofertada (4 sorvetes). Com muitos compradores indo atrás de poucos bens, os fornecedores podem tirar vantagem do excesso de demanda elevando o preço. Assim, em ambos os casos, o ajuste dos preços conduz o mercado em direção ao equilíbrio entre oferta e demanda.

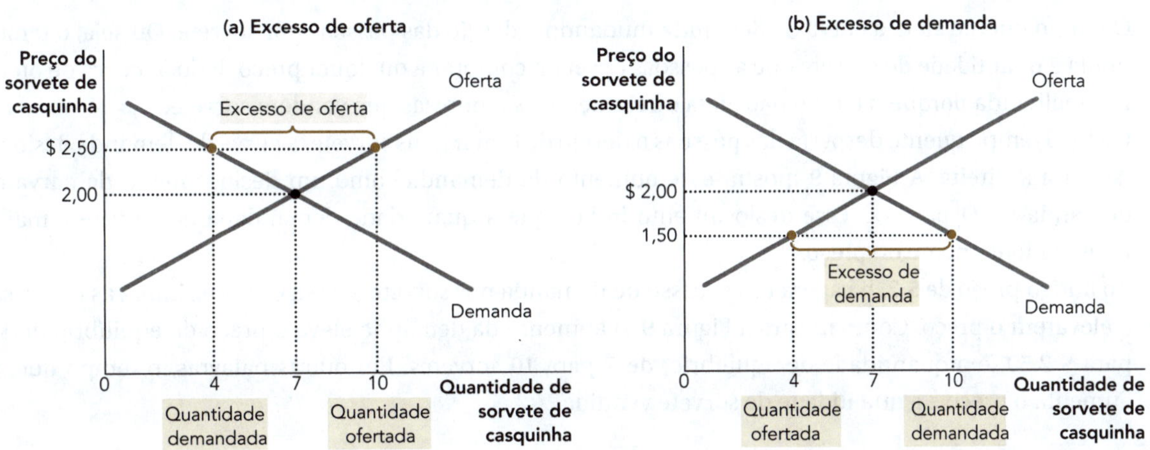

lei da oferta e da demanda
a afirmação de que o preço de qualquer bem se ajusta para trazer a quantidade ofertada e a quantidade demandada desse bem para o equilíbrio

cima nem para baixo sobre o preço. A rapidez com que o equilíbrio é atingido varia de mercado para mercado, dependendo da velocidade de ajustamento dos preços. Na maioria dos mercados livres, o excesso e a escassez são apenas temporários, porque os preços acabam por se mover em direção aos níveis de equilíbrio. De fato, esse fenômeno é tão universal que é chamado **lei da oferta e da demanda**: o preço de qualquer bem se ajusta para trazer a quantidade ofertada e a quantidade demandada do bem para o equilíbrio.

4_4B Três passos para analisar mudanças do equilíbrio

Até aqui, vimos como a oferta e a demanda, juntas, determinam o equilíbrio de mercado, o que, por sua vez, determina o preço e a quantidade do bem que os compradores compram e os vendedores vendem. É claro que o preço e a quantidade da oferta e da demanda dependem da posição das curvas de oferta e de demanda. Quando algum evento desloca uma dessas curvas, o equilíbrio do mercado muda, resultando em um novo preço e uma nova quantidade trocada entre compradores e vendedores.

Para analisar como algum evento afeta o equilíbrio de mercado, procedemos em três etapas. Em primeiro lugar, verificamos se o fato desloca a curva de oferta, a curva de demanda ou, em alguns casos, ambas as curvas. Em segundo, verificamos se a curva se desloca para a direita ou para a esquerda. Em terceiro, usamos o diagrama de oferta e demanda para comparar o equilíbrio inicial com o novo equilíbrio, para verificar como o deslocamento afeta o preço e a quantidade de equilíbrio. A Tabela 3 resume essas três etapas. Para sabermos como essa receita deve ser utilizada, consideremos os diversos eventos que poderiam afetar o mercado de sorvete.

Tabela 3

Um programa de três etapas para analisar mudanças no equilíbrio

1. Analisar se o acontecimento desloca a curva de oferta ou demanda (ou ambas).
2. Analisar em qual direção a curva se desloca.
3. Usar o diagrama de oferta e demanda para verificar como o deslocamento altera o preço e a quantidade de equilíbrio.

Exemplo: uma mudança no equilíbrio do mercado em virtude de um deslocamento da demanda
Suponhamos que o tempo fique muito quente em determinado verão. Como esse fato afeta o mercado de sorvete? Para responder a essa pergunta, vamos seguir as três etapas:

1. O tempo quente afeta a curva de demanda mudando o desejo das pessoas por sorvete. Ou seja, o tempo muda a quantidade de sorvete que as pessoas desejam comprar a qualquer preço dado. A curva de oferta fica inalterada porque o tempo não afeta diretamente as empresas que vendem sorvete.
2. Como o tempo quente desperta nas pessoas o desejo de tomar mais sorvete, a curva de demanda desloca-se para a direita. A Figura 9 mostra esse aumento da demanda como um deslocamento da curva de demanda de D_1 para D_2. Esse deslocamento indica que a quantidade demandada de sorvete é maior, independentemente do preço.
3. Ao antigo preço de $ 2, há agora um excesso de demanda por sorvete, e essa escassez induz as empresas a elevarem o preço. Como mostra a Figura 9, o aumento da demanda eleva o preço de equilíbrio de $ 2 para $ 2,50, e a quantidade de equilíbrio, de 7 para 10 sorvetes. Em outras palavras, o tempo quente aumenta o preço e a quantidade de sorvete vendida.

Deslocamentos das curvas *versus* movimentos ao longo delas Observe que, quando as altas temperaturas aumentam a demanda por sorvete, fazendo subir o preço, a quantidade de sorvete que as empresas ofertam aumenta, muito embora a curva de oferta permaneça a mesma. Nesse caso, os economistas dizem que há um aumento da "quantidade ofertada", mas não da "oferta".

Oferta refere-se à posição da curva de oferta, ao passo que *quantidade ofertada* tem a ver com a quantidade que os fornecedores desejam vender. Nesse exemplo, a oferta não muda porque o tempo não afeta o desejo que as empresas têm de vender a um dado preço. Em vez disso, o calor altera o desejo que os consumidores têm de comprar, qualquer que seja o preço dado, e, assim, desloca a curva da demanda para a direita. O aumento da demanda faz o preço de equilíbrio aumentar. Quando o preço aumenta, a quantidade ofertada aumenta. Esse aumento na quantidade ofertada é representado pelo movimento ao longo da curva de oferta.

Resumindo, um deslocamento *da* curva de oferta é chamado "mudança da oferta" e um deslocamento *da* curva de demanda é chamado "mudança da demanda". Um movimento *ao longo* de uma curva de oferta fixa

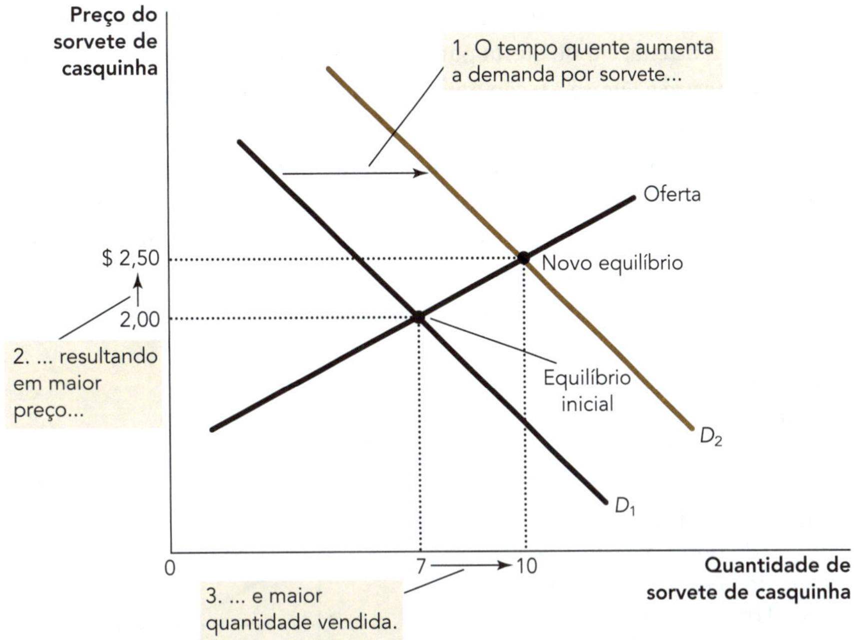

Figura 9

Como um aumento da demanda afeta o equilíbrio

Um evento que aumente a quantidade demandada a qualquer preço dado desloca a curva de demanda para a direita. Tanto o preço de equilíbrio quanto a quantidade de equilíbrio aumentam. Aqui, um verão excepcionalmente quente leva os compradores a demandar mais sorvete. A curva de demanda desloca-se de D_1 para D_2, fazendo o preço de equilíbrio aumentar de $ 2,00 para $ 2,50 e a quantidade de equilíbrio aumentar de 7 para 10 sorvetes de casquinha.

é chamado "mudança na quantidade ofertada" e um movimento *ao longo* de uma curva de demanda fixa é denominado "mudança na quantidade demandada".

Exemplo: uma mudança no equilíbrio do mercado em virtude de uma mudança na oferta

Suponhamos que, em outro verão, um furacão destrua parte da safra de cana-de-açúcar e que isso aumente o preço do açúcar. Como esse acontecimento afeta o mercado de sorvete? Novamente, seguimos as três etapas para responder a essa pergunta.

1. A mudança no preço do açúcar, um insumo para a produção de sorvete, afeta a curva de oferta. Um aumento nos custos de produção reduz a quantidade de sorvete que as empresas produzem e vendem a qualquer preço dado. A curva de demanda não muda, porque o maior custo dos insumos não afeta diretamente a quantidade de sorvete que as famílias desejam comprar.
2. A curva de oferta desloca-se para a esquerda, porque, a qualquer preço, a quantidade total que as empresas desejam e podem vender é menor. A Figura 10 ilustra essa redução da oferta como um deslocamento da curva de oferta de O_1 para O_2.
3. Ao antigo preço de $ 2, há agora um excesso de demanda por sorvete, e essa escassez faz com que as empresas elevem o preço. Como mostra a Figura 10, o deslocamento da curva de oferta aumenta o preço de equilíbrio de $ 2 para $ 2,50 e reduz a quantidade de equilíbrio de 7 para 4 sorvetes de casquinha. Como resultado do aumento no preço do açúcar, o preço do sorvete aumenta e a quantidade de sorvete vendida cai.

Exemplo: deslocamentos tanto da oferta quanto da demanda

Suponhamos agora que uma onda de calor e um furacão aconteçam no mesmo verão. Para analisarmos essa combinação de eventos, seguiremos novamente as três etapas.

1. Verificamos que as duas curvas se deslocam. O calor afeta a curva de demanda, porque altera a quantidade de sorvete que as famílias desejam comprar a qualquer preço dado. Ao mesmo tempo, ao aumentar o preço do açúcar, o furacão desloca a curva de oferta, porque muda a quantidade de sorvete que as empresas desejam vender a qualquer preço dado.

2. As curvas deslocam-se nas mesmas direções de nossas análises anteriores: a curva de demanda desloca-se para a direita, e a de oferta para a esquerda. Esses deslocamentos são ilustrados pela Figura 11.
3. Como mostra a Figura 11, são dois os resultados possíveis, dependendo da extensão relativa dos deslocamentos da demanda e da oferta. Em ambos os casos, o preço de equilíbrio aumenta. No painel (a), em que a demanda aumenta substancialmente enquanto a oferta tem uma redução bastante pequena, a quantidade de equilíbrio também aumenta. No entanto, no painel (b), em que a oferta se reduz substancialmente e a demanda aumenta pouco, a quantidade de equilíbrio diminui. Portanto, esses acontecimentos irão, certamente, elevar o preço do sorvete, mas seu impacto sobre a quantidade vendida de sorvete é ambíguo, ou seja, pode tanto aumentar como diminuir.

Figura 10

Como uma redução da oferta afeta o equilíbrio

Um acontecimento que reduza a quantidade ofertada a qualquer preço dado desloca a curva de oferta para a esquerda. O preço de equilíbrio aumenta e a quantidade de equilíbrio cai. Aqui, um aumento no preço do açúcar (um insumo) faz com que os vendedores ofertem menos sorvete. A curva de oferta desloca-se de O_1 para O_2, o que faz o preço de equilíbrio do sorvete aumentar de $ 2,00 para $ 2,50 e a quantidade de equilíbrio diminuir de 7 para 4 sorvetes de casquinha.

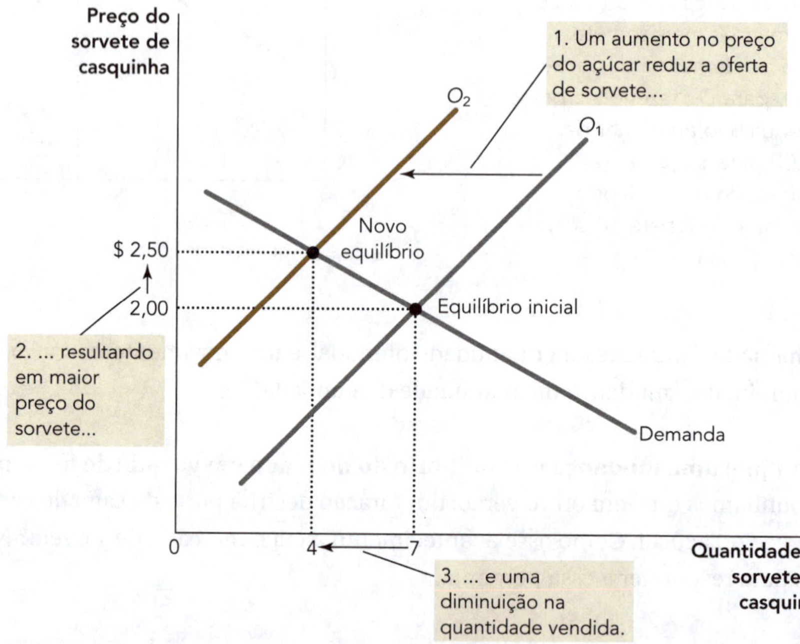

Figura 11

Deslocamento tanto da oferta quanto da demanda

Aqui, observamos simultaneamente um aumento da demanda e uma redução da oferta. Há dois resultados possíveis. No painel (a), o preço de equilíbrio aumenta de P_1 para P_2 e a quantidade de equilíbrio aumenta de Q_1 para Q_2. No painel (b), o preço de equilíbrio novamente aumenta de P_1 para P_2, mas a quantidade de equilíbrio cai de Q_1 para Q_2.

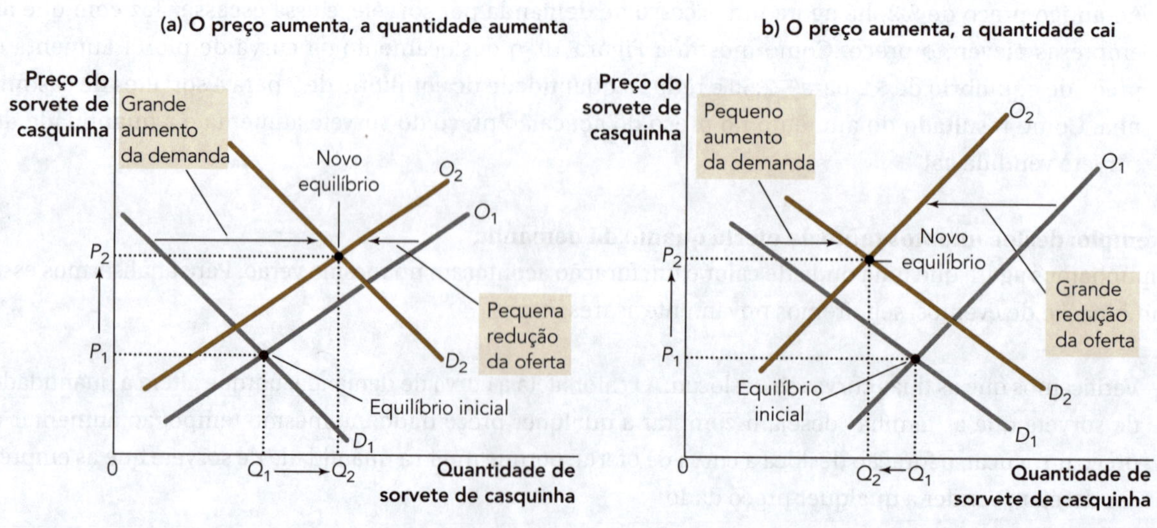

Tabela 4

O que acontece com o preço e a quantidade quando a oferta ou a demanda se deslocam?

Para fazer um teste rápido, veja se é capaz de explicar cada uma das possibilidades apresentadas aqui usando diagramas de oferta e demanda.

	Nenhuma mudança da oferta	Um aumento da oferta	Uma diminuição da oferta
Nenhuma mudança da demanda	*P* é o mesmo *Q* é a mesma	*P* diminui *Q* aumenta	*P* aumenta *Q* diminui
Um aumento da demanda	*P* aumenta *Q* aumenta	*P* é ambíguo *Q* aumenta	*P* aumenta *Q* é ambígua
Uma diminuição da demanda	*P* diminui *Q* diminui	*P* diminui *Q* é ambígua	*P* é ambíguo *Q* diminui

Resumo Acabamos de ver três exemplos de como usar as curvas de oferta e de demanda para analisar uma mudança no equilíbrio. Sempre que um acontecimento deslocar a curva de oferta, a curva de demanda ou, até mesmo, ambas as curvas, podemos usar essas ferramentas para prever como o acontecimento alterará o preço e a quantidade vendida no equilíbrio. A Tabela 4 mostra o resultado previsto para qualquer combinação de deslocamentos das duas curvas. Para se certificar de que entendeu como usar as ferramentas de oferta e demanda, escolha algumas das possibilidades da tabela e veja se consegue explicar por que a tabela faz essas previsões.

Pergunte aos especialistas

Manipulação de preços

"Connecticut deve aprovar a proposta nº 60 do Senado, que declara que, durante um 'evento de emergência climática grave, nenhum indivíduo dentro da cadeia de distribuição de bens e serviços deve vender ou oferecer bens e serviços de consumo por um preço excessivamente alto'."

Fonte: IGM Economic Experts Panel, 2 de maio de 2012.

Teste rápido Em um diagrama adequado, mostre o que acontece com o mercado de pizza quando o preço do tomate aumenta. • Em um diagrama separado, mostre o que acontece com o mercado de pizza quando o preço do hambúrguer cai.

4_5 CONCLUSÃO: COMO OS PREÇOS ALOCAM RECURSOS

Este capítulo analisou a oferta e a demanda em um único mercado. Embora tenhamos nos concentrado no mercado de sorvete, as lições que vimos aqui se aplicam também à maioria dos demais mercados. Sempre que você for a uma loja comprar algo, está contribuindo para a demanda desse item. Sempre que procura por um emprego, está contribuindo para a oferta de serviços de mão de obra. Como a oferta e a demanda são fenômenos econômicos universais, o modelo de oferta e demanda é uma poderosa ferramenta de análise. Usaremos esse modelo seguidas vezes nos próximos capítulos.

Um dos *Dez princípios de economia* discutidos no Capítulo 1 é o de que os mercados são, em geral, uma boa maneira de organizar a atividade econômica. Embora ainda seja muito cedo para julgar se os resultados dos mercados são bons ou ruins, neste capítulo começamos a ver como os mercados funcionam. Em qualquer sistema econômico, os recursos escassos têm de ser alocados entre usos que competem entre si. As economias de mercado usam as forças de oferta e demanda para servir a esse fim. A oferta e a demanda, juntas, determinam os preços dos diferentes bens e serviços da economia. Os preços, por sua vez, são os sinais que orientam a alocação de recursos.

Vamos considerar, por exemplo, a alocação de terrenos de frente para o mar. Como a quantidade de terrenos desse tipo é limitada, nem todos podem usufruir do luxo de viver próximo à praia. Quem obtém esse recurso? Quem quiser e puder pagar seu preço. O preço dos terrenos de frente para o mar se ajusta até que a quantidade demandada de terrenos seja exatamente igual à quantidade ofertada. Assim, nas economias de mercado, os preços são os mecanismos de racionamento dos recursos escassos.

Da mesma forma, os preços determinam quem produz cada bem e o quanto será produzido. Consideremos a agricultura, por exemplo. Por precisarmos de alimentos para sobreviver, é crucial que algumas pessoas trabalhem em fazendas. O que determina quem é ou não agricultor? Em uma sociedade livre, não há um órgão de planejamento do governo tomando essa decisão e garantindo um suprimento adequado de alimentos. Em vez disso, a alocação dos trabalhadores às fazendas se baseia nas decisões a respeito de emprego de milhões de trabalhadores. Esse sistema descentralizado funciona bem porque tais decisões dependem dos preços. Os preços dos alimentos e os salários dos trabalhadores rurais (o preço de seu trabalho) ajustam-se para garantir que um número suficiente de pessoas decida trabalhar na agricultura.

Se alguém nunca viu uma economia de mercado em ação, essa ideia pode parecer absurda. As economias são grandes grupos de pessoas engajadas em muitas atividades interdependentes. O que impede que a tomada descentralizada de decisões se degenere e vire um caos? O que coordena as ações de milhões de pessoas, cada uma delas com suas próprias habilidades e seus próprios desejos? O que garante que aquilo que precisa ser feito realmente seja feito? A resposta, em uma palavra, é *preço.* Se as economias de mercado são conduzidas por uma mão invisível, como sugeriu Adam Smith, então o sistema de preços é a batuta que a mão invisível usa para reger a orquestra econômica.

Teste rápido do capítulo

1. Uma das mudanças a seguir NÃO desloca a curva de demanda por hambúrgueres.

a. O preço dos cachorros-quentes.
b. O preços dos hambúrgueres.
c. O preço do pão de hambúrguer.
d. A renda dos consumidores de hambúrguer.

2. Um aumento na _____ causará um movimento ao longo de determinada curva de demanda, o que é chamado de alteração da _____.

a. Oferta, demanda.
b. Oferta, quantidade demandada.
c. Demanda, oferta.
d. Demanda, quantidade ofertada.

3. Ingressos de cinema e serviços de *streaming* de filmes são substitutos. Se o preço de um serviço de *streaming* aumenta, o que acontece no mercado de ingressos de cinema?

a. A curva de oferta se desloca para a esquerda.
b. A curva de oferta se desloca para a direita.
c. A curva de demanda se desloca para a esquerda.
d. A curva de demanda se desloca para a direita.

4. A descoberta de uma nova grande reserva de petróleo deslocará a curva de _____ de gasolina, levando a um _____ preço de equilíbrio.

a. Oferta, maior.
b. Oferta, menor.
c. Demanda, maior.
d. Demanda, menor.

5. Se a economia entrar em recessão e a renda cair, o que acontece com o mercado de bens inferiores?

a. Os preços e as quantidades aumentam.
b. Os preços e as quantidades caem.
c. Os preços aumentam e as quantidades caem.
d. Os preços diminuem e as quantidades aumentam.

6. Qual das seguintes alternativas poderia levar a um aumento do preço de equilíbrio da geleia e a uma diminuição na quantidade de equilíbrio da geleia vendida?

a. Um aumento no preço da manteiga de amendoim, um complemento da geleia.
b. Um aumento do preço do creme de marshmallow, um substituto da geleia.
c. Um aumento no preço das uvas, um insumo da geleia.
d. Um aumento na renda dos consumidores, já que geleia é um bem normal.

RESUMO

- Os economistas usam o modelo de oferta e demanda para analisar mercados competitivos. Em um mercado competitivo há muitos compradores e vendedores, cada um dos quais com pouca ou nenhuma influência sobre o preço de mercado.
- A curva de demanda mostra como a quantidade demandada de um bem depende do preço. De acordo com a lei da demanda, conforme o preço de um bem cai, a quantidade demandada aumenta. Assim, a curva de demanda se inclina para baixo.
- Além do preço, outros determinantes da quantidade que os consumidores desejam comprar são a renda, o preço dos bens substitutos e complementares, o gosto, as expectativas e o número de compradores. Se qualquer um desses fatores mudar, a curva de demanda se deslocará.
- A curva de oferta mostra como a quantidade ofertada de um bem depende do preço. De acordo com a lei da oferta, conforme o preço de um bem aumenta, a quantidade ofertada também aumenta. Portanto, a curva de oferta se inclina para cima.
- Além do preço, outros determinantes da quantidade que os produtores desejarão vender são o preço dos insumos, a tecnologia, as expectativas e o número de vendedores. Se qualquer um desses fatores mudar, a curva de oferta se deslocará.
- A intersecção entre as curvas de oferta e demanda determina o equilíbrio do mercado. Ao preço de equilíbrio, a quantidade demandada é igual à quantidade ofertada.
- O comportamento de compradores e vendedores conduz naturalmente os mercados em direção ao equilíbrio. Quando o preço de mercado está acima do preço de equilíbrio, há um excedente do bem, o que causa uma diminuição no preço de mercado. Quando o preço de mercado está abaixo do equilíbrio, há uma escassez, o que causa um aumento no preço de mercado.
- Para analisar como qualquer acontecimento afeta um mercado, usamos o diagrama de oferta e demanda para examinar como o acontecimento afeta o preço e a quantidade de equilíbrio, e fazemos isso em três etapas. Primeiro, determinamos se o acontecimento desloca a curva de oferta ou a curva de demanda (ou ambas). Depois, verificamos em que direção a curva se desloca. Por fim, comparamos o novo equilíbrio com o equilíbrio inicial.
- Nas economias de mercado, os preços são os sinais que orientam as decisões econômicas e, assim, alocam os recursos escassos. Para cada bem existente na economia, o preço assegura que oferta e demanda se equilibrem. O preço de equilíbrio, então, determina a quantidade do bem que os compradores decidirão consumir e a quantidade do bem que os vendedores decidirão produzir.

CONCEITOS-CHAVE

mercado, p. 54
mercado competitivo, p. 55
curva de demanda, p. 56
escala de demanda, p. 56
lei da demanda, p. 56
quantidade demandada, p. 56
bem inferior, p. 58
bem normal, p. 58
complementares, p. 59
substitutos, p. 59
curva de oferta, p. 60
escala de oferta, p. 60
lei da oferta, p. 60
quantidade ofertada, p. 60
equilíbrio, p. 64
excesso de demanda, p. 64
excesso de oferta, p. 64
preço de equilíbrio, p. 64
quantidade de equilíbrio, p. 64

QUESTÕES PARA REVISÃO

1. O que é um mercado competitivo? Faça uma descrição breve de um mercado que não seja perfeitamente competitivo.
2. Defina escala de demanda e curva de demanda e explique como ambas se relacionam. Por que a curva de demanda se inclina para baixo?

3. Uma mudança de gosto dos consumidores leva a um movimento ao longo da curva de demanda ou a um deslocamento desta? Uma mudança no preço leva a um movimento ao longo da curva de demanda ou a um deslocamento desta? Justifique.
4. A renda de Harry caiu e, como resultado, ele passou a comprar mais suco de abóbora. O suco de abóbora é um bem inferior ou normal? O que acontece com a curva de demanda de Harry para suco de abóbora?
5. Defina escala de oferta e curva de oferta e explique como ambas se relacionam. Por que a curva de oferta tem inclinação para cima?
6. Uma mudança da tecnologia de produção leva a um movimento ao longo da curva de oferta ou a um deslocamento desta? Uma mudança de preço leva a um movimento ao longo da curva de oferta ou a um deslocamento desta?
7. Defina o equilíbrio de um mercado. Descreva as forças que conduzem o mercado em direção ao equilíbrio.
8. Pizza e cerveja são bens complementares, porque, em geral, são saboreados juntos. Quando o preço da cerveja aumenta, o que acontece com a oferta, a demanda, a quantidade ofertada, a quantidade demandada e o preço no mercado de pizza?
9. Descreva o papel representado pelos preços nas economias de mercado.

PROBLEMAS E APLICAÇÕES

1. Explique cada uma das declarações a seguir, usando diagramas de oferta e demanda.
   a. "Quando uma frente fria atinge a Flórida, o preço do suco de laranja aumenta nos supermercados de todo o território norte-americano."
   b. "A cada verão, quando começa a esquentar na Nova Inglaterra, o preço das diárias dos hotéis no Caribe despenca."
   c. "Quando irrompe uma guerra no Oriente Médio, o preço da gasolina aumenta e o preço do Cadillac usado diminui."
2. "Um aumento na demanda por notebooks eleva a quantidade de notebooks demandados, mas não a quantidade ofertada." Esta afirmação é verdadeira ou falsa? Explique.
3. Considere o mercado de minivans. Para cada evento enumerado a seguir, identifique quais fatores determinantes da oferta ou da demanda são afetados. Indique também se a demanda ou a oferta aumenta ou diminui. Faça um diagrama para demonstrar o efeito no preço e na quantidade de minivans.
   a. As pessoas decidem ter mais filhos.
   b. Uma greve dos metalúrgicos aumenta o preço do aço.
   c. Os engenheiros desenvolvem novos equipamentos automatizados para a produção de minivans.
   d. Há um aumento no preço de utilitários esportivos.
   e. Uma quebra na bolsa de valores diminui a riqueza das pessoas.
4. Considere os mercados de serviços de *streaming* de filmes, aparelhos de TV e ingressos de cinema.
   a. Para cada par, identifique se são complementares ou substitutos:
      - serviços de *streaming* e aparelhos de TV
      - serviços de *streaming* e ingressos de cinema
      - aparelhos de TV e ingressos de cinema
   b. Suponha que um avanço tecnológico reduza o custo de produção de um aparelho de TV. Faça um diagrama para representar o que aconteceria nesse mercado.
   c. Faça dois diagramas para mostrar como as mudanças no mercado de aparelhos de TV afetam os mercados de *streaming* e de ingressos de cinema.
5. Durante os últimos 40 anos, avanços tecnológicos vêm reduzindo o custo dos *chips* de computador. Como isso afetou o mercado de computadores? E o mercado de softwares? E o de máquinas de escrever?
6. Empregando os diagramas de oferta e demanda, mostre o efeito dos seguintes eventos no mercado de moletons.

a. Um furacão na Carolina do Sul danifica a produção de algodão.
b. O preço dos casacos de couro cai.
c. Todas as faculdades exigem que os alunos usem roupa adequada nos exercícios físicos matutinos.
d. São inventadas novas máquinas de tecelagem.

7. O *ketchup*, além de ser um condimento, é um complemento de cachorros-quentes. Se o preço do cachorro-quente subir, o que acontecerá com o mercado de *ketchup*? E com o mercado de tomate? E com o de suco de tomate? E com o de suco de laranja?

8. O mercado de pizza tem as seguintes escalas de oferta e demanda:

Preço	Quantidade demandada	Quantidade ofertada
$ 4	135 pizzas	26 pizzas
5	104	53
6	81	81
7	68	98
8	53	110
9	39	121

a. Represente graficamente as curvas de oferta e de demanda. Quais são o preço e a quantidade de equilíbrio nesse mercado?
b. Se o preço de mercado estivesse *acima* do preço de equilíbrio, o que conduziria o mercado em direção ao equilíbrio?
c. Se o preço de mercado estivesse *abaixo* do preço de equilíbrio, o que conduziria o mercado em direção ao equilíbrio?

9. Considere os seguintes eventos: os cientistas revelam que o consumo de laranja reduz o risco de diabetes e, ao mesmo tempo, os fazendeiros utilizam um novo fertilizante que torna as laranjeiras mais produtivas. Ilustre e explique o efeito dessas mudanças sobre o preço de equilíbrio e a quantidade de laranjas.

10. Como pão e requeijão costumam ser consumidos juntos, são bens complementares.

a. Observamos que o preço de equilíbrio do requeijão e a quantidade de equilíbrio do pão aumentaram. O que poderia ser responsável por esse padrão: uma queda do preço da farinha ou do preço do leite? Ilustre e explique sua resposta.
b. Suponhamos que, em vez disso, o preço de equilíbrio do requeijão tenha aumentado, mas a quantidade de equilíbrio do pão tenha caído. O que poderia ser responsável por isso: um aumento no preço da farinha ou do preço do leite? Ilustre e explique sua resposta.

11. Suponhamos que o preço dos ingressos para os jogos de futebol em sua faculdade sejam determinados pelas forças de mercado. No momento, as escalas de oferta e demanda de ingressos são as seguintes:

Preço	Quantidade demandada	Quantidade ofertada
$ 4	10.000 ingressos	8.000 ingressos
8	8.000	8.000
12	6.000	8.000
16	4.000	8.000
20	2.000	8.000

a. Represente graficamente as curvas de oferta e de demanda. O que há de incomum nessa curva de oferta? Por que isso pode ser verdadeiro?
b. Quais são o preço de equilíbrio e a quantidade de equilíbrio dos ingressos?
c. Sua faculdade pretende aumentar o número de vagas em 5 mil alunos no próximo ano. A escala de demanda desses alunos adicionais será:

Preço	Quantidade demandada
$ 4	4.000 ingressos
8	3.000
12	2.000
16	1.000
20	0

12. Some a escala de demanda original com a dos novos alunos para chegar à nova escala de demanda da faculdade. Quais serão o novo preço e a nova quantidade de equilíbrio?

CAPÍTULO 5

Elasticidade e sua aplicação

Imagine que um determinado evento provoque o aumento do preço da gasolina nos Estados Unidos. Pode ser uma guerra no Oriente Médio que interrompe o fornecimento mundial de petróleo, uma expansão da economia chinesa que provoque o aumento da demanda mundial de petróleo ou um novo imposto sobre a gasolina aprovado pelo Congresso. Como os consumidores reagiriam a esse aumento?

De maneira geral, é fácil responder a essa questão: os consumidores comprariam menos. Trata-se da lei da demanda que aprendemos no capítulo anterior. Mas talvez você queira uma resposta exata. Em quanto o consumo da gasolina seria reduzido? Essa pergunta pode ser respondida por meio de um conceito chamado *elasticidade*, que será desenvolvido neste capítulo.

A elasticidade é uma medida do tamanho da resposta dos compradores e vendedores às mudanças das condições do mercado. Ao estudarmos como um acontecimento ou política pública qualquer afeta um mercado, podemos discutir não apenas a direção dos efeitos, mas também a sua magnitude. A elasticidade é útil de várias maneiras, como veremos até o final deste capítulo.

Antes de prosseguir, entretanto, você deve estar curioso para saber a resposta da pergunta sobre a gasolina. Muitos estudos examinaram o comportamento dos consumidores com relação aos aumentos de preço da gasolina e descobriram que a resposta sobre a quantidade demandada é mais facilmente verificada no longo prazo que no curto prazo. Um aumento de 10% no preço da gasolina reduz o consumo em aproximadamente 2,5% após um ano, e cerca de 6% após cinco anos. Praticamente, metade da redução na quantidade demandada no longo prazo resulta do fato de as pessoas usarem menos os automóveis, e metade porque elas trocam o veículo por outro que não gaste tanto combustível. Ambas as respostas se refletem na curva de demanda e em sua elasticidade.

5_1 A ELASTICIDADE DA DEMANDA

elasticidade uma medida da resposta da quantidade demandada ou da quantidade ofertada a uma variação em um de seus determinantes

Quando introduzimos a demanda no Capítulo 4, observamos que, em geral, os consumidores compram mais de um bem quando o preço deste está mais baixo, quando a renda deles é maior, quando os preços dos bens substitutos do bem estão elevados ou quando os preços dos bens complementares estão baixos. Nossa abordagem sobre a demanda foi qualitativa, não quantitativa. Ou seja, apontamos a direção em que a quantidade demandada se move, mas não a dimensão do movimento. Para medirem o quanto os consumidores reagem a mudanças dessas variáveis, os economistas usam o conceito de **elasticidade**.

5_1A A elasticidade-preço da demanda e seus determinantes

elasticidade-preço da demanda
uma medida do quanto a quantidade demandada de um bem reage a uma mudança no preço do bem em questão, calculada como a variação percentual da quantidade demandada dividida pela variação percentual do preço

A lei da demanda afirma que uma queda no preço de um bem aumenta a quantidade demandada desse bem. A **elasticidade-preço da demanda** mede o quanto a quantidade demandada reage a uma mudança no preço. A demanda por um bem é chamada *elástica* se a quantidade demandada responde substancialmente a mudanças no preço. Diz-se que a demanda por um bem é *inelástica* se a quantidade demandada responde pouco a mudanças no preço.

A elasticidade-preço da demanda de qualquer bem mede o quanto os consumidores estão dispostos a deixar de adquirir o bem à medida que seu preço aumenta. Em razão da curva de demanda refletir as várias forças econômicas, sociais e psicológicas que moldam as preferências do consumidor, não há uma regra simples e universal para o que determina a elasticidade da curva de demanda. Com base na experiência, entretanto, podemos apresentar algumas regras básicas sobre o que influencia a elasticidade-preço da demanda.

Disponibilidade de substitutos próximos Bens com substitutos próximos tendem a ter demanda mais elástica porque é mais fácil para os consumidores trocá-los por outros. Por exemplo, manteiga e margarina são facilmente substituíveis uma pela outra. Um pequeno aumento no preço da manteiga, supondo que o preço da margarina se mantenha constante, fará que a quantidade vendida de manteiga tenha uma grande diminuição. No entanto, como os ovos não têm substitutos próximos, a demanda por ovos é menos elástica que a demanda por manteiga. Um pequeno aumento no preço dos ovos não causa uma queda considerável na quantidade de ovos vendida.

Bens necessários *versus* bens supérfluos Os bens necessários tendem a ter demanda inelástica, enquanto a demanda por bens de luxo (ou supérfluos) tende a ser elástica. Quando o preço de uma consulta médica aumenta, as pessoas não alteram drasticamente o número de vezes que vão ao médico, embora possam ir com menos frequência. Entretanto, quando o preço dos veleiros aumenta, a quantidade demandada de veleiros cai substancialmente. Isso ocorre porque as pessoas tendem a encarar as consultas médicas como uma necessidade e os veleiros como um luxo. O critério para classificar um bem como necessário ou supérfluo depende não só de suas propriedades intrínsecas, mas também das preferências do comprador. Para um velejador ávido que não esteja muito preocupado com a própria saúde, os veleiros podem ser uma necessidade com demanda inelástica, e as consultas médicas, algo supérfluo com demanda elástica.

Definição do mercado A elasticidade da demanda em qualquer mercado depende de como traçamos os seus limites. Mercados definidos de forma restrita tendem a ter demanda mais elástica do que mercados definidos de forma ampla, uma vez que é mais fácil encontrar substitutos para bens definidos de maneira restrita. Por exemplo, os alimentos, uma categoria ampla, têm demanda bastante inelástica, porque não há bons substitutos para eles. O sorvete, uma categoria restrita, tem demanda mais elástica, porque é fácil substituí-lo por outras sobremesas. Sorvete de baunilha, uma categoria muito mais restrita, tem demanda muito elástica, porque os outros sabores de sorvete são substitutos quase perfeitos para ele.

Horizonte de tempo Os bens tendem a apresentar demanda mais elástica em horizontes de tempo mais longos. Quando o preço da gasolina sobe, a quantidade demandada desse combustível cai pouco nos primeiros meses. Com o passar do tempo, contudo, as pessoas compram carros que consomem menos gasolina, passam a usar o transporte público e se mudam para mais perto do lugar onde trabalham. Em alguns anos, a quantidade demandada de gasolina cai substancialmente.

5_1B Cálculo da elasticidade-preço da demanda

Agora que abordamos a elasticidade-preço da demanda em termos gerais, vamos examinar com maior atenção como ela é calculada. Os economistas calculam a elasticidade-preço da demanda como a variação percentual da quantidade demandada dividida pela variação percentual do preço. Ou seja:

$$\text{Elasticidade-preço da demanda} = \frac{\text{Variação percentual da quantidade demandada}}{\text{Variação percentual do preço}}$$

Por exemplo, suponhamos que um aumento de 10% no preço do sorvete de casquinha cause uma queda de 20% na quantidade de sorvetes que você compra. Sua elasticidade da demanda será calculada como

$$\text{Elasticidade-preço da demanda} = \frac{20\%}{10\%} = 2$$

Neste exemplo, a elasticidade é 2, indicando que a variação da quantidade demandada é duas vezes maior que a variação do preço.

Como a quantidade demandada de um bem está negativamente relacionada com seu preço, a variação percentual da quantidade demandada sempre terá sinal oposto ao da variação percentual do preço. Nesse exemplo, a variação percentual do preço é de 10% *positivos* (refletindo um aumento) e a variação percentual da quantidade demandada é de 20% *negativos* (refletindo uma diminuição). Por essa razão, as elasticidades-preço da demanda são algumas vezes representadas por números negativos. Neste livro, seguiremos a prática comum de deixar de lado o sinal de menos e apresentar todas as elasticidades-preço da demanda como números positivos (os matemáticos chamam isso de *valor absoluto*). Com essa convenção, uma elasticidade-preço maior implica uma grande resposta da quantidade demandada a alterações no preço.

5_1C O método do ponto médio: uma maneira melhor de calcular variações percentuais e elasticidades

Se você tentar calcular a elasticidade-preço da demanda entre dois pontos em uma curva de demanda, logo perceberá um problema desagradável: a elasticidade do ponto A para o ponto B parece diferente da elasticidade do ponto B para o ponto A. Consideremos, por exemplo, os seguintes números:

Ponto A:	Preço = $ 4	Quantidade = 120
Ponto B:	Preço = $ 6	Quantidade = 80

Indo do ponto A para o ponto B, o preço sobe 50% e a quantidade demandada cai 33%, indicando que a elasticidade-preço da demanda é de 33/50 ou 0,66. Contrariamente, indo do ponto B para o ponto A, o preço cai 33% e a quantidade aumenta 50%, indicando que a elasticidade-preço da demanda é de 50/33 ou 1,5. Essa diferença surge porque as variações percentuais são calculadas a partir de uma base diferente.

Esse problema pode ser evitado usando-se o *método do ponto médio* para calcular a elasticidade. A forma padrão para calcular uma variação percentual é dividir a variação pelo nível inicial. O método do ponto médio, por sua vez, calcula a variação percentual dividindo a variação pelo ponto médio (ou média) dos níveis inicial e final. Por exemplo, $ 5 é o ponto médio entre $ 4 e $ 6. Assim, de acordo com o método do ponto médio, uma variação de $ 4 para $ 6 é considerada um aumento de 40% porque (6 – 4) / 5 × 100 = 40. Similarmente, uma variação de $ 6 para $ 4 é considerada uma queda de 40%.

Como o método do ponto médio chega sempre ao mesmo resultado, independentemente da direção da mudança, é muito usado para calcular a elasticidade-preço da demanda entre dois pontos. Em nosso exemplo, o ponto médio entre os pontos A e B é:

Ponto médio: Preço = $ 5 Quantidade = 100

Segundo o método do ponto médio, ao se passar do ponto A para o ponto B, o preço aumenta 40% e a quantidade cai 40%. Da mesma forma, ao se passar do ponto B para o ponto A, o preço cai 40% e a quantidade aumenta 40%. Em ambas as direções, a elasticidade-preço da demanda é 1.

A fórmula a seguir expressa o método do ponto médio para calcular a elasticidade-preço da demanda entre dois pontos, denotados por (Q_1, P_1) e (Q_2, P_2):

$$\text{Elasticidade-preço da demanda} = \frac{(Q_2 - Q_1) / [(Q_2 + Q_1) / 2]}{(P_2 - P_1) / [(P_2 + P_1) / 2]}$$

O numerador é a variação percentual da quantidade calculada pelo método do ponto médio e o denominador, a variação percentual do preço calculada pelo método do ponto médio. Use essa fórmula sempre que precisar calcular elasticidades.

Neste livro, contudo, raramente faremos tais cálculos. Para a maioria dos nossos propósitos, o que a elasticidade representa – a resposta da quantidade demandada às mudanças de preço – é muito mais importante que a forma como é calculada.

5_1D A variedade das curvas de demanda

Os economistas classificam as curvas de demanda de acordo com sua elasticidade. A demanda é considerada *elástica* quando a elasticidade é maior que 1, o que significa que a quantidade varia proporcionalmente

Saiba mais sobre

ALGUMAS ELASTICIDADES DO MUNDO REAL

Tratamos do que a elasticidade significa, do que a determina e de como ela é calculada. Além dessas ideias gerais, você pode avaliar um número específico. Quanto, precisamente, o preço de um bem em particular influencia a quantidade demandada?

Para responder a essa questão, os economistas coletam dados dos resultados de mercado e aplicam técnicas estatísticas para estimar a elasticidade-preço da demanda. Eis algumas elasticidades-preço, obtidas de diversos estudos, para uma variedade de bens:

Ovos	0,1
Assistência médica	0,2
Arroz	0,5
Habitação	0,7
Carne de vaca	1,6
Refeições (restaurante)	2,3
Mountain Dew*	4,4

É divertido pensar nesses números e eles podem ser úteis quando se comparam mercados.

Entretanto, não devemos levar essas estimativas ao pé da letra. Uma razão é que as técnicas estatísticas usadas para obtê-las requerem algumas suposições sobre a realidade, e essas suposições podem não ser verdadeiras na prática. (Os detalhes dessas técnicas estão além do escopo deste livro, mas você os terá se fizer um curso de econometria.) Outra razão é que a elasticidade-preço da demanda não precisa ser a mesma em todos os pontos de uma curva de demanda, como veremos brevemente no caso de uma curva de demanda linear. Por ambas as razões, você não deve se surpreender se estudos diferentes apontarem elasticidades-preço da demanda diferentes para o mesmo bem.

* "Mountain Dew", literalmente, "orvalho da montanha", é um refrigerante de sabor cítrico fabricado pela PepsiCo nos Estados Unidos e presente em vários países, inclusive no Brasil. (NE)

mais do que o preço. A demanda é considerada *inelástica* quando a elasticidade é menor que 1, o que significa que a quantidade varia proporcionalmente menos do que o preço. Se a elasticidade é igual a 1, a variação da quantidade é proporcionalmente igual à variação do preço, diz-se que a demanda possui *elasticidade unitária*.

Como a elasticidade-preço da demanda mede o quanto a quantidade demandada responde a mudanças no preço, ela está estreitamente relacionada com a inclinação da curva de demanda. A regra básica a seguir é uma orientação útil: quanto mais horizontal for uma curva de demanda que passa por determinado ponto, maior será a elasticidade-preço da demanda; quanto mais vertical for uma curva de demanda que passa por determinado ponto, menor será a elasticidade-preço da demanda.

A Figura 1 mostra cinco casos. No caso extremo da elasticidade zero mostrado no painel (a), a demanda é *perfeitamente inelástica*, e a curva de demanda, vertical. Nesse caso, a quantidade demandada se mantém a mesma qualquer que seja o preço. À medida que aumenta a elasticidade, a curva de demanda se torna cada vez mais horizontal, como mostram os painéis (b), (c) e (d). No extremo oposto, mostrado no painel (e), a demanda é *perfeitamente elástica*. Isso ocorre à medida que a elasticidade-preço da demanda se aproxima do infinito e a curva de demanda se torna horizontal, refletindo o fato de que mudanças muito pequenas do preço levam a grandes variações na quantidade demandada.

Por fim, se você se confunde com os termos *elástico* e *inelástico*, aí vai uma dica: as curvas inelásticas, como a do painel (a), parecem-se com a letra I. Isso não é muito profundo, mas pode ajudar na sua próxima prova.

5_1E Receita total e elasticidade-preço da demanda

receita total
a quantia paga pelos compradores e recebida pelos vendedores de um bem, calculada como o preço do bem multiplicado pela quantidade vendida

Ao estudarmos mudanças da oferta ou da demanda em um mercado, uma variável que, em geral, desejamos estudar é a **receita total**, a quantia paga pelos compradores e recebida pelos vendedores de um bem. Em qualquer mercado, a receita total é dada por $P \times Q$, ou seja: o preço do bem multiplicado pela quantidade vendida desse bem. Podemos representar a receita total graficamente, como na Figura 2. A altura do retângulo abaixo da curva de demanda é P e a largura é Q. A área do retângulo, $P \times Q$, é igual à receita total do mercado. Na Figura 2, em que $P = \$\ 4$ e $Q = 100$, a receita total é \$ 4 × 100, ou \$ 400.

Como a receita total varia à medida que nos movemos ao longo da curva de demanda? A resposta depende da elasticidade-preço da demanda. Se a demanda for inelástica, como no painel (a) da Figura 3, um aumento no preço causará um aumento na receita total. Aqui, um aumento no preço de \$ 4 para \$ 5 provoca uma diminuição na quantidade demandada somente de 100 para 90, de modo que a receita total aumenta de \$ 400 para \$ 450. Ou seja, um aumento no preço aumenta $P \times Q$ porque a diminuição em Q é proporcionalmente menor que o aumento em P. Em outras palavras, a receita extra pela venda das unidades a um preço mais alto (representada pela área A na figura) mais do que compensa a queda na renda pela venda de menos unidades (representada pela área B).

Se a demanda for elástica, obteremos o resultado oposto: um aumento no preço causará uma redução na receita total. No painel (b) da Figura 3, por exemplo, quando o preço sobe de \$ 4 para \$ 5, a quantidade demandada diminui de 100 para 70 e, com isso, a receita total diminui de \$ 400 para \$ 350. Como a demanda é elástica, a redução da quantidade demandada é tão grande que mais do que compensa o aumento do preço. Ou seja, um aumento no preço reduz $P x Q$ porque a diminuição em Q é proporcionalmente maior que o aumento em P. Nesse caso, a receita extra pela venda das unidades a um preço mais alto (área A) é menor do que a queda na receita pela venda de menos unidades (área B).

Os exemplos da figura ilustram algumas regras gerais:

- Quando a demanda é inelástica (elasticidade-preço da demanda menor que 1), o preço e a receita total movem-se na mesma direção: se o preço aumenta, a receita total também aumenta.

Figura 1

A elasticidade-preço da demanda

A elasticidade-preço da demanda determina se a curva de demanda é inclinada ou não. Observe que todas as variações percentuais são calculadas pelo método do ponto médio.

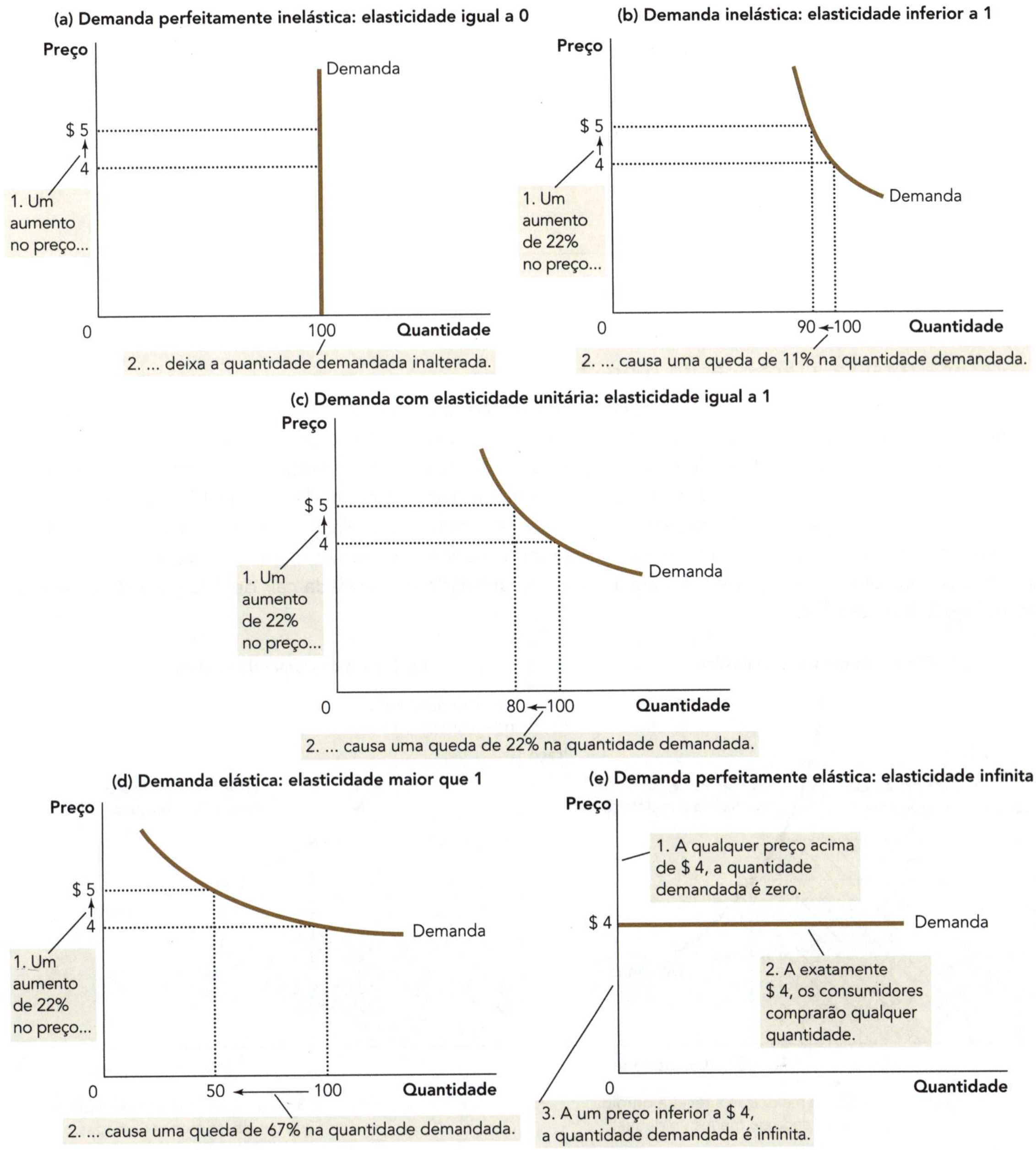

- Quando a demanda é elástica (elasticidade-preço da demanda maior que 1), o preço e a receita total movem-se em direções opostas: se o preço aumenta, a receita total diminui.
- Se a demanda tem elasticidade unitária (elasticidade-preço da demanda igual a 1), a receita total permanece constante quando o preço varia.

5_1F Elasticidade e receita total ao longo de uma curva de demanda linear

Vamos examinar como a elasticidade varia ao longo de uma curva de demandas, como mostra a Figura 4. Sabemos que uma curva de demanda linear tem inclinação constante. Lembre-se de que a inclinação é definida

Figura 2
Receita total

A quantia total paga pelos compradores e recebida pelos vendedores é igual à área do retângulo abaixo da curva de demanda, $P \times Q$. Aqui, ao preço de $ 4, a quantidade demandada é 100 e a receita total é $ 400.

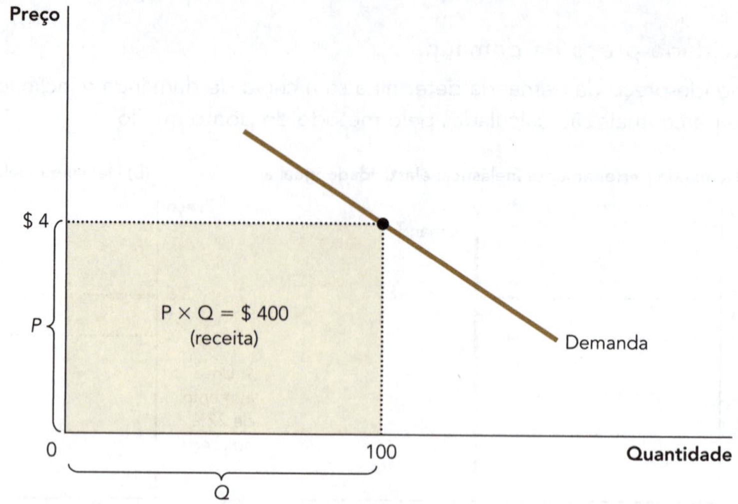

Figura 3
Como a receita total se altera quando o preço muda

O impacto de uma mudança de preço sobre a receita total (o produto do preço e da quantidade) depende da elasticidade da demanda. No painel (a), a curva de demanda é inelástica. Nesse caso, um aumento de preço provoca uma diminuição da quantidade demandada proporcionalmente menor, então a receita total aumenta. Aqui, um aumento de preço de $ 4 para $ 5 faz com que a quantidade demandada caia de 100 para 90. A receita total sobe de $ 400 para $ 450. No painel (b), a curva de demanda é elástica. Nesse caso, um aumento de preço provoca uma diminuição da quantidade demandada proporcionalmente maior, então a receita total diminui. Aqui, um aumento no preço de $ 4 para $ 5 faz a quantidade demandada cair de 100 para 70. A receita total diminui de $ 400 para $ 350.

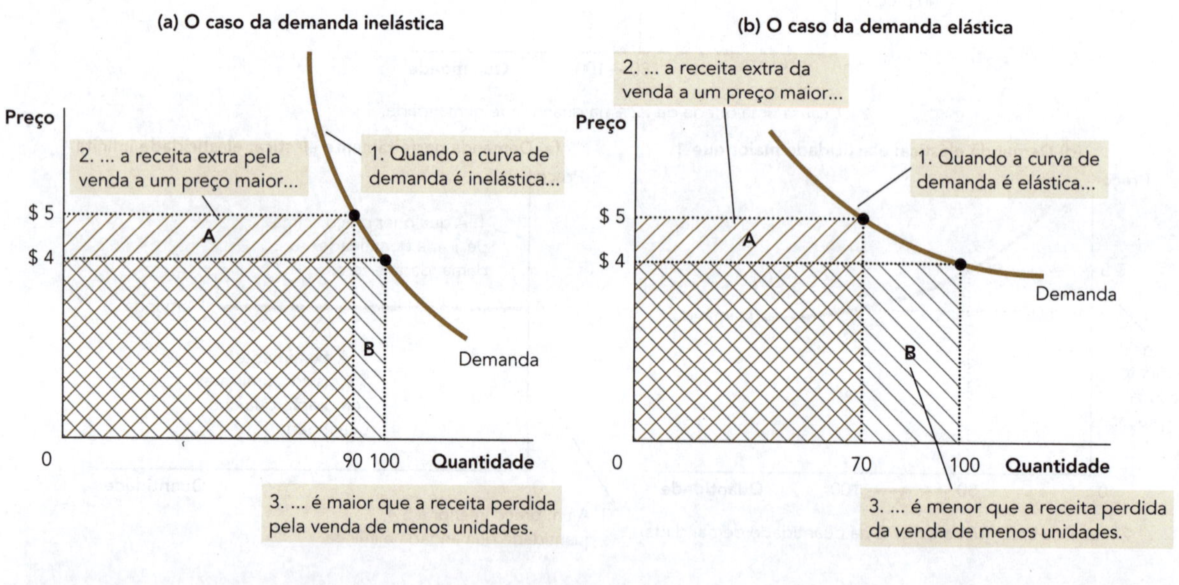

como "o aumento dividido pela distância", que, no caso, é a razão entre a variação de preço ("aumento") e a variação da quantidade ("distância"). A inclinação dessa curva de demanda específica é constante porque cada aumento de $ 1 no preço causa a mesma redução de duas unidades na quantidade demandada.

Embora a inclinação de uma curva de demanda linear seja constante, a elasticidade não é. Isso ocorre porque a inclinação é a razão entre as *variações* das duas variáveis, ao passo que a elasticidade é a razão das *variações percentuais* nas duas variáveis. Podemos ver isso na tabela da Figura 4, que mostra a escala de demanda da curva de demanda linear do diagrama. A tabela, que usa o método do ponto médio para calcular a elasticidade-preço da demanda, ilustra o seguinte: nos pontos com preço baixo e quantidade elevada, a curva de demanda é inelástica; e nos pontos com preço alto e quantidade baixa, a curva de demanda é elástica.

Figura 4

Elasticidade de uma curva de demanda linear

A inclinação de uma curva de demanda linear é constante, mas sua elasticidade não. A lista que consta na tabela de demanda foi usada para calcular a elasticidade-preço da demanda pelo método do ponto médio. Nos pontos em que o preço é baixo e a quantidade é elevada, a curva de demanda é inelástica. Nos pontos em que o preço é alto e a quantidade é baixa, a curva de demanda é elástica.

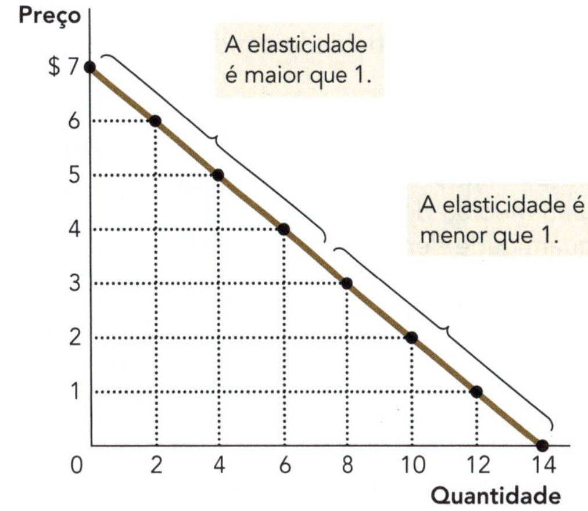

Preço	Quantidade	Receita total (Preço × Quantidade)	Variação percentual do preço	Variação percentual da quantidade	Elasticidade	Descrição
$ 7	0	$ 0				
6	2	12	15	200	13,0	Elástica
5	4	20	18	67	3,7	Elástica
4	6	24	22	40	1,8	Elástica
3	8	24	29	29	1,0	Elasticidade unitária
2	10	20	40	22	0,6	Inelástica
1	12	12	67	18	0,3	Inelástica
			200	15	0,1	Inelástica
0	14	0				

A explicação para esse fato vem da matemática das alterações percentuais. Quando o preço é baixo e os consumidores compram muito, um aumento de $ 1 no preço e uma redução de 2 unidades na quantidade demandada constituem um grande aumento percentual no preço e uma pequena queda percentual na quantidade demandada, resultando em uma elasticidade pequena. Quando o preço é alto e os consumidores não compram muito, o mesmo aumento de $ 1 no preço e a mesma redução de 2 unidades na quantidade demandada constituem um pequeno aumento percentual no preço e uma grande queda percentual na quantidade demandada, resultando numa grande elasticidade.

Essa tabela também apresenta a receita total em cada ponto da curva de demanda. Esses números ilustram a relação entre a receita total e a elasticidade. Quando o preço é $ 1, por exemplo, a demanda é inelástica, e um aumento no preço para $ 2 eleva a receita total. Quando o preço é $ 5, a demanda é elástica, e um aumento no preço para $ 6 reduz a receita total. Entre $ 3 e $ 4, a demanda tem elasticidade unitária e a receita total é igual para os dois preços.

A curva de demanda linear ilustra o fato de a elasticidade-preço da demanda não ser necessariamente a mesma em todos os pontos da curva da demanda. Uma elasticidade constante é possível, porém nem sempre é o caso.

5_1G Outras elasticidades da demanda

Além da elasticidade-preço da demanda, os economistas usam outras elasticidades para descrever o comportamento dos compradores em um mercado.

A elasticidade-renda da demanda A **elasticidade-renda da demanda** mede o quanto a quantidade demandada varia à medida que a renda do consumidor varia. Ela é calculada como a variação percentual da quantidade demandada dividida pela variação percentual da renda. Ou seja:

$$\text{Elasticidade-renda da demanda} = \frac{\text{Variação percentual da quantidade demandada}}{\text{Variação percentual da renda}}$$

elasticidade-renda da demanda uma medida do quanto a quantidade demandada de um bem responde a uma variação na renda dos consumidores, calculada como a variação percentual da quantidade demandada dividida pela variação percentual da renda

Como vimos no Capítulo 4, a maioria dos bens são *bens normais*: uma renda mais elevada aumenta a quantidade demandada. Como a quantidade demandada e a renda movem-se na mesma direção, os bens normais têm elasticidade-renda positiva. Alguns bens, como transporte coletivo, são *bens inferiores*: rendas mais elevadas diminuem a quantidade demandada deles. Como a quantidade demandada e a renda se movem em direções opostas, os bens inferiores têm elasticidade-renda negativa.

Mesmo entre os bens normais, as elasticidades-renda variam substancialmente de magnitude. Os bens necessários, como alimentos e vestuário, tendem a apresentar baixa elasticidade-renda, porque os consumidores sempre decidem comprar alguma quantidade deles mesmo quando a renda é baixa. Os bens supérfluos, como caviar e diamantes, tendem a apresentar elevada elasticidade-renda, porque os consumidores sabem que podem passar sem eles se sua renda for baixa demais.

A elasticidade-preço cruzada da demanda A **elasticidade-preço cruzada da demanda** mede o quanto a quantidade demandada de um bem responde às mudanças no preço de um outro bem. É calculada como a variação percentual da quantidade demandada do bem 1 dividida pela variação percentual do preço do bem 2, ou seja:

$$\text{Elasticidade-preço cruzada da demanda} = \frac{\text{Variação percentual da quantidade demandada do bem 1}}{\text{Variação percentual do preço do bem 2}}$$

elasticidade-preço cruzada da demanda uma medida do quanto a quantidade demandada de um bem responde a uma variação no preço de outro, calculada como a variação percentual da quantidade demandada do primeiro bem dividida pela variação percentual do preço do segundo bem

O fato de a elasticidade-preço cruzada ser um número positivo ou negativo depende de os dois bens em questão serem substitutos ou complementares. Como vimos no Capítulo 4, os *bens substitutos* são aqueles tipicamente usados um no lugar do outro, como hambúrgueres e cachorros-quentes. Um aumento no preço do cachorro-quente induz as pessoas a consumir hambúrgueres. Como o preço dos cachorros-quentes e a quantidade demandada de hambúrgueres movem-se na mesma direção, a elasticidade-preço cruzada é positiva. Por sua vez, os *bens complementares* são aqueles que costumam ser usados em conjunto, como computadores e software. Nesse caso, a elasticidade-preço cruzada é negativa, indicando que um aumento no preço dos computadores reduz a quantidade demandada de software.

Teste rápido Defina a elasticidade-preço da demanda • Explique a relação entre a receita total e a elasticidade--preço da demanda.

5_2 A ELASTICIDADE DA OFERTA

No Capítulo 4, quando introduzimos a oferta, observamos que os produtores de um bem oferecem para venda mais desse bem quando seu preço aumenta. Para passarmos das afirmações de natureza qualitativa para as de natureza quantitativa sobre a quantidade ofertada, usaremos mais uma vez o conceito de elasticidade.

5_2A A elasticidade-preço da oferta e seus determinantes

elasticidade-preço da oferta
uma medida do quanto a quantidade ofertada de um bem responde a uma variação do seu preço, calculada como a variação percentual da quantidade ofertada dividida pela variação percentual do preço

A lei da oferta afirma que, quanto mais elevados os preços, maior será a quantidade ofertada. A **elasticidade-preço da oferta** mede o quanto a quantidade ofertada responde a mudanças no preço. A oferta de um bem é chamada *elástica* se a quantidade ofertada responde substancialmente a mudanças no preço. A oferta é chamada *inelástica* se a quantidade ofertada responde pouco a mudanças no preço.

A elasticidade-preço da oferta depende da flexibilidade que os vendedores têm para mudar a quantidade do bem que produzem. Por exemplo, os terrenos de frente para o mar têm oferta inelástica, porque é quase impossível aumentar a oferta desse bem. Entretanto, os bens manufaturados, como livros, carros e televisores, têm oferta elástica, porque as empresas que os produzem podem fazer funcionar suas fábricas por mais tempo em resposta a preços mais altos.

Na maioria dos mercados, um determinante-chave da elasticidade-preço da oferta é o período que está sendo considerado. A oferta costuma ser mais elástica no longo prazo do que no curto prazo. Em curtos períodos, as empresas não podem mudar facilmente o tamanho de suas fábricas para produzir uma quantidade maior ou menor de um bem. Assim, no curto prazo, a quantidade ofertada não responde muito ao preço. No entanto, em períodos mais longos, as empresas podem construir novas fábricas ou fechar as antigas. Além disso, novas empresas podem entrar nos mercados e empresas antigas podem fechar. Assim, no longo prazo, a quantidade ofertada pode reagir de maneira substancial a mudanças no preço.

5_2B Cálculo da elasticidade-preço da oferta

Agora que temos uma ideia geral do que é a elasticidade-preço da oferta, vamos ser mais precisos. Os economistas calculam a elasticidade-preço da oferta como a variação percentual da quantidade ofertada dividida pela variação percentual do preço. Ou seja:

$$\text{Elasticidade-preço da oferta} = \frac{\text{Variação percentual da quantidade ofertada}}{\text{Variação percentual do preço}}$$

Vamos supor, por exemplo, que um aumento no preço do leite de \$ 2,85 para \$ 3,15 por litro aumente a quantidade que os fazendeiros produzem de 9 mil para 11 mil litros por mês. Usando o método do ponto médio, calculamos a variação percentual do preço como:

$$\text{Variação percentual do preço} = (3{,}15 - 2{,}85)/3{,}00 \times 100 = 10\%$$

Da mesma forma, calculamos a variação percentual da quantidade ofertada como:

$$\text{Variação percentual da quantidade ofertada} = (11.000 - 9.000)/10.000 \times 100 = 20\%$$

Nesse caso, a elasticidade-preço da oferta é:

$$\text{Elasticidade-preço da oferta} = \frac{20\%}{10\%} = 2{,}0$$

Nesse exemplo, uma elasticidade de 2 indica que a quantidade ofertada varia proporcionalmente duas vezes mais que o preço.

5_2C A variedade das curvas de oferta

Como a elasticidade-preço da oferta mede a resposta da quantidade ofertada em relação às variações de preço, isso se reflete na aparência da curva de oferta. A Figura 5 mostra cinco casos. No caso extremo de elasticidade zero, como mostra o painel (a), a oferta é *perfeitamente inelástica*, e a curva de oferta, vertical. Nesse caso, a quantidade ofertada é a mesma, qualquer que seja o preço. À medida que a elasticidade aumen-

Figura 5

A elasticidade-preço da oferta

A elasticidade-preço da oferta determina se a curva de oferta tem inclinação acentuada ou não. Observe que todas as variações percentuais são calculadas pelo método do ponto médio.

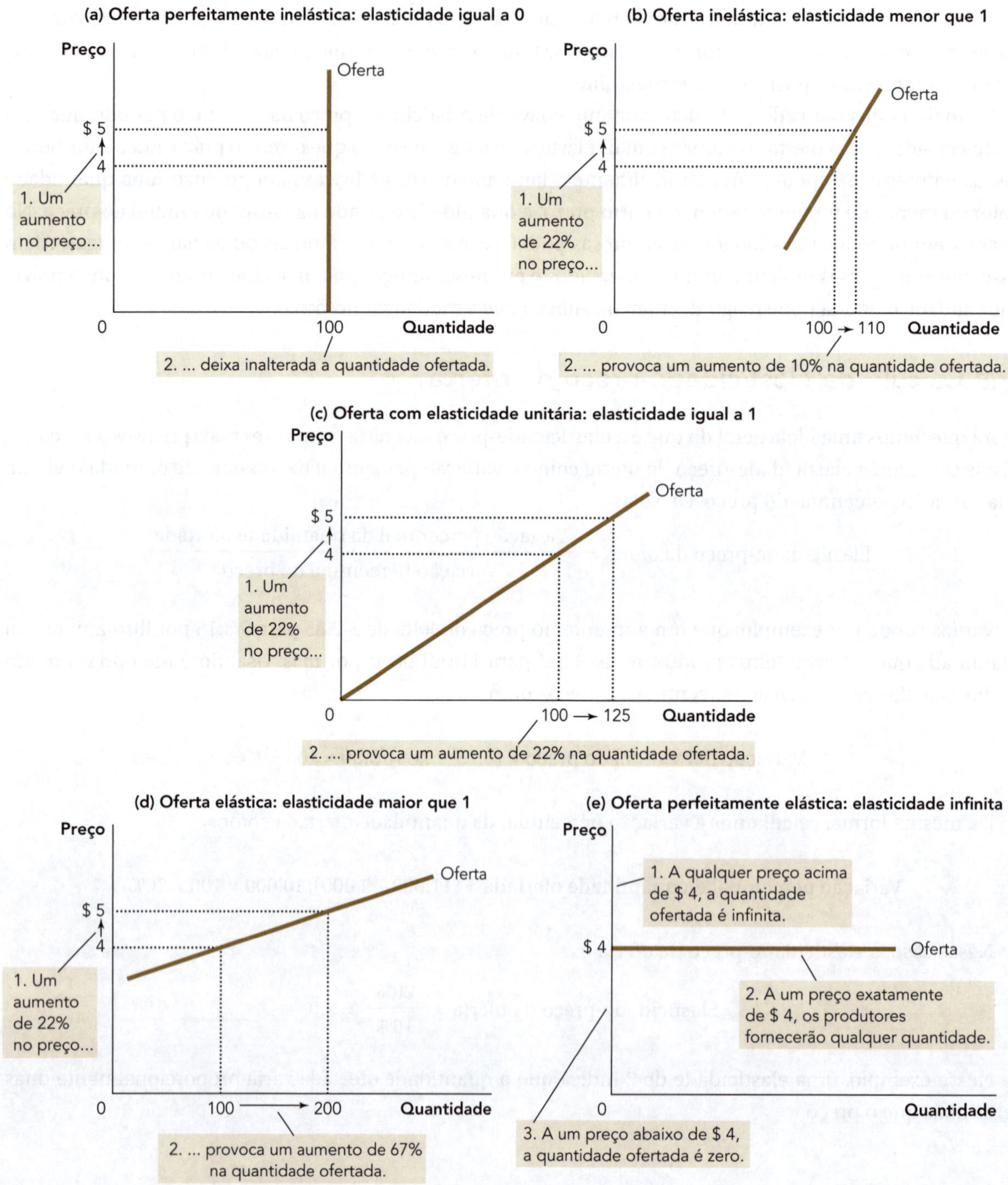

ta, a curva de oferta torna-se mais horizontal, indicando que a quantidade ofertada responde mais a variações de preço. No extremo oposto, mostrado no painel (e), a oferta é *perfeitamente elástica*. Isso se dá quando a elasticidade-preço da oferta se aproxima do infinito e a curva de oferta se torna horizontal, indicando que variações muito pequenas no preço levam a variações muito grandes da quantidade ofertada.

Em alguns mercados, a elasticidade da oferta não é constante, variando ao longo da curva de oferta. A Figura 6 mostra um caso típico de uma indústria em que as empresas dispõem de fábricas com capacidade de produção limitada. Para baixos níveis de quantidade ofertada, a elasticidade da oferta é alta, indicando que as empresas respondem substancialmente a variações de preço. Nessa região, as empresas têm capacidade de produção que não está sendo utilizada (capacidade ociosa), como instalações e equipamentos que passam a maior parte do dia parados. Pequenos aumentos do preço farão que seja lucrativo para essas empresas começar a utilizar essa capacidade ociosa. À medida que a quantidade ofertada aumenta, as empresas se aproximam do pleno uso de sua capacidade. Uma vez que toda a capacidade esteja sendo utilizada, aumentar a produção requer a construção de novas fábricas. Para induzir as empresas a incorrer nessas despesas extras, o preço precisa aumentar substancialmente, de modo que a oferta se torna menos elástica.

A Figura 6 apresenta um exemplo numérico desse fenômeno. Quando o preço se eleva de \$ 3 para \$ 4 (um aumento de 29%, de acordo com o método do ponto médio), a quantidade ofertada sobe de 100 para 200 (um aumento de 67%). Como a quantidade ofertada tem uma variação proporcionalmente maior que a variação do preço, a curva de oferta tem elasticidade superior a 1. No entanto, quando o preço sobe de \$ 12 para \$ 15 (um aumento de 22%), a quantidade ofertada sobe de 500 para 525 (um aumento de 5%). Nesse caso, a quantidade ofertada tem uma variação proporcionalmente menor que a variação do preço, de modo que a elasticidade é inferior a 1.

Teste rápido Defina a elasticidade-preço da oferta. • Explique por que a elasticidade-preço da oferta pode ser diferente no longo e curto prazos.

5_3 TRÊS APLICAÇÕES DA OFERTA, DEMANDA E ELASTICIDADE

Será que boas notícias para a agricultura podem ser más notícias para os agricultores? Por que a Organização dos Países Exportadores de Petróleo (Opep) não conseguiu manter elevado o preço do petróleo? A proibição das drogas aumenta ou diminui os crimes ligados a elas? À primeira vista, pode parecer que essas perguntas

Figura 6
Como a elasticidade-preço da oferta pode variar

Uma vez que as empresas frequentemente têm uma capacidade máxima de produção, a elasticidade da oferta pode ser muito elevada quando a quantidade ofertada é pequena e muito baixa quando a quantidade ofertada é grande. Aqui, um aumento no preço de \$ 3 para \$ 4 aumenta a quantidade ofertada de 100 para 200. Como o aumento de 67% na quantidade ofertada (calculado por meio do método do ponto médio) é maior que o aumento de 29% no preço, a curva de oferta é elástica nessa região. Em comparação, quando o preço aumenta de \$ 12 para \$ 15, a quantidade ofertada aumenta somente de 500 para 525. Como o aumento de 5% na quantidade ofertada é menor que o aumento de 22% no preço, a curva de oferta é inelástica nessa região.

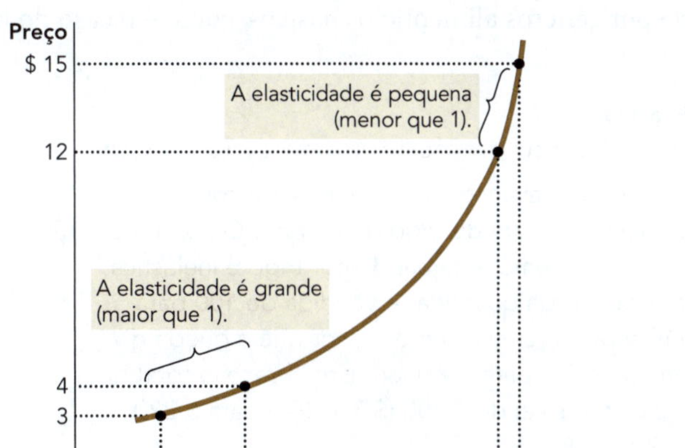

não têm muito em comum, mas todas se referem aos mercados, e todos os mercados estão sujeitos às forças da oferta e da demanda. Aqui, aplicaremos as versáteis ferramentas da oferta, da demanda e da elasticidade para responder a essas questões aparentemente complexas.

5_3A Boas notícias para a agricultura podem ser más notícias para os agricultores?

Imagine que você seja um fazendeiro do estado do Kansas que produz trigo. Como toda a sua renda vem da venda do trigo, você se empenha muito para tornar sua terra o mais produtiva possível. Acompanha as condições do clima e do solo, verifica seus campos para ver se há sinais de pragas e doenças, e estuda os últimos avanços da tecnologia agrícola. Você sabe que, quanto mais cultivar, mais terá para vender após a colheita e, consequentemente, sua renda e seu padrão de vida serão mais elevados.

Um dia, a Kansas State University anuncia uma grande descoberta. Pesquisadores do departamento de agronomia desenvolveram um novo tipo de trigo híbrido que aumenta em 20% a produção por hectare cultivado. Como reagir a essa notícia? Essa descoberta deixa você em melhores ou piores condições do que antes?

Lembre-se do Capítulo 4, em que respondemos cada uma dessas questões em três etapas. Primeiro, examinamos se as curvas de oferta e demanda se deslocam; segundo, consideramos em que direção as curvas se deslocam; terceiro, usamos o diagrama de oferta e demanda para verificar como o equilíbrio de mercado se altera.

Nesse caso, a descoberta do novo trigo híbrido afeta a curva de oferta. Como o híbrido aumenta a quantidade de trigo que pode ser produzida por hectare de terra, os fazendeiros agora estão dispostos a oferecer mais trigo a qualquer preço dado. Em outras palavras, a curva de oferta desloca-se para a direita. A curva de demanda permanece inalterada porque a quantidade de trigo que os consumidores desejam comprar a qualquer preço dado não é afetada pela introdução do novo híbrido. A Figura 7 mostra um exemplo de uma mudança desse tipo. Quando a curva de oferta se desloca de O_1 para O_2, a quantidade de trigo vendida aumenta de 100 para 110, e o preço do trigo cai de \$ 3 para \$ 2.

Mas essa descoberta deixa os agricultores em melhor situação? Como primeiro passo para respondermos a essa pergunta, vamos ver o que acontece com a receita total recebida pelos agricultores. A receita total dos agricultores é $P \times Q$ – o preço do trigo multiplicado pela quantidade vendida. A descoberta afeta os fazendeiros de duas maneiras conflitantes: o trigo híbrido permite que eles vendam mais trigo (aumento de *Q*), mas cada saca é vendida por um preço menor (queda de *P*).

O fato de a receita total aumentar ou diminuir depende da elasticidade da demanda. Na prática, a demanda por gêneros alimentícios básicos, como é o caso do trigo, costuma ser inelástica, uma vez que esses bens

Figura 7
Um aumento da oferta no mercado de trigo

Quando um avanço na tecnologia agrícola aumenta a oferta de trigo de O_1 para O_2, o preço deste cai. Como a demanda por trigo é inelástica, o aumento da quantidade vendida de 100 para 110 é proporcionalmente menor que a queda do preço de \$ 3 para \$ 2. Com isso, a receita total dos agricultores cai de \$ 300 (\$ 3 × 100) para \$ 220 (\$ 2 × 110).

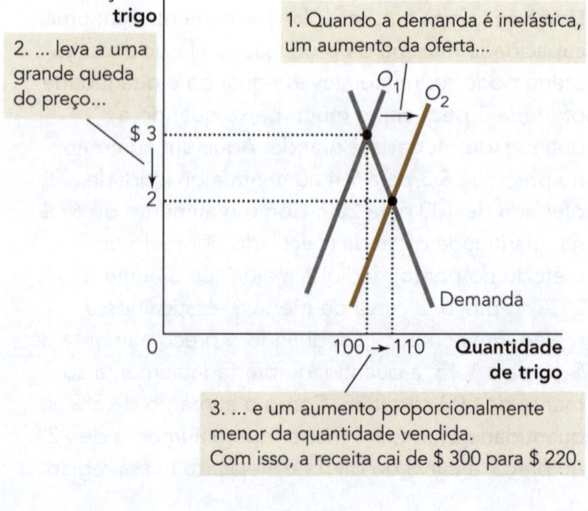

são relativamente baratos e há poucos bons substitutos para eles. Quando a curva de demanda é inelástica, como no caso da Figura 7, uma queda no preço faz com que a receita total diminua. Podemos verificar isso na figura: o preço do trigo cai substancialmente, ao passo que a quantidade de trigo vendida aumenta apenas levemente. A receita total cai de $ 300 para $ 220. Assim, a descoberta do novo híbrido diminui a receita total que os fazendeiros obtêm com a venda de suas safras.

Se a situação dos agricultores piora com a descoberta do novo híbrido, por que eles o adotam? A resposta vai ao âmago de como os mercados competitivos funcionam. Como cada agricultor representa uma pequena parte do mercado de trigo, ele toma o preço do trigo como dado. Para qualquer preço dado do trigo, é melhor usar o novo híbrido para produzir e vender mais trigo. Mas quando todos os agricultores seguem esse raciocínio, a oferta de trigo aumenta, o preço cai e os agricultores se veem prejudicados.

Embora esse exemplo possa parecer meramente hipotético, ajuda a explicar uma grande mudança ocorrida na economia dos Estados Unidos no século passado. Há 200 anos, a maioria dos norte-americanos vivia em fazendas. O conhecimento sobre métodos agrícolas era tão primitivo, que a maioria da população ainda precisava viver no campo para produzir comida suficiente para toda a nação. Mas, com o tempo, os avanços da tecnologia agropecuária aumentaram a quantidade de alimentos que cada fazendeiro poderia produzir. Esse aumento da oferta de alimentos, juntamente com uma demanda inelástica por alimentos, fez cair a receita dos fazendeiros, o que, por sua vez, serviu de incentivo para que as pessoas abandonassem a atividade agropecuária.

Alguns dados podem demonstrar a magnitude dessa mudança histórica. Em 1950, havia 10 milhões de pessoas trabalhando no campo nos Estados Unidos, o equivalente a 17% da força de trabalho do país. Hoje, menos de 3 milhões de pessoas trabalham em fazendas, ou 2% da força de trabalho. Essa mudança coincidiu com enormes avanços na produtividade das fazendas: apesar da grande queda no número de produtores rurais, as fazendas norte-americanas produzem hoje cerca de cinco vezes mais do que em 1950.

Essa análise do mercado de produtos agropecuários também ajuda a explicar um aparente paradoxo da política pública: alguns programas para o campo tentam ajudar os fazendeiros, incentivando-os a diminuir suas safras. Por quê? O objetivo desses programas é reduzir a oferta de produtos agropecuários e, com isso, aumentar seus preços. Por causa da demanda inelástica por seus produtos, todos os fazendeiros obterão uma maior receita total se fornecerem ao mercado uma safra menor. Fazendeiro algum, agindo por conta própria, deixaria a terra ociosa, pois cada um deles toma o preço de mercado como dado. Mas, se todos os fazendeiros, juntos, o fizerem, cada um deles será beneficiado.

Quando se analisam os efeitos da tecnologia ou da política agrícola, é importante ter em mente que o que é bom para os agricultores não é necessariamente bom para a sociedade. Avanços tecnológicos podem ser prejudiciais para os fazendeiros, mas são ótimos para os consumidores, que pagam menos pelos alimentos que compram. Da mesma forma, uma política que tenha por objetivo reduzir a oferta de produtos agropecuários pode aumentar a renda dos fazendeiros, mas o faz à custa dos consumidores.

5_3B Por que a Opep não conseguiu manter elevado o preço do petróleo?

Muitos dos acontecimentos mais perturbadores para as economias do mundo todo nas últimas décadas tiveram sua origem no mercado de petróleo. Nos anos 1970, os membros da Organização dos Países Produtores de Petróleo (Opep) decidiram elevar os preços mundiais do produto para aumentar sua renda. Esses países atingiram seu objetivo, reduzindo conjuntamente a quantidade de petróleo ofertada. De 1973 a 1974, o preço do petróleo (descontada a inflação do período) subiu mais de 50%. Então, poucos anos depois, a Opep fez a mesma coisa outra vez. De 1979 a 1981, o preço quase dobrou.

Mas a Opep teve dificuldades para manter o preço tão elevado. Entre 1982 e 1985, o preço caiu a uma taxa mais ou menos constante de 10% ao ano. A insatisfação e a desorganização prevaleceram entre os países membros da Opep. Em 1986, a cooperação entre esses países deixou de existir e o preço despencou 45%. Em 1990, o preço do petróleo (descontada a inflação) voltou ao ponto em que estava em 1970 e se manteve nesse nível baixo durante a maior parte da década de 1990. (Na primeira década e meia do século XXI, o preço do petróleo flutuou substancialmente mais uma vez; porém, a principal força motriz não foi decorrente das restrições de oferta da Opep. Em vez disso, crescimentos e quedas das economias ao redor do mundo fizeram a demanda flutuar, enquanto avanços na tecnologia de fraturamento hidráulico causaram grandes aumentos na oferta.

Esses episódios mostram como a oferta e a demanda podem se comportar de maneiras diferentes no curto e no longo prazo. No curto prazo, tanto a oferta quanto a demanda por petróleo são relativamente inelásticas. A oferta é inelástica porque a quantidade de reservas conhecidas e a capacidade de extração de petróleo não podem mudar rapidamente. A demanda é inelástica porque os hábitos de compra não respondem imediatamente a mudanças no preço. Assim, como mostra o painel (a) da Figura 8, as curvas de oferta e de demanda de curto prazo têm inclinação acentuada. Quando a oferta de petróleo se altera de O_1 para O_2, o aumento de preço de P_1 para P_2 é grande.

A situação é bem diferente no longo prazo. No decorrer de períodos mais longos, os produtores de petróleo que não são membros da Opep respondem aos altos preços aumentando a exploração e criando nova capacidade de extração. Os consumidores respondem com maior economia, por exemplo, substituindo carros antigos e ineficientes por outros mais novos e mais eficientes, que consomem menos gasolina. Assim, como vemos no painel (b) da Figura 8, as curvas de oferta e demanda de longo prazo são mais elásticas. No longo prazo, o deslocamento da curva de oferta de O_1 para O_2 causa um aumento de preço muito menor.

Esta análise mostra por que a Opep obteve sucesso ao manter elevados os preços do petróleo somente no curto prazo. Quando os países-membros concordaram em reduzir a produção, deslocaram a curva de oferta para a esquerda. Embora cada membro da organização estivesse vendendo menos petróleo, o preço subiu tanto no curto prazo, que a renda dos países exportadores do produto aumentou. Em contrapartida, no longo prazo, quando oferta e demanda são mais elásticas, a mesma redução da oferta, medida pelo deslocamento horizontal da curva de oferta, causou um aumento menor no preço. Assim, a redução coordenada da oferta provou ser menos lucrativa no longo prazo. O cartel, agora, parece ter entendido que elevar os preços é mais fácil no curto prazo que no longo prazo.

Figura 8

Uma redução da oferta no mercado mundial de petróleo

Quando cai a oferta de petróleo, a resposta depende do horizonte de tempo. No curto prazo, a oferta e a demanda são relativamente inelásticas, como no painel (a). Portanto, quando a curva de oferta se desloca de O_1 para O_2, o preço aumenta substancialmente. Em comparação, no longo prazo, a oferta e a demanda são relativamente elásticas, como no painel (b). Nesse caso, o mesmo deslocamento da curva de oferta (de O_1 para O_2) causa um menor aumento no preço.

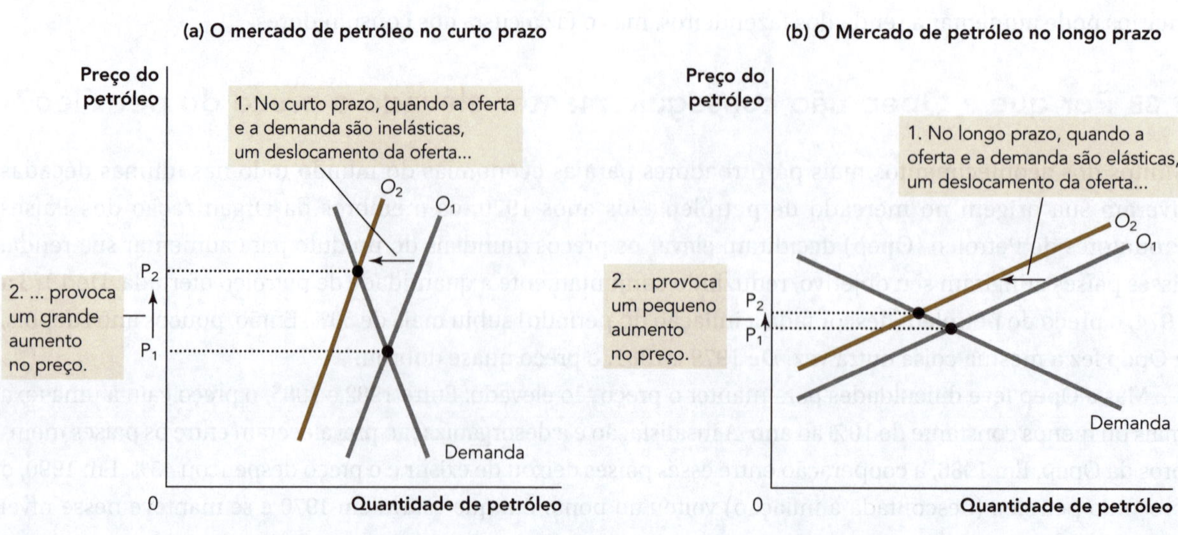

5_3C A política de proibição das drogas aumenta ou diminui os crimes relacionados a elas?

Um problema persistente enfrentado por nossa sociedade é o uso de drogas ilegais, como a heroína, a cocaína, o *ecstasy* e o *crack*. O uso de drogas tem diversos efeitos negativos. Um deles é o fato de que a dependência de drogas pode arruinar a vida dos usuários e de suas famílias. Outro é que os viciados em drogas muitas vezes recorrem ao roubo e a outros crimes violentos para obter o dinheiro de que precisam para sustentar seu vício. Para desencorajar o uso de drogas ilegais, o governo norte-americano gasta bilhões de dólares por ano para reduzir o fluxo de drogas que entram no país. Vamos usar as ferramentas da oferta e da demanda para examinar essa política de combate às drogas.

Suponhamos que o governo aumente o número de agentes federais dedicados ao combate às drogas. O que acontece com o mercado de drogas ilegais? Como de hábito, responderemos a essa pergunta em três etapas. Em primeiro lugar, vamos verificar se as curvas de oferta e demanda se deslocam. Em segundo, verificaremos a direção do deslocamento. E, em terceiro, veremos como o deslocamento afeta o preço e a quantidade de equilíbrio.

Muito embora o objetivo de uma política de proibição das drogas seja reduzir seu uso, o impacto direto dessa política recai mais sobre os vendedores que sobre os compradores. Quando o governo impede que algumas drogas entrem no país e prende mais traficantes, aumenta o custo de venda das drogas e, portanto, reduz a quantidade ofertada a qualquer preço dado. A demanda por drogas - a quantidade que os compradores desejam a qualquer preço dado - não muda. Como mostra o painel (a) da Figura 9, a proibição desloca a curva de oferta para a esquerda, de O_1 para O_2, e deixa a curva de demanda inalterada. O preço de equilíbrio das drogas aumenta de P_1 para P_2 e a quantidade de equilíbrio cai de Q_1 para Q_2. A diminuição na quantidade de equilíbrio mostra que a proibição das drogas reduz seu uso.

Figura 9

Políticas para reduzir o uso de drogas ilegais

A política de proibição das drogas reduz a oferta de O_1 para O_2, como no painel (a). Se a demanda por drogas for inelástica, então a quantia total paga pelos usuários de droga aumenta, muito embora a quantidade utilizada de drogas caia. Em comparação, a política educacional contra as drogas reduz a demanda por drogas de D_1 para D_2, como no painel (b). Como tanto o preço quanto a quantidade diminuem, a quantia paga pelos usuários de drogas é menor.

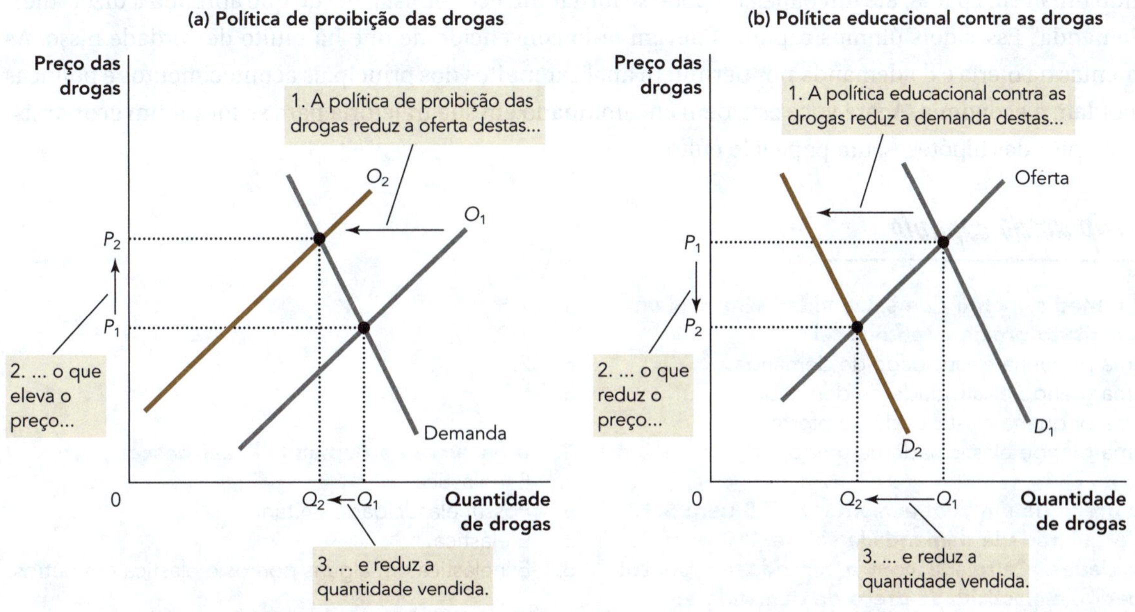

Mas o que acontece com a quantidade de crimes relacionados às drogas? Para responder a essa pergunta, considere a quantia total que os usuários de drogas pagam pelas drogas que compram. Como são poucos os viciados em drogas que abandonarão seus hábitos destrutivos por causa de um aumento nos preços, é provável que a demanda por drogas seja inelástica, como indica a figura. Se a demanda for inelástica, então um aumento nos preços aumentará a receita total do mercado de drogas. Ou seja, como a proibição das drogas aumenta o preço destas proporcionalmente mais do que reduz seu uso, essa proibição eleva a quantidade total de dinheiro que os usuários pagam pelas drogas que compram. Os viciados que já tinham de roubar para sustentar seus hábitos terão uma necessidade ainda maior de dinheiro rápido. Assim, a proibição das drogas pode aumentar o nível de crimes ligados a elas.

Por causa desse efeito adverso da proibição das drogas, alguns analistas sugerem abordagens alternativas para lidar com esse problema. Em vez de procurarem reduzir a oferta, os formuladores de políticas deveriam tentar reduzir a demanda por meio de uma política educacional. Uma bem-sucedida política educacional para as drogas tem o efeito representado no painel (b) da Figura 9. A curva de demanda desloca-se para a esquerda, de D_1 para D_2. Com isso, a quantidade de equilíbrio cai de Q_1 para Q_2 e o preço de equilíbrio cai de P_1 para P_2. A receita total, que é o preço multiplicado pela quantidade, também cai. Assim, uma política educacional para as drogas, ao contrário de uma política de proibição, pode reduzir tanto seu uso quanto os crimes relacionados a elas.

Os partidários da política de proibição podem argumentar que os efeitos desta no longo prazo são diferentes dos efeitos no curto prazo, uma vez que a elasticidade da demanda pode depender do horizonte de tempo. A demanda por drogas, provavelmente, é inelástica em curtos períodos, porque os preços mais elevados não afetam substancialmente seu uso por quem já é viciado. Mas a demanda pode ser mais elástica no decorrer de períodos mais longos, porque os preços mais altos desencorajariam a experiência com drogas entre os jovens e, com o tempo, levariam a um menor número de viciados. Nesse caso, a política de proibição aumentaria os crimes ligados a drogas no curto prazo e os reduziria no longo prazo.

Teste rápido De que maneira uma seca que destrua metade de todas as colheitas pode ser boa para os agricultores? Se uma seca como essa é boa para os agricultores, por que eles não destroem suas próprias safras na ausência de secas?

5_4 CONCLUSÃO

Segundo uma velha piada, até um papagaio pode se tornar um economista, desde que aprenda a dizer "oferta e demanda". Esses dois últimos capítulos devem tê-lo convencido de que há muito de verdade nisso. As ferramentas da oferta e da demanda nos permitem analisar muitos dos principais acontecimentos e políticas que moldam a economia. Agora você está bem encaminhado em sua trajetória para se tornar um economista (ou, na pior das hipóteses, um papagaio culto).

Teste rápido do capítulo

1. Um medicamento que salva vidas sem nenhum substituto próximo tende a ter:
a. Uma pequena elasticidade de demanda.
b. Uma grande elasticidade de demanda.
c. Uma pequena elasticidade de oferta.
d. Uma grande elasticidade de oferta.

2. O preço de um bem aumenta de \$ 8 para \$ 12 e a quantidade demandada cai de 110 para 90 unidades. Calculada com o método do ponto médio, a elasticidade-preço da demanda é:
a. 1/5.
b. 1/2.
c. 2.
d. 5.

3. Uma curva de demanda linear descendente:
a. É inelástica.
b. Possui elasticidade unitária.
c. É elástica.
d. É inelástica em alguns pontos e elástica em outros.

4. A capacidade de empresas entrarem e saírem de um mercado ao longo do tempo significa que, no longo prazo:

a. A curva de demanda é mais elástica.
b. A curva de demanda é menos elástica.
c. A curva de oferta é mais elástica.
d. A curva de oferta é menos elástica.

5. Um aumento na oferta de um bem diminuirá os rendimentos totais que os produtores recebem se:

a. A curva de demanda for inelástica.
b. A curva de demanda for elástica.
c. A curva de oferta for inelástica.
d. A curva de oferta for elástica.

6. Com o tempo, os avanços tecnológicos aumentam a renda dos consumidores e reduzem o preço dos *smartphones*. Cada uma dessas forças aumenta a quantia gasta pelos consumidores com *smartphones* se a elasticidade-renda da demanda for maior que ______ e a elasticidade-preço da demanda for maior que ______.

a. Zero, zero.
b. Zero, um.
c. Um, zero.
d. Um, um.

RESUMO

- A elasticidade-preço da demanda mede o quanto a quantidade demandada responde a variações do preço. A demanda tende a ser mais elástica se há substitutos próximos disponíveis, se o bem é supérfluo em vez de essencial, se o mercado é definido de maneira restrita ou se os compradores têm bastante tempo para reagir a uma mudança do preço.
- A elasticidade-preço da demanda é calculada como a variação percentual da quantidade demandada dividida pela variação percentual do preço. Se a quantidade demandada varia proporcionalmente menos que o preço, então a elasticidade é menor que 1, e dizemos que a demanda é inelástica. Se a quantidade demandada varia proporcionalmente mais que o preço, então a elasticidade é maior que 1, e dizemos que a demanda é elástica.
- A receita total, que é a quantia total paga por um bem, é igual ao preço do bem multiplicado pela quantidade vendida. Para curvas de demanda inelástica, a receita total move-se na mesma direção que o preço. Para curvas de demanda elástica, a receita total move-se na direção oposta ao preço.
- A elasticidade-renda da demanda mede o quanto a quantidade demandada reage a variações na renda dos consumidores. A elasticidade-preço cruzada da demanda mede o quanto a quantidade demandada de um bem responde a variações no preço de outro bem.
- A elasticidade-preço da oferta mede o quanto a quantidade ofertada responde a variações no preço. Essa elasticidade frequentemente depende do horizonte de tempo considerado. Na maioria dos mercados, a oferta é mais elástica no longo prazo que no curto prazo.
- A elasticidade-preço da oferta é calculada como a variação percentual da quantidade ofertada dividida pela variação percentual do preço. Se a quantidade ofertada varia proporcionalmente menos que o preço, então a elasticidade é menor que 1, e dizemos que a oferta é inelástica. Se a quantidade ofertada varia proporcionalmente mais que o preço, então a elasticidade é maior que 1, e dizemos que a demanda é elástica.
- As ferramentas de oferta e demanda podem ser aplicadas a muitos tipos diferentes de mercados. Este capítulo as utiliza para analisar os mercados de trigo, petróleo e drogas ilegais.

CONCEITOS-CHAVE

elasticidade, p. 74
elasticidade-preco da demanda, p. 75
receita total, p. 78
elasticidade-renda da demanda, p. 81-82
elasticidade-preco cruzada da demanda, p. 82
elasticidade-preco da oferta, p. 83

QUESTÕES PARA REVISÃO

1. Defina a elasticidade-preço da demanda e a elasticidade-renda da demanda.
2. Relacione os quatro fatores determinantes da elasticidade-preço da demanda discutidos no capítulo e explique-os.
3. Se a elasticidade é maior que 1, a demanda é elástica ou inelástica? Se a elasticidade é igual a 0, a demanda é perfeitamente elástica ou perfeitamente inelástica?
4. Em um diagrama de oferta e demanda, mostre o preço de equilíbrio, a quantidade de equilíbrio e a receita total recebida pelos produtores.
5. Se a demanda é inelástica, como um aumento de preço muda a receita total? Explique.
6. Como denominamos um bem cuja elasticidade-renda é inferior a 0?
7. Como se calcula a elasticidade-preço da oferta? Explique o que ela mede.
8. Se uma quantidade fixa de um bem estiver disponível e nada mais puder ser produzido, qual é a elasticidade-preço da oferta?
9. Uma tempestade destrói metade de uma safra de fava. É mais provável que esse evento prejudique os produtores de fava se a demanda pelo produto for muito elástica ou muito inelástica? Explique.

PROBLEMAS E APLICAÇÕES

1. Em cada um dos pares de bens a seguir, qual bem você espera que tenha demanda mais elástica e por quê?
   a. Livros didáticos ou romances de mistério.
   b. Gravações de Beethoven ou gravações de música clássica em geral.
   c. Viagens de metrô durante os próximos 6 meses ou viagens de metrô durante os próximos 5 anos.
   d. Cerveja de raiz (*root beer*) ou água.
2. Suponha que viajantes a negócios e turistas tenham as seguintes demandas por passagens aéreas de Nova York para Boston:

Preço	Quantidade demandada (viajantes a negócios)	Quantidade demandada (turistas)
$ 150	2.100 passagens	1.000 passagens
200	2.000	800
250	1.900	600
300	1.800	400

   a. À medida que o preço aumenta de $ 200 para $ 250, qual é a elasticidade-preço da demanda para (i) os viajantes a negócios e (ii) os turistas? (Use o método do ponto médio para seus cálculos.)
   b. Por que a elasticidade dos turistas seria diferente da dos viajantes a negócios?
3. Suponha que a elasticidade-preço do óleo para aquecimento seja de 0,2 no curto prazo e de 0,7 no longo prazo.
   a. Se o preço aumentar de $ 1,80 para $ 2,20 o galão, o que acontecerá com a quantidade demandada no curto prazo? E no longo prazo? (Empregue a fórmula de ponto médio para os cálculos.)
   b. Por que essa elasticidade depende do horizonte de tempo?
4. Uma variação de preço provoca uma redução de 30% na quantidade demandada de determinado bem, enquanto a receita total desse mesmo bem diminui em 15%. A curva de demanda é elástica ou inelástica? Explique.
5. Xícaras de café e rosquinhas são bens complementares; ambos possuem demanda inelástica. Um furacão destrói metade da safra de café. Use diagramas apropriados para responder as seguintes questões.
   a. O que acontece com o preço do grão de café?
   b. O que acontece com o preço de uma xícara de café? E com a despesa total em xícaras de café?
   c. O que acontece com o preço das rosquinhas? E com a despesa total em rosquinhas?

6. O preço do café subiu drasticamente no mês passado, enquanto a quantidade vendida se manteve. Cinco pessoas sugeriram explicações variadas:

LEONARD: A demanda aumentou, mas a oferta era perfeitamente inelástica.

SHELDON: A demanda aumentou, mas ela era perfeitamente inelástica.

PENNY: A demanda aumentou, mas, ao mesmo tempo, a oferta diminuiu.

HOWARD: A oferta diminuiu, mas a demanda tinha elasticidade unitária.

RAJ: A oferta diminuiu, mas a demanda era perfeitamente inelástica.

Quem pode estar certo? Use gráficos para explicar sua resposta.

7. Suponha que sua escala de demanda por pizza seja:

Preço	Quantidade demandada (renda = $ 20.000)	Quantidade demandada (renda = $ 24.000)
$ 8	40 pizzas	50 pizzas
10	32	45
12	24	30
14	16	20
16	8	12

a. Use o método do ponto médio para calcular a elasticidade-preço da demanda quando o preço das pizzas aumenta de $ 8 para $ 10 se (i) sua renda for $ 20 mil e (ii) se sua renda for $ 24 mil.
b. Calcule a elasticidade-renda da demanda quando sua renda aumenta de $ 20 mil para $ 24 mil (i) ao preço de $ 12 e (ii) ao preço de $ 16.

8. Segundo o jornal *The New York Times* (17 fev. 1996), o uso do metrô caiu após um aumento de preço: "Houve quase quatro milhões de usuários a menos em dezembro de 1995, o primeiro mês completo após o preço da passagem aumentar de 25 centavos de dólar para $ 1,50. A queda no número de passageiros foi de 4,3% em relação ao mesmo mês do ano anterior".
a. Use esses dados para estimar a elasticidade-preço da demanda das passagens de metrô.
b. De acordo com sua estimativa, o que aconteceria com a receita da empresa que administra o metrô com o aumento da passagem?
c. Por que a sua estimativa de elasticidade pode não ser muito confiável?

9. Dois motoristas, Tom e Jerry, vão a um posto de gasolina. Antes de ver o preço, cada um faz seu pedido. Tom diz: "Quero 10 litros de gasolina". E Jerry diz: "Quero $ 10 de gasolina". Qual é a elasticidade-preço da demanda de cada motorista?

10. Considere a política pública para o tabagismo.
a. Estudos indicam que a elasticidade-preço da demanda por cigarros é cerca de 0,4. Se, hoje, um maço custa $ 5 e o governo quer reduzir o seu consumo em 20%, em quanto deve aumentar o preço?
b. Se o governo aumentar permanentemente o preço dos cigarros, a política terá maiores efeitos dentro de um ano ou de cinco anos?
c. Estudos demonstram também que os adolescentes têm maior elasticidade-preço que os adultos. Por que isso pode ser verdadeiro?

11. Como curador de um museu que está com pouca verba e decide aumentar a receita, você deve aumentar ou diminuir o preço dos ingressos? Explique.

12. Explique por que a seguinte afirmação pode ser verdadeira: uma seca em todo o mundo aumenta a receita total que os agricultores recebem com a venda de grãos, mas uma seca apenas em Kansas reduz a receita total dos agricultores desse estado.

CAPÍTULO 6

Oferta, demanda e políticas do governo

Os economistas desempenham duas funções: como cientistas, desenvolvem e testam teorias para explicar o mundo que os cerca; como mentores de políticas governamentais, usam suas teorias para ajudar a transformar o mundo em um lugar melhor. Os dois capítulos anteriores concentraram-se no aspecto científico. Vimos como a oferta e a demanda determinam o preço e a quantidade vendida de um bem. Vimos também como diversos acontecimentos podem deslocar a oferta e a demanda, e, com isso, mudar o preço e a quantidade de equilíbrio. Também desenvolvemos o conceito de elasticidade para medir o calibre dessas mudanças.

Este capítulo nos dá uma primeira visão de políticas governamentais. Aqui, analisaremos diversos tipos de política governamental usando apenas as ferramentas de oferta e demanda. Como você verá, a análise possibilitará algumas conclusões surpreendentes. As políticas, muitas vezes, têm efeitos que seus arquitetos não planejaram ou não previram.

Começaremos pelas políticas que controlam diretamente os preços. Por exemplo, as leis de controle do aluguel determinam um preço máximo que os proprietários podem cobrar de seus inquilinos. As leis de salário-mínimo determinam o menor salário que as empresas podem pagar aos trabalhadores. Os controles de preços costumam ser aplicados quando os formuladores de políticas acreditam que o preço de mercado de um bem ou serviço é injusto para os compradores ou vendedores. Mas, como veremos, essas políticas também podem gerar injustiças.

Depois da nossa discussão sobre controles de preços, trataremos em seguida do impacto dos impostos. Os formuladores de políticas usam os impostos para fins públicos e para influir nos resultados do mercado. Embora a existência de impostos em nossa economia seja óbvia, seus efeitos não o são. Por exemplo, quando o governo cobra um imposto sobre o salário que as empresas pagam a seus funcionários, quem arca com o ônus é a empresa ou os trabalhadores? A resposta não é nada clara – até aplicarmos as poderosas ferramentas de oferta e demanda.

6_1 CONTROLE DE PREÇOS

Para sabermos como os controles de preços afetam os resultados do mercado, vamos observar novamente o mercado de sorvetes. Como vimos no Capítulo 4, se o sorvete é vendido em um mercado competitivo livre de regulamentação do governo, seu preço se ajusta ao equilíbrio da oferta e da demanda: no preço de equilíbrio, a quantidade de sorvete que os compradores desejam comprar equivale exatamente à quantidade que os vendedores desejam vender. Para sermos concretos, vamos supor que o preço de equilíbrio por casquinha de sorvete seja $ 3.

Nem todos ficariam felizes com o resultado desse processo de livre mercado. Digamos que a Associação Nacional de Consumidores de Sorvete reclame do preço de $ 3, dizendo que é elevado demais para que todos

preço máximo
um limite máximo legal para o preço pelo qual um bem pode ser vendido

preço mínimo
um limite mínimo legal para o preço pelo qual um bem pode ser vendido

possam desfrutar de um sorvete por dia (a dose diária recomendada). Ao mesmo tempo, a Organização Nacional dos Fabricantes de Sorvete reclama do preço de $ 3 – resultado da "competição acirrada"–, dizendo que é baixo demais e está achatando a renda dos seus membros. Cada um desses grupos faz *lobby* para o governo em favor da aprovação de leis que alterem o resultado do mercado por meio do controle direto do preço do sorvete.

Como os compradores de qualquer bem sempre querem preços menores, ao passo que os vendedores querem preços maiores, os interesses dos dois grupos entram em conflito. Se a Associação Nacional de Consumidores de Sorvete for bem-sucedida em seu trabalho de *lobby*, o governo imporá um preço máximo legal pelo qual se pode vender o sorvete de casquinha. Como o preço não pode ir além desse nível, o máximo legal é chamado **preço máximo**. No entanto, se a Organização dos Fabricantes for bem-sucedida no trabalho de *lobby*, o governo imporá um preço mínimo legal. Como o preço não pode ficar abaixo desse nível, o mínimo legal é chamado **preço mínimo**. Vamos tratar dos efeitos de cada uma dessas políticas.

6_1A Como os preços máximos afetam os resultados do mercado

Quando o governo, pressionado pelas reclamações e contribuições eleitorais da Associação Nacional de Consumidores de Sorvete, impõe um preço máximo ao mercado de sorvete, há dois resultados possíveis. No painel (a) da Figura 1, o governo impõe um preço máximo de $ 4 por casquinha. Nesse caso, como o preço que equilibra a oferta e a demanda ($ 3) está abaixo do máximo, o preço máximo é *não obrigatório*. As forças de mercado movem naturalmente a economia em direção ao equilíbrio, e o preço máximo não exerce efeito sobre o preço ou sobre a quantidade vendida.

O painel (b) da Figura 1 mostra a outra possibilidade, que é mais interessante. Nesse caso, o governo impõe um preço máximo de $ 2 por casquinha. Como o preço de equilíbrio de $ 3 está acima do preço máximo, o

Figura 1

Um mercado com um preço máximo

No painel (a), o governo impõe um preço máximo de $ 4. Como o preço máximo está acima do preço de equilíbrio de $ 3, o preço máximo não tem nenhum efeito e o mercado pode alcançar o equilíbrio entre a oferta e a demanda. Nesse equilíbrio, a quantidade ofertada e a quantidade demandada são iguais a 100 sorvetes de casquinha. No painel (b), o governo impõe um preço máximo de $ 2 por casquinha. Como o preço máximo é inferior ao preço de equilíbrio de $ 3, o preço de mercado passa a ser igual a $ 2. A esse preço, são demandadas 125 casquinhas e somente 75 são ofertadas, de modo que há uma escassez de 50 casquinhas.

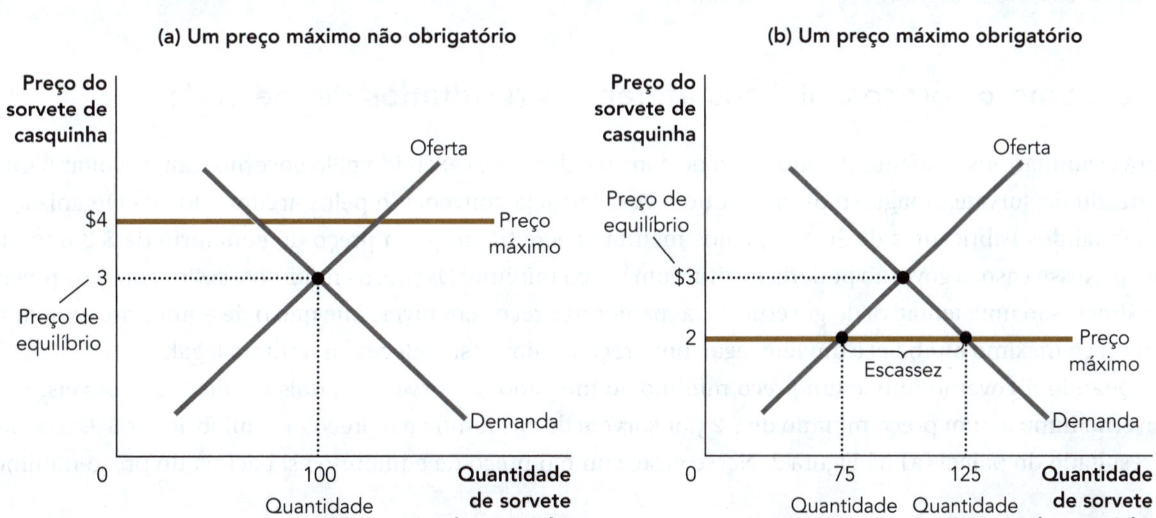

preço máximo age como uma *restrição obrigatória* sobre o mercado. As forças de oferta e demanda tendem a mover o preço em direção ao equilíbrio, mas, quando o preço de mercado atinge o preço máximo, não pode, por lei, aumentar mais. Assim, o preço de mercado se iguala ao preço máximo. A esse preço, a quantidade demandada de sorvete (125 casquinhas, conforme a figura) excede a quantidade ofertada (75 casquinhas). Há uma escassez:[1] 50 pessoas que desejam comprar o bem ao preço vigente não conseguem fazê-lo.

Em resposta a essa escassez, algum mecanismo para o racionamento de sorvete se desenvolverá naturalmente. O mecanismo pode assumir a forma de grandes filas: os compradores que estão dispostos a chegar cedo e esperar na fila conseguem o sorvete, enquanto os que não estão dispostos a esperar ficam sem ele. Alternativamente, os vendedores podem racionar o sorvete de acordo com critérios pessoais, vendendo apenas para amigos, parentes ou membros de seus grupos étnicos ou raciais. Observe que, embora o preço máximo seja resultado de um desejo de ajudar os compradores de sorvete, nem todos os compradores se beneficiam da política. Alguns, efetivamente, pagam um preço menor, embora talvez tenham de esperar na fila para fazê-lo, mas outros não podem comprar sorvete de nenhuma maneira.

Esse exemplo do mercado de sorvete mostra um resultado geral: *quando o governo impõe um preço máximo obrigatório a um mercado competitivo, surge uma escassez do produto e os vendedores são obrigados a racionar os bens escassos entre um grande número de compradores em potencial.* Os mecanismos de racionamento desenvolvidos, quando se estabelecem preços máximos, raramente são desejáveis. As longas filas são ineficientes, porque consomem o tempo dos compradores. A discriminação de acordo com os critérios do vendedor também é ineficiente (porque o bem não vai necessariamente para o comprador que lhe dá valor mais alto) e potencialmente injusta. Em comparação, o mecanismo de racionamento em um mercado livre e competitivo é, ao mesmo tempo, eficiente e impessoal: quando o mercado de sorvete atinge seu equilíbrio, qualquer pessoa disposta a pagar o preço de mercado pode conseguir um sorvete. Os mercados livres racionam bens por meio dos preços. Veja dois estudos de caso no material de apoio on-line que ilustram este conteúdo.

Pergunte aos especialistas

Controle de aluguéis

"Regulamentações locais que limitam aumentos nos aluguéis de algumas unidades habitacionais, como em Nova York e São Francisco, tiveram, ao longo das últimas três décadas, um impacto positivo sobre a quantidade e a qualidade de moradias de aluguel amplamente acessíveis em cidades que as utilizam."

Fonte: IGM Economic Experts Panel, 7 de fevereiro de 2012.

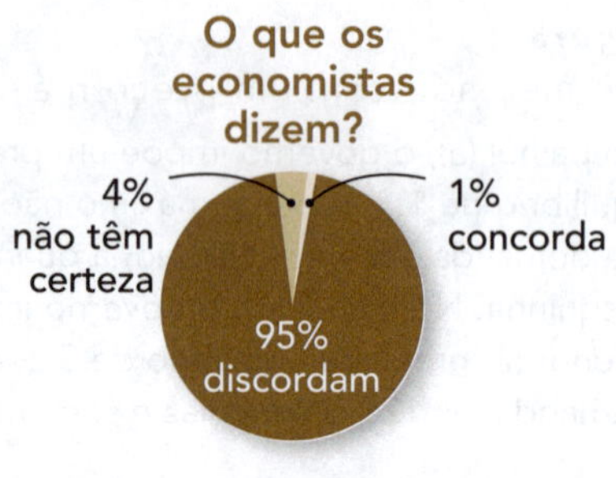

6_1B Como os preços mínimos afetam os resultados de mercado

Para examinarmos os efeitos de outro tipo de controle de preços exercido pelo governo, vamos voltar para o mercado de sorvete. Imaginemos agora que o governo seja convencido pelos argumentos da Organização Nacional dos Fabricantes de Sorvete, cujos membros acreditam que o preço de equilíbrio de $ 3 é muito baixo. Nesse caso, o governo poderia instituir um preço mínimo. Os preços mínimos, assim como os preços máximos, são uma tentativa do governo para manter os preços em níveis que não o de equilíbrio. Enquanto um preço máximo estabelece um teto legal, um preço mínimo estabelece um mínimo legal.

Quando o governo impõe um preço mínimo ao mercado de sorvete, há dois resultados possíveis. Se o governo impuser um preço mínimo de $ 2 por sorvete de casquinha e o preço de equilíbrio for $ 3, teremos o resultado do painel (a) da Figura 2. Nesse caso, como o preço de equilíbrio está acima do preço mínimo,

1. Também denominada "excesso de demanda". (NRT)

Figura 2

Um mercado com preço mínimo

No painel (a), o governo impõe um preço mínimo de $ 2. Como esse preço está abaixo do preço de equilíbrio de $ 3, o preço mínimo não tem nenhum efeito. O preço de mercado ajusta-se para equilibrar a oferta e a demanda. No equilíbrio, as quantidades ofertada e demandada são iguais a 100 sorvetes de casquinha. No painel (b), o governo impõe um preço mínimo de $ 4, acima do preço de equilíbrio de $ 3. Assim, o preço de mercado passa a ser igual a $ 4. Como a esse preço são ofertados 120 sorvetes e demandados apenas 80, há um excedente de 40 unidades.

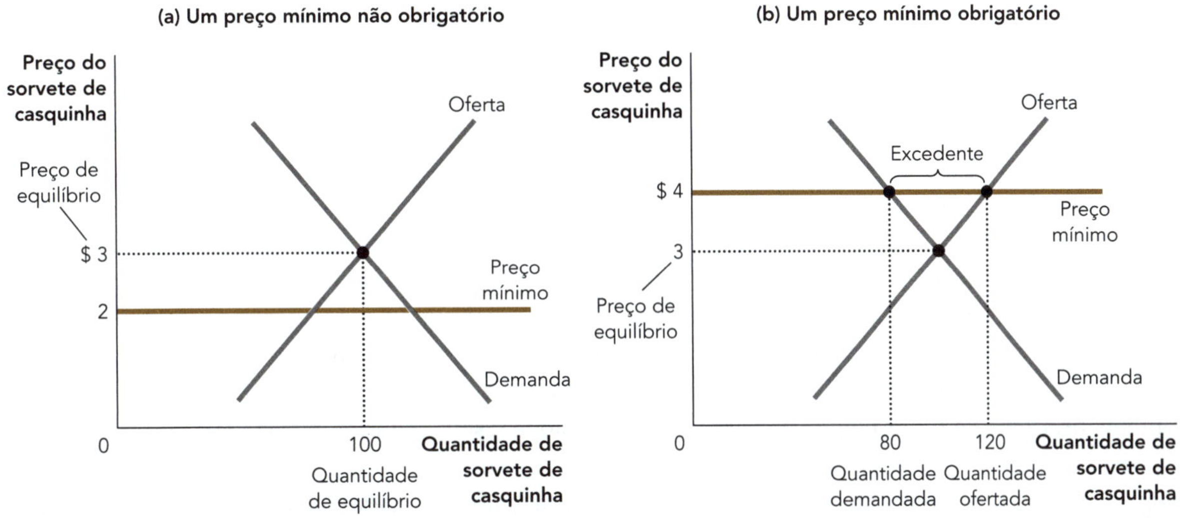

este não é obrigatório. As forças do mercado movem naturalmente a economia para o equilíbrio, e o preço mínimo não surte nenhum efeito.

O painel (b) da Figura 2 mostra o que acontece quando o governo institui um preço mínimo de $ 4 por sorvete de casquinha. Nesse caso, como o preço de equilíbrio de $ 3 é inferior ao mínimo legal, o preço mínimo torna-se obrigatório, passando a ser uma restrição no mercado. As forças de oferta e demanda tendem a mover o preço em direção ao equilíbrio, mas, quando o preço de mercado atinge o mínimo legal, não pode continuar a cair. O preço de mercado passa a ser igual ao preço mínimo. A esse mínimo, a quantidade de sorvete ofertada (120 casquinhas) supera a quantidade demandada (80 casquinhas). Em razão desse excesso de oferta de 40 casquinhas, algumas pessoas que querem vender sorvete ao preço vigente não conseguirão fazê-lo. *Desse modo, um preço mínimo obrigatório causa um excedente.*

Assim como a escassez resultante dos preços máximos pode conduzir a indesejáveis mecanismos de racionamento, o mesmo pode acontecer com os excedentes resultantes dos preços mínimos. Os vendedores que recorrem às preferências pessoais dos compradores, talvez relacionadas a elos raciais ou familiares, têm maiores chances de vender os bens produzidos do que aqueles que não o fazem. No entanto, em um mercado livre, o preço serve de mecanismo de racionamento, e os vendedores conseguem vender tudo o que desejam ao preço de equilíbrio.

6_1C Avaliação do controle de preços

Um dos *Dez princípios de economia* discutidos no Capítulo 1 é o de que os mercados são, em geral, uma boa maneira de organizar a atividade econômica. Esse princípio explica por que os economistas costumam se opor aos preços máximos e mínimos. Para eles, os preços não são resultado de um processo acidental. São, argumentam, o resultado de milhões de decisões de empresas e consumidores que estão por trás das curvas de oferta e demanda. Os preços desempenham a função crucial de equilibrar oferta e demanda e, com isso, coordenar a atividade econômica. Quando os formuladores de políticas fixam preços por decreto, obscurecem os sinais que normalmente conduzem a alocação dos recursos da sociedade.

Outro dos *Dez princípios de economia* é de que os governos podem, às vezes, melhorar os resultados do mercado. Com efeito, os formuladores de políticas adotam controles de preços porque consideram injustos os resultados do mercado. Os controles de preços, em geral, têm o objetivo de ajudar os pobres. As leis de controle dos aluguéis, por exemplo, procuram tornar a moradia acessível a todos, e as leis de salário-mínimo tentam ajudar os pobres a escapar da pobreza.

Os controles de preço, no entanto, muitas vezes prejudicam as pessoas a quem se está tentando ajudar. O controle dos aluguéis pode manter baixos os aluguéis, mas também desencoraja os proprietários de manter seus prédios e torna difícil encontrar moradia. As leis de salário-mínimo podem elevar a renda de alguns trabalhadores, mas outros, certamente, ficarão desempregados.

A ajuda àqueles que precisam pode ser dada sem a utilização de controle de preços. Por exemplo, o governo poderia tornar a moradia mais acessível se arcasse com uma parte do aluguel pago pelas famílias pobres. Ao contrário do controle dos aluguéis, os subsídios à moradia não reduzem a quantidade ofertada de imóveis e, portanto, não geram escassez. De maneira similar, o subsídio aos salários eleva os padrões de vida dos trabalhadores pobres sem desencorajar a contratação por parte das empresas. Um exemplo de subsídio ao salário é o *Earned Income Tax Credit* - EITC (Crédito de Imposto de Renda), um programa governamental que suplementa a renda dos trabalhadores que ganham baixos salários.

Embora essas políticas alternativas sejam, muitas vezes, melhores do que o controle dos preços, elas não são perfeitas. Aluguéis e salários subsidiados custam dinheiro para o governo e, portanto, exigem aumentos de impostos. Como veremos na próxima seção, a tributação tem seus próprios custos.

Teste rápido Defina preço máximo e preço mínimo e dê um exemplo de cada. Qual provoca escassez? Qual provoca excedente? Por quê?

6_2 IMPOSTOS

Todos os governos - desde o governo federal, em Washington, até governos municipais de pequenas cidades - usam impostos para levantar receita para projetos públicos, como estradas, escolas e defesa nacional. Uma vez que os impostos são um importante instrumento de política e afetam nossa vida de diversas maneiras, seu estudo é um tópico ao qual voltaremos diversas vezes neste livro. Nesta seção, começaremos a estudar como os impostos afetam a economia.

Para preparar o palco para nossa análise, imagine que um governo local decida realizar um festival anual de sorvete - com desfile, fogos de artifício e discurso das autoridades da cidade. Para levantar recursos para pagar o evento, decide cobrar um imposto de $ 0,50 sobre a venda de cada sorvete de casquinha. Quando o plano é anunciado, nossos dois grupos lobistas entram em ação. A Associação Nacional de Consumidores de Sorvete afirma que seus membros estão passando por dificuldades financeiras, de modo que quem deve pagar o imposto são os *vendedores*. Já a Organização Nacional dos Fabricantes de Sorvete diz que estes estão lutando para sobreviver em um mercado competitivo e argumentam que quem deve pagar o imposto são os *consumidores*. O prefeito da cidade, na esperança de chegar a um acordo, sugere que metade do imposto seja paga pelos compradores e metade, pelos vendedores.

Para analisar essas propostas, é preciso fazer uma pergunta simples, porém sutil: quando o governo institui um imposto sobre algum bem, quem realmente arca com o ônus desse imposto? Os compradores desse bem? Os vendedores desse bem? Ou, se compradores e vendedores dividem o ônus do imposto, o que determina como o ônus será dividido? O governo pode simplesmente decretar os termos da divisão, como sugere o prefeito, ou ela será determinada por forças fundamentais do mercado? A expressão **incidência tributária** se refere a como o ônus tributário é distribuído entre as várias pessoas que formam a economia. Como veremos, algumas lições surpreendentes sobre a incidência tributária podem ser aprendidas com a simples aplicação das ferramentas da oferta e demanda.

incidência tributária
a maneira como o ônus de um imposto é dividido entre os participantes de um mercado

6_2A Como os impostos cobrados dos vendedores afetam os resultados de mercado

Consideremos, inicialmente, um imposto que passa a ser cobrado dos vendedores de um bem. Suponhamos que o governo local aprove uma lei que exija que os vendedores de sorvetes de casquinha lhe repassem $ 0,50 por sorvete vendido. Como essa lei afetaria os compradores e vendedores de sorvete? Para responder, podemos seguir as três etapas do Capítulo 4 para análise da oferta e da demanda: (1) determinamos se a lei afeta a curva de oferta ou a curva de demanda, (2) verificamos em que direção a curva se desloca, e (3) examinamos como o deslocamento afeta o preço de equilíbrio e a quantidade.

Primeira etapa O impacto imediato do imposto é sobre os vendedores de sorvete. Como o imposto não é cobrado dos compradores, a quantidade demandada a qualquer preço dado é a mesma; assim, não há deslocamento na curva de demanda. Por outro lado, o imposto sobre os vendedores torna o negócio menos lucrativo a qualquer preço dado, então provoca deslocamento na curva de oferta.

Segunda etapa Como o imposto sobre os vendedores aumenta o custo de produzir e vender sorvetes de casquinha, ele reduz a quantidade ofertada em todos os preços. A curva de oferta se desloca para a esquerda (ou, de forma equivalente, para cima).

Além de determinarmos a direção na qual a curva de oferta se move, podemos também ser precisos no que diz respeito ao tamanho do deslocamento. Para qualquer preço de mercado, o preço efetivo para os vendedores - o valor que mantêm após pagarem o imposto - passa a ser $ 0,50 mais baixo. Por exemplo, se o preço de mercado de um sorvete de casquinha fosse $ 2,00, o preço efetivo recebido pelos vendedores seria de $ 1,50. Qualquer que seja o preço de mercado, os vendedores ofertarão uma quantidade de sorvete como se o preço fosse $ 0,50 mais baixo do que realmente é. Em outras palavras, para induzir os vendedores a ofertar qualquer quantidade dada, o preço de mercado, agora, precisa ser $ 0,50 mais alto para compensar os efeitos do imposto. Assim, como mostra a Figura 3, a curva de oferta se desloca *para cima*, de O_1 para O_2, em um valor exatamente igual ao do imposto ($ 0,50).

Terceira etapa Tendo determinado como a curva de oferta se desloca, podemos agora comparar o equilíbrio inicial com o novo equilíbrio. De acordo com a figura, o preço de equilíbrio aumenta de $ 3,00 para

Figura 3
Um imposto cobrado dos vendedores

Quando um imposto de $ 0,50 é cobrado dos vendedores, a curva de oferta desloca-se para cima em $ 0,50, de O_1 para O_2. A quantidade de equilíbrio cai de 100 para 90 sorvetes. O preço que os compradores pagam sobe de $ 3,00 para $ 3,30. O preço que os vendedores recebem (após pagarem o imposto) cai de $ 3,00 para $ 2,80. Embora seja cobrado dos vendedores, compradores e vendedores dividem o ônus do imposto.

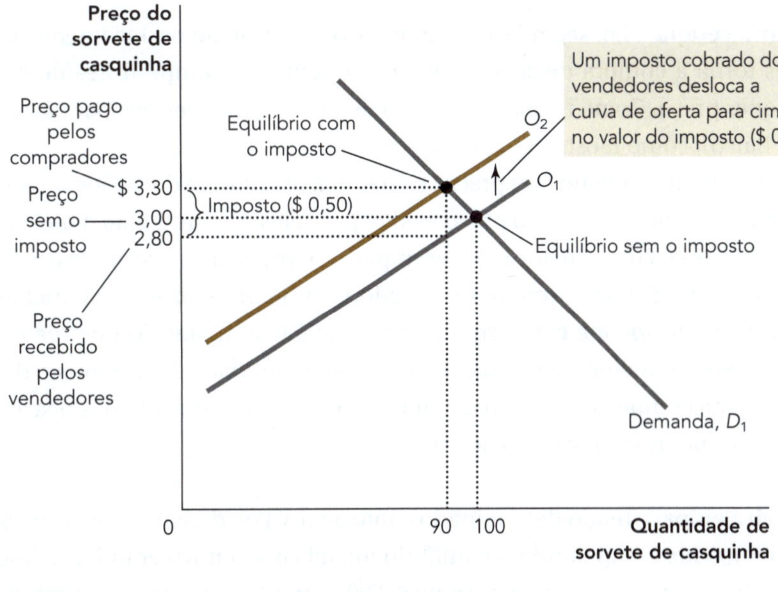

$ 3,30, e a quantidade de equilíbrio cai de 100 para 90 sorvetes. Como os vendedores vendem menos e os compradores compram menos no novo equilíbrio, o imposto reduz o tamanho do mercado de sorvete.

Implicações Podemos, agora, retornar à questão da incidência tributária: quem paga o imposto? Embora os vendedores repassem o imposto para o governo, compradores e vendedores dividem o ônus. Como o preço de mercado aumenta de $ 3,00 para $ 3,30 após a introdução do imposto, os compradores pagam $ 0,30 a mais por sorvete que compram. Assim, o imposto deixa os compradores em pior situação. Vendedores obtêm um preço mais alto ($ 3,30) dos compradores, mas o preço efetivo, após o pagamento do imposto, cai de $ 3,00, antes do imposto, para $ 2,80, com o imposto ($ 3,30 - $ 0,50 = $ 2,80). Assim, o imposto também prejudica os vendedores.

Em suma, a análise nos ensina duas coisas:

- Os impostos desencorajam a atividade do mercado. Quando um bem é tributado, a quantidade vendida desse bem é menor no novo equilíbrio.
- Compradores e vendedores dividem o ônus dos impostos. No novo equilíbrio, os compradores pagam mais pelo bem e os vendedores recebem menos por ele.

6_2B Como os impostos cobrados dos compradores afetam os resultados de mercado

Agora, consideremos um imposto cobrado dos compradores de um bem. Suponhamos que o governo local aprove uma lei que exija que os compradores de sorvete de casquinha repassem ao governo $ 0,50 para cada sorvete comprado. Quais serão os efeitos dessa lei? Novamente, aplicaremos as três etapas para saber a resposta.

Primeira etapa O impacto inicial do imposto recai sobre a demanda por sorvetes. A curva de oferta não é afetada porque, para cada preço dado, os vendedores têm o mesmo incentivo para ofertar sorvetes para o mercado. No entanto, os compradores agora devem pagar um imposto ao governo (assim como o preço para os vendedores) sempre que comprarem sorvete. Portanto, o imposto desloca a curva de demanda por sorvete.

Segunda etapa Em seguida, determinamos a direção do deslocamento. Como o imposto sobre os compradores torna a compra de sorvete menos atraente, os compradores demandam menor quantidade dele a qualquer preço. Como resultado, a curva de demanda se desloca para a esquerda (ou, de forma equivalente, para baixo), como mostra a Figura 4.

Novamente, podemos ser precisos quanto à magnitude do deslocamento. Por causa do imposto de $ 0,50 cobrado dos compradores, o preço efetivo para eles é agora $ 0,50 maior que o preço de mercado (qualquer que seja o preço de mercado). Por exemplo, se o preço de mercado fosse $ 2,00, o preço efetivo para os compradores seria $ 2,50. Como os compradores avaliam o custo total, incluindo o imposto, demandam uma quantidade de sorvete como se o preço fosse $ 0,50 maior do que realmente é. Em outras palavras, para induzir os compradores a demandar qualquer quantidade dada, o preço de mercado precisa agora ser $ 0,50 menor para compensar o efeito do imposto. Portanto, o imposto desloca a curva de demanda *para baixo*, de D_1 para D_2 no montante exato do imposto ($ 0,50).

Terceira etapa Tendo determinado como a curva de demanda se desloca, podemos agora observar o efeito do imposto, comparando o equilíbrio inicial com o novo equilíbrio. Você pode observar na figura que o preço de equilíbrio de sorvetes cai de $ 3,00 para $ 2,80 e que a quantidade de equilíbrio cai de 100 para 90

Figura 4
Um imposto cobrado dos compradores

Quando um imposto de $ 0,50 passa a ser cobrado dos compradores, a curva de demanda desloca-se para baixo em $ 0,50, de D_1 para D_2. A quantidade de equilíbrio cai de 100 para 90 sorvetes. O preço que os vendedores recebem cai de $ 3,00 para $ 2,80. O preço que os compradores pagam (incluído o imposto) aumenta de $ 3,00 para $ 3,30. Embora seja cobrado dos compradores, compradores e vendedores dividem o ônus do imposto.

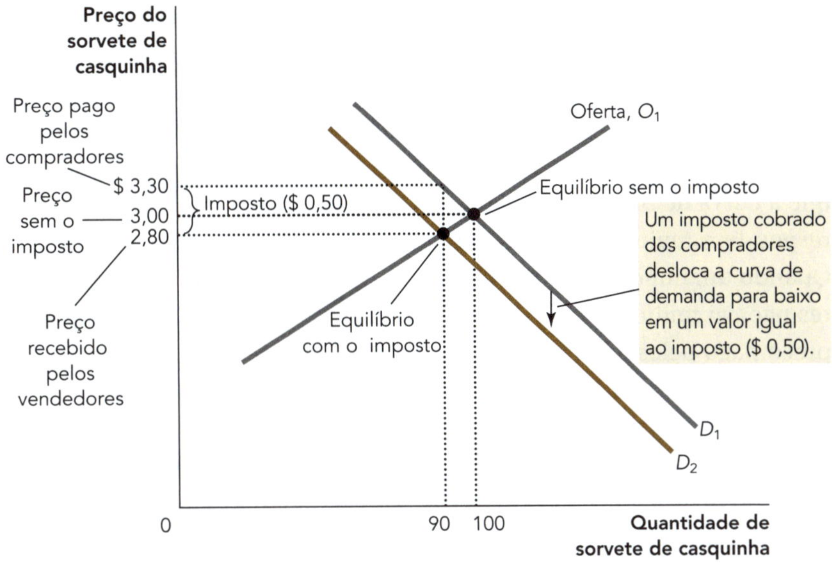

casquinhas. Novamente, o imposto sobre o sorvete reduz o tamanho do mercado. E, novamente, compradores e vendedores dividem o ônus do imposto. Os vendedores obtêm um preço menor pelo produto e os compradores pagam um preço menor para os vendedores em relação ao que pagavam anteriormente, mas o preço efetivo (incluindo o imposto que os compradores devem pagar) sobe de $ 3,00 para $ 3,30.

Implicações Se comparar as figuras 3 e 4, você chegará a uma conclusão surpreendente: *impostos cobrados de compradores e impostos cobrados de vendedores são equivalentes*. Nos dois casos, o imposto introduz uma cunha entre o preço que os compradores pagam e o que os vendedores recebem. A cunha entre o preço dos compradores e o preço dos vendedores é a mesma, independentemente de o imposto ser cobrado dos compradores ou dos vendedores. Em qualquer um dos casos, a cunha desloca a posição relativa das curvas de oferta e demanda. No novo equilíbrio, os compradores e os vendedores dividem o ônus do imposto. A única diferença entre o imposto cobrado dos vendedores e aquele cobrado dos compradores está em quem é responsável pelo recolhimento do imposto para o governo.

A equivalência entre esses dois impostos é fácil de entender quando imaginamos que o governo recolhe o imposto de $ 0,50 sobre o sorvete num cofrinho colocado no balcão de cada sorveteria. Quando o governo cobra o imposto dos vendedores, eles têm de colocar $ 0,50 no cofrinho cada vez que um sorvete é vendido. Quando o imposto é cobrado dos compradores, são eles que têm de colocar os $ 0,50 no cofrinho depois da compra de cada sorvete. Não faz nenhuma diferença se os $ 0,50 vão diretamente do bolso do comprador para o cofrinho ou se vão para lá indiretamente, saindo do bolso do comprador, indo para as mãos do vendedor e só então sendo colocados no cofrinho. Uma vez que o mercado atinja o novo equilíbrio, compradores e vendedores compartilharão o ônus, independentemente da forma como o imposto for cobrado.

6_2c Elasticidade e incidência tributária

Quando um bem é tributado, seus compradores e vendedores compartilham o ônus dos impostos. Mas como, exatamente, se dá essa divisão? Ela raramente é igualitária. Para ver como o ônus é dividido, considere o impacto da tributação sobre os dois mercados da Figura 5. Em ambos os casos, a figura mostra a curva de demanda inicial, a curva de oferta inicial e um imposto que introduz uma cunha entre o valor pago pelos compradores e o valor recebido pelos vendedores. (Não foram desenhadas em nenhum painel da figura as novas curvas de oferta e demanda. A curva que se desloca depende de o imposto ser cobrado dos compradores ou dos vendedores. Como vimos, isso é irrelevante no que diz respeito à incidência tributária.) A diferença entre os dois painéis está na elasticidade relativa da oferta e da demanda.

O painel (a) da Figura 5 mostra um imposto em um mercado com oferta altamente elástica e demanda relativamente inelástica. Ou seja, os vendedores reagem muito a mudanças no preço do bem (de modo que a curva de oferta tem inclinação relativamente pouco acentuada), ao passo que os compradores não respondem muito a mudanças de preço (de modo que a curva de demanda é relativamente íngreme). Quando um imposto incide sobre um mercado com essas elasticidades, o preço recebido pelos vendedores não cai muito, de modo que estes arcam apenas com uma pequena parte do ônus. Por outro lado, o preço pago pelos compradores sobe substancialmente, indicando que eles arcam com a maior parte do ônus do imposto.

O painel (b) da Figura 5 mostra um imposto em um mercado com oferta relativamente inelástica e demanda muito elástica. Nesse caso, os vendedores não respondem muito a mudanças de preço (de modo que a curva de oferta é mais íngreme), e os compradores respondem muito a mudanças de preço (de modo que a curva de demanda tem inclinação menos acentuada). A figura mostra que, quando um imposto é aprovado, o preço pago pelos compradores não sobe muito, enquanto o preço recebido pelos vendedores cai substancialmente, recaindo sobre os vendedores a maior parte do ônus do imposto.

Figura 5

Como o ônus de um imposto é dividido

No painel (a), a curva de oferta é elástica, e a de demanda inelástica. Nesse caso, o preço recebido pelos vendedores cai apenas um pouco, enquanto o preço pago pelos compradores aumenta substancialmente, recaindo sobre os compradores a maior parte do ônus tributário. No painel (b), a curva de oferta é inelástica, e a de demanda elástica. Nesse caso, o preço recebido pelos vendedores cai substancialmente, enquanto o preço pago pelos compradores só aumenta um pouco, recaindo sobre os vendedores a maior parte do ônus tributário.

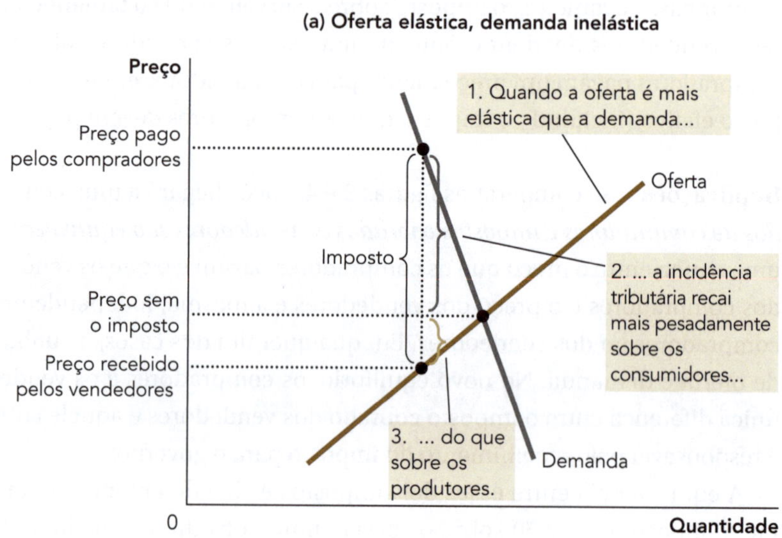

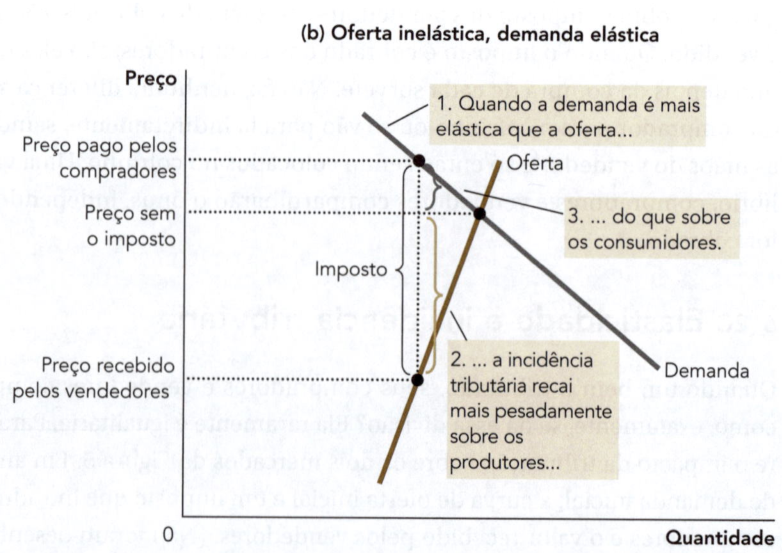

Os dois painéis da Figura 5 apresentam uma lição geral sobre a divisão do ônus de um imposto: *o ônus de um imposto recai mais pesadamente sobre o lado menos elástico do mercado*. Por que isso ocorre? Em essência, a elasticidade mede a disposição de compradores ou vendedores para sair do mercado quando as condições se tornam desfavoráveis. Uma elasticidade pequena da demanda significa que os compradores não têm boas alternativas ao consumo do bem em questão. Uma elasticidade pequena da oferta significa que os vendedores não têm boas alternativas à produção do bem em questão. Quando o bem é tributado, o lado com menos alternativas boas tem menor condição de deixar o mercado e precisa, portanto, arcar com uma parcela maior do ônus do imposto.

Como exemplo, podemos aplicar essa lógica ao imposto sobre a folha de pagamento que abordamos no estudo de caso. A maioria dos economistas, de economia do trabalho, acredita que a oferta de trabalho é muito menos elástica que a demanda, o que significa que trabalhadores - e não as empresas - arcam com a maior parte do ônus do imposto sobre a folha de pagamento. Em outras palavras, a distribuição do ônus tributário não fica tão perto da divisão meio a meio pretendida pelos legisladores.

Teste rápido Em um diagrama de oferta e demanda, demonstre como um imposto cobrado dos compradores de automóveis no montante de $ 1.000 por unidade comprada afeta a quantidade vendida e o preço dos automóveis. Em outro diagrama, mostre como um imposto cobrado dos vendedores de automóveis no montante de $ 1.000 por unidade afeta a quantidade vendida e o preço dos automóveis. Nos dois diagramas, indique a variação do preço pago pelos compradores de automóveis e a variação do preço recebido pelos vendedores.

6_3 CONCLUSÃO

A economia é governada por dois tipos de lei: as leis de oferta e demanda e aquelas decretadas pelos governos. Neste capítulo, começamos a ver como essas leis interagem. Os controles de preços e os impostos são comuns em vários mercados da economia, e seus efeitos costumam ser debatidos na imprensa e entre os formuladores de políticas. Até mesmo um pouco de conhecimento de economia pode representar muito para se entender e avaliar essas políticas.

Nos próximos capítulos, analisaremos mais detalhadamente muitas políticas governamentais. Examinaremos melhor os impactos da tributação e trataremos de um conjunto de políticas mais amplo do que o abordado até aqui. Mas as lições básicas deste capítulo se manterão: quando se analisam políticas governamentais, a oferta e a demanda são as principais e mais úteis ferramentas de análise.

Teste rápido do capítulo

1. Quando o governo impõe um preço mínimo obrigatório, isso faz com que:

a. A curva de oferta se desloque para a esquerda.
b. A curva de demanda se desloque para a direita.
c. Haja escassez daquele bem.
d. Haja um excedente daquele bem.

2. Em um mercado com um preço máximo fixado, um aumento desse preço vai ________ a quantidade ofertada, ________ a quantidade demandada e reduzir ________.

a. Aumentar, diminuir, o excedente do bem.
b. Diminuir, aumentar, o excedente do bem.
c. Aumentar, diminuir, a escassez do bem.
d. Diminuir, Aumentar, a escassez do bem.

3. Um imposto de $ 1 por unidade cobrado dos consumidores de um bem é equivalente a:

a. Um imposto de $ 1 por unidade cobrado dos produtores do bem.
b. Um subsídio de $ 1 por unidade pago aos produtores do bem.
c. Um valor mínimo que aumenta o preço do bem em $ 1 por unidade.
d. Um valor máximo que aumenta o preço do bem em $ 1 por unidade.

4. Qual das seguintes alternativas aumentaria a quantidade ofertada, diminuiria a quantidade demandada e aumentaria o preço pago pelos consumidores?

a. A imposição de um preço mínimo obrigatório.
b. A remoção de um preço mínimo obrigatório.
c. A aprovação de um imposto cobrado dos produtores.
d. A revogação de um imposto cobrado dos produtores.

5. Qual das seguintes alternativas aumentaria a quantidade ofertada, aumentaria a quantidade demandada e diminuiria o preço pago pelos consumidores?

a. A imposição de um preço mínimo obrigatório.
b. A remoção de um preço mínimo obrigatório.
c. A aprovação de um imposto cobrado dos produtores.
d. A revogação de um imposto cobrado dos produtores.

6. Quando um bem é tributado, o ônus do imposto recai principalmente sobre os consumidores se:

a. O imposto for cobrado dos consumidores.
b. O imposto for cobrado dos produtores.
c. A oferta for inelástica e a demanda elástica.
d. A oferta for elástica e a demanda inelástica.

RESUMO

- Preço máximo é um valor máximo legal para o preço de um bem ou serviço. Um exemplo de preço máximo é o controle dos aluguéis: se o preço máximo for inferior ao preço de equilíbrio, o preço máximo será obrigatório e a quantidade demandada excederá a quantidade ofertada. Por causa da escassez resultante, os vendedores precisam racionar de alguma forma o bem ou serviço entre os compradores.
- Preço mínimo é um valor mínimo legal para o preço de um bem ou serviço. Um exemplo de preço mínimo é o salário-mínimo: se o preço mínimo for superior ao preço de equilíbrio, o preço mínimo será obrigatório e a quantidade ofertada excederá a quantidade demandada. Por causa do excedente resultante, a demanda dos compradores pelo bem ou serviço precisa ser racionada de alguma forma entre os vendedores.
- Quando o governo estabelece um imposto sobre um bem, a quantidade de equilíbrio do bem cai. Ou seja, um imposto sobre um mercado reduz o tamanho do mercado.
- Um imposto sobre um bem insere uma cunha entre o preço pago pelos compradores e o preço recebido pelos vendedores. Quando o mercado se move para um novo equilíbrio, os compradores pagam mais pelo bem e os vendedores recebem menos por ele. Nesse sentido, compradores e vendedores compartilham o ônus do imposto. A incidência tributária (ou seja, a divisão do ônus) independe de o imposto ser cobrado dos compradores ou dos vendedores.
- A incidência de um imposto depende das elasticidades-preço da oferta e da demanda. A maior parte do ônus tende a recair sobre o lado do mercado que é menos elástico, porque este não pode responder tão facilmente ao imposto mudando a quantidade comprada ou vendida.

CONCEITOS-CHAVE

preço máximo, p. 95 | preço mínimo, p. 95 | incidência tributária, p. 98

QUESTÕES PARA REVISÃO

1. Dê um exemplo de preço máximo e outro de preço mínimo.
2. O que causa uma escassez de demanda de um bem: um preço máximo ou um preço mínimo? Justifique sua resposta com um gráfico.
3. Que mecanismos alocam recursos quando não se autoriza que o preço de um bem traga a oferta e a demanda para o equilíbrio?
4. Explique por que os economistas costumam se opor a controles de preços?
5. Suponha que o governo retire um imposto sobre compradores de um bem e o transfira para os vendedores desse bem. De que maneira essa mudança na política tributária afeta o preço que os compradores pagam aos vendedores pelo bem, a quantia que os compradores efetivamente desembolsam, incluindo os impostos pagos, o valor líquido que os vendedores recebem e quantidade do bem vendido?

6. Como um imposto sobre um bem afeta o preço pago pelos compradores, o preço recebido pelos vendedores e a quantidade vendida?

7. O que determina a maneira como o ônus tributário se divide entre compradores e vendedores? Por quê?

PROBLEMAS E APLICAÇÕES

1. Os fãs de música clássica convenceram o Congresso a impor um preço máximo de $ 40 por ingresso de concerto. Como resultado dessa política, mais ou menos pessoas passaram a frequentar concertos de música clássica? Explique.

2. O governo decidiu que o preço de mercado do queijo está baixo demais.
   a. Suponha que o governo imponha um preço mínimo obrigatório para o mercado de queijo. Use um diagrama de oferta e demanda para demonstrar o efeito dessa política sobre o preço do queijo e a quantidade de queijo vendida. Há uma escassez ou um excedente de queijo?
   b. Os produtores reclamam de que o preço mínimo reduziu sua receita total. Isso é possível? Explique.
   c. Em resposta às reclamações dos produtores, o governo concorda em comprar todo o excedente de queijo ao preço mínimo. Quem se beneficia dessa política, se comparada à do preço mínimo? Quem sai perdendo?

3. Um estudo recente mostra os cronogramas de oferta e demanda de *frisbees* (discos de arremesso), como segue:

Preço por unidade	Quantidade demandada	Quantidade ofertada
$ 11	1 milhão de *frisbees*	15 milhões de *frisbees*
10	2	12
9	4	9
8	6	6
7	8	3
6	10	1

   a. Qual é o preço de equilíbrio e a quantidade de *frisbees*?
   b. Os fabricantes convencem o governo de que a produção de *frisbee* aumenta o entendimento dos cientistas sobre a aerodinâmica e, portanto, é importante para a segurança nacional. O Congresso, preocupado, vota a favor da imposição de um preço mínimo de $ 2 acima do preço de equilíbrio. Qual será o novo preço de mercado? Quantos *frisbees* serão vendidos?
   c. Indignados, estudantes universitários fazem um protesto em Washington e exigem a redução no preço do *frisbee*. O Congresso, ainda mais preocupado, vota a favor da eliminação do preço mínimo e estabelece um preço máximo de $ 1 abaixo do antigo preço mínimo. Qual será o novo preço de mercado? Quantos *frisbees* serão vendidos?

4. Suponha que o governo federal exija que os consumidores de cerveja paguem um imposto de $ 2 sobre cada caixa de cerveja comprada. (Na verdade, tanto o governo federal quanto o estadual impõem taxas sobre a cerveja, de alguma forma.)
   a. Faça um diagrama de oferta e demanda do mercado da cerveja sem esse imposto. Mostre o preço pago pelos consumidores, o preço recebido pelos produtores e a quantidade de cerveja vendida. Qual é a diferença entre o preço pago pelos consumidores e o preço recebido pelos produtores?
   b. Faça um diagrama de oferta e demanda para o mercado de cerveja com o imposto. Mostre o preço pago pelos consumidores, o preço recebido pelos produtores e a quantidade de cerveja vendida. Qual é a diferença entre o valor pago pelos consumidores e o recebido pelos produtores? A quantidade de cerveja vendida aumentou ou diminuiu?

5. Um senador quer aumentar a receita tributária e deixar os trabalhadores em melhor situação. Um membro de sua equipe propõe aumentar o imposto sobre a folha de pagamento pago pelas empresas e usar parte da arrecadação adicional para reduzir o imposto sobre a folha de pagamento pago pelos trabalhadores. Isso realizaria os objetivos do senador? Explique.

6. Se o governo cobrar um imposto de $ 500 sobre os carros de luxo, o preço pago pelos consumidores aumentará mais do que $ 500, menos do que $ 500 ou exatamente $ 500? Explique.

7. O Congresso e o presidente decidem que o país deve diminuir a poluição do ar, reduzindo o consumo de gasolina. Decidem aplicar um imposto de $ 0,50 por litro de gasolina vendido.
   a. Eles devem cobrar esse imposto dos produtores ou dos consumidores? Explique cuidadosamente com um gráfico de oferta e demanda.
   b. Se a demanda por gasolina fosse mais elástica, esse imposto seria mais eficaz ou menos eficaz na redução da quantidade de gasolina consumida? Explique com palavras e um diagrama.
   c. Os consumidores de gasolina são beneficiados ou prejudicados pelo imposto? Por quê?
   d. Os trabalhadores da indústria de petróleo são beneficiados ou prejudicados pelo imposto? Por quê?

8. Considere a lei do salário-mínimo.[2]
   a. Suponha que o salário-mínimo esteja acima do salário de equilíbrio de mercado para trabalhadores não qualificados. Usando um gráfico de oferta e demanda, indique o salário de mercado, o número de trabalhadores que estão empregados e o número de trabalhadores que estão desempregados. Indique, ainda, o pagamento total de salários aos trabalhadores não qualificados.
   b. Agora, suponha que o ministro do Trabalho proponha um aumento do salário-mínimo. Que efeito esse aumento teria sobre o emprego? A mudança no nível de emprego depende da elasticidade da demanda, da elasticidade da oferta, das duas elasticidades ou de nenhuma delas?
   c. Que efeito esse aumento do salário-mínimo teria sobre o desemprego? A mudança no nível de desemprego depende da elasticidade da demanda, da elasticidade da oferta, das duas elasticidades ou de nenhuma delas?
   d. Se a demanda por mão de obra não qualificada fosse inelástica, o aumento proposto do salário-mínimo aumentaria ou diminuiria o pagamento total de salários aos trabalhadores não qualificados? Sua resposta seria diferente se a demanda por mão de obra não qualificada fosse elástica?

9. O estádio de Fenway Park, sede do time de beisebol Boston Red Sox, tem capacidade para 38 mil torcedores; portanto, o número de ingressos é fixado nessa quantidade. Ao perceber uma oportunidade de ouro para aumentar a receita pública, a cidade de Boston determina um imposto de $ 5 por ingresso, a ser pago pelo comprador. Os fãs, conhecidos por seu sentimento cívico, pagam religiosamente os $ 5 de imposto por ingresso. Trace um gráfico demonstrando o impacto desse imposto. Quem arca com o ônus: os proprietários do time, os fãs ou ambos? Por quê?

10. Um mercado é descrito pelas seguintes curvas de oferta e demanda:

$$Q^O = 2P$$
$$Q^D = 300 - P$$

   a. Calcule o preço e a quantidade de equilíbrio.
   b. Se o governo impuser um preço máximo de $ 90, decorrerá uma situação de escassez, de excedente de mercado ou nenhuma delas? Determine o preço, a quantidade ofertada, a quantidade demandada e o tamanho do excesso de demanda ou de oferta.
   c. Se o governo impuser um preço mínimo de $ 90, decorrerá uma situação de escassez, excedente de mercado ou nenhuma delas? Determine o preço, a quantidade ofertada, a quantidade demandada e o tamanho do excesso de demanda ou de oferta.

2. Vista no estudo de caso "O Congresso pode distribuir o ônus de um imposto disposto sobre a folha de pagamento?" disponível no material de apoio on-line. Veja o Prefácio para mais detalhes de como acessar. (NRT)

d. Em vez de um controle de preços, o governo cria um imposto de $ 30 sobre os produtores. Como resultado, a nova curva de oferta é:

$$Q^O = 2(P - 30)$$

Haverá o aparecimento de um excesso de demanda, de um excesso de oferta ou nenhum deles? Determine o preço, a quantidade ofertada, a quantidade demandada e o tamanho do excesso de demanda ou de oferta.

Parte III

Mercados e bem-estar

CAPÍTULO 7

Consumidores, produtores e eficiência dos mercados

Quando os consumidores vão ao supermercado comprar peru para o dia de Ação de Graças, podem ficar desapontados ao constatar que os preços dessa ave estão excessivamente altos. Ao mesmo tempo, os produtores que levam ao mercado os perus que criaram gostariam que os preços estivessem ainda mais altos. Essas descobertas não são surpreendentes: os compradores sempre querem pagar menos e os vendedores sempre querem receber mais. Mas existe um "preço certo" para o peru do ponto de vista da sociedade como um todo?

Nos capítulos anteriores, vimos como, nas economias de mercado, as forças de oferta e demanda determinam o preço e a quantidade vendida dos bens e serviços. Até aqui, contudo, descrevemos a maneira como a sociedade aloca os recursos escassos sem abordar diretamente a questão sobre essa alocação ser desejável. Em outras palavras, nossa análise foi *positiva* (aquilo que é), e não *normativa* (aquilo que deveria ser). Sabemos que o preço do peru se ajusta para garantir que a quantidade ofertada seja igual à quantidade demandada. Mas, nesse equilíbrio, a quantidade produzida e consumida é pequena demais, grande demais ou exata?

economia do bem-estar
o estudo de como a alocação de recursos afeta o bem-estar econômico

Neste capítulo, abordaremos o tópico da **economia do bem-estar**, o estudo de como a alocação de recursos afeta o bem-estar econômico. Começaremos examinando os benefícios que compradores e vendedores recebem por participar do mercado. Vamos também examinar como a sociedade pode fazer com que esses benefícios sejam os maiores possíveis. Essa análise leva a uma conclusão profunda: o equilíbrio de oferta e demanda em um mercado maximiza os benefícios totais recebidos por compradores e vendedores.

Como você deve se lembrar do Capítulo 1, um dos *Dez princípios de economia* é que os mercados costumam ser uma boa maneira de organizar a atividade econômica. O estudo da economia do bem-estar explica mais detalhadamente esse princípio e também responde à nossa pergunta sobre o preço certo do peru: o preço que equilibra a oferta e a demanda de peru é, em um sentido particular, o melhor, na medida em que maximiza o bem-estar total dos consumidores e dos produtores de peru. Nenhum consumidor ou produtor pretende alcançar esse objetivo, mas a ação conjunta direcionada pelos preços do mercado provoca um resultado que maximiza o bem-estar, como se fosse dirigido por uma mão invisível.

7_1 EXCEDENTE DO CONSUMIDOR

Começaremos nosso estudo da economia do bem-estar pelos benefícios que os compradores recebem por sua participação no mercado.

7_1A Disposição para pagar

disposição para pagar
a quantia máxima que um comprador pagará por um bem

excedente do consumidor
a quantia que um comprador está disposto a pagar por um bem menos a quantia que realmente paga por ele

Suponha que você tenha uma gravação em perfeito estado do primeiro álbum de Elvis Presley. Como você não é fã dele, decide vender o álbum. Uma maneira de fazer isso é realizar um leilão.

Quatro fãs de Elvis Presley comparecem ao leilão: Taylor, Carrie, Rihanna e Gaga. Cada uma delas gostaria de ser a dona do álbum, mas há um limite em relação a quanto cada uma está disposta a pagar. A Tabela 1 mostra o preço máximo que cada um dos quatro possíveis compradores pagaria. O máximo de cada comprador é chamado **disposição para pagar** e mede quanto aquele comprador valoriza o produto. Cada comprador adoraria comprar o álbum por um preço menor do que sua disposição para pagar e se recusaria a pagar um preço maior do que sua disposição para pagar. Se o preço fosse igual à sua disposição para pagar, o comprador ficaria indiferente a respeito da compra do produto: se o preço fosse exatamente o mesmo do valor que atribui ao álbum, ele ficaria igualmente feliz comprando-o ou ficando com o dinheiro.

Para vender seu álbum, digamos que você comece o leilão com um preço baixo, de $ 10, por exemplo. Como os quatro compradores estão dispostos a pagar muito mais do que isso, o preço sobe rapidamente. Os lances terminam quando Taylor oferece $ 80 (ou um pouco mais). Nesse ponto, Carrie, Rihanna e Gaga se retiram do leilão, porque não estão dispostas a pagar mais do que $ 80. Taylor paga $ 80 e leva o álbum. Observe que o álbum foi para o comprador que atribuiu maior valor a ele.

Que benefício Taylor obtém com a compra do álbum de Elvis Presley? De certa forma, para Taylor é uma pechincha: ela está disposta a pagar $ 100 pelo álbum, mas acaba pagando apenas $ 80. Dizemos que Taylor recebe um *excedente do consumidor* de $ 20. **Excedente do consumidor** é a quantia que um comprador está disposto a pagar por um bem menos a quantia que realmente paga por ele

O excedente do consumidor mede o benefício que os compradores obtêm por sua participação no mercado. Nesse exemplo, Taylor recebe um benefício de $ 20 por ter participado do leilão, porque pagou $ 80 por um bem que, para ela, vale $ 100. Carrie, Rihanna e Gaga não obtêm nenhum excedente do consumidor por sua participação no leilão porque foram embora sem o álbum e sem pagar nada.

Agora, imaginemos um exemplo um pouco diferente. Suponhamos que você tivesse dois álbuns idênticos de Elvis Presley para vender. Mais uma vez, você os leiloa entre os quatro possíveis compradores. Para simplificarmos as coisas, vamos presumir que os dois álbuns devam ser vendidos pelo mesmo preço e que nenhum dos compradores esteja interessado em adquirir mais do que um álbum. Com isso, o preço sobe até que só restem dois compradores.

Nesse caso, os lances param quando Taylor e Carrie oferecem $ 70 (ou pouco mais). A esse preço, elas se satisfazem com a compra do álbum, e Rihanna e Gaga não estão dispostas a dar nenhum lance mais alto. Taylor e Carrie obtêm um excedente do consumidor igual à sua disposição para pagar menos o preço pago. O excedente do consumidor de Taylor é de $ 30, e o de Carrie, de $ 10. O excedente do consumidor de Taylor é maior do que no exemplo anterior porque o álbum que ela obtém é o mesmo, mas o preço que ela paga é menor. O excedente do consumidor total no mercado é de $ 40.

Tabela 1
A disposição para pagar de quatro possíveis compradores

Comprador	Disposição para pagar
Taylor	$ 100
Carrie	80
Rihanna	70
Gaga	50

7_1B Usando a curva de demanda para medir o excedente do consumidor

O excedente do consumidor está estreitamente associado à curva de demanda de um produto. Para vermos como isso ocorre, vamos continuar com nosso exemplo e considerar a curva de demanda do álbum de Elvis Presley.

Comecemos pela disposição para pagar dos quatro possíveis compradores, para identificar a relação de demanda do álbum. A tabela da Figura 1 mostra a escala da demanda que corresponde à Tabela 1. Se o preço estiver acima de $ 100, a quantidade demandada do mercado será 0, porque nenhum comprador estará disposto a pagar um preço tão elevado. Se o preço estiver entre $ 80 e $ 100, a quantidade demandada será 1, porque só Taylor estará disposta a pagar um preço tão alto. Se o preço estiver entre $ 70 e $ 80, a quantidade demandada será 2, já que tanto Taylor quanto Carrie estarão dispostas a pagar o preço. Podemos aplicar a mesma análise aos demais preços. Com isso, a escala de demanda é derivada da disposição para pagar dos quatro possíveis compradores.

O gráfico da Figura 1 mostra a curva de demanda correspondente a essa escala de demanda. Observe a relação entre a altura da curva de demanda e a disposição para pagar dos compradores. Para qualquer quantidade, o preço dado pela curva de demanda indica a disposição para pagar do *comprador marginal*, aquele comprador que seria o primeiro a deixar o mercado se o preço fosse um pouco mais alto. Quando a quantidade é de 4 álbuns, por exemplo, a curva de demanda tem a altura de $ 50, o preço que Gaga (o comprador marginal) está disposta a pagar por um álbum. Para a quantidade de 3 álbuns, a curva de demanda tem a altura de $ 70, o preço que Rihanna (que passa a ser o comprador marginal) está disposta a pagar.

Como a curva de demanda reflete a disposição para pagar dos compradores, pode ser usada para medir o excedente do consumidor. A Figura 2 usa a curva de demanda para calcular o excedente do consumidor de nossos dois exemplos. No painel (a), o preço é $ 80 (ou pouco mais) e a quantidade demandada é 1. Observe que a área acima do preço e abaixo da curva de demanda é igual a $ 20. Esse valor é exatamente o excedente do consumidor que calculamos anteriormente com apenas 1 álbum vendido.

O painel (b) da Figura 2 mostra o excedente do consumidor quando o preço é $ 70 (ou pouco mais). Nesse caso, a área acima do preço e abaixo da curva de demanda é igual à área de dois retângulos: o excedente de consumidor de Taylor nesse preço é $ 30, e o de Carrie, $ 10. Isso é igual a uma área de $ 40. Novamente, esse valor é igual ao excedente de consumidor que calculamos anteriormente.

Figura 1

Escala de demanda e curva de demanda

A tabela mostra a escala de demanda para os compradores (listados na Tabela 1) da cópia em perfeito estado do primeiro álbum de Elvis Presley. O gráfico mostra a curva de demanda correspondente. Observe que a altura da curva de demanda reflete a disposição dos compradores para pagar.

Preço	Compradores	Quantidade demandada
Mais de $ 100	Nenhum	0
$ 80 a $ 100	Taylor	1
$ 70 a $ 80	Taylor, Carrie	2
$ 50 a $ 70	Taylor, Carrie, Rihanna	3
$ 50 ou menos	Taylor, Carrie, Rihanna, Gaga	4

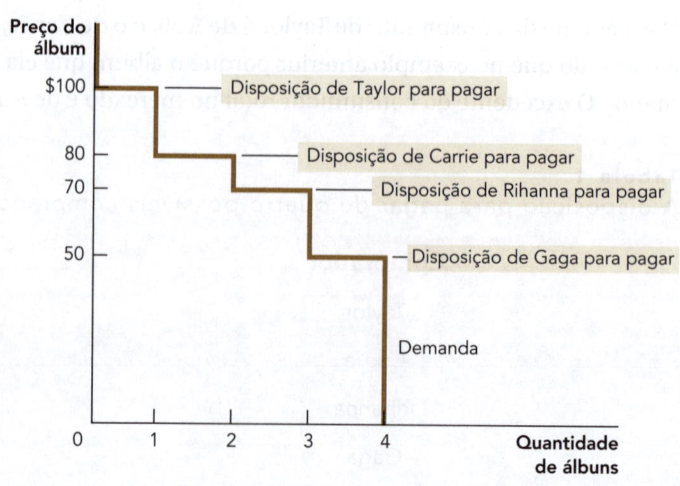

Figura 2

Medindo o excedente do consumidor com a curva de demanda

No painel (a), o preço do bem é $ 80 e o excedente do consumidor é $ 20. No painel (b), o preço do bem é $ 70 e o excedente do consumidor é $ 40.

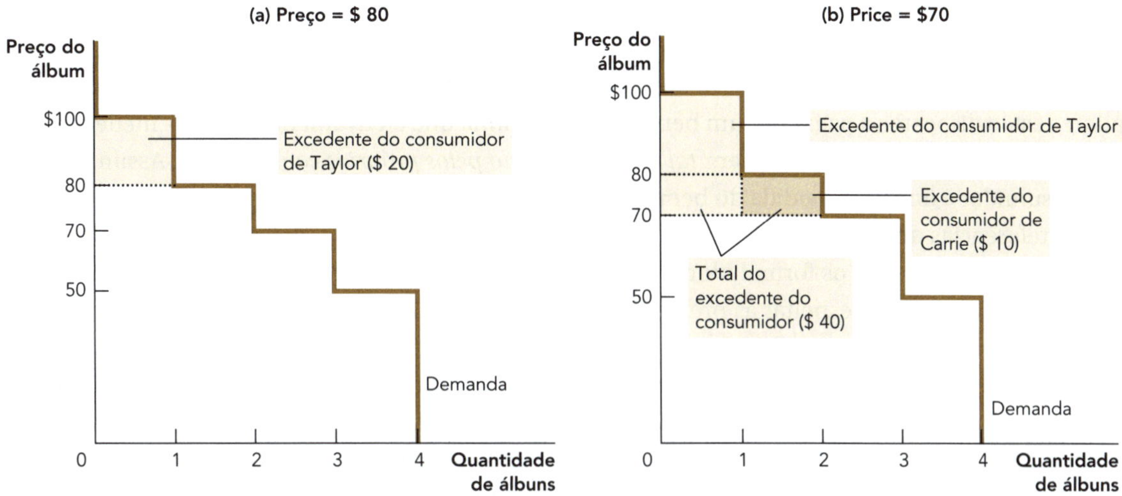

A lição que aprendemos com esse exemplo é válida para todas as curvas de demanda: *a área abaixo da curva de demanda e acima do preço mede o excedente do consumidor em um mercado.* Isso acontece porque a altura da curva de demanda mede o valor que os compradores atribuem ao bem, como medida de sua disposição para pagar. A diferença entre essa disposição para pagar e o preço de mercado é o excedente do consumidor de cada comprador. Assim, a área total abaixo da curva de demanda e acima do preço é a soma dos excedentes do consumidor de todos os compradores no mercado de um bem ou serviço.

7_1C Como um preço baixo eleva o excedente do consumidor

Uma vez que os compradores sempre querem pagar menos pelos bens que compram, um preço menor faz os compradores de um bem ficarem em uma situação melhor. Mas em quanto o bem-estar dos compradores se eleva em resposta a um preço menor? Podemos usar o conceito de excedente do consumidor para responder a essa pergunta de maneira precisa.

A Figura 3 mostra uma típica curva de demanda. Como se pode perceber, essa curva se inclina gradualmente para baixo, em vez de seguir em etapas discretas, como nas duas figuras anteriores. Em um mercado com muitos compradores, as etapas resultantes de cada comprador são tão pequenas que formam, essencialmente, uma curva suave. Embora essa curva tenha um formato diferente, as ideias que acabamos de ver ainda se aplicam: o excedente do consumidor é a área abaixo da curva de demanda e acima do preço. No painel (a), o excedente do consumidor ao preço P_1 é a área do triângulo ABC.

Suponhamos agora que o preço caia de P_1 para P_2, como mostra o painel (b). O excedente do consumidor, então, seria igual à área ADF. O aumento do excedente do consumidor atribuído ao menor preço é a área BCDF.

Esse aumento do excedente do consumidor tem dois componentes. Primeiro, os compradores que já compravam Q_1 do bem ao preço mais elevado P_1 estão em melhor situação porque pagam menos. O aumento do excedente do consumidor dos compradores já existentes é a redução da quantia paga por eles e que é igual à área do retângulo BCED. Segundo, alguns novos compradores entram no mercado porque, agora, estão dispostos a comprar o bem pelo preço menor. Com isso, a quantidade demandada no mercado aumenta de Q_1 para Q_2. O excedente do consumidor desses recém-chegados ao mercado é a área do triângulo CEF.

7_1D O que mede o excedente do consumidor?

Ao desenvolver o conceito de excedente do consumidor, nosso objetivo é fazer julgamentos normativos sobre a necessidade dos resultados de mercado. Agora que você já sabe o que é excedente do consumidor, vamos ver se ele é uma boa medida do bem-estar econômico.

Imagine que você é um formulador de políticas que quer projetar um bom sistema econômico. Você se importaria com a quantia de excedente do consumidor? O excedente do consumidor - a quantia que os compradores estão dispostos a pagar por um bem menos a quantia que efetivamente pagam - mede o benefício que os compradores obtêm de um bem *tal como percebido pelos próprios compradores.* Assim, o excedente do consumidor é uma boa medida do bem-estar econômico se os formuladores de políticas quiserem respeitar as preferências dos compradores.

Em algumas circunstâncias, os formuladores de políticas podem optar por não se importar com o excedente do consumidor por não respeitar as preferências que guiam o comportamento dos compradores. Por exemplo, os viciados em droga estão dispostos a pagar um preço elevado por heroína, mas não diríamos que eles obtêm um benefício maior por serem capazes de comprar heroína a um preço baixo (embora os próprios viciados possam pensar que sim). Do ponto de vista da sociedade, a disposição para pagar, nesse caso, não é uma boa medida do benefício para os compradores, e o excedente do consumidor não é uma boa medida do bem-estar econômico, porque os viciados não têm o próprio bem-estar em mente.

Na maioria dos mercados, contudo, o excedente do consumidor, efetivamente, reflete o bem-estar econômico. Os economistas costumam partir da hipótese de que os compradores são racionais ao tomar decisões e de que suas preferências devem ser respeitadas. Essas pessoas fazem o possível para alcançar seus objetivos, dependendo da oportunidade. Os economistas também supõem que suas preferências devam ser respeitadas. Nesse caso, os consumidores são os melhores juízes de quanto benefício obtêm dos bens que compram.

Teste rápido Represente graficamente uma curva de demanda de peru. Em seu diagrama, indique um preço do peru e o excedente do consumidor resultante desse preço. Explique com suas próprias palavras o que esse excedente do consumidor mede.

Figura 3
Como o preço afeta o excedente do consumidor

No painel (a), o preço é P_1, a quantidade demandada é Q_1 e o excedente do consumidor é igual à área do triângulo ABC. Quando o preço cai de P_1 para P_2, como mostra o painel (b), a quantidade demandada aumenta de Q_1 para Q_2, e o excedente do consumidor aumenta para a área do triângulo ADF. O aumento no excedente do consumidor (área BCFD) ocorre, em parte, porque os consumidores já existentes agora pagam menos (área BCED) e, em parte, porque os novos consumidores entram no mercado ao preço mais baixo (área CEF).

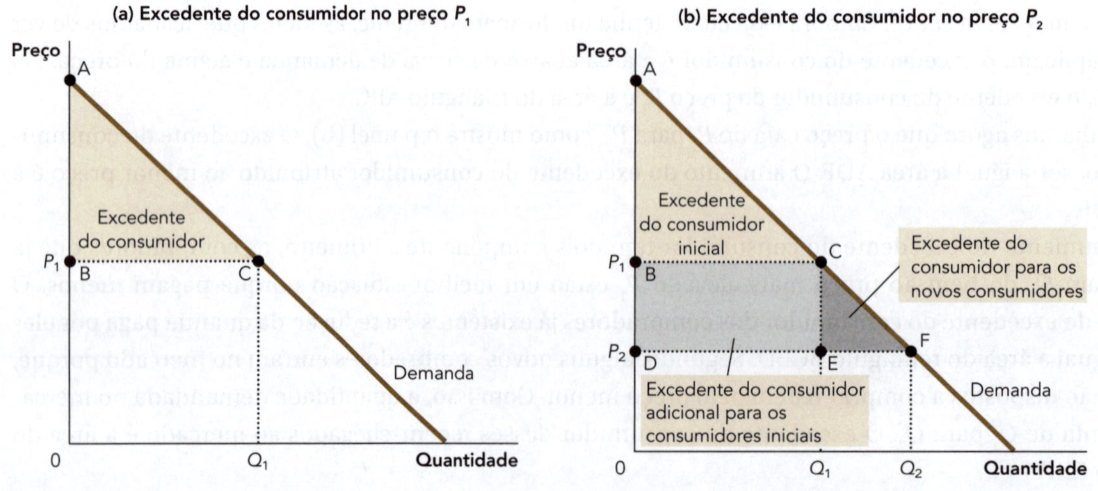

7_2 EXCEDENTE DO PRODUTOR

Vamos nos voltar agora para o outro lado do mercado e tratar dos benefícios que os vendedores obtêm de sua participação no mercado. Como veremos, nossa análise do bem-estar dos vendedores é semelhante à análise que fizemos do bem-estar dos compradores.

7_2A Custo e disposição para vender

custo
o valor de tudo aquilo de que um vendedor precisa abrir mão para produzir um bem

excedente do produtor
a quantia que um vendedor recebe por um bem menos o seu custo de produção

Imagine que você é proprietário de uma casa e quer pintá-la. Você consulta quatro vendedores de serviços de pintura: Vincent, Claude, Pablo e Andy. Cada pintor está disposto a realizar o serviço, desde que o preço seja justo. Você decide pedir um orçamento dos quatro pintores e oferecer o serviço àquele que fará o trabalho pelo menor preço.

Cada pintor está disposto a realizar o serviço se o preço a ser recebido for superior ao custo de fazer o trabalho. Aqui, o termo **custo** deve ser interpretado como o custo de oportunidade dos pintores: inclui as despesas que o pintor terá (tinta, pincéis etc.) e o valor que atribui ao seu próprio tempo. A Tabela 2 mostra o custo de cada um deles. Como o custo de um pintor é o preço mínimo pelo qual ele aceitaria trabalhar, o custo é uma medida da sua disposição para vender seus serviços. Cada pintor desejaria muito vender seus serviços a um preço superior ao custo, se recusaria a vender seus serviços a um preço inferior ao custo e seria indiferente se a venda de seus serviços se desse a um preço igual ao seu custo. A um preço exatamente igual ao custo, ele ficaria indiferente à venda de seus serviços; isto é, ficaria igualmente feliz tanto em obter o serviço quanto em usar seu tempo e energia para outra finalidade.

Quando você pede um orçamento aos pintores, o preço pode começar elevado, mas cai rapidamente, porque eles competem entre si pelo serviço. Uma vez que Andy tenha proposto $ 600 (ou pouco menos), ele é o único competidor restante. E fica feliz em prestar o serviço por esse preço, porque seu custo é de apenas $ 500. Vincent, Claude e Pablo não têm interesse em pintar sua casa por menos de $ 600. Observe que o serviço vai para o pintor que é capaz de trabalhar ao menor custo.

Que benefício Andy recebe pela realização do serviço? Como ele está disposto a fazer o trabalho por $ 500, mas você lhe paga $ 600, dizemos que ele recebe um *excedente do produtor* de $ 100. **Excedente do produtor** é o montante que um vendedor recebe menos o seu custo da produção. O excedente do produtor mede o benefício que os vendedores recebem por sua participação em um mercado.

Tabela 2
Os custos de quatro possíveis vendedores

Vendedores	Custo
Vincent	$ 900
Claude	800
Pablo	600
Andy	500

Agora, imaginemos um exemplo um pouco diferente. Suponhamos que você tenha duas casas que precisem ser pintadas. Mais uma vez, você leiloa o serviço entre os quatro pintores. Para simplificar, vamos imaginar que nenhum deles possa pintar as duas casas e que você pague a mesma quantia pela pintura de cada casa. Com isso, o preço cai até que restem apenas dois pintores.

Nesse caso, as propostas param quando Andy e Pablo se oferecem para prestar o serviço por $ 800 (ou pouco menos). A esse preço, os dois estão dispostos a trabalhar, enquanto Vincent e Claude não desejam aceitar um preço mais baixo. A $ 800, Andy e Pablo recebem excedentes do produtor de $ 300 e $ 200, respectivamente. O excedente do produtor total do mercado é $ 500.

7_2B Uso da curva de oferta para medir o excedente do produtor

Assim como o excedente do consumidor está estreitamente associado à curva de demanda, o excedente do produtor está estreitamente associado à curva de oferta. Para entender isso, continuemos com o nosso exemplo.

Começaremos usando os custos dos quatro pintores para identificar a escala de oferta dos serviços de pintura. A tabela da Figura 4 mostra a escala de oferta que corresponde aos custos na Tabela 2. Se o preço estiver abaixo de $ 500, nenhum dos quatro pintores estará disposto a prestar o serviço, de modo que a quantidade fornecida será zero. Se o preço estiver entre $ 500 e $ 600, só Andy estará disposto a prestar o serviço, de modo que a quantidade ofertada será 1. Se o preço está entre $ 600 e $ 800, Andy e Pablo estarão dispostos a prestar o serviço, de modo que a quantidade ofertada será 2, e assim por diante. Com isso, a escala de oferta é derivada dos custos dos quatro pintores.

O gráfico da Figura 4 mostra a curva de oferta correspondente a essa escala de oferta. Observe que a altura da curva de oferta está relacionada aos custos dos vendedores. Para qualquer quantidade, o preço dado pela curva representa o custo do *vendedor marginal*, aquele que seria o primeiro a deixar o mercado se o preço fosse menor. Para a quantidade de 4 casas, por exemplo, a curva de oferta tem altura de $ 900, o custo de Vincent (o vendedor marginal) para prestar seus serviços de pintura. Para a quantidade de 3 casas, a curva de oferta tem altura de $ 800, o custo pelo qual Claude (que agora é o vendedor marginal) incorre.

Como a curva de oferta reflete os custos dos vendedores, ela pode ser usada para medir o excedente do produtor. A Figura 5 usa a curva de oferta para calcular o excedente do produtor em nossos dois exemplos. No painel (a), consideramos que o preço é $ 600. Nesse caso, a quantidade fornecida é de 1. Observe que a área abaixo do preço e acima da curva de oferta é igual a $ 100, montante que é idêntico ao excedente do produtor de Andy que calculamos anteriormente.

O painel (b) da Figura 5 mostra o excedente no preço de $ 800 (ou um pouco menos). Nesse caso, a área abaixo do preço e acima da curva de oferta é igual à área total dos dois retângulos, ou seja, $ 500 – o excedente do produtor que calculamos anteriormente para Pablo e Andy quando havia duas casas que precisavam de pintura.

Figura 4

A escala de oferta e a curva de oferta

A tabela mostra a escala de oferta dos vendedores da Tabela 2. O gráfico mostra a curva de demanda correspondente. Observe que a altura da curva de oferta reflete os custos dos vendedores.

Preço	Vendedoras	Quantidade ofertada
$ 900 ou mais	Vincent, Claude, Pablo, Andy	4
$ 800 a $ 900	Claude, Pablo, Andy	3
$ 600 a $ 800	Pablo, Andy	2
$ 500 a $ 600	Andy	1
Menos de $ 500	Ninguém	0

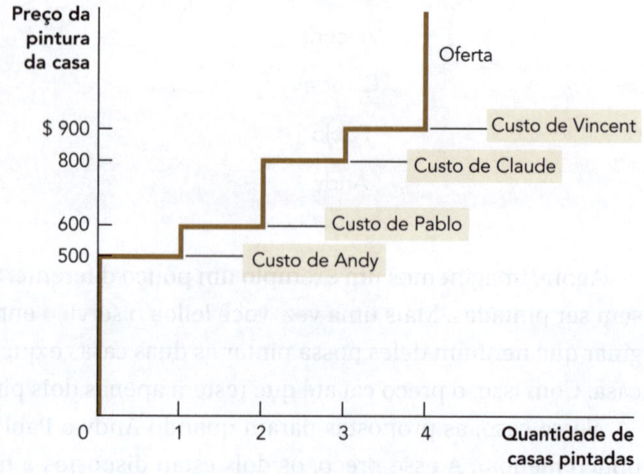

Figura 5
Medindo o excedente do produtor com a curva de oferta

No painel (a), o preço do bem é $ 600 e o excedente do produtor é $ 100. No painel (b), o preço do bem é $ 800 e o excedente do produtor é $ 500.

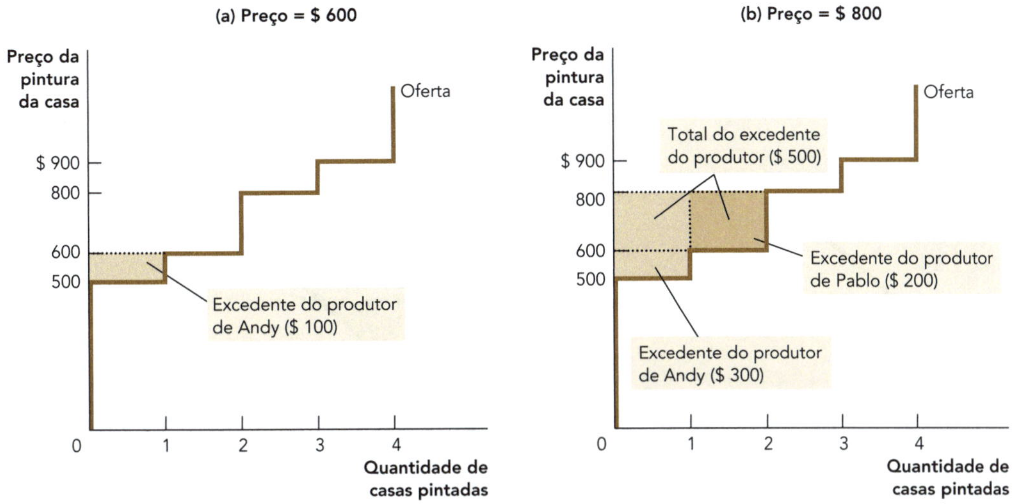

A lição que extraímos desse exemplo se aplica para todas as curvas de oferta: *a área abaixo do preço e acima da curva de oferta representa o excedente do produtor em um mercado.* A lógica é simples: a altura da curva de oferta mede os custos dos vendedores, e a diferença entre o preço e o custo de produção é o excedente do produtor de cada vendedor. Assim, a área total é a soma do excedente do produtor de todos os vendedores.

7_2C Como um preço mais alto aumenta o excedente do produtor

Ninguém se surpreenderia ao ouvir dizer que os vendedores sempre gostariam de receber um preço maior pelos bens que vendem. Mas em que medida o bem-estar dos vendedores aumenta em resposta a um preço maior? O conceito de excedente do produtor oferece uma resposta precisa a essa pergunta.

A Figura 6 mostra uma curva de oferta típica, com inclinação ascendente, que resultaria em um mercado com muitos vendedores. Embora o formato dessa curva de oferta seja diferente daqueles que vimos na figura anterior, o excedente do produtor é medido da mesma forma: o excedente do produtor é a área abaixo do preço e acima da curva de oferta. No painel (a), o preço é P_1, e o excedente do produtor é a área do triângulo ABC.

O painel (b) mostra o que acontece quando o preço aumenta de P_1 para P_2. O excedente do produtor, agora, passa a ser igual à área ADF. Esse aumento do excedente do produtor tem duas partes. Primeira, os vendedores que já estavam vendendo Q_1 do bem ao mais baixo preço P_1 se beneficiam porque agora recebem mais por aquilo que vendem – o aumento do excedente do produtor dos vendedores existentes é igual à área do retângulo BCED. Segunda, alguns novos vendedores entram no mercado porque estão dispostos a produzir o bem ao preço mais alto, o que resulta em um aumento da quantidade ofertada de Q_1 para Q_2 – o excedente do produtor desses novos vendedores é igual à área do triângulo CEF.

Como mostra nossa análise, usamos o excedente do produtor para medir o bem-estar dos vendedores da mesma maneira que usamos o excedente do consumidor para medir o bem-estar dos compradores. Como essas duas medidas de bem-estar econômico são muito parecidas, é natural usá-las juntas, e é exatamente o que faremos na próxima seção.

Teste rápido Represente graficamente uma curva de oferta de peru. Em seu diagrama, indique um preço do peru e o excedente do produtor que resulta desse preço. Explique com suas próprias palavras o que esse excedente do produtor mede.

Figura 6

Como o preço afeta o excedente do produtor

No painel (a), o preço é P_1, a quantidade ofertada é Q_1 e o excedente do produtor é igual à área do triângulo ABC. Quando o preço aumenta de P_1 para P_2, como mostra o painel (b), a quantidade ofertada aumenta de Q_1 para Q_2 e o excedente do produtor aumenta para a área do triângulo ADF. O aumento no excedente do produtor (área BCFD) ocorre, em parte, porque, agora, os produtores existentes passam a receber mais (área BCED) e, em parte, porque os novos produtores entram no mercado ao preço mais elevado (área CEF).

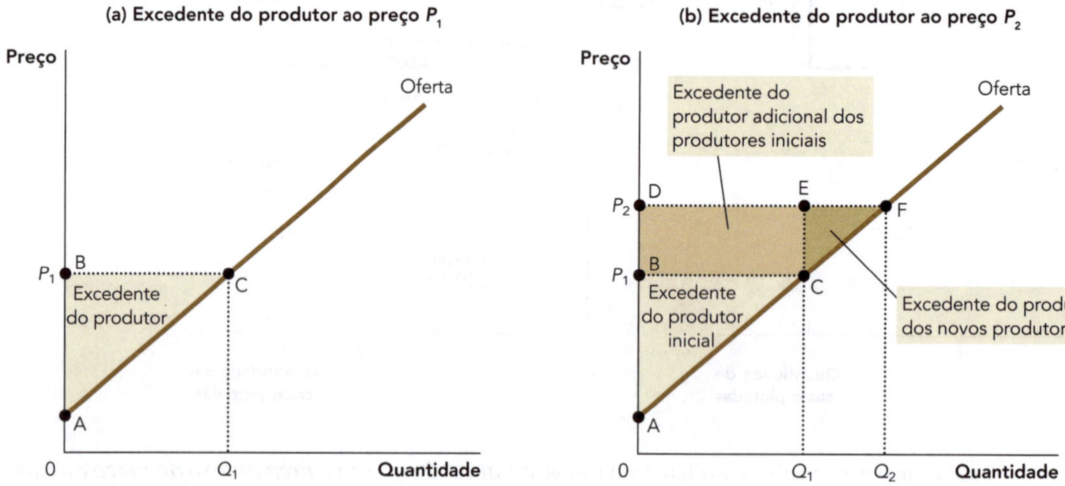

7_3 EFICIÊNCIA DE MERCADO

O excedente do consumidor e o excedente do produtor são as ferramentas básicas dos economistas para estudar o bem-estar dos compradores e dos vendedores no mercado, as quais nos ajudam a abordar uma questão econômica fundamental: a alocação de recursos determinada pelos mercados livres é desejável?

7_3A O planejador social benevolente

Para avaliar os resultados de mercado, introduzimos em nossa análise um novo personagem hipotético chamado *planejador social benevolente*. O planejador social benevolente é um ditador onisciente, onipotente e bem-intencionado, que deseja maximizar o bem-estar econômico de todos os membros da sociedade. O que, em sua opinião, ele deve fazer? Deixar compradores e vendedores no equilíbrio que atingem naturalmente por si sós? Ou será que ele pode aumentar o bem-estar econômico alterando de alguma maneira o resultado do mercado?

Para responder a essas perguntas, o planejador precisa, antes de mais nada, decidir como medir o bem-estar econômico de uma sociedade. Uma medida possível é a soma dos excedentes do consumidor e dos excedentes do produtor, que chamamos *excedente total.* O excedente do consumidor é o benefício que os compradores obtêm de sua participação no mercado, e o excedente do produtor é o benefício recebido pelos vendedores. É natural, portanto, usar o excedente total como medida do bem-estar econômico da sociedade.

Para entender melhor essa medida do bem-estar econômico, lembre-se de como medimos os excedentes do consumidor e do produtor. Definimos excedente do consumidor como

Excedente do consumidor = Valor para os compradores – Quantia paga pelos compradores

De maneira similar, definimos o excedente do produtor como

Excedente do produtor = Quantia recebida pelos vendedores – Custo para os vendedores

Quando somamos os excedentes do consumidor e do produtor, temos

Excedente total = (Valor para os compradores - Quantia paga pelos compradores)
+ (Quantia recebida pelos vendedores - Custo para os vendedores)

A quantia paga pelos compradores é igual à quantia recebida pelos vendedores, de modo que os dois termos médios da expressão cancelam um ao outro. Com isso, podemos escrever o excedente total como

Excedente total = Valor para os compradores - Custo para os vendedores

O excedente total de um mercado é o valor total atribuído pelos compradores dos bens, medido por sua disposição para pagar, menos o custo total dos vendedores que fornecem esses bens.

eficiência
a propriedade da alocação de um recurso de maximizar o excedente total recebido por todos os membros da sociedade

igualdade
a propriedade de distribuir prosperidade econômica de maneira uniforme entre os membros da sociedade

Se uma alocação de recursos maximiza o excedente total, dizemos que tem **eficiência**. Se uma alocação não é eficiente, então parte dos ganhos potenciais do comércio entre compradores e vendedores não está sendo obtida. Por exemplo, uma alocação é ineficiente se um bem não está sendo produzido ao menor custo pelos vendedores. Nesse caso, deslocar a produção de um produtor de alto custo para outro que tenha custo mais baixo reduzirá o custo total para os vendedores e aumentará o excedente total. De maneira similar, uma alocação é ineficiente se um bem não está sendo consumido pelos compradores que atribuem maior valor a ele. Nesse caso, deslocar o consumo do bem de um comprador que lhe atribui baixo valor para outro que lhe dê um valor maior elevará o excedente total.

Além da eficiência, o planejador social também pode se preocupar com a **igualdade**, isto é, se os diversos compradores e vendedores de mercado têm nível de bem-estar econômico semelhante. Em essência, os ganhos de comércio em um mercado são como um bolo a ser distribuído entre os participantes do mercado. A questão da eficiência diz respeito a saber se o bolo tem o tamanho adequado, enquanto a da igualdade refere-se à forma como o bolo é dividido e à maneira como as porções são distribuídas entre os membros da sociedade. Neste capítulo, nos concentramos na eficiência como meta do planejador social. Tenha em mente, entretanto, que os formuladores de políticas do mundo real se preocupam também com a igualdade.

7_3B Avaliação do equilíbrio de mercado

A Figura 7 mostra os excedentes do consumidor e do produtor quando um mercado atinge o equilíbrio entre oferta e demanda. Lembre-se de que o excedente do consumidor é igual à área acima do preço e abaixo da curva de demanda e que o excedente do produtor é igual à área abaixo do preço e acima da curva de oferta. Assim, a área total entre as curvas de oferta e demanda até o ponto de equilíbrio representa o excedente total desse mercado.

Essa alocação de recursos no equilíbrio é eficiente, ou seja, ela maximiza o excedente total? Para responder a essa pergunta, lembre-se de que, quando um mercado está em equilíbrio, o preço determina quais compradores e quais vendedores participam dele. Os compradores que atribuem ao bem um valor maior que o preço (representados pelo segmento AE da curva de demanda) optam por comprar o bem; os compradores que atribuem ao bem um valor menor que o preço (representados pelo segmento EB) não o compram. Da mesma forma, os vendedores cujos custos são inferiores ao preço (representados pelo segmento CE da curva de oferta) optam por produzir e vender o bem, enquanto aqueles cujos custos são maiores que o preço (representados pelo segmento ED), não.

Essas observações levam a duas conclusões sobre os resultados de mercado:

Figura 7
Excedentes do consumidor e do produtor em um mercado em equilíbrio
Excedente total – a soma dos excedentes do consumidor e do produtor – é a área entre as curvas de oferta e demanda até a quantidade de equilíbrio.

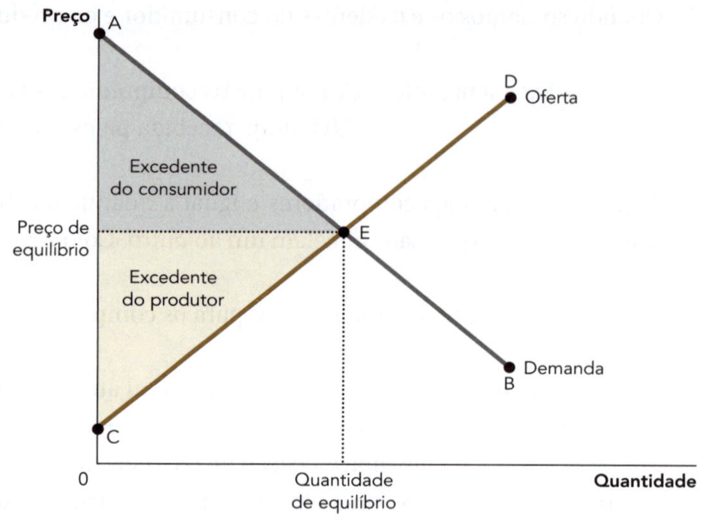

1. Os mercados livres alocam a oferta de bens aos compradores que lhes atribuem maior valor, tal como medido por sua disposição para pagar.
2. Os mercados livres alocam a demanda por bens aos vendedores que podem produzi-los ao menor custo.

Assim, dada a quantidade produzida e vendida em um mercado em equilíbrio, o planejador social benevolente não pode aumentar o bem-estar econômico mudando a alocação de consumo entre os compradores ou a alocação de produção entre os vendedores.

Mas ele pode aumentar o bem-estar econômico aumentando ou diminuindo a quantidade do bem? A resposta é "não", como veremos nesta terceira conclusão sobre os resultados de mercado:

3. Os mercados livres produzem a quantidade de bens que maximiza a soma dos excedentes do consumidor e do produtor.

A Figura 8 mostra por que isso é verdadeiro. Para interpretá-la, é preciso ter em mente que a curva de demanda reflete o valor para os compradores, e a curva de oferta, o custo para os vendedores. Em qualquer quantidade abaixo do nível de equilíbrio, tal como Q_1, o valor para o comprador marginal excede o custo para o vendedor marginal. Assim, o aumento na quantidade produzida e consumida aumenta o excedente total. Isso permanece válido até que a quantidade alcance o nível de equilíbrio. Da mesma forma, a qualquer quantidade acima do nível de equilíbrio, tal como Q_2, o valor para o comprador marginal é menor que o custo para o vendedor marginal. Nesse caso, a diminuição da quantidade aumenta o excedente total, e isso também é verdadeiro até que a quantidade caia até o nível de equilíbrio. Para maximizar o excedente total, o planejador social escolheria a quantidade onde as curvas de oferta e demanda se cruzam.

Juntas, essas três conclusões mostram que os resultados de mercado fazem a soma dos excedentes do consumidor e do produtor ser a maior possível. Em outras palavras, o resultado de equilíbrio é uma alocação eficiente de recursos. O planejador social benevolente pode, portanto, deixar o resultado de mercado da maneira como o encontrou. Essa política de não intervenção é também conhecida pela expressão francesa *laissez-faire*, que significa, literalmente, "deixe-os fazer".

A sociedade tem sorte de o planejador não necessitar intervir. Embora tenha sido um exercício útil imaginar o que um ditador bem-intencionado, todo-poderoso e onisciente faria, sabemos muito bem que tal pessoa não existe. Em geral, um ditador não é benevolente, e mesmo que se encontrasse alguém tão virtuoso, ele não teria tantas informações cruciais.

Suponha que o planejador social tentasse escolher sozinho uma alocação de recursos eficiente, em vez de depender da força de mercado. Para isso, ele teria de conhecer o valor de um bem em particular para cada

Figura 8

A eficiência da quantidade de equilíbrio

Para quantidades menores que a quantidade de equilíbrio, tal como Q_1, o valor para os compradores excede o custo para os vendedores. Para quantidades maiores que a quantidade de equilíbrio, tal como Q_2, o custo para os vendedores excede o valor para os compradores. Assim, o equilíbrio de mercado maximiza a soma dos excedentes do produtor e do consumidor.

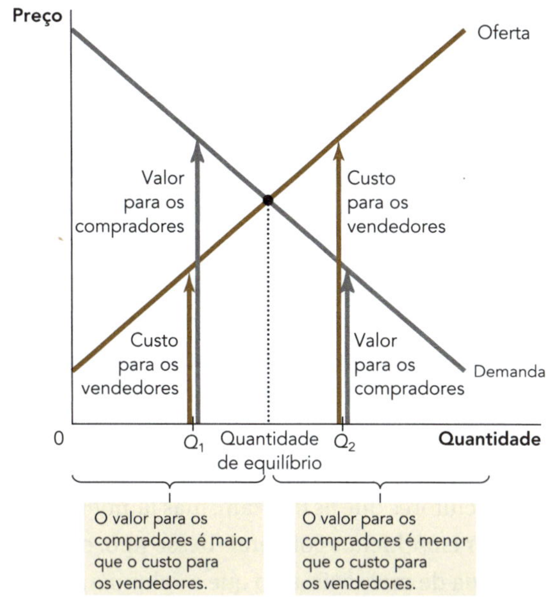

potencial consumidor no mercado e o custo de cada produtor potencial. Ele precisaria dessas informações não só para esse mercado, mas também para cada um dos milhares de mercados dessa economia. A tarefa é praticamente impossível, o que explica por que economias com planejamento central nunca apresentam bom desempenho.

Contudo, o trabalho do planejador se torna fácil quando ele tem um parceiro: a mão invisível do mercado, de Adam Smith. Essa mão invisível avalia todas as informações sobre compradores e vendedores e direciona todos para o melhor resultado, conforme considerado pelo padrão de eficiência econômica. Na verdade, é um feito extraordinário. Por isso os economistas defendem o livre mercado como a melhor forma de organizar a atividade econômica.

Pergunte aos especialistas

Oferta de rins

"Um mercado que permite o pagamento por rins humanos deveria ser estabelecido em regime experimental para ajudar a prolongar a vida de pacientes com doenças renais."

Fonte: IGM Economic Experts Panel, 11 de março de 2014.

Teste rápido Represente graficamente a oferta e a demanda de peru. No equilíbrio, indique os excedentes do consumidor e do produtor. Explique por que uma produção maior de perus reduziria o excedente total.

7_4 CONCLUSÃO: EFICIÊNCIA E FALHA DE MERCADO

Este capítulo introduziu as ferramentas básicas da economia do bem-estar – os excedentes do consumidor e do produtor – e as utilizou para avaliar a eficiência dos mercados livres. Mostramos que as forças de oferta e demanda alocam recursos com eficiência. Ou seja, embora, no mercado, cada comprador e cada vendedor só se preocupe com seu próprio bem-estar, eles, juntos, são guiados por uma mão invisível em direção a um equilíbrio que maximiza os benefícios totais para compradores e vendedores.

Aqui devemos fazer uma advertência: para concluir que os mercados são eficientes, adotamos uma série de hipóteses sobre como eles funcionam; quando essas hipóteses não são válidas, nossa conclusão de que o equilíbrio de mercado é eficiente pode deixar de ser verdadeira. Para encerrar este capítulo, vamos tratar rapidamente de duas dessas hipóteses.

Em primeiro lugar, nossa análise presumiu que os mercados são perfeitamente competitivos; todavia, na vida real, às vezes a competição está longe da perfeição. Em alguns mercados, um único comprador ou vendedor (ou um pequeno grupo de compradores ou de vendedores) pode ser capaz de controlar os preços de mercado. Essa capacidade de influenciar os preços é chamada *poder de mercado*. O poder de mercado pode fazer que os mercados sejam ineficientes ao manter o preço e a quantidade distantes do equilíbrio entre oferta e demanda.

Em segundo lugar, nossa análise também supôs que o resultado em um mercado somente importa para os compradores e vendedores do mercado em questão; todavia, na vida real, as decisões de compradores e vendedores às vezes afetam pessoas que não participam do mercado de maneira nenhuma. A poluição é o exemplo clássico. O uso de pesticidas agrícolas, por exemplo, afeta não só os fabricantes que os produzem e os agricultores que os utilizam, mas também muitas outras pessoas que respiram o ar ou bebem a água poluídos por eles. Efeitos colaterais desse tipo, chamados *externalidades*, fazem que o bem-estar em um mercado dependa de mais coisas do que o valor para os compradores e o custo para os vendedores. Como os compradores e os vendedores não consideram esses efeitos colaterais ao decidir quanto consumir e produzir, o equilíbrio em um mercado pode ser ineficiente do ponto de vista da sociedade como um todo.

O poder de mercado e as externalidades são exemplos de um fenômeno geral chamado *falha de mercado* – a incapacidade que alguns mercados não regulamentados têm de alocar recursos com eficiência. Quando os mercados falham, a política pública pode, em alguns casos, solucionar o problema e aumentar a eficiência da economia. Os microeconomistas dedicam grande parte de seus esforços ao estudo de quando as falhas de mercado são prováveis e que tipos de política são melhores para corrigi-las. Ao prosseguir com seus estudos de economia, você verá que as ferramentas da economia do bem-estar aqui desenvolvidas são facilmente adaptadas para esse objetivo.

Apesar da possibilidade de falhas de mercado, a mão invisível do mercado é de uma importância extraordinária. Em muitos mercados, as hipóteses que adotamos neste capítulo funcionam muito bem e a conclusão da eficiência do mercado aplica-se diretamente. Ademais, podemos usar nossa análise da economia do bem-estar e da eficiência do mercado para esclarecer os efeitos de várias políticas governamentais. Nos dois capítulos seguintes, aplicaremos as ferramentas que acabamos de desenvolver ao estudo de duas questões políticas importantes: os efeitos da tributação e do comércio internacional sobre o bem-estar.

Teste rápido do capítulo

1. Jen avalia seu tempo em $ 60 a hora. Ela gasta 2 horas fazendo uma massagem em Colleen. Colleen estava disposta a pagar até $ 300 pela massagem, mas elas negociam um preço de $ 200. Nesta transação:

a. O excedente do consumidor é $ 20 maior que o excedente do produtor.
b. O excedente do consumidor é $ 40 maior que o excedente do produtor.
c. O excedente do produtor é $ 20 maior que o excedente do consumidor.
d. O excedente do produtor é $ 40 maior que o excedente do consumidor.

2. A curva de demanda de biscoitos tem inclinação descendente. Quando o preço dos biscoitos é $ 2, a quantidade demandada é 100. Se o preço aumentar para $ 3, o que acontecerá com o excedente do consumidor?

a. Cairá menos de $ 100.
b. Cairá mais de $ 100.
c. Aumentará mais de $ 100.
d. Aumentará menos de $ 100.

3. John trabalha como tutor a $ 300 ao semestre. Quando a universidade aumenta o valor pago aos tutores para $ 400, Jasmine entra no mercado e passa a trabalhar também como tutora. Qual será o aumento do excedente do produtor como resultado desse aumento do preço?

a. De menos de $ 100.
b. Entre $ 100 e $ 200.
c. Entre $ 200 e $ 300.
d. De mais de $ 300.

4. Uma alocação de recursos eficiente maximiza:

a. O excedente do consumidor.
b. O excedente do produtor.
c. O excedente do consumidor mais o excedente do produtor.
d. O excedente do consumidor menos o excedente do produtor.

5. Quando um mercado está em equilíbrio, os compradores são aqueles com a _______ disposição para pagar e os vendedores são aqueles com os _______ custos.

a. Maior, maiores.
b. Maior, menores.
c. Menor, maiores.
d. Menor, menores.

6. Produzir uma quantidade maior que o equilíbrio entre oferta e demanda é ineficiente porque a disposição para pagar do comprador marginal é:

a. Negativa.
b. Zero.
c. Positiva, porém menor que o custo do vendedor marginal.
d. Positiva e maior que o custo do vendedor marginal.

RESUMO

- O excedente do consumidor é igual ao valor que os compradores estão dispostos a pagar por um bem menos a quantia que efetivamente pagam por ele e mede o benefício que os compradores obtêm de sua participação no mercado. O excedente do consumidor pode ser calculado determinando-se a área abaixo da curva de demanda e acima do preço.
- O excedente do produtor é igual à quantia que os vendedores recebem por seus bens menos seus custos de produção e mede o benefício que os vendedores obtêm de sua participação no mercado. O excedente do produtor pode ser calculado determinando-se a área abaixo do preço e acima da curva de oferta.
- Uma alocação de recursos que maximize o excedente total (a soma dos excedentes do consumidor e do produtor) é considerada eficiente. Os formuladores de políticas muitas vezes se preocupam com a eficiência - e com a igualdade - dos resultados econômicos.
- O equilíbrio de oferta e demanda maximiza o excedente total. Ou seja, a mão invisível do mercado leva compradores e vendedores a alocar recursos de forma eficiente.
- Os mercados não alocam recursos de forma eficiente na presença de falhas de mercado, tais como poder de mercado ou externalidades.

CONCEITOS-CHAVE

economia do bem-estar, p. 110
disposição para pagar, p. 111
excedente do consumidor, p. 111
custo, p. 115
excedente do produtor, p. 115
eficiência, p. 119
igualdade, p. 119

QUESTÕES PARA REVISÃO

1. Explique como a disposição para pagar dos compradores, o excedente do consumidor e a curva de demanda se relacionam.
2. Explique como os custos dos vendedores, o excedente do produtor e a curva de oferta se relacionam.
3. Em um diagrama de oferta e demanda, identifique o excedente do produtor e o do consumidor no equilíbrio de mercado.
4. O que é eficiência? A eficiência é o único objetivo dos formuladores de políticas?
5. Indique dois tipos de falha de mercado. Explique por que cada um pode causar resultados de mercado ineficientes.

PROBLEMAS E APLICAÇÕES

1. Melissa compra um iPhone por $ 240 e tem um excedente do consumidor de $ 160.
   a. Qual é sua disposição para pagar esse preço?
   b. Se ela tivesse comprado o iPhone quando estava em oferta, por $ 180, qual teria sido seu excedente do consumidor?
   c. Se o preço de um iPhone fosse $ 500, qual teria sido seu excedente do consumidor?

2. Uma geada inesperada na Califórnia afeta a produção de limão. Explique o que acontece ao excedente do consumidor no mercado de limões. Explique o que acontece ao excedente do consumidor no mercado de limonada. Ilustre sua resposta com diagramas.

3. Suponha que a demanda por pão francês aumente. O que acontece com o excedente do produtor no mercado de pão francês? O que acontece com o excedente do produtor no mercado de farinha? Ilustre sua resposta com diagramas.

4. Faz muito calor e Bert está com sede. Eis o valor que ele atribui a uma garrafa de água:

   Valor da primeira garrafa: $ 7
   Valor da segunda garrafa: $ 5
   Valor da terceira garrafa: $ 3
   Valor da quarta garrafa: $ 1

   a. Com base nessas informações, derive a escala de demanda de Bert. Represente graficamente a sua curva de demanda por garrafas de água.
   b. Se o preço da garrafa de água for $ 4, quantas garrafas Bert comprará? Qual é o excedente do consumidor que Bert obtém de suas compras? Indique o excedente do consumidor de Bert em seu gráfico.
   c. Se o preço cair para $ 2, em quanto muda a quantidade demandada? Em quanto muda o excedente do consumidor de Bert? Indique essas mudanças em seu gráfico.

5. Ernie tem um poço. Como bombear grandes quantidades de água é mais difícil que bombear pequenas quantidades, o custo de produção de uma garrafa aumenta à medida que ele bombeia mais água. Eis o custo de produção de cada garrafa de água:

   Custo da primeira garrafa: $ 1
   Custo da segunda garrafa: $ 3
   Custo da terceira garrafa: $ 5
   Custo da quarta garrafa: $ 7

   a. Com base nessas informações, derive a escala de oferta de Ernie. Represente graficamente a sua curva de oferta de garrafas de água.
   b. Se o preço de uma garrafa de água for $ 4, quantas garrafas ele produzirá e venderá? Qual o excedente do produtor que Ernie obtém de suas vendas? Indique o excedente do produtor de Ernie em seu gráfico.
   c. Se o preço subir para $ 6, em quanto muda a quantidade ofertada? Em quanto muda o excedente do produtor de Ernie? Indique essas mudanças em seu gráfico.

6. Considere um mercado em que Bert, do problema 4, seja o comprador e Ernie, do problema 5, o vendedor.
   a. Use a escala de oferta de Ernie e a escala de demanda de Bert para identificar a quantidade demandada e a quantidade ofertada aos preços de $ 2, $ 4 e $ 6. Qual desses preços traz oferta e demanda para o equilíbrio?
   b. Nesse equilíbrio, quais são o excedente do consumidor, o excedente do produtor e o excedente total?
   c. Se Ernie produzisse e Bert consumisse uma garrafa a menos, o que aconteceria com o excedente total?
   d. Se Ernie produzisse e Bert consumisse uma garrafa a mais, o que aconteceria com o excedente total?

7. O custo de produção de aparelhos de TV de tela plana caiu nas últimas décadas. Vamos considerar algumas implicações disso.
   a. Use um diagrama de oferta e demanda para demonstrar o efeito da queda dos custos de

produção sobre o preço e a quantidade de aparelhos de TV de tela plana vendida.

b. Em seu diagrama, indique o que acontece com o excedente do consumidor e com o excedente do produtor.
c. Suponha que a oferta de aparelhos de TV de tela plana seja muito elástica. Quem se beneficia mais da queda dos custos de produção: os consumidores ou os produtores?

8. Há quatro consumidores dispostos a pagar as seguintes quantias por um corte de cabelo:

Gloria: $ 35
Jay: $ 10
Claire: $ 40
Phil: $ 25

Há quatro salões de beleza, com os seguintes preços para um corte de cabelo:

Salão A: $ 15
Salão B: $ 30
Salão C: $ 20
Salão D: $ 10

Cada salão tem capacidade para realizar apenas um corte de cabelo. Em termos de eficiência, quantos cortes de cabelo devem ser realizados? Que salões devem realizar os cortes e que consumidores devem cortar o cabelo? Qual é a dimensão máxima possível do excedente do produtor?

9. Uma das maiores mudanças da economia nas últimas décadas foi o avanço tecnológico, que reduziu o custo da fabricação de computadores.
   a. Elabore um diagrama de oferta e demanda para demonstrar o que acontece com o preço, a quantidade, o excedente do consumidor e o excedente do produtor no mercado de computadores.
   b. Quarenta anos atrás, os estudantes usavam máquinas de escrever para fazer seus trabalhos; hoje, usam computadores. Isso faz que computadores e máquinas de escrever sejam complementares ou substitutos? Use um diagrama de oferta e demanda para mostrar o que aconteceu com o preço, a quantidade, o excedente do consumidor e o excedente do produtor no mercado de máquinas de escrever. Os produtores de máquinas de escrever devem ficar felizes ou chateados com o avanço tecnológico dos computadores?
   c. Computadores e softwares são bens complementares ou substitutos? Elabore um diagrama de oferta e demanda para demonstrar o que acontece com o preço, a quantidade, o excedente do consumidor e o excedente do produtor no mercado de software. Os produtores de software devem ficar felizes ou chateados com o avanço tecnológico dos computadores?
   d. Essa análise ajuda a explicar por que o produtor de software Bill Gates é um dos homens mais ricos do mundo?

10. Um amigo seu está avaliando a proposta de duas operadoras de telefonia celular. A operadora A cobra $ 120 por mês pelo serviço, independentemente do número de ligações feitas. A operadora B não tem uma taxa de serviço fixa, porém cobra $ 1 por minuto das chamadas. A demanda mensal de seu amigo por minutos de chamada é dada pela equação $Q^D = 150 - 50P$, onde P é o preço por minuto.
    a. Qual será o custo de seu amigo quando utilizar um minuto extra de cada operadora?
    b. Com base em sua resposta em (a), quantos minutos seu amigo falaria ao telefone ao utilizar os serviços de cada operadora?
    c. Qual seria o valor pago mensalmente a cada operadora?
    d. Quanto excedente do consumidor seu amigo obteria com cada operadora? (Dica: trace a curva de demanda e lembre-se da fórmula da área de um triângulo.)
    e. Qual operadora você recomendaria a seu amigo? Por quê?

11. Considere como os planos de assistência médica afetam a quantidade de serviços prestados. Suponha que um procedimento médico típico tenha um custo de $ 100. Mesmo assim, uma pessoa que possui esse tipo de plano desembolsa apenas $ 20 e o plano paga os $ 80 restantes. (O plano de assistência médica recupera os $ 80 pelos prêmios de seguro, mas o prêmio que uma

pessoa paga não depende do número de procedimentos que ela decide realizar.)

a. Represente graficamente a curva de demanda no mercado de serviços saúde. (Em seu diagrama, o eixo horizontal deve representar a quantidade de procedimentos médicos.) Indique a quantidade demandada de procedimentos se o preço de cada um deles for $ 100.

b. Em seu diagrama, indique a quantidade demandada de procedimentos se os consumidores pagarem $ 20 por procedimento. Se o custo de cada procedimento para a sociedade for, realmente, $ 100 e se as pessoas tiverem planos de assistência médica como o descrito anteriormente, o número de procedimentos realizados maximizará o excedente total? Explique.

c. Os economistas muitas vezes culpam o sistema de assistência médica pelo uso excessivo de cuidados médicos. Dada sua análise, por que o uso dos atendimentos médicos poderia ser considerado "excessivo"?

d. Que tipo de políticas poderiam impedir esse uso excessivo?

CAPÍTULO 8

Aplicação: os custos da tributação

Impostos costumam ser motivo de acaloradas discussões políticas. Em 1776, a ira das colônias norte-americanas provocada pelos impostos cobrados pela Inglaterra desencadeou a Revolução Americana. Mais de dois séculos depois, os partidos políticos continuam a debater o tamanho apropriado e a forma do sistema tributário. Certamente, ninguém negaria que certo nível de impostos é necessário. Como afirmou Oliver Wendell Holmes Jr.: "Os impostos são o preço que pagamos pela sociedade civilizada".

Os impostos têm impacto importante sobre a economia moderna, por isso retornaremos ao assunto várias vezes neste livro, à medida que expandirmos as ferramentas ao nosso dispor. Começamos a estudar os impostos no Capítulo 6, em que vimos como um imposto sobre um bem afeta o preço e a quantidade vendida deste e como as forças de oferta e demanda dividem o ônus do imposto entre compradores e vendedores. Neste capítulo, ampliaremos essa análise e veremos como os impostos afetam o bem-estar econômico dos participantes de um mercado. Em outras palavras, veremos a quanto chega o preço de uma sociedade civilizada.

À primeira vista, os efeitos dos impostos sobre o bem-estar podem parecer óbvios. O governo aprova impostos para levantar receita e esta precisa sair do bolso de alguém. Como vimos no Capítulo 6, tanto compradores quanto vendedores ficam em pior situação quando um bem é tributado: um imposto eleva o preço que os compradores pagam e reduz o preço que os vendedores recebem. Mas, para entendermos bem como os impostos afetam o bem-estar econômico, precisamos comparar a redução de bem-estar dos compradores e vendedores com a elevação da receita do governo. As ferramentas dos excedentes do consumidor e do produtor nos permitem fazer essa comparação. A análise demonstrará que os custos dos impostos para compradores e vendedores são maiores que o aumento de receita do governo.

8_1 O PESO MORTO DOS IMPOSTOS

Comecemos recordando uma das lições surpreendentes do Capítulo 6: o resultado é o mesmo, não importa se um imposto recai sobre os compradores ou sobre os vendedores de um bem. Quando um imposto recai sobre os compradores, a curva de demanda desloca-se para baixo no montante do imposto; quando recai sobre os vendedores, a curva de oferta desloca-se para cima no montante do imposto. Em ambos os casos, quando o imposto entra em vigor, o preço pago pelos compradores aumenta e o recebido pelos vendedores cai. No fim das contas, as elasticidades da oferta e da demanda determinam como o ônus do imposto é distribuído entre produtores e consumidores, independentemente de como ele é cobrado.

A Figura 1 mostra esses efeitos. Para simplificar nossa discussão, a figura não mostra deslocamentos das curvas de oferta e demanda, embora uma delas precise se deslocar. O que determina qual das duas curvas se deslocará é se o imposto é cobrado dos vendedores (deslocamento da curva de oferta) ou dos compradores (deslocamento da curva de demanda). Neste capítulo, podemos generalizar a análise e simplificar os gráficos,

Figura 1
Os efeitos de um imposto

Um imposto sobre um bem introduz uma cunha entre o preço que os compradores pagam e o preço que os vendedores recebem. A quantidade vendida do bem diminui.

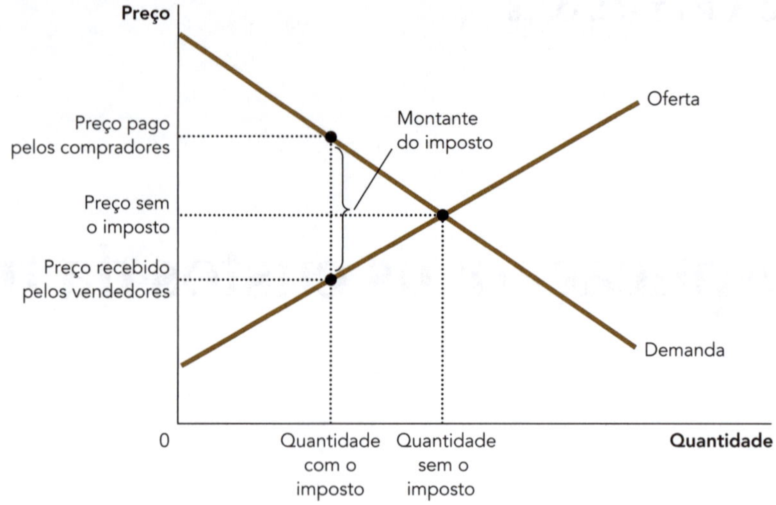

desconsiderando o deslocamento. O resultado que importa para nossos objetivos neste ponto é o fato de que o imposto introduz uma cunha entre o preço que os compradores pagam e o preço que os vendedores recebem. Por causa dessa cunha tributária, a quantidade vendida cai e fica abaixo do nível que seria vendido na ausência do imposto. Em outras palavras, um imposto sobre um bem causa uma redução no tamanho do mercado desse bem. Esses resultados já devem ser familiares para quem leu o Capítulo 6.

8_1A Como um imposto afeta os participantes do mercado

Vamos usar as ferramentas da economia do bem-estar para medir os ganhos e as perdas resultantes de um imposto sobre um bem. Para tanto, precisamos levar em consideração de que maneira o imposto afeta os compradores, os vendedores e o governo. O benefício obtido pelos compradores em um mercado é medido pelo excedente do consumidor – a quantia que os compradores estão dispostos a pagar por um bem menos o que efetivamente pagam. O benefício obtido pelos vendedores em um mercado é medido pelo excedente do produtor – a quantia que os vendedores recebem pelo bem menos seus custos. Essas são as medidas de economia do bem-estar que usamos no Capítulo 7.

E quanto à terceira parte envolvida, o governo? Se T é o valor do imposto e Q é a quantidade vendida do bem, então, o governo recebe uma receita tributária total de $T \times Q$. Ele pode usar essa receita tributária para oferecer serviços, como estradas, policiamento e educação pública, ou para ajudar os necessitados. Assim, para analisar como os impostos afetam o bem-estar econômico, usamos a receita tributária do governo para medir o benefício que a população obtém do imposto. Lembre-se, contudo, de que esse benefício, na verdade, não fica com o governo, mas com todos aqueles com quem a receita é gasta.

A Figura 2 mostra que a receita tributária de um governo é representada pelo retângulo entre as curvas de oferta e demanda. A altura desse retângulo é o valor do imposto, T, e sua largura é a quantidade vendida do bem, Q. Como a área de um retângulo é obtida pela multiplicação da altura pela largura, a área desse retângulo é $T \times Q$, que equivale à receita tributária.

Bem-estar sem impostos Para ver como um imposto afeta o bem-estar, começaremos analisando o bem-estar antes de o governo ter aprovado um imposto. A Figura 3 mostra o diagrama de oferta e demanda e indica as áreas relevantes com letras de A a F.

Na ausência de um imposto, o preço de equilíbrio e a quantidade se encontram na intersecção das curvas de oferta e demanda. O preço é P_1, e a quantidade vendida, Q_1. Como a curva de demanda reflete a disposição para pagar dos compradores, o excedente do consumidor é a área entre a curva de demanda e o preço, A + B + C. De maneira similar, como a curva de oferta reflete os custos dos vendedores, o excedente

Figura 2

Receita tributária

A receita tributária que o governo recolhe equivale a $T \times Q$, o tamanho do imposto T multiplicado pela quantidade vendida Q. Assim, a receita tributária é igual à área do retângulo localizado entre as curvas de oferta e demanda.

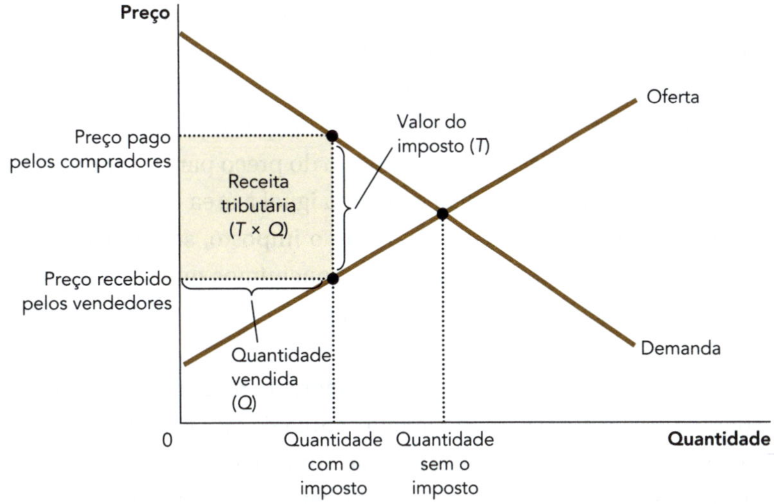

Figura 3

Como um imposto afeta o bem-estar

Um imposto sobre um bem reduz o excedente do consumidor (a redução é dada pela área B + C) e o excedente do produtor (a redução é dada pela área D + E). Como a queda dos excedentes do consumidor e do produtor excede a receita tributária (área B + D), dizemos que o imposto impõe uma perda de peso morto (área C + E).

	Sem imposto	Com imposto	Mudança
Excedente do consumidor	A + B + C	A	– (B + C)
Excedente do produtor	D + E + F	F	– (D + E)
Receita tributária	Nenhuma	B + D	+(B + D)
Excedente total	A + B + C + D + E + F	A + B + D + F	–(C + E)

A área C + E mostra a queda no excedente total e é a perda de peso morto do imposto.

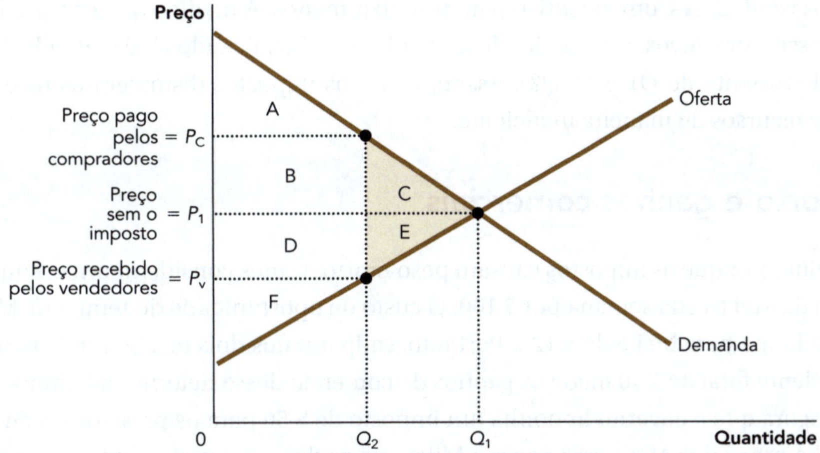

do produtor é a área entre a curva de oferta e o preço, D + E + F. Nesse caso, como não há imposto, a receita tributária é zero.

O excedente total – a soma dos excedentes do consumidor e do produtor – é igual à área A + B + C + D + E + F. Ou seja, como vimos no Capítulo 7, o excedente total é a área entre as curvas de oferta e demanda que vai até a quantidade de equilíbrio. A primeira coluna da tabela da Figura 3 resume essas conclusões.

Bem-estar com um imposto Consideremos agora o bem-estar após o imposto ter sido decretado. O preço pago pelos compradores sobe de P_1 para P_C, de modo que o excedente do consumidor passa a ser apenas a área A (a área abaixo da curva de demanda e acima do preço para o comprador). O preço recebido pelos vendedores cai de P_1 para P_V, de modo que o excedente do produtor passa a ser apenas a área F (a área acima da curva de oferta e abaixo do preço para o vendedor). A quantidade vendida cai de Q_1 para Q_2 e o governo coleta uma receita tributária igual à área B + D.

Para calcular o excedente total com o imposto, somamos o excedente do consumidor, o excedente do produtor e a receita tributária. Assim, concluímos que o excedente total é a área A + B + D + F. A segunda coluna da tabela resume esses resultados.

Mudanças no bem-estar Podemos, agora, perceber os efeitos do imposto comparando o bem-estar antes e depois de sua aprovação. A terceira coluna da tabela da Figura 3 mostra as mudanças. O imposto faz que o excedente do consumidor se reduza ao equivalente à área B + C e que o excedente do produtor se reduza ao equivalente à área D + E. A receita tributária sofre um aumento equivalente à área B + D. Não há nenhuma surpresa no fato de compradores e vendedores serem prejudicados, e o governo, beneficiado.

peso morto
a queda do excedente total resultante de uma distorção de mercado, como um imposto

A mudança total do bem-estar inclui a mudança do excedente do consumidor (que é negativa), do excedente do produtor (que também é negativa) e da receita tributária (que é positiva). Quando somamos estes três componentes, concluímos que o excedente total do mercado sofre uma queda equivalente às áreas C + E. *Com isso, as perdas para compradores e vendedores, a partir da implementação do imposto, superam a receita obtida pelo governo.* A queda do excedente total que resulta quando um imposto (ou outra política) distorce um resultado de mercado é chamada **peso morto**. A área C + E mede o montante do peso morto.

Para entender por que os impostos causam peso morto, lembre-se de um dos *Dez princípios de economia*: as pessoas reagem a incentivos. Vimos, no Capítulo 7, que os mercados livres normalmente alocam recursos escassos de maneira eficiente. Ou seja, na ausência de impostos, o equilíbrio de oferta e demanda maximiza o excedente total dos compradores e vendedores do mercado. Mas quando um imposto aumenta o preço para os compradores e reduz o preço para os vendedores, isso dá aos compradores um incentivo para consumir menos e aos vendedores, um incentivo para produzir menos. À medida que compradores e vendedores respondem a esses incentivos, o tamanho do mercado se reduz, ficando abaixo do ideal (como mostra a figura com o deslocamento de *Q*1 para *Q*2). Assim, como os impostos distorcem os incentivos, levam os mercados a alocar recursos de maneira ineficiente.

8_1B Peso morto e ganhos comerciais

Para entender melhor por que os impostos causam peso morto, vamos considerar um exemplo. Imagine que Mike limpe a casa de Mei a cada semana por $ 100. O custo de oportunidade do tempo de Mike é de $ 80 e o valor de uma casa limpa para Mei é de $ 120. Portanto, cada um dos dois recebe um benefício de $ 20 pela transação. O excedente total de $ 40 mede os ganhos de comércio dessa determinada transação.

Suponhamos agora que o governo imponha um imposto de $ 50 para os prestadores de serviços de limpeza. Agora, não há preço que Mei possa pagar a Mike que os deixe em melhor situação após o pagamento do imposto. O máximo que ela está disposta a pagar é $ 120, mas isso deixaria Mike com apenas $ 70 após pagar o imposto, menos que os $ 80 de seu custo de oportunidade. Entretanto, para que Mike recebesse seu custo de oportunidade de $ 80, Mei teria de pagar $ 130, o que está acima do valor de $ 120 que ela atribui a uma casa limpa. Com isso, Mei e Mike não fazem negócio. Mike fica sem a renda e Mei tem de se acostumar a viver em uma casa suja.

O imposto piorou a situação dos dois num total de $ 40, uma vez que cada um deles perdeu $ 20 do excedente. Ao mesmo tempo, o governo não consegue coletar nenhuma receita deles, porque o negócio foi

Figura 4
O peso morto

Quando o governo cria um imposto sobre um bem, a quantidade vendida cai de Q_1 para Q_2. Com isso, para qualquer quantidade entre Q_1 e Q_2, os potenciais ganhos de comércio entre compradores e vendedores não ocorrem. Esses ganhos perdidos originam a perda do peso morto.

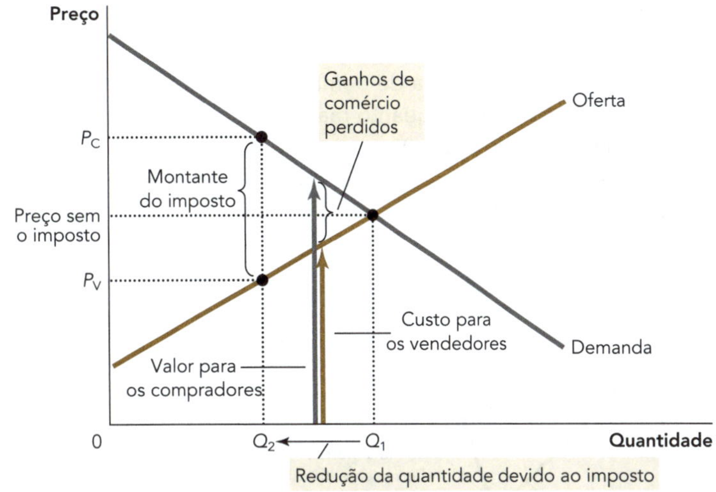

cancelado. Os $ 40 são um peso morto: uma perda tanto para os compradores quanto para os vendedores em um mercado que não é compensado por um aumento da receita do governo. Com base nesse exemplo, podemos perceber a fonte do peso morto: *os impostos causam peso morto porque impedem que compradores e vendedores obtenham alguns dos ganhos de comércio.*

A área do triângulo entre as curvas de oferta e demanda (área C + E na Figura 3) mede essas perdas. Isso pode ser visto mais facilmente na Figura 4, lembrando que a curva de demanda reflete o valor do bem para os consumidores e que a curva de oferta reflete os custos para os produtores. Quando o imposto aumenta o preço para os compradores para *PC* e reduz o preço para os vendedores para *PV*, os compradores e os vendedores marginais deixam o mercado, de modo que a quantidade vendida cai de *Q*1 para *Q*2. Mas, como mostra a figura, o valor do bem para esses compradores ainda supera o custo para os vendedores. Para qualquer quantidade entre *Q1* e *Q2*, a situação será a mesma do nosso exemplo com Mike e Mei. Os ganhos comerciais - a diferença entre o valor dos compradores e o custo dos vendedores - serão menores do que o imposto. Com isso, essas transações deixarão de ser realizadas a partir do momento em que o imposto entrar em vigor. O peso morto é o excedente perdido porque o imposto desencoraja a realização dessas transações mutuamente vantajosas.

Teste rápido Represente graficamente as curvas de oferta e demanda de biscoitos. Se o governo impusesse um imposto sobre os biscoitos, mostre o que aconteceria com o preço pago pelos compradores, com o preço recebido pelos vendedores e com a quantidade vendida. Em seu diagrama, mostre o peso morto decorrente do imposto. Explique o significado do peso morto.

8_2 DETERMINANTES DO PESO MORTO

O que determina se o peso morto de um imposto será grande ou pequeno? As elasticidades-preço da oferta e da demanda, que medem a resposta das quantidades demandada e ofertada às variações de preço.

Consideremos, primeiro, como a elasticidade da oferta afeta a magnitude do peso morto. Nos dois painéis superiores da Figura 5, a curva de demanda e o valor do imposto são os mesmos. A única diferença nessas figuras é a elasticidade da curva de oferta. No painel (a), a curva de oferta é relativamente inelástica: a quantidade ofertada responde pouco a variações de preço. No painel (b), a curva de oferta é relativamente elástica: a quantidade ofertada responde substancialmente a variações de preço. Observe que o peso morto, a área do triângulo entre as curvas de oferta e demanda, é maior quando a curva de oferta é mais elástica.

De maneira similar, os dois painéis inferiores da Figura 5 mostram como a elasticidade da demanda afeta a magnitude do peso morto. Aqui, a curva de oferta e o valor do imposto são mantidos constantes. No painel

Figura 5
Distorções tributárias e elasticidades

Nos painéis (a) e (b), a curva de demanda e o valor do imposto são iguais, mas a elasticidade-preço da oferta é diferente. Observe que, quanto mais elástica é a curva de oferta, maior é o peso morto causado pelo imposto. Nos painéis (c) e (d), a curva de oferta e o valor do imposto são iguais, mas a elasticidade-preço da demanda é diferente. Observe que, quanto mais elástica é a curva de demanda, maior é o peso morto causado pelo imposto.

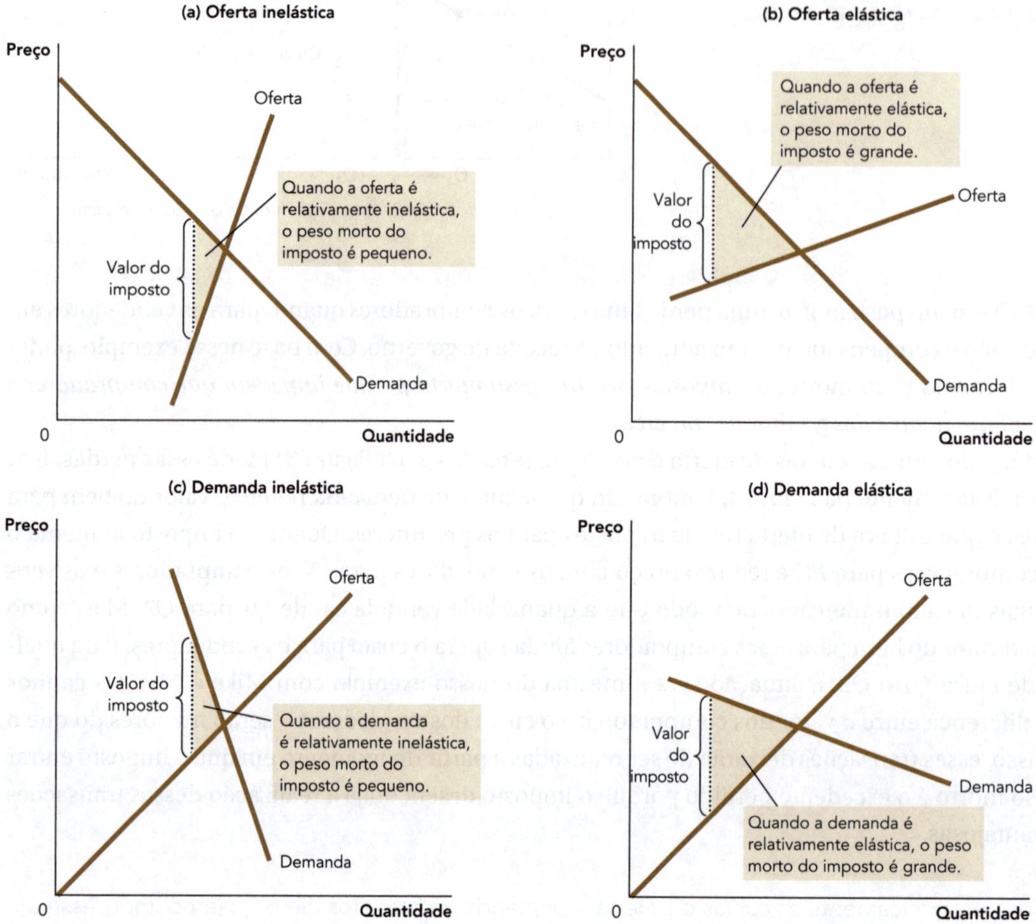

(c), a curva de demanda é relativamente inelástica, e o peso morto, pequeno. No painel (d), a curva de demanda é mais elástica, e o peso morto do imposto, maior.

A lição da Figura 5 é evidente: um imposto é um peso morto porque induz compradores e vendedores a uma mudança de comportamento. O imposto eleva o preço pago pelos compradores, de modo que eles consomem menos, e, ao mesmo tempo, reduz o preço recebido pelos vendedores, que passam a produzir menos. Por causa dessas mudanças de comportamento, o tamanho do mercado diminui e fica abaixo do ideal. As elasticidades da oferta e da demanda medem o quanto vendedores e compradores respondem às variações no preço e, portanto, determinam quanto um imposto distorce o resultado de mercado. Assim, *quanto maiores forem as elasticidades de oferta e demanda, maior será o peso morto de um imposto.*

Teste rápido A demanda por cerveja é mais elástica que a demanda por leite. Qual dos impostos teria maior peso morto: um imposto sobre a cerveja ou um imposto sobre o leite? Por quê?

8_3 O PESO MORTO E A RECEITA FISCAL À MEDIDA QUE OS IMPOSTOS VARIAM

Os impostos raramente se mantêm constantes por longos períodos. Os formuladores de políticas dos governos municipais, estaduais e federais estão sempre pensando em aumentar um imposto ou diminuir outro. Aqui, veremos o que acontece com o peso morto e com a receita tributária quando o montante do imposto muda.

A Figura 6 mostra os efeitos de impostos pequeno, médio e grande, mantidas constantes as curvas de oferta e demanda do mercado. O peso morto - a redução do excedente total que resulta quando o imposto reduz o tamanho de um mercado abaixo do ideal - é igual à área do triângulo entre as curvas de oferta e demanda. No caso do imposto pequeno do painel (a), a área do triângulo do peso morto é bem pequena. Mas com o aumento do imposto, como vemos nos painéis (b) e (c), o peso morto fica cada vez maior.

Com efeito, o peso morto do imposto aumenta mais rapidamente que o valor desse imposto, e isso ocorre porque o peso morto é a área de um triângulo, que depende do *quadrado* de seu tamanho. Se dobrarmos o tamanho de um imposto, por exemplo, a base e a altura do triângulo correspondente dobrarão, de modo que o peso morto aumentará em um fator de 4. Se triplicarmos o tamanho de um imposto, tanto a base quanto a altura triplicarão, e, com isso, o peso morto aumentará em um fator de 9.

Figura 6

Como o peso morto e a receita tributária variam de acordo com o tamanho do imposto

O peso morto é a redução do excedente total causada pelo imposto. A receita tributária é o valor do imposto multiplicado pela quantidade vendida do bem. No painel (a), um pequeno imposto tem um peso morto pequeno e gera uma receita pequena. No painel (b), um imposto maior tem um peso morto maior e arrecada uma receita maior. No painel (c), um imposto muito elevado tem um peso morto muito elevado, e isso reduz tanto o tamanho do mercado, que a arrecadação se torna pequena. Os painéis (d) e (e) resumem essas conclusões. O painel (d) mostra que, à medida que aumenta o valor do imposto, o peso morto também aumenta. O painel (e) mostra que, inicialmente, a receita tributária cresce, para depois cair. Essa relação é, por vezes, denominada curva de Laffer.

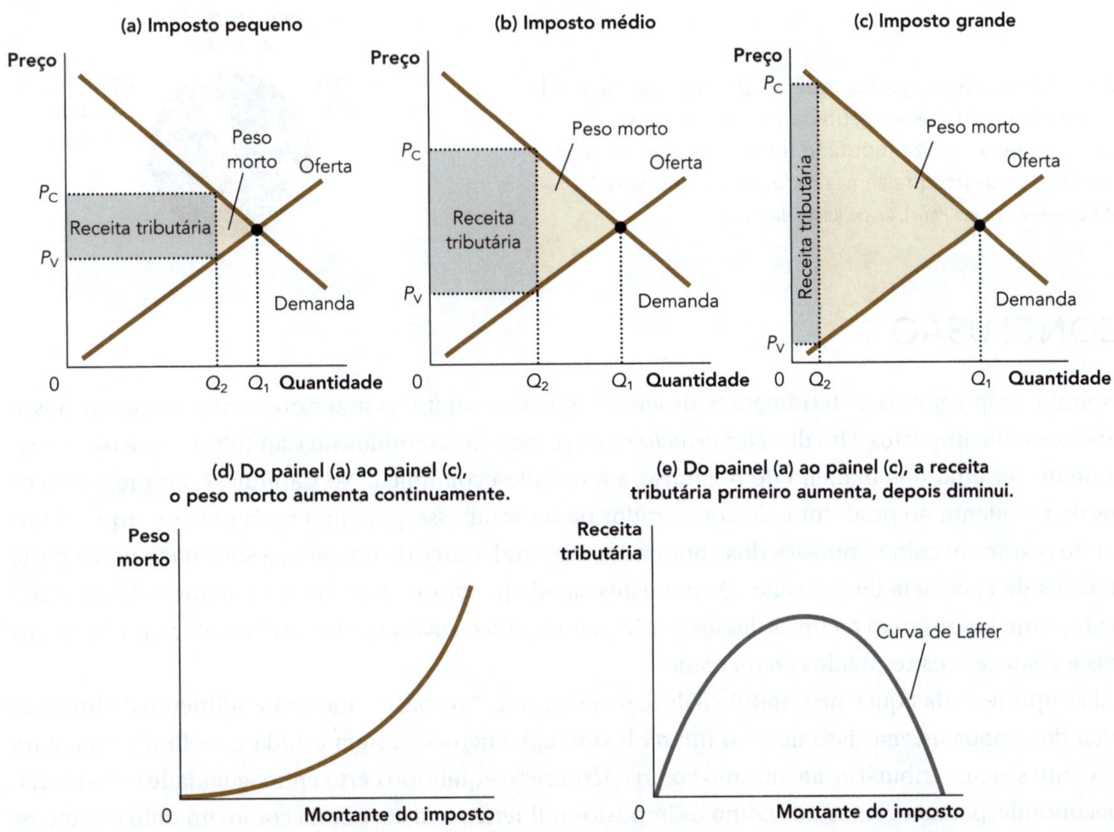

A receita tributária do governo equivale ao valor do imposto multiplicado pela quantidade vendida do bem. Como mostram os três primeiros painéis da Figura 6, a receita tributária é igual à área do retângulo entre as curvas de oferta e demanda. No caso do imposto pequeno do painel (a), a receita tributária é baixa. Como do painel (a) para o (b) o imposto aumenta, a receita tributária aumenta. Mas quando o tamanho do imposto aumenta além disso, do painel (b) para o painel (c), a receita tributária cai, porque o imposto alto reduz drasticamente o tamanho do mercado. No caso de um imposto muito grande, não seria gerada nenhuma receita, porque as pessoas simplesmente parariam de comprar e de vender o bem.

Os dois últimos painéis da Figura 6 resumem esses resultados. No painel (d), vemos que, com o aumento do montante do imposto, o peso morto cresce rapidamente. Em comparação, o painel (e) mostra que, a princípio, a receita tributária cresce com o montante do imposto; depois, contudo, à medida que o imposto se torna maior, o mercado encolhe tanto, que a receita tributária começa a cair.

Teste rápido Se o governo dobrar o imposto sobre a gasolina, é possível ter certeza de que a receita tributária aumentará? E é possível ter certeza de que o peso morto do imposto sobre a gasolina aumentará? Explique.

Pergunte aos especialistas

A Curva de Laffer

"Um corte imediato das alíquotas do imposto de renda federal nos Estados Unidos geraria dentro de cinco anos uma renda nacional maior do que sem o corte do imposto."

"Um corte imediato nas alíquotas federais do imposto de renda federal nos Estados Unidos aumentaria a renda tributável o suficiente para que a receita tributária total anual fosse maior dentro de cinco anos do que sem a redução no imposto."

Fonte: IGM Economic Experts Panel, 26 de junho de 2012.

8_4 CONCLUSÃO

Neste capítulo, empregamos as ferramentas desenvolvidas nos capítulos anteriores para aumentar nosso entendimento sobre impostos. Um dos *Dez princípios de economia* discutidos no Capítulo 1 é que os mercados costumam ser uma boa maneira de organizar a atividade econômica. No Capítulo 7, empregamos os conceitos de excedente do produtor e do consumidor para tornar esse princípio mais preciso. Aqui, vimos que, quando o governo cobra impostos dos compradores e vendedores de um bem, a sociedade perde parte dos benefícios da eficiência de mercado. Os impostos são dispendiosos para os participantes do mercado não apenas porque transferem recursos desses participantes para o governo, mas também porque alteram os incentivos e distorcem os resultados do mercado.

A análise apresentada aqui e no Capítulo 6 deve oferecer uma boa base para o entendimento do impacto econômico dos impostos, mas isso não é o fim da história. A microeconomia estuda a melhor forma para estabelecer um sistema tributário, até mesmo como encontrar o equilíbrio certo entre igualdade e eficiência. A macroeconomia, por sua vez, estuda como os impostos influenciam a economia como um todo e como os formuladores de políticas podem usar o sistema tributário para estabilizar a atividade econômica e conseguir crescimento econômico mais rápido. Então, não se surpreenda se, à medida que continuarmos estudando, tratarmos desse assunto outra vez.

Teste rápido do capítulo

1. Um imposto sobre um bem terá um peso morto se:

a. A redução do excedente do consumidor e do produtor for maior que a receita tributária.
b. A receita tributária for maior que a redução do excedente do consumidor e do produtor.
c. A redução do excedente do consumidor for maior que a redução do excedente do produtor.
d. A redução do excedente do produtor for maior que a redução do excedente do consumidor.

2. Sofia paga $ 50 a Sam para aparar seu gramado toda semana. Quando o governo lança um imposto de $ 10 sobre a atividade de Sam, ele aumenta o preço de seu serviço para $ 60. Sofia continua a contratá-lo pelo preço majorado. Qual é a mudança no excedente do produtor, no excedente do consumidor e no peso morto?

a. $ 0, $ 0 e $ 10.
b. $ 0, –$ 10, $ 0.
c. +$ 10, –$ 10, $ 10.
d. +$ 10, –$ 10, $ 0.

3. Os ovos têm uma curva de oferta linear com inclinação ascendente e uma curva de demanda linear com inclinação descendente. Se o imposto de $ 0,02 por ovo aumentar para $ 0,03, o peso morto do imposto:

a. Aumentará menos de 50% e pode até cair.
b. Aumentará exatamente 50%.
c. Aumentará mais de 50%.
d. A resposta depende do fato de a oferta ou a demanda ser mais elástica.

4. A manteiga de amendoim tem uma curva de oferta com inclinação ascendente e uma curva de demanda com inclinação descendente. Se o imposto de $ 0,10 por quilo do produto aumentar para $ 0,15, a receita tributária do governo:

a. Aumentará menos de 50% e pode até cair.
b. Aumentará exatamente 50%.
c. Aumentará mais de 50%.
d. A resposta depende do fato de a oferta ou a demanda ser mais elástica.

5. A curva de Laffer ilustra que, em algumas circunstâncias, o governo pode reduzir o imposto de um bem e aumentar:

a. O peso morto.
b. A receita tributária do governo.
c. A quantidade de equilíbrio.
d. O preço pago pelos consumidores.

6. Se um formulador de políticas quiser aumentar a receita mediante a tributação de bens e, ao mesmo tempo, minimizar o peso morto, ele deve procurar por bens com elasticidade de demanda ________ e elasticidade de oferta ________.

a. Pequena, pequena.
b. Pequena, grande.
c. Grande, pequena.
d. Grande, grande.

RESUMO

- Um imposto sobre um bem reduz o bem-estar dos seus compradores e vendedores, e a redução dos excedentes do consumidor e do produtor costuma ser maior que a receita arrecadada pelo governo. A queda do excedente total – a soma do excedente do consumidor, do excedente do produtor e da receita tributária – é denominada peso morto do imposto.
- Os impostos impõem um peso morto porque fazem que os compradores consumam menos e os vendedores produzam menos, e essa mudança de comportamento reduz o mercado, colocando-o um nível abaixo daquele que maximiza o excedente total. Como as elasticidades da oferta e da demanda medem o quanto os participantes do mercado respondem às condições deste, altas elasticidades implicam elevado peso morto.
- Com o crescimento dos impostos, os incentivos se tornam cada vez mais distorcidos, e o peso morto, cada vez maior. Entretanto, como um imposto reduz o tamanho do mercado, a receita tributária não aumenta continuamente. Primeiro ela cresce com o tamanho do imposto, mas se esse imposto aumentar muito, ela começará a diminuir.

CONCEITO-CHAVE

peso morto, p. 130

QUESTÕES PARA REVISÃO

1. O que acontece com os excedentes do consumidor e do produtor quando a venda de um bem é tributada? Como a mudança dos excedentes do consumidor e do produtor se relaciona com a receita tributária? Explique.
2. Elabore um diagrama de oferta e demanda com um imposto sobre a venda do bem. Indique o peso morto e a receita tributária.
3. De que forma a elasticidade da oferta e a elasticidade da demanda afetam o peso morto de um imposto? Por que elas têm esse efeito?
4. Por que os especialistas divergem quanto a se os impostos sobre o trabalho impõem um peso morto grande ou pequeno?
5. O que acontece com a perda ocasionada pelo peso morto e a receita tributária quando um imposto aumenta?

PROBLEMAS E APLICAÇÕES

1. O mercado de pizza é caracterizado por uma curva de demanda de inclinação descendente e uma curva de oferta de inclinação ascendente.
   a. Elabore um gráfico do equilíbrio para esse mercado competitivo. Indique o preço, a quantidade, o excedente do consumidor e o excedente do produtor. Existe algum peso morto? Explique.
   b. Suponha que o governo obrigue cada pizzaria a pagar um imposto de $ 1 por pizza vendida. Ilustre o efeito desse imposto sobre o mercado de pizza, lembrando-se de indicar o excedente do consumidor, o excedente do produtor, a receita do governo e o peso morto do imposto. Como cada área se compara com as áreas da situação anterior ao imposto?
   c. Se o imposto fosse removido, os consumidores e os vendedores de pizza ficariam em melhor situação, mas o governo perderia receita tributária. Suponha que consumidores e produtores transfiram voluntariamente parte dos seus ganhos para o governo. Todas as partes (até o governo) podem ficar em melhor situação do que quando havia imposto? Explique usando as áreas que indicou no seu gráfico.
2. Após avaliar as duas afirmativas a seguir, responda se concorda com elas e justifique.
   a. "Um imposto que não tenha peso morto não pode gerar receita tributária para o governo."
   b. "Um imposto que não gere receita tributária para o governo não pode ter nenhum peso morto."
3. Considere o mercado de elásticos para prender papéis.
   a. Se esse mercado tiver oferta muito elástica e demanda muito inelástica, de que maneira o ônus de um imposto sobre o produto se dividiria entre consumidores e produtores? Use, em sua resposta, os instrumentos dos excedentes do consumidor e do produtor.
   b. Se esse mercado tiver oferta muito inelástica e demanda muito elástica, de que maneira o ônus de um imposto sobre o produto se dividiria entre consumidores e produtores? Compare sua resposta com a resposta dada ao item (a).
4. Suponha que o governo institua um imposto sobre o combustível para aquecimento.
   a. Qual a probabilidade do peso morto desse imposto ser maior no primeiro ano depois de sua implantação ou no quinto ano? Explique.
   b. A receita arrecadada por esse imposto será provavelmente maior no primeiro ano depois de sua implantação ou no quinto ano? Explique.
5. Um dia, depois da aula de economia, um amigo seu sugere que tributar alimentos seria uma boa maneira de gerar receita, porque a demanda é muito inelástica. Em que sentido a tributação de

alimentos seria uma "boa" maneira de incrementar a receita? E em que sentido não seria uma "boa" maneira de gerar receita?

6. O senador Daniel Patrick Moynihan uma vez apresentou um projeto de lei que instituiria um imposto de 10.000% sobre certo tipo de bala para armas de fogo.
   a. Você acha que esse imposto pode gerar uma grande receita? Por quê?
   b. Ainda que o imposto não gerasse nenhuma receita, qual poderia ser o motivo para que o senador Moynihan o propusesse?

7. O governo cria um imposto sobre a compra de meias.
   a. Ilustre o efeito desse imposto sobre o preço e a quantidade de equilíbrio no mercado de meias. Identifique as seguintes áreas antes e depois da imposição do imposto: total gasto pelos consumidores, receita total dos produtores e receita tributária do governo.
   b. O preço recebido pelos produtores aumenta ou diminui? É possível saber se a receita total dos produtores aumenta ou diminui? Explique.
   c. O preço pago pelos consumidores aumenta ou diminui? É possível saber se o gasto total dos consumidores aumenta ou diminui? Explique cuidadosamente. (Dica: pense em elasticidade.) Se o gasto total dos consumidores diminui, o excedente do consumidor aumenta? Explique.

8. Este capítulo analisou os efeitos da aplicação de um imposto sobre um bem em termos de bem-estar. Considere agora uma política oposta, supondo que o governo *subsidie* um bem: para cada unidade vendida desse bem, o governo pagará $ 2 ao comprador. Como o subsídio afeta o excedente do consumidor, o excedente do produtor, a receita tributária e o excedente total? O subsídio dá origem a um peso morto? Explique.

9. Um quarto de hotel em Pequenópolis custa $ 100 e, em dias normais, 1.000 quartos são ocupados.
   a. Para aumentar a receita, o prefeito decide cobrar uma taxa de $ 10 por quarto ocupado. Depois que a taxa é imposta, o preço sobe para $ 108 e o total de ocupação cai para 900. Calcule o montante da receita que esse imposto proporciona para Pequenópolis e seu peso morto. (Dica: a área de um triângulo é definida pela metade do produto da medida da base pela medida da altura.)
   b. O prefeito decide dobrar o imposto para $ 20. O preço aumenta para $ 116 e o número de quartos ocupados cai para 800. Calcule a receita tributária e o peso morto com essa taxa mais alta. Ela dobra, fica maior ou menor que o dobro? Explique.

10. Suponha que um mercado seja descrito pelas seguintes equações de oferta e demanda:

$$Q^O = 2P$$
$$Q^D = 300 - P$$

   a. Calcule o preço de equilíbrio e a quantidade de equilíbrio.
   b. Suponha que um imposto T seja cobrado dos compradores, de modo que a nova equação de demanda seja

$$Q^D = 300 - (P + T).$$

   Calcule o novo equilíbrio. O que acontece com o preço recebido pelos vendedores, com o preço pago pelos compradores e com a quantidade vendida?
   c. A receita tributária é $T \times Q$. Use sua resposta ao item (b) para calcular a receita tributária como função de T. Elabore um gráfico dessa relação para T entre 0 e 300.
   d. O peso morto de um imposto é a área do triângulo entre as curvas de oferta e demanda. Lembrando que a área de um triângulo é ½ × base × altura, calcule o peso morto como função de T. Elabore um gráfico dessa relação para T entre 0 e 300. (Dica: olhando de lado, a base do triângulo do peso morto é T e a altura é a diferença entre a quantidade vendida com o imposto e a quantidade vendida sem o imposto.)
   e. O governo, agora, lança um imposto sobre esse bem de $ 200 por unidade. Trata-se de uma boa política? Explique. Você consegue sugerir uma política melhor?

CAPÍTULO 9

Aplicação: comércio internacional

Se você der uma olhada nas etiquetas das roupas que está vestindo, provavelmente verá que algumas delas foram fabricadas em outro país. Há um século, a indústria de têxteis e vestuário representava grande parte da economia norte-americana, porém isso já não acontece mais. Diante de concorrentes estrangeiros que conseguiam produzir bens de qualidade a um custo baixo, as empresas norte-americanas enfrentaram dificuldades cada vez maiores para produzir e vender têxteis e vestuário com lucro. Como resultado, demitiram empregados e fecharam suas fábricas. Hoje, grande parte dos têxteis e das roupas que os norte-americanos consomem é importada.

A história da indústria têxtil levanta diversas questões importantes de política econômica: como o comércio internacional afeta o bem-estar econômico? Quem ganha e quem perde com o livre comércio entre países e como os ganhos se comparam com as perdas?

O Capítulo 3 introduziu o estudo do comércio internacional, aplicando o princípio da vantagem comparativa. De acordo com esse princípio, todos os países podem se beneficiar do comércio uns com os outros, porque a atividade permite que cada país se especialize naquilo que faz melhor. Mas a análise do Capítulo 3 não estava completa. Faltou explicar como o mercado internacional consegue obter esses ganhos de comércio e como os ganhos são distribuídos entre os diversos agentes econômicos.

Vamos, agora, retomar o estudo do comércio internacional e abordar essas questões. Ao longo dos últimos capítulos, desenvolvemos diversas ferramentas para analisar como os mercados funcionam: oferta, demanda, equilíbrio, excedente do consumidor, excedente do produtor, e assim por diante. Com essas ferramentas, podemos aprender mais sobre como os efeitos do comércio internacional afetam o bem-estar econômico.

9_1 OS DETERMINANTES DO COMÉRCIO

Vamos considerar o mercado têxtil, que é muito útil para examinar os ganhos e perdas do comércio internacional. Os tecidos são fabricados em muitos países e há um grande comércio desses bens no mundo todo. Além disso, o mercado de tecidos é um daqueles em que os formuladores de políticas frequentemente pensam em implementar (e por vezes o fazem) restrições ao comércio para proteger os produtores internos dos concorrentes estrangeiros. Examinaremos aqui o mercado de tecidos de um país imaginário chamado Isolândia.

9_1A O equilíbrio sem comércio

Quando começa nossa história, o mercado de tecidos da Isolândia está isolado do restante do mundo. Por decreto governamental, ninguém no país pode importar e exportar tecidos, e a penalidade por infringir o decreto é tão grande, que ninguém está disposto a correr esse risco.

Figura 1
O equilíbrio sem o comércio internacional

Quando a economia não pode negociar nos mercados internacionais, o preço se ajusta para equilibrar a oferta e a demanda internas. Esta figura mostra os excedentes do consumidor e do produtor em equilíbrio sem o comércio internacional de tecidos na Isolândia, um país imaginário.

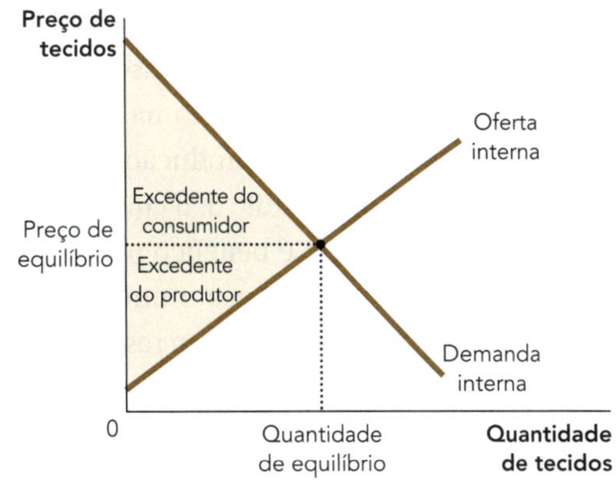

Como não há comércio internacional, o mercado de tecidos do país consiste apenas em compradores e vendedores isolandeses. Como mostra a Figura 1, o preço interno se ajusta para equilibrar a quantidade ofertada pelos vendedores internos e a quantidade demandada pelos compradores internos. A figura mostra os excedentes do consumidor e do produtor no equilíbrio e sem comércio internacional. A soma dos excedentes do consumidor e do produtor mede o benefício total que os compradores e vendedores recebem no mercado de tecidos.

Suponhamos, agora, que a Isolândia eleja uma nova presidente e que sua campanha tenha se baseado em uma plataforma de "mudanças", com promessas de ideias novas e corajosas. O primeiro ato da nova presidente é reunir uma equipe de economistas para avaliar a política comercial isolandesa. Ela lhes pede que respondam a três perguntas:

- Se o governo permitisse que os isolandeses importassem e exportassem tecidos, o que aconteceria com o preço e a quantidade vendida desse produto no mercado interno?
- Quem ganharia e quem perderia com o livre comércio de tecidos? Os ganhos superariam as perdas?
- As tarifas (um imposto sobre as importações) deveriam fazer parte da nova política comercial?

Após rever a oferta e a demanda em seu livro predileto (que é este aqui, claro), a equipe econômica do novo governo começa sua análise.

9_1B Preço mundial e vantagem comparativa

A primeira questão que os economistas abordam é se a Isolândia tem possibilidade de se tornar importadora ou exportadora de tecidos. Em outras palavras, se o livre comércio fosse permitido, os isolandeses acabariam comprando ou vendendo tecidos nos mercados internacionais?

preço mundial
o preço de um bem que prevalece no mercado mundial desse bem

Para responder a essa pergunta, os economistas comparam o preço atual dos tecidos na Isolândia com o preço desse produto em outros países. Chamamos o preço que prevalece nos mercados mundiais de **preço mundial**. Se o preço mundial dos tecidos fosse mais alto que o preço interno, então a Isolândia se tornaria exportadora de tecidos quando o comércio fosse permitido. Os produtores isolandeses ficariam ávidos por receber os preços mais elevados praticados no exterior e começariam a vender seus tecidos para compradores de outros países. No entanto, se o preço mundial fosse menor que o preço interno, então a Isolândia se tornaria importadora de tecidos. Como os vendedores externos ofereceriam um preço melhor, os consumidores de tecidos isolandeses logo começariam a comprar o produto de outros países.

Em essência, comparar o preço mundial com o preço interno antes do comércio indica se a Isolândia terá vantagem comparativa na produção de tecidos. O preço interno reflete o custo de oportunidade dos tecidos: diz-nos de quanto um isolandês precisa abrir mão para obter uma unidade de tecidos. Se o preço interno for baixo, o custo da produção de tecidos na Islândia também será baixo, sugerindo que esse país tem vantagem comparativa na produção desse produto em relação ao restante do mundo. Se o preço interno for mais alto, então o custo de produção na Islândia também será alto, sugerindo que os países estrangeiros têm vantagem comparativa na produção de tecidos.

Como vimos no Capítulo 3, o comércio entre países se baseia, em última análise, na vantagem comparativa. Isto é, o comércio é benéfico porque permite que cada país se especialize em produzir aquilo que faz melhor. Comparando o preço mundial com o preço interno antes do comércio, podemos determinar se a Islândia é melhor ou pior que o restante do mundo no que se refere à produção de tecidos.

Teste rápido Determinado país, Autarka, não permite o comércio internacional. Em Autarka, você pode comprar um terno por 3 onças de ouro. Enquanto isso, nos países vizinhos, você pode comprar o mesmo terno por 2 onças de ouro. Se Autarka passasse a permitir o livre comércio, seria importador ou exportador de ternos? Por quê?

9_2 OS GANHADORES E PERDEDORES NO COMÉRCIO INTERNACIONAL

Para analisar os efeitos do livre comércio sobre o bem-estar, os economistas isolandeses começam com a hipótese de que o país é uma pequena economia se comparado ao restante do mundo, de modo que suas ações terão pouco efeito sobre os mercados mundiais. Especificamente, qualquer mudança em sua política comercial não afetará o preço mundial de tecidos. Diz-se que a Islândia é *tomadora de preço* na economia mundial, ou seja, adota o preço mundial de tecidos como dado. Pode vender tecidos a esse preço e ser um país exportador ou comprar a esse preço e ser um país importador.

A hipótese de a economia ser pequena não é necessária para analisar os ganhos e as perdas decorrentes do comércio internacional. Contudo, os economistas da Islândia sabem por experiência própria (e após lerem o Capítulo 2 deste livro) que tirar conclusões simples é parte fundamental da construção de um modelo econômico vantajoso. O fato de assumir que a Islândia é uma economia pequena simplifica a análise, e as lições básicas não se alteram mesmo no caso de uma economia de grande porte.

9_2A Ganhos e perdas de um país exportador

A Figura 2 mostra o mercado de tecidos isolandês quando o preço de equilíbrio antes do comércio é inferior ao preço mundial. Uma vez permitido o livre comércio, o preço interno sobe até igualar-se ao mundial. Nenhum vendedor de tecidos aceitaria menos que o preço mundial e nenhum comprador pagaria mais que o preço mundial.

Depois que o preço interno se iguala ao preço mundial, a quantidade ofertada internamente difere da quantidade demandada internamente. A curva de oferta mostra a quantidade de tecidos ofertada pelos vendedores isolandeses, e a curva de demanda mostra a quantidade de tecidos demandada pelos compradores isolandeses. Como a quantidade ofertada internamente é maior que a quantidade demandada internamente, a Islândia vende tecidos para outros países, tornando-se, assim, exportadora de tecidos.

Embora a quantidade ofertada internamente e a quantidade demandada internamente sejam diferentes, o mercado de tecidos continua em equilíbrio, porque agora há um novo participante no mercado: o restante do mundo. A linha horizontal do preço mundial pode ser vista como a demanda do restante do mundo por tecidos. Essa curva de demanda é perfeitamente elástica porque a Islândia, sendo um país pequeno, pode vender quanto tecido quiser ao preço mundial.

Consideremos agora os ganhos e as perdas da abertura comercial. Claramente, nem todos são beneficiados. O comércio força o preço interno para cima até que atinja o nível do preço mundial. Os produtores nacionais de tecidos ficam em melhor situação, porque agora podem vender tecidos a um preço mais elevado,

Figura 2

Comércio internacional em um país exportador

Uma vez permitido o livre comércio, o preço interno sobe até igualar-se ao mundial. A curva de oferta mostra a quantidade de tecidos produzida internamente, e a curva de demanda mostra a quantidade consumida internamente. As exportações da Isolândia são iguais à diferença entre a quantidade ofertada internamente e a quantidade demandada internamente ao preço mundial. Os vendedores se beneficiam (o excedente do produtor sobe de C para B + C + D), mas os compradores são prejudicados (o excedente do consumidor diminui de A + B para A). O excedente total aumenta em valor equivalente à área D, o que indica que o comércio melhora o bem-estar econômico do país como um todo.

	Antes do comércio	Após o comércio	Mudança
Excedente do consumidor	A + B	A	–B
Excedente do produtor	C	B + C+ D	+(B + D)
Excedente total	A + B + C	A + B + C + D	+ D

A área D mostra o aumento no excedente total e representa os ganhos do comércio.

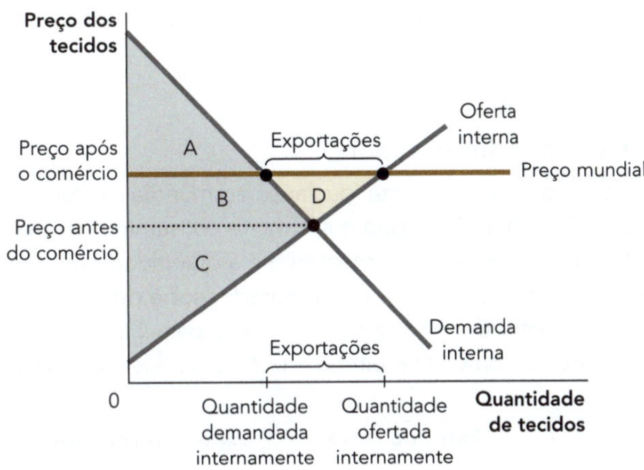

mas os consumidores internos de tecidos agora estão em pior situação, porque têm de comprar tecidos a um preço maior.

Para medir esses ganhos e essas perdas, vejamos as mudanças nos excedentes do consumidor e do produtor. Antes de o comércio ser permitido, o preço dos tecidos se ajusta para equilibrar a oferta e a demanda internas. O excedente do consumidor (a área entre a curva de demanda e o preço anterior ao comércio) é a área A + B. O excedente do produtor (a área entre a curva de oferta e o preço anterior ao comércio) é a área C. O excedente total anterior ao comércio (a soma dos excedentes do consumidor e do produtor) é a área A + B + C.

Depois que o comércio passou a ser permitido, o preço interno sobe até o nível do preço mundial. O excedente do consumidor passa a ser a área A (a área entre a curva de demanda e o preço mundial). O excedente do produtor aumenta para a área B + C + D (a área entre a curva de oferta e o preço mundial). Com isso, o excedente total com o comércio é a área A + B + C + D.

Esses cálculos de bem-estar mostram quem ganha e quem perde com o comércio em um país exportador. Os vendedores se beneficiam, porque o excedente do produtor aumenta em B + D. Os compradores ficam em pior situação, porque o excedente do consumidor diminui na medida da área B. Como os ganhos dos vendedores superam as perdas dos compradores em D, o excedente total da Isolândia aumenta.

Essa análise de um país exportador leva a duas conclusões:

- Quando um país libera o comércio internacional e se torna exportador de um bem, os produtores internos do bem em questão ficam em melhor situação e os consumidores internos ficam em pior situação.
- O comércio aumenta o bem-estar econômico de uma nação na medida em que os ganhos dos beneficiados superam as perdas dos prejudicados.

9_2B Ganhos e perdas de um país importador

Suponhamos agora que o preço interno antes do comércio esteja acima do preço mundial. Novamente, depois da liberação do comércio, o preço interno deve se igualar ao mundial. Como mostra a Figura 3, a quantidade ofertada internamente é menor que a demandada. A diferença entre a quantidade demandada e a quantidade ofertada internamente é comprada de outros países, e a Islândia se torna um país importador de tecidos.

Nesse caso, a linha horizontal do preço mundial representa a oferta do restante do mundo. Essa curva de oferta é perfeitamente elástica, porque a Islândia é uma economia pequena e, assim sendo, pode comprar quanto tecido quiser ao preço mundial.

Vejamos agora os ganhos e as perdas decorrentes da liberação do comércio. Novamente, nem todos se beneficiam. Quando o comércio força os preços para baixo, os consumidores internos ficam em melhor situação (eles, agora, podem comprar tecidos a um preço mais baixo) e os produtores internos ficam em pior

Figura 3

Comércio internacional em um país importador

Uma vez permitido o comércio, o preço interno cai até igualar-se ao mundial. A curva de oferta mostra o montante produzido internamente, e a curva de demanda mostra o montante consumido internamente. As importações são iguais à diferença entre a quantidade demandada internamente e a quantidade ofertada internamente ao preço mundial. Os compradores se beneficiam (o excedente do comprador sobe de A para A + B + D), mas os vendedores são prejudicados (o excedente do produtor cai de B + C para C). O excedente total aumenta em valor equivalente à área D, o que indica que o comércio melhora o bem-estar econômico do país como um todo.

	Antes do comércio	Depois do comércio	Troca
Excedente do consumidor	A	A + B + D	+ (B + D)
Excedente do produtor	B + C	C	– B
Excedente total	A + B + C	A + B + C + D	+ D

A área D mostra o aumento no excedente total e representa os ganhos do comércio.

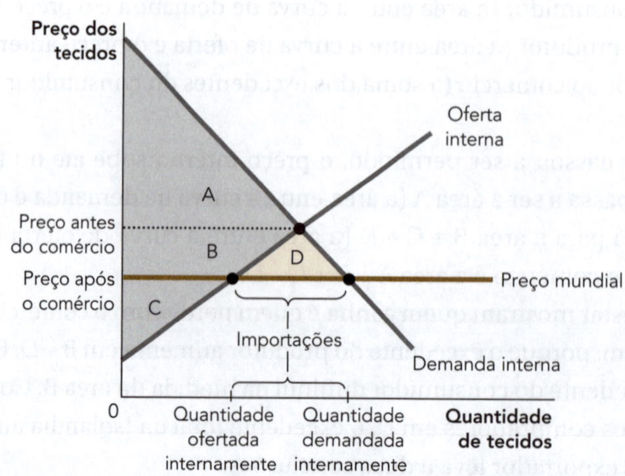

situação (eles, agora, têm de vender tecidos a um preço menor). As mudanças nos excedentes do consumidor e do produtor medem os ganhos e as perdas. Antes do comércio, o excedente do consumidor é a área A, o excedente do produtor é a área B + C, e o excedente total é a área A + B + C. Depois da abertura comercial, o excedente do consumidor passa a ser a área A + B + D, o excedente do produtor passa a ser a área C, e o excedente total passa a ser a área A + B + C + D.

Esses cálculos de bem-estar mostram quem ganha e quem perde com o comércio em um país importador. Os compradores se beneficiam, porque há um aumento do excedente do consumidor equivalente à área B + D. Os vendedores se veem em pior situação, porque o excedente do produtor cai o equivalente à área B. Os ganhos dos compradores superam as perdas dos vendedores e o aumento do excedente total é dado pela área D.

Essa análise de um país importador leva a duas conclusões paralelas àquelas sobre um país exportador:

- Quando um país permite o comércio e se torna importador de um bem, os consumidores internos desse bem ficam em melhor situação e os produtores internos desse bem são prejudicados.
- O comércio aumenta o bem-estar econômico de uma nação na medida em que os ganhos dos que se beneficiam do comércio superam as perdas daqueles que são prejudicados por ele.

Tendo concluído nossa análise do comércio, podemos entender melhor um dos *Dez princípios de economia* do Capítulo 1: o comércio pode melhorar a situação de todos. Se a Isolândia abrir seu mercado de tecidos para o comércio internacional, essa mudança vai criar vencedores e perdedores, independentemente de o país vir a ser importador ou exportador de tecidos. Mas, seja qual for o caso, os ganhos dos que se beneficiam do comércio superam as perdas dos que são prejudicados, de modo que os que são beneficiados podem compensar as perdas dos prejudicados e, ainda assim, ficar em melhor situação que antes. Nesse sentido, o comércio *pode* deixar todos em situação melhor. Mas *será* que a situação de todos vai melhorar? Provavelmente, não. Na prática, a compensação para os perdedores no comércio internacional é rara. Na ausência de compensação, a abertura de uma economia para o comércio internacional é uma política que aumenta o tamanho do bolo econômico, embora, talvez, deixe alguns dos participantes da economia com uma fatia menor.

Agora, podemos entender por que o debate sobre a política comercial é tão controvertido. Sempre que uma política cria ganhadores e perdedores, há a possibilidade de uma batalha política. Os países, por vezes, deixam de gozar dos benefícios do comércio simplesmente porque os perdedores têm mais força política que os ganhadores. E os perdedores fazem *lobby* por restrições comerciais, como tarifas e cotas de importação.

9_2C Os efeitos de uma tarifa

tarifa
tributo sobre bens produzidos no exterior e vendidos internamente

Em seguida, os economistas isolandeses passam a analisar os efeitos de uma **tarifa** – um imposto sobre bens importados. Os economistas rapidamente percebem que uma tarifa sobre tecidos não terá nenhum efeito se a Isolândia se tornar uma exportadora desse bem. Se ninguém na Isolândia estiver interessado em importar tecidos, uma tarifa sobre as importações desse bem será irrelevante. A tarifa somente terá importância se a Isolândia se tornar uma importadora de tecidos. Concentrando sua atenção nesse caso, os economistas comparam o bem-estar com e sem a tarifa.

O gráfico da Figura 4 mostra o mercado isolandês de tecidos. Havendo livre comércio, o preço interno iguala-se ao preço mundial. Uma tarifa eleva o preço do tecido importado para além do preço mundial no valor da tarifa. Os fornecedores internos de tecidos, que competem com os fornecedores de tecido importado, agora podem vender seu produto pelo preço mundial mais o valor da tarifa. Assim, o preço do tecido – tanto do importado quanto do produzido internamente – aumenta o equivalente à tarifa e se aproxima, portanto, do preço que vigoraria na ausência de comércio.

Figura 4

Os efeitos de uma tarifa

Uma tarifa, um tributo sobre as importações, reduz a quantidade de importações e desloca o mercado para um ponto mais próximo do equilíbrio que existiria na ausência de comércio internacional. O excedente total cai em valor equivalente à área D + F. Estes dois triângulos representam o peso morto da tarifa.

	Antes da tarifa	Depois da tarifa	Mudança
Excedente do consumidor	A + B + C + D + E + F	A + B	– (C + D + E + F)
Excedente do produtor	G	C + G	+ C
Receita do governo	Nenhuma	E	+E
Excedente total	A + B + C + D + E + F + G	A + B + C+ E + G	– (D + F)

A área D + F mostra a queda do excedente total e representa o peso morto causado pela tarifa.

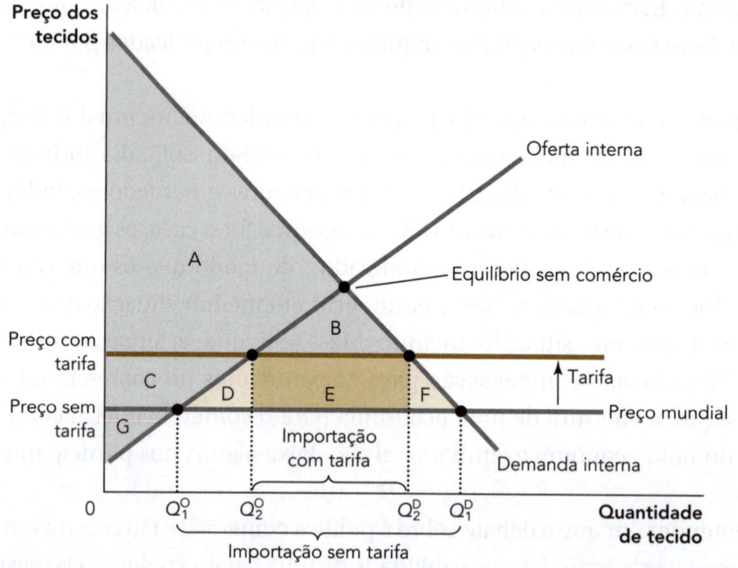

A mudança do preço afeta o comportamento dos compradores e dos vendedores internos. Como a tarifa eleva o preço dos tecidos, reduz a quantidade demandada internamente de $Q^D{}_1$ para $Q^D{}_2$ e eleva a quantidade ofertada internamente de $Q^O{}_1$ para $Q^O{}_2$. *Assim, a tarifa reduz a quantidade de importações e desloca o mercado interno para um ponto mais próximo de seu equilíbrio sem comércio.*

Consideremos agora os ganhos e as perdas resultantes da tarifa. Como ela aumenta o preço interno, os vendedores internos ficam em melhor situação, e os compradores internos, em pior. Além disso, o governo obtém receita. Para medirmos esses ganhos e essas perdas, analisaremos as mudanças no excedente do consumidor, no excedente do produtor e na receita do governo. Essas mudanças encontram-se resumidas na tabela da Figura 4.

Antes da tarifa, o preço interno é igual ao preço mundial. O excedente do consumidor (a área entre a curva de demanda e o preço mundial) é a área A + B + C + D + E + F. O excedente do produtor (a área entre a curva de oferta e o preço mundial) é a área G. A receita do governo é igual a zero. O excedente total (a soma do excedente do consumidor, do excedente do produtor e da receita do governo) é a área A + B + C + D + E + F + G.

Uma vez que o governo impõe a tarifa, o preço interno supera o preço mundial no montante da tarifa. Agora, o excedente do consumidor passa a ser área A + B, e o excedente do produtor, a área C + G. A receita do governo, que é a quantidade importada após a tarifa multiplicada pelo montante da tarifa, é a área E. Assim, o excedente total com a tarifa é a área A + B + C + E + G.

Saiba mais sobre

COTAS DE IMPORTAÇÃO: OUTRO MODO DE RESTRINGIR O COMÉRCIO

Além das tarifas, outra forma de as nações, às vezes, restringirem o comércio internacional é estabelecer limites sobre a quantidade de um produto que pode ser importada. Neste livro, não analisamos tal política: apenas apresentamos a conclusão: cotas da importação são parecidas com tarifas. Ambas reduzem a quantidade de produtos importados, aumentam seu preço interno, diminuem o bem-estar dos consumidores internos, aumentam o bem-estar dos produtores internos e provocam perdas pelo peso morto.

Existe apenas uma diferença entre esses dois tipos de restrição comercial: uma tarifa aumenta a receita do governo, enquanto uma cota de importação cria excedente para aqueles que conseguem licença para importar. O lucro para o importador é a diferença entre o preço interno (pelo qual vende o produto importado) e o preço mundial (pelo qual compra esse produto).

As tarifas e as cotas de importação são ainda mais semelhantes se o governo cobrar uma taxa pelas licenças de importação. Suponha que o governo estabeleça uma taxa de licença igual à diferença entre o preço interno e o preço mundial. Nesse caso, todo o lucro dos importadores é pago ao governo em forma de taxas, e a cota de importação funciona exatamente como uma tarifa. O excedente do consumidor, o excedente do produtor e a receita do governo são precisamente os mesmos sob essas duas políticas.

Na prática, entretanto, os países que restringem o comércio com cotas de importação raramente o fazem por meio da concessão de licenças de importação. Por exemplo, o governo norte-americano, às vezes, pressiona o Japão para, "voluntariamente", limitar a venda de carros japoneses nos Estados Unidos. Nesse caso, o governo japonês aloca as licenças de importação para companhias japonesas, e o excedente dessas licenças se acumula para essas companhias. Esse tipo de cota é, do ponto de vista do bem-estar norte-americano, estritamente pior que uma tarifa sobre carros importados. Tanto a tarifa quanto a cota de importação provocam aumento de preços, restrição comercial ao mercado e peso morto, mas, pelo menos, a tarifa gera receita para o governo norte-americano, em vez de lucros para os produtores estrangeiros.

Para determinar o efeito total da tarifa sobre o bem-estar, somamos a variação do excedente do consumidor (que é negativa), a variação do excedente do produtor (positiva) e a variação da receita do governo (positiva). Concluímos que o excedente total no mercado diminui o equivalente à área D + F. Essa diminuição no excedente total é denominada *peso morto* da tarifa.

Uma tarifa causa um peso morto simplesmente porque é um tipo de tributo. Como a maioria dos tributos, ela distorce os incentivos e afasta a alocação dos recursos escassos do ótimo. Nesse caso, podemos identificar dois efeitos. Primeiro, quando a tarifa eleva o preço interno dos tecidos para um preço que fica acima do mundial, incentiva os produtores internos a aumentar a produção de tecidos de Q^O_1 para Q^O_2. Embora o custo de produzir essas unidades adicionais exceda o custo de adquiri-las ao preço mundial, a tarifa torna a fabricação lucrativa para os produtores internos. Segundo, quando a tarifa eleva o preço que os compradores internos têm de pagar, incentiva-os a reduzir o consumo de tecidos de Q^D_1 para Q^D_2. Embora os consumidores internos valorizem essas unidades adicionais, por estarem acima do preço mundial, a tarifa os induz a cortar essas compras. A área D representa o peso morto causado pela superprodução de tecidos, e a área F representa o peso morto causado pelo subconsumo. O peso morto total da tarifa é a soma desses dois triângulos.

9_2D Lições para a política comercial

A equipe econômica da Isolândia pode agora escrever seu relatório para a presidente:

> Cara senhora presidente,
>
> A senhora nos fez três perguntas sobre a abertura comercial. Depois de muito trabalho, temos as respostas.

Pergunta: Se o governo permitisse que os isolandeses importassem e exportassem tecidos, o que aconteceria com o preço e a quantidade vendida desse produto no mercado interno?

Resposta: Uma vez permitido o comércio, o preço interno do produto se igualaria ao preço mundial. Se o preço mundial fosse maior que o preço na Isolândia, nosso preço aumentaria. O preço maior reduziria a quantidade de tecidos que os isolandeses consomem e aumentaria a quantidade de tecidos que produzem. A Isolândia se tornaria, assim, exportadora de tecidos. Isso se daria porque, nesse caso, o país teria uma vantagem comparativa na produção de tecidos.

Se, ao contrário, o preço mundial estivesse agora mais baixo que o preço na Isolândia, nosso preço cairia. O menor preço aumentaria a quantidade de tecidos que o país consome e reduziria a quantidade de tecidos que produz. Nessas condições, a Isolândia se tornaria um país importador de tecidos. Isso aconteceria porque, nesse caso, os demais países teriam uma vantagem comparativa na produção de tecidos.

Pergunta: Quem ganharia e quem perderia com o livre comércio de tecidos? Os ganhos superariam as perdas?

Resposta: A resposta depende do que vai acontecer com o preço quando o comércio for liberado: se vai subir ou cair. Se o preço subir, os produtores de tecidos sairão ganhando, e os consumidores, perdendo. Se o preço cair, os consumidores sairão ganhando, e os produtores, perdendo. Tanto em um caso quanto no outro, os ganhos serão maiores do que as perdas. Com isso, o livre comércio aumentará o bem-estar total dos isolandeses.

Pergunta: A tarifa de importação deveria fazer parte da nova política comercial?

Resposta: A tarifa terá impacto somente se a Isolândia se tornar um país importador. Nesse caso, a tarifa deixa a economia mais próxima do equilíbrio sem comércio e, como a maior parte das tarifas, apresenta peso morto. Embora a tarifa melhore o bem-estar dos produtores internos e aumente a receita do governo, esses ganhos são muito mais que uma compensação pelas perdas sofridas pelos consumidores. A melhor política, do ponto de vista da eficiência econômica, seria permitir o comércio sem nenhuma tarifa.

Esperamos que essas respostas lhe sejam úteis para a tomada de decisão sobre a nova política.

Atenciosamente,
Equipe econômica isolandesa

9_2E Outros benefícios do comércio internacional

As conclusões da equipe econômica da Isolândia baseiam-se na análise padrão do comércio internacional. Sua análise emprega as ferramentas mais básicas de um economista: oferta, demanda e excedentes do produtor e do consumidor. Ela mostra que, quando um país se abre para o comércio internacional, há vencedores e perdedores, mas os ganhos para os vencedores excedem as perdas dos perdedores.

A questão do livre comércio, no entanto, pode se tornar ainda mais forte, porque existem vários outros benefícios econômicos resultantes do comércio, além daqueles enfatizados na análise padrão. Relacionamos, de forma resumida, alguns desses benefícios:

- **Maior variedade de produtos.** Os bens produzidos em países diferentes não são exatamente os mesmos. A cerveja da Alemanha, por exemplo, não é igual à dos Estados Unidos. O livre comércio oferece aos consumidores, em todos os países, maior variedade de escolha.
- **Custo menor por meio de economias de escala.** Alguns bens podem ser produzidos a baixo custo apenas em grandes quantidades - um fenômeno chamado *economia de escala*. Uma empresa de um país pequeno não pode se beneficiar completamente da economia de escala se vender apenas em um mercado interno pequeno. O livre comércio dá acesso a mercados mundiais maiores e também permite que se realizem economias de escala de forma mais completa.

- **Maior competição.** Uma empresa protegida dos concorrentes externos pode ter força no mercado, o que a capacita a aumentar os preços acima dos níveis competitivos. Isso é um tipo de falha de mercado. A abertura do mercado estimula a concorrência e permite que a mão invisível tenha maiores chances de fazer sua mágica.
- **Melhor fluxo de ideias.** Acredita-se que a transferência dos avanços tecnológicos, em todo o mundo, esteja ligada à comercialização dos bens que incorporam esses avanços. A melhor maneira de um país agrícola pobre aprender sobre a revolução dos computadores, por exemplo, é comprar alguns computadores do estrangeiro, em vez de tentar produzi-los internamente.

Portanto, o livre comércio internacional aumenta a variedade de produtos para os consumidores, permite que as empresas se beneficiem das economias de escala, torna os mercados mais competitivos e facilita a disseminação da tecnologia. Se os economistas da Isolândia também considerarem esses efeitos, os conselhos para a presidente serão muito mais eficazes. (Veja "Comércio como ferramenta de desenvolvimento econômico" no material de apoio on-line.)

Teste rápido Represente graficamente as curvas de oferta e demanda de ternos de lã em Autarka. Quando o comércio é liberado, o preço cai de 3 para 2 onças de ouro. Em seu diagrama, qual é a mudança nos excedentes do consumidor e do produtor? Qual é a mudança no excedente total? Como uma tarifa sobre as importações de ternos mudaria esses resultados?

9_3 OS ARGUMENTOS EM FAVOR DA RESTRIÇÃO AO COMÉRCIO

A carta da equipe econômica começa a convencer a nova presidente da Isolândia a considerar a abertura do mercado de tecidos. Ela percebe que o preço interno está agora mais elevado que o preço mundial. O livre comércio, portanto, poderia causar uma queda no preço interno de tecidos e prejudicar os produtores de tecidos nacionais. Antes de implementar a nova política, ela pede aos produtores de tecidos de seu país que comentem o conselho dado pelos economistas.

Não é de surpreender, portanto, que os produtores de tecidos se oponham ao livre comércio desse produto. Eles acreditam que o governo deveria proteger a indústria nacional de tecidos da concorrência estrangeira. Vamos ver alguns dos argumentos que esses produtores poderiam apresentar para sustentar sua posição e como a equipe econômica responderia.

9_3A O argumento dos empregos

Os opositores ao livre comércio, muitas vezes, argumentam que o comércio com outros países destrói empregos internamente. Em nosso exemplo, o livre comércio de tecidos faria cair o preço de tecido, reduzindo a quantidade produzida desse produto na Isolândia, e, assim, reduzindo também o nível de emprego na indústria de tecidos do país. Alguns trabalhadores isolandeses ficariam desempregados.

O livre comércio, no entanto, cria empregos ao mesmo tempo que os destrói. Quando os isolandeses compram tecidos de outros países, estes obtêm recursos para comprar outros bens da Isolândia. Os trabalhadores isolandeses se deslocariam da indústria de tecidos para indústrias em que o país tivesse vantagem comparativa. A transição pode impor sofrimento para alguns trabalhadores no curto prazo, mas permitiria que a Isolândia como um todo desfrutasse de um padrão de vida mais elevado.

Muitas vezes, aqueles que se opõem ao comércio se mostram céticos quanto à criação de empregos por meio do comércio. Eles podem argumentar que *tudo* pode ser produzido a um valor mais baixo no exterior. Com o livre comércio, eles poderiam argumentar, os isolandeses não poderiam ser empregados lucrativamente em nenhuma indústria. Entretanto, como explica o Capítulo 3, os ganhos de comércio se baseiam na vantagem comparativa, não na vantagem absoluta. Mesmo que um país seja melhor que outro na produção de tudo, ainda assim ambos sairão ganhando se comerciarem entre si. Os trabalhadores em cada país finalmente encontrarão emprego na indústria em que seu país tiver vantagem comparativa.

9_3B O argumento da segurança nacional

Quando uma indústria é ameaçada pela concorrência de outros países, os opositores ao livre comércio costumam argumentar que a indústria é vital para a segurança nacional. Por exemplo, se os produtores de aço isolandeses estivessem pensando em realizar livre comércio no ramo de aço, as empresas internas poderiam argumentar que o aço é usado para fabricar armas e tanques. O livre comércio tornaria a Isolândia dependente de outros países estrangeiros quanto ao fornecimento de aço. Se inesperadamente eclodisse uma guerra e o fornecimento externo fosse interrompido, a Isolândia poderia estar incapacitada de produzir aço e armas em quantidade suficiente para se defender.

Os economistas reconhecem que proteger indústrias-chave pode ser apropriado quando há preocupações legítimas com a segurança nacional, mas temem que esse argumento seja usado de forma exagerada por produtores ávidos por obter lucro à custa dos consumidores.

Deve-se desconfiar do argumento da segurança nacional quando tal argumentação é feita por representantes da indústria, e não pelas instituições de defesa. As companhias tendem a exagerar seu papel na defesa nacional para obter proteção contra a concorrência externa. Um representante das Forças Armadas pode ver as coisas de modo bem diferente. Na verdade, quando as Forças Armadas são consumidoras de um produto industrial, elas se beneficiam com as importações. O aço mais barato na Isolândia, por exemplo, permitiria que as Forças Armadas isolandesas acumulassem um estoque de armas a baixo custo.

9_3C O argumento da indústria nascente

Novas indústrias, às vezes, defendem restrições temporárias ao comércio para ajudá-las a se estabelecer. Argumentam que, após o período de proteção, amadurecerão e estarão capacitadas a concorrer com os competidores estrangeiros. Da mesma forma, indústrias antigas, às vezes, argumentam que precisam de proteção temporária para que possam se ajustar às novas condições.

Os economistas costumam ser céticos em relação a tais reivindicações, em grande parte porque o argumento da indústria nascente é difícil de ser implementado na prática. Para ter sucesso na aplicação da proteção, o governo precisaria decidir quais indústrias viriam a se tornar lucrativas no futuro e decidir também se, para os consumidores, os benefícios do estabelecimento de tais indústrias deveriam exceder os custos da proteção. Entretanto, é muito difícil "escolher vencedores". E isso é mais difícil ainda por causa do processo político que frequentemente oferece proteção às indústrias que são politicamente poderosas. E, uma vez que uma indústria poderosa é protegida da concorrência estrangeira, é muito difícil remover essa política "temporária".

Além disso, por princípio, muitos economistas são céticos em relação ao argumento da indústria nascente. Suponhamos, por exemplo, que uma indústria seja nova e incapaz de competir lucrativamente contra seus rivais estrangeiros, mas que exista razão para acreditar que essa indústria possa tornar-se rentável no longo prazo. Nesse caso, os proprietários da empresa deveriam estar dispostos a arcar com prejuízos temporários para atingir lucros no futuro. Para que uma indústria nascente cresça, não há necessidade de proteção. A história mostra que, no início, empresas de muitos setores sofrem perdas temporárias, e muitas delas tornam-se bem-sucedidas no longo prazo, mesmo sem proteção contra a concorrência.

9_3D O argumento da competição desleal

Um argumento comum é o de que o livre comércio só será desejável se todos os países jogarem segundo as mesmas regras. Essa argumentação sustenta que, se as empresas de diferentes países estão sujeitas a leis e regulamentos diferentes, seria injusto esperar que elas sejam competidoras no mercado internacional. Suponhamos que o governo da Vizinholândia subsidie sua indústria de tecidos com grandes isenções fiscais. A indústria têxtil isolandesa poderia argumentar que deveria ser protegida dessa competição porque a Vizinholândia não compete de forma leal.

Será que a Isolândia seria, realmente, prejudicada se comprasse tecidos de outro país a um preço subsidiado? Os produtores de tecidos da Isolândia certamente seriam prejudicados, mas os consumidores de tecidos se beneficiariam do menor preço. Além disso, a situação não mudaria tanto em relação ao livre comércio: os ganhos para os consumidores que comprariam a preços mais baixos ainda superariam as perdas dos produtores. O subsídio da Vizinholândia à sua indústria de tecidos pode não ser uma boa política, porque quem arca com o ônus são os contribuintes da Vizinholândia. A Isolândia pode se beneficiar da oportunidade de comprar tecidos a um preço subsidiado. Em vez de se opor ao subsídio estrangeiro, talvez a Isolândia deva enviar à Vizinholândia uma nota de agradecimento.

9_3E O argumento da proteção como instrumento de barganha

Outro argumento favorável às restrições ao comércio tem a ver com a estratégia de barganha. Muitos formuladores de políticas afirmam apoiar o livre comércio, mas, ao mesmo tempo, dizem que as restrições podem ser úteis em negociações com parceiros comerciais. Segundo eles, a ameaça de uma restrição comercial pode ajudar a remover outra restrição que já tenha sido imposta por um governo estrangeiro. Por exemplo, a Isolândia poderia ameaçar impor uma tarifa à importação de tecidos se a Vizinholândia não eliminar a tarifa que impõe ao trigo. Se a Vizinholândia respondesse com a eliminação da tarifa, o resultado poderia ser um comércio mais livre.

O problema dessa estratégia de barganha é que a ameaça pode não funcionar. E, se isso acontecer, o país terá de fazer uma escolha difícil. Pode cumprir a ameaça e implementar a restrição comercial, o que reduziria seu próprio bem-estar econômico, ou pode retroceder em sua ameaça, o que causaria perda de prestígio em assuntos internacionais. Perante essas possibilidades, o país, provavelmente, desejaria nunca ter feito a ameaça.

Teste rápido A indústria têxtil de Autarka apoia a proibição da importação de ternos. Descreva cinco argumentos que seus lobistas poderiam usar. Dê uma resposta para cada um desses argumentos.

9_4 CONCLUSÃO

Muitas vezes, os economistas e o público em geral divergem sobre o livre comércio. Em 2015, o canal NBC News e o *Wall Street Journal* perguntaram ao público norte-americano: "Em geral, você acha que o livre comércio entre os Estados Unidos e países estrangeiros ajudou, prejudicou ou não fez muita diferença para o nosso país?". Apenas 29% dos entrevistados dizem que o livre comércio ajudou, enquanto 34% acreditam que prejudicou. (O restante respondeu que não tinha feito diferença ou não tinha certeza da resposta). Em contrapartida, a maioria dos economistas apoia o livre comércio internacional. Eles entendem o livre comércio como uma maneira de alocar a produção eficientemente e de elevar os padrões de vida interna ou internacionalmente.

Os economistas enxergam os Estados Unidos como um experimento contínuo que confirma as virtudes do livre comércio. Ao longo de sua história, o país permitiu o livre comércio entre os seus estados e se beneficiou como um todo da especialização que o comércio permite. A Flórida planta laranjas, o Alasca produz petróleo, a Califórnia faz vinho, e assim por diante. Os norte-americanos não teriam o alto padrão de vida de que desfrutam hoje se as pessoas só consumissem os bens e serviços produzidos em seus próprios estados. Da mesma forma, o mundo também poderia se beneficiar do livre comércio entre os países.

Para entendermos melhor a visão que os economistas têm do comércio, vamos continuar com a nossa parábola. Suponhamos que a presidente da Isolândia, após ver os resultados da última pesquisa, ignore os conselhos de sua equipe econômica e decida não permitir o livre comércio de tecidos. O país continua no equilíbrio sem comércio internacional.

Um dia, um inventor isolandês descobre uma nova maneira de produzir tecidos a um custo muito baixo, mas o processo é misterioso e o inventor insiste em mantê-lo sob sigilo. O mais estranho é que ele não precisa de insumos tradicionais, como algodão ou lã - único insumo que usa é o trigo. E o que é ainda mais estranho: ele quase não precisa de nenhuma mão de obra para produzir tecidos do trigo.

Esse inventor é aclamado como um gênio. Como todos compram roupas, o baixo custo de seus tecidos permite que todos os isolandeses desfrutem de um padrão de vida melhor. Os trabalhadores que antes produziam tecidos enfrentam problemas quando as fábricas que os empregavam fecham, mas encontram emprego em outras indústrias. Alguns se tornam fazendeiros e cultivam o trigo que o inventor transforma em tecidos. Outros vão para novas indústrias que surgem como resultado do alto padrão de vida da Isolândia. Todos entendem que o deslocamento desses trabalhadores é parte inevitável do progresso tecnológico e do crescimento econômico.

Depois de muitos anos, uma jornalista decide investigar o misterioso e novo processo de produção de tecidos. Ela entra na fábrica do inventor e descobre que é tudo uma fraude. Ele não fabrica tecidos; em vez disso, contrabandeia trigo para o exterior e troca por tecidos fabricados em outros países. A única coisa que ele descobriu foram os ganhos provenientes do comércio internacional.

Quando a verdade é revelada, o governo fecha a empresa desse inventor. O preço dos tecidos aumenta e os trabalhadores voltam a seus antigos empregos nas fábricas de tecidos. Os padrões de vida da Isolândia voltam aos níveis anteriores. O inventor é preso e exposto à execração pública. Afinal de contas, ele não era inventor, mas apenas um economista.

Teste rápido do capítulo

1. Se uma nação que não permite comércio internacional de aço tem um preço doméstico deste produto menor que o preço mundial, então:

a. A nação tem uma vantagem comparativa na produção de aço e se tornaria um exportador do produto caso abrisse o comércio.
b. A nação tem uma vantagem comparativa na produção de aço e se tornaria um importador do produto caso abrisse o comércio.
c. A nação não tem uma vantagem comparativa na produção de aço e se tornaria um exportador do produto caso abrisse o comércio.
d. A nação não tem uma vantagem comparativa na produção de aço e se tornaria um importador do produto caso abrisse o comércio.

2. Quando a nação de Ectenia se abre para o comércio mundial de grãos de café, o preço doméstico dos grãos cai. Qual das alternativas a seguir descreve a situação?

a. A produção doméstica de café aumenta e Ectenia se torna um importador do produto.
b. A produção doméstica de café aumenta e Ectenia se torna um exportador do produto.
c. A produção doméstica de café cai e Ectenia se torna um importador do produto.
d. A produção doméstica de café cai e Ectenia se torna um exportador do produto.

3. Quando um país se abre para o comércio de um bem e se torna um importador:

a. O excedente do produtor diminui, mas o excedente do consumidor e o excedente total aumentam.
b. O excedente do produtor diminui e o excedente do consumidor aumenta, e por isso, o impacto sobre o excedente total é ambíguo.
c. O excedente do produtor e o excedente total aumentam, mas o excedente do consumidor diminui.
d. O excedente do produtor, o excedente do consumidor e o excedente total aumentam.

4. Se uma nação que importa um bem impuser uma tarifa, isso aumentará:

a. A quantidade doméstica demandada.
b. A quantidade doméstica ofertada.
c. A quantidade importada do exterior.
d. Todas as alternativas acima.

5. Qual das seguintes políticas comerciais beneficiaria produtores, prejudicaria consumidores e aumentaria o montante de comércio?

a. O aumento de uma tarifa em um país importador.
b. A redução de uma tarifa em um país importador.
c. Começar a permitir o comércio quando o preço mundial for maior que o preço local.
d. Começar a permitir o comércio quando o preço mundial for menor que o preço local.

6. A principal diferença entre impor uma tarifa e conceder licenças sob uma cota de importação é que a tarifa aumenta:

a. O excedente do consumidor.
b. O excedente do produtor.
c. O comércio internacional.
d. A receita do governo.

RESUMO

- Os efeitos do livre comércio podem ser determinados comparando-se o preço interno na ausência de comércio com o preço mundial. Um baixo preço interno indica que o país desfruta de vantagem comparativa na produção do bem e que se tornará um exportador. Um preço interno elevado indica que o restante do mundo tem uma vantagem comparativa na produção do bem e que o país se tornará um importador.

- Quando um país se abre para o comércio internacional e se torna exportador de um bem, a situação dos produtores do bem melhora, enquanto os consumidores do bem ficam em pior situação. Quando um país se abre para o comércio internacional e se torna importador, os consumidores ficam em melhor situação, ao passo que a situação dos produtores piora. Em ambos os casos, os ganhos do comércio superam as perdas.
- Uma tarifa - um imposto sobre as importações - desloca o mercado para um ponto mais próximo do equilíbrio que existiria na ausência de comércio e, portanto, reduz os ganhos do comércio. Embora os produtores internos fiquem em uma situação melhor e o governo arrecade receitas, as perdas dos consumidores superam esses ganhos.
- Há diversos argumentos em favor da restrição ao comércio internacional: proteção de empregos, defesa da segurança nacional, auxílio às indústrias nascentes, prevenção à concorrência desleal e reação às restrições externas ao comércio. Embora alguns desses argumentos possam ter mérito em determinados casos, os economistas acreditam que o livre comércio é, normalmente, a melhor política.

CONCEITOS-CHAVE

preço mundial, p. 139

tarifa, p. 143

QUESTÕES PARA REVISÃO

1. O que o preço interno vigente na ausência de comércio internacional nos diz sobre a vantagem comparativa de um país?
2. Quando um país se torna exportador de um bem? E importador?
3. Faça o diagrama de oferta e demanda de um país importador. Quais eram os excedentes do consumidor e do produtor antes da abertura comercial? Quais serão os excedentes do consumidor e do produtor depois da abertura comercial? Qual é a variação do excedente total?
4. Descreva o que é uma tarifa e relate seus efeitos econômicos.
5. Enumere cinco argumentos usados frequentemente para apoiar restrições comerciais. Como os economistas respondem a esses argumentos?
6. Qual é a diferença entre as abordagens unilateral e multilateral para alcançar o livre comércio? Dê um exemplo de cada.

PROBLEMAS E APLICAÇÕES

1. O preço mundial de vinho está abaixo do preço que vigoraria no Canadá na ausência de comércio.
   a. Supondo que as importações de vinho do Canadá sejam uma pequena parte da produção mundial total de vinho, represente graficamente o mercado canadense de vinho quando há livre comércio. Em uma tabela apropriada, identifique o excedente do consumidor, o excedente do produtor e o excedente total.
   b. Suponha agora que uma mudança incomum da Corrente do Golfo leve a uma onda de frio fora de época no verão europeu, destruindo grande parte da safra de uvas do continente. Que efeito isso teria sobre o preço mundial do vinho? Usando seu gráfico e sua tabela da parte (a), demonstre o efeito sobre o excedente do consumidor, o excedente do produtor e o excedente total no Canadá. Quem são os ganhadores e os perdedores? O Canadá, como um todo, fica em uma situação melhor ou pior?

2. Suponha que o Congresso dos Estados Unidos imponha uma tarifa sobre carros importados para proteger a indústria automobilística norte-americana da concorrência estrangeira. Assumindo que os Estados Unidos sejam um tomador de preço no mercado automobilístico mundial, mostre em um gráfico: a variação da quantidade importada, a perda dos consumidores dos Estados Unidos, o ganho dos produtores norte-americanos, a receita do governo e o peso morto associado à tarifa. A perda para os consumidores pode ser descomposta em três partes: ganhos para os produtores internos, receita para o governo e peso morto. Use seu gráfico para identificar os três componentes.

3. Quando a indústria de roupas da China se expande, o aumento na oferta mundial diminui o preço mundial de roupas.
   a. Faça um diagrama para analisar como essa mudança de preços afeta o excedente do consumidor, o excedente do produtor e o excedente total em um país que importa roupas, como os Estados Unidos.
   b. Agora, faça um diagrama apropriado para mostrar como essa mudança de preços afeta o excedente do consumidor, o excedente do produtor e o excedente total em um país que exporta roupas, como a República Dominicana.
   c. Compare as respostas dadas às partes (a) e (b). Quais são as semelhanças e as diferenças? Qual país deve se preocupar com a expansão da indústria têxtil chinesa? Qual país deve aplaudir essa expansão? Explique.

4. Considere os seguintes argumentos a favor da restrição do comércio.
   a. Suponha que você seja um lobista do mercado de madeira, uma indústria estabelecida que sofre com os baixos preços dos competidores estrangeiros. Entre cinco argumentos cogitados por você, cite dois ou três que considere mais convincentes para mostrar a um membro mediano do Congresso por que ele deveria apoiar as restrições ao comércio. Explique sua argumentação.
   b. Agora, suponha que você seja um aluno de economia muito esperto (o que não é difícil de imaginar). Embora todos os argumentos com relação à restrição de comércio tenham falhas, cite dois ou três que pareçam ter melhor senso econômico. Para cada um deles, descreva os principais fundamentos econômicos contrários e favoráveis a essas restrições.

5. A nação de Textília não permite a importação ou exportação de roupas. Em seu equilíbrio sem comércio, uma camiseta custa \$ 20 e a quantidade de equilíbrio é de 3 milhões de camisetas. Certo dia, após ler a obra *A riqueza das nações*, de Adam Smith, enquanto estava de férias, o presidente decide abrir o mercado de Textília para o comércio internacional. O preço da camiseta cai para o nível mundial de \$ 16. O número de camisetas consumidas em Textília sobe para 4 milhões, enquanto o número de camisetas produzidas cai para 1 milhão.
   a. Elabore um gráfico que ilustre essa situação, no qual devem constar todos os números.
   b. Calcule a mudança nos excedentes do consumidor, do produtor e total resultante da abertura do mercado. (Dica: lembre-se de que a área de um triângulo corresponde a ½ × base × altura.)

6. A China é um dos principais produtores de grãos, como trigo, milho e arroz. Há alguns anos, o governo chinês, preocupado porque as exportações de grãos estavam aumentando o preço dos alimentos para os consumidores internos, impôs uma tarifa de exportação sobre os grãos.
   a. Trace um gráfico para descrever o mercado de grãos em um país exportador e use-o como ponto de partida para responder às questões apresentadas a seguir.
   b. De que maneira uma tarifa de exportação afeta os preços internos de grãos?
   c. Como ela afeta o bem-estar dos consumidores internos, o bem-estar dos produtores internos e a receita do governo?
   d. O que acontece com o bem-estar total na China, medido pela soma do excedente do consumidor, do excedente do produtor e da receita tributária?

7. Considere um país que importa um bem do exterior. Indique se cada uma das afirmações a seguir é verdadeira ou falsa. Explique sua resposta.
   a. "Quanto maior a elasticidade da demanda, maiores os ganhos comerciais."
   b. "Se a demanda for perfeitamente inelástica, não existem ganhos comerciais."
   c. "Se a demanda for perfeitamente inelástica, os consumidores não se beneficiam do comércio."

8. Tendo rejeitado uma tarifa sobre os têxteis (uma tarifa sobre os importados), a presidente de Isolândia agora considera um imposto de mesma grandeza sobre o consumo têxtil, incluindo tanto os importados quanto os produzidos internamente.
   a. Usando a Figura 4, identifique a quantidade consumida e a quantidade produzida em Isolândia sob o imposto de consumo têxtil.
   b. Construa uma tabela semelhante à da Figura 4 para o imposto de consumo têxtil.
   c. O que eleva mais a receita do governo: o imposto sobre o consumo ou a tarifa? Qual tem peso morto menor? Explique.

9. Suponha que os Estados Unidos importem televisores e que não haja restrições ao comércio. Os consumidores norte-americanos compram 1 milhão de televisores por ano, dos quais 400 mil são produzidos internamente e 600 mil, importados.
   a. Suponha que um avanço tecnológico entre os produtores japoneses provoque a queda de $ 100 no preço mundial dos televisores. Faça um gráfico para demonstrar como essa mudança afeta o bem-estar dos consumidores e produtores norte-americanos e como afeta o excedente total nos Estados Unidos.
   b. Após a queda do preço, os consumidores norte-americanos compram 1,2 milhão de televisores, dos quais 200 mil são produzidos internamente e 1 milhão, importados. Calcule a mudança no excedente do consumidor, no excedente do produtor e o excedente total resultante da redução de preço.
   c. O que aconteceria se o governo respondesse a essa mudança com uma tarifa de $ 100 sobre os televisores importados? Calcule a receita arrecadada e o peso morto. A tarifa pode ser considerada uma boa política do ponto de vista do bem-estar norte-americano? Quem apoiaria essa política?
   d. Suponha que a queda no preço não seja atribuída a avanços tecnológicos, mas a um subsídio de $ 100 por aparelho que o governo japonês concede à indústria. De que modo isso afetaria sua análise?

10. Considere um país pequeno que exporta aço. Suponha que um governo pró-comércio decida subsidiar a exportação de aço com certa quantia para cada tonelada vendida ao estrangeiro. De que modo esse subsídio de exportação afeta o preço interno do aço, bem como as quantidades produzidas, consumidas e exportadas? Como isso afeta os excedentes do consumidor e do produtor, a receita do governo e o excedente total? Esse subsídio pode ser considerado uma boa política do ponto de vista da eficiência econômica? (Dica: a análise de um subsídio à exportação é semelhante à análise de uma tarifa.)

Parte IV

A economia do setor público

CAPÍTULO 10

Externalidades

As empresas que produzem e vendem papel também criam, como subproduto do processo industrial, um produto químico chamado dioxina. Os cientistas acreditam que, quando a dioxina entra no meio ambiente, aumenta o risco de câncer, anomalias congênitas e outros problemas de saúde na população.

A produção e a liberação de dioxina representam um problema para a sociedade? Do Capítulo 4 ao 9, vimos como os mercados alocam recursos escassos por meio das forças de oferta e demanda e como o equilíbrio entre oferta e demanda é, de maneira geral, uma alocação eficiente de recursos. Usando a famosa metáfora de Adam Smith, a "mão invisível" do mercado leva os compradores e os vendedores de um mercado, que só estão interessados em si próprios, a maximizar o benefício total que a sociedade obtém do mercado em questão. Essa conclusão é a base de um dos *Dez princípios de economia* do Capítulo 1: os mercados são, geralmente, uma boa forma de organizar a atividade econômica. Devemos concluir, portanto, que a mão invisível impede que as empresas do mercado de papel emitam dioxina em excesso?

Os mercados fazem muitas coisas bem, mas não todas. Neste capítulo, começaremos a estudar mais um dos *Dez princípios de economia*: as ações do governo podem, às vezes, melhorar os resultados do mercado. Vamos examinar por que os mercados às vezes falham na alocação eficiente de recursos, como as políticas governamentais podem, potencialmente, melhorar a alocação do mercado e que tipos de política têm maiores possibilidades de funcionar melhor.

As falhas do mercado que examinaremos neste capítulo se enquadram na categoria geral das chamadas *externalidades*. Uma **externalidade** surge quando uma pessoa se envolve em uma atividade que provoca impacto no bem-estar de um terceiro, que não participa dessa ação, sem pagar nem receber nenhuma compensação pelo impacto provocado. Se o impacto sobre o terceiro for adverso, isso é denominado *externalidade negativa*. Se for benéfico, é chamado *externalidade positiva*. Quando há externalidades, o interesse da sociedade em um resultado de mercado vai além do bem-estar dos compradores e dos vendedores que participam do mercado; passa a incluir também o bem-estar de terceiros que são indiretamente afetados. Como compradores e vendedores desconsideram os efeitos externos de suas ações quando decidem quanto demandar ou ofertar, o equilíbrio de mercado não é eficiente quando há externalidades. Ou seja, o equilíbrio não maximiza o benefício total para a sociedade como um todo. A liberação de dioxina no meio ambiente, por exemplo, é uma externalidade negativa. As empresas produtoras de papel que estiverem voltadas para seu próprio interesse não levarão em consideração o custo total da poluição que criam no processo de produção, e os consumidores de papel não levarão em consideração o custo total da poluição, para a qual contribuem com suas decisões de compra. Portanto, as empresas emitirão dioxina em excesso, a menos que o governo as impeça ou desestimule.

externalidade
o impacto não compensado das ações de uma pessoa sobre o bem-estar de outras que não participam daquelas ações

Há diversos tipos de externalidades e de respostas políticas que procuram resolver essas falhas do mercado. Eis alguns exemplos:

- A fumaça emitida pelos escapamentos dos carros gera externalidades negativas, porque outras pessoas são obrigadas a respirar o ar poluído. Como os motoristas podem ignorar essa externalidade ao decidir quais carros comprar e quanto utilizá-los, eles tendem a poluir demais. O governo federal procura resolver esse problema estabelecendo padrões de emissão para os carros. Além disso, tributa a gasolina para diminuir o tempo que as pessoas passam dirigindo, reduzindo, assim, o uso do carro.
- A restauração de imóveis antigos produz uma externalidade positiva, porque as pessoas que passam por eles podem desfrutar da beleza e do senso histórico que essas construções proporcionam. Os proprietários de tais imóveis não obtêm nenhum benefício de sua restauração, motivo pelo qual tendem a demoli-los rapidamente. Muitos governos municipais reagem a isso, controlando a demolição de construções históricas e oferecendo isenções fiscais aos proprietários que as restaurarem.
- O latido de cachorros cria uma externalidade negativa, porque os vizinhos são perturbados pelo barulho. Os donos não arcam com o custo total do barulho e, por isso, tendem a tomar poucas precauções para impedir que seus cães latam. Os governos municipais lidam com esse problema tornando ilegal a "perturbação da paz".
- A pesquisa de novas tecnologias oferece uma externalidade positiva, porque gera conhecimento que outras pessoas podem usar. Caso os inventores, as empresas e as universidades não consigam receber os benefícios de suas invenções, eles tenderão a dedicar menos recursos à pesquisa. O governo federal aborda parcialmente esse problema por meio do sistema de patentes, que confere aos inventores uso exclusivo de seus inventos por um período limitado.

Em cada um desses casos, algum tomador de decisão deixa de levar em conta os efeitos externos de seu comportamento. O governo reage, tentando influenciar essas decisões para proteger os interesses de terceiros que são prejudicados.

10_1 EXTERNALIDADES E INEFICIÊNCIA DO MERCADO

Nesta seção, usaremos as ferramentas da economia do bem-estar desenvolvida no Capítulo 7 para examinar como as externalidades afetam o bem-estar econômico. A análise mostra com precisão por que as externalidades levam os mercados a alocar recursos de forma ineficiente. Mais adiante, examinaremos diversas maneiras pelas quais os agentes privados e os formuladores de políticas públicas podem remediar esse tipo de falha do mercado.

10_1A Economia do bem-estar: recapitulação

Começaremos recapitulando as lições principais sobre a economia do bem-estar que vimos no Capítulo 7. Para dar solidez à nossa análise, vamos considerar um mercado específico: o mercado de alumínio. A Figura 1 mostra as curvas de oferta e demanda desse mercado.

Como você deve se lembrar, vimos no Capítulo 7 que as curvas de oferta e demanda contêm informações importantes sobre custos e benefícios. A curva de demanda de alumínio reflete o valor do alumínio para os consumidores, valor esse que é medido pelo preço que eles estão dispostos a pagar. Para qualquer quantidade dada, a altura da curva de demanda indica a disposição para pagar do comprador marginal. Em outras palavras, indica o valor que a última unidade de alumínio comprada tem para o consumidor. De maneira similar, a curva de oferta reflete os custos de produção do alumínio. Para qualquer quantidade dada, a altura da curva de oferta indica qual é o custo para o vendedor marginal. Em outras palavras, indica o custo que a última unidade de alumínio vendida tem para o produtor.

Na ausência de intervenção governamental, o preço se ajusta para equilibrar a oferta e a demanda. A quantidade produzida e consumida no equilíbrio de mercado, representada por $Q_{MERCADO}$ na Figura 1, é eficiente, porque maximiza a soma dos excedentes do produtor e do consumidor, ou seja, o mercado aloca recursos de uma maneira que maximiza o valor total para os consumidores que compraram e usam o alumínio menos o custo total para os produtores que fabricam e vendem o alumínio.

Figura 1
O mercado de alumínio

A curva de demanda reflete o valor para os compradores, e a curva de oferta, o custo para os vendedores. A quantidade de equilíbrio, $Q_{MERCADO}$, maximiza o valor total para os compradores menos os custos totais dos vendedores. Na ausência de externalidades, portanto, o equilíbrio de mercado é eficiente.

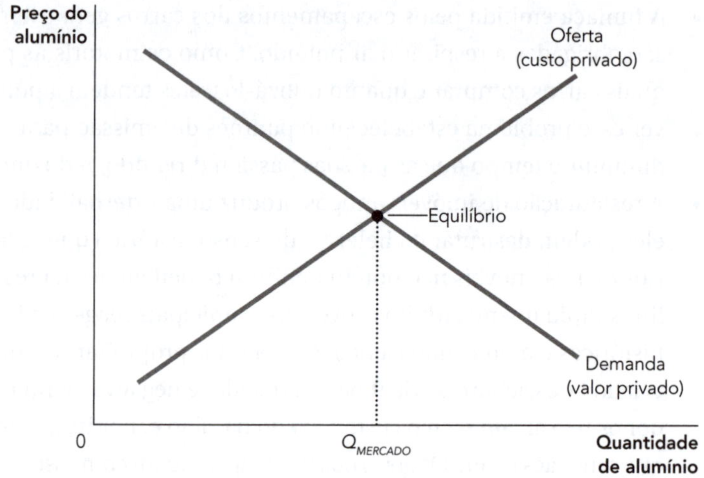

10_1B Externalidades negativas

Agora, vamos supor que as fábricas de alumínio emitam poluentes: para cada unidade de alumínio produzida, uma determinada quantidade de fumaça entra na atmosfera. Como a fumaça cria um risco para a saúde de quem respira esse ar, é uma externalidade negativa. Como essa externalidade afeta a eficiência do resultado do mercado?

Por causa da externalidade, o custo da produção de alumínio para a *sociedade* é maior que o custo para os seus produtores. Para cada unidade de alumínio produzida, o *custo social* inclui os custos privados para os produtores mais os custos das pessoas afetadas adversamente pela poluição. A Figura 2 mostra o custo social da produção de alumínio. A curva de custo social se localiza acima da curva de oferta, porque considera os custos externos impostos à sociedade pelos produtores de alumínio. A diferença entre as duas curvas reflete o custo da poluição emitida.

Que quantidade de alumínio se deve produzir? Para responder a essa pergunta, consideremos novamente o que faria um planejador social benevolente. O planejador quer maximizar o excedente total originado no mercado – o valor do alumínio para os consumidores menos o custo de produção dele –, contudo, ele entende que o custo de produção inclui os custos externos da poluição.

Ele escolheria o nível de produção de alumínio em que a curva de demanda cruza a curva de custo social. Essa intersecção determina, do ponto de vista da sociedade como um todo, a quantidade ótima de alumínio produzida. Abaixo desse nível de produção, o valor do alumínio para os consumidores (medido pela altura da curva de demanda) supera o custo social de sua produção (medido pela altura da curva de custo social). O planejador não produz mais que esse nível, porque o custo social da produção adicional de alumínio excede o valor para os consumidores.

Observe que a quantidade de equilíbrio de alumínio, $Q_{MERCADO}$, é maior que a quantidade socialmente ótima, $Q_{ÓTIMA}$. Essa ineficiência ocorre porque o equilíbrio de mercado reflete apenas os custos privados de produção. No equilíbrio do mercado, o consumidor marginal atribui ao alumínio um valor inferior ao custo social de produção. Ou seja, em $Q_{MERCADO}$, a curva de demanda está abaixo da curva do custo social. Com isso, reduzir a produção e o consumo de alumínio, deixando-os abaixo do nível de equilíbrio de mercado, eleva o bem-estar econômico total.

internalização de uma externalidade
alteração dos incentivos, de maneira que as pessoas considerem os efeitos externos de suas ações

Como o planejador social pode atingir o resultado ótimo? Uma maneira seria tributar os produtores de alumínio por tonelada vendida. O imposto deslocaria a curva de oferta de alumínio para cima no montante do imposto. Se o imposto refletisse exatamente o custo externo da fumaça lançada na atmosfera, a nova curva de oferta coincidiria com a curva de custo social. No novo equilíbrio de mercado, os produtores de alumínio produziriam a quantidade socialmente ótima de alumínio.

O uso de um imposto como esse é chamado **internalização de uma externalidade**, porque dá aos compradores e vendedores de um mercado um incentivo para que

Figura 2
Poluição e ótimo social
Na presença de uma externalidade negativa, como a poluição, o custo social do bem excede o custo privado. A quantidade ideal, $Q_{ÓTIMA}$, é, portanto, menor que a quantidade de equilíbrio, $Q_{MERCADO}$.

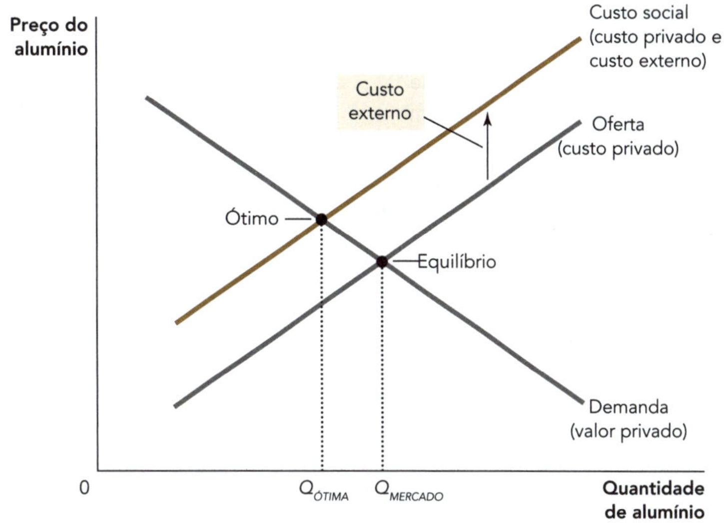

levem em conta os efeitos externos de suas ações. Essencialmente, os produtores de alumínio considerariam os custos da poluição ao decidir quanto alumínio ofertar, uma vez que o imposto faria que eles pagassem por esses custos externos. E como o preço de mercado refletiria esse imposto nos produtores, os consumidores de alumínio teriam um incentivo para usar menor quantidade. A política se baseia em um dos *Dez princípios de economia*: as pessoas respondem a incentivos. Mais adiante, neste capítulo, veremos mais detalhadamente como os formuladores de políticas podem lidar com as externalidades.

10_1C Externalidades positivas

Embora algumas atividades imponham custos a terceiros, outras geram benefícios. Considere a educação, por exemplo. Em grande escala, o benefício da educação é privado: o consumidor da educação se torna um trabalhador mais produtivo e recebe grande parte do benefício na forma de salários mais altos. Além desses benefícios privados, no entanto, a educação também gera externalidades positivas. Primeiro, uma população mais instruída produz eleitores mais bem informados, o que significa um governo melhor para todos. Segundo, tende a diminuir a taxa de criminalidade. E, terceiro, pode encorajar o desenvolvimento e a disseminação de avanços tecnológicos, aumentando o nível de produtividade e salários para todos. Em razão dessas três externalidades positivas, uma pessoa pode preferir ter vizinhos bem educados.

A análise das externalidades positivas é semelhante à das externalidades negativas. Como mostra a Figura 3, a curva de demanda não reflete o valor do bem para a sociedade. Como o valor social é maior que o valor privado, a curva de valor social fica acima da curva de demanda. A quantidade ótima encontra-se onde a curva de valor social e a curva de oferta (que representa os custos) se interceptam. Portanto, a quantidade social ótima é maior que a quantidade determinada pelo setor privado.

Mais uma vez, o governo pode corrigir as falhas de mercado, induzindo os participantes a internalizar a externalidade. A resposta apropriada, no caso de externalidades positivas, é exatamente oposta ao caso das externalidades negativas. Para deslocar o equilíbrio de mercado social ótimo, as externalidades positivas requerem um subsídio. Na verdade, esta é exatamente a política que o governo adota: a educação é altamente subsidiada por meio de escolas públicas e bolsas concedidas pelo governo.

Em resumo, *as externalidades negativas levam os mercados a produzir uma quantidade maior que a socialmente desejável. Por sua vez, as externalidades positivas permitem que os mercados produzam uma quantidade menor que a socialmente desejável. Para solucionar esse problema, o governo pode internalizar a externalidade, tributando os bens que carregam externalidades negativas e subsidiando aqueles que trazem externalidades positivas.*

Figura 3

A educação e o ótimo social

Quando há uma externalidade positiva, o valor social do bem excede seu valor privado. A quantidade ótima, $Q_{ÓTIMA}$, é, portanto, maior que a quantidade de equilíbrio, $Q_{MERCADO}$.

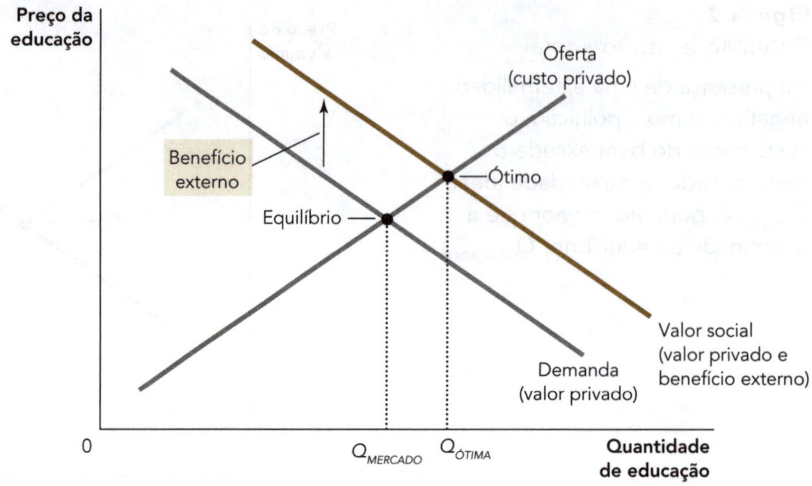

Teste rápido Dê um exemplo de externalidade negativa e outro de externalidade positiva. Explique por que os resultados de mercado são ineficientes quando há externalidades.

10_2 POLÍTICAS PÚBLICAS PARA AS EXTERNALIDADES

Até aqui, abordamos a maneira como as externalidades levam os mercados a alocar recursos de modo ineficiente, mas nos referimos apenas superficialmente à forma como essas ineficiências podem ser reparadas. Na prática, tanto os formuladores de políticas públicas quanto os agentes privados reagem às externalidades de diversas maneiras, e todas as soluções compartilham o objetivo de aproximar a alocação de recursos do ótimo social.

Esta seção considera as soluções do governo, o qual, de modo geral, pode reagir às externalidades de duas maneiras: por meio de *políticas de comando e controle*, que regulamentam o comportamento diretamente, e por meio de *políticas baseadas no mercado*, que fornecem incentivos para que os tomadores de decisão privados decidam resolver o problema entre si.

10_2A Políticas de comando e controle: regulamentação

O governo pode solucionar uma externalidade tornando obrigatórios ou proibidos determinados tipos de comportamento. Por exemplo, é crime jogar produtos químicos tóxicos nos reservatórios de água. Nesse caso, os custos externos para a sociedade superam em muito os benefícios para o poluidor. Assim, o governo institui uma política de comando e controle que proíbe totalmente esse tipo de ação.

Na maioria dos casos de poluição, contudo, a situação não é tão simples. Apesar dos objetivos declarados de alguns ambientalistas, seria impossível proibir todas as atividades poluidoras. Por exemplo, praticamente todas as formas de transporte – até os cavalos – produzem subprodutos poluentes indesejáveis, mas não seria sensato o governo proibir todos os meios de transporte. Assim, em vez de tentar erradicar completamente a poluição, a sociedade tem de ponderar os custos e benefícios para decidir os tipos e quantidades de poluição que vai permitir. Nos Estados Unidos, a Agência de Proteção Ambiental (Environmental Protection Agency – EPA) é o órgão governamental encarregado de desenvolver e aplicar regulamentos de proteção ao meio ambiente.

Os regulamentos ambientais podem tomar muitas formas. Em alguns casos, a EPA determina o nível máximo de poluição que uma fábrica pode emitir; em outros, exige que as empresas adotem uma tecnologia específica para reduzir as emissões. Em todos os casos, porém, para conceber boas regras, os responsáveis pela regulamentação governamental precisam conhecer os detalhes relativos a indústrias específicas e as tecnologias alternativas que possam ser adotadas, informações que, às vezes, podem ser difíceis de ser obtidas.

Pergunte aos especialistas

Vacinas

"Recusar-se a ser vacinado contra doenças contagiosas, como sarampo, impõe custos a outras pessoas, o que é uma externalidade negativa."

O que os economistas dizem?

"Considerando os custos da restrição da liberdade de escolha e a parcela de moradores dos Estados Unidos que escolhe não vacinar seus filhos contra o sarampo, o benefício social de vacinas obrigatórias contra essa doença para todos os norte-americanos (exceto aqueles com motivos médicos convincentes) excederia o custo social."

Fonte: IGM Economic Experts Panel, 10 de março de 2015.

O que os economistas dizem?

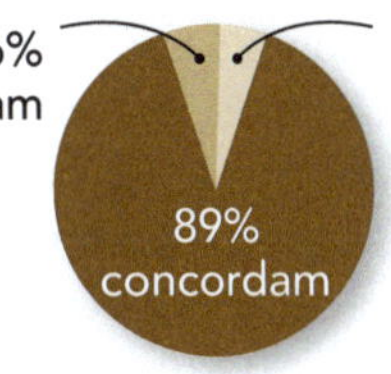

10_2B Política baseada no mercado 1: impostos corretivos e subsídios

imposto corretivo um imposto destinado a induzir decisores privados a considerar os custos sociais que surgem a partir de uma externalidade negativa

Em vez de regulamentar o comportamento em resposta a uma externalidade, o governo pode usar políticas baseadas no mercado para alinhar incentivos privados com eficiência social. Por exemplo, como já vimos, o governo pode internalizar a externalidade, tributando as atividades que causem externalidades negativas e subsidiando aquelas que tragam externalidades positivas. Os impostos criados para corrigir os efeitos de externalidades negativas são denominados **impostos corretivos**. Também conhecidos como *impostos de Pigou*, em homenagem ao economista Arthur Pigou (1877-1959), um dos primeiros defensores de seu uso. O imposto corretivo ideal seria igual ao custo externo de uma atividade com externalidades negativas, e um subsídio corretivo ideal seria igual ao benefício externo de uma atividade com externalidades positivas.

Os economistas costumam preferir os impostos corretivos à regulamentação como maneira de lidar com a poluição, porque esses impostos podem reduzir a poluição a um custo menor para a sociedade. Vamos usar um exemplo para entender por quê.

Suponhamos que duas manufaturas - uma fábrica de papel e uma usina siderúrgica - estejam, cada uma, despejando 500 toneladas de lixo por ano em um rio. A EPA decide que quer reduzir a quantidade de poluição e considera duas soluções:

- Regulamentação: a EPA pode determinar que cada fábrica reduza sua poluição para 300 toneladas por ano.
- Imposto corretivo: a EPA pode tributar cada fábrica em $ 50 mil por tonelada de poluição emitida.

A regulamentação determinaria um nível de poluição, ao passo que o imposto conferiria aos proprietários das plantas um incentivo econômico para reduzir a poluição. Qual solução seria melhor em sua opinião?

A maioria dos economistas preferiria o imposto. Para explicar isso, eles inicialmente assinalariam que os impostos são tão eficazes quanto os regulamentos para a redução do nível geral de poluição. A EPA poderia atingir qualquer nível de poluição que desejasse estabelecendo o imposto no nível adequado. Quanto maior o imposto, maior a redução da poluição. Se o imposto fosse elevado o suficiente, as duas empresas fechariam, o que reduziria a poluição a zero.

Pergunte aos especialistas

Taxas de carbono

"A Brookings Institution reportou recentemente uma taxa de carbono norte-americana de $ 20 por tonelada, com um incremento de 4% ao ano, o que geraria um montante estimado em $ 150 bilhões por ano nas receitas federais ao longo da próxima década. Em razão das externalidades negativas criadas pelas emissões de dióxido de carbono, um imposto federal sobre o carbono a essa taxa envolveria menos distorções líquidas prejudiciais à economia dos Estados Unidos do que um aumento no imposto que gerasse a mesma receita elevando as alíquotas marginais tributáveis sobre a renda da mão de obra em geral."

"Um imposto sobre o conteúdo de carbono nos combustíveis seria uma forma menos dispendiosa de reduzir as emissões de dióxido de carbono, comparada a um conjunto de políticas, tais como exigências 'médias da economia corporativa de combustível' para automóveis."

Fonte: IGM Economic Experts Panel, 4 de dezembro de 2012 e 20 de dezembro de 2011.

Embora tanto a regulamentação quanto o imposto sejam capazes de reduzir a poluição, o imposto alcança esse objetivo de modo mais eficiente. A regulamentação exige que as fábricas reduzam a poluição na mesma quantidade, mas uma redução uniforme não é necessariamente a forma menos dispendiosa de limpar a água. É possível que a fábrica de papel consiga reduzir a poluição a um custo menor que a usina siderúrgica. Nesse caso, a primeira reagiria ao imposto reduzindo substancialmente sua poluição para evitá-lo, enquanto a outra reagiria reduzindo menos a poluição e pagando o imposto.

Em essência, os impostos corretivos cobram um preço pelo direito de poluir. Assim como os mercados alocam bens aos compradores que lhes atribuem maior valor, os impostos corretivos alocam a poluição às fábricas que enfrentam os maiores custos para reduzi-la. Qualquer que seja o nível de poluição escolhido pela EPA, ela poderá atingir essa meta ao menor custo total usando o imposto.

Os economistas argumentam ainda que os impostos corretivos são melhores para o meio ambiente. Sob uma política de regulamentação de comando e controle, as plantas não teriam motivo para reduzir as emissões se já tivessem atingido a meta de 300 toneladas de lixo. Já o imposto dá às fábricas um incentivo para desenvolver tecnologias com níveis de poluição menores, porque isso reduz o montante de impostos que devem pagar.

Os impostos corretivos são diferentes de muitos outros impostos. Como vimos no Capítulo 8, a maioria dos impostos distorce os incentivos e desloca a alocação de recursos para longe do ótimo social. A redução do bem-estar econômico, ou seja, dos excedentes do consumidor e do produtor, excede o montante da receita arrecadada pelo governo, resultando em um peso morto. No entanto, quando há presença de externalidades, a sociedade também se preocupa com o bem-estar dos terceiros que são afetados. Os impostos corretivos são os incentivos corretos para a presença de externalidades e, portanto, deslocam a alocação de recursos para mais perto do ótimo social. Assim, os impostos corretivos, ao mesmo tempo que arrecadam receita para o governo, aumentam a eficiência econômica.

10_2C Política baseada no mercado 2: licenças de poluição negociáveis

Retomando o exemplo da fábrica de papel e da usina siderúrgica, vamos supor que a EPA, apesar dos conselhos de seus economistas, decida adotar a regulamentação e exija que cada fábrica reduza sua poluição para 300 toneladas de lixo por ano. Um dia, depois de a regulamentação ter entrado em vigor e de as duas plantas estarem adaptadas a ela, estas vão à EPA com uma proposta: a usina siderúrgica deseja aumentar sua emissão de lixo em 100 toneladas, enquanto a fábrica de papel concorda em reduzir sua poluição na mesma quantidade desde que a siderúrgica lhe pague $ 5 milhões. A emissão total de resíduos permaneceria em 600 toneladas. A EPA deve permitir que as fábricas façam esse acordo?

Do ponto de vista da eficiência econômica, permitir o negócio é uma boa política. O negócio deve deixar os proprietários das duas fábricas em melhor situação, já que ambos, voluntariamente, concordaram com ele. Além do mais, o negócio não teria efeitos externos, porque o volume total de poluição continuaria o mesmo. Assim, o bem-estar social aumenta ao se permitir que a fábrica de papel venda seus direitos de poluição à usina siderúrgica.

A mesma lógica se aplica a qualquer transferência voluntária de direitos de poluição de uma empresa para outra. Se a EPA permitir que as empresas façam essas transações, terá, em essência, criado um novo recurso escasso: as licenças de poluição. Um mercado para a negociação dessas licenças será desenvolvido e regido pelas forças de oferta e demanda. A mão invisível garantirá que esse novo mercado aloque com eficiência o direito de poluir. Ou seja, as licenças ficarão com aquelas empresas que derem maior valor a elas, conforme a quantia que desejarem pagar. A disposição de uma empresa para pagar pelo direito de poluir, por sua vez, dependerá de seu custo da redução da poluição: quanto maior o custo para reduzir a poluição, maior o valor que desejará pagar pela licença.

Uma vantagem de se permitir um mercado de licenças de poluição é o fato de que a alocação inicial destas entre as empresas não tem importância do ponto de vista de eficiência econômica. As empresas capazes de reduzir a poluição a baixo custo estariam dispostas a vender qualquer licença que conseguissem obter, e as empresas que só conseguem reduzir a poluição a um alto custo estariam dispostas a comprar todas as licenças de que precisassem. Desde que haja um mercado livre de direitos de poluição, a alocação final será eficiente, qualquer que seja a alocação inicial.

Reduzir a poluição usando essas licenças pode parecer bem diferente de usar os impostos corretivos, mas as duas políticas têm muito em comum. Em ambos os casos, as empresas pagam por sua poluição. Com os impostos corretivos, as empresas poluidoras têm de pagar o imposto ao governo. Com as licenças de poluição, as empresas poluentes devem comprar suas licenças. (Mesmo as empresas já portadoras de licenças devem pagar para poluir: o custo de oportunidade para poluir é o que receberiam pela venda de suas licenças no mercado aberto.) Tanto os impostos corretivos quanto as licenças de poluição permitem internalizar a externalidade da poluição ao torná-la mais dispendiosa para as empresas poluírem.

A semelhança das duas políticas pode ser observada considerando-se um mercado de poluição. Os dois painéis da Figura 4 mostram a curva de demanda por direitos de poluição. Essa curva indica que, quanto

Figura 4

A equivalência entre os impostos corretivos e as licenças de poluição

No painel (a), a EPA estabelece um preço sobre a poluição ao cobrar um imposto corretivo, e a curva de demanda determina a quantidade de poluição. No painel (b), a EPA limita a quantidade de poluição ao limitar o número de licenças de poluição, e a curva de demanda determina o preço da poluição. O preço e a quantidade de poluição são os mesmos nos dois casos.

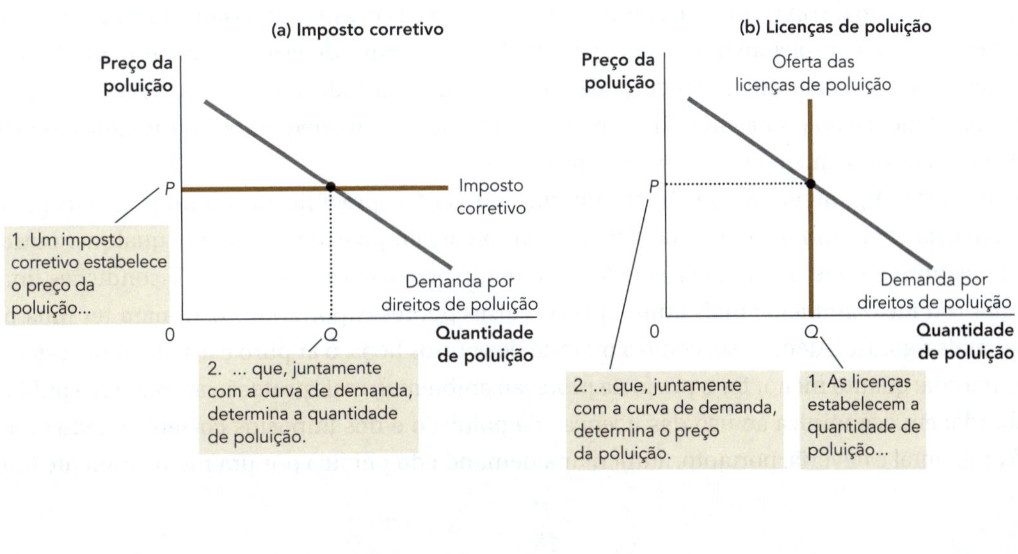

menor for o preço da poluição, mais empresas optarão por poluir o meio ambiente. No painel (a), a EPA usa um imposto corretivo para estabelecer um preço para a poluição. Nesse caso, a curva de oferta por direitos de poluição é perfeitamente elástica (porque as empresas podem poluir o quanto quiserem, desde que paguem o imposto) e a posição da curva de demanda determina a quantidade de poluição. No painel (b), a EPA estabelece uma quantidade de poluição, emitindo licenças. Nesse caso, a curva de oferta de direitos de poluição é perfeitamente inelástica (porque a quantidade de poluição é determinada pelo número de licenças) e a posição da curva de demanda determina o preço da poluição. Assim, para qualquer curva de demanda de poluição, a EPA pode atingir qualquer ponto da curva de demanda, seja estabelecendo um preço por meio de um imposto corretivo, seja estabelecendo uma quantidade por meio das licenças de poluição.

Em alguns casos, contudo, vender licenças pode ser melhor do que aplicar um imposto corretivo. Suponhamos que a EPA não deseje que mais do que 600 toneladas de lixo sejam lançadas ao rio, mas como não conhece a curva de demanda por poluição, não está certa quanto ao montante de imposto que tornaria possível atingir essa meta. Nesse caso, ela pode simplesmente leiloar 600 licenças de poluição – o preço obtido no leilão mostraria a magnitude apropriada do imposto corretivo.

A ideia de o governo leiloar o direito de poluir pode, em princípio, parecer obra da imaginação de algum economista. E, de fato, foi assim que a ideia surgiu. Mas a EPA tem usado cada vez mais o sistema como forma de controle da poluição. Uma história de sucesso tem sido o caso do dióxido de enxofre (SO_2), causa principal da chuva ácida. Em 1990, emendas feitas ao *Clean Air Act* (Lei do Ar Limpo) exigiam que as usinas elétricas reduzissem substancialmente a emissão de SO_2. Ao mesmo tempo, essas emendas estabeleceram um sistema que permitia às usinas negociar as licenças de emissão de SO_2. Embora, no início, tanto os representantes das indústrias quanto os ambientalistas estivessem céticos com relação à proposta, com o tempo ficou provado que é possível reduzir a poluição com o mínimo de transtorno. As licenças de poluição, assim como os impostos corretivos, são agora amplamente consideradas uma forma econômica para manter o ambiente limpo.

10_2D Objeções à análise econômica da poluição

"Não podemos conceder a ninguém a opção de poluir em troca de um pagamento." Esse comentário, feito pelo falecido senador norte-americano Edmund Muskie, reflete a opinião de alguns ambientalistas. Ar puro e água limpa, argumentam eles, são direitos humanos fundamentais que não podem ser degradados por considerações de uma perspectiva econômica. Como atribuir um preço ao ar puro e à água limpa? O meio ambiente é tão importante, dizem, que devemos protegê-lo ao máximo, independentemente do custo.

Os economistas não simpatizam muito com esse tipo de argumento. Para eles, as boas políticas ambientais começam pelo reconhecimento do primeiro dos *Dez princípios de economia*, que vimos no Capítulo 1: as pessoas enfrentam *tradeoffs*. É claro que o ar puro e a água limpa são valiosos, mas seu valor precisa ser comparado a seu custo de oportunidade, ou seja, àquilo de que as pessoas precisam abrir mão para obtê-los. É impossível eliminar completamente a poluição. Qualquer tentativa de fazê-lo reverteria muitos dos avanços tecnológicos que nos permitem desfrutar de um alto padrão de vida. Poucas pessoas estariam dispostas a aceitar uma alimentação pobre em nutrientes, cuidados médicos inadequados ou moradias improvisadas para deixar o meio ambiente o mais limpo possível.

Os economistas argumentam que alguns ativistas ambientais prejudicam sua própria causa quando se recusam a pensar em termos econômicos. Um meio ambiente limpo é um bem como qualquer outro. Como todos os bens normais, ele tem uma elasticidade de renda positiva: países ricos têm condições financeiras para manter um meio ambiente mais limpo que os países pobres e, portanto, costumam ter uma proteção ambiental mais rigorosa. Além disso, como a maioria dos outros bens, o ar puro e a água limpa estão sujeitos à lei da demanda: quanto menor for o preço da proteção ambiental, mais proteção ambiental o público desejará. A abordagem econômica ao uso das licenças de poluição e dos impostos corretivos reduz o custo da proteção ambiental e deveria, portanto, aumentar a demanda do público por um meio ambiente limpo.

Teste rápido Uma fábrica de cola e uma usina siderúrgica emitem fumaça que contém um produto químico nocivo se inalado em grandes quantidades. Descreva três maneiras pelas quais o governo da cidade pode responder a essa externalidade. Quais são os prós e os contras de cada solução?

10_3 SOLUÇÕES PRIVADAS PARA AS EXTERNALIDADES

Embora as externalidades tendam a tornar os mercados ineficientes, nem sempre é necessária uma ação governamental para solucionar o problema. Em algumas circunstâncias, as pessoas podem desenvolver soluções privadas.

10_3A Tipos de solução privada

Às vezes, o problema das externalidades é resolvido com códigos morais e sanções sociais. Consideremos, por exemplo, por que a maioria das pessoas não joga lixo em lugares públicos. Embora existam leis contra isso, elas não são aplicadas rigorosamente. A maioria das pessoas evita jogar lixo em lugares públicos apenas porque é errado fazê-lo. A Regra de Ouro que as crianças aprendem diz: "Não faça aos outros o que não quer que façam a você". Esse procedimento moral nos diz para levar em consideração os efeitos de nossas ações sobre os outros. Em termos econômicos, manda-nos internalizar as externalidades.

Outra solução privada para as externalidades está nas instituições filantrópicas, muitas das quais foram estabelecidas para tratar de externalidades. O Sierra Club, por exemplo, cujo objetivo é proteger o meio ambiente, é uma organização sem fins lucrativos financiada por doações privadas. Outro exemplo são as faculdades e universidades que recebem doações de ex-alunos, empresas e fundações, em parte porque a educação gera externalidades positivas para a sociedade. O governo encoraja essas soluções privadas para as externalidades, permitindo deduções no imposto de renda para as doações filantrópicas.

Muitas vezes, o mercado privado pode resolver o problema das externalidades pelo interesse próprio das partes envolvidas. Em alguns casos, a solução assume a forma de integração entre diferentes tipos de negócio. Considere, por exemplo, um produtor de maçãs e um apicultor que estejam localizados um próximo do outro. Cada negócio confere uma externalidade positiva ao outro: ao polinizar as flores das macieiras, as abelhas ajudam na produção de maçãs; ao mesmo tempo, elas usam o néctar que retiram das flores para produzir mel. Ainda assim, quando o produtor de maçãs decide quantas árvores plantar e o apicultor decide quantas abelhas manter, eles não levam em consideração a externalidade positiva. Com isso, o produtor de maçãs planta menos do que poderia e o apicultor mantém menos abelhas do que poderia. Essas externalidades poderiam ser internalizadas se o apicultor comprasse o pomar de maçãs ou se o cultivador de maçãs comprasse as colmeias. Então, as duas atividades se desenvolveriam na mesma empresa, que poderia determinar o número ótimo de árvores e de abelhas. Internalizar as externalidades é um dos motivos pelos quais algumas empresas se envolvem em diferentes tipos de atividade.

Outra maneira de o mercado privado lidar com efeitos externos é por meio de contratos entre as partes interessadas. No exemplo anterior, um contrato entre o produtor de maçãs e o apicultor poderia resolver o problema das poucas árvores e das poucas abelhas. O contrato poderia especificar o número de árvores, o número de abelhas e, talvez, um pagamento de uma parte à outra. Ao estabelecer a quantidade certa de árvores e de abelhas, o contrato pode resolver a ineficiência que normalmente se origina das externalidades e deixar as duas partes em melhor situação.

10_3B O teorema de Coase

Até que ponto o mercado privado é eficaz ao lidar com externalidades? Um resultado famoso, conhecido como **teorema de Coase**, em homenagem ao economista Ronald Coase, sugere que ele pode ser bastante eficaz em algumas circunstâncias. De acordo com o teorema de Coase, se os agentes econômicos privados

teorema de Coase
a proposição de que, se os agentes econômicos privados puderem negociar sem custo a alocação de recursos, poderão resolver por si sós o problema das externalidades

puderem negociar sem custo a alocação de recursos, então o mercado privado sempre solucionará o problema das externalidades e alocará recursos com eficiência.

Para vermos como o teorema de Coase funciona, vamos usar um exemplo. Suponha que Dick tenha um cachorro chamado Spot, que late e incomoda Jane, sua vizinha. Ele obtém um benefício por ser dono do cachorro, mas o cachorro confere uma externalidade negativa a Jane. Dick deve ser forçado a se livrar de Spot ou Jane deve ficar noites sem dormir por causa dos latidos de Spot?

Considere primeiro qual resultado é socialmente eficiente. Um planejador social, considerando as duas alternativas, compararia o benefício que Dick obtém da posse do cachorro com o custo imposto a Jane pelos latidos de Spot. Se o benefício exceder o custo, para Dick será eficiente ficar com o animal, e para Jane, conviver com o barulho. Mas, se o custo for maior que o benefício, Dick deverá se livrar do cão.

De acordo com o teorema de Coase, o mercado privado chegará ao resultado eficiente por si só. Como? Jane poderá simplesmente oferecer a Dick um pagamento para que se desfaça do cachorro. Dick aceitará se a quantia de dinheiro que Jane oferecer for maior do que o benefício de ficar com o cachorro.

Negociando o preço, Dick e Jane poderão sempre chegar a um resultado eficiente. Suponhamos, por exemplo, que Dick obtenha um benefício de $ 500 por manter o cachorro e que Jane arque com um custo de $ 800 por causa do barulho. Nesse caso, Jane poderá oferecer a Dick um pagamento de $ 600 para que ele se livre do cão, e Dick aceitará alegremente. As duas partes estarão em melhor situação do que antes e o resultado eficiente será atingido.

É possível, naturalmente, que Jane não esteja disposta a oferecer nenhum preço que Dick queira aceitar. Suponhamos ainda que Dick obtenha um benefício de $ 1.000 por manter o cachorro e que Jane arque com um custo de $ 800 provocado pelos latidos do cão. Nesse caso, Dick recusaria qualquer oferta abaixo de $ 1.000 e Jane não ofereceria nenhum valor acima de $ 800. Portanto, Dick ficaria com o cachorro. Dados os custos e benefícios, o resultado, contudo, é eficiente.

Até aqui, admitimos que Dick tenha, por lei, direito de ficar com um cão que late. Em outras palavras, admitimos que Dick fique com o cachorro a menos que Jane lhe pague o bastante para convencê-lo a se desfazer do animal voluntariamente. Mas em que mudaria o resultado se Jane tivesse, por lei, direito à paz e à tranquilidade?

De acordo com o teorema de Coase, a distribuição inicial dos direitos não afeta a capacidade que o mercado tem de atingir um resultado eficiente. Suponhamos, por exemplo, que Jane tenha o direito legal de forçar Dick a se livrar do cachorro. Embora ter esse direito seja vantajoso para ela, provavelmente não mudará o resultado. Nesse caso, Dick poderia pagar a Jane para que ela lhe permitisse ficar com o cão. Se o benefício de ficar com o cão para Dick exceder o custo do latido para Jane, os dois chegarão a um acordo que permita a Dick ficar com seu animal.

Embora Dick e Jane possam chegar ao resultado eficiente, independentemente da distribuição inicial dos direitos, essa distribuição não é irrelevante: ela determina a distribuição do bem-estar econômico. O fato de Dick ter o direito a um cachorro que late ou de Jane ter direito à paz e à tranquilidade é que determina quem paga a quem no final da negociação. Mas, em qualquer um dos casos, as duas partes podem negociar entre si e resolver o problema da externalidade. Dick só ficará com o cachorro se o benefício exceder o custo.

Em suma: *o teorema de Coase diz que os agentes econômicos privados podem solucionar o problema das externalidades entre si. Qualquer que seja a distribuição inicial dos direitos, as partes interessadas sempre podem chegar a um acordo no qual todos fiquem em uma situação melhor e o resultado seja eficiente.*

10_3C Por que as soluções privadas nem sempre funcionam

Apesar da lógica convincente do **teorema de Coase**, os agentes econômicos privados, por si sós, muitas vezes são incapazes de solucionar os problemas causados por externalidades. O teorema só se aplica quando as partes não têm dificuldades para chegar a um acordo e aplicá-lo. No mundo real, entretanto, a negociação

custos de transação custos em que as partes incorrem no processo de efetivação de uma negociação

nem sempre funciona, mesmo quando há a possibilidade de se chegar a um acordo mutuamente benéfico.

Às vezes, as partes interessadas não conseguem resolver um problema de externalidade por causa dos **custos de transação**, ou seja, dos custos que as partes têm na negociação e implementação do acordo. Em nosso exemplo, imaginemos que Dick e Jane falem línguas diferentes, de modo que precisem contratar um tradutor para chegar a um acordo. Se o benefício de resolver o problema dos latidos for menor que o custo do tradutor, eles poderão optar por deixar o problema sem solução. Em exemplos mais realistas, os custos de transação não são as despesas com o tradutor, mas com os advogados necessários para redigir e aplicar os contratos.

Em outras ocasiões, as negociações simplesmente fracassam. As repetidas ocorrências de guerras e greves demonstram que chegar a um acordo pode ser difícil e que não conseguir chegar pode ser dispendioso. O problema é que, muitas vezes, as partes resistem e ficam à espera de um acordo que seja melhor para si. Suponhamos, por exemplo, que Dick receba um benefício de $ 500 por ter o cachorro e Jane esteja sujeita a um custo de $ 800 por causa dos latidos. Embora seja eficiente para ela pagar a Dick para que ele se livre do animal, são muitos os preços que poderiam levar a esse resultado. Dick poderia exigir $ 750 e Jane poderia oferecer apenas $ 550, e enquanto estivessem discutindo o preço, o resultado ineficiente persistiria.

Chegar a um acordo eficiente é ainda mais difícil quando o número de partes interessadas é grande, porque coordenar todas as partes é dispendioso. Considere, por exemplo, uma fábrica que polua as águas de um lago, impondo uma externalidade negativa aos pescadores da região. Conforme o teorema de Coase, se a poluição for ineficiente, então a fábrica e os pescadores poderão chegar a um acordo no qual estes remunerem a fábrica para que ela não polua o meio ambiente. No entanto, se houver muitos pescadores, coordenar todos eles na negociação com a fábrica pode ser quase impossível.

Quando a negociação privada não funciona, o governo, às vezes, pode desempenhar um papel. O governo é uma instituição concebida para agir em nome da coletividade. Nesse exemplo, ele pode agir em nome dos pescadores, porque é pouco prático para estes agir em seu próprio nome.

Teste rápido Dê um exemplo de uma solução privada para uma externalidade. • O que é o teorema de Coase? • Por que os agentes econômicos às vezes não conseguem resolver os problemas causados por uma externalidade?

10_4 CONCLUSÃO

A mão invisível é poderosa, mas não onipotente. O equilíbrio de um mercado maximiza a soma do excedente do produtor e do consumidor. Quando os compradores e os vendedores do mercado são as únicas partes interessadas, esse resultado é eficiente do ponto de vista da sociedade como um todo. Mas quando há efeitos externos, como a poluição, é necessário levar em consideração o bem-estar de terceiros ao se avaliar o resultado desse mercado. Nesse caso, a mão invisível do mercado pode falhar no trabalho de alocar os recursos com eficiência.

Em alguns casos, as pessoas podem resolver sozinhas os problemas das externalidades. O teorema de Coase sugere que as partes interessadas podem negociar entre si e chegar a uma solução eficiente. Algumas vezes, entretanto, não há como chegar a um resultado eficiente, talvez porque o grande número de interessados dificulte a negociação.

Quando as pessoas não conseguem resolver sozinhas o problema das externalidades, o governo costuma entrar em ação. Contudo, mesmo com a intervenção do governo, a sociedade não deve abandonar completamente as forças do mercado. Em vez disso, o governo pode resolver o problema exigindo que os tomadores de decisão arquem com todos os custos de suas ações. Os impostos corretivos e as licenças de poluição, por exemplo, foram criados para internalizar a externalidade da poluição e, cada vez mais, estão se tornando as políticas preferidas dos interessados em proteger o meio ambiente. As forças do mercado, quando corretamente redirecionadas, costumam ser o melhor remédio para as falhas do mercado.

Teste rápido do capítulo

1. **Qual das seguintes alternativas é um exemplo de uma externalidade positiva?**
   a. Dev corta a grama de Hillary e recebe $ 100 pelo serviço.
   b. Enquanto Dev corta a grama, seu cortador de grama expele fumaça, que Kristen, a vizinha de Hillary, tem de inalar.
   c. A grama recém-cortada de Hillary torna a vizinhança mais atraente.
   d. Os vizinhos de Hillary pagam para que ela prometa cortar a grama regularmente.

2. **Se a produção de um bem gera uma externalidade negativa, a curva do custo social ficará _______ da curva de oferta e a quantidade socialmente ótima é _______ que a quantidade de equilíbrio.**
   a. Acima, maior.
   b. Acima, menor.
   c. Abaixo, maior.
   d. Abaixo, menor.

3. **Quando o governo lança um imposto sobre um bem igual aos custos externos associados à produção deste bem, ele _______ o preço pago pelos consumidores e torna o resultado do mercado _______ eficiente.**
   a. Aumenta, mais.
   b. Aumenta, menos.
   c. Diminui, mais.
   d. Diminui, menos.

4. **Qual das seguintes afirmações sobre impostos corretivos geralmente NÃO é verdadeira?**
   a. Os economistas preferem esses impostos a regulações de comando e controle.
   b. Tais impostos aumentam a receita governamental.
   c. Tais impostos causam peso morto.
   d. Tais impostos reduzem a quantidade vendida no mercado.

5. **O governo leiloa 500 unidades de direitos de poluição. Elas são vendidas a $ 50 cada e geram receitas totais de $ 25 mil. Essa política é equivalente a um imposto corretivo de _______ por unidade de poluição.**
   a. $ 10.
   b. $ 50.
   c. $ 450.
   d. $ 500.

6. **O teorema de Coase NÃO se aplica se:**
   a. Houver uma externalidade significativa entre duas partes.
   b. O sistema judicial impuser vigorosamente todos os contratos.
   c. Os custos de transação tornarem a negociação difícil.
   d. Ambas as partes entenderem totalmente a externalidade.

RESUMO

- Quando uma transação entre um comprador e um vendedor afeta diretamente uma terceira parte, o efeito é chamado de externalidade. Se uma atividade gerar externalidades negativas, como poluição, a quantidade socialmente ótima em um mercado será menor que a quantidade de equilíbrio. Se uma atividade gerar externalidades positivas, como saltos de tecnologia, a quantidade socialmente ótima será maior que a quantidade de equilíbrio.
- O governo busca várias políticas para remediar as ineficiências provocadas pelas externalidades. Algumas vezes, impede atividades socialmente ineficientes, regulamentando o comportamento. Em outros casos, internaliza uma externalidade com impostos corretivos. Outra política pública é a concessão de licenças de poluição. Por exemplo, o governo pode proteger o meio ambiente emitindo um número limitado de licenças de poluição. O resultado dessa política é, em grande medida, o mesmo da cobrança de impostos corretivos dos poluidores.
- Algumas vezes, as pessoas afetadas pelas externalidades podem resolver o problema privadamente. Por exemplo, quando uma empresa provoca uma externalidade a outra, as duas podem internalizar a externalidade por meio de uma fusão. Alternativamente, as partes interessadas podem resolver o problema firmando um contrato. De acordo com o teorema de Coase, se as pessoas puderem negociar sem custos, então sempre poderão chegar a um acordo em que os recursos sejam alocados de maneira eficiente. Em muitos casos, no entanto, é difícil chegar a um acordo entre as muitas partes interessadas, de modo que o teorema de Coase não se aplica.

CONCEITOS-CHAVE

externalidade, p. 156
internalização de uma externalidade, p. 158
imposto corretivo, p. 161
teorema de Coase, p. 166
custos de transação, p. 167

QUESTÕES PARA REVISÃO

1. Dê um exemplo de externalidade negativa e um de externalidade positiva.
2. Elabore um gráfico de oferta e demanda para explicar o efeito de uma externalidade negativa resultante do processo de produção de uma empresa.
3. De que maneira um sistema de patentes ajuda a sociedade a resolver o problema de uma externalidade?
4. O que são impostos corretivos? Por que os economistas preferem esses impostos às regulamentações como maneira de proteger o meio ambiente da poluição?
5. Enumere algumas maneiras pelas quais os problemas causados pelas externalidades podem ser solucionados sem intervenção do governo.
6. Imagine que você seja um não fumante dividindo o quarto com um fumante. Segundo o teorema de Coase, o que determina se ele fumará no quarto? Esse resultado é eficiente? Como você e seu colega de quarto chegam a essa solução?

PROBLEMAS E APLICAÇÕES

1. Há duas formas de proteger seu carro contra roubo: uma trava antifurto para volante, que dificulta a ação do ladrão de carros, ou um sistema de rastreamento, que facilita o trabalho da polícia para recuperar o carro roubado. Qual desses tipos de proteção transmite uma externalidade negativa aos demais proprietários de carros? Qual proteção transmite uma externalidade positiva? Em sua opinião, sua análise tem implicações políticas?

2. Considere o mercado de extintores de incêndio.
   a. Por que extintores de incêndio poderiam exibir externalidades positivas?
   b. Elabore um gráfico do mercado de extintores de incêndio, traçando a curva de demanda, a curva de valor social, a curva de oferta e a curva de custo social.
   c. Indique o nível de produção de equilíbrio de mercado e o nível de produção eficiente. Dê uma explicação intuitiva para o motivo de essas quantidades serem diferentes.
   d. Se o benefício externo for $ 10 por extintor, descreva uma política governamental que possa resultar em um resultado eficiente.

3. Um grande consumo de álcool provoca mais acidentes de trânsito e, portanto, impõe custos às pessoas que não bebem e dirigem.
   a. Represente graficamente o mercado de álcool, indicando a curva de demanda, a curva de valor social, a curva de oferta, a curva de custo social, a produção de equilíbrio de mercado e o nível de produção eficiente.
   b. Em seu gráfico, destaque a área correspondente ao peso morto do equilíbrio de mercado. (Dica: o peso morto ocorre porque são consumidas algumas unidades de álcool cujo custo social excede o valor social.) Explique.

4. Muitos observadores acreditam que os níveis de poluição em nossa sociedade são excessivamente elevados.
   a. Se a sociedade deseja reduzir a poluição total em determinado grau, por que é eficiente aplicar diferentes níveis de redução a diferentes empresas?
   b. As abordagens de comando e controle, muitas vezes, se baseiam em reduções uniformes para as empresas. Por que essas abordagens

costumam ser incapazes de afetar as empresas que deveriam fazer as maiores reduções?

c. Os economistas argumentam que impostos corretivos ou direitos negociáveis de poluição apropriados resultarão em uma redução eficiente da poluição. Como essas abordagens afetam as empresas que deveriam fazer as maiores reduções?

5. Diversos moradores com perfil idêntico de Whoville adoram beber Zlurp. Cada morador tem a seguinte disposição para pagar pela bebida saborosa:

Primeira garrafa: $ 5
Segunda garrafa: 4
Terceira garrafa: 3
Quarta garrafa: 2
Quinta garrafa: 1
Outras garrafas: 0

a. O custo de produção de Zlurp é de $ 1,50, e os fornecedores concorrentes vendem-na a esse preço. (A curva de oferta é horizontal.) Quantas garrafas cada cidadão de Whoville irá consumir? Qual é o excedente do consumidor de cada pessoa?

b. A produção de Zlurp polui. Cada garrafa tem um custo externo de $ 1. Com base nesse custo adicional, qual é o excedente total de cada pessoa na alocação que você descreveu na parte (a)?

c. Cindy Lou Who, uma das moradoras de Whoville, decide que vai reduzir seu consumo de Zlurp para uma garrafa. O que acontece com o bem-estar de Cindy (seu excedente de consumidor menos o custo de poluição que ela provoca)? Como a decisão de Cindy afeta o excedente total em Whoville?

d. O prefeito Grinch impõe um imposto de $ 1 sobre a bebida. Qual é o consumo por pessoa agora? Calcule o excedente do consumidor, o custo externo, a receita governamental e o excedente total por pessoa.

e. Com base em seus cálculos, você apoiaria a política do prefeito? Por quê?

6. Bruno adora ouvir rock em um volume alto. Plácido ama ópera e odeia rock. Infelizmente, eles são vizinhos contíguos em um prédio com paredes finas como papel.

a. Qual é a externalidade desse caso?

b. Qual política de comando e controle o proprietário do imóvel poderia impor? Tal política levaria a um resultado ineficiente?

c. Suponha que o proprietário deixe os inquilinos fazerem o que quiserem. De acordo com o teorema de Coase, de que forma Bruno e Plácido poderiam alcançar um resultado eficiente para ambos? O que impediria que eles alcançassem um resultado eficiente?

7. A Figura 4 mostra que, para cada curva de demanda por direitos de poluição dada, o governo pode atingir o mesmo resultado, seja estabelecendo o preço com um imposto corretivo, seja estabelecendo a quantidade com licenças de poluição. Suponhamos que haja um grande avanço na tecnologia de controle da poluição.

a. Usando gráficos como os da Figura 4, ilustre o efeito do desenvolvimento tecnológico sobre a demanda por direitos de poluição.

b. Qual é o efeito sobre o preço e a quantidade de poluição de cada sistema de regulamentação? Explique.

8. Suponha que o governo decida emitir licenças negociáveis para determinado tipo de poluição.

a. Do ponto de vista de eficiência econômica, faz diferença se o governo distribuir ou leiloar as licenças? Por quê?

b. Se o governo optar por distribuir licenças, sua alocação entre as empresas importa do ponto de vista da eficiência? Explique.

9. Há três indústrias no Happy Valley.

Empresa	Nível inicial de poluição	Custo de redução da poluição por unidade
A	30 unidades	$ 20
B	40 unidades	$ 30
C	20 unidades	$ 10

O governo quer reduzir a poluição para 60 unidades, por isso, dá a cada empresa 20 licenças negociáveis de poluição.

a. Quem vende licenças e quantas vende? Quem compra licenças e quantas compra? Explique resumidamente por que os vendedores e os compradores estão, cada um deles, dispostos a comprar e vender licenças. Qual é o custo total da redução da poluição nessa situação?
b. Em quanto os custos de redução da poluição seriam maiores caso as licenças não pudessem ser negociadas?

CAPÍTULO 11

Bens públicos e recursos comuns

A letra de uma antiga canção diz que "*The best things in life are free*" ("As melhores coisas da vida são de graça"). Um pensamento momentâneo nos revela uma longa lista de bens que o compositor talvez pudesse ter em mente, alguns deles proporcionados pela natureza, como rios, montanhas, praias, lagos e oceanos, e outros pelo governo, como *playgrounds*, parques e desfiles. Em qualquer desses casos, as pessoas não têm de pagar nenhum imposto quando escolhem desfrutar o benefício desse bem.

Os bens gratuitos proporcionam um especial desafio para a análise econômica. A maioria dos bens em nossa economia é alocada em mercados em que os compradores pagam pelo que recebem e os vendedores são pagos pelo que fornecem. Para esses bens, os preços são os sinais que orientam as decisões de compradores e vendedores, e dessas decisões resulta a alocação eficiente de recursos. Quando os bens estão disponíveis gratuitamente, contudo, as forças de mercado que normalmente alocam os recursos em nossa economia inexistem.

Neste capítulo, examinaremos os problemas que surgem para a alocação de recursos relacionados a bens que não têm preços de mercado. Nossa análise esclarecerá um dos *Dez princípios de economia* do Capítulo 1: às vezes, os governos podem melhorar os resultados do mercado. Quando um bem não tem preço, os mercados privados não conseguem garantir que ele seja produzido e consumido nas quantidades apropriadas. Nesses casos, a política governamental pode, potencialmente, remediar a falha do mercado e aumentar o bem-estar econômico.

11_1 OS DIFERENTES TIPOS DE BENS

Os mercados conseguem proporcionar de maneira adequada os bens que as pessoas querem? A resposta a essa questão depende do bem considerado. Como discutimos no Capítulo 7, um mercado pode oferecer a quantidade eficiente de sorvetes de casquinha: o preço do sorvete se ajusta para equilibrar oferta e demanda, e esse equilíbrio maximiza a soma dos excedentes do consumidor e do produtor. Mas, como discutimos no Capítulo 10, não podemos confiar que o mercado impeça os produtores de alumínio de poluir o ar que respiramos: em geral, os compradores e vendedores em um mercado não levam em consideração os efeitos externos de suas decisões. Assim, os mercados funcionam bem quando se trata de sorvete, mas funcionam mal quando o bem é ar puro.

Ao se pensar nos diversos tipos de bens existentes na economia, é útil agrupá-los em duas características:

- O bem é **excludente**? As pessoas podem ser impedidas de usá-lo?
- O bem é **rival**? O fato de uma pessoa usar um bem reduz a possibilidade de que alguém mais possa usá-lo?

propriedade da exclusão
a propriedade de um bem segundo a qual uma pessoa pode ser impedida de usá-lo

rivalidade no consumo
a propriedade de um bem pela qual sua utilização por uma pessoa reduz a possibilidade de outras pessoas utilizá-lo

bens privados
bens que são tanto excludentes quanto rivais no consumo

bens públicos
bens que não são nem excludentes nem rivais

recursos comuns
bens que são rivais, mas não excludentes

bens artificialmente escassos
bens que são excludentes, mas não rivais no consumo

Com base nessas duas características, a Figura 1 divide os bens em quatro categorias:

1. Os **bens privados** são tanto excludentes quanto rivais. Considere um sorvete de casquinha, por exemplo. Ele é excludente porque é possível impedir que uma pessoa o tome - basta não dar o sorvete a essa pessoa. E o sorvete de casquinha é rival no consumo porque, se uma pessoa tomar um sorvete, outra não poderá tomar o mesmo sorvete. A maioria dos bens da economia é composta de bens privados, como os sorvetes de casquinha. Você não receberá se não pagar e, depois que recebe, é a única pessoa que se beneficia. Quando analisamos oferta e demanda nos capítulos 4, 5 e 6 e a eficiência dos mercados nos capítulos 7, 8 e 9, admitimos implicitamente que os bens são tanto excludentes quanto rivais no consumo.
2. Os **bens públicos** não são nem excludentes nem rivais. Ou seja, as pessoas não podem ser impedidas de usá-lo, e, quando uma pessoa usa um bem público, isso não reduz a disponibilidade dele, podendo ser utilizado por outras pessoas sem prejuízo de nenhuma delas. Por exemplo, uma sirene de tornado de uma pequena cidade é um bem público. Quando a sirene soa, é impossível impedir que alguém a ouça (então não é excludente). E, quando alguém recebe o benefício do sinal de perigo, isso não reduz o benefício conferido aos demais habitantes (não é rival).
3. Os **recursos comuns** são rivais, mas não excludentes. Por exemplo, os peixes no mar são bens rivais: quando alguém pesca um deles, há menos peixes disponíveis para a próxima pessoa que for pescar. Mas os peixes não são bens excludentes, porque, dada a vastidão do mar, é difícil impedir que os pescadores retirem peixes dele.
4. Os **bens artificialmente escassos**[1] são excludentes, mas não rivais. Considere, por exemplo, a proteção contra incêndios numa cidade pequena. É fácil excluir as pessoas do uso desse bem: os bombeiros podem simplesmente permitir que a casa delas queime até o fim. Mas a proteção contra incêndio não é rival. Quando uma cidade paga pelos serviços do corpo de bombeiros, o custo adicional da proteção de uma casa a mais é pequeno. (No Capítulo 15, abordaremos novamente os bens artificialmente escassos e veremos que se trata de um tipo de *monopólio natural.*)

Embora a Figura 1 mostre a separação dos bens em quatro categorias, o limite entre elas é, às vezes, confuso. Se os bens são excludentes ou rivais é apenas uma questão de gradação. Os peixes do mar podem não ser excludentes, pois o monitoramento é muito difícil, mas uma guarda costeira suficientemente numerosa poderia tornar o peixe, pelo menos parcialmente, excludente. Da mesma forma, embora geralmente sejam rivais, isso seria menos verdadeiro se a população de pescadores fosse pequena em relação à de peixes. (Imagine a América do Norte antes da colonização.) Para nossa análise, entretanto, agruparemos os bens nessas quatro categorias.

Neste capítulo, vamos examinar os bens que não são excludentes e, portanto, estão disponíveis gratuitamente para todos: os bens públicos e os recursos naturais. Como não é possível evitar que as pessoas usem esses bens, todos têm acesso a eles de graça. Como veremos, este tópico está estreitamente relacionado ao estudo das externalidades. Quando se trata de bens públicos e de recursos naturais, as externalidades surgem porque algo de valor não tem preço estipulado. Se alguém proporciona um bem público, como uma sirene de tornado, as outras pessoas se beneficiam, pois recebem um benefício sem pagar por ele - uma externalidade

1. Os bens artificialmente escassos são também chamados *bens de clube* (*club goods*) ou monopólios naturais (NRT).

Figura 1
Quatro tipos de bem

Os bens podem ser agrupados em quatro categorias segundo duas características: (1) um bem é *excludente* se as pessoas forem impedidas de usá-lo e (2) um bem é *rival* se o seu uso por uma pessoa reduzir a possibilidade de outra pessoa usá-lo. O diagrama apresenta exemplos de bens em cada categoria.

Excludente? \ Rival?	Sim	Não
Sim	Bens privados • Sorvetes de casquinha • Roupas • Estradas com pedágio congestionadas	Bens artificialmente escassos • Proteção contra incêndio • TV a cabo • Estradas com pedágio e sem congestionamento
Não	Recursos comuns • Peixes no mar • Meio ambiente • Estradas sem pedágio congestionadas	Bens públicos • Sirene de tornado • Defesa nacional • Estradas sem pedágio e sem congestionamento

positiva. De maneira similar, quando uma pessoa usa um recurso comum, como os peixes do mar, as outras pessoas são prejudicadas, pois há menos peixes para pescar. Neste caso, elas sofrem uma perda e não são compensadas por ela – uma externalidade negativa. Por causa desses efeitos externos, as decisões privadas de consumo e produção podem levar a uma alocação ineficiente dos recursos, e a intervenção do governo pode, potencialmente, aumentar o bem-estar econômico.

Teste rápido Defina bens públicos e recursos comuns e dê um exemplo de cada.

11_2 BENS PÚBLICOS

Para entender de que maneira os bens públicos diferem de outros bens e quais são os problemas que apresentam à sociedade, consideremos um exemplo: um *show* pirotécnico. Esse bem não é excludente, porque é impossível impedir que alguém veja os fogos, e não é rival, porque o entretenimento que uma pessoa extrai dele não reduz o entretenimento disponível para as outras.

11_2A O problema dos caronas

Os moradores de Smalltown, nos Estados Unidos, gostam de ver fogos de artifício no feriado de Quatro de Julho, Dia da Independência norte-americana. Cada um dos 500 moradores da cidade atribui um valor de $ 10 ao espetáculo, com benefício total de $ 5 mil. O custo de um *show* pirotécnico é de $ 1.000. Como o benefício de $ 5 mil supera o custo de $ 1.000, é eficiente para os moradores de Smalltown ver a queima de fogos nessa data.

O mercado privado produziria um resultado eficiente? Provavelmente, não. Imagine que Ellen, uma empreendedora de Smalltown, decidisse fazer uma queima de fogos de artifício. Ela, provavelmente, teria dificuldades para vender ingressos para o evento, porque seus clientes em potencial logo perceberiam que poderiam ver a exibição mesmo sem pagar ingresso. Como os fogos não são excludentes, há um incentivo para que as pessoas sejam caronas. Um **carona** é uma pessoa que recebe o benefício de um bem, mas evita pagar por ele. Como as pessoas teriam um incentivo para usufruir gratuitamente, em vez de pagar, o mercado não apresentaria resultado eficiente.

carona
alguém que recebe um benefício de um bem, mas evita pagar por ele

Uma maneira de enxergar essa falha do mercado é pensar que ela surge de uma externalidade. Se Ellen realizasse a exibição de fogos de artifício, ela conferiria um benefício externo às pessoas que assistissem ao espetáculo sem pagar por isso. Ao decidir se faz ou não a apresentação, Ellen ignora esses benefícios externos. Embora uma apresentação de fogos de artifício seja socialmente desejável, ela não é lucrativa do ponto de vista privado. Como resultado, Ellen toma uma decisão socialmente ineficiente de não realizar o espetáculo.

Embora o mercado privado falhe ao não fornecer a apresentação de fogos de artifício demandada pelos habitantes de Smalltown, a solução para esse problema é óbvia. O governo local pode patrocinar uma festa de Quatro de Julho aumentando os impostos de todos em $ 2 e usando a receita arrecadada para contratar Ellen para produzir o espetáculo. Todos os moradores são beneficiados em $ 8, ou seja, os $ 10 do valor que atribuem aos fogos menos os $ 2 do imposto. Ellen pode ajudar Smalltown a atingir o resultado eficiente no papel de funcionária pública, embora não possa fazê-lo como empreendedora privada.

O caso de Smalltown é simplificado, mas realista. Na verdade, muitos governos municipais dos Estados Unidos pagam pelos fogos de artifício no feriado de Quatro de Julho. Além do mais, o caso nos ensina uma lição geral sobre os bens públicos: como eles não são excludentes, o problema dos caronas impede que o mercado privado os oferte. O governo, no entanto, pode potencialmente resolver o problema. Se decidir que os benefícios totais de um bem público excedem seus custos, o governo pode proporcionar esse bem e pagar por ele com a receita tributária, deixando todos em melhor situação.

11_2B Alguns bens públicos importantes

Há muitos exemplos de bens públicos. Aqui, vamos considerar três dos mais importantes.

Defesa nacional A defesa de um país de agressores externos é um exemplo clássico de bem público. Uma vez que o país esteja defendido, é impossível impedir qualquer pessoa de desfrutar o benefício proporcionado por essa defesa. Além disso, quando alguém desfruta do benefício da defesa nacional não reduz o benefício proporcionado às demais pessoas. Assim, a defesa nacional não é nem excludente nem rival.

A defesa nacional também é um dos bens públicos mais dispendiosos. Em 2014, o governo federal dos Estados Unidos gastou um total de $ 748 bilhões em defesa nacional, ou cerca de $ 2.346 por pessoa. As pessoas divergem quanto a essa quantia ser muito alta ou muito baixa, mas ninguém duvida de que é necessário o governo gastar alguma quantia com a defesa nacional. Até os economistas que defendem uma presença menor do Estado concordam que a defesa nacional é um bem público que deve ser proporcionado pelo governo.

Pesquisa básica O conhecimento é produzido por meio da pesquisa. Ao avaliarmos as políticas públicas adequadas sobre criação de conhecimento, é importante fazer a distinção entre conhecimento geral e conhecimento tecnológico específico. O conhecimento tecnológico específico, como a invenção de uma bateria de longa duração, um *microchip* menor ou um aparelho de música digital de melhor qualidade, pode ser patenteado. A patente dá ao inventor, por determinado período de tempo, o direito exclusivo ao conhecimento que criou. E qualquer pessoa que deseje usar essa informação deverá pagar ao inventor pelo direito de uso. Em outras palavras, a patente torna excludente o conhecimento criado pelo inventor.

Em contrapartida, o conhecimento geral é um bem público. Por exemplo, um matemático não pode patentear um teorema. Uma vez provado, o conhecimento não é excludente e entra para o conjunto geral de conhecimento que todos podem usar gratuitamente. O teorema também não é rival, pois, ao usá-lo, uma pessoa não impede que todas as outras também o façam.

Empresas com fins lucrativos investem muito na pesquisa e no desenvolvimento de novos produtos que possam patentear e vender, porém investem pouco na pesquisa básica. Em vez disso, tendem a pegar carona no conhecimento criado por outras pessoas. Desse modo, na ausência de qualquer política pública, a sociedade destinaria muito pouco recurso à criação de novos conhecimentos.

O governo tenta fornecer o bem público do conhecimento geral de várias maneiras. As agências governamentais, como os National Institutes of Health - NIH (Institutos Nacionais de Saúde) e a National Science Foundation - NSF (Fundação Nacional de Ciência), subsidiam a pesquisa básica nas áreas da medicina, matemática, física, química, biologia e, até mesmo, economia. Alguns justificam o financiamento do programa espacial pelo governo com base naquilo que ele acrescenta ao conjunto de conhecimento da sociedade. É difícil determinar o nível apropriado do apoio do governo nesses empreendimentos, porque é difícil medir os benefícios. Além disso, os membros do Congresso que aprovam os fundos para pesquisas geralmente têm pouco conhecimento científico, portanto não estão na melhor posição para avaliar quais linhas de pesquisa produzirão os maiores benefícios. Assim, embora a pesquisa básica seja um bem público, não devemos nos surpreender se o setor público não pagar o montante correto e os tipos certos de pesquisa.

Luta contra a pobreza Muitos programas governamentais têm por objetivo ajudar os pobres. Nos Estados Unidos, por exemplo, o sistema de seguro social (oficialmente chamado *Temporary Assistance for Need Families* - TANF (Assistência Temporária para Famílias Necessitadas)) oferece uma pequena renda a algumas famílias pobres. Vales-alimentação, oficialmente chamados de SNAP (*Supplemental Nutrition Assistance Program* ou Programa de Assistência Nutricional Complementar), subsidiam a compra de alimentos para pessoas com baixa renda, e diversos programas governamentais de moradia tornam mais acessível a compra de imóveis. Esses programas contra a pobreza são financiados por impostos cobrados de famílias que são financeiramente mais bem-sucedidas.

Os economistas divergem entre si quanto ao papel que o governo deve representar na luta contra a pobreza. Embora esse assunto seja abordado mais detalhadamente no Capítulo 20, destacamos aqui um argumento importante: os defensores de programas contra pobreza alegam que a luta contra esse problema é um bem público. Mesmo que todos prefiram viver em uma sociedade sem pobreza, a luta contra ela não é um "bem" que ações privadas fornecerão adequadamente.

Para entender por que, suponha que alguém organize um grupo de pessoas ricas para tentar erradicar a pobreza. Elas estariam oferecendo um bem público. Esse bem não seria rival, pois o prazer de uma pessoa viver em uma sociedade sem pobreza não reduziria a satisfação de nenhuma outra. Esse bem também não seria excludente, pois, uma vez eliminada a pobreza, não se pode impedir que todos se sintam satisfeitos. Portanto, as pessoas pegariam carona na generosidade de outras, aproveitando o benefício da erradicação da pobreza sem contribuir para essa causa.

Em razão do problema do carona, a erradicação da pobreza por meio da caridade privada não dará certo. Contudo, ações governamentais podem resolver isso. Cobrar impostos dos ricos para melhorar o nível de vida dos pobres pode beneficiar todos. Os pobres se beneficiam porque melhoram o padrão de vida, e os contribuintes se beneficiam, porque ficam satisfeitos em viver em uma sociedade com menos pobreza.

11_2C A difícil tarefa da análise de custo-benefício

Até aqui, vimos que o governo proporciona bens públicos porque o mercado privado, por si só, não produz uma quantidade eficiente. Entretanto, decidir que o governo deve desempenhar uma função é só o primeiro passo. Em seguida, o governo precisa determinar que espécies de bens públicos deve fornecer e em que quantidades.

Suponhamos que o governo esteja considerando um projeto público, como a construção de uma nova estrada. Para julgar se deve ou não fazer a obra, precisa comparar o benefício total para todos que a usariam com os custos de construção e manutenção. Para tomar essa decisão, o governo poderia contratar uma equipe de economistas e engenheiros para realizar um estudo, chamado **análise de custo-benefício**, cujo objetivo é estimar os custos e os benefícios totais do projeto para a sociedade.

análise do custo-benefício
um estudo que compara os custos e os benefícios de um bem público para a sociedade

Os analistas de custo-benefício têm um duro trabalho. Como a estrada estará disponível para todos gratuitamente, não há um preço pelo qual se possa julgar o valor dela. Simplesmente perguntar às pessoas que valor atribuiriam à estrada não seria confiável: é difícil quantificar benefícios com base nos resultados de um questionário e, além disso, há pouco incentivo para que os entrevistados respondam às questões com honestidade. Os que usariam a estrada têm um incentivo para exagerar nos benefícios que receberiam, com o intuito de fazer que ela seja construída. Aqueles que seriam prejudicados pela estrada têm um incentivo para exagerar nos custos, a fim de evitar sua construção.

Um fornecimento eficiente de bens públicos é, portanto, intrinsecamente mais difícil que um fornecimento eficiente de bens privados. Quando os compradores de um bem privado entram no mercado, revelam o valor que atribuem a ele por meio do preço que estão dispostos a pagar. Ao mesmo tempo, os vendedores revelam seu custo pelo preço que estão dispostos a aceitar. O equilíbrio é uma forma eficiente de alocação de recursos porque reflete essa informação. Os analistas de custo-benefício, entretanto, não observam nenhum sinal de preço ao avaliar se o governo deve fornecer um bem público e quanto deve oferecer. Portanto, suas conclusões sobre os custos e benefícios dos projetos públicos são, na melhor das hipóteses, aproximações.

Teste rápido Qual é o problema dos caronas? Por que o problema dos caronas induz o governo a fornecer bens públicos? • Como o governo deve decidir se fornece ou não um bem público?

11_3 RECURSOS COMUNS

Tragédia dos comuns parábola que ilustra por que os recursos comuns são mais utilizados que o desejável do ponto de vista de toda a sociedade

Os recursos comuns, como os bens públicos, não são excludentes: estão disponíveis gratuitamente para todos que queiram usá-los. Os recursos comuns, entretanto, são rivais: o uso de um recurso comum por uma pessoa reduz a possibilidade que outras pessoas têm de usá-lo. Assim, os recursos comuns dão origem a um novo problema. Uma vez fornecido o bem, os formuladores de políticas precisam se preocupar com a quantidade usada desse recurso. Esse problema pode ser mais bem entendido com a parábola clássica chamada **Tragédia dos comuns**.

11_3A A Tragédia dos comuns

Considere a vida em uma pequena cidade medieval. Das muitas atividades econômicas ali realizadas, uma das mais importantes é a criação de ovelhas. Muitas famílias da cidade têm rebanhos de ovelhas e se sustentam vendendo lã, que é usada para fazer roupas.

Quando essa história começa, as ovelhas passam grande parte do tempo pastando nas terras que cercam a cidade, chamadas Comuna Local. Nenhuma família é dona da Comuna. Em vez disso, as terras são propriedade coletiva dos habitantes da cidade e todos podem deixar suas ovelhas ali para pastar. A propriedade coletiva funciona bem, porque a terra é abundante. Desde que todos tenham acesso à quantidade de pastagem de que precisam, as terras da Comuna Local não são um bem rival, e permitir que as ovelhas dos habitantes pastem gratuitamente não constitui problema. Todos na cidade são felizes.

Com o passar dos anos, a população da cidade cresce e, com ela, o número de ovelhas que pastam na Comuna. Com um número crescente de ovelhas e uma quantidade fixa de terras, a terra começa a perder sua capacidade de se recuperar. Com o decorrer do tempo, a terra passa a ser utilizada tão intensamente, que acaba se tornando estéril. Com o fim do pasto na Comuna, criar ovelhas fica impossível e a próspera indústria de lã da cidade desaparece. Muitas famílias perdem sua fonte de sustento.

O que causa a tragédia? Por que os pastores permitem que a população de ovelhas cresça a ponto de destruir a Comuna Local? A razão é que os incentivos sociais e privados são diferentes. Evitar a destruição das pastagens depende de ação coletiva por parte dos pastores. Se estes agissem juntos, poderiam reduzir a população de ovelhas para um nível que a Comuna pudesse sustentar. Entretanto, nenhuma família tem incentivo para reduzir o tamanho do seu rebanho, porque cada rebanho representa apenas uma pequena parte do problema.

Em essência, a Tragédia dos comuns surge por causa de uma externalidade. Quando o rebanho de uma família pasta nas terras comuns, reduz a qualidade da terra disponível para as demais famílias. Como as pessoas não levam em consideração essa externalidade negativa ao decidir quantas ovelhas possuir, o resultado é um número excessivo de animais.

Se a tragédia tivesse sido antevista, a cidade poderia ter resolvido o problema de diversas maneiras. Poderia ter regulado o número de ovelhas por família, internalizado a externalidade tributando as ovelhas ou leiloado um número limitado de licenças de pastagem. Ou seja, a cidade medieval poderia ter lidado com o problema do excesso de ovelhas da mesma maneira que a sociedade moderna lida com o problema da poluição.

No caso da terra, entretanto, há uma solução mais simples. A cidade poderia dividir as terras entre as famílias da cidade e cada família poderia colocar uma cerca em sua parcela de terra, protegendo-a, dessa forma, do uso excessivo. Com isso, a terra se tornaria um bem privado, deixando de ser um recurso comum. Esse resultado de fato ocorreu durante o movimento de cercamentos na Inglaterra, no século XVII.

A Tragédia dos comuns é uma história com uma lição geral: quando alguém usa um recurso comum, diminui o desfrute que as outras pessoas podem ter dele. Por causa dessa externalidade negativa, os recursos comuns tendem a ser usados em excesso. O governo pode resolver o problema por meio de regulamentos ou impostos para reduzir o consumo de recursos comuns. Alternativamente, também pode, às vezes, transformar o recurso comum em bem privado.

Essa lição é conhecida há milhares de anos. Aristóteles, filósofo da Grécia antiga, apontou o problema dos recursos comuns: "O que é comum a muitos é o que recebe menos cuidados, porque todos têm maior preocupação com o que é seu do que com aquilo que possuem em conjunto com outros".

11_3B Alguns recursos comuns importantes

Há muitos exemplos de recursos comuns. Em quase todos os casos, surge o mesmo problema, como na Tragédia dos comuns: os tomadores de decisão privada usam em excesso o recurso comum. Os governos, com frequência, regulamentam o comportamento ou impõem tarifas para atenuar o problema do uso excessivo.

Ar e água puros Como discutimos no Capítulo 10, os mercados não protegem adequadamente o meio ambiente. A poluição é uma externalidade negativa que pode ser remediada com regulamentos ou com impostos corretivos sobre as atividades poluidoras. Essa falha do mercado pode ser considerada um exemplo do problema dos recursos comuns. Ar puro e água limpa são recursos comuns, assim como os pastos abertos, e a poluição excessiva é como a pastagem excessiva. A degradação do meio ambiente é uma versão moderna da Tragédia dos comuns.

Vias congestionadas As vias podem ser bens públicos ou recursos comuns. Se uma via não está congestionada, o uso dela por alguém não afeta as demais pessoas. Nesse caso, o uso não é rival e a via é um bem público. Mas, se estiver congestionada, então seu uso resultará em uma externalidade negativa. Quando alguém dirigir nessa via, ela se tornará ainda mais congestionada e as outras pessoas terão de dirigir mais devagar. Nesse caso, a via é um recurso comum.

Uma maneira de o governo abordar o problema dos congestionamentos nas rodovias é cobrar um pedágio dos motoristas. Os pedágios são, em essência, um imposto corretivo sobre a externalidade do congestio-

Pergunte aos especialistas

Precificação do congestionamento

"Em geral, impor mais encargos no congestionamento das malhas de transporte abarrotadas – como pedágios mais caros durante o horário de pico nas cidades e tarifas altas para direitos de decolagem e aterrissagem de aviões – e usar os recursos para reduzir outros impostos deixa, na média, os cidadãos em melhor condição."

Fonte: IGM Economic Experts Panel, 11 de janeiro de 2012.

O que os economistas dizem?

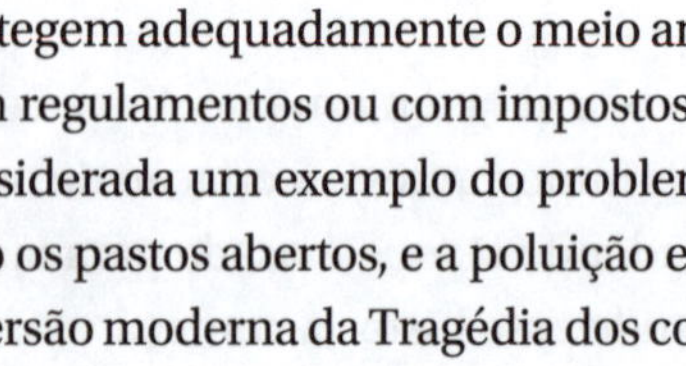

namento. Muitas vezes, como no caso de vias secundárias, os pedágios não são uma solução prática, porque a cobrança seria custosa demais. Contudo, várias cidades importantes, incluindo Londres e Estocolmo, descobriram que aumentar os pedágios é uma forma bastante eficaz de reduzir o congestionamento.

Em alguns casos, os congestionamentos só representam problema em determinados horários do dia. Se, por exemplo, uma ponte tem tráfego intenso na hora do *rush*, a externalidade do congestionamento é maior nesse horário que em outros momentos do dia. A maneira eficiente de lidar com essas externalidades seria cobrar pedágios maiores durante o horário de *rush*, o que representaria um incentivo para os motoristas alterarem sua rotina e reduziria o trânsito nos horários de maior congestionamento.

Outra política que responde à questão dos congestionamentos é o imposto sobre a gasolina. Um imposto mais alto sobre a gasolina aumenta o preço do produto, reduz a utilização de veículos e diminui o congestionamento nas ruas. Entretanto, um imposto sobre a gasolina é uma solução imperfeita para os congestionamentos das vias públicas, pois afeta outras decisões além do excesso de uso dos carros em ruas congestionadas. Por exemplo, o imposto desencoraja que se dirija em vias não congestionadas, ainda que nelas não haja a externalidade do congestionamento.

Peixes, baleias e outros animais selvagens Muitas espécies de animais são recursos comuns. Os peixes e as baleias, por exemplo, têm valor comercial, e qualquer pessoa pode ir pescar no mar o que estiver disponível. Cada pessoa tem pouco incentivo para preservar a espécie para o ano seguinte. Assim como o uso excessivo dos pastos pode destruir a Comuna Local, a pesca excessiva de peixes e baleias pode destruir populações marinhas de alto valor comercial.

O mar continua sendo um dos recursos comuns menos regulamentados. Há dois problemas que impedem uma solução simples. Primeiro, muitos países têm saída para o mar, de modo que qualquer solução exigiria cooperação internacional entre países com valores diferentes. Segundo, por causa da vastidão dos oceanos, seria difícil fazer qualquer acordo ser cumprido. Como resultado, os direitos de pesca são uma fonte de tensão internacional entre países normalmente amigos.

Nos Estados Unidos, há diversas leis que visam à proteção de peixes e espécies animais que são caçados. Por exemplo, o governo cobra por licenças para caçar e pescar e restringe a duração das estações de caça e pesca. Os pescadores devem lançar de volta à água peixes muito pequenos e os caçadores podem matar somente um número limitado de animais. Todas essas leis reduzem o uso de um recurso comum e ajudam a manter as populações de animais.

Teste rápido Por que os governos tentam limitar o uso dos recursos comuns?

11_4 CONCLUSÃO: A IMPORTÂNCIA DOS DIREITOS DE PROPRIEDADE

Neste capítulo e no anterior, vimos que há "bens" que o mercado não fornece adequadamente. Os mercados não garantem que o ar que respiramos seja puro nem que nosso país se defenda de agressores estrangeiros. Em vez disso, as sociedades dependem do governo para a proteção do meio ambiente e para a defesa nacional.

Embora os problemas de que tratamos nesses capítulos surjam em muitos mercados diferentes, eles têm algo em comum. Em todos os casos, o mercado falha na alocação eficiente de recursos porque os *direitos de propriedade* não estão bem estabelecidos. Ou seja, algum item de valor não tem um proprietário com autoridade legal para controlá-lo. Por exemplo, embora não haja dúvida de que os "bens" ar puro e defesa nacional sejam valiosos, ninguém tem o direito de lhes atribuir um preço e lucrar com seu uso. Uma fábrica polui em excesso porque ninguém cobra nenhum valor pela poluição que ela emite. O mercado não fornece defesa nacional porque ninguém pode cobrar das pessoas defendidas nada pelo benefício que recebem.

Quando a ausência de direitos de propriedade causa uma falha de mercado, o governo pode, potencialmente, resolver o problema. Em alguns casos, como na venda de licenças de poluição, a solução é o governo ajudar a definir direitos de propriedade e, com isso, liberar as forças de mercado. Em outras situações, como na restrição das temporadas de caça, a solução é o governo regulamentar o comportamento privado. Outras vezes, ainda, como no caso da defesa nacional, a solução é o governo utilizar a receita de impostos para fornecer um bem que os mercados não conseguem ofertar. Em todos os casos, se a política for bem planejada e conduzida, pode tornar a alocação de recursos mais eficiente e, assim, aumentar o bem-estar econômico.

Teste rápido do capítulo

1. **Quais categorias de bens são excludentes?**
a. Bens privados e bens artificialmente escassos.
b. Bens privados e recursos comuns.
c. Bens públicos e bens artificialmente escassos.
d. Bens públicos e recursos comuns.

2. **Quais categorias de bens são rivais?**
a. Bens privados e bens artificialmente escassos.
b. Bens privados e recursos comuns.
c. Bens públicos e bens artificialmente escassos.
d. Bens públicos e recursos comuns.

3. **Qual das seguintes alternativas é um exemplo de bem público?**
a. Habitações.
b. Defesa nacional.
c. Refeições em restaurantes.
d. Peixes no oceano.

4. **Qual das seguintes alternativas é um exemplo de recurso comum?**
a. Habitações.
b. Defesa nacional.
c. Refeições em restaurantes.
d. Peixes no oceano.

5. **Bens públicos são:**
a. Eficientemente fornecidos pelas forças do mercado.
b. Desprovidos na ausência de governo.
c. Superutilizados na ausência de governo.
d. Um tipo de monopólio natural.

6. **Recursos comuns são:**
a. Eficientemente fornecidos pelas forças de mercado.
b. Desprovidos na ausência de governo.
c. Superutilizados na ausência de governo.
d. Um tipo de monopólio natural.

RESUMO

- Os bens podem ser excludentes e rivais. Um bem é excludente quando se pode impedir que alguém o use. Um bem é rival se o uso que alguém faz dele impede outras pessoas de usar a mesma unidade do bem. Os mercados funcionam melhor para os bens privados, que são tanto excludentes quanto rivais. Os mercados não funcionam bem para outros tipos de bens.
- Os bens públicos não são nem rivais nem excludentes. *Shows* pirotécnicos, defesa nacional e criação de conhecimento de base são exemplos de bens públicos. Como as pessoas não pagam pelo uso que fazem desses bens, há um incentivo para que tomem carona, tornando insustentável o seu fornecimento privado. Portanto, os governos fornecem os bens públicos, tomando decisões quanto à quantidade de cada bem com base em análises de custo-benefício.
- Os recursos comuns são rivais, mas não excludentes. São exemplos os pastos comunitários, o ar puro e as vias congestionadas. Como as pessoas não pagam pelo uso que fazem dos recursos comuns, tendem a usá-los excessivamente. Portanto, os governos empregam vários métodos para limitar o uso dos recursos comuns.

CONCEITOS-CHAVE

propriedade da exclusão, p. 173
rivalidade no consumo, p. 173
bens privados, p. 173
bens públicos, p. 173
recursos comuns, p. 173
bens artificialmente escassos, p. 173
carona, p. 174
análise do custo-benefício, p. 176
Tragédia dos comuns, p. 177

QUESTÕES PARA REVISÃO

1. Explique o que significa um bem ser "excludente" e ser "rival". Uma fatia de pizza é excludente? É rival?
2. Defina bem público e dê um exemplo. O mercado privado pode proporcionar esse bem por si só? Explique.
3. O que é a análise do custo-benefício de bens públicos? Explique por que ela é importante e por que é difícil.
4. Defina recurso comum e dê um exemplo. Sem intervenção governamental, as pessoas usarão esse bem excessivamente ou muito pouco? Por quê?

PROBLEMAS E APLICAÇÕES

1. Pense nos bens e serviços fornecidos pelo seu governo local.
   a. Usando a classificação da Figura 1, explique em qual categoria cada um dos seguintes bens se enquadra:
      - Proteção policial
      - Limpeza de neve
      - Educação
      - Estradas rurais
      - Ruas urbanas
   b. Por que você acha que o governo fornece itens que não são bens públicos?

2. Tanto os bens públicos quanto os recursos comuns envolvem externalidades.
   a. As externalidades associadas a bens públicos costumam ser positivas ou negativas? Dê exemplos. A quantidade de bens públicos no mercado livre costuma ser maior ou menor que a quantidade eficiente?
   b. As externalidades associadas a recursos comuns costumam ser positivas ou negativas? Dê exemplos. O uso de recursos comuns no mercado livre costuma ser maior ou menor que o uso eficiente?

3. Fredo adora assistir *Downton Abbey* na TV pública local, mas nunca contribui com as campanhas de arrecadação de fundos realizadas por esse canal de TV.
   a. Com que termo Fredo é classificado pelos economistas?
   b. De que forma o governo resolve o problema causado por pessoas como Fredo?
   c. Você consegue apresentar alguma sugestão para que o mercado privado possa resolver esse problema? De que maneira a existência de redes de TV a cabo modifica a situação?

4. A internet sem fio e de alta velocidade é disponibilizada gratuitamente no aeroporto da cidade de Communityville.
   a. No início, apenas algumas pessoas usavam o serviço. Que tipo de bem é esse e por quê?
   b. Depois, à medida que mais pessoas foram descobrindo esse serviço e começaram a usá-lo, a velocidade da conexão começou a cair. Que tipo de bem é um serviço de internet sem fio?
   c. Que problema pode ocorrer e por quê? Como corrigir esse problema?

5. Quatro colegas de quarto planejam passar o final de semana assistindo a filmes antigos e discutem a respeito de quantos filmes irão assistir. Esta é a disposição para pagar por filme:

	Judd	Joel	Gus	Tim
Primeiro filme	$ 7	$ 5	$ 3	$ 2
Segundo filme	6	4	2	1
Terceiro filme	5	3	1	0
Quarto filme	4	2	0	0
Quinto filme	3	1	0	0

   a. O fato de assistir a um filme em um dormitório é um bem público? Por quê?
   b. Se o aluguel de cada filme custa $ 8, quantos deverão ser alugados para maximizar o excedente total?
   c. Se eles escolherem a quantidade ótima do item (b) e dividirem o custo igualmente, qual será o excedente resultante para cada um?
   d. Existe uma forma de dividir o custo para garantir que todos se beneficiem? Que problemas práticos essa solução levanta?

e. Suponha que eles concordem antecipadamente escolher o número eficiente e dividir o custo dos filmes igualmente. Quando perguntam a Judd qual sua disposição para pagar, ele terá incentivo para dizer a verdade? Em caso afirmativo, por quê? Em caso negativo, o que ele será tentado a dizer?
f. O que esse exemplo mostra sobre a provisão ótima de bens públicos?

6. Alguns economistas afirmam que as empresas privadas não realizam a quantidade eficiente de pesquisa científica de base.
a. Explique por que isso ocorre. Em sua resposta, enquadre a pesquisa de base em uma das categorias mostradas na Figura 1.
b. Que tipo de política foi adotada nos Estados Unidos para responder a esse problema?
c. Muitas vezes, diz-se que essa política aumenta a capacidade tecnológica das empresas norte-americanas em relação às estrangeiras. Esse argumento é consistente com sua classificação da pesquisa de base na parte (a)? (Dica: a exclusão pode se aplicar a alguns beneficiários potenciais de um bem público, e não a outros?)

7. Duas comunidades, cada uma com três membros, estão decidindo se farão uma queima de fogos para celebrar o Ano-Novo. Os fogos de artifício custam $ 360. Em cada localidade, algumas pessoas gostam mais de fogos do que outras.
a. Na localidade de Bayport, cada um dos habitantes valoriza o bem público conforme a tabela a seguir:

Frank: $ 50
Joe: $ 100
Callie: $ 300

A queima de fogos passaria em uma análise do custo-benefício? Explique.
b. O dirigente de Bayport propõe que se decida pela regra da maioria e, se o referendo da queima de fogos for aprovado, que o custo seja dividido igualmente entre os moradores. Quem votaria a favor e quem votaria contra? O voto geraria a mesma resposta que a análise do custo-benefício?
c. Na localidade de River Heights, cada um dos habitantes valoriza o bem público conforme a tabela a seguir:

Nancy: $ 20
Bess: $ 140
Ned: $ 160

A queima de fogos passaria em uma análise do custo-benefício? Explique.
d. O dirigente de River Heights também propõe que se decida pela regra da maioria e, se o referendo for aprovado, que o custo seja dividido igualmente entre os moradores. Quem votaria a favor e quem votaria contra? O voto geraria a mesma resposta que a análise do custo-benefício?
e. O que você acha que esses exemplos mostram sobre a provisão ótima de bens públicos?

8. Em geral, há muito lixo ao longo das estradas, mas pouco nos jardins das residências particulares. Apresente uma explicação econômica para esse fato.

9. Muitos sistemas de transporte, como o metrô de Washington, cobram tarifas mais altas durante as horas de *rush* do que durante o restante do dia. Por que fazem isso?

10. As pessoas de renda mais alta estão dispostas a pagar mais do que as de renda mais baixa para evitar o risco de morte. Exemplificando, estão mais dispostas a pagar por acessórios de segurança em seus carros. Em sua opinião, os analistas de custo-benefício devem levar isso em conta em suas avaliações de projetos públicos? Considere, por exemplo, que uma cidade rica e outra pobre pretendem instalar um semáforo. A cidade mais rica deve atribuir à vida humana um valor monetário mais elevado ao tomar sua decisão? Por quê?

CAPÍTULO 12

A concepção do sistema tributário

Al "Scarface" Capone, o notório gângster e chefão do crime da década de 1920, nunca foi condenado por seus diversos crimes violentos, mas acabou indo para a cadeia por evasão de impostos. Ele negligenciou a prudente observação feita por Benjamin Franklin de que "neste mundo nada é certo, a não ser a morte e os impostos".

Quando Franklin fez essa afirmação, em 1789, o cidadão norte-americano médio pagava menos de 5% de sua renda em impostos, e isso continuou a valer pelos cem anos que se seguiram. Durante o século XX, entretanto, os impostos passaram a ter uma importância maior na vida das pessoas. Hoje, todos os impostos somados – imposto de renda de pessoa física, imposto de renda de pessoa jurídica, impostos sobre a folha de pagamentos, impostos sobre as vendas e impostos sobre a propriedade – consomem mais de um quarto da renda do norte-americano médio. Em muitos países da Europa, "a mordida" dos impostos é ainda maior.

Os impostos são inevitáveis, porque nós, como cidadãos, esperamos que o governo nos proporcione diversos bens e serviços. Um dos *Dez princípios da economia* do Capítulo 1 é que os mercados, em geral, são uma boa forma de organizar a atividade econômica. Porém, as economias de mercado dependem de direitos de propriedade e do Estado de direito, por isso o governo provê a polícia e os tribunais. Outro dos *Dez princípios da economia* é que o governo, às vezes, pode melhorar os resultados do mercado. Quando o governo repara uma externalidade (como a poluição do ar), proporciona um bem público (como a defesa nacional) ou regula o uso de um recurso comum (como a pesca em um lago público), pode aumentar o bem-estar econômico, mas essas atividades podem ser caras. Para o governo desempenhar essas e muitas outras funções, ele precisa aumentar a receita por meio dos impostos.

Começamos nosso estudo da tributação em capítulos anteriores, nos quais vimos de que maneira um imposto sobre um bem afeta a oferta e a demanda por esse bem. Vimos, no Capítulo 6, que um imposto reduz a quantidade vendida em um mercado e examinamos como o encargo de um imposto se divide entre compradores e vendedores, dependendo das elasticidades de oferta e demanda. No Capítulo 8, examinamos como os impostos afetam o bem-estar econômico. Aprendemos que os impostos causam *peso morto*: a redução dos excedentes do consumidor e do produtor que resulta de um imposto que excede a receita arrecadada pelo governo.

Neste capítulo, ampliaremos essas lições e abordaremos a concepção de um sistema tributário. Começaremos com alguns elementos básicos de como o governo dos Estados Unidos arrecada e gasta dinheiro. Então, veremos os princípios fundamentais da tributação. A maioria das pessoas concorda que os impostos devem impor o menor custo possível à sociedade e que o ônus dos impostos deve ser distribuído com justiça. Ou seja, que o sistema tributário deve ser *eficiente* e *equitativo*. Como veremos, declarar esses objetivos é muito mais fácil do que alcançá-los.

12_1 UM PANORAMA FINANCEIRO DO GOVERNO NORTE-AMERICANO

Quanto da renda da nação o governo norte-americano retém sob a forma de impostos? A Figura 1 mostra a receita do governo (federal, estadual e municipal) como porcentagem da renda total da economia norte-americana, mostrando que o papel do governo cresceu substancialmente durante o século passado. Em 1902, o governo arrecadava 7% da renda total; nos últimos anos, recolheu aproximadamente 30%. Em outras palavras, conforme a renda da economia cresceu, a receita obtida por meio de impostos cresceu ainda mais.

Figura 1

Receita do governo norte-americano como porcentagem do PIB

Esta figura mostra a receita nos Estados Unidos do governo federal e dos governos estaduais e municipais como porcentagem do produto interno bruto (PIB), que mede a renda total na economia. Ela mostra que o governo representa um papel importante na economia dos Estados Unidos e que esse papel vem crescendo ao longo do tempo.

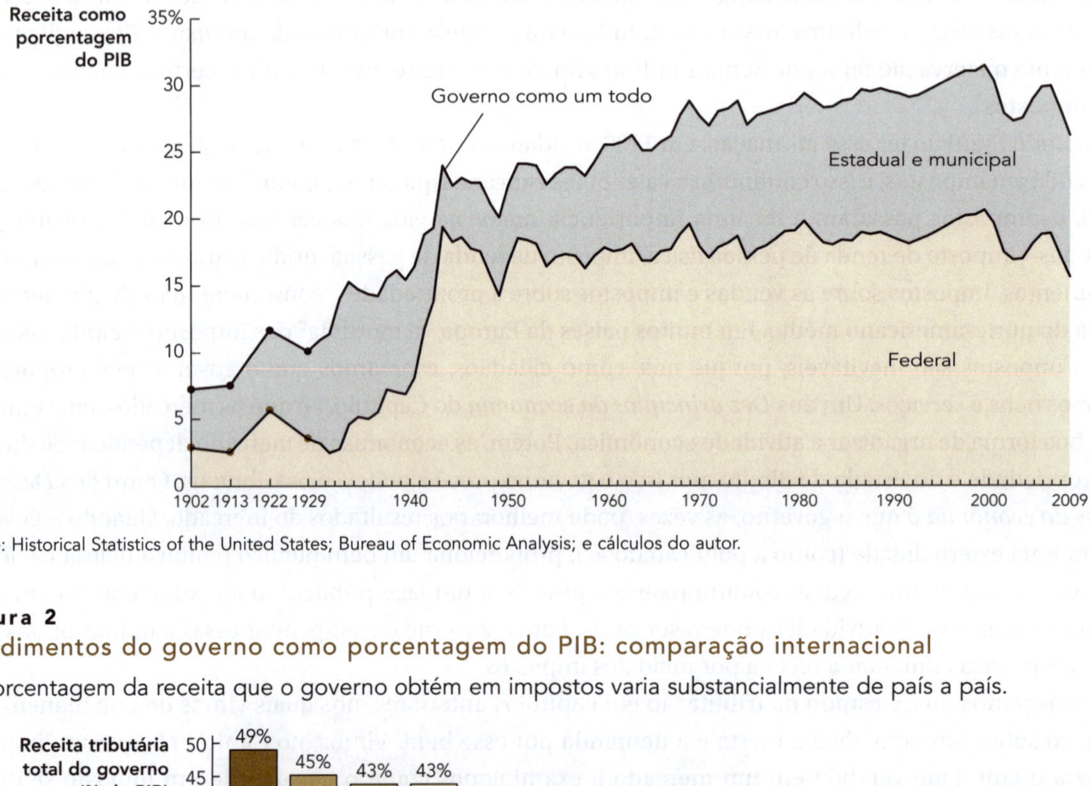

Fonte: Historical Statistics of the United States; Bureau of Economic Analysis; e cálculos do autor.

Figura 2

Rendimentos do governo como porcentagem do PIB: comparação internacional

A porcentagem da receita que o governo obtém em impostos varia substancialmente de país a país.

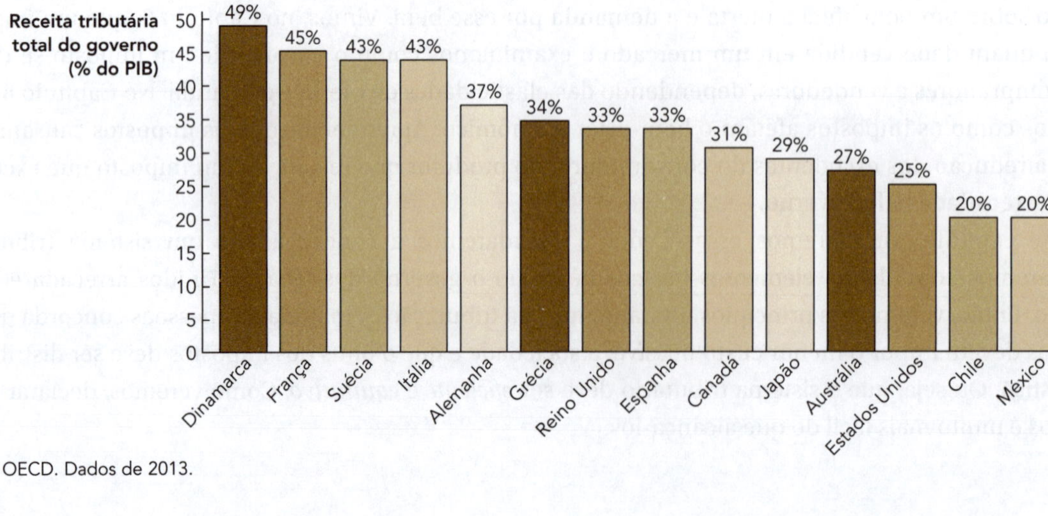

Fonte: OECD. Dados de 2013.

A Figura 2 compara a carga tributária de diversos países, medida pela receita tributária do governo como uma porcentagem da renda total de cada país. Os Estados Unidos têm uma carga tributária baixa em comparação com a maioria das economias avançadas. Muitas nações europeias têm impostos muito mais altos que financiam uma rede de segurança social mais generosa, incluindo subsídios de renda mais substanciais para pobres e desempregados.

12_1A Impostos coletados pelo governo federal dos Estados Unidos

O governo federal dos Estados Unidos recolhe cerca de dois terços dos impostos da economia norte-americana. A Tabela 1 mostra as receitas do governo federal em 2014. A receita total naquele ano foi de $ 3,3 trilhões, um número tão elevado que é até difícil de compreender. Para trazer este valor astronômico de volta à terra, podemos dividi-lo pelo tamanho da população dos Estados Unidos, cerca de 319 milhões em 2014. Descobrimos, então, que o norte-americano médio pagou $ 10.235 ao governo federal.

Imposto de renda de pessoa física A maior fonte de receitas do governo federal é o imposto de renda das pessoas físicas. A cada ano, quando se aproxima o dia 15 de abril, quase todas as famílias norte-americanas preenchem um formulário para determinar o valor do imposto de renda que devem ao governo. Cada família precisa declarar sua renda de todas as fontes: salários, juros sobre a poupança, dividendos de empresas de que tenham ações, lucros de pequenas empresas que possuam e assim por diante. A *obrigação tributária* da família (o quanto ela deve) se baseia em sua renda total.

A obrigação tributária de uma família não é simplesmente proporcional à sua renda; a lei exige um cálculo mais complicado. A renda tributável é calculada como a renda total menos um valor baseado no número de dependentes (principalmente as crianças) e menos algumas despesas que os formuladores de políticas consideram "dedutíveis", como pagamentos de juros hipotecários, de impostos municipais e estaduais, e doações a instituições de caridade. A obrigação tributária é então calculada com base nos dados que veremos na Tabela 2.

Essa tabela apresenta a *alíquota marginal do imposto*, que é a alíquota aplicada a cada dólar adicional de renda. Como a alíquota marginal aumenta com a renda, famílias de alta renda pagam uma porcentagem maior da sua renda em impostos. Observe que cada alíquota da tabela se aplica apenas à renda dentro da respectiva faixa, e não a toda a renda da pessoa. Por exemplo, alguém que tenha uma renda de $ 1 milhão ainda assim pagará apenas 10% dos primeiros $ 9.075. (Trataremos do conceito de alíquota marginal mais adiante.)

Impostos sobre a folha de pagamento Quase tão importantes para o governo federal quanto o imposto de renda das pessoas físicas são os impostos sobre a folha de pagamentos. Um *imposto sobre a folha de pagamento* é aquele sobre os salários que uma empresa paga a seus trabalhadores. A Tabela 1 refere-se a essa receita

Tabela 1
Receitas do governo federal norte-americano: 2014

Imposto	Montante (bilhões)	Montante por pessoa	Percentual da receita
Imposto de renda de pessoa física	$ 1.397	$ 4.379	43%
Imposto de seguridade social	$ 1.145	$ 3.589	35%
Imposto de renda de pessoa jurídica	$ 418	$ 1.310	13%
Outros	$ 305	$ 956	9%
Total	**$ 3.265**	**$ 10.235**	**100%**

Fonte: Bureau of Economic Analysis. A soma das colunas pode não ser a mesma do total em função do arredondamento de valores.

Tabela 2
Alíquotas do imposto de renda federal nos Estados Unidos: 2014

Esta tabela mostra as alíquotas marginais para contribuintes solteiros. Os impostos devidos por um contribuinte dependem de todas as alíquotas marginais até o seu nível de contribuição. Por exemplo, um contribuinte com renda de $ 25 mil paga 10% sobre os primeiros $ 9.075 e 15% sobre o restante.

Sobre a renda tributável...	A alíquota do imposto é...
Até $ 9.075	10%
De $ 9.076 a $ 36.900	15%
De $ 36.901 a $ 89.350	25%
De $ 89.351 a $ 186.350	28%
De $ 186.351 a $ 405.100	33%
De $ 405.101 a $ 406.750	35%
Acima de $ 406.751	39,6%

como *impostos para a Seguridade Social*, porque a receita deles é destinada ao pagamento da Seguridade Social e do Medicare. A Seguridade Social é um programa de provimento de renda concebido principalmente para a manutenção do padrão de vida dos idosos, enquanto o Medicare é o programa de saúde do governo para essa população. Em 2014, o imposto total sobre a folha de pagamento foi 15,3% dos rendimentos anuais até $ 117 mil e 2,9% dos rendimentos acima de $ 117 mil, além de um adicional de 0,9% para os contribuintes com renda elevada (acima de $ 200 mil, se solteiro, e de $ 250 mil, se casado). Para a maioria das famílias de classe média, o imposto sobre a folha de pagamento é o mais custoso entre os impostos pagos.

Imposto de renda da pessoa jurídica O imposto seguinte em magnitude, mas muito menor que o imposto de renda das pessoas físicas ou que os impostos para a Seguridade Social, é o imposto de renda sobre pessoas jurídicas. Uma *pessoa jurídica* é uma empresa criada para ter sua própria existência jurídica, distinta e separada de seus proprietários. O governo tributa cada empresa com base em seus lucros - o valor que a empresa recebe pelos bens e serviços que vende menos o custo de produzi-los. Observe que, em essência, os lucros são tributados duas vezes: uma vez quando a empresa tem lucro e outra pelo imposto de renda das pessoas físicas, quando a empresa usa os lucros para pagar dividendos a seus acionistas. Em parte para compensar essa dupla tributação, os formuladores de políticas públicas decidiram tributar o rendimento de dividendos em alíquotas menores do que outros tipos de renda: em 2014, a maior alíquota marginal do rendimento de dividendos era de apenas 20% (mais 3,8% do imposto do Medicare), comparada à maior alíquota marginal sobre rendimentos comuns de 39,6% (mais os mesmos 3,8%).

Outros impostos A última categoria, chamada "outros" na Tabela 1, representa até 9% das receitas. Essa categoria inclui os *impostos seletivos* que incidem sobre bens específicos, como gasolina, cigarros e bebidas alcoólicas. Inclui também diversos itens menores, como impostos sobre heranças e impostos alfandegários.

12_1B Impostos coletados por governos estaduais e municipais

Os governos estaduais e municipais arrecadam cerca de um terço de todos os impostos pagos. A Tabela 3 mostra as receitas dos governos municipais e estaduais dos Estados Unidos. A receita total de 2014 foi de $ 2.225 bilhões, ou $ 6.975 por pessoa. A tabela também mostra como este total é repartido em diferentes tipos de impostos.

Os dois impostos mais importantes para os governos estaduais e municipais são aqueles sobre vendas e sobre a propriedade. Os impostos sobre vendas são cobrados como porcentagem do valor total das despesas

Tabela 3
Receitas dos governos estaduais e municipais nos Estados Unidos: 2014

Imposto	Montante (bilhões)	Montante por pessoa	Percentual da receita
Imposto sobre a venda	$ 525	$ 1.646	24%
Imposto sobre a propriedade	$ 456	$ 1.429	20%
Imposto de renda de pessoas físicas	$ 383	$ 1.201	17%
Imposto de renda de pessoas jurídicas	$ 58	$ 182	3%
Fundos do governo federal	$ 495	$ 1.552	22%
Outros	$ 308	$ 966	14%
Total	**$ 2.225**	**$ 6.975**	**100%**

Fonte: Bureau of Economic Analysis. A soma das colunas pode não ser a mesma do total em função do arredondamento.

feitas nas lojas de varejo. Sempre que um cliente compra algo, tem de pagar um valor a mais ao lojista, e este, por sua vez, o remete ao governo. (Alguns estados isentam determinados itens considerados necessidades, como alimentos e roupas.) Os impostos sobre a propriedade são cobrados como um percentual do valor estimado da terra e da área construída e são pagos pelos proprietários. Juntos, esses dois impostos representam mais de 40% das receitas dos governos estaduais e municipais.

Os governos estaduais e municipais também cobram imposto de renda das pessoas físicas e jurídicas. Em muitos casos, os impostos de renda estadual e municipal são semelhantes aos federais; em outros casos, são bem diferentes. Por exemplo, alguns estados tributam a renda proveniente dos salários em menor intensidade que a renda obtida sob a forma de juros e dividendos, enquanto outros estados não tributam a renda.

Os governos estaduais e municipais também recebem fundos substanciais do governo federal. Em certa medida, a política do governo federal de compartilhar sua receita com os governos estaduais redistribui recursos dos estados mais ricos (que pagam mais impostos) para os de renda mais baixa (que recebem mais benefícios). Muitas vezes, esses fundos estão atrelados a programas específicos que o governo federal deseja subsidiar. Por exemplo, o Medicaid fornece assistência médica aos pobres; este programa é administrado pelos estados, mas grande parte dos recursos financeiros vem do governo federal.

Por fim, os governos estaduais e municipais obtêm grande parte de sua receita de diversas fontes agrupadas na categoria "outros" da Tabela 3. Essa categoria inclui taxas cobradas por licenças de caça e pesca, pedágios de estradas e pontes, e tarifas de ônibus públicos e metrô, entre outras fontes de receita.

Teste rápido Nos Estados Unidos, quais são as duas fontes de receita mais importantes para o governo federal? • Quais são as duas mais importantes fontes de receita tributária dos governos estaduais e municipais?

12_2 IMPOSTOS E EFICIÊNCIA

Agora que vimos como os diversos níveis do governo dos Estados Unidos arrecadam e gastam dinheiro, vamos pensar em como avaliar sua política tributária e projetar um sistema tributário. Obviamente, o objetivo de um sistema tributário é arrecadar receita para o governo, mas há muitas maneiras de arrecadar uma determinada quantia de dinheiro. Ao escolher uma das muitas opções de sistemas tributários, os formuladores de políticas têm dois objetivos: eficiência e equidade.

Um sistema tributário será mais eficiente do que outro se levantar o mesmo montante de recursos a um menor custo para os contribuintes. Quais são os custos dos impostos para os contribuintes? O mais óbvio é o pagamento do próprio imposto. Essa transferência de dinheiro do contribuinte para o governo é uma característica inevitável de qualquer sistema tributário. No entanto, os impostos também trazem consigo dois outros custos que os sistemas tributários bem planejados procuram evitar ou, pelo menos, minimizar:

- O peso morto que ocorre quando os impostos distorcem as decisões que as pessoas tomam.
- Os encargos administrativos suportados pelos contribuintes ao agir de acordo com a legislação tributária.

Um sistema tributário eficiente é aquele que impõe pequeno peso morto e pequenos encargos administrativos.

12_2A O peso morto

Um dos *Dez princípios de economia* é que as pessoas respondem a incentivos, inclusive os proporcionados pelo sistema tributário. Se o governo tributa o sorvete, as pessoas tomam menos sorvete e mais iogurte. Se o governo tributa a moradia, as pessoas passam a morar em casas menores e a gastar uma parcela maior de sua renda em outras coisas. Se o governo tributa os ganhos do trabalho, as pessoas trabalham menos e desfrutam mais do lazer.

Como os impostos distorcem os incentivos, criam um peso morto. Como vimos no Capítulo 8, o peso morto de um imposto é a redução do bem-estar econômico dos contribuintes que excede a quantia de receita arrecadada pelo governo. O peso morto é a ineficiência que um imposto cria à medida que as pessoas alocam recursos de acordo com o incentivo do imposto, e não segundo os verdadeiros custos e benefícios dos bens e serviços que compram e vendem.

Para recordarmos como os impostos causam peso morto, vamos nos valer de um exemplo. Suponhamos que Joe atribua o valor de $ 8 a uma pizza, e Jane, $ 6. Se não houver impostos sobre a pizza, o preço refletirá seu custo de produção. Suponhamos que o preço da pizza seja $ 5, de modo que tanto Joe quanto Jane decidam comprá-la. Os dois consumidores têm algum excedente de valor em relação ao preço pago. Joe obtém um excedente do consumidor de $ 3, e Jane, de $ 1. O excedente total é de $ 4.

Suponhamos que o governo cobre um imposto de $ 2 sobre a pizza e que o preço desta suba para $ 7. (Isto ocorre quando o excedente é perfeitamente elástico.) Joe, ainda assim, compra uma pizza, mas agora ele tem um excedente do consumidor de apenas $ 1. Jane, agora, opta por não comprar a pizza, porque seu preço é mais alto que o valor que a pizza tem para ela. O governo arrecada receita tributária de $ 2 sobre a pizza de Joe. O excedente do consumidor total cai em $ 3 (de $ 4 para $ 1). Como o excedente total caiu mais do que a receita tributária, o imposto gerou peso morto. Nesse caso, o peso morto é de $ 1.

Observe que o peso morto não vem de Joe, a pessoa que paga o imposto, mas de Jane, a pessoa que não paga. A redução de $ 2 do excedente de Joe compensa o valor da receita arrecadada pelo governo. O peso morto surge porque o imposto faz Jane alterar seu comportamento. Quando o imposto eleva o preço da pizza, Jane fica em pior situação, e não há receita para compensar o governo. Essa redução do bem-estar de Jane é o peso morto do imposto.

12_2B Ônus administrativo

Se em torno do dia 15 de abril você pedir a um típico norte-americano sua opinião sobre o sistema tributário, provavelmente vai ouvir falar da dor de cabeça de preencher os formulários do imposto de renda. O ônus administrativo de qualquer sistema tributário é parte da ineficiência por ele criada, e isto inclui não apenas o tempo gasto com preenchimento de formulários no começo de abril, mas também o tempo usado durante o ano para guardar com segurança os registros fiscais necessários e os recursos que o governo usa para aplicar a legislação tributária.

Muitos contribuintes - principalmente os que pagam alíquotas mais elevadas - contratam advogados tributaristas e contadores para ajudar a lidar com os impostos. Esses especialistas na complexa legislação tributária preenchem os formulários para seus clientes e ajudam a organizar seus negócios de maneira a reduzir o montante devido em impostos. Esse comportamento é legal e recebe o nome de "fuga legal de impostos", que difere da "evasão fiscal", que é ilegal.

Os críticos de nosso sistema tributário dizem que esses especialistas ajudam seus clientes a evitar impostos abusando de algumas das detalhadas cláusulas do código tributário, por vezes chamadas "brechas". Às vezes, as brechas são erros do Congresso: decorrem de ambiguidades ou omissões da legislação. Mais frequentemente, ocorrem porque o Congresso decide dar tratamento especial a tipos específicos de comportamento. Por exemplo, o código tributário federal dos Estados Unidos dá tratamento preferencial aos investidores em bônus municipais porque o Congresso queria facilitar aos governos estaduais e municipais a tomada de empréstimos. Em certa medida, essa provisão beneficia estados e municípios; em certa medida, beneficia os contribuintes de alta renda. A maioria das brechas é bem conhecida no Congresso pelos responsáveis pela política tributária, mas o que pode parecer uma brecha para um contribuinte pode representar uma dedução justificável para outro.

Os recursos destinados à aplicação da legislação tributária são um tipo de peso morto. O governo só arrecada o montante de impostos pagos; o contribuinte, por sua vez, perde não só esse montante, mas também o tempo e o dinheiro que gasta documentando, calculando e evitando impostos.

O ônus administrativo do sistema tributário poderia ser reduzido com uma simplificação da legislação tributária, que, entretanto, é politicamente difícil. Muitas pessoas estão dispostas a simplificar o código tributário, eliminando as brechas que beneficiam outras pessoas, mas poucas estão dispostas a eliminar as brechas que as favorecem. No fim das contas, a complexidade da legislação tributária resulta do processo político à medida que diferentes contribuintes, com seus próprios interesses, fazem *lobby* em causa própria.

12_2C Alíquotas marginal e média do imposto

alíquota média
total de impostos pagos dividido pela renda total

alíquota marginal
imposto adicional pago sobre um dólar de renda adicional

Ao discutirem a eficiência e a equidade do imposto de renda, os economistas distinguem entre dois conceitos de alíquotas: a média e a marginal. A **alíquota média** é o imposto total pago, dividido pela renda total. A **alíquota marginal** é o imposto adicional pago sobre um dólar adicional de renda.

Suponhamos, por exemplo, que o governo aplique uma alíquota de 20% sobre os primeiros $ 50 mil de renda e uma alíquota de 50% sobre toda renda além de $ 50 mil. Nessas condições, uma pessoa que ganha $ 60 mil paga um imposto de $ 15 mil: 20% dos primeiros $ 50 mil (0,2 × $ 50 mil = $ 10 mil) mais 50% dos $ 10 mil seguintes (0,5 × $ 10 mil = $ 5 mil). Para esse contribuinte, a alíquota média seria $ 15 mil/ $ 60 mil, ou 25%, mas a alíquota marginal seria 50%. Se ele ganhasse um dólar adicional de renda, esse dólar estaria sujeito a uma alíquota de 50%, de modo que o montante devido por ele ao governo aumentaria em $ 0,50.

As alíquotas média e marginal contêm, cada uma, um elemento útil de informação. Se estivermos tentando medir o sacrifício feito pelo contribuinte, a alíquota média será mais apropriada, porque medirá a fração da renda arrecadada sob a forma de impostos. Mas se estivermos tentando avaliar quanto o sistema tributário distorce os incentivos, a alíquota marginal será mais importante. Um dos *Dez princípios de economia* do Capítulo 1 é que as pessoas racionais pensam na margem. Um corolário desse princípio é que a alíquota marginal mede o quanto o sistema tributário desencoraja o trabalho. Se você estiver pensando em fazer algumas horas extras, essa alíquota marginal determinará quanto de sua renda adicional irá para o governo. É, portanto, a alíquota marginal que determina o peso morto do imposto de renda.

12_2D Tributação por montante único[1]

tributação por montante único imposto com o mesmo montante para todas as pessoas

Suponhamos que o governo cobre de todas as pessoas um imposto de $ 4 mil. Ou seja, todos deverão o mesmo valor, independentemente de seus ganhos ou de quaisquer ações que possam praticar. Esse tipo de imposto é chamado **tributação por montante único**.

Uma tributação por montante único mostra claramente a diferença entre as alíquotas média e marginal. Para um contribuinte com renda de $ 20 mil, a alíquota média de um imposto único de $ 4 mil é de 20%; para outro, com renda de $ 40 mil, a alíquota média é de 10%. Para ambos, a alíquota marginal é zero, porque não se deverá nenhum imposto por um dólar adicional de renda.

Um imposto único é o imposto mais eficiente possível. Como as decisões de uma pessoa não alteram o montante devido, ele não distorce os incentivos e, portanto, não causa peso morto. E como todos podem calcular facilmente o valor devido e não há nenhum benefício em contratar advogados e contadores tributaristas, o imposto único impõe um ônus administrativo mínimo para os contribuintes.

Se os impostos únicos são tão eficientes, por que raramente são vistos no mundo real? A razão é que a eficiência é apenas um dos objetivos do sistema tributário. O imposto único tomaria a mesma quantia dos pobres e dos ricos, um resultado que a maioria das pessoas consideraria injusto. Para entender os sistemas tributários que observamos, iremos considerar na próxima seção o outro grande objetivo da política tributária: a equidade.

Teste rápido O que significa eficiência de um sistema tributário? • O que pode tornar um sistema tributário ineficiente?

12_3 IMPOSTOS E EQUIDADE

Desde que os colonos norte-americanos jogaram chá importado no porto de Boston para protestar contra os elevados impostos britânicos, a política tributária tem gerado alguns dos debates mais fervorosos na política dos Estados Unidos, mas esse fervor todo raras vezes se deve a questões de eficiência. Pelo contrário, decorre de discordâncias sobre como o ônus tributário deve ser distribuído. O senador Russel Long, certa vez, ridicularizou o debate público com um versinho:

Don't tax you.
Don't tax me.
Tax that fella behind the tree.[2]

É claro que, se o governo fornecer alguns dos bens e serviços que desejamos, os impostos deverão recair sobre alguém. Nesta seção, trataremos da equidade do sistema tributário. Como os ônus tributários devem ser divididos entre a população? Como avaliar se um sistema tributário é justo ou não? Todos concordam que o sistema tributário deve ser equitativo, mas há muita discordância sobre o que significa equidade e sobre como julgar a equidade de um sistema tributário.

12_3A O princípio dos benefícios

Um princípio da tributação, chamado **princípio dos benefícios**, afirma que as pessoas devem pagar impostos com base nos benefícios que obtêm dos serviços do governo. Esse princípio procura tornar os bens públicos

1. A tributação por montante único é também denominada *imposto fixo* (*lump-sum tax*) ou imposto de soma fixa, por ser um imposto específico de igual montante para cada contribuinte. (NRT)
2. "Não se tribute/ Não me tribute/ Tribute aquele sujeito atrás da árvore." (NRT)

princípio dos benefícios
a ideia de que as pessoas deveriam pagar os impostos com base nos benefícios que recebem dos serviços do governo

similares aos bens privados. Parece justo que alguém que vai sempre ao cinema pague mais pelo total de ingressos do que alguém que raramente vai. De maneira similar, quem obtém grandes benefícios de um bem público deve pagar mais por ele do que alguém que obtém um pequeno benefício.

O imposto sobre a gasolina, por exemplo, é algumas vezes justificado usando-se o princípio dos benefícios. Em alguns estados norte-americanos, as receitas do imposto sobre a gasolina são usadas para construir e manter rodovias. Como as pessoas que compram gasolina são as mesmas que usam essas rodovias, o imposto sobre a gasolina pode ser considerado uma maneira justa de pagar por esse serviço do governo.

O princípio dos benefícios também pode ser usado para argumentar que os cidadãos ricos devem pagar impostos maiores que os cidadãos pobres. Por quê? Simplesmente porque os ricos se beneficiam mais dos serviços públicos. Considere, por exemplo, os benefícios da proteção policial contra roubo. Os cidadãos que têm mais a ser protegido obtêm da polícia um benefício maior que os que têm menos. Portanto, de acordo com o princípio dos benefícios, os ricos devem contribuir mais que os pobres para o custo de manutenção da força policial. O mesmo argumento pode ser usado para muitos outros serviços públicos, como proteção contra incêndios, defesa nacional e sistema judiciário.

É até possível usar o princípio dos benefícios para argumentar em favor dos programas contra a pobreza financiados por impostos cobrados dos ricos. Como vimos no Capítulo 11, as pessoas preferem viver em uma sociedade sem pobreza, o que sugere que os programas contra a pobreza são um bem público. Se os ricos atribuem a esse bem público um valor monetário maior que os membros da classe média, talvez simplesmente porque têm mais para gastar, então, de acordo com o princípio dos benefícios, eles devem ser tributados mais pesadamente para pagar por esses programas.

12_3B O princípio da capacidade de pagamento

Outra maneira de avaliar a equidade de um sistema tributário é chamada **princípio da capacidade de pagamento**, que estabelece que os impostos devem ser cobrados das pessoas de acordo com a capacidade que elas têm de suportar o encargo. Esse princípio é algumas vezes justificado pelo argumento de que todos os cidadãos devem fazer o "mesmo sacrifício" para sustentar o governo. Entretanto, a magnitude do sacrifício de uma pessoa depende não só do montante de impostos que ela paga, mas também da renda e de outras circunstâncias. Um imposto de $ 1.000 pago por uma pessoa pobre pode exigir um sacrifício maior do que um imposto de $ 10 mil pago por alguém que seja rico.

princípio da capacidade de pagamento
a ideia de que os impostos deveriam ser cobrados da pessoa com base em sua capacidade de suportar o ônus do imposto

equidade vertical
a ideia de que contribuintes com maior capacidade de pagamento de impostos deveriam pagar maiores quantias

O princípio da capacidade de pagamento leva a dois conceitos de equidade: vertical e horizontal. Segundo a **equidade vertical**, os contribuintes com maior capacidade de pagamento devem contribuir com uma quantia maior. Segundo a **equidade horizontal**, os contribuintes com capacidades de pagamento semelhantes devem contribuir com a mesma quantia. Esses conceitos de equidade são amplamente aceitos, mas aplicá-los para avaliar um sistema tributário nem sempre é simples.

Equidade vertical Se os impostos se baseiam na capacidade de pagamento, então os contribuintes mais ricos devem pagar mais que os mais pobres. Mas quanto mais os ricos devem pagar? Grande parte do debate sobre política tributária está relacionada a essa questão.

Consideremos os três sistemas tributários da Tabela 4. Em cada caso, os contribuintes de maior renda pagam mais. No entanto, os sistemas divergem em relação à rapidez com que os impostos aumentam com a renda.

O primeiro sistema é chamado **imposto proporcional**, porque todos os contribuintes pagam a mesma fração de sua renda. O segundo sistema é chamado **imposto regressivo**, porque os contribuintes com altas rendas pagam uma fração menor de sua

Tabela 4
Três sistemas tributários

Renda	Imposto proporcional		Imposto regressivo		Imposto progressivo	
	Valor do imposto	Percentual da renda	Valor do imposto	Percentual da renda	Valor do imposto	Percentual da renda
$ 50.000	$ 12.500	25%	$ 15.000	30%	$ 10.000	20%
100.000	25.000	25	25.000	25	25.000	25
200.000	50.000	25	40.000	20	60.000	30

equidade horizontal
a ideia de que contribuintes com capacidade similar de pagamento de impostos deveriam pagar a mesma quantia

imposto proporcional
o imposto segundo o qual os contribuintes com alta renda e aqueles com baixa renda pagam a mesma fração de sua renda

imposto regressivo
o imposto segundo o qual os contribuintes com alta renda pagam uma fração menor de sua renda que os contribuintes com baixa renda

imposto progressivo
o imposto segundo o qual os contribuintes com alta renda pagam uma fração maior de sua renda que aqueles com baixa renda

renda, embora o montante seja maior. O terceiro sistema é chamado **imposto progressivo**, porque os contribuintes com altas rendas pagam uma fração maior de sua renda.

Qual desses três sistemas tributários é mais justo? Não existe uma resposta óbvia, e a teoria econômica não nos oferece nenhuma ajuda para tentar descobri-la. A equidade, como a beleza, está nos olhos do observador.

Equidade horizontal Se os impostos são baseados na capacidade de pagamento, então contribuintes semelhantes deveriam pagar montantes semelhantes de impostos. Mas o que determina a similaridade entre dois contribuintes? As famílias diferem entre si de diversas maneiras. Para avaliar se um código tributário é horizontalmente equitativo, é preciso determinar quais diferenças são relevantes para a capacidade de pagamento das famílias e quais não são.

Suponha que as famílias de Smith e de Jones tenham uma renda de $ 100 mil cada. Os Smith não têm filhos, mas o senhor Smith tem uma doença que acarreta despesas médicas de $ 40 mil. Os Jones gozam de boa saúde, mas têm quatro filhos, dos quais dois estão na faculdade, o que gera despesas de instrução de $ 60 mil. Seria justo que essas duas famílias pagassem o mesmo montante em impostos por terem a mesma renda? Seria mais justo conceder aos Smith uma isenção para ajudá-los a arcar com as altas despesas médicas? Ou seria mais justo conceder uma isenção aos Jones para ajudá-los com as despesas de instrução?

Não há resposta fácil para essas perguntas. Na prática, a legislação tributária norte-americana para o imposto de renda está repleta de cláusulas especiais que alteram o imposto das famílias com base em circunstâncias específicas.

12_3C Incidência tributária e equidade tributária

A incidência tributária – o estudo de quem arca com o ônus dos impostos – é fundamental para entender a equidade tributária. Como vimos no Capítulo 6, a pessoa que arca com o ônus do imposto nem sempre é a mesma que paga o imposto ao governo. Como os impostos alteram a oferta e a demanda, eles alteram os preços de equilíbrio. Com isso, afetam pessoas além daquelas que, segundo a lei, de fato, pagam os impostos. Ao se avaliar a equidade vertical e horizontal de um imposto, é importante considerar esses efeitos indiretos.

Muitas discussões sobre equidade tributária ignoram os efeitos indiretos dos impostos e se baseiam no que os economistas, ironicamente, chamam de *teoria do papel mata-moscas* da incidência tributária. Segundo essa teoria, o ônus de um imposto, tal como uma mosca num papel mata-moscas, gruda no primeiro ponto em que pousa. Entretanto, essa premissa raramente é verdadeira.

Por exemplo, alguém que não tenha estudado economia poderia argumentar que um imposto sobre casacos de pele é verticalmente equitativo, porque a maioria dos compradores desse bem é rica. No entanto, se esses compradores puderem substituir facilmente os casacos de pele por outros bens de luxo, então o imposto sobre eles poderá simplesmente reduzir sua venda. No fim das contas, o ônus do imposto recairá mais sobre os fabricantes e vendedores de casacos de pele do que sobre aqueles que os compram. Como a maioria dos trabalhadores de confecção de casacos de pele não é rica, a equidade de um imposto sobre esse bem poderia ser bem diferente do que indica a teoria do papel mata-moscas.

Teste rápido Explique o princípio dos benefícios e o princípio da capacidade de pagamento. • O que são equidades vertical e horizontal? • Por que estudar a incidência tributária é importante para determinar a equidade de um sistema tributário?

12_4 CONCLUSÃO: O *TRADEOFF* ENTRE EQUIDADE E EFICIÊNCIA

Quase todo mundo concorda que equidade e eficiência são os dois objetivos mais importantes de um sistema tributário, mas esses objetivos muitas vezes entram em conflito, principalmente quando a equidade é julgada pela progressividade do sistema tributário. Em geral, as pessoas discordam a respeito da política tributária porque atribuem importância diferente a esses dois objetivos.

A história recente da política tributária mostra como os líderes políticos diferem em suas opiniões a respeito de equidade e eficiência. Em 1980, quando Ronald Reagan foi eleito presidente, a alíquota marginal sobre os ganhos dos norte-americanos mais ricos era de 50% e a alíquota marginal sobre a renda de juros era de 70%. Reagan argumentou que essas alíquotas altas distorciam muito os incentivos econômicos ao trabalho e à poupança; em outras palavras, afirmou que alíquotas tão altas custavam muito em termos de eficiência econômica. A reforma tributária tinha, portanto, alta prioridade em seu governo. Reagan assinou leis em que autorizava cortes maiores nas alíquotas em 1981 e, novamente, em 1986. Quando deixou o cargo, em 1989, os norte-americanos mais ricos estavam sujeitos a uma alíquota marginal de apenas 28%.

O pêndulo do debate político vai e volta. Em 1992, quando Bill Clinton concorreu à Presidência, ele argumentou que a parcela de impostos que os ricos estavam pagando não era justa. Em outras palavras, as baixas alíquotas dos ricos violavam sua visão de equidade vertical; assim, em 1993, ele assinou um projeto de lei que aumentava a alíquota dos norte-americanos mais ricos para cerca de 40%. Quando George W. Bush concorreu à Presidência, repetiu muitos temas de Reagan e, como presidente, reverteu parte do aumento de impostos que Bill Clinton promovera, reduzindo a taxa mais alta para 35%. Na campanha presidencial de 2008, Barack Obama prometeu que aumentaria os impostos das famílias com rendas altas, e, desde 2013, a taxa marginal mais elevada voltou para cerca de 40%.

A economia, por si só, não é capaz de determinar a melhor maneira de equilibrar os objetivos de eficiência e equidade. A questão envolve não apenas filosofia política, mas também economia. Mas os economistas têm um papel importante nesse debate: eles podem lançar luz sobre os *tradeoffs* que são inevitavelmente enfrentados pela sociedade na elaboração de um sistema tributário e ajudar a evitar políticas que sacrifiquem a eficiência sem trazer nenhum benefício em termos de equidade.

Teste rápido do capítulo

1. **As duas maiores fontes de receita fiscal do governo federal norte-americano são:**
   a. Impostos de renda das pessoas físicas e jurídicas.
   b. Impostos de renda das pessoas físicas e os impostos sobre a folha de pagamento para a seguridade social.
   c. Impostos de renda das pessoas jurídicas e os impostos sobre a folha de pagamento para a seguridade social.
   d. Impostos sobre a folha de pagamento para a seguridade social e impostos de propriedade.

2. **Aiden dá aulas de piano. Ele tem um custo de oportunidade de $ 50 por aula e cobra $ 60. Ele tem dois alunos: Brandon, que tem disposição para pagar $ 70, e Chloe, que tem disposição**

para pagar $ 90. Quando o governo institui um imposto de $ 20 sobre aulas de piano e Aiden aumenta seu preço para $ 80, o peso morto é _____ e a receita tributária é _____.

a. $ 10, $ 20
b. $ 10, $ 40
c. $ 20, $ 20
d. $ 20, $ 40

3. Se o código tributário isenta de impostos os primeiros $ 20 mil da renda e depois cobra 25% de toda a renda acima deste nível, então, uma pessoa que ganhe $ 50 mil tem uma alíquota média de _____% e uma alíquota marginal de _____%.

a. 15, 25
b. 25, 15
c. 25, 30
d. 30, 25

4. O pedágio é uma taxa incidente sobre cidadãos que utilizam rodovias com essa tributação. Essa política pode ser vista como uma aplicação de:

a. Princípio dos benefícios.
b. Equidade horizontal.
c. Equidade vertical.
d. Progressividade de impostos.

5. Nos Estados Unidos, os contribuintes na faixa do 1% mais rico pagam cerca de _____% de sua renda em impostos federais.

a. 5
b. 10
c. 20
d. 30

6. Se o imposto de renda das pessoas jurídicas induz as empresas a reduzir o investimento de capital, então:

a. O imposto não tem nenhum peso morto.
b. Os acionistas de empresas se beneficiam com o imposto.
c. Os trabalhadores arcam com parte da carga do imposto.
d. O imposto atinge o objetivo de equidade vertical.

RESUMO

- O governo norte-americano arrecada receita por meio de diversos impostos. Os mais importantes para o governo federal são o imposto de renda das pessoas físicas e os impostos sobre a folha de pagamento para a Seguridade Social. Os mais importantes para os governos estaduais e municipais são o imposto sobre a venda e o imposto sobre a propriedade.
- A eficiência de um sistema tributário refere-se aos custos que ele impõe aos contribuintes. Há dois custos além da transferência de recursos do contribuinte para o governo. O primeiro é o peso morto decorrente do fato de os impostos distorcerem os incentivos e a alocação de recursos. O segundo é o ônus administrativo de cumprir as leis tributárias.
- A equidade de um sistema tributário refere-se ao fato de o ônus do imposto ser distribuído de maneira justa entre a população. De acordo com o princípio dos benefícios, é justo que as pessoas paguem impostos conforme o benefício que recebem do governo. De acordo com o princípio da capacidade de pagamento, é justo que as pessoas paguem impostos com base na sua capacidade de arcar com o ônus financeiro. Ao se avaliar a equidade de um sistema tributário, é importante lembrar uma lição aprendida com o estudo da incidência tributária: a distribuição dos ônus tributários não é igual à distribuição dos recolhimentos.
- Ao considerar mudanças da legislação tributária, os formuladores de políticas costumam enfrentar um *tradeoff* entre eficiência e equidade. Grande parte do debate sobre política tributária surge porque as pessoas atribuem pesos diferentes a esses dois objetivos.

CONCEITOS-CHAVE

alíquota média, p. 189
alíquota marginal, p. 189
tributação por montante único, p. 190
princípio dos benefícios, p. 191
princípio da capacidade de pagamento, p. 191
equidade vertical, p. 191
equidade horizontal, p. 192
imposto proporcional, p. 192
imposto regressivo, p. 192
imposto progressivo, p. 192

QUESTÕES PARA REVISÃO

1. Ao longo do século passado, as receitas tributárias do governo cresceram mais ou menos lentamente do que o restante da economia?
2. Explique como os lucros das empresas são tributados.
3. Por que o ônus tributário para os contribuintes é maior que a receita arrecadada pelo governo?
4. Por que alguns economistas propõem tributar o consumo e não a renda?
5. Qual é a alíquota marginal da tributação por montante único? Como isso está relacionado com a eficiência do imposto?
6. Apresente dois argumentos segundo os quais os contribuintes ricos devam pagar mais impostos que os contribuintes pobres.
7. Qual é o conceito de equidade horizontal e por que ela é de difícil aplicação?

PROBLEMAS E APLICAÇÕES

1. As informações de muitas das tabelas deste capítulo foram retiradas do *Economic Report of the President*, publicado anualmente. Usando uma edição recente desse relatório (que pode ser encontrado na internet), responda às perguntas e forneça alguns dados que os justifiquem. (Dica: o site da imprensa oficial norte-americana - Government Printing Office - é http://www.gpo.gov.)
   a. A Figura 1 mostra que a receita do governo norte-americano, como porcentagem da renda total, cresceu com o tempo. Esse crescimento pode ser atribuído principalmente a mudanças da receita do governo federal ou da receita dos governos estaduais e municipais?
   b. Analisando a receita combinada dos governos federal, estaduais e municipais, como a composição da receita total mudou ao longo do tempo? O imposto de renda das pessoas físicas ficou mais ou menos importante? E os impostos para a Seguridade Social? E os impostos sobre os lucros das empresas?

2. Suponha que você seja uma pessoa típica na economia dos Estados Unidos. Você paga 4% de sua renda em imposto de renda estadual e 15,3% dos ganhos de seu trabalho em impostos federais sobre a folha de pagamento (somando as parcelas do empregador e do empregado). Além disso, paga impostos de renda federal, como descrito na Tabela 2. Qual será o valor de cada imposto se você ganhar $ 30 mil por ano? Considerando todos os impostos, quais são as suas alíquotas média e marginal? O que aconteceria com os seus recolhimentos e com as suas alíquotas média e marginal se sua renda aumentasse para $ 60 mil?

3. Em alguns estados, a venda de bens básicos, como alimentos e bebidas, é isenta do imposto sobre vendas. Em outros, não. Aborde os méritos dessa isenção. Considere tanto a eficiência quanto a equidade em sua resposta.

4. Quando alguém possui um ativo (ações, por exemplo) que aumenta em valor, diz-se que possui ganho de capital "provisionado". Ao vender esse bem, ele "realiza" o ganho previamente provisionado. Segundo o código tributário norte-americano, os ganhos realizados devem pagar impostos, mas os ganhos provisionados, não.
   a. Explique como o comportamento de um indivíduo é afetado por essa regra.
   b. Alguns economistas acreditam que os cortes nos tributos sobre ganhos de capital, principalmente os temporários, podem aumentar a receita do imposto de renda. Como isso pode acontecer?
   c. Você acredita ser uma boa política taxar os ganhos realizados, mas não os provisionados? Explique.

5. Suponha que seu estado aumente o imposto sobre vendas de 5% para 6%. O encarregado pelas receitas do Estado prevê um aumento de 20% na receita do imposto sobre vendas. Isso é plausível? Explique.

6. A Lei de Reforma Tributária de 1986, nos Estados Unidos, eliminou a dedução dos pagamentos relativos a juros sobre débitos do consumidor (principalmente cartões de crédito e empréstimos para a compra de automóveis), mas manteve a dedução dos pagamentos de juros sobre hipotecas e empréstimos para a compra de imóveis residenciais. O que, em sua opinião, aconteceu com os montantes relativos de dívidas de consumo e de crédito imobiliário?

7. Classifique cada um dos modos de financiamento apresentados a seguir como exemplos do princípio dos benefícios ou do princípio da capacidade de pagamento.
   a. As pessoas que visitam os parques nacionais devem pagar ingresso.
   b. Os impostos sobre propriedades locais sustentam escolas de ensino fundamental e médio.
   c. O fundo de crédito de um aeroporto recolhe uma taxa sobre cada passagem vendida e emprega esse dinheiro para fazer melhorias nos aeroportos e também no sistema de controle de tráfego aéreo.

Parte V

Comportamento da empresa e organização da indústria

CAPÍTULO 13

Os custos de produção

A economia é composta de milhares de empresas que produzem os bens e serviços de que usufruímos todos os dias: a General Motors produz carros, a General Electric, lâmpadas, e a General Mills, cereais matinais. Algumas empresas, como essas três, são grandes: empregam milhares de trabalhadores e têm milhares de acionistas que participam de seus lucros. Outras empresas, como a barbearia ou a doceria do seu bairro, são pequenas: empregam poucos trabalhadores e são de propriedade de uma só pessoa ou família.

Nos capítulos anteriores, usamos a curva de oferta para sumariar as decisões de produção das empresas. De acordo com a lei da oferta, as empresas estarão dispostas a produzir e vender maiores quantidades de um determinado bem se o preço for alto, e essa reação nos conduz a uma curva de oferta com inclinação ascendente. Para analisar muitas questões, a lei da oferta é tudo o que se precisa saber do comportamento das empresas.

Neste capítulo e nos próximos, examinaremos mais detalhadamente o comportamento das empresas, e isso proporcionará um melhor entendimento das decisões que estão por trás da curva de oferta em um mercado. Além disso, introduziremos o segmento da economia chamado *organização industrial*, que é o estudo de como as decisões da empresa sobre preços e quantidades dependem das condições do mercado que enfrentam. A cidade em que você vive, por exemplo, pode ter diversas pizzarias, mas apenas uma empresa de TV a cabo. De que maneira essa diferença no número de empresas afeta os preços nesses mercados e a eficiência dos resultados do mercado? O campo da organização industrial trata justamente dessa questão.

Antes de nos voltarmos para essas questões, temos de discutir os custos de produção. Todas as empresas, da Delta Air Lines à quitanda da esquina, incorrem em custos ao produzir os bens e serviços que vendem. Como veremos nos capítulos seguintes, os custos de uma empresa são um determinante-chave de suas decisões de produção e determinação de preços. Neste capítulo, definiremos algumas das variáveis que os economistas usam para medir os custos de uma empresa e trataremos das relações entre elas.

Um aviso: esse assunto pode parecer árido e técnico; para ser honesto, pode até ser chamado de chato, mas é fundamental para a compreensão dos fascinantes tópicos que estão por vir.

13_1 O QUE SÃO CUSTOS?

Começaremos nossa abordagem sobre custos na fábrica de biscoitos de Caroline. Caroline, a proprietária da empresa, compra farinha, açúcar, gotas de chocolate e outros ingredientes. Ela também compra as batedeiras e os fornos, e contrata trabalhadores para operar esses equipamentos. Então, vende os biscoitos produzidos aos consumidores. Examinando algumas das questões com as quais ela se depara em sua atividade, poderemos aprender sobre os custos que se aplicam a todas as empresas da economia.

13_1A Receita total, custo total e lucro

receita total
o montante que uma empresa recebe pela venda da sua produção

custo total
o valor de mercado dos insumos que uma empresa usa na produção

lucro
a receita total menos o custo total

Começaremos pelo objetivo da empresa. Para compreendermos as decisões que uma empresa toma, temos de entender o que ela está tentando fazer. É concebível que Caroline tenha fundado sua empresa graças a um desejo altruísta de prover o mundo de biscoitos ou, talvez, pelo amor ao negócio de biscoitos, mas o mais provável é que tenha criado a empresa para ganhar dinheiro. Em geral, os economistas assumem que o objetivo de uma empresa é maximizar o lucro e que essa hipótese funciona bem na maioria dos casos.

O que é o lucro de uma empresa? O montante que a empresa recebe pela venda de sua produção (biscoitos) é chamado **receita total**. O montante que a empresa paga por seus insumos (farinha, açúcar, trabalhadores, fornos etc.) é chamado **custo total**. E Caroline fica com a receita que excede o necessário para cobrir os custos. O **lucro** é a receita total da empresa menos seu custo total. Ou seja:

$$\text{Lucro} = \text{Receita total} - \text{Custo total}$$

O objetivo de Caroline é fazer que o lucro de sua empresa seja o maior possível.

Para entendermos como uma empresa maximiza o lucro, temos de saber com mais profundidade como medir a sua receita total e o seu custo total. A receita total é a parte fácil: é igual à quantidade que a empresa produz multiplicada pelo preço pelo qual vende a sua produção. Então, se Caroline produz 10 mil biscoitos e os vende a $ 2 cada, sua receita total é de $ 20 mil. A medição do custo total de uma empresa, no entanto, é bem mais sutil.

13_1B Custos como custos de oportunidade

Quando se medem os custos da fábrica de biscoitos de Caroline ou de qualquer outra empresa, é importante ter em mente um dos *Dez princípios de economia* do Capítulo 1: o custo de alguma coisa é aquilo de que você desiste para obtê-la. Lembre-se de que o *custo de oportunidade* de um item refere-se a todas as coisas a que renunciamos para adquiri-lo. Quando os economistas falam no custo de produção de uma empresa, incluem todos os custos de oportunidade da produção dos bens e serviços desta.

Enquanto alguns custos de oportunidade da produção de uma empresa são óbvios, outros não são. Quando Caroline paga $ 1.000 pela farinha, esse valor representa um custo de oportunidade, porque ela não pode mais usá-lo para comprar outra coisa. De maneira similar, quando ela contrata trabalhadores para fazer biscoitos, os salários que paga são parte dos custos de oportunidade da empresa. Como esses custos de oportunidade exigem que a empresa desembolse dinheiro, são chamados **custos explícitos**. Já outros custos de oportunidade da empresa, denominados **custos implícitos**, não exigem que se desembolse dinheiro. Imagine que Caroline tenha bastante habilidade com computadores e possa ganhar $ 100 por hora trabalhando como programadora. Para cada hora que passa em sua fábrica de biscoitos, ela deixa de ganhar $ 100 de renda e essa renda da qual ela abre mão também é parte de seu custo. O custo total do negócio de Caroline é a soma dos custos explícitos e implícitos.

custos explícitos
os custos dos insumos que exigem desembolso de dinheiro por parte da empresa

custos implícitos
os custos dos insumos que não exigem desembolso de dinheiro por parte da empresa

Essa distinção entre custos explícitos e implícitos aponta para uma diferença importante entre as maneiras como os economistas e os contadores analisam as empresas. Os economistas estão interessados em estudar como as empresas tomam decisões de produção e de determinação de preço. Como essas decisões se baseiam em custos tanto explícitos quanto implícitos, os economistas incluem os dois tipos ao calcular o custo das empresas. Os contadores, por sua vez, têm a função de acompanhar o fluxo do dinheiro que entra e sai da empresa; por isso, eles medem os custos explícitos, mas, em geral, ignoram os custos implícitos.

A diferença entre economistas e contadores pode ser facilmente percebida no caso da fábrica de biscoitos de Caroline. Quando ela abre mão da oportunidade de ganhar dinheiro como programadora de computadores, seu contador não lança isso como custo da empresa de biscoitos. Como não sai dinheiro da empresa para fazer frente a esse custo, ele nunca surge nas demonstrações financeiras preparadas pelo contador. Um economista, pelo contrário, contará a renda da qual Caroline abriu mão como um custo, porque essa renda afetará as decisões que ela tomará em sua empresa de biscoitos. Por exemplo, se o salário de Caroline como programadora aumentar de $ 100 para $ 500 por hora, ela poderá chegar à conclusão de que tocar sua empresa é custoso demais e optar por fechar a fábrica, tornando-se programadora em tempo integral.

13_1C O custo do capital como custo de oportunidade

Um custo implícito importante em quase todo negócio é o custo de oportunidade do capital financeiro que foi investido na atividade. Suponhamos que Caroline tenha usado $ 300 mil de suas economias para comprar a fábrica de biscoitos do proprietário anterior. Se ela tivesse deixado o dinheiro em uma conta de poupança a juros de 5% ao ano, ganharia $ 15 mil por ano. Portanto, para ser proprietária da fábrica de biscoitos, Caroline abre mão de $ 15 mil em renda de juros por ano. Estes $ 15 mil de que ela abre mão é um dos custos de oportunidade implícitos do negócio de Caroline.

Como já vimos, economistas e contadores tratam os custos de formas diferentes, e isso é especialmente verdade no tratamento dado ao custo do capital. Um economista verá os $ 15 mil em renda de juros de que Caroline abre mão a cada ano como um custo de sua empresa, muito embora seja um custo implícito. O contador contratado por ela, contudo, não lançará esses $ 15 mil como custo, porque não sai dinheiro da empresa para pagar por eles.

Para explorarmos em maior profundidade a diferença entre economistas e contadores, vamos mudar um pouco o exemplo. Suponhamos que Caroline não tivesse os $ 300 mil necessários para comprar a fábrica e usasse $ 100 mil de suas economias e tomasse $ 200 mil emprestados de um banco a juros de 5%. O contador de Caroline, que só mede os custos explícitos, passará a contar como custo os $ 10 mil de juros pagos pelo empréstimo bancário, porque, agora, esse montante de dinheiro sai da empresa. Entretanto, de acordo com um economista, o custo de oportunidade da empresa é ainda de $ 15 mil. O custo de oportunidade é igual aos juros pagos sobre o empréstimo (um custo explícito de $ 10 mil) mais os juros sobre a poupança de que Caroline abriu mão (um custo implícito de $ 5 mil).

13_1D Lucro econômico *versus* lucro contábil

Retornaremos agora ao objetivo da empresa – o lucro. Como economistas e contadores medem custos de maneira diferente, eles também medem o lucro de maneira diferente. Um economista mede o **lucro econômico** da empresa como a receita total menos todos os custos de oportunidade (explícitos e implícitos) da produção dos bens e serviços vendidos. Um contador mede o **lucro contábil** da empresa somente como a receita total menos os custos explícitos.

lucro econômico
a receita total menos o custo total, incluindo tanto os custos explícitos quanto os custos implícitos

lucro contábil
a receita total menos o custo explícito total

A Figura 1 resume essa diferença. Observe que, como o contador ignora os custos implícitos, o lucro contábil costuma ser maior que o econômico. Para uma empresa ser lucrativa do ponto de vista dos economistas, sua receita total precisa cobrir todos os custos de oportunidade, tanto explícitos quanto implícitos.

O lucro econômico é um conceito importante, pois é o que motiva as empresas que fornecem bens e serviços. Como veremos, uma empresa que obtém lucro econômico positivo permanece no mercado, pois ela consegue cobrir todos os custos de oportunidade e ter alguma receita para recompensar os proprietários. Quando uma empresa tem perdas económi-

Figura 1
Economistas *versus* contadores

Os economistas incluem todos os custos de oportunidade quando analisam uma empresa, ao passo que os contadores medem somente os custos explícitos. Assim, o lucro econômico é menor do que o lucro contábil.

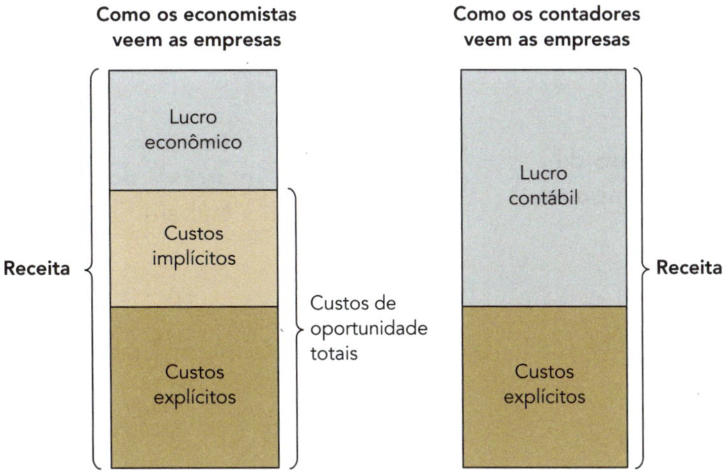

cas, ou seja, quando os lucros econômicos são negativos, os proprietários deixam de obter receita suficiente para cobrir todos os custos de produção. A menos que as condições se modifiquem, os proprietários encerrarão o negócio e abandonarão o mercado. Para entender as decisões administrativas, é preciso prestar atenção ao lucro econômico.

Teste rápido O fazendeiro McDonald dá aulas de banjo a $ 20 por hora. Um dia, ele passa 10 horas plantando $ 100 em sementes em sua fazenda. Qual é o custo de oportunidade em que incorreu? Que custos o seu contador mediria? Se a colheita render $ 200, McDonald terá obtido lucro contábil? E lucro econômico?

13_2 PRODUÇÃO E CUSTOS

As empresas incorrem em custos ao adquirir os insumos que usam para produzir os bens e serviços que planejam vender. Nesta seção, examinaremos o elo entre o processo de produção de uma empresa e seu custo total. Novamente, usaremos a fábrica de biscoitos de Caroline.

Na análise a seguir, adotamos uma importante hipótese simplificadora: consideramos que o tamanho da fábrica de Caroline é fixo e que ela só pode mudar a quantidade de biscoitos produzida mudando o número de trabalhadores. Essa hipótese é realista no curto prazo, mas não no longo prazo. Ou seja, Caroline não pode construir uma nova fábrica da noite para o dia, mas pode fazê-lo em aproximadamente um ano ou dois. Essa análise, portanto, descreve as decisões de produção que Caroline enfrenta no curto prazo. Examinaremos em mais detalhes a relação entre custos e horizonte de tempo mais adiante.

13_2A A função de produção

A Tabela 1 mostra como a quantidade de biscoitos que a fábrica de Caroline produz por hora depende do número de trabalhadores. Como se pode ver nas duas primeiras colunas, se não houver trabalhadores na fábrica, Caroline não produzirá nenhum biscoito. Mas quando há 1 trabalhador, ela produz 50 biscoitos; quando há 2 trabalhadores, ela produz 90 biscoitos; e assim por diante. O painel (a) da Figura 2 apresenta um gráfico dessas duas colunas de números. O número de trabalhadores está no eixo horizontal, e o de biscoitos produzidos, no eixo vertical. A relação entre a quantidade de insumos (trabalhadores) e a quantidade produzida (biscoitos) é chamada **função de produção**.

função de produção
a relação entre a quantidade de insumos usada para produzir um bem e a quantidade produzida desse bem

Um dos *Dez princípios de economia* introduzidos no Capítulo 1 diz que as pessoas racionais pensam na margem. Como veremos em outros capítulos, esse conceito é fundamental para entender as decisões das empresas sobre quantos trabalhadores contratar e sobre quanto produzir. Para dar um passo em direção ao entendimento dessas decisões, a terceira coluna da Tabela 1 nos dá o produto

Tabela 1
Uma função de produção e custo total: a fábrica de biscoitos de Caroline

Número de trabalhadores	Produção (quantidade de biscoitos produzida por hora)	Produto marginal do trabalho	Custo da fábrica	Custo dos trabalhadores	Custo total dos insumos (custo da fábrica + custo dos trabalhadores)
0	0	50	$ 30	$ 0	$ 30
1	50	40	30	10	40
2	90	30	30	20	50
3	120	20	30	30	60
4	140	10	30	40	70
5	150	5	30	50	80
6	155		30	60	90

produto marginal o aumento da produção que resulta de uma unidade adicional de insumo

produto marginal decrescente a propriedade segundo a qual o produto marginal de um insumo diminui à medida que a quantidade do insumo aumenta

marginal por trabalhador. O **produto marginal** de qualquer insumo no processo de produção é o aumento da quantidade produzida que se obtém a partir de uma unidade adicional do insumo em questão. Quando o número de trabalhadores sobe de 1 para 2, a produção de biscoitos sobe de 50 para 90, de modo que o produto marginal do segundo trabalhador é de 40 biscoitos. E quando o número de trabalhadores sobe de 2 para 3, a produção de biscoitos aumenta de 90 para 120, de modo que o produto marginal do terceiro trabalhador é de 30 biscoitos. Na tabela, o produto marginal aparece no ponto médio entre as linhas, porque representa a mudança na produção à medida que o número de trabalhadores aumenta de um nível para outro.

Observe que, à medida que o número de trabalhadores aumenta, o produto marginal diminui: o segundo trabalhador tem um produto marginal de 40 biscoitos, o terceiro, de 30, e o quarto, de 20. Essa propriedade é chamada **produto marginal decrescente**. Inicialmente, quando há poucos trabalhadores empregados, eles têm fácil acesso ao equipamento de cozinha de Caroline. Com o aumento do número de trabalhadores, eles passam a ter de compartilhar equipamentos e trabalhar com uma lotação cada vez maior. Por fim, a cozinha está tão lotada, que os trabalhadores ficam amontoados. Assim, à medida que mais trabalhadores são empregados, cada trabalhador adicional contribui menos para a produção total de biscoitos.

O produto marginal decrescente também pode ser visto na Figura 2. A inclinação da função de produção ("elevação dividida pela distância") nos diz qual é a variação da produção de biscoitos na fábrica de Caroline ("elevação") para cada insumo adicional de trabalho ("distância"). Ou seja, a inclinação da função de produção mede o produto marginal de um trabalhador. Com o aumento no número de trabalhadores, o produto marginal diminui e a função de produção se torna mais horizontal.

13_2B Da função de produção à curva de custo total

As últimas três colunas da Tabela 1 mostram o custo de produção de biscoitos da fábrica de Caroline. Neste exemplo, o custo da fábrica de Caroline é de $ 30 por hora, e o de um trabalhador, de $ 10 por hora. Se ela contrata 1 trabalhador, seu custo total é de $ 40 por hora; se contrata 2 trabalhadores, é de $ 50 por hora, e assim por diante. Com essa informação, a tabela agora nos mostra como o número de trabalhadores que Caroline emprega se relaciona com a quantidade de biscoitos que ela produz e com o seu custo total de produção.

Figura 2

A função de produção de Caroline e a curva de custo total

A função de produção, no painel (a), mostra a relação entre o número de trabalhadores empregados e a quantidade produzida. Aqui, o número de trabalhadores empregados (eixo horizontal) é mostrado na primeira coluna da Tabela 1, e a quantidade produzida (eixo vertical), na segunda coluna. A função de produção torna-se menos inclinada à medida que o número de trabalhadores aumenta, o que reflete a diminuição do produto marginal. A curva de custo total no painel (b) ilustra a relação entre a quantidade produzida e o custo total de produção. Aqui, a quantidade produzida (no eixo horizontal) é mostrada na segunda coluna da Tabela 1, e o custo total (no eixo vertical), na sexta coluna. A inclinação da curva de custo total aumenta com a quantidade produzida em razão do produto marginal decrescente.

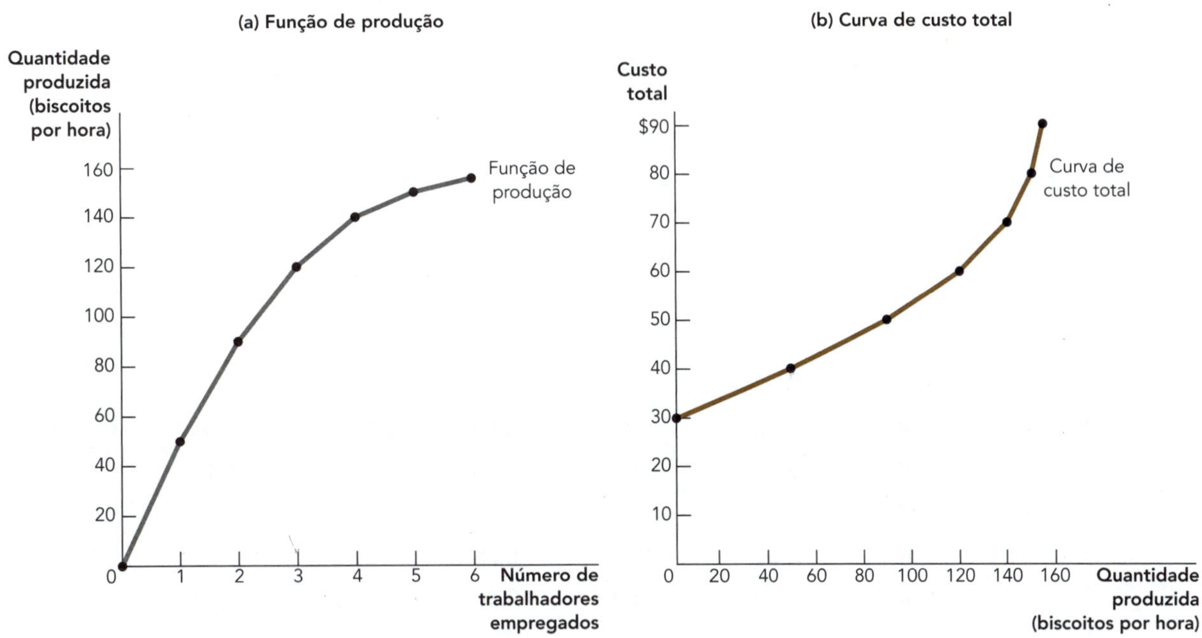

Nosso objetivo nos próximos capítulos será estudar as decisões de produção e de determinação de preços das empresas. Para tanto, a relação mais importante da Tabela 1 é aquela existente entre a quantidade produzida (segunda coluna) e o custo total (sexta coluna). O painel (b) da Figura 2 representa graficamente essas duas colunas de dados com a quantidade produzida no eixo horizontal e o custo total no vertical. Esse gráfico é chamado *curva de custo total.*

Compare, agora, a curva de custo total no painel (b) com a função de produção no painel (a). Estas curvas são os lados opostos da mesma moeda. A inclinação da curva de custo total aumenta à medida que a quantidade produzida aumenta, enquanto a inclinação da função de produção diminui. Essas mudanças da inclinação ocorrem pelas mesmas razões: uma produção elevada de biscoitos significa que a cozinha de Caroline está lotada de trabalhadores, e estando a cozinha cheia demais, cada trabalhador adicional acrescenta menos à produção de biscoitos, refletindo o produto marginal decrescente. Portanto, a função de produção fica relativamente achatada. Mas vamos inverter o raciocínio: quando a cozinha está lotada, produzir um biscoito a mais requer muito trabalho adicional e isso é muito dispendioso. Com isso, quando a quantidade produzida é elevada, a curva de custo total apresenta inclinação relativamente íngreme.

Teste rápido Se o fazendeiro Jones não planta nada em sua fazenda, não colhe nada. Se planta um saco de sementes de trigo, colhe três sacas de trigo. Se planta dois sacos, colhe cinco sacas. Se planta três sacos, colhe seis sacas. Um saco de sementes custa $ 100 e estas são o único custo que ele tem. Use esses dados para representar graficamente a função de produção e a curva de custo total do fazendeiro. Explique o formato das curvas.

13_3 AS DIVERSAS MEDIDAS DO CUSTO

Nossa análise da fábrica de biscoitos de Caroline demonstrou como o custo total de uma empresa reflete sua função de produção. A partir dos dados do custo total de uma empresa, podemos derivar diversas outras medidas de custo, que serão úteis em capítulos futuros, quando analisarmos as decisões de produção e de determinação de preço. Para ver como essas medidas são derivadas, usaremos o exemplo da Tabela 2, que apresenta dados de custos da empresa vizinha de Caroline, a cafeteria do Conrado.

A primeira coluna da tabela mostra o número de xícaras de café que Conrado pode produzir, indo de 0 a 10 xícaras por hora, e a segunda mostra o custo total de produção da sua cafeteria. A Figura 3 traça a curva de custo total da cafeteria do Conrado, em que a quantidade de café (da primeira coluna) está no eixo horizontal, e o custo total (da segunda coluna), no eixo vertical. A curva de custo total do Conrado tem formato semelhante à de Caroline. Mais especificamente, sua inclinação aumenta com a quantidade produzida, o que (como já vimos) reflete o produto marginal decrescente.

Tabela 2

As diversas medidas de custo: cafeteria do Conrado

Quantidade de café (xícaras por hora)	Custo total	Custo fixo	Custo variável	Custo fixo médio	Custo variável médio	Custo total médio	Custo marginal
0	$ 3,00	$ 3,00	$ 0,00	–	–	–	
1	3,30	3,00	0,30	$ 3,00	$ 0,30	$ 3,30	$ 0,30
2	3,80	3,00	0,80	1,50	0,40	1,90	0,50
3	4,50	3,00	1,50	1,00	0,50	1,50	0,70
4	5,40	3,00	2,40	0,75	0,60	1,35	0,90
5	6,50	3,00	3,50	0,60	0,70	1,30	1,10
6	7,80	3,00	4,80	0,50	0,80	1,30	1,30
7	9,30	3,00	6,30	0,43	0,90	1,33	1,50
8	11,00	3,00	8,00	0,38	1,00	1,38	1,70
9	12,90	3,00	9,90	0,33	1,10	1,43	1,90
10	15,00	3,00	12,00	0,30	1,20	1,50	2,10

Figura 3

A curva do custo total de Conrado

Aqui, a quantidade produzida (no eixo horizontal) é mostrada na primeira coluna da Tabela 2, e o custo total (no eixo vertical), na segunda coluna. Como na Figura 2, a inclinação da curva de custo total aumenta à medida que a quantidade produzida aumenta em razão do produto marginal decrescente.

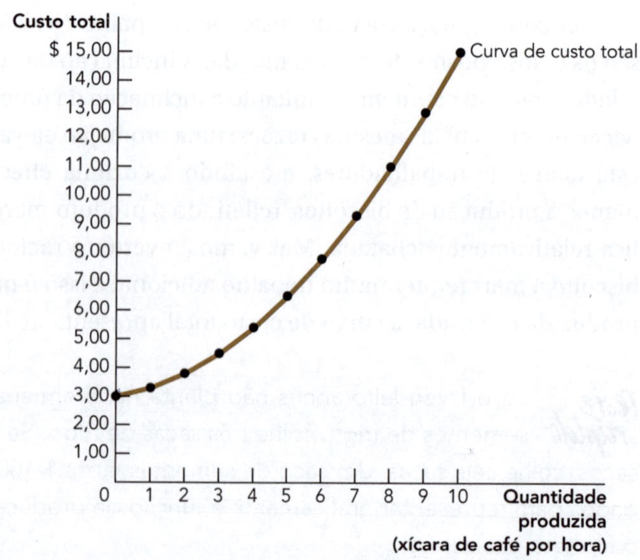

13_3A Custos fixos e variáveis

custos fixos custos que não variam com a quantidade produzida

custos variáveis custos que variam com a quantidade produzida

O custo total de Conrado pode ser dividido em dois tipos: fixos e variáveis. Os **custos fixos** não variam com a quantidade produzida, pois a empresa incorre neles mesmo que não produza nada. Os custos fixos de Conrado incluem o aluguel que ele paga, porque esse custo será o mesmo, não importa a quantidade de café que produza. Da mesma forma, se ele precisar contratar um escriturário em tempo integral para cuidar das contas a pagar, o salário dele será um custo fixo, pois não dependerá da quantidade de café produzida. A terceira coluna da Tabela 2 mostra o custo fixo de Conrado, que, neste exemplo, é de $ 3.

Já os **custos variáveis** mudam à medida que a quantidade produzida varia. Os custos variáveis de Conrado incluem o custo dos grãos de café, do leite, do açúcar e dos copos de papel: quanto mais café ele fizer, mais desses itens precisará comprar. De maneira similar, se ele precisar empregar mais trabalhadores para fazer mais café, o salário deles será um custo variável. A quarta coluna da tabela mostra o custo variável de Conrado. O custo variável é 0 quando ele não produz nada; $ 0,30, se produz 1 xícara de café; $ 0,80, quando produz 2 xícaras, e assim por diante.

O custo total de uma empresa é a soma dos custos fixos e variáveis. Na Tabela 2, o custo total da segunda coluna é igual aos custos fixos da terceira coluna mais os custos variáveis da quarta coluna.

13_3B Custos médio e marginal

Como proprietário da empresa, Conrado precisa decidir quanto produzir. Uma parte-chave dessa decisão se refere a saber como os custos irão variar à medida que mudar o nível de produção. Para tomar essa decisão, Conrado pode fazer duas perguntas sobre o custo de produção de café ao seu supervisor de produção:

- Quanto custa para fazer uma xícara típica de café?
- Quanto custa para aumentar a produção de café em uma xícara?

custo total médio custo total dividido pela quantidade produzida

custo fixo médio custos fixos divididos pela quantidade produzida

custo variável médio custos variáveis divididos pela quantidade produzida

custo marginal o aumento no custo total decorrente da produção de uma unidade adicional

Embora, à primeira vista, possa parecer que essas duas perguntas têm a mesma resposta, isso não ocorre. As duas respostas são importantes para entender como as empresas tomam decisões de produção.

Para identificar o custo da unidade típica produzida, dividimos os custos da empresa pela quantidade produzida. Por exemplo, se a empresa produz 2 xícaras por hora, seu custo total é de $ 3,80 e o custo de uma xícara típica é de $ 3,80/2, ou $ 1,90. O custo total dividido pela quantidade produzida é chamado **custo total médio**. Como o custo total é a soma dos custos fixos e variáveis, o custo total médio pode ser expresso como a soma do custo fixo médio e do custo variável médio. O **custo fixo médio** é o custo fixo dividido pela quantidade produzida, e o **custo variável médio** é o custo variável dividido pela quantidade produzida.

Embora o custo total médio nos diga o custo da unidade típica, não nos diz em quanto o custo total mudará se a empresa alterar seu nível de produção. A última coluna da Tabela 2 mostra em quanto aumenta o custo total quando a empresa aumenta a produção em 1 unidade. Esse número é chamado **custo marginal**. Por exemplo, se Conrado aumentar a produção de 2 para 3 xícaras, seu custo total aumentará de $ 3,80 para $ 4,50, de modo que o custo marginal da terceira xícara de café será $ 4,50 menos $ 3,80, ou $ 0,70. Na tabela, o custo marginal aparece no ponto médio entre as linhas, porque representa a mudança no custo total à medida que a produção aumenta de um nível para outro.

Pode ser útil expressar essas definições matematicamente:

$$\text{Custo total médio} = \text{Custo total/Quantidade}$$
$$CTM = CT/Q$$

e

$$\text{Custo marginal} = \text{Variação do custo total/Variação da quantidade}$$
$$CMg = \Delta CT/\Delta Q$$

Aqui, a letra grega delta (Δ) representa a mudança em uma variável. Essas equações mostram como o custo total médio e o custo marginal derivam do custo total. *O custo total médio nos dá o custo de uma unidade típica de produto se o custo total for dividido igualmente por todas as unidades produzidas. O custo marginal nos diz em quanto aumenta o custo total em decorrência da produção de uma unidade adicional de produto.* Como veremos mais detalhadamente no próximo capítulo, gestores de empresas, como Conrado, precisam ter em mente os conceitos de custo total médio e de custo marginal ao decidir sobre quanto de seu produto fornecer ao mercado.

13_3C Curvas de custos e suas formas

Assim como, em capítulos anteriores, os gráficos de oferta e demanda foram úteis para analisar o comportamento dos mercados, os gráficos de custo médio e marginal serão úteis para analisar o comportamento das empresas. A Figura 4 representa graficamente os custos de Conrado, utilizando os dados da Tabela 2. O eixo horizontal mede a quantidade produzida pela empresa, e o vertical, os custos marginal e médio. O gráfico apresenta quatro curvas: custo total médio (*CTM*), custo fixo médio (*CFM*), custo variável médio (*CVM*) e custo marginal (*CMg*).

As curvas de custos da cafeteria do Conrado aqui apresentadas têm algumas características que são comuns às curvas de custos de muitas empresas existentes na economia. Examinemos três características específicas: o formato da curva de custo marginal, o formato da curva de custo total médio e a relação entre custo marginal e custo total médio.

Custo marginal ascendente[1] O custo marginal de Conrado aumenta com a quantidade produzida, o que reflete a propriedade do produto marginal decrescente. Quando Conrado está produzindo uma pequena quantidade de café, ele tem poucos trabalhadores e grande parte de seu equipamento não está sendo utilizada. Como ele pode facilmente colocar esses recursos ociosos em uso, o produto marginal de um trabalhador extra é alto e o custo marginal de uma xícara extra de café é baixo. No entanto, quando ele está produzindo uma grande quantidade de café, seu estabelecimento está lotado de empregados e a maior parte de seu equipamento está sendo plenamente utilizada. Conrado pode produzir mais se contratar mais trabalhadores, mas esses novos funcionários terão que trabalhar em condições de superlotação e podem ter de esperar para usar os equipamentos. Por essa razão, quando a quantidade de café produzida já é elevada, o produto marginal de um trabalhador adicional é baixo e o custo marginal de uma xícara adicional de café é elevado.

Curva de custo total médio em forma de U A curva de custo total médio de Conrado tem forma de U, como mostra a Figura 4. Para entender o porquê disso, lembre-se de que o custo total médio é a soma do custo fixo médio e do custo variável médio. O custo fixo médio sempre diminui à medida que a produção aumenta, porque o custo fixo se distribui por um maior número de unidades. O custo variável médio costuma aumentar quando a produção aumenta, por causa do produto marginal decrescente.

1. Decorre da lei dos rendimentos decrescentes: *ceteris paribus* (expressão latina que significa "todos os demais fatores mantidos constantes"), ao se acrescentar fatores variáveis a fatores fixos, a produção aumenta, mas o acréscimo marginal (extra) será decrescente. (NRT)

Figura 4
As curvas de custo total médio e custo marginal de Conrado
Esta figura mostra o custo total médio (*CTM*), custo fixo médio (*CFM*), custo variável médio (*CVM*) e custo marginal (*CMg*) da cafeteria do Conrado. Todas essas curvas, traçadas a partir dos dados da Tabela 2, revelam três características comuns a muitas empresas: (1) o custo marginal aumenta com a quantidade produzida, (2) a curva de custo total médio tem forma de U e (3) a curva de custo marginal cruza a curva de custo total médio no ponto em que o custo total médio é mínimo.

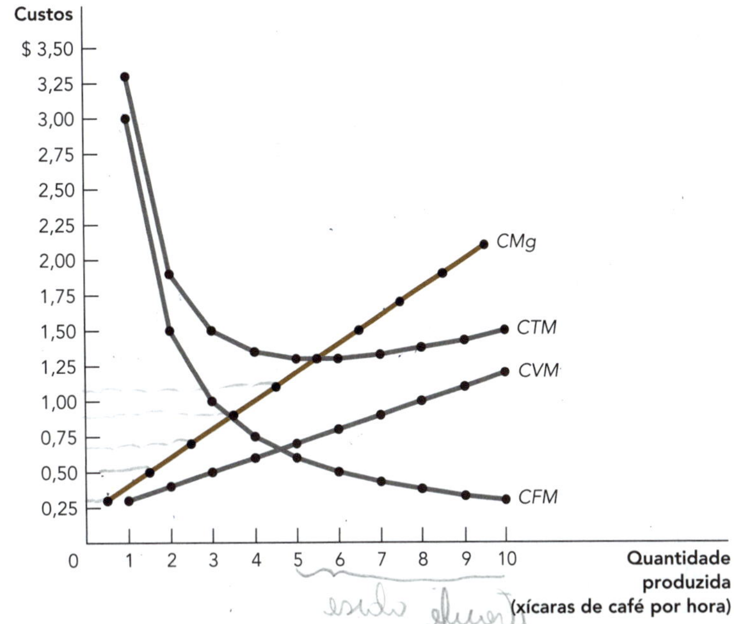

O custo total médio reflete o formato das curvas de custo fixo médio e de custo variável médio. Em níveis de produção muito baixos, como 1 ou 2 xícaras por hora, o custo total médio é muito alto. Embora o custo variável médio seja baixo, o custo fixo médio é alto, porque o custo fixo é dividido entre poucas unidades. À medida que aumenta a produção, o custo fixo passa a ser distribuído mais amplamente. O custo fixo médio diminui rapidamente no início e, depois, mais lentamente. Como resultado, o custo total médio também diminui até a produção atingir 5 xícaras por hora, quando cai para $ 1,30 por xícara de café. No entanto, quando a empresa produz mais de 6 xícaras por hora, o aumento no custo variável médio se torna a força dominante e o custo total médio passa a subir. A luta entre o custo fixo médio e o custo variável médio provoca o formato em U no custo total médio.

escala eficiente
a quantidade produzida que minimiza o custo total médio

A parte mais baixa da curva em U ocorre na quantidade que minimiza o custo total médio. Essa quantidade é, às vezes, chamada de **escala eficiente** da empresa. Para Conrado, a escala eficiente é de 5 ou 6 xícaras de café por hora. Se ele produzir mais ou menos que esse montante, seu custo total médio ficará acima do mínimo de $ 1,30. Em baixos níveis de produção, o custo total médio é maior que $ 1,30, porque o custo fixo é distribuído entre poucas unidades. Em altos níveis de produção, o custo total médio é maior que $ 1,30, porque o produto marginal dos insumos diminui significativamente. Na escala de eficiência, essas duas forças se equilibram para produzir o menor custo total médio.

A relação entre custo marginal e custo total médio Se você observar a Figura 4 (ou a Tabela 2), verá algo que pode parecer surpreendente à primeira vista. *Sempre que o custo marginal for menor que o custo total médio, o custo total médio estará em queda. Sempre que o custo marginal for maior que o custo total médio, o custo total médio estará aumentando.* Essa característica das curvas de custo de Conrado não é uma coincidência resultante dos números usados no exemplo: ela se aplica a todas as empresas.

Para entendermos por que isso acontece, vamos usar uma analogia. O custo total médio é como a média total de as suas notas obtidas na faculdade. O custo marginal é como a nota da próxima disciplina que irá cursar. Se sua nota na próxima disciplina for menor que sua nota média total, sua média total cairá. Se sua nota na próxima disciplina for maior que sua média total, sua média total aumentará. A matemática dos custos médio e marginal é idêntica à das notas média e marginal.

A relação entre o custo total médio e o custo marginal tem um importante corolário: *a curva de custo marginal cruza a curva de custo total médio em seu ponto mínimo.* Por quê? Em baixos níveis de produção, o custo marginal é inferior ao custo total médio, de modo que o custo total médio está em queda. Mas, depois que as duas curvas se cruzam, o custo marginal aumenta mais que o custo total médio. Como resultado, o custo total médio deve começar a subir a partir desse nível de produção. Assim, o ponto de intersecção ocorre no ponto mínimo do custo total médio. Como veremos no próximo capítulo, esse ponto de custo total médio mínimo desempenha um papel-chave na análise das empresas competitivas.

13_3D Curvas de custos típicas

Nos exemplos que estudamos até aqui, as empresas apresentam produto marginal decrescente e, portanto, custo marginal ascendente em todos os níveis de produção. Essa suposição simples foi útil, pois permitiu que nos concentrássemos nas características principais das curvas de custos, que são úteis na análise do comportamento das empresas. Entretanto, empresas reais costumam ser mais complicadas que as aqui analisadas. Em muitas delas, o produto marginal decrescente não começa a ocorrer imediatamente após o emprego do primeiro trabalhador. Dependendo do processo de produção, o segundo ou o terceiro trabalhadores podem ter um produto marginal maior que o primeiro, porque uma equipe de trabalhadores pode dividir as tarefas e trabalhar com maior produtividade que um único trabalhador. As empresas com esse padrão experimentariam um aumento no produto marginal durante algum tempo, até o instante em que aparecesse o produto marginal decrescente.

A Figura 5 mostra as curvas de custo de uma empresa nessas condições, incluindo o custo total médio (*CTM*), o custo fixo médio (*CFM*), o custo variável médio (*CVM*) e o custo marginal (*CMg*). Em níveis baixos de produção, a empresa apresenta um produto marginal crescente, e a curva de custo marginal decresce. Por fim, a empresa começa a apresentar produto marginal decrescente, e a curva de custo marginal começa a se elevar. Essa combinação de produto marginal crescente e depois decrescente também faz a curva de custo variável médio ter a forma de U.

Apesar dessas diferenças em relação ao exemplo anterior, as curvas de custos aqui exibidas compartilham as três propriedades que, pela sua importância, sempre devem ser lembradas:

- A partir de determinado nível de produção, o custo marginal aumenta com o aumento da quantidade produzida.
- A curva de custo médio total tem a forma de U.
- A curva de custo marginal cruza com a curva de custo total médio no ponto em que o custo total médio é mínimo.

Figura 5
Curvas de custo de uma empresa típica

Muitas empresas apresentam produto marginal crescente antes de produto marginal decrescente. Como resultado, as curvas de custo têm o formato mostrado na figura. Observe que os custos marginal e variável médio diminuem durante algum tempo antes de começarem a aumentar.

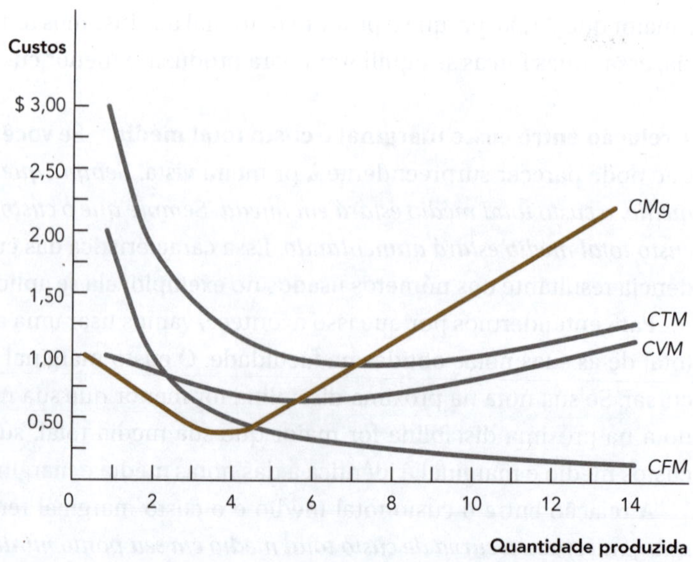

Teste rápido Suponha que, para produzir 4 carros, a Honda tenha um custo total de produção de $ 225 mil e que seu custo total de produção de 5 carros seja de $ 250 mil. Qual é o custo total médio da produção de 5 carros? Qual é o custo marginal do quinto carro? • Represente graficamente as curvas de custo marginal e de custo total médio de uma empresa típica e explique por que as curvas se cruzam em determinado ponto.

13_4 CUSTOS NO CURTO E NO LONGO PRAZO

Observamos, no começo deste capítulo, que os custos de uma empresa podem depender do horizonte de tempo considerado. Vamos examinar mais acuradamente por que isso acontece.

13_4A A relação entre custo total médio no curto e no longo prazo

Para muitas empresas, a divisão dos custos totais entre custos fixos e variáveis depende do horizonte de tempo. Considere, por exemplo, um fabricante de automóveis, como a Ford Motor Company. Em um período de apenas poucos meses, a empresa não é capaz de ajustar o número ou o tamanho de suas fábricas de carros. A única maneira de produzir mais carros é empregando mais trabalhadores nas fábricas de que já dispõe. O custo dessas fábricas é, portanto, um custo fixo no curto prazo. Já ao longo de diversos anos, a Ford pode expandir suas fábricas existentes, construir novas ou fechar as antigas. Assim, o custo de suas fábricas é um custo variável no longo prazo.

Como muitas decisões são fixas no curto prazo, mas variáveis no longo prazo, as curvas de custos de longo prazo das empresas diferem de suas curvas de custos de curto prazo. A Figura 6 mostra um exemplo. Nela, vemos três curvas de custo total médio de curto prazo – para fábricas de pequeno e grande porte – e também a curva de custo total médio de longo prazo. À medida que a empresa se move ao longo da curva de longo prazo, ajusta o tamanho de sua fábrica à quantidade produzida.

O gráfico mostra como os custos de curto e de longo prazo estão relacionados. A curva de custo total médio de longo prazo tem o formato de U e é muito mais plana que as de curto prazo. Além disso, todas as curvas de curto prazo estão na curva de longo prazo ou acima dela. Essas propriedades devem-se ao fato das empresas terem maior flexibilidade no longo prazo. Essencialmente, no longo prazo, a empresa pode escolher a curva de curto prazo que deseja usar. Porém, no curto prazo tem de usar qualquer curva de curto prazo de que disponha com base nas decisões que tenha tomado no passado.

A figura mostra um exemplo de como uma mudança na produção altera os custos ao longo de diferentes horizontes de tempo. Quando a Ford quer aumentar a produção de 1.000 para 1.200 carros por dia, a única opção que tem no curto prazo é contratar mais trabalhadores para sua fábrica de médio porte já existente.

Figura 6
Custo total médio no curto e no longo prazo

Como os custos fixos são variáveis no longo prazo, a curva de custo total médio do curto prazo difere da curva de custo total médio do longo prazo.

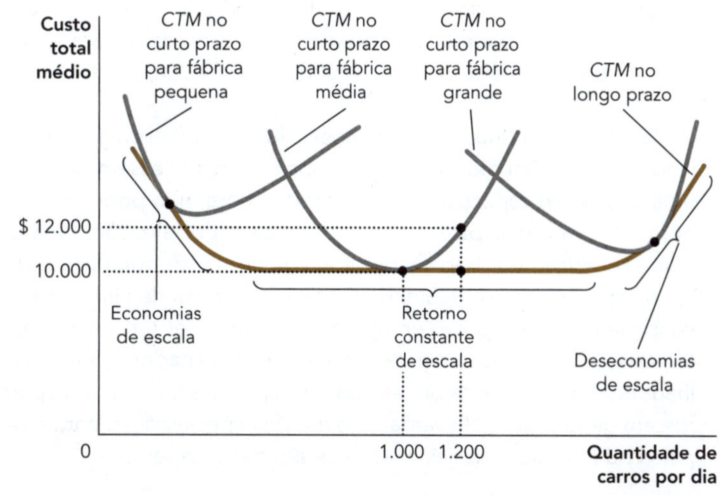

Em razão do produto marginal decrescente, o custo total sobe de $ 10 mil para $ 12 mil por carro. Entretanto, no longo prazo, a empresa pode expandir tanto o tamanho da fábrica quanto sua força de trabalho, fazendo que o custo total médio volte para $ 10 mil.

Quanto tempo leva para uma empresa chegar ao longo prazo? A resposta depende da empresa. Pode levar um ano ou mais para uma grande empresa, como uma montadora de carros, construir uma fábrica maior. Por sua vez, uma pessoa que tenha uma cafeteria pode comprar outra máquina em poucos dias. Ou seja, não há uma resposta única para quanto tempo uma empresa leva para ajustar suas instalações produtivas.

13_4B Economias e deseconomias de escala

economias de escala
a propriedade segundo a qual o custo total médio de longo prazo cai com o aumento da quantidade produzida

deseconomias de escala
a propriedade segundo a qual o custo total médio de longo prazo sobe com o aumento da quantidade produzida

O formato da curva de custo total médio de longo prazo transmite informações importantes sobre a tecnologia da produção de um bem. Em particular, ela nos mostra a variação dos custos na escala - ou seja, o tamanho - de operações de uma empresa. Quando a curva de custo total médio de longo prazo decresce com o aumento da produção, dizemos que há **economias de escala**. Quando ela se eleva com a produção, dizemos que há **deseconomias de escala**. Quando o custo total médio de longo prazo não varia com o nível de produção, dizemos que há **retornos constantes de escala**. Como podemos ver na Figura 6, a Ford tem economias de escala em baixos níveis de produção, retornos constantes de escala em níveis intermediários de produção e deseconomias de escala em altos níveis de produção.

O que poderia ser a causa das economias ou deseconomias de escala? As economias de escala, em geral, surgem porque maiores níveis de produção possibilitam a

Saiba mais sobre

LIÇÕES DE UMA FÁBRICA DE ALFINETES

"Quem tudo faz nada sabe." Essa frase ajuda a explicar por que as empresas, às vezes, usufruem de economias de escala. Alguém que tenta fazer de tudo geralmente acaba fazendo tudo mal. Se uma empresa quer que seus trabalhadores sejam o mais produtivos que puderem, muitas vezes é melhor confiar a cada um uma tarefa limitada que possa ser dominada. Entretanto, isso só é possível se a empresa tem muitos trabalhadores e gera uma grande quantidade de produto.

Em seu famoso livro *A riqueza das nações*, Adam Smith descreveu uma visita que fez a uma fábrica de alfinetes. Smith ficou impressionado com a especialização entre os trabalhadores e com as economias de escala resultantes. Ele escreveu:

> *Um homem estende o arame, outro o estica, um terceiro o corta, um quarto deixa-o com ponta, um quinto lixa o topo para receber a cabeça; a feitura da cabeça requer duas ou três operações distintas; encaixá-la é uma atividade peculiar; branqueá-la é outra; até mesmo embalar os alfinetes é um negócio por si só.*

Smith relatou que, graças à especialização, a fábrica produzia diariamente milhares de alfinetes por trabalhador. Ele conjeturou que, se os trabalhadores tivessem optado por trabalhar separadamente, e não como uma equipe de especialistas, "eles, certamente, não poderiam, cada um por si só, fazer sequer vinte alfinetes por dia". Em outras palavras, por causa da especialização, uma grande fábrica de alfinetes pode atingir uma maior produção por trabalhador e um menor custo por alfinete do que uma fábrica de alfinetes menor.

A especialização que Smith observou na fábrica de alfinetes prevalece na economia moderna. Se você quer construir uma casa, por exemplo, pode tentar fazer tudo sozinho, mas muitas pessoas recorrem a um construtor, que, por sua vez, contrata carpinteiros, encanadores, eletricistas, pintores e muitos outros tipos de trabalhadores especializados em atividades específicas. E isso lhes permite fazer melhor o seu trabalho do que se fossem generalistas. Na verdade, o uso da especialização para alcançar economias de escala é um dos motivos pelos quais as sociedades modernas são tão prósperas.

retornos constantes de escala
a propriedade segundo a qual o custo total médio de longo prazo se mantém constante, enquanto a quantidade produzida varia

especialização entre os trabalhadores, o que permite que cada trabalhador se torne melhor em uma tarefa específica. Por exemplo, se a Ford contratar um grande número de trabalhadores e produzir uma grande quantidade de carros, poderá reduzir os custos com a produção em uma linha de montagem moderna. As deseconomias de escala podem surgir por causa de *problemas de coordenação* inerentes a qualquer grande organização. Quanto mais carros a Ford produzir, mais sobrecarregada ficará a equipe de administração e menos efetivos serão os administradores em manter os custos baixos.

Essa análise mostra por que as curvas de custo total médio de longo prazo costumam ter a forma de U. Em níveis baixos de produção, a empresa se beneficia de um tamanho maior, porque pode tirar vantagem de uma especialização maior. Nessa fase, os problemas de coordenação ainda não são acentuados. No entanto, em níveis de produção elevados, os benefícios da especialização já foram obtidos, e os problemas de coordenação se tornam mais graves à medida que a empresa cresce. Assim, o custo total médio de longo prazo diminui em baixos níveis de produção, por causa da especialização crescente, e sobe em altos níveis de produção, por causa do aumento nos problemas de coordenação.

Teste rápido Se a Boeing produzir 9 jatos por mês, seu custo total de longo prazo será de $ 9 milhões por mês. Se produzir 10 jatos por mês, seu custo total de longo prazo será de $ 9,5 milhões por mês. A empresa apresenta economias ou deseconomias de escala?

13_5 CONCLUSÃO

O objetivo deste capítulo foi desenvolver algumas ferramentas para estudar como as empresas tomam decisões de produção e de determinação de preço. Agora você deve entender o que os economistas querem dizer com *custos* e como estes variam de acordo com a quantidade produzida de uma empresa. Para refrescar sua memória, a Tabela 3 apresenta um resumo de algumas das definições encontradas por nós.

É claro que, isoladamente, as curvas de custo de uma empresa não nos dizem que decisões ela tomará, mas são um componente-chave dessas decisões, como veremos no próximo capítulo.

Tabela 3
Os diversos tipos de custo: um resumo

Termo	Definição	Descrição matemática
Custos explícitos	Custos que exigem desembolso de dinheiro pela empresa	
Custos implícitos	Custos que não exigem desembolso de dinheiro pela empresa	
Custos fixos	Custos que não variam com a quantidade produzida	CF
Custos variáveis	Custos que variam com a quantidade produzida	CV
Custo total	O valor de mercado de todos os insumos que a empresa usa na produção	$CT = CF + CV$
Custo fixo médio	Custo fixo dividido pela quantidade produzida	$CFM = CF/Q$
Custo variável médio	Custo variável dividido pela quantidade produzida	$CVM = CV/Q$
Custo total médio	Custo total dividido pela quantidade produzida	$CTM = CT/Q$
Custo marginal	O aumento do custo total decorrente da produção de uma unidade adicional	$CMg = \Delta CT/\Delta Q$

Teste rápido do capítulo

1. **Xavier abriu uma barraca de limonada durante duas horas. Ele gastou $ 10 com ingredientes e vendeu o equivalente a $ 60 em limonada. Nas mesmas duas horas, ele poderia ter aparado a grama do vizinho por $ 40. Xavier teve um lucro contábil de _____ e um lucro econômico de _____.**
   a. $ 50, $ 10
   b. $ 90, $ 50
   c. $ 10, $ 50
   d. $ 50, $ 90

2. **O produto marginal decrescente explica por que à medida que a produção da empresa aumenta,**
   a. A função de produção e a curva de custo total se tornam mais íngremes.
   b. A função de produção e a curva de custo total se tornam mais planas.
   c. A função de produção se torna mais íngreme, enquanto a curva de custo total fica mais plana.
   d. A função de produção se torna mais plana, enquanto a curva de custo total fica mais íngreme.

3. **Uma empresa produz mil unidades a um custo total de $ 5 mil. Se quisesse aumentar a produção para 1.001 unidades, seu custo total aumentaria para $ 5.008. O que essa informação nos diz sobre a empresa?**
   a. O custo marginal é $ 5 e o custo variável médio é $ 8.
   b. O custo marginal é $ 8 e o custo variável médio é $ 5.
   c. O custo marginal é $ 5 e o custo total médio é $ 8.
   d. O custo marginal é $ 8 e o custo total médio é $ 5.

4. **Uma empresa produz 20 unidades com um custo total médio de $ 25 e um custo marginal de $ 15. Se aumentar a produção para 21 unidades, qual das seguintes opções ocorreria?**
   a. O custo marginal diminuiria.
   b. O custo marginal aumentaria.
   c. O custo total médio diminuiria.
   d. O custo total médio aumentaria.

5. **O governo impõe uma taxa de licenciamento de $ 1.000 por ano para todas as pizzarias. Como resultado, quais curvas de custo se deslocariam?**
   a. De custo total médio e de custo marginal.
   b. De custo total médio e de custo fixo médio.
   c. De custo variável médio e de custo marginal.
   d. De custo variável médio e de custo fixo médio.

6. **Se um nível mais alto de produção permite que os trabalhadores se especializem em determinadas tarefas, uma empresa provavelmente exibirá _____ de escala e custo total médio _____.**
   a. Economias, decrescente.
   b. Economias, crescente.
   c. Deseconomias, decrescente.
   d. Deseconomias, crescente.

RESUMO

- O objetivo das empresas é maximizar o lucro, que é igual à receita total menos o custo total.
- Ao se analisar o comportamento de uma empresa, é importante incluir todos os custos de oportunidade da produção. Alguns custos de oportunidade, como os salários pagos pela empresa aos trabalhadores, são explícitos. Outros, como o salário de que o dono da empresa abre mão por trabalhar na própria empresa em vez de ter outro emprego, são implícitos. O lucro econômico considera tanto os custos explícitos quanto os implícitos, enquanto os lucros contábeis consideram apenas os custos explícitos.
- Os custos de uma empresa refletem seu processo de produção. Para uma empresa típica, a inclinação da função de produção diminui à medida que a quantidade de um insumo aumenta, revelando a propriedade do produto marginal decrescente. Como resultado, a curva de custo total da empresa torna-se mais inclinada à medida que a quantidade produzida aumenta.
- Os custos totais de uma empresa podem ser divididos em custos fixos e variáveis. Custos fixos são aqueles que não mudam quando a empresa altera a quantidade produzida. Custos variáveis são aqueles que mudam quando a empresa altera a quantidade produzida.
- Da curva de custo total de uma empresa derivam duas outras medidas de custo: o total médio e o marginal. O custo total médio é o custo total dividido pela quantidade produzida. O custo marginal é o montante no qual o custo total aumenta quando a quantidade produzida aumenta em uma unidade.
- Ao se analisar o comportamento de uma empresa, costuma ser útil representar graficamente o

custo total médio e o custo marginal. Para uma empresa típica, o custo marginal aumenta com a quantidade produzida. Já o custo total médio a princípio cai com o aumento na quantidade produzida e depois sobe, à medida que a quantidade produzida aumenta mais. A curva de custo marginal sempre cruza com a curva de custo total médio no ponto de custo total médio mínimo.

- Os custos de uma empresa, muitas vezes, dependem do horizonte de tempo que está sendo considerado. Mais especificamente, muitos custos são fixos no curto prazo, mas variáveis no longo prazo. Como resultado, quando uma empresa muda seu nível de produção, o custo total médio pode aumentar mais no curto prazo do que no longo prazo.

CONCEITOS-CHAVE

receita total, p. 199
custo total, p. 199
lucro, p. 199
custos explícitos, p. 199
custos implícitos, p. 199
lucro econômico, p. 200
lucro contábil, p. 200
função de produção, p. 201
produto marginal, p. 202
produto marginal decrescente, p. 202
custos fixos, p. 205
custos variáveis, p. 205
custo total médio, p. 205
custo fixo médio, p. 205
custo variável médio, p. 205
custo marginal, p. 205
escala eficiente, p. 207
economias de escala, p. 210
deseconomias de escala, p. 210
retornos constantes de escala, p. 211

QUESTÕES PARA REVISÃO

1. Qual é a relação entre a receita total, o lucro e o custo total de uma empresa?
2. Dê um exemplo de custo de oportunidade que um contador poderia não considerar como custo. Por que ele poderia ignorar esse custo?
3. O que é produto marginal? O que significa quando ele é decrescente?
4. Represente graficamente uma função de produção que apresente o produto marginal decrescente do trabalho e, também, a curva de custo total a ela associada. (Em ambos os casos, lembre-se de dar nome aos eixos.) Explique o formato dessas duas curvas.
5. Defina *custo total, custo total médio* e *custo marginal*. Como esses conceitos se relacionam?
6. Represente graficamente as curvas de custo marginal e de custo total médio de uma empresa típica. Explique por que as curvas têm o formato apresentado e por que se cruzam em determinado ponto.
7. Como e por que a curva de custo total médio de uma empresa é diferente no curto e no longo prazo?
8. Defina *economias de escala* e explique por que podem surgir. Defina *deseconomias de escala* e explique por que podem surgir.

PROBLEMAS E APLICAÇÕES

1. Este capítulo apresentou muitos tipos de custo: de oportunidade, total, fixo, variável, total médio e marginal. Complete as frases a seguir com o tipo de custo mais adequado a cada uma delas:
   a. Aquilo de que você desiste para obter alguma coisa chama-se _______.
   b. O _______ diminui quando o custo marginal é menor do que ele, mas aumenta quando o custo marginal é maior.
   c. Um custo que não depende da quantidade produzida é um _______.
   d. Na indústria de sorvetes, no curto prazo, o _______ inclui o custo do creme e do açúcar, mas não o custo da fábrica.

e. O lucro é igual à receita total menos o ________.

f. O custo de produzir uma unidade adicional é o ________.

2. Sua tia está pensando em abrir uma loja de ferragens. Ela estima que lhe custaria $ 500 mil por ano alugar um imóvel e comprar o estoque. Além disso, ela teria de abrir mão de seu emprego de contadora, em que ganha $ 50 mil por ano.
   a. Defina o *custo de oportunidade*.
   b. Qual é o custo de oportunidade de sua tia de operar uma loja de ferragens por um ano? Se ela achar que conseguirá vender $ 510 mil em mercadorias por ano, deve abrir a loja? Explique.

3. Um pescador profissional observa a seguinte relação entre o número de horas que passa pescando e a quantidade de peixes que consegue pescar:

Horas	Quantidade de peixes (em kg)
0	0
1	10
2	18
3	24
4	28
5	30

   a. Qual é o produto marginal de cada hora gasta pescando?
   b. Use esses dados para representar graficamente a função de produção do pescador. Explique seu formato.
   c. O pescador tem custo fixo de $ 10 (sua vara de pescar). O custo de oportunidade de seu tempo é de $ 5 por hora. Represente graficamente a curva de custo total do pescador. Explique seu formato.

4. A Nimbus Inc. fabrica vassouras e as vende de porta em porta. Eis a relação entre o número de trabalhadores e a produção da Nimbus em um determinado dia:

Trabalhadores	Produção	Produto marginal	Custo total	Custo total médio	Custo marginal
0	0	—	—	—	—
1	20	—	—	—	—
2	50	—	—	—	—
3	90	—	—	—	—
4	120	—	—	—	—
5	140	—	—	—	—
6	150	—	—	—	—
7	155		—	—	

   a. Preencha a coluna do produto marginal. Que padrão pode ser identificado? Como você o explica?
   b. Um trabalhador custa $ 100 por dia e a empresa tem custo fixo de $ 200. Use essa informação para preencher a coluna do custo total.
   c. Preencha a coluna do custo total médio. (Lembre-se de que o $CTM = CT/Q$.) Que padrão pode ser identificado?
   d. Agora, preencha a coluna do custo marginal. (Lembre-se de que o $CMg = \Delta CT/\Delta Q$.) Que padrão pode ser identificado?
   e. Compare a coluna de produto marginal e a coluna de custo marginal. Explique a relação entre elas.
   f. Compare a coluna de custo total médio e a coluna de custo marginal. Explique a relação entre elas.

5. Você é o diretor financeiro de uma empresa que vende aparelhos de música digital. A empresa tem a seguinte planilha de custo total médio:

Quantidade	Custo total médio
600 aparelhos	$ 300
601	301

O nível atual de produção é de 600 aparelhos, todos vendidos. Um cliente liga, desesperado, querendo comprar um e oferece $ 550 pelo equipamento. Você deve aceitar a oferta? Explique.

6. Considere as seguintes informações de custos de uma pizzaria:

Quantidade (dúzias)	Custo total	Custo variável
0	$ 300	$ 0
1	350	50
2	390	90
3	420	120
4	450	150
5	490	190
6	540	240

a. Qual é o custo fixo da pizzaria?

b. Construa uma tabela com o cálculo do custo marginal por dúzia de pizzas tendo como base as informações sobre custo total. Calcule também o custo marginal por dúzia de pizzas a partir do custo variável. Qual é a relação entre esses dois conjuntos de valores? Comente.

7. Seu primo Vinnie é proprietário de uma empresa de pintura de paredes com custo fixo de $ 200 e a seguinte relação de custos variáveis:

Quantidade de casas pintadas por mês	1	2	3	4	5	6	7
Custos variáveis	$ 10	$ 20	$ 40	$ 80	$ 160	$ 320	$ 640

Calcule o custo fixo médio, o custo variável médio e o custo total médio para cada quantidade. Qual é a escala eficiente da empresa de pintura?

8. O governo municipal considera duas propostas de impostos:

- Um imposto único de $ 300 para cada produtor de hambúrgueres.
- Um imposto de $ 1 por hambúrguer, pago pelo produtor.

a. Considerando as curvas de custo fixo médio, de custo variável médio, de custo total médio e de custo marginal, qual se deslocaria em razão do imposto único? Por quê? Elabore um diagrama detalhado para ilustrar sua resposta.

b. Qual dessas quatro curvas se deslocaria como resultado do imposto por unidade de hambúrguer? Por quê? Elabore um gráfico detalhado para ilustrar sua resposta.

9. O bar de sucos de Jane tem as seguintes relações de custos:

Quantidade (barris)	Custo variável	Custo total
0	$ 0	$ 30
1	10	40
2	25	55
3	45	75
4	70	100
5	100	130
6	135	165

a. Calcule o custo variável médio, o custo total médio e o custo marginal para cada quantidade.

b. Represente graficamente as três curvas. Qual é a relação entre a curva de custo marginal e a de custo total médio? E entre a curva de custo marginal e a de custo variável médio? Explique.

10. Considere a seguinte tabela de custo total de longo prazo de três empresas diferentes:

Quantidade	1	2	3	4	5	6	7
Empresa A	$ 60	$ 70	$ 80	$ 90	$ 100	$ 110	$ 120
Empresa B	11	24	39	56	75	96	119
Empresa C	21	34	49	66	85	106	129

Analise se cada uma dessas empresas apresenta economias ou deseconomias de escala.

CAPÍTULO 14

Empresas em mercados competitivos

Se o posto de gasolina do seu bairro aumentasse o preço que cobra pelo combustível em 20%, perceberia uma grande queda na quantidade de gasolina vendida. Os clientes logo passariam a abastecer os carros em outros postos. No entanto, se a empresa que fornece água à sua cidade aumentasse o preço em 20%, observaríamos somente um pequeno decréscimo na quantidade de água fornecida. As pessoas poderiam regar seus jardins com menor frequência e comprar chuveiros mais eficientes, mas seria difícil reduzir muito o consumo de água e seria improvável encontrar outro fornecedor. A diferença entre o mercado da gasolina e o de água é óbvia: há muitas empresas fornecendo gasolina, mas apenas uma empresa de abastecimento de água. Como seria de esperar, essa diferença na estrutura dos mercados molda as decisões de precificação e produção das empresas que operam nesses mercados.

Neste capítulo, examinaremos o comportamento das empresas competitivas, como o posto de gasolina do bairro. Talvez, você se lembre de que um mercado é competitivo quando cada comprador e vendedor são pequenos se comparados ao tamanho do mercado e, portanto, têm pouca capacidade para influenciar os preços do mercado. Entretanto, se uma empresa é capaz de influenciar o preço de mercado do bem que vende, dizemos que tem *poder de mercado*. Mais adiante, examinaremos o comportamento das empresas que têm poder de mercado, como a companhia de abastecimento de água da sua cidade.

Nossa análise de empresas competitivas neste capítulo esclarecerá as decisões que estão por trás da curva de oferta em um mercado competitivo. Não surpreendentemente, verificamos que a curva de oferta do mercado está intimamente ligada aos custos de produção das empresas. Menos óbvia, no entanto, é a questão de quais dentre os vários tipos de custo de uma empresa - fixo, variável, médio e marginal -, são mais relevantes para suas decisões a respeito de qual quantidade ofertar a cada preço. Veremos que todas essas medidas de custo desempenham papéis importantes e inter-relacionados.

14_1 O QUE É UM MERCADO COMPETITIVO?

Nosso objetivo, neste capítulo, é examinar como as empresas tomam decisões de produção nos mercados competitivos. Como pano de fundo para essa análise, começaremos considerando o que é um mercado competitivo.

14_1A O significado da competição

Um **mercado competitivo**, por vezes, chamado *mercado perfeitamente competitivo*, tem duas características:

- Há muitos compradores e vendedores no mercado.
- Os bens oferecidos pelos diversos vendedores são, em grande escala, os mesmos.

mercado competitivo
um mercado com muitos compradores e vendedores negociando produtos idênticos, de modo que cada comprador e vendedor é um tomador de preço

Por causa dessas condições, as ações de um comprador ou vendedor individual no mercado têm impacto insignificante sobre o preço de mercado. Cada comprador e cada vendedor tomam o preço de mercado como dado.

Considere, por exemplo, o mercado de leite. Nenhum comprador individual de leite é capaz de influenciar o preço do produto, porque cada comprador adquire uma pequena quantidade em relação ao tamanho do mercado. De maneira similar, cada vendedor de leite tem controle limitado sobre o preço, porque há muitos outros vendedores fornecendo um produto basicamente idêntico. Uma vez que cada vendedor pode vender quanto quiser ao preço vigente, ele não tem motivo para cobrar menos do que esse preço, e se cobrar mais, os compradores vão procurar outro fornecedor. Os compradores e vendedores dos mercados competitivos precisam aceitar o preço que o mercado determina e, portanto, são chamados *tomadores de preços.*

Além dessas duas condições para a competição, há uma terceira, às vezes, tida como característica dos mercados perfeitamente competitivos:

- As empresas podem entrar e sair livremente no mercado.

Se, por exemplo, qualquer pessoa pudesse decidir estabelecer uma fazenda de gado leiteiro e se qualquer produtor de leite existente pudesse optar por sair do negócio de laticínios, então a indústria de leite satisfaria essa condição. É importante observar que grande parte da análise dos mercados competitivos não depende da hipótese da livre entrada e saída, porque essa condição não é necessária para que as empresas sejam tomadoras de preços. Entretanto, como veremos mais adiante, essa liberdade de entrada e saída em um mercado competitivo é uma força poderosa, que dá forma ao equilíbrio de longo prazo.

14_1B A receita de uma empresa competitiva

Uma empresa que opera em um mercado competitivo, como a maioria das demais empresas da economia, tenta maximizar seu lucro, que é igual à receita total menos o custo total. Para ver como ela procede, consideremos, primeiramente, as receitas de uma empresa competitiva. Para manter as coisas em termos concretos, vamos nos concentrar em uma empresa específica: a Fazenda de Laticínios da Família Smith.

A fazenda dos Smith produz uma quantidade de leite, Q, e vende cada unidade no mercado ao preço P. A receita total da empresa é $P \times Q$. Por exemplo, um galão[1] de leite é vendido por \$ 6, e a fazenda vende mil galões, de modo que sua receita total é \$ 6 mil.

Como a fazenda dos Smith é pequena, se comparada ao mercado mundial de leite, ela toma o preço como dado pelas condições de mercado. Isso significa, mais especificamente, que o preço do leite não depende da quantidade de litros que a fazenda dos Smith produz ou vende. Se os Smith dobrarem a quantidade de leite que produzem para 2 mil galões, o preço do leite se manterá constante e a receita total dobrará para \$ 12 mil. Como resultado, a receita total será proporcional ao volume de produção.

A Tabela 1 mostra a receita da fazenda de laticínios da família Smith. As duas primeiras colunas mostram a quantidade de produto que a fazenda produz e o preço a que é vendido. A terceira coluna indica a receita total da fazenda. A tabela adota a hipótese de que o preço do leite seja \$ 6 por galão, de modo que a receita total é simplesmente \$ 6 vezes o número de galões.

Assim como os conceitos de média e marginal foram úteis no capítulo anterior, quando analisamos os custos, também o serão para a análise da receita. Para ver o que nos dizem esses conceitos, considere estas duas questões:

- Qual é a receita que a fazenda recebe por um galão típico de leite?
- Qual é a receita adicional que a fazenda recebe quando aumenta a produção de leite em 1 galão?

1. Galão é uma medida líquida equivalente, nos Estados Unidos, a 3,81 l. (NRT)

Tabela 1
Receitas total, média e marginal de uma empresa competitiva

Quantidade (Q)	Preço (P)	Receita total (RT = P × Q)	Receita média (RM = RT/Q)	Receita marginal (RMg = ΔRT/ΔQ)
1 galão	$ 6	$ 6	$ 6	$ 6
2	6	12	6	6
3	6	18	6	6
4	6	24	6	6
5	6	30	6	6
6	6	36	6	6
7	6	42	6	6
8	6	48	6	

receita média
receita total dividida pela quantidade vendida

receita marginal
a variação da receita total decorrente da venda de uma unidade adicional

As duas últimas colunas da Tabela 1 respondem a essas questões.

A quarta coluna da tabela mostra a **receita média**, que é a receita total (da terceira coluna) dividida pela quantidade produzida (da primeira coluna). A receita média nos diz a receita que a empresa recebe por uma unidade típica vendida. Na Tabela 1, a receita média é igual a $ 6, o preço de um galão de leite. Isso ilustra uma lição geral que se aplica não só às empresas competitivas, mas também a todas as demais. A receita média é a receita total ($P \times Q$) dividida pela quantidade (Q). Assim, *para todas as empresas, a receita média é sempre igual ao preço do bem.*

A quinta coluna mostra a **receita marginal**, que é a variação da receita total decorrente da venda de cada unidade adicional de produto. Na Tabela 1, a receita marginal é igual a $ 6, o preço de um galão de leite. Esse resultado ilustra uma lição que se aplica somente às empresas competitivas. A receita total é $P \times Q$, e P é fixo para as empresas competitivas. Assim, quando Q aumenta em 1 unidade, a receita total aumenta em P dólares. *Para as empresas competitivas, a receita marginal é igual ao preço do bem.*

Teste rápido Quando uma empresa competitiva dobra a quantidade que vende, o que acontece com o preço do seu produto e com a sua receita total?

14_2 MAXIMIZAÇÃO DO LUCRO E A CURVA DE OFERTA DE UMA EMPRESA COMPETITIVA

O objetivo das empresas competitivas é maximizar o lucro, que é igual à receita total menos o custo total. Acabamos de abordar a receita das empresas e, no capítulo anterior, tratamos dos custos. Agora estamos prontos para ver como uma empresa competitiva maximiza seus lucros e como essa decisão determina sua curva de oferta.

14_2A Um exemplo simples de maximização do lucro

Começaremos nossa análise sobre a decisão de oferta da empresa com o exemplo da Tabela 2. Na primeira coluna, temos o número de galões de leite que a fazenda de laticínios da Família Smith produz. A segunda coluna mostra a receita total da fazenda, que é $ 6 vezes o número de galões. A terceira coluna mostra o custo total da fazenda. O custo total inclui os custos fixos, que são de $ 3 nesse exemplo, e os custos variáveis, que dependem da quantidade produzida.

Tabela 2
Maximização do lucro: um exemplo numérico

Quantidade (Q)	Receita total (RT)	Custo total (CT)	Lucro (RT - CT)	Receita marginal (RMg = ΔRT/ΔQ)	Custo marginal (CMg = ΔCT/ΔQ)	Alteração no lucro (RMg - CMg)
0 galão	$ 0	$ 3	-$ 3			
1	6	5	1	$ 6	$ 2	$ 4
2	12	8	4	6	3	3
3	18	12	6	6	4	2
4	24	17	7	6	5	1
5	30	23	7	6	6	0
6	36	30	6	6	7	-1
7	42	38	4	6	8	-2
8	48	47	1	6	9	-3

A quarta coluna mostra o lucro da fazenda, que se obtém subtraindo-se o custo total da receita total. Se a fazenda não produz nada, tem um prejuízo de $ 3 (o custo fixo). Se produz 1 galão, tem um lucro de $ 1. Se produz 2 galões, tem um lucro de $ 4, e assim por diante. Como o objetivo da família Smith é maximizar o lucro, ela escolhe a quantidade que torna o lucro o maior possível. Nesse exemplo, o lucro é maximizado quando a fazenda produz 4 ou 5 galões de leite, com lucro de $ 7.

Há outra maneira de examinar a decisão dos Smith: eles podem encontrar a quantidade que maximiza o lucro comparando a receita marginal e o custo marginal de cada unidade produzida. Na quinta e na sexta colunas da Tabela 2, estão calculados a receita marginal e o custo marginal a partir das variações da receita total e do custo total, enquanto, na última coluna, consta a variação dos lucros causada por galão adicional de leite produzido. O primeiro galão de leite que a fazenda produz tem receita marginal de $ 6 e custo marginal de $ 2; assim, produzir esse galão aumenta os lucros em $ 4 (de -$ 3 para $ 1). O segundo galão de leite que a fazenda produz tem receita marginal de $ 6 e custo marginal de $ 3, de modo que aumenta o lucro em $ 3 (de $ 1 para $ 4). Enquanto a receita marginal for maior que o custo marginal, o aumento da quantidade produzida elevará o lucro. Mas quando a fazenda atinge 5 galões de leite, a situação muda. O sexto galão terá receita marginal de $ 6 e custo marginal de $ 7, de modo que sua produção reduziria o lucro em $ 1 (de $ 7 para $ 6). Como resultado, os Smith não produziriam mais que 5 galões.

Um dos *Dez princípios de economia* do Capítulo 1 é que as pessoas racionais pensam na margem. Vemos, agora, como a fazenda de laticínios da Família Smith pode aplicar esse princípio. Se a receita marginal for maior que o custo marginal - como acontece com 1, 2 ou 3 galões -, os Smith deverão aumentar a produção de leite, porque receberão mais (receita marginal) do que gastam (custo marginal). Se a receita marginal for menor que o custo marginal - como acontece com 6, 7 ou 8 galões -, os Smith deverão diminuir a produção. Se eles pensarem na margem e fizerem ajustes incrementais no nível de produção, serão levados naturalmente a produzir a quantidade que maximiza o lucro.

14_2B A curva de custo marginal e a decisão de oferta da empresa

Para ampliar essa análise da maximização do lucro, considere as curvas de custos da Figura 1. Elas têm três características, que, como vimos no capítulo anterior, descrevem a maioria das empresas: a curva de custo marginal (*CMg*) tem inclinação ascendente, a curva de custo total médio (*CTM*) tem forma de U, e a curva de custo marginal cruza com a curva de custo total médio no ponto em que o custo total médio é mínimo.

Figura 1

Maximização do lucro para uma empresa competitiva

Esta figura mostra a curva de custo marginal (*CMg*), a curva de custo total médio (*CTM*) e a curva de custo variável médio (*CVM*). Mostra ainda o preço de mercado (*P*), que, para uma empresa competitiva, é igual à receita marginal (*RMg*) e à receita média (*RM*). À quantidade Q_1, a receita marginal RMg_1 supera o custo marginal CMg_1, de modo que o aumento da produção aumenta o lucro. À quantidade Q_2, o custo marginal CMg_2 está acima da receita marginal RM_2, de modo que a redução da produção aumenta o lucro. A quantidade que maximiza o lucro $Q_{MÁX}$ se encontra no ponto em que a linha horizontal de preço intercepta a curva de custo marginal.

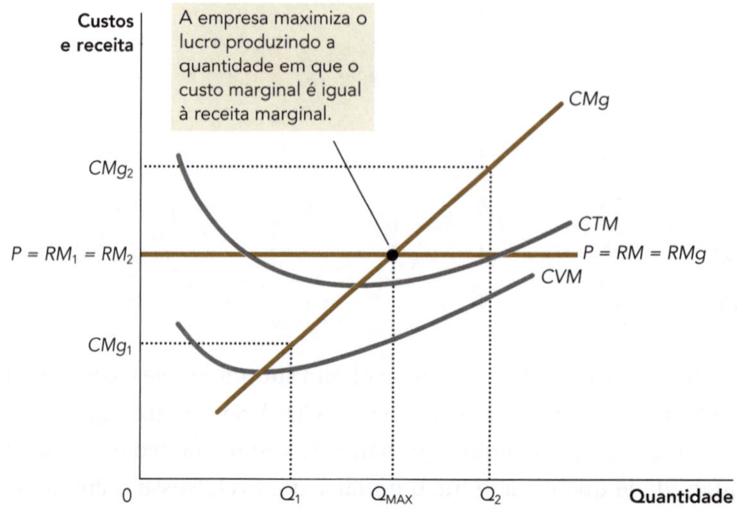

A figura mostra, ainda, uma linha horizontal na altura do preço de mercado (*P*). A linha do preço é horizontal porque a empresa é tomadora de preços: o preço do produto de uma empresa será sempre o mesmo, independentemente da quantidade que ela decidir produzir. Tenha em mente que, para as empresas competitivas, o preço é igual à receita média (*RM*) e à receita marginal (*RMg*).

Podemos usar a Figura 1 para identificar a quantidade de produto que maximiza o lucro. Imagine que a empresa esteja produzindo Q_1. A esse nível de produção, a receita marginal é maior que o custo marginal, ou seja, se a empresa aumentasse seu nível de produção e vendas em 1 unidade, a receita adicional (RMg_1) excederia os custos adicionais (CMg_1). O lucro, que é igual à receita total menos o custo total, aumentaria. Assim, quando a receita marginal for maior que o custo marginal, como em Q_1, a empresa poderá aumentar os lucros elevando a produção.

Um argumento semelhante aplica-se quando a produção está em Q_2. Nesse caso, o custo marginal é maior que a receita marginal. Se a empresa reduzisse a produção em 1 unidade, os custos poupados (CMg_2) superariam a receita perdida (RMg_2). Assim, se a receita marginal for menor que o custo marginal, como em Q_2, a empresa poderá aumentar seu lucro reduzindo a produção.

Onde terminam esses ajustes marginais no nível de produção? Independentemente de a empresa partir de um nível de produção baixo (como Q_1) ou alto (como Q_2), ela acabará por ajustar sua produção até que a quantidade produzida chegue a $Q_{MÁX}$. Essa análise mostra três regras gerais da maximização do lucro:

- Se a receita marginal for maior que o custo marginal, a empresa deverá aumentar a produção.
- Se o custo marginal for maior que a receita marginal, a empresa deverá diminuir a produção.
- No nível que maximiza o lucro da produção, a receita marginal e o custo marginal são exatamente iguais.

Essas regras são importantes para que as empresas que maximizam os lucros tomem decisões racionais. Elas se aplicam não só a empresas competitivas, mas também a outros tipos de empresa, como veremos no próximo capítulo.

Figura 2
Custo marginal como a curva de oferta de uma empresa competitiva

Um aumento no preço, de P_1 para P_2, leva a um aumento da quantidade que maximiza o lucro para a empresa, de Q_1 para Q_2. Como a curva de custo marginal representa a quantidade fornecida pela empresa a qualquer preço dado, ela é também a curva de oferta da empresa.

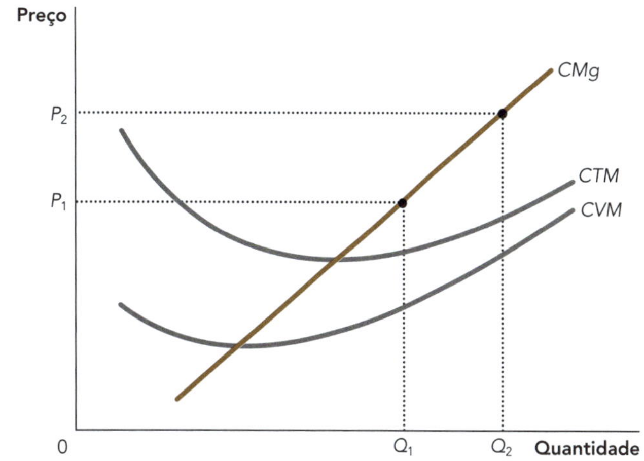

Agora podemos ver como uma empresa competitiva determina a quantidade do bem que fornecerá ao mercado. Uma vez que uma empresa competitiva é tomadora de preços, sua receita marginal é igual ao preço de mercado. Para qualquer preço dado, a quantidade de produto que maximiza o lucro de uma empresa competitiva está na intersecção do preço com a curva de custo marginal. Na Figura 1, essa quantidade é $Q_{MÁX}$.

Imagine que o preço que prevalece nesse mercado aumente, talvez pelo aumento da demanda. A Figura 2 mostra como uma empresa competitiva reage a um aumento do preço. Quando o preço é P_1, a empresa produz a quantidade Q_1, que iguala o custo marginal ao preço. Quando o preço aumenta para P_2, a empresa percebe que a receita marginal fica maior que o custo marginal no nível anterior de produção e, com isso, aumenta a quantidade produzida. A nova quantidade que maximiza o lucro é Q_2, em que o custo marginal é igual ao novo e mais elevado preço. *Em essência, como a curva de custo marginal das empresas determina a quantidade de produto que elas estão dispostas a ofertar a qualquer preço, ela também é a curva de oferta das empresas competitivas.* Entretanto, essa conclusão apresenta algumas restrições, como veremos a seguir.

14_2c A decisão da empresa de suspender as atividades no curto prazo

Até agora, analisamos a questão de quanto uma empresa competitiva produzirá. Em alguns casos, entretanto, a empresa optará por paralisar as atividades e nada produzir.

Aqui, devemos distinguir entre uma paralisação temporária das atividades e uma saída permanente da empresa do mercado. Uma *paralisação* refere-se a uma decisão de curto prazo de não produzir nada durante um determinado intervalo de tempo por causa das condições atuais do mercado. Uma *saída* refere-se a uma decisão de longo prazo de deixar o mercado. As decisões de curto e de longo prazo diferem, porque a maioria das empresas não consegue se livrar do custo fixo no curto prazo, mas pode fazê-lo no longo. Ou seja, uma empresa que paralisa as atividades temporariamente ainda tem de arcar com seus custos fixos, ao passo que outra que sai do mercado deixa de pagar tanto os custos fixos quanto os variáveis.

Considere, por exemplo, a decisão de produção que um fazendeiro precisa tomar. O custo da terra é um dos seus custos fixos. Se ele decide não produzir nada durante uma estação, a terra fica ociosa e ele não consegue recuperar esse custo. Ao tomar a decisão de curto prazo de paralisar as atividades por uma estação, dizemos que o custo fixo da terra é um *custo irrecuperável*. No entanto, se o fazendeiro decide abandonar definitivamente a agricultura, ele pode vender a terra. Ao tomar a decisão de longo prazo de sair ou não do mercado, o custo da terra não é irrecuperável (voltaremos, em breve, à questão do custo irrecuperável).

Agora, consideremos o que determina a decisão de interrupção de uma empresa. Se a empresa paralisa suas atividades, ela perde toda a receita da venda de seu produto. Ao mesmo tempo, economiza os custos variáveis de produção (mas ainda precisa arcar com os custos fixos). Assim, *a empresa paralisa as atividades se a receita que obteria produzindo for menor do que seus custos variáveis de produção.*

Um pouco de matemática pode tornar mais útil esse critério de paralisação das atividades. Se *RT* é a receita total e *CV* é o custo variável, a decisão da empresa pode ser representada como

$$\text{Paralisação se } RT < CV$$

A empresa paralisa as atividades se a receita total for menor que o custo variável. Dividindo os dois lados dessa desigualdade pela quantidade *Q*, podemos escrever

$$\text{Paralisação se } RT/Q < CV/Q$$

O lado esquerdo da inequação, RT/Q, é a receita total $P \times Q$ dividida pela quantidade, *Q*, que é a receita média expressa simplesmente como o preço *P* do bem. O lado direito da inequação, CV/Q, é o custo variável médio *CVM*. Assim, o critério para a paralisação de uma empresa passa a ser

$$\text{Paralisação se } P < CVM$$

Ou seja, uma empresa opta por paralisar as atividades se o preço do bem for menor que o custo variável médio de produção. Este critério é intuitivo: ao decidir produzir, a empresa compara o preço que recebe pela unidade típica com o custo variável médio em que incorrerá para produzir uma unidade típica. Se o preço não cobrir o custo variável médio, a empresa ficará em melhor situação se suspender a produção. Ela perderá dinheiro (pois ainda precisa pagar os custos fixos), mas perderá ainda mais se continuar no mercado. Ela poderá reabrir no futuro se as condições mudarem de maneira tal que o preço exceda o custo variável médio.

Temos agora uma descrição completa da estratégia de maximização do lucro de uma empresa competitiva. Se ela produzir algo, produzirá a quantidade em que o custo marginal seja igual ao preço do bem. Se o preço for inferior ao custo variável médio nessa quantidade, a empresa ficará em melhor situação se baixar as portas e não produzir nada. Esses resultados encontram-se ilustrados na Figura 3. *A curva de oferta de curto prazo das empresas competitivas é a parcela da curva de custo marginal delas que está acima do custo variável médio.*

14_2D Leite derramado e outros custos irrecuperáveis

É provável que alguém já tenha lhe dito para "não chorar sobre o leite derramado" ou "esquecer o passado". Esses adágios refletem uma verdade profunda sobre a tomada de decisões racionais. Os economistas dizem que

Figura 3
A curva de oferta de curto prazo da empresa competitiva

No curto prazo, a curva de oferta da empresa competitiva é a curva de custo marginal (*CMg*) acima do custo variável médio (*CVM*). Se o preço ficar abaixo do custo variável médio, a empresa ficará em melhor situação se paralisar as atividades.

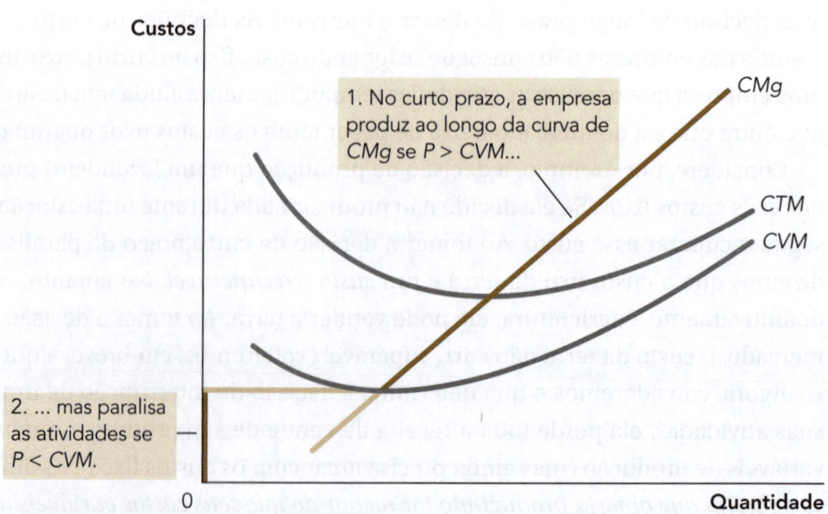

custo irrecuperável um custo que já ocorreu e não pode ser recuperado

um custo é um **custo irrecuperável**[2] quando já ocorreu e não pode ser recuperado. Como não há nada a fazer sobre os custos irrecuperáveis, eles podem ser ignorados na tomada de decisões a respeito de diversos aspectos da vida, inclusive na estratégia empresarial.

Nossa análise da decisão de paralisação das atividades de uma empresa é um exemplo da irrelevância dos custos irrecuperáveis. Adotamos a hipótese de que a empresa não pode recuperar seus custos fixos ao interromper temporariamente a produção, ou seja, independentemente da quantidade de produtos ofertada, mesmo que seja zero, a empresa ainda precisa pagar seus custos fixos. Como resultado, esses custos são irrecuperáveis no curto prazo e a empresa pode ignorá-los ao decidir quanto produzir. A curva de oferta de curto prazo da empresa é a parte da curva de custo marginal que está acima do custo variável médio, e a magnitude do custo fixo não é importante para essa decisão de oferta.

A irrelevância dos custos irrecuperáveis também é importante para decisões pessoais. Imagine, por exemplo, que você atribua um valor de $ 15 ao ato de assistir a um filme recém-lançado. Você compra um ingresso por $ 10, mas o perde antes de chegar ao cinema. Será que você deve comprar outro ingresso ou ir para casa e recusar-se a pagar um total de $ 20 para ver o filme? A resposta é que você deve comprar outro ingresso. O benefício de assistir ao filme ($ 15) ainda excede o custo de oportunidade (os $ 10 pelo segundo ingresso). Os $ 10 que você pagou pelo ingresso que perdeu são um custo irrecuperável. Não vale a pena chorar por causa deles, como no caso do leite derramado.

14_2E A decisão da empresa de entrar ou sair do mercado no longo prazo

A decisão da empresa de sair do mercado no longo prazo é semelhante à decisão de paralisar as atividades. Se a empresa sair, perderá toda a receita da venda de seu produto, mas economizará os custos de produção, tanto fixos quanto variáveis. Assim, *a empresa sai do mercado se a receita que obteria com a produção for menor que seus custos totais.*

Novamente, esse critério pode ser mais útil se representado matematicamente. Se *RT* é a receita total, e *CT*, o custo total, o critério da empresa pode ser descrito como

$$\text{Saída se } RT < CT$$

A empresa sai do mercado se a receita total for menor que o custo total. Dividindo os dois lados da desigualdade pela quantidade *Q*, temos

$$\text{Saída se } RT/Q < CT/Q$$

Podemos simplificar mais isso, observando que *RT/Q* é a receita média, que é igual ao preço *P*, e que *CT/Q* é o custo total médio *CTM*. Assim, o critério de saída da empresa é

$$\text{Saída se } P < CTM$$

Ou seja, a empresa opta por sair do mercado se o preço do bem for inferior ao custo total médio de sua produção.

Uma análise paralela se aplica ao empreendedor que estiver pensando em abrir uma empresa. A empresa entrará no mercado se isso for lucrativo, o que ocorre quando o preço do bem supera o custo total médio de produção. O critério de entrada é

$$\text{Entrada se } P > CTM$$

2. Por vezes, o "custo irrecuperável" é também denominado *custo afundado* (*sunk cost*). (NRT)

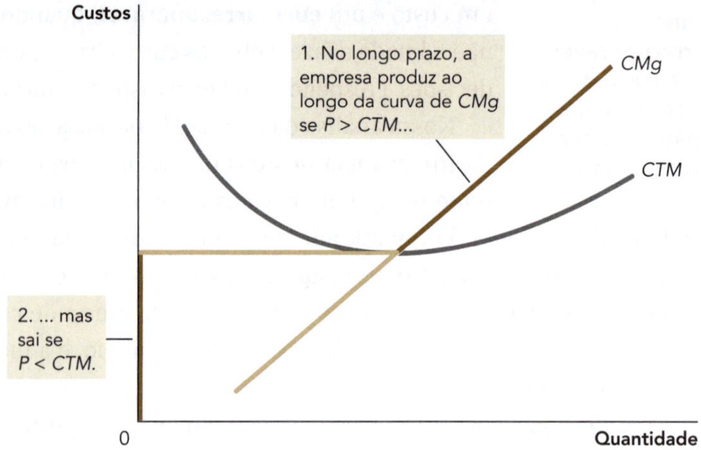

Figura 4
A curva de oferta de longo prazo da empresa competitiva
No longo prazo, a curva de oferta da empresa competitiva é a parte da curva de custo marginal (*CMg*) que está acima do custo total médio (*CTM*). Se o preço for inferior ao custo total médio, a empresa ficará em melhor situação se sair do mercado.

O critério de entrada é exatamente o oposto do critério de saída.

Podemos agora descrever a estratégia de maximização de lucros das empresas competitivas no longo prazo. Se a empresa está no mercado, produz a quantidade na qual o custo marginal é igual ao preço do bem, mas se o preço é inferior ao custo total médio para essa quantidade, a empresa opta por sair do mercado (ou por não entrar nele). Esses resultados estão representados na Figura 4. *A curva de oferta de longo prazo da empresa competitiva é a parte da sua curva de custo marginal que está acima do custo total médio.*

14_2F Medindo o lucro da empresa competitiva por meio de um gráfico

À medida que estudamos a saída e a entrada no mercado, é útil analisar o lucro da empresa mais detalhadamente. Lembre-se de que o lucro é igual à receita total (*RT*) menos o custo total (*CT*):

$$\text{Lucro} = RT - CT$$

Podemos reescrever essa definição multiplicando e dividindo o lado direito por *Q*:

$$\text{Lucro} = (RT/Q - CT/Q) \times Q$$

Mas observe que *RT/Q* é a receita média, que é o preço *P*, e que *CT/Q* é o custo total médio *CTM*. Portanto,

$$\text{Lucro} = (P - CTM) \times Q$$

Essa maneira de expressar o lucro da empresa nos permite medir o lucro em nossos gráficos.

O painel (a) da Figura 5 mostra uma empresa com lucro positivo. Como já vimos, a empresa maximiza o lucro produzindo a quantidade para a qual o preço é igual ao custo marginal. Observe agora o retângulo sombreado. A altura do retângulo é *P - CTM*, ou seja, a diferença entre o preço e o custo total médio. A largura do retângulo é *Q*, isto é, a quantidade produzida. Portanto, a área do retângulo é *(P - CTM) × Q*, que é o lucro da empresa.

De maneira similar, o painel (b) dessa figura mostra uma empresa com prejuízo (ou lucro negativo). Nesse caso, maximizar o lucro significa minimizar o prejuízo, uma tarefa que se cumpre, novamente, produzindo a quantidade para a qual o preço é igual ao custo marginal. Observe agora o retângulo sombreado. Sua altura é *CTM - P* e a largura é *Q*. A área é *(CTM - P) × Q*, que é o prejuízo da empresa. Uma vez que uma empresa nessa situação não está gerando receita suficiente em cada unidade para cobrir seu custo total médio, ela optaria, no longo prazo, por sair do mercado.

Figura 5

Lucro como a área entre o preço e o custo total médio

A área do retângulo sombreado entre o preço e o custo total médio representa o lucro da empresa. A altura do retângulo é o preço menos o custo total médio (*P* – *CTM*), e a largura do retângulo é a quantidade produzida (*Q*). No painel (a), o preço está acima do custo total médio, de modo que a empresa tem um lucro positivo. No painel (b), o preço é inferior ao custo total médio, de modo que a empresa tem prejuízo.

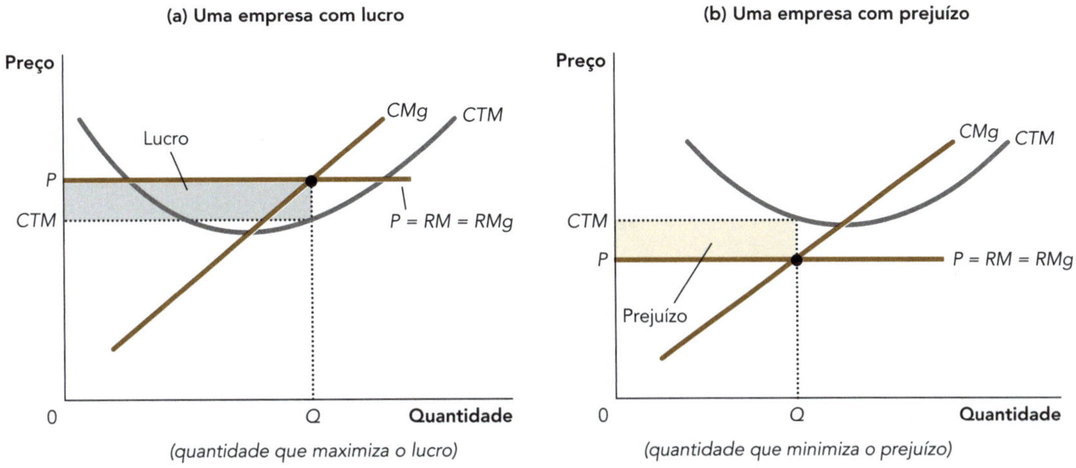

Teste rápido Como uma empresa competitiva determina o nível de produção para maximizar o lucro? Explique • Em que situação uma empresa competitiva maximizadora de lucro decide paralisar as atividades? E em que situação ela decide sair do mercado?

14_3 A CURVA DE OFERTA EM UM MERCADO COMPETITIVO

Agora que já examinamos a decisão de oferta de uma só empresa, podemos analisar a curva de oferta de um mercado. Há dois casos a considerar: primeiro, examinaremos um mercado com um número fixo de empresas; depois, examinaremos um mercado em que o número de empresas pode mudar à medida que empresas antigas saiam do mercado e novas entrem nele. Os dois casos são importantes, porque cada um se aplica a um horizonte de tempo específico. Em intervalos curtos, muitas vezes é difícil para as empresas entrar e sair do mercado, de modo que a hipótese de um número fixo de empresas é apropriada. Mas no decorrer de períodos mais longos, o número de empresas pode se ajustar às mudanças nas condições do mercado.

14_3A O curto prazo: oferta do mercado com um número fixo de empresas

Considere um mercado com mil empresas idênticas. A qualquer preço dado, cada empresa fornece uma quantidade de produto para a qual o custo marginal é igual ao preço, como mostra o painel (a) da Figura 6. Ou seja, enquanto o preço estiver acima do custo variável médio, a curva de custo marginal de cada empresa será sua curva de oferta. A quantidade de produto ofertada no mercado é igual à soma das quantidades que cada uma das mil empresas individuais oferta. Assim, para derivar a curva de oferta do mercado, somamos a quantidade que cada empresa do mercado oferta. Como mostra o painel (b) da Figura 6, como as empresas são idênticas, a quantidade ofertada no mercado é mil vezes maior que a quantidade que cada empresa oferta.

Figura 6
Oferta de mercado de curto prazo

No curto prazo, quando o número de empresas do mercado é fixo, a curva de oferta de mercado, mostrada no painel (b), reflete as curvas de custo marginal das empresas individuais, mostradas no painel (a). Aqui, no mercado com mil empresas, a quantidade de produto ofertada ao mercado é mil vezes a quantidade que cada empresa oferta.

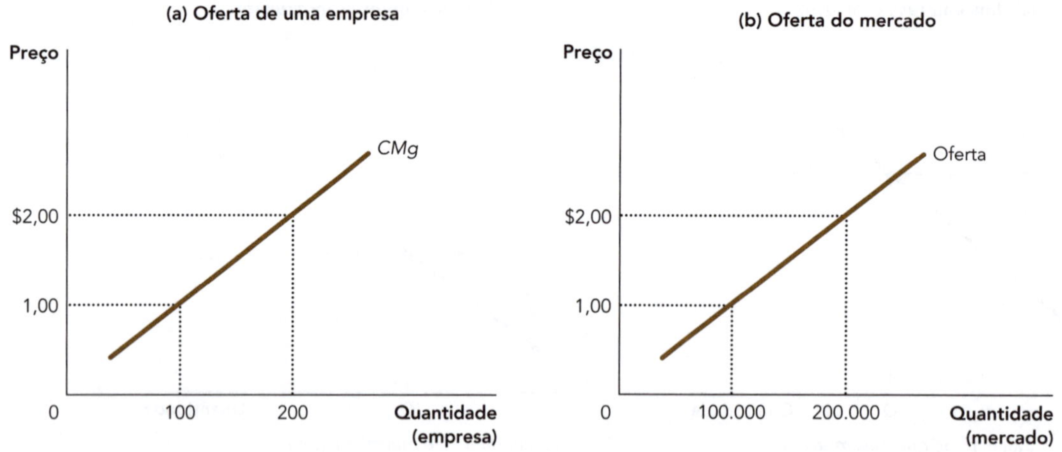

14_3B O longo prazo: oferta do mercado com entrada e saída de empresas

Vejamos agora o que acontece se as empresas conseguirem entrar no mercado ou sair dele. Suponhamos que todas tenham acesso à mesma tecnologia de produção do bem e aos mesmos mercados para comprar os insumos de produção. Assim, todas as empresas existentes e em potencial têm as mesmas curvas de custos.

Em um mercado como esse, as decisões de entrada e saída dependem dos incentivos que há para os proprietários das empresas existentes e para os empreendedores que podem abrir novas empresas. Se as empresas já existentes no mercado forem lucrativas, haverá um incentivo para que novas empresas entrem no mercado. Essa entrada expandirá o número de empresas, aumentará a quantidade ofertada do bem e reduzirá os preços e os lucros. Inversamente, se as empresas do mercado estiverem tendo prejuízos, algumas das existentes sairão dele. Sua saída reduzirá o número de empresas, diminuirá a quantidade ofertada do produto e aumentará os preços e os lucros. *Ao fim desse processo de entrada e saída, as empresas que ficarem no mercado deverão ter lucro econômico igual a zero.*

Lembre-se de que o lucro das empresas pode ser expresso como

$$\text{Lucro} = (P - CTM) \times Q$$

Essa equação mostra que uma empresa em atividade terá lucro zero se, e somente se, o preço do bem for igual ao custo total médio da produção do bem em questão. Se o preço for superior ao custo total médio, o lucro será positivo, encorajando a entrada de novas empresas. Se o preço for inferior ao custo total médio, o lucro será negativo, o que encorajará a saída de algumas empresas. *O processo de entrada e saída só termina quando o preço e o custo total médio se igualam.*

Essa análise traz uma implicação surpreendente. Como vimos anteriormente, as empresas competitivas maximizam os lucros escolhendo a quantidade na qual o preço seja igual ao custo marginal. E acabamos de ver que a livre entrada e saída força o preço a se igualar ao custo total médio. Mas se o preço é igual ao custo marginal e ao custo total médio, então essas duas medidas de custo devem ser iguais entre si. No entanto, o custo marginal e o custo total médio somente são iguais quando a empresa opera ao custo total médio mínimo. Como vimos no capítulo anterior, o nível de produção com menor custo total médio é chamado *escala*

Figura 7
Oferta de mercado no longo prazo

No longo prazo, as empresas entrarão no mercado ou sairão dele até o lucro chegar a zero. Assim, no longo prazo, o preço é igual ao custo total médio mínimo, como mostra o painel (a). O número de empresas se ajusta para garantir que toda a demanda seja satisfeita a esse preço. A curva de oferta de mercado de longo prazo é horizontal a esse preço, como mostra o painel (b).

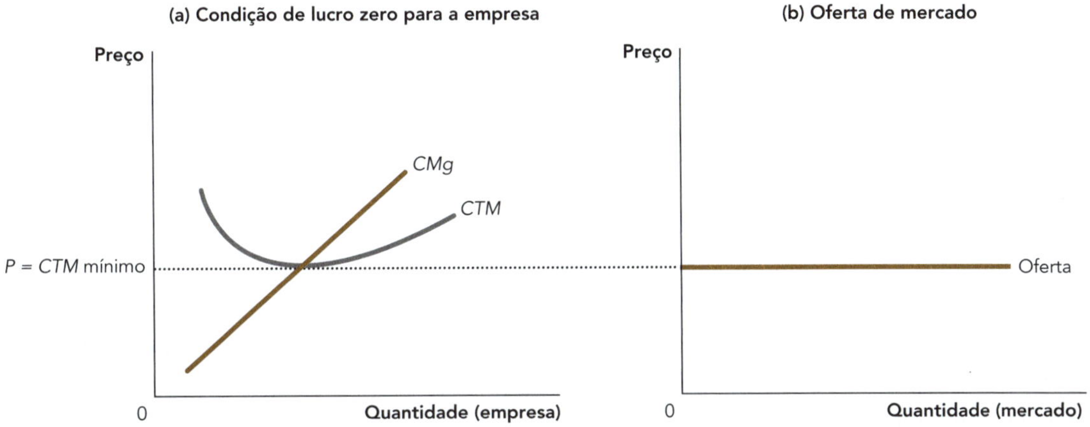

eficiente. Assim, *o equilíbrio de longo prazo de um mercado competitivo com livre entrada e saída deve ter suas empresas operando na escala eficiente.*

O painel (a) da Figura 7 mostra uma empresa que se encontra nesse equilíbrio de longo prazo. Nessa figura, o preço *P* é igual ao custo marginal *CMg*, de modo que a empresa está maximizando o lucro. O preço também é igual ao custo total médio *CTM*, de modo que o lucro é zero. Não há incentivo para que novas empresas entrem no mercado nem para que as existentes saiam dele.

Com base nessa análise do comportamento das empresas, podemos determinar a curva de oferta de longo prazo do mercado. Em um mercado com livre entrada e saída, só há um preço consistente com o lucro zero - o custo total médio mínimo. Como resultado, a curva de oferta de mercado no longo prazo precisa ser horizontal a esse preço, como ilustrada pela curva de oferta perfeitamente elástica no painel (b) da Figura 7. Qualquer preço acima desse nível geraria lucro, levando a uma entrada de empresas no mercado e a um aumento da quantidade total ofertada. Qualquer preço abaixo desse nível geraria prejuízos, levando a uma saída de empresas do mercado e a uma redução da quantidade total ofertada. O número de empresas acaba por se ajustar, de maneira que o preço seja igual ao custo total médio mínimo e haja empresas o suficiente para satisfazer toda a demanda a esse preço.

14_3C Por que as empresas competitivas se mantêm em atividade quando têm lucro zero?

À primeira vista, pode parecer estranho que empresas competitivas tenham lucro zero no longo prazo; afinal de contas, as pessoas abrem empresas para ter lucro. Se a entrada de empresas no mercado acaba por reduzir o lucro a zero, pode parecer que não há muito sentido em se dedicar à atividade.

Para entender melhor a condição de lucro zero, lembre-se de que o lucro é igual à receita total menos o custo total, e que esse custo inclui todos os custos de oportunidade da empresa. Mais especificamente, inclui o custo de oportunidade do tempo e do dinheiro que o proprietário dedica à empresa. No equilíbrio de lucro zero, a receita da empresa precisa compensar os proprietários pelos custos de oportunidade.

Considere um exemplo. Suponha que um fazendeiro tenha precisado investir $ 1 milhão para iniciar sua fazenda e que esse dinheiro pudesse, alternativamente, ter sido depositado em um banco e render $ 50 mil por ano em juros. Além disso, para dar início ao negócio, ele teve de abrir mão de outro emprego que lhe renderia $ 30 mil por ano. Então, o custo de oportunidade do fazendeiro inclui tanto os juros que poderia ter ganho quanto o salário a que renunciou - um total de $ 80 mil. Ainda que o lucro seja reduzido a zero, sua receita como fazendeiro o compensará por esses custos de oportunidade.

Lembre-se de que os contadores e os economistas medem custos de maneiras diferentes. Como vimos no capítulo anterior, os contadores acompanham os custos explícitos, mas costumam deixar de lado os implícitos. Ou seja, medem os custos que requeiram saída de dinheiro da empresa, mas deixam de incluir os custos de oportunidade da produção, que não envolvem desembolso de dinheiro. Com isso, no equilíbrio de lucro zero, o lucro econômico é zero, mas o contábil é positivo. O contador do nosso fazendeiro, por exemplo, concluiria que ele teve lucro contábil de $ 80 mil, que é o bastante para mantê-lo no negócio.

14_3D A mudança na demanda no curto e no longo prazo

Agora que já entendemos melhor como as empresas decidem sobre a oferta, podemos estudar como o mercado responde a mudanças na demanda. Uma vez que as empresas podem entrar no mercado e sair dele no longo prazo, mas não no curto prazo, a resposta do mercado a uma mudança da demanda depende do horizonte de tempo que se considera. Para entender por que isso ocorre, vamos acompanhar os efeitos de um deslocamento da demanda.

Suponha que o mercado de leite comece em equilíbrio de longo prazo. As empresas têm lucro zero, de modo que o preço é igual ao custo total médio mínimo. O painel (a) da Figura 8 mostra essa situação. O equilíbrio de longo prazo é o ponto A, a quantidade vendida no mercado é o ponto Q_1 e o preço é P_1.

Suponha agora que os cientistas descubram que o leite tem efeitos miraculosos sobre a saúde. Como resultado, a curva de demanda por leite desloca-se para fora, de D_1 para D_2, como no painel (b). O equilíbrio de curto prazo passa do ponto A para o B; como resultado, a quantidade aumenta de Q_1 para Q_2 e o preço sobe de P_1 para P_2. Todas as empresas existentes respondem ao preço mais elevado aumentando a quantidade produzida. Como a curva de oferta de cada empresa reflete sua curva de custo marginal, o quanto cada uma delas aumentará a produção será determinado pela curva de custo marginal. No novo equilíbrio de curto prazo, o preço do leite é maior que o custo total médio, de modo que as empresas têm lucro positivo.

Ao longo do tempo, o lucro gerado nesse mercado encoraja a entrada de novas empresas. Por exemplo, alguns fazendeiros podem desistir de produzir outras coisas e passar a produzir leite. À medida que o número de empresas aumenta, a curva de oferta de curto prazo desloca-se para a direita, de O_1 para O_2, como no painel (c), e esse deslocamento faz o preço do leite cair. Por fim, o preço volta para o custo total médio mínimo, os lucros passam a ser zero e as empresas param de entrar no mercado. Assim, o mercado atinge um novo equilíbrio de longo prazo no ponto C. O preço do leite voltou a ser P_1, mas a quantidade produzida se elevou para Q_3. Cada empresa está novamente operando na escala eficiente, mas, como há mais empresas no setor, a quantidade de leite produzida e vendida é maior.

14_3E Por que a curva de oferta no longo prazo pode ter inclinação ascendente

Até aqui, vimos que a entrada e a saída podem fazer que a curva de oferta no longo prazo de mercado seja horizontal. Nossa análise mostra, em essência, que há um grande número de novas empresas com potencial para entrar no mercado, cada uma delas enfrentando os mesmos custos. Com isso, ao custo total médio mínimo, a curva de oferta do mercado é horizontal. Quando a demanda pelo bem aumenta, o resultado de longo prazo é um aumento do número de empresas e da quantidade total ofertada, sem nenhuma mudança do preço.

Entretanto, há dois motivos pelos quais a curva de oferta de longo prazo do mercado pode ter inclinação ascendente. O primeiro é que alguns recursos usados na produção podem estar disponíveis somente em quantidades limitadas. Considere, por exemplo, o mercado de produtos agrícolas. Qualquer pessoa pode

Figura 8

Aumento da demanda no curto e no longo prazo

Um mercado parte do equilíbrio de longo prazo, mostrado no ponto A do painel (a). Nesse equilíbrio, cada empresa tem lucro zero e o preço é igual ao custo total médio mínimo. O painel (b) mostra o que acontece no curto prazo, quando a demanda sobe de D_1 para D_2. O equilíbrio passa do ponto A para o ponto B, o preço aumenta de P_1 para P_2 e a quantidade vendida no mercado aumenta de Q_1 para Q_2. Como agora o preço é maior que o custo total médio, as empresas têm lucro, o que, com o passar do tempo, estimula novas empresas a entrar no mercado. Essa entrada de empresas desloca a curva de oferta de curto prazo para a direita, de O_1 para O_2, como mostra o painel (c). No novo equilíbrio de longo prazo, o ponto C, o preço voltou para P_1, mas a quantidade vendida aumentou para Q_3. Os lucros voltaram a ser zero e o preço voltou ao custo total médio mínimo, mas o mercado tem um número maior de empresas para atender à maior demanda.

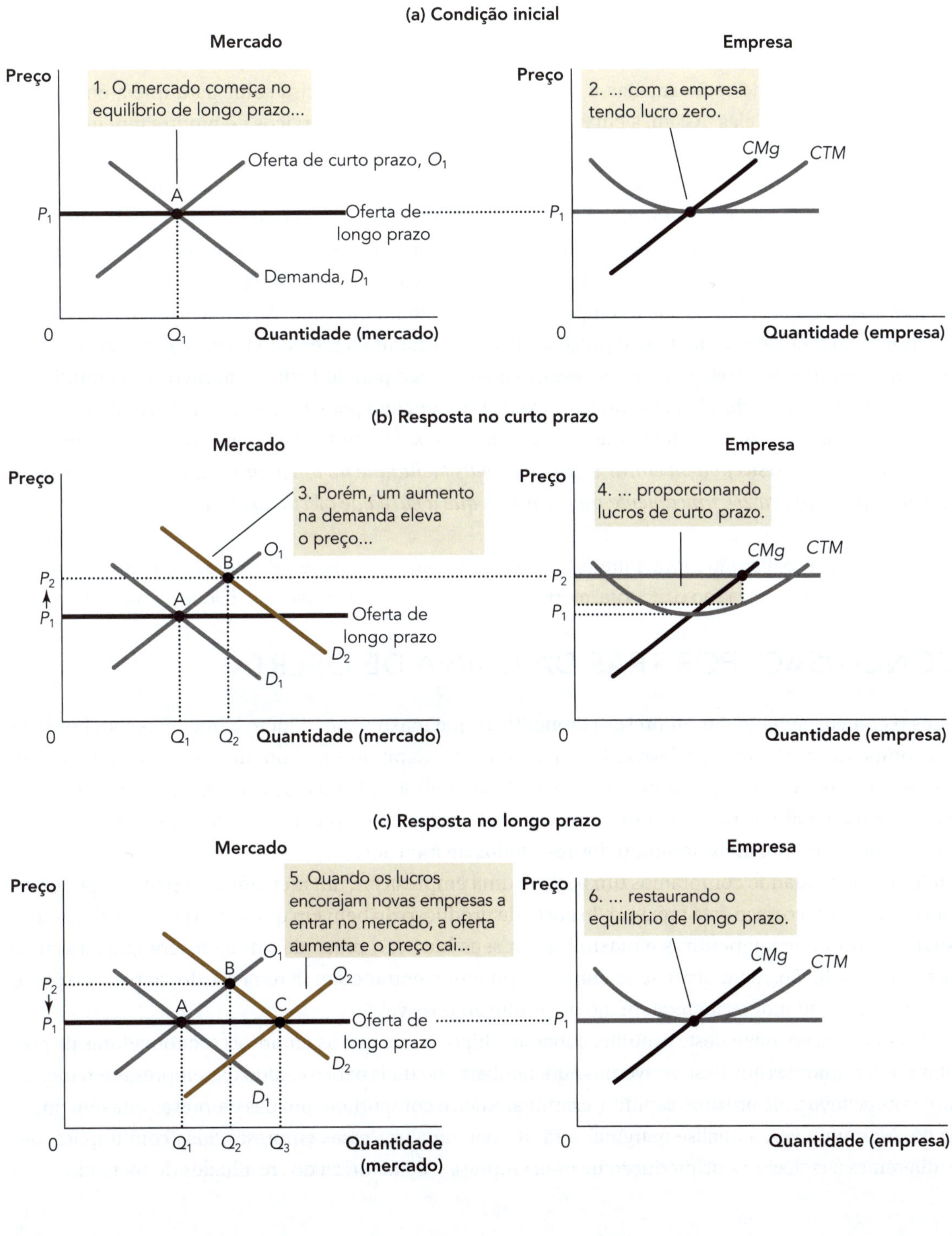

decidir comprar terras e dar início a uma fazenda, mas a quantidade de terra é limitada. À medida que mais pessoas se tornam agricultores, o preço das terras cultiváveis aumenta, o que eleva os custos para todos os agricultores no mercado. Assim, um aumento da demanda por produtos agrícolas não pode causar um aumento na quantidade ofertada sem causar também um aumento nos custos dos fazendeiros, o que, por sua vez, significa um aumento de preços. O resultado é uma curva de oferta de longo prazo de mercado com inclinação ascendente, mesmo que haja livre entrada no setor.

A segunda razão para a curva de oferta ter inclinação ascendente é que as empresas podem ter custos diferentes. Considere, por exemplo, o mercado de pintores de parede. Qualquer pessoa pode entrar no mercado de serviços de pintura, mas nem todas estão sujeitas aos mesmos custos. Os custos variam, em parte, porque algumas pessoas trabalham mais rápido do que outras e, em parte, porque algumas têm alternativas melhores de uso de seu tempo, sabendo gerenciá-lo melhor do que outras. Para qualquer preço dado, as pessoas com menores custos têm maior probabilidade de entrar no mercado que aquelas com custos mais elevados. Para aumentar a quantidade ofertada de serviços de pintura, as pessoas precisam ser encorajadas a entrar no mercado, e como estão sujeitas a custos maiores, o preço precisa subir para que a entrada no mercado seja lucrativa para elas. Assim, a curva de oferta de mercado de serviços de pintura tem inclinação ascendente, mesmo que haja livre entrada no mercado.

Observe que, se as empresas estão sujeitas a custos diferentes, algumas delas têm lucros mesmo no longo prazo. Nesse caso, o preço do mercado reflete o custo total médio da *empresa marginal* - aquela que sairia do mercado se o preço caísse. Essa empresa tem lucro zero, mas aquelas cujos custos são menores obtêm lucro positivo. A entrada de novas empresas no mercado não elimina esse lucro, porque as entrantes em potencial têm custos mais elevados que as empresas que já estão no mercado. As empresas com custo mais elevado entrarão no mercado somente se o preço aumentar, tornando o mercado lucrativo para elas.

Assim, por esses dois motivos, pode ser necessário maior preço para induzir um aumento na quantidade ofertada. Nesse caso, a curva de oferta de longo prazo de um mercado pode ter inclinação ascendente, e não horizontal. Ainda assim, a lição fundamental sobre entrada e saída de empresas no mercado permanece verdadeira. *Como as empresas podem entrar e sair com mais facilidade no longo prazo que no curto prazo, a curva de oferta no longo prazo é tipicamente mais elástica que a curva de oferta no curto prazo.*

Teste rápido No longo prazo, havendo livre entrada e saída de empresas no mercado, o preço em um mercado é igual ao custo marginal, ao custo total médio, a ambos ou a nenhum deles? Explique com um diagrama.

14_4 CONCLUSÃO: POR TRÁS DA CURVA DE OFERTA

Abordamos o comportamento das empresas competitivas que maximizam o lucro e que oferecem bens em mercados competitivos. Como você deve se lembrar, vimos no Capítulo 1 que um dos *Dez princípios de economia* é que as pessoas racionais pensam na margem. Este capítulo aplicou esse conceito à empresa competitiva. A análise marginal nos proporcionou uma teoria da curva de oferta em um mercado competitivo e, com isso, um entendimento mais profundo dos resultados de mercado.

Aprendemos que, quando compramos um bem de uma empresa em um mercado competitivo, podemos ter certeza de que o preço pago está próximo do custo de produção do bem em questão. Mais especificamente, se as empresas forem competitivas e maximizarem seus lucros, o preço de um bem será igual ao custo marginal de sua produção. Além disso, se as empresas puderem entrar e sair livremente do mercado, o preço também será igual ao menor custo total médio de produção possível.

Embora tenhamos, ao longo deste capítulo, adotado a hipótese de que as empresas são tomadoras de preços, muitas das ferramentas que desenvolvemos aqui também são úteis para o estudo das empresas em mercados menos competitivos. No próximo capítulo, examinaremos o comportamento das empresas que têm poder de mercado. Mais uma vez, a análise marginal será útil para analisar essas empresas, mas com implicações bastante diferentes nas decisões de produção de uma empresa e na natureza dos resultados do mercado.

Teste rápido do capítulo

1. Uma empresa perfeitamente competitiva:
a. Escolhe seu preço para maximizar os lucros.
b. Estabelece seu preço para superar outras empresas que vendem produtos similares.
c. Toma o preço como dado pelas condições de mercado.
d. Estabelece o preço que lhe propicia a maior participação de mercado.

2. Uma empresa competitiva maximiza o lucro escolhendo a quantidade em que:
a. O custo total médio está em seu mínimo.
b. O custo marginal é igual ao preço.
c. O custo total médio é igual ao preço.
d. O custo marginal é igual ao custo total médio.

3. A curva de oferta de curto prazo de uma empresa competitiva é sua curva de custo ________ sobre sua curva de custo ________.
a. Total médio, marginal.
b. Variável médio, marginal.
c. Marginal, total médio.
d. Marginal, variável médio.

4. Se uma empresa competitiva que maximiza lucro produz uma quantidade em que o custo marginal está entre o custo variável médio e o custo total médio, ela:
a. Continuará produzindo no curto prazo, mas sairá do mercado no longo prazo.
b. Suspenderá a produção no curto prazo, mas voltará a produzir no longo prazo.
c. Suspenderá a produção no curto prazo e sairá do mercado no longo prazo.
d. Continuará produzindo no curto e no longo prazo.

5. No equilíbrio de longo prazo de um mercado competitivo com empresas idênticas, quais são as relações entre preço *P*, custo marginal *CM* e custo total médio *CTM*?
a. $P > CM$ e $P > CTM$.
b. $P > CM$ e $P = CTM$.
c. $P = CM$ e $P > CTM$.
d. $P = CM$ e $P = CTM$.

6. As barracas de *pretzel* (uma forma de pão doce) na cidade de Nova York são um setor perfeitamente competitivo no equilíbrio de longo prazo. Um dia, a cidade começou a cobrar um imposto de $ 100 mensais de cada barraca. Como esta política afeta o número de *pretzels* consumidos no curto e no longo prazo?
a. Cai no curto prazo e não se altera no longo prazo.
b. Sobe no curto prazo e não se altera no longo prazo.
c. Não se altera no curto prazo e cai no longo prazo.
d. Não se altera no curto prazo e sobe no longo prazo.

RESUMO

- Como as empresas competitivas são tomadoras de preços, suas receitas são proporcionais à quantidade produzida. O preço do bem é igual à receita média e à receita marginal da empresa.
- Para maximizar o lucro, a empresa escolhe uma quantidade produzida em que a receita marginal seja igual ao custo marginal. Como a receita marginal das empresas competitivas é igual ao preço de mercado, a empresa escolhe uma quantidade em que o preço seja igual ao custo marginal. Assim, a curva de custo marginal da empresa é sua curva de oferta.
- No curto prazo, quando uma empresa não é capaz de recuperar seus custos fixos, ela opta por paralisar temporariamente as atividades se o preço do bem for inferior ao custo variável médio. No longo prazo, quando a empresa é capaz de recuperar tanto os custos fixos quanto os variáveis, ela opta por sair do mercado se o preço for inferior ao custo total médio.
- Em um mercado com livre entrada e saída de empresas, os lucros são conduzidos para zero no longo prazo. Nesse equilíbrio de longo prazo, todas as empresas produzem na escala eficiente, o preço é igual ao custo total médio mínimo e o número de empresas se ajusta para satisfazer a quantidade demandada a esse preço.
- As variações da demanda têm efeitos diferentes em diferentes horizontes de tempo. No curto prazo, um aumento da demanda eleva os preços e gera lucros, e uma queda da demanda reduz os preços e gera prejuízos. Mas se as empresas podem entrar e sair livremente do mercado, então, no longo prazo, o número de empresas se ajusta para conduzir o mercado de volta para o equilíbrio de lucro zero.

CONCEITOS-CHAVE

mercado competitivo, p. 217
receita média, p. 218
receita marginal, p. 218
custo irrecuperável, p. 223

QUESTÕES PARA REVISÃO

1. Quais são as principais características de um mercado competitivo?
2. Explique a diferença entre a receita e o lucro de uma empresa. Qual deles as empresas maximizam?
3. Trace as curvas de custos de uma empresa típica. Explique como a empresa competitiva escolhe o nível de produção que maximiza o lucro. Indique no gráfico a receita total da empresa nesse nível de produção. Indique também os custos totais.
4. Em que condições uma empresa paralisa temporariamente as atividades? Explique.
5. O preço de uma empresa se iguala ao custo marginal no curto prazo, no longo prazo ou em ambos? Explique.
6. Em que condições uma empresa sai do mercado? Explique.
7. As curvas de oferta do mercado são tipicamente mais elásticas no curto ou no longo prazo? Explique.
8. O preço de uma empresa se iguala ao custo total médio mínimo no curto prazo, no longo prazo ou em ambos? Explique.

PROBLEMAS E APLICAÇÕES

1. Muitos barcos pequenos são feitos de fibra de vidro, um derivado do petróleo. Suponhamos que o preço do petróleo aumente.
   a. Usando diagramas, demonstre o que acontece com as curvas de custos de uma empresa individual fabricante de barcos e com a curva de oferta do mercado.
   b. O que acontece com os lucros dos fabricantes de barcos no curto prazo? O que acontece com o número de fabricantes de barcos no longo prazo?

2. A empresa de jardinagem de Bob é um negócio competitivo e de maximização de lucros. Ele cobra $ 27 para cortar a grama. O custo total diário é de $ 280, dos quais $ 30 correspondem ao custo fixo. Bob consegue cortar 10 gramados por dia. Como você avalia a decisão de curto prazo de Bob de paralisar temporariamente o negócio e a decisão de longo prazo de sair do mercado?

3. Considere o custo total e a receita total dados na tabela a seguir:

Quantidade	0	1	2	3	4	5	6	7
Custo total	$ 8	9	10	11	13	19	27	37
Receita total	$ 0	8	16	24	32	40	48	56

   a. Calcule o lucro para cada quantidade. Quanto a empresa deve produzir para maximizar o lucro?
   b. Calcule a receita marginal e o custo marginal para cada quantidade. Trace os gráficos. (Dica: coloque os pontos entre os números inteiros. Por exemplo, o custo marginal entre 2 e 3 deve ser colocado em 2 ½.) Em que quantidade essas curvas se cruzam? Como isso se relaciona à resposta do item (a)?
   c. É possível dizer se essa empresa está em uma indústria competitiva? Em caso positivo, é possível dizer se a indústria está em seu equilíbrio de longo prazo?

4. A empresa de rolamentos Ball Bearings Inc. tem os seguintes custos de produção:

Quantidade	Custo fixo	Custo variável
0	$ 100	$ 0
1	100	50
2	100	70
3	100	90
4	100	140
5	100	200
6	100	360

a. Calcule os custos fixos médios, os custos variáveis médios, os custos totais médios e os custos marginais da empresa em cada nível de produção.
b. O preço de um conjunto de rolamentos é $ 50. Ao perceber que não conseguirá obter lucros, o diretor executivo decide encerrar as operações. Quais são as perdas e os lucros da empresa? Essa foi uma decisão acertada? Explique.
c. Ao se lembrar vagamente do curso de Introdução à Economia, o diretor financeiro diz ao diretor executivo que é melhor produzir um conjunto de rolamentos, pois, nessa quantidade, a receita marginal é igual ao custo marginal. Quais são os lucros/perdas da empresa naquele nível de produção? Qual é a melhor decisão? Explique.

5. Suponha que o setor de impressão de livros seja competitivo e parta do equilíbrio de longo prazo.
a. Trace um diagrama que descreva a empresa típica do setor.
b. A Gráfica e Editora Hi-Tech inventou um novo processo que reduz substancialmente o custo da impressão de livros. O que acontece com os lucros da empresa e com o preço dos livros no curto prazo quando a patente da Hi-Tech impede que outras empresas usem a tecnologia?
c. O que acontece no longo prazo quando a patente expira e outras empresas passam a poder usar a tecnologia?

6. Em um mercado competitivo, uma empresa recebe $ 500 de receita total e tem receita marginal de $ 10. Qual é a receita média e quantas unidades foram vendidas?

7. Em um mercado competitivo, uma empresa que maximiza os lucros produz atualmente 100 unidades. A receita média é de $ 10, o custo total médio é de $ 8 e o custo fixo é de $ 200.
a. Qual é o seu lucro?
b. Qual é o seu custo marginal?
c. Qual é o seu custo variável médio?
d. A escala de eficiência da empresa é de mais de, menos de ou de, exatamente, 100 unidades?

8. O mercado de fertilizantes é perfeitamente competitivo. As empresas estão produzindo, mas, atualmente, estão sofrendo perdas econômicas.
a. Como o preço do fertilizante se compara ao custo total médio, ao custo variável médio e ao custo marginal da produção?
b. Elabore dois gráficos, lado a lado, ilustrando a situação atual de uma empresa típica e do mercado.
c. Suponhamos que não haja mudança na demanda ou nas curvas de custo dessas empresas. Explique o que acontecerá no longo prazo ao preço do fertilizante, ao custo marginal, ao custo total médio, à quantidade ofertada por cada empresa e à quantidade total ofertada no mercado.

9. Na cidade de Ectenia, o mercado para tortas de maçã é competitivo e tem a seguinte programação de demanda:

Preço	Quantidade demandada
$ 1	1.200 tortas
2	1.100
3	1.000
4	900
5	800
6	700
7	600
8	500
9	400
10	300
11	200
12	100
13	0

Cada produtor no mercado tem custos fixos de $ 9 e o seguinte custo marginal:

Quantidade	Custo marginal
1 torta	$ 2
2	4
3	6
4	8
5	10
6	12

a. Calcule o custo total de cada produtor e o custo total médio para 1 a 6 tortas.
b. O preço de uma torta é, agora, $ 11. Quantas tortas são vendidas? Quantas tortas produz cada produtor? Há quantos produtores? Qual é o lucro de cada produtor?

c. A situação descrita no item (b) é um equilíbrio de longo prazo? Explique.
d. Suponha que, no longo prazo, haja livre entrada e saída de empresas. Qual é lucro de cada produtor no equilíbrio de longo prazo? Qual é o preço de mercado? Qual é o número de tortas produzidas por produtor? Quantas tortas são vendidas? Quantos produtores de torta estão operando?

10. Uma indústria tem atualmente 100 empresas, todas com custo fixo de \$ 16 e custo variável médio conforme a tabela:

Quantidade	Custo variável médio
1	\$ 1
2	2
3	3
4	4
5	5
6	6

a. Calcule o custo marginal e o custo total médio para cada quantidade de 1 a 6.
b. O preço de equilíbrio atual é \$ 10. Quanto cada empresa produz? Qual é a quantidade total ofertada no mercado?
c. No longo prazo, algumas empresas podem entrar e sair do mercado e todos os participantes têm os mesmos custos descritos antes. À medida que o mercado faz a transição para o equilíbrio de longo prazo, o que acontecerá ao preço, à quantidade demandada e a quantidade ofertada por cada empresa? Analise cada item. Haverá aumento ou redução?
d. Elabore o gráfico da curva de oferta no longo prazo para esse mercado com números específicos nos eixos, quando relevantes.

11. Suponha que cada empresa de um setor competitivo tenha os seguintes custos:

Custo total: $CT = 50 + ½\, q^2$

Custo marginal: $CM = q$

Onde q é a quantidade produzida por uma empresa individual. A curva de demanda do mercado para esse produto é:

Demanda: $Q^D = 120 - P$

Onde P é o preço e Q é a quantidade total do bem. Atualmente, há 9 empresas no mercado.
a. Qual é o custo fixo de cada empresa? Qual é o custo variável? Forneça a equação do custo total médio.
b. Elabore o gráfico da curva do custo total médio e da curva do custo marginal para q de 5 a 15. Em que quantidade a curva de custo total médio estará em seu mínimo? Qual é o custo marginal e o custo total médio naquela quantidade?
c. Forneça a equação para a curva de oferta de cada empresa.
d. Forneça a equação para curva de oferta de mercado para o curto prazo em que o número de empresas é constante.
e. Qual é o preço e a quantidade de equilíbrio para esse mercado no curto prazo.
f. Nesse equilíbrio, quanto cada empresa produz? Calcule o lucro e o prejuízo de cada empresa. Há incentivos para as empresas entrarem ou saírem do mercado?
g. No longo prazo, com livre entrada e saída, qual será o preço e a quantidade de equilíbrio nesse mercado?
h. Nesse equilíbrio de longo prazo, quanto cada empresa produz? Quantas empresas estão no mercado?

CAPÍTULO 15

Monopólio

Se você tem um computador pessoal, ele provavelmente utiliza alguma versão do Windows, o sistema operacional vendido pela Microsoft Corporation. Quando, há muitos anos, a Microsoft projetou a primeira versão do Windows, pediu ao governo um *copyright* e o recebeu, o que deu à empresa direito exclusivo de produzir e vender cópias do sistema operacional Windows. Assim, se alguém quiser comprar uma cópia do sistema, não tem muita escolha a não ser dar à Microsoft os cerca de $ 100 que a empresa decidiu cobrar pelo produto. Dizemos que a Microsoft detém o *monopólio* do mercado do Windows.

As decisões empresariais da Microsoft não são bem descritas pelo modelo de comportamento da empresa que desenvolvemos no capítulo anterior, em que analisamos os mercados competitivos, nos quais há muitas empresas que oferecem produtos essencialmente idênticos, de modo que cada uma tem pouca influência sobre o preço que recebe. Em contrapartida, um monopólio como o da Microsoft não tem concorrentes próximos e, assim, tem poder para influenciar o preço de mercado de seu produto. Enquanto uma empresa competitiva é uma *tomadora de preços*, uma empresa monopolista é uma *formadora de preços*.

Neste capítulo, examinaremos as implicações desse poder de mercado e veremos que o poder de mercado altera a relação entre os custos de uma empresa e o preço pelo qual ela vende seu produto ao mercado. Uma empresa competitiva toma o preço do seu produto como dado pelo mercado e, então, determina a quantidade que ofertará, de maneira que o preço seja igual ao custo marginal. Já o preço cobrado por um monopólio excede o custo marginal. Esse resultado é claramente verdadeiro no caso do Windows, da Microsoft. O custo marginal do Windows - o custo adicional em que a Microsoft incorreria ao gravar em um CD uma cópia adicional do programa - é de apenas alguns dólares. O preço de mercado do Windows é muitas vezes superior ao seu custo marginal.

Não surpreende que os monopólios cobrem preços elevados por seus produtos. Os clientes dos monopólios parecem não ter outra escolha a não ser pagar o preço que o monopólio estiver cobrando. No entanto, se for esse o caso, por que uma cópia do Windows não custa $ 1.000? Ou $ 10 mil? A razão, naturalmente, é que, se a Microsoft fixasse um preço tão elevado, menos pessoas comprariam o produto. As pessoas comprariam menos computadores, passariam para outros sistemas operacionais ou fariam cópias ilegais. Os monopólios podem controlar o preço de seus produtos, mas como os preços elevados reduzem a quantidade que os clientes compram, seus lucros não são ilimitados.

Ao examinarmos as decisões de produção e determinação de preços dos monopólios, consideraremos também as implicações do monopólio para a sociedade como um todo. As empresas monopolistas, assim como as competitivas, objetivam maximizar o lucro, mas esse objetivo tem ramificações muito diferentes para empresas competitivas e monopolistas. Nos mercados competitivos, os compradores e vendedores, interessados em si próprios, comportam-se como se fossem conduzidos por uma mão invisível para promover o bem-estar econômico geral. Por outro lado, como as empresas monopolistas não estão sujeitas ao freio da competição, o resultado em um mercado em que haja um monopólio nem sempre atende aos melhores interesses da sociedade.

Um dos *Dez princípios de economia* do Capítulo 1 é que os governos, às vezes, podem melhorar os resultados do mercado. A análise feita neste capítulo esclarecerá esse princípio. Ao examinarmos os problemas que os monopólios criam para a sociedade, também abordaremos como os formuladores de políticas do governo podem reagir a esses problemas. O governo norte-americano, por exemplo, fica muito atento às decisões empresariais da Microsoft. Em 1994, impediu que a empresa comprasse a Intuit, uma produtora de *software* que vende o principal programa de gerenciamento de finanças pessoais, alegando que uma combinação da Microsoft com a Intuit concentraria excessivamente o poder de mercado nas mãos de uma só empresa. De maneira semelhante, em 1998, o Departamento de Justiça dos Estados Unidos apresentou objeção quando a Microsoft começou a integrar seu navegador de internet ao sistema operacional Windows, afirmando que isso aumentaria o poder da empresa em outras áreas. Nos últimos anos, agências reguladoras dos Estados Unidos e de outros países mudaram o foco para empresas com poder de mercado crescente, tais como o Google e a Samsung, mas continuam monitorando a complacência[1] da Microsoft com as leis antitruste.

15_1 POR QUE SURGEM OS MONOPÓLIOS

monopólio
uma empresa que é a única vendedora de um produto que não tem substitutos próximos

Uma empresa é um **monopólio** se for a única vendedora de seu produto e se seu produto não tiver substitutos próximos. A causa fundamental dos monopólios está nas *barreiras à entrada*: um monopólio se mantém como o único vendedor de seu mercado porque as outras empresas não podem entrar nesse mercado e competir com ela. As barreiras à entrada, por sua vez, têm três origens principais:

- *Recursos de monopólio*: um recurso-chave necessário para a produção é exclusivo de uma única empresa.
- *Regulamentações do governo*: o governo concede a uma única empresa o direito exclusivo de produzir um determinado bem ou serviço.
- *O processo de produção*: uma única empresa consegue fornecer produtos a custo mais baixo que um grande número de produtores.

Discutiremos brevemente cada uma delas.

15_1A Recursos de monopólio

A maneira mais simples pela qual um monopólio pode surgir é uma única empresa ser proprietária de um recurso-chave. Considere, por exemplo, o mercado de água em uma pequena cidade do Velho Oeste. Se dúzias de moradores tiverem poços em funcionamento, o modelo competitivo discutido no capítulo anterior descreverá o comportamento dos vendedores. Como resultado da competição entre os fornecedores de água, o preço de um galão de água será igual ao custo marginal do bombeamento de um galão adicional. Entretanto, se houver somente um poço na cidade e se for impossível obter água de alguma outra maneira, então o dono do poço terá um monopólio sobre a água. Não é de surpreender que o monopolista tenha muito mais poder de mercado que qualquer empresa em um mercado competitivo. No caso de um bem indispensável como a água, o monopolista pode exigir um preço muito alto, mesmo que o custo marginal de bombear um galão adicional seja baixo.

Um exemplo clássico de poder de mercado que resultou da propriedade de um recurso-chave é o da DeBeers, empresa de diamantes da África do Sul. A companhia foi fundada em 1888 por Cecil Rhodes, empresário inglês (e benemérito distribuidor de bolsas de estudo). A DeBeers chega a controlar cerca de 80% da produção mundial de diamantes. Como sua participação no mercado é de menos de 100%, a DeBeers não é exatamente um monopólio, mas, nem por isso, a empresa deixa de exercer influência considerável sobre o preço mundial dos diamantes.

1. Equivalência para *compliance*, em que, por princípio, há aderência permanente aos dispositivos legais e aos princípios da governança corporativa. (NRT)

Embora a propriedade exclusiva de um recurso-chave seja uma causa potencial de monopólios, estes, na prática, raramente surgem por esse motivo. As economias atuais são grandes e os recursos têm muitos proprietários. Com efeito, como muitos bens são negociados internacionalmente, o alcance natural de seus mercados muitas vezes é mundial. Assim, há poucos exemplos de empresas que sejam proprietárias de um recurso para o qual não haja substitutos próximos.

15_1B Monopólios criados pelo governo

Em muitos casos, os monopólios surgem porque o governo concede a uma só pessoa ou empresa o direito exclusivo de vender algum bem ou serviço. Às vezes, o monopólio decorre da influência política de quem deseja ser monopolista. Antes, os reis, por exemplo, concediam licenças exclusivas de comércio a seus amigos e aliados. Em outros casos, o governo concede um monopólio porque isso é considerado de interesse público.

As leis de patentes e direitos autorais são dois exemplos importantes. Quando uma companhia farmacêutica descobre um novo medicamento, pode requerer do governo uma patente. Se o governo considerar que o medicamento é realmente original, a patente é aprovada, o que confere à empresa o direito exclusivo de fabricação e venda do produto por 20 anos. De maneira similar, quando um autor termina de escrever um romance, pode requerer o direito autoral sobre ele. O direito autoral é uma garantia do governo de que ninguém poderá imprimir e vender o livro sem a permissão do autor, o direito autoral faz do romancista um monopolista sobre a venda de seu livro.

É fácil perceber os efeitos das leis de patentes e de direitos autorais. Como essas leis concedem monopólio a um produtor, elas levam a preços mais elevados dos que os que ocorreriam se houvesse competição. Mas, ao permitir que esses produtores monopolistas cobrem preços mais altos e obtenham lucros maiores, as leis também encorajam alguns comportamentos desejáveis. Permite-se que as companhias farmacêuticas monopolizem os medicamentos que descobrem para incentivar a pesquisa. Permite-se que os autores monopolizem as vendas de seus livros para incentivá-los a escrever mais e melhores livros.

Assim, as leis que regem patentes e direitos autorais trazem benefícios e custos. Os benefícios representam um incentivo maior à atividade criativa e são compensados, em certa medida, pelos custos da formação de preços monopólica, que examinaremos em mais detalhes adiante.

15_1C Monopólios naturais

monopólio natural um tipo de monopólio que surge porque uma única empresa consegue ofertar um bem ou serviço a um mercado inteiro a um custo menor do que ocorreria se existissem duas ou mais empresas no mercado

Uma indústria é um **monopólio natural** quando uma só empresa consegue ofertar um bem ou serviço a um mercado inteiro a um custo menor que duas ou mais empresas. Um monopólio natural surge quando há economias de escala para toda a faixa relevante de produção. A Figura 1 mostra o custo total médio de uma empresa com economias de escala. Nesse caso, uma só empresa pode produzir qualquer quantidade de produto a um custo menor. Ou seja, para qualquer quantidade dada de produto, um maior número de empresas leva a uma menor produção por empresa e a um custo total médio mais elevado.

Um exemplo de monopólio natural está na distribuição de água. Para levar água aos moradores de uma cidade, uma empresa precisa construir uma rede de tubulações. Se duas ou mais empresas competissem na prestação desse serviço, cada uma teria de pagar o custo fixo da construção da rede. Assim, o custo total médio da água é menor se apenas uma empresa suprir o mercado.

Vimos outros exemplos de monopólio natural quando abordamos os bens públicos e os recursos comuns, no Capítulo 11. Notamos que os *bens artificialmente escassos* são excludentes, mas não rivais. Um exemplo é uma ponte trafegada raramente, que nunca fique congestionada. A ponte é excludente, porque um pedágio poderia impedir que alguém a usasse, mas não é rival, porque o uso dela por alguém não diminui a

Figura 1
Economias de escala como causa de um monopólio
Quando a curva de custo total médio de uma empresa declina continuamente, a empresa tem o que se denomina monopólio natural. Nesse caso, quando a produção se divide entre um maior número de empresas, cada uma delas produz menos e o custo total médio aumenta. Assim, uma única empresa consegue produzir qualquer quantidade dada a um custo menor.

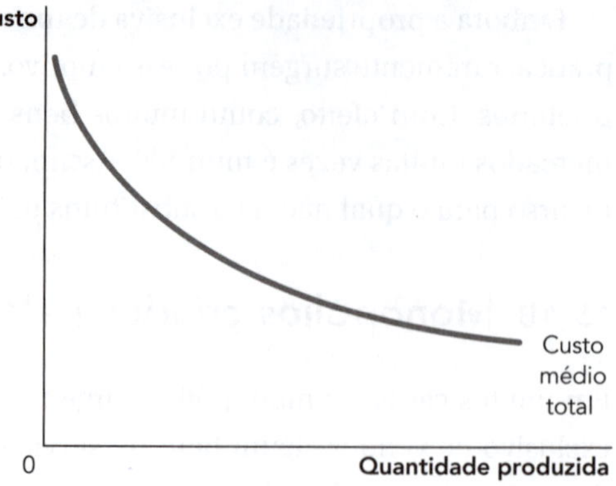

possibilidade de que outros a usem. Como há um custo fixo para a construção da ponte e um custo marginal desprezível para os usuários adicionais, o custo total médio de uma viagem pela ponte (o custo total dividido pelo número de viagens) diminui com o aumento do número de viagens. Por essa razão, a ponte é um monopólio natural.

Quando uma empresa é um monopólio natural, preocupa-se menos com a entrada de novas empresas no mercado que possam erodir seu poder monopolista. Normalmente, uma empresa tem dificuldade para manter sua posição monopolista se não tiver a propriedade de um recurso-chave ou a proteção do governo. O lucro do monopolista atrai novas empresas para o mercado, e estas podem tornar o mercado mais competitivo. Por outro lado, entrar em um mercado em que alguma empresa detenha o monopólio natural não é interessante. As empresas entrantes em potencial sabem que não poderão atingir os mesmos baixos custos de que desfruta o monopolista, porque, depois de entrar, cada uma teria uma fatia menor do mercado.

Em alguns casos, o tamanho do mercado é determinante para saber se uma indústria é um monopólio natural ou não. Novamente, considere uma ponte sobre um rio. Quando a população é pequena, a ponte pode ser um monopólio natural. Uma só ponte pode satisfazer totalmente a demanda por viagens de um lado a outro do rio pelo menor custo, mas, à medida que a população cresce e a ponte fica congestionada, satisfazer totalmente a demanda pode requerer duas ou mais pontes sobre o mesmo rio. Portanto, com a expansão do mercado, um monopólio natural pode evoluir e se tornar um mercado mais competitivo.

Teste rápido Quais são as três razões pelas quais um mercado pode ser monopolista? Dê dois exemplos de monopólio e explique as razões da existência de cada um.

15_2 COMO OS MONOPÓLIOS DECIDEM PRODUZIR E COMO DETERMINAR O PREÇO

Agora que sabemos como surgem os monopólios, podemos examinar como uma empresa monopolista decide quanto produzir e que preço cobrar pelo seu produto. A análise do comportamento monopolista que fazemos nesta seção é o ponto de partida para avaliar se os monopólios são desejáveis e que políticas o governo pode adotar nos mercados monopolistas.

15_2A Monopólio *versus* competição

A principal diferença entre uma empresa competitiva e uma monopolista é a capacidade que esta tem de influenciar o preço de seu produto. Uma empresa competitiva é pequena em relação ao mercado em que opera e, como não tem poder para influenciar o preço de seu produto, aceita o que é apresentado pelas condições do mercado. Em contraposição, um monopólio, como a única produtora em seu mercado, pode alterar o preço de seu bem ajustando a quantidade que oferta ao mercado.

Uma maneira de enxergar essa diferença entre uma empresa competitiva e uma monopolista é examinar a curva de demanda que cada uma delas enfrenta. Quando, no capítulo anterior, analisamos a maximização do lucro pelas empresas competitivas, representamos graficamente o preço de mercado como uma linha horizontal. Uma vez que uma empresa competitiva pode vender a quantidade que quiser a esse preço, ela enfrenta uma curva de demanda horizontal, como no painel (a) da Figura 2. Com efeito, como a empresa competitiva vende um produto que tem muitos substitutos perfeitos (os produtos de todas as demais empresas do mercado), a curva de demanda com que cada empresa se defronta é perfeitamente elástica.

Em contraposição, como um monopolista é o único produtor de seu mercado, sua curva de demanda é a curva de demanda do mercado. Assim, a curva de demanda do monopolista tem inclinação descendente por todos os motivos que vimos anteriormente, como representado no painel (b) da Figura 2. Se o monopolista elevar o preço de seu produto, os consumidores comprarão menos desse produto. Em outras palavras, se o monopolista reduzir a quantidade do bem que produz e vende, o preço desse produto aumentará.

A curva de demanda do mercado estabelece uma restrição à capacidade que o monopolista tem de lucrar com seu poder de mercado. Se possível, os monopolistas prefeririam cobrar um preço elevado e vender uma grande quantidade a esse preço, mas a curva de demanda do mercado torna esse resultado impossível. Mais especificamente, a curva de demanda do mercado descreve as combinações de preço e quantidade possíveis para a empresa monopolista. Ajustando a quantidade produzida (ou o preço cobrado, o que dá no mesmo), o monopolista pode escolher qualquer ponto da curva de demanda, mas não pode escolher um ponto que esteja fora dela.

Qual ponto da curva de demanda a empresa monopolista vai escolher? Como no caso das empresas competitivas, assumimos que o objetivo do monopolista seja maximizar o lucro. Uma vez que o lucro total da empresa é a receita total menos os custos totais, nossa próxima tarefa na explicação do comportamento dos monopólios será examinar suas receitas.

15_2B A receita de um monopólio

Imagine uma cidade que tenha um só produtor de água. A Tabela 1 mostra como a receita do monopólio poderia depender da quantidade de água produzida.

Figura 2

Curvas de demanda para empresas competitivas e monopolistas

Sendo tomadoras de preço, as empresas competitivas se deparam com curvas de demanda horizontais, como no painel (a). Sendo a única produtora em seu mercado, uma monopolista se depara com uma curva de demanda de mercado de inclinação descendente, como no painel (b). O resultado disso é que o monopolista precisa aceitar um preço menor se quiser vender uma quantidade maior.

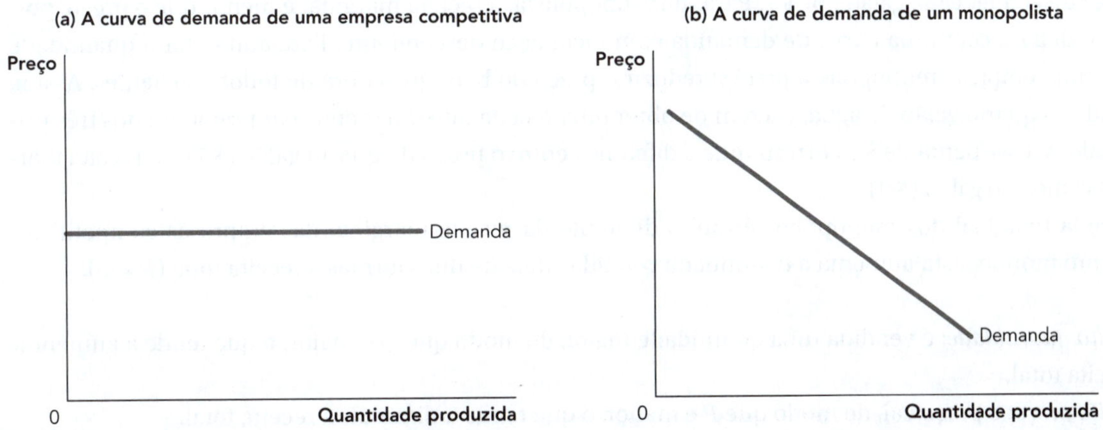

Tabela 1
Receitas total, média e marginal de um monopólio

Quantidade de água (Q)	Preço (P)	Receita total ($RT = P \times Q$)	Receita média ($RM = RT/Q$)	Receita marginal ($RMg = \Delta RT/\Delta Q$)
0 galão	$ 11	$ 0	—	$ 10
1	10	10	$ 10	8
2	9	18	9	6
3	8	24	8	4
4	7	28	7	2
5	6	30	6	0
6	5	30	5	-2
7	4	28	4	-4
8	3	24	3	

As duas primeiras colunas mostram a escala de demanda do monopólio. Se ele produzir 1 galão de água, pode vendê-lo por $ 10. Se produzir 2 galões, precisará reduzir o preço para $ 9 por galão se quiser vendê-los. Se produzir 3 galões, o preço precisará cair para $ 8, e assim por diante. Se representarmos graficamente as duas colunas de números, obteremos uma curva de demanda típica, com inclinação descendente.

A terceira coluna da tabela representa a *receita total* da empresa monopolista, que é igual à quantidade vendida (da primeira coluna) multiplicada pelo preço (da segunda coluna). A quarta coluna traz a *receita média* da empresa, que é quanto de receita a empresa recebe por unidade vendida. Calculamos a receita média tomando o valor da receita total, na terceira coluna, e dividindo-o pela quantidade produzida, na primeira. Como vimos no capítulo anterior, a receita média é sempre igual ao preço do bem. Isso é válido tanto para as empresas monopolistas quanto para as competitivas.

A última coluna da Tabela 1 nos fornece o cálculo da *receita marginal* da empresa, que é a receita que a empresa recebe pela venda de cada unidade adicional de produto. Calculamos a receita marginal tomando a variação da receita total obtida quando a quantidade vendida aumenta em uma unidade. Por exemplo, quando a empresa produz e vende 3 galões de água, sua receita total é de $ 24. Se aumentar a produção e as vendas para 4 galões, aumentará a receita total para $ 28. Assim, a receita marginal resultante da venda do quarto galão é $ 28 menos $ 24, ou seja, $ 4.

A Tabela 1 mostra um resultado importante para o entendimento do comportamento da empresa monopolista: *a receita marginal do monopolista é sempre menor que o preço do bem.* Por exemplo, se a empresa aumentar a produção e a venda de água de 3 para 4 galões, a receita total aumentará apenas $ 4, embora ela seja capaz de vender cada galão por $ 7. Para um monopolista, a receita marginal é menor que o preço, porque ele se depara com uma curva de demanda com inclinação descendente. Para aumentar a quantidade vendida, uma empresa monopolista precisa reduzir o preço do bem que cobra de todos os clientes. Assim, para vender o quarto galão de água, ela tem de obter uma receita de $ 1 a menos para cada um dos três primeiros galões. Essa perda de $ 3 corresponde à diferença entre o preço do quarto galão ($ 7) e a receita marginal desse mesmo galão ($ 4).

A receita marginal dos monopólios é muito diferente da receita marginal das empresas competitivas. Quando um monopolista aumenta a quantidade vendida, afeta de duas formas a receita total ($P \times Q$):

- *O efeito quantidade*: é vendida uma quantidade maior, de modo que Q é maior, o que tende a aumentar a receita total.
- *O efeito preço*: o preço cai, de modo que P é menor, o que tende a diminuir a receita total.

Como as empresas competitivas podem vender tudo o que quiserem ao preço de mercado, não existe para elas o efeito preço. Quando aumentam a produção em uma unidade, recebem o preço de mercado por essa unidade e não recebem nada a menos pelas unidades que já estavam vendendo. Ou seja, como as empresas competitivas são tomadoras de preços, sua receita marginal é igual ao preço do bem. Um monopolista, por sua vez, quando aumenta a produção em uma unidade, precisa reduzir o preço cobrado por unidade vendida, e essa redução do preço reduz a receita advinda das unidades que já vinha vendendo. Como resultado, a receita marginal do monopólio é menor que o preço.

A Figura 3 representa as curvas de demanda e de receita marginal de uma empresa monopolista. (Como o preço da empresa é igual à sua receita média, a curva de demanda é também a sua curva de receita média.) Essas duas curvas sempre partem do mesmo ponto no eixo vertical, porque a receita marginal da primeira unidade vendida é igual ao preço do bem. Mas, pelo motivo que acabamos de apresentar, a receita marginal do monopolista passa a ser menor que o preço do bem; consequentemente, sua curva de receita marginal fica abaixo da sua curva de demanda.

Podemos observar na Figura 3 (e na Tabela 1) que a receita marginal pode até se tornar negativa. A receita marginal é negativa quando o efeito preço sobre a receita é maior que o efeito quantidade. Nesse caso, quando a empresa produz uma unidade adicional de produto, o preço cai o suficiente para fazer que a receita total diminua, mesmo que a empresa esteja vendendo mais unidades.

15_2C Maximização do lucro

Agora que já nos familiarizamos com a receita de uma empresa monopolista, estamos prontos para examinar como ela maximiza seus lucros. Como vimos no Capítulo 1, um dos *Dez princípios de economia* refere-se ao fato de que as pessoas racionais pensam na margem. Essa lição vale tanto para as empresas monopolistas quanto para as competitivas. Aqui, aplicamos a lógica da análise marginal à decisão do monopolista a respeito de quanto produzir.

A Figura 4 mostra as curvas de demanda, de receita marginal e de custo para uma empresa monopolista. Todas elas devem parecer familiares: as curvas de demanda e de receita marginal são como as encontradas na Figura 3, e as de custos são como aquelas que vimos nos dois últimos capítulos. Essas curvas contêm todas as informações de que precisamos para determinar o nível de produção que um monopolista maximizador de lucros vai escolher.

Suponhamos, inicialmente, que a empresa esteja operando com um baixo nível de produção, tal como Q_1. Nesse caso, o custo marginal é menor que a receita marginal. Se a empresa aumentar a produção em 1 unidade, a receita adicional excederá os custos adicionais, e o lucro aumentará. Assim, quando o custo marginal for menor que a receita marginal, a empresa pode aumentar o lucro produzindo um número maior de unidades.

Um argumento semelhante aplica-se a níveis elevados de produção, como Q_2. Nesse caso, o custo marginal é maior que a receita marginal. Se a empresa reduzir a produção em 1 unidade, os custos poupados serão

Figura 3

As curvas de demanda e de receita marginal para um monopólio

A curva de demanda mostra como a quantidade afeta o preço do bem. A curva de receita marginal mostra como a receita da empresa varia quando a quantidade aumenta em 1 unidade. Uma vez que o preço de *todas* as unidades vendidas deve cair se o monopólio aumentar a produção, a receita marginal será sempre menor que o preço.

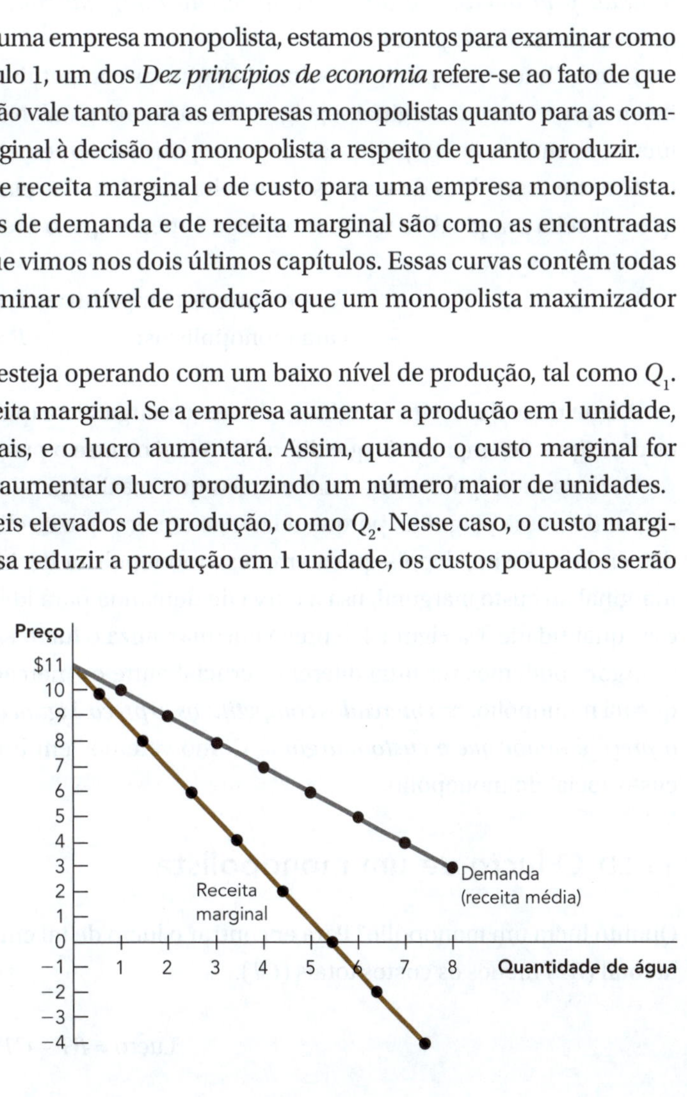

Figura 4
Maximização do lucro de um monopólio
Uma empresa monopolista maximiza o lucro escolhendo a quantidade em que a receita marginal se iguala ao custo marginal (ponto A). Então, usa a curva de demanda para determinar o preço que induzirá os consumidores a comprar essa quantidade (ponto B).

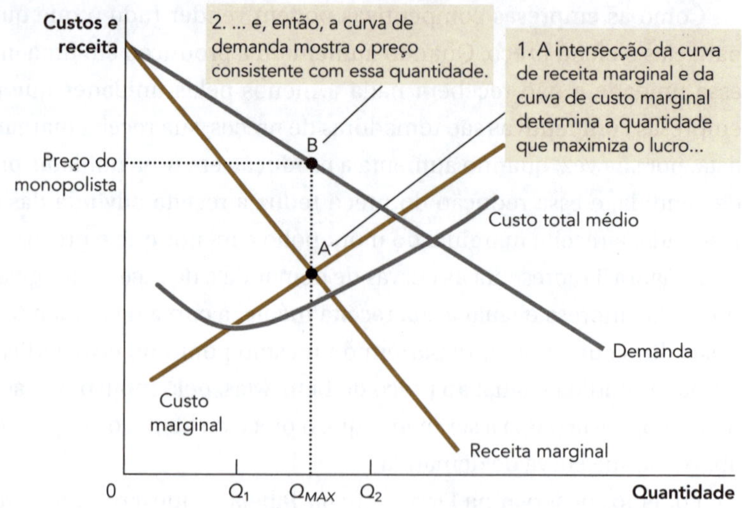

maiores que a receita perdida. Assim, se o custo marginal for maior que a receita marginal, a empresa poderá aumentar o lucro reduzindo a produção.

No final, a empresa ajusta seu nível de produção até que a quantidade atinja $Q_{MÁX}$, na qual a receita marginal é igual ao custo marginal. Assim, *a quantidade produzida que maximiza o lucro do monopolista é determinada pela intersecção da curva da receita marginal com a curva do custo marginal.* Na Figura 4, essa intersecção se dá no ponto A.

Como vimos no capítulo anterior, as empresas competitivas também optam por produzir uma quantidade em que a receita marginal seja igual ao custo marginal. No que se refere a essa regra da maximização de lucros, as empresas competitivas e os monopolistas são semelhantes, mas também há uma diferença importante entre esses tipos de empresa: a receita marginal das empresas competitivas é igual ao preço, ao passo que a receita marginal de um monopolista é menor que o preço. Ou seja,

Para empresas competitivas: $P = RMg = CMg$
Para monopolistas: $P > RMg = CMg$

A igualdade da receita marginal e do custo marginal na quantidade que maximiza o lucro é a mesma para os dois tipos de empresa. O que difere é a relação entre o preço, a receita marginal e o custo marginal.

Como o monopolista encontra o preço que maximiza o lucro para o seu produto? A curva de demanda responde a essa pergunta, porque relaciona o preço que os clientes estão dispostos a pagar com a quantidade vendida. Assim, depois que a empresa monopolista decide o volume de produção que iguala a receita marginal ao custo marginal, usa a curva de demanda para identificar o preço mais alto que pode cobrar por essa quantidade. Na Figura 4, o preço que maximiza o lucro está no ponto B.

Agora podemos ver uma diferença crucial entre os mercados com empresas competitivas e aqueles em que há monopólio: *nos mercados competitivos, o preço é igual ao custo marginal. Nos mercados monopolistas, o preço é maior que o custo marginal.* Como veremos em breve, essa conclusão é crucial para entender o custo social do monopólio.

15_2D O lucro de um monopolista

Quanto lucra um monopólio? Para encontrar o lucro de tal empresa, lembre-se de que o lucro é igual à receita total (RT) menos os custos totais (CT):

$$\text{Lucro} = RT - CT.$$

Saiba mais sobre

POR QUE OS MONOPÓLIOS NÃO TÊM CURVA DE OFERTA

Você talvez tenha percebido que analisamos o preço em um mercado monopolista usando a curva de demanda de mercado e as curvas de custo da empresa. Não fizemos nenhuma referência à curva de oferta de mercado. Em contraposição, quando analisamos os preços nos mercados competitivos, a partir do Capítulo 4, as duas palavras mais importantes sempre foram *oferta* e *demanda*.

O que aconteceu com a curva de oferta? Embora as empresas monopolistas tomem decisões sobre a quantidade a ser ofertada, um monopólio não tem uma curva de oferta. Uma curva de oferta nos diz a quantidade que a empresa decide ofertar a qualquer preço dado. Esse conceito faz sentido quando analisamos empresas competitivas, que são tomadoras de preço. Mas uma empresa monopolista é formadora de preço, não tomadora, de modo que não faz sentido perguntar que quantidade uma empresa produziria a qualquer preço, porque a empresa não pode tomar o preço como dado. Em vez disso, quando a empresa escolhe a quantidade a ofertar, essa decisão, juntamente com a curva de demanda, é o que determina o preço.

Com efeito, a decisão de um monopolista sobre quanto ofertar não pode ser separada da curva de demanda com que ela depara. O formato da curva de demanda determina o formato da curva de receita marginal, que, por sua vez, determina a quantidade que maximiza o lucro do monopolista. Em um mercado competitivo, as decisões de oferta podem ser analisadas sem que se conheça a curva de demanda, mas o mesmo não se aplica ao mercado monopolista. Portanto, nunca falamos da curva de oferta de um monopólio.

Essa expressão pode ser reescrita como

$$\text{Lucro} = (RT/Q - CT/Q) \times Q,$$

onde *RT/Q* é a receita média, que é igual ao preço *P*, e *CT/Q* é o custo total médio *CTM*. Assim,

$$\text{Lucro} = (P - CTM) \times Q.$$

Essa equação do lucro, que é a mesma das empresas competitivas, nos permite medir o lucro do monopolista em nosso gráfico.

Considere o retângulo sombreado da Figura 5. A altura do retângulo (o segmento BC) é o preço menos o custo total médio, *P - CTM*, que é o lucro por unidade vendida. E a largura do retângulo (o segmento DC) é a quantidade vendida $Q_{MÁX}$. Assim, a área do retângulo representa o lucro total do monopolista.

Figura 5
O lucro do monopolista

A área do retângulo BCDE é igual ao lucro de uma empresa monopolista. A altura do retângulo (BC) é o preço menos o custo total médio, que é igual ao lucro por unidade vendida, e sua largura (DC) é o número de unidades vendidas.

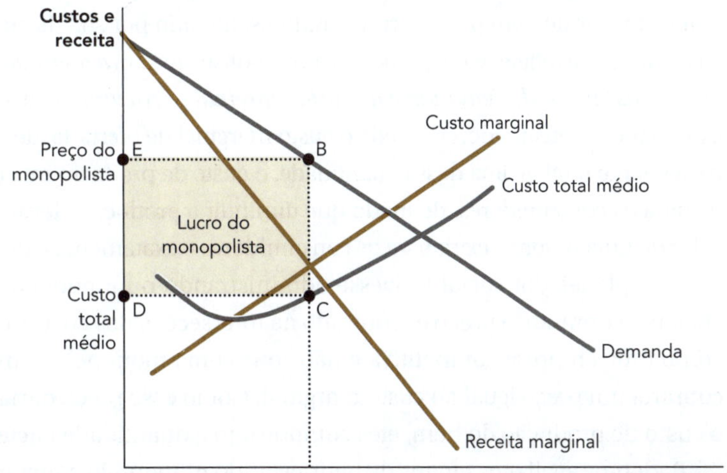

Teste rápido Explique como um monopolista escolhe a quantidade produzida e o preço a ser cobrado pelo produto.

15_3 O CUSTO DO MONOPÓLIO EM RELAÇÃO AO BEM-ESTAR

O monopólio é uma boa maneira de organizar um mercado? Vimos que um monopólio, diferentemente das empresas competitivas, cobram preços superiores ao custo marginal. Do ponto de vista dos consumidores, esse preço elevado faz que os monopólios sejam indesejáveis. Ao mesmo tempo, contudo, os monopolistas lucram com os altos preços que cobram; então, do ponto de vista dos proprietários das empresas, o preço elevado torna o monopólio muito atraente. Será que os benefícios para os proprietários das empresas superam os custos impostos aos consumidores, fazendo que o monopólio seja desejável do ponto de vista da sociedade como um todo?

Podemos responder a essa questão usando as ferramentas da economia do bem-estar. Como vimos no Capítulo 7, o excedente total mede o bem-estar econômico de compradores e vendedores em um mercado. Lembre-se de que o excedente total é a soma do excedente do consumidor e do produtor. O excedente do consumidor é a disposição dos consumidores para pagar por um bem menos o montante que efetivamente pagam por ele. O excedente do produtor é a quantia que os produtores recebem por um bem menos seus custos de produção. Nesse caso, há um só produtor – o monopolista.

Você, talvez, já tenha conseguido imaginar o resultado dessa análise. No Capítulo 7, concluímos que o equilíbrio entre a oferta e a demanda em um mercado competitivo é um resultado não apenas natural, mas também desejável. Em particular, a mão invisível do mercado leva a uma alocação de recursos que torna o excedente total o maior possível. Considerando que um monopólio leva a uma alocação de recursos diferente da que ocorreria em um mercado competitivo, o resultado deve, de alguma maneira, falhar na maximização do bem-estar econômico total.

15_3A O peso morto

Começaremos examinando o que a empresa monopolista faria se fosse administrada por um planejador social benevolente. O planejador social não se preocupa apenas com o lucro obtido pelos proprietários da empresa, mas também com os benefícios recebidos pelos consumidores dos produtos vendidos pela empresa. Ele tenta maximizar o excedente total, que é igual ao excedente do produtor (lucro) mais o excedente do consumidor. Tenha em mente que o excedente total é igual ao valor do bem para os consumidores menos os custos de produção do produtor monopolista.

A Figura 6 analisa o nível de produção que um planejador social benevolente escolheria. A curva de demanda reflete o valor do bem para os consumidores, medido por sua disposição de pagar por ele, enquanto a curva de custo marginal reflete os custos para o monopolista. Assim, *a quantidade socialmente eficiente se encontra no ponto em que as curvas de demanda e de custo marginal se cruzam.* Abaixo dessa quantidade, o valor de uma unidade extra para os consumidores excede o custo marginal de ofertá-la, de modo que aumentar a produção aumentaria o excedente total. Acima dessa quantidade, o custo de produzir uma unidade extra excede o valor daquela unidade para os consumidores, de modo que diminuir a produção elevaria o excedente total. Na quantidade ótima, o valor de uma unidade extra para os consumidores é exatamente igual ao custo marginal da produção.

Se o planejador social estivesse administrando o monopólio, a empresa poderia atingir esse resultado eficiente cobrando o preço encontrado na intersecção das curvas de demanda e de custo marginal. Assim, tal como uma empresa competitiva e não como uma monopolista maximizadora de lucro, o planejador social cobraria um preço igual ao custo marginal. Como esse preço daria aos consumidores um sinal correto sobre o custo de produção do bem, eles comprariam a quantidade eficiente.

Podemos avaliar os efeitos de bem-estar do monopólio comparando o nível de produção que o monopolista escolhe com o nível de produção que um planejador social escolheria. Como vimos, o monopolista decide produzir e vender a quantidade em que as curvas de receita marginal e de custo marginal se cruzam; o planejador social escolheria a quantidade em que as curvas de demanda e de custo marginal se cruzam. A Figura 7 mostra uma comparação entre as duas situações. *O monopolista produz menos que a quantidade de produto socialmente eficiente.*

Também podemos enxergar a ineficiência do monopólio em termos do preço do monopolista. Como a curva de demanda do mercado descreve uma relação negativa entre o preço e a quantidade do bem, uma quantidade que seja ineficientemente baixa equivale a um preço ineficientemente alto. Quando um monopolista cobra um preço superior ao custo marginal, alguns consumidores em potencial atribuem ao bem um valor superior ao custo marginal, mas inferior ao preço do monopolista, e acabam por não comprar o bem. Uma vez que o valor que eles atribuem ao bem é maior que o custo de fornecê-lo, esse resultado é ineficiente. Assim, a formação de preços no monopólio impede que ocorram algumas transações mutuamente benéficas.

A ineficiência do monopólio pode ser medida com um triângulo que representa o peso morto, como mostra a Figura 7. Considerando que a curva da demanda reflete o valor para os consumidores e que a curva de custo marginal reflete o custo para o monopolista, a área do triângulo que representa o peso morto entre a curva de demanda e a de custo marginal se iguala à perda do excedente total, em razão da precificação do monopólio. O poder do mercado monopolista provoca a diminuição do bem-estar econômico.

Figura 6
O nível de produção eficiente

Um planejador social benevolente, que desejasse maximizar o excedente total do mercado, escolheria o nível de produção em que as curvas de demanda e de custo marginal se cruzam. Abaixo desse nível, o valor do bem para o comprador marginal (como refletido na curva de demanda) excede o custo marginal de produção do bem. Acima desse nível, o valor para o comprador marginal é menor que o custo marginal.

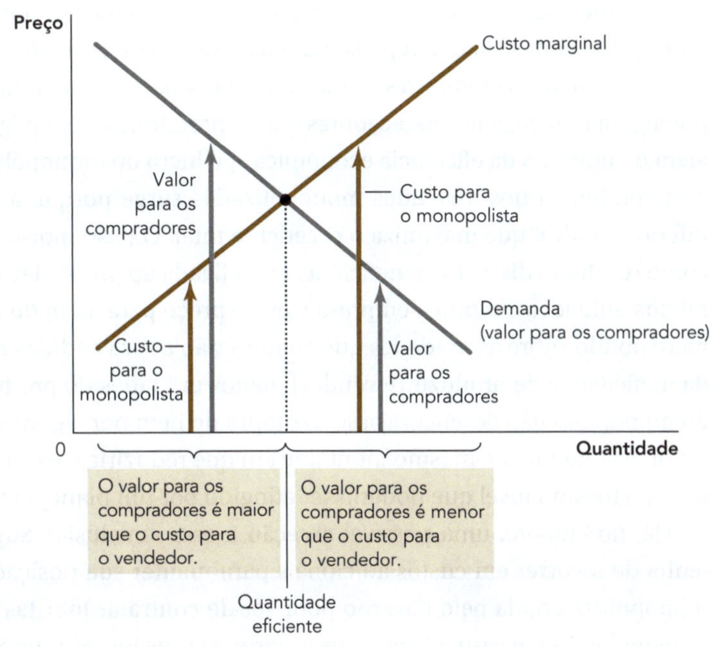

Figura 7
A ineficiência do monopólio

Como um monopólio cobra um preço superior ao custo marginal, nem todos os consumidores que atribuem ao bem valor superior ao custo o compram. Assim, a quantidade produzida e vendida por um monopolista é inferior ao nível socialmente eficiente. O peso morto é representado pela área do triângulo entre a curva de demanda (que reflete o valor do bem aos consumidores) e a curva de custo marginal (que reflete os custos para o produtor monopolista).

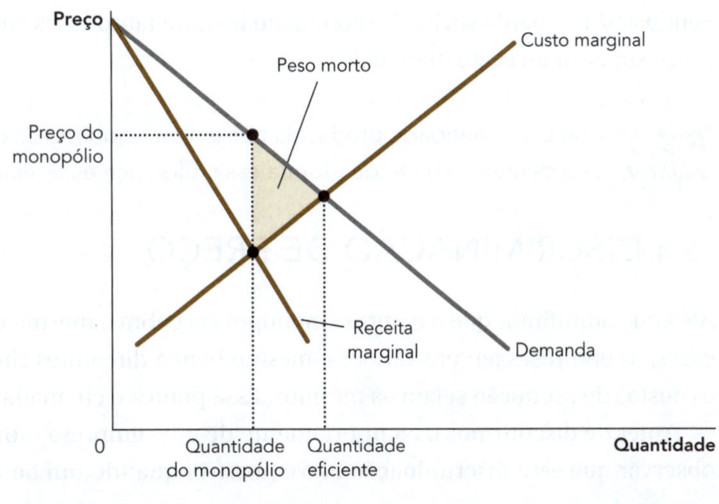

O peso morto causado pelo monopólio é semelhante àquele causado por um imposto. Com efeito, o monopolista se assemelha a um coletor privado de impostos. Como vimos no Capítulo 8, um imposto sobre um bem insere uma cunha entre a disposição para pagar dos consumidores (refletida pela curva de demanda) e os custos dos produtores (refletidos pela curva de oferta). Como um monopólio exerce seu poder de mercado cobrando um preço superior ao custo marginal, ele cria uma cunha semelhante. Nos dois casos, a cunha faz que a quantidade vendida seja inferior ao ótimo social. A diferença entre os dois casos é que o governo obtém uma receita a partir do imposto, enquanto uma empresa privada obtém o lucro do monopólio.

15_3B O lucro do monopólio: um custo social?

É tentador censurar os monopólios por eles "explorarem" o público. De fato, os monopólios obtêm altos lucros em razão do seu poder de mercado. Mas, segundo a análise econômica do monopólio, o lucro da empresa não é por si só necessariamente um problema para a sociedade.

O bem-estar em um mercado monopolizado, como em qualquer outro mercado, inclui tanto o bem-estar dos consumidores quanto o dos produtores. Quando um consumidor paga um dólar a mais a um produtor por causa de um preço monopolista, sua situação piora em um dólar e a do produtor melhora no mesmo montante. Essa transferência dos consumidores do bem para os proprietários do monopólio não afeta o excedente total do mercado, que é a soma dos excedentes do consumidor e do produtor. Em outras palavras, o lucro monopolista por si só não representa uma redução do tamanho do bolo econômico; representa apenas uma fatia maior para os produtores e uma fatia menor para os consumidores. A menos que os consumidores sejam, por algum motivo, mais merecedores que os produtores – um julgamento normativo sobre igualdade que está além do domínio da eficiência econômica –, o lucro do monopólio não é um problema social.

O problema nos mercados monopolizados surge porque a empresa produz e vende uma quantidade inferior ao nível que maximiza o excedente total. O peso morto mede quanto o bolo econômico se reduziu como resultado disso. Essa ineficiência está ligada ao preço elevado do monopólio: consumidores compram menos unidades quando a empresa eleva o preço para além do custo marginal. Mas tenha em mente que o lucro obtido sobre as unidades que continuarão a ser vendidas não é o problema; este, na verdade, decorre da ineficiência de produzir (e vender) menos unidades do produto. Em outras palavras, se o preço elevado do monopólio não desencorajasse a compra do bem por alguns consumidores, elevaria o excedente do produtor exatamente no mesmo montante em que reduziria o excedente do consumidor, deixando o excedente total no mesmo nível que poderia ser atingido por um planejador social benevolente.

Há, no entanto, uma possível exceção a essa conclusão. Suponhamos que uma empresa monopolista tenha de incorrer em custos adicionais para manter sua posição monopolista. Por exemplo, uma empresa monopolista criada pelo governo pode ter de contratar lobistas para convencer os legisladores a manter o monopólio. Nesse caso, ela pode usar parte de seus lucros monopolistas para pagar esses custos adicionais. Sendo assim, a perda social do monopólio incluirá tanto esses custos quanto o peso morto resultante de um preço superior ao custo marginal.

Teste rápido Como a quantidade produzida por um monopolista se compara com a quantidade que maximiza o excedente total? De que forma essa diferença está relacionada ao conceito de peso morto?

15_4 DISCRIMINAÇÃO DE PREÇO

Até aqui, admitimos que a empresa monopolista cobra o mesmo de todos os clientes. No entanto, em muitos casos, as empresas tentam vender o mesmo bem a diferentes clientes por preços diferentes, muito embora os custos de produção sejam os mesmos. Essa prática é chamada **discriminação de preços**.

Antes de discutirmos o comportamento de uma empresa monopolista que discrimina preços, devemos observar que essa discriminação não é possível quando um bem é vendido em um mercado competitivo,

discriminação de preços
a prática comercial de vender o mesmo bem por diferentes preços a diferentes clientes

no qual existam muitas empresas que vendem o mesmo bem ao preço de mercado. Nenhuma empresa está disposta a cobrar um preço menor de qualquer cliente, porque ela pode vender quanto quiser ao preço de mercado. E se alguma empresa tentar cobrar mais de um cliente, este irá comprar de outra empresa. Para que uma empresa possa fazer discriminação de preços, ela precisa ter algum poder de mercado.

15_4A Uma parábola sobre a determinação do preço

Para entender por que um monopolista discriminaria preços, vamos considerar um exemplo. Imagine que você seja o presidente de uma editora, a Readalot Publishing Company, e que a autora de maior vendagem da editora acabou de escrever um novo romance. Para simplificar, imagine que você pague à autora $ 2 milhões pelo direito de publicação do livro. Suponha ainda que o custo de impressão do livro seja zero (como seria, por exemplo, no caso de um *e-book*). O lucro da Readalot, portanto, será a receita que você obtiver com a venda do livro menos os $ 2 milhões pagos à autora. Dadas essas condições, como você, presidente da editora, decidiria o preço a ser cobrado pelo livro?

O primeiro passo é estimar qual será a provável demanda pelo livro. O departamento de marketing da Readalot lhe diz que o livro atrairá dois tipos de leitores. Será atraente para os 100 mil fãs incondicionais da autora, que estarão dispostos a pagar até $ 30 pelo livro, e que poderá atrair cerca de 400 mil leitores menos entusiastas, que estarão dispostos a pagar até $ 5 por ele.

Se a Readalot estabelecer um preço único para todos os clientes, que preço maximizará o lucro da editora? Há dois preços a serem considerados: $ 30 é o preço mais alto que a Readalot pode cobrar e, assim, vender o livro aos 100 mil fãs incondicionais, e $ 5 é o maior preço que pode cobrar e que permitiria vender o livro para todo o mercado de 500 mil leitores em potencial. Resolver o problema da Readalot é uma simples questão de aritmética. Ao preço de $ 30, a empresa venderá 100 mil exemplares do livro, a receita será de $ 3 milhões, e o lucro, de $ 1 milhão. Ao preço de $ 5, venderá 500 mil cópias, a receita será de $ 2,5 milhões, e o lucro, de $ 500 mil. Assim, a editora maximiza o lucro cobrando $ 30 e abrindo mão da oportunidade de vender aos 400 mil leitores menos entusiásticos.

Observe que a decisão da editora gera um peso morto. Há 400 mil leitores dispostos a pagar $ 5 pelo livro, e o custo marginal para atendê-los é zero. Assim, são perdidos $ 2 milhões de excedente total quando a Readalot cobra o preço mais elevado. Esse peso morto é a habitual ineficiência que surge sempre que um monopolista cobra um preço superior ao custo marginal.

Agora, suponha que o departamento de marketing da Readalot faça uma descoberta: esses dois grupos de leitores estão em mercados separados. Os fãs incondicionais vivem na Austrália, enquanto os demais vivem nos Estados Unidos. Além disso, é difícil para os leitores que vivem em um país comprar livros no outro.

Diante dessa situação, a Readalot poderá lucrar ainda mais se modificar sua estratégia de marketing. Ela pode cobrar $ 30 por livro dos 100 mil leitores australianos e cobrar $ 5 por livro dos 400 mil leitores norte-americanos. Dessa forma, a receita será de $ 3 milhões na Austrália e de $ 2 milhões nos Estados Unidos, em um total de $ 5 milhões. O lucro será, então, de $ 3 milhões, que é substancialmente maior que o $ 1 milhão que a empresa poderia ganhar cobrando o mesmo preço de $ 30 de todos os clientes. Não é de surpreender que a Readalot opte por seguir a estratégia de discriminação de preços.

A história da Readalot é hipotética, mas descreve com precisão as práticas comerciais de muitas editoras. Considere a diferença de preços entre os livros de capa dura e os de brochura. Quando uma editora tem um novo romance, lança inicialmente uma edição cara, de capa dura, e, mais tarde, lança uma edição mais barata, em brochura. A diferença de preço entre as duas edições supera em muito a diferença dos custos de impressão. Ao vender a versão em capa dura aos fãs incondicionais e em brochura aos leitores menos entusiastas, a editora pratica discriminação de preços e aumenta seu lucro.

15_4B A moral da história

Como qualquer parábola, a história da editora Readalot foi estilizada. No entanto, também como qualquer parábola, ensina algumas lições importantes e gerais. Nesse caso, há três lições a serem aprendidas sobre a discriminação de preços.

A primeira e mais óbvia é que a discriminação de preços é uma estratégia racional para a maximização dos lucros monopolistas. Em outras palavras, ao cobrar diferentes preços de diferentes clientes, um monopolista pode aumentar seu lucro. Essencialmente, um monopolista discriminador de preços cobra de cada cliente um preço mais próximo da disposição que ele tem para pagar do que seria possível com um preço único para todos os consumidores.

A segunda lição é que a discriminação de preços exige a separação dos compradores segundo sua disposição para pagar. Em nosso exemplo, os clientes estavam separados geograficamente, mas, às vezes, os monopolistas escolhem outras diferenças, como idade ou renda, para fazer a distinção entre os clientes.

Um corolário dessa segunda lição é que certas forças do mercado podem impedir as empresas de praticar discriminação de preços. Uma dessas forças, particularmente, é a *arbitragem*, ou seja, o processo de comprar um bem em um mercado a um preço baixo e vendê-lo em outro mercado a um preço mais elevado, para obter lucro com a diferença entre os preços. Em nosso exemplo, se as livrarias da Austrália pudessem comprar o livro nos Estados Unidos e revendê-lo aos leitores australianos, essa arbitragem impediria que a Readalot praticasse discriminação de preços, porque australiano algum compraria o livro ao preço mais elevado.

A terceira lição de nossa parábola é a mais surpreendente: a discriminação de preço pode elevar o bem-estar econômico. Lembre-se de que surge um peso morto quando a Readalot decide praticar um preço único de $ 30, já que os 400 mil leitores menos entusiastas acabam não comprando o livro, muito embora lhe atribuam um valor superior ao custo marginal de produção. Em contrapartida, quando a Readalot pratica discriminação de preços, todos os leitores acabam por comprar o livro e o resultado é eficiente. Assim, a discriminação de preços pode eliminar a ineficiência inerente à determinação monopolista de preços.

Observe que o aumento do bem-estar decorrente da discriminação de preço aparece como um maior excedente do produtor, e não como um maior excedente do consumidor. Em nosso exemplo, os consumidores não ficam em melhor situação por terem comprado o livro: o preço que pagaram é exatamente igual ao valor que atribuem ao livro, de modo que eles não obtêm nenhum excedente do consumidor. Todo o aumento do excedente total decorrente da discriminação de preço é recebido pela Readalot sob a forma de lucro maior.

15_4C Análise da discriminação de preços

Vamos considerar um pouco mais formalmente como a discriminação de preços afeta o bem-estar econômico. Começaremos admitindo que o monopolista possa praticar discriminação de preços com perfeição. A *discriminação de preços perfeita* descreve uma situação em que o monopolista conhece exatamente a disposição para pagar de cada cliente e pode cobrar de cada comprador um preço diferente. Nesse caso, o monopolista cobra de cada cliente exatamente a disposição que ele tem para pagar e obtém o excedente total em cada transação.

A Figura 8 ilustra os excedentes do produtor e do consumidor com e sem discriminação de preços. Para simplificar, essa figura é feita supondo custos constantes por unidade, isto é, o custo marginal e o custo total médio são constantes e iguais. Sem discriminação de preços, a empresa cobra um único preço, superior ao custo marginal, como mostra o painel (a). Uma vez que alguns compradores em potencial que atribuem ao bem valor superior ao custo marginal não o compram por causa do alto preço cobrado, o monopólio causa um peso morto. Mas quando uma empresa pode discriminar preços perfeitamente, como no painel (b), cada um dos compradores que atribui ao bem um valor superior ao custo marginal o compra e paga por ele um preço igual à sua disposição para pagar. Todas as transações mutuamente benéficas se realizam, não há peso morto e a totalidade do excedente formado pelo mercado vai para o produtor monopolista sob a forma de lucro.

Figura 8

Bem-estar com e sem a discriminação de preço

O painel (a) mostra um monopolista que cobra o mesmo preço de todos os clientes. O excedente total nesse mercado é igual à soma do lucro (excedente do produtor) e do excedente do consumidor. O painel (b) mostra um monopolista que pode praticar discriminação de preços perfeitamente. Como o excedente do consumidor é igual a zero, o excedente total agora é igual ao lucro da empresa. Comparando estes dois painéis, podemos notar que a discriminação de preços perfeita aumenta o lucro e o excedente total e reduz o excedente do consumidor.

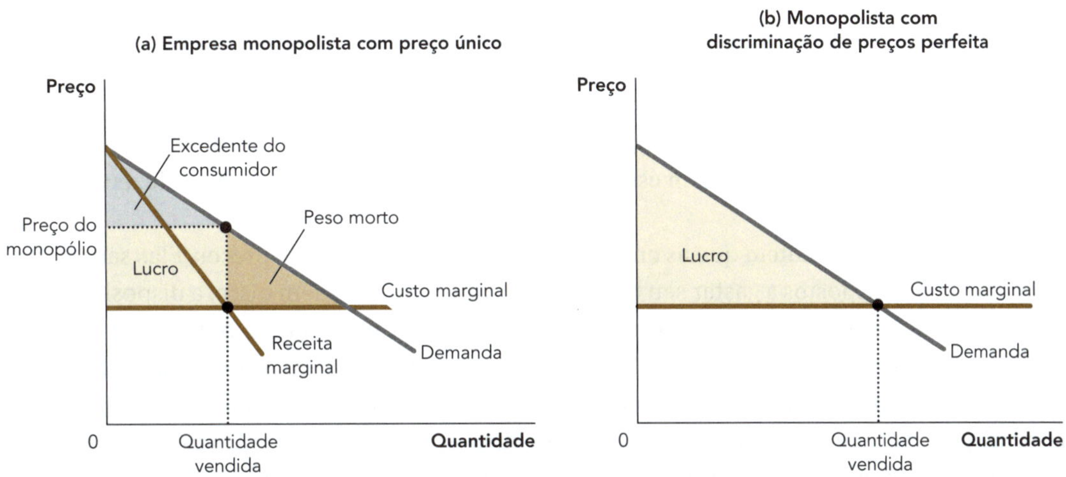

É claro que, na realidade, a discriminação de preços não é perfeita. Os clientes não entram nas lojas com tabuletas anunciando sua disposição para pagar. Em vez disso, as empresas praticam discriminação de preços dividindo as pessoas em grupos: jovens e velhos, os que compram durante a semana e os que compram em finais de semana, norte-americanos e australianos, e assim por diante. Ao contrário do que ocorreu em nossa parábola da Readalot, os clientes incluídos em cada grupo vão diferir entre si na sua disposição para pagar pelo produto, fazendo que a discriminação de preços perfeita seja impossível.

Como essa discriminação de preços imperfeita afeta o bem-estar? A análise desses esquemas de determinação de preços é bastante complicada, e o fato é que não há uma resposta geral para essa pergunta. Comparada ao resultado do monopólio com preço único, a discriminação de preços imperfeita pode aumentar, reduzir ou deixar inalterado o excedente total de um mercado. A única conclusão certa é que a discriminação de preço aumenta o lucro do monopolista - caso contrário, a empresa optaria por cobrar o mesmo preço de todos os clientes.

15_4D Exemplos de discriminação de preços

As empresas, em nossa economia, usam diversas estratégias comerciais para cobrar preços diferentes de clientes diferentes. Agora que entendemos a economia da discriminação de preços, vamos considerar alguns exemplos.

Ingressos de cinema Muitos cinemas cobram preços mais baixos pelos ingressos de crianças e idosos que dos demais frequentadores. Isso seria difícil de explicar em um mercado competitivo, em que o preço é igual ao custo marginal, e o custo marginal de oferecer um assento a uma criança ou a um idoso é o mesmo de oferecê-lo a qualquer outra pessoa. Mas esse fato poderá ser facilmente explicado se os cinemas tiverem algum poder de monopólio local e se crianças e idosos tiverem uma menor disposição para pagar por um ingresso. Nesse caso, os cinemas aumentam seus lucros por meio da discriminação de preços.

Preços de passagens aéreas Os assentos em aviões são vendidos a muitos preços diferentes. A maioria das companhias aéreas norte-americanas cobra um preço menor por uma passagem de ida e volta entre duas cidades se o viajante passar a noite de sábado na cidade de destino. Isso, à primeira vista, parece estranho. Que diferença pode fazer para a companhia aérea o fato de um passageiro pernoitar no sábado na cidade de destino? O motivo é que essa regra é uma maneira de separar os que viajam a negócios dos demais. Um passageiro em viagem de negócios tem alta disposição para pagar e, provavelmente, não vai querer passar a noite de sábado na cidade para onde foi. No entanto, um passageiro que esteja viajando por motivos pessoais tem menor disposição para pagar e maior probabilidade de estar disposto a pernoitar no sábado na cidade de destino. Assim, as companhias aéreas conseguem praticar discriminação de preços cobrando um preço menor dos passageiros que passam a noite de sábado na cidade de destino.

Cupons de desconto Muitas empresas fornecem cupons de desconto ao público por meio de jornais e revistas. Basta que o comprador recorte o cupom para obter um desconto de, por exemplo, $ 0,50 em sua próxima compra. Por que as empresas oferecem esses cupons? Por que simplesmente não reduzem o preço do produto em $ 0,50?

A resposta é que os cupons permitem que as empresas façam discriminação de preços. Elas sabem que nem todos os clientes estão dispostos a gastar seu tempo recortando cupons. Além disso, a disposição para recortar os cupons está relacionada à disposição do cliente para pagar pelo bem. É pouco provável que uma executiva rica e ocupada esteja disposta a gastar seu tempo recortando cupons do jornal; ela, provavelmente, estará disposta a pagar um preço mais elevado por muitos bens. Alguém que esteja desempregado tem maior disposição para recortar cupons e menor disposição para pagar. Assim, cobrando um preço menor apenas dos clientes que recortam cupons, as empresas podem praticar a discriminação de preços com sucesso.

Ajuda financeira Muitas faculdades e universidades concedem ajuda financeira sob a forma de bolsas de estudo a estudantes carentes. Essa política pode ser vista como uma espécie de discriminação de preços. Estudantes ricos têm mais recursos financeiros e, portanto, maior disposição para pagar que os estudantes carentes. Cobrando anuidades elevadas e oferecendo ajuda financeira de maneira seletiva, as escolas cobram dos alunos preços com base no valor que eles atribuem ao estudo. Esse comportamento é semelhante ao de qualquer monopolista que pratica discriminação de preços.

Descontos por quantidade Até aqui, em nossos exemplos de discriminação de preços, o monopolista cobra diferentes preços de clientes diferentes. Em alguns casos, porém, os monopolistas praticam discriminação de preços cobrando diferentes preços do mesmo cliente por diferentes unidades que o cliente compra. Por exemplo, muitas empresas oferecem preços menores a clientes que compram grandes quantidades. Uma padaria poderia cobrar $ 0,50 por uma rosquinha e $ 5 por uma dúzia delas. Isso é uma forma de discriminação de preços, porque o cliente paga um preço maior pela primeira unidade comprada do que pela décima segunda. Os descontos por quantidade são, em muitos casos, uma forma bem-sucedida de discriminação de preços, porque a disposição de um cliente para pagar por uma unidade adicional diminui à medida que ele compra mais unidades.

Teste rápido Dê dois exemplos de discriminação de preços. • Como a discriminação de preços perfeita afeta o excedente do consumidor, do produtor e o total?

15_5 POLÍTICA PÚBLICA QUANTO AOS MONOPÓLIOS

Vimos que os monopólios, ao contrário dos mercados competitivos, falham na alocação eficiente de recursos. Os monopólios produzem menos que a quantidade de produto socialmente desejável e, com isso, cobram preços superiores ao custo marginal. Os formuladores de políticas do governo podem reagir ao problema dos monopólios de quatro maneiras:

- Tentando tornar as indústrias monopolizadas mais competitivas.
- Regulamentando o comportamento dos monopólios.
- Transformando alguns monopólios privados em empresas públicas.
- Não fazendo nada.

15_5A Aumento da competição com as leis antitruste

Se a Coca-Cola e a PepsiCo quisessem se fundir, a transação seria minuciosamente analisada pelo governo federal antes de ser realizada. Os advogados e economistas do Departamento de Justiça poderiam concluir que a fusão dessas duas grandes empresas de bebidas tornaria o mercado americano de refrigerantes substancialmente menos competitivo e, consequentemente, reduziria o bem-estar econômico do país como um todo. Nesse caso, o Departamento de Justiça contestaria a fusão em juízo, e, se o juiz concordasse com as alegações, as duas empresas seriam impedidas de se fundir. Foi exatamente esse tipo de contestação que, em 1994, impediu que a Microsoft, a gigante do *software*, comprasse a Intuit. De forma similar, em 2011, o governo impediu que a gigante AT&T comprasse sua concorrente, a T-Mobile.

O poder do governo sobre a indústria privada provém da legislação antitruste, um conjunto de leis que têm por objetivo limitar o poder dos monopólios. A primeira e mais importante dessas leis foi a Lei Antitruste Sherman, que o Congresso aprovou em 1890 para reduzir o poder de mercado dos grandes e poderosos "trustes" que eram vistos como os dominadores da economia naquela época. A Lei Antitruste Clayton, aprovada em 1914, reforçou os poderes do governo e autorizou processos judiciais privados. Como estabeleceu a Suprema Corte dos Estados Unidos em uma ocasião, as leis antitruste são "uma carta abrangente de liberdade econômica que tem por objetivo preservar a competição livre e irrestrita como regra de comércio".

A legislação antitruste proporciona ao governo diversos meios para promover a competição. Ela não apenas permite que o governo impeça fusões, como a fusão entre a AT&T e a T-Mobile, como também que reparta uma grande companhia em um grupo de outras menores. Por fim, a legislação antitruste evita que as empresas coordenem suas atividades de modo a tornar o mercado menos competitivo.

A legislação antitruste tem tanto custos quanto benefícios. Às vezes, as empresas se fundem não para reduzir a concorrência, mas para reduzir os custos por meio de uma produção conjunta mais eficiente. Esses benefícios das fusões são, por vezes, chamados de *sinergias*. Por exemplo, muitos bancos americanos se fundiram nos últimos anos e, combinando suas operações, conseguiram reduzir seus quadros administrativos. O setor aéreo passou por uma consolidação similar. Se a legislação tem por objetivo aumentar o bem-estar social, o governo deve ser capaz de determinar quais fusões são desejáveis e quais não são. Ou seja, deve ser capaz de medir e comparar o benefício social das sinergias com o custo social da redução da concorrência. Os críticos das leis antitruste são céticos quanto ao fato de o governo fazer a análise de custo-benefício necessária com precisão suficiente. No fim das contas, a aplicação das leis antitruste costuma ser controversa, mesmo entre especialistas.

Pergunte aos especialistas

Fusões de companhias aéreas

"Se as agências reguladoras não tivessem aprovado as fusões entre as principais companhias aéreas interligadas na última década, os viajantes estariam em melhor situação hoje."

Fonte: IGM Economic Experts Panel, 28 de Agosto de 2013.

O que os economistas dizem?

15_5B Regulamentação

Outra maneira de o governo lidar com o problema do monopólio é pela regulamentação do comportamento dos monopolistas. Essa solução é comum no caso dos monopólios naturais, como os das empresas de água e de energia elétrica. Essas empresas não podem cobrar os preços que desejam. Em vez disso, há agências governamentais que regulamentam seus preços.

Que preço o governo deve estabelecer para um monopólio natural? Essa pergunta não é tão simples quanto pode parecer à primeira vista. É possível concluir que o preço deve ser igual ao custo marginal do monopolista. Se o preço for igual ao custo marginal, os clientes comprarão a quantidade que maximiza o excedente total, e a alocação de recursos será eficiente.

Há, entretanto, dois problemas práticos com a determinação do preço pelo custo marginal como sistema de regulamentação. O primeiro surge com a lógica inexorável das curvas de custos. Por definição, os monopólios naturais apresentam custo total médio decrescente. Como vimos no Capítulo 13, quando o custo total médio é decrescente, o custo marginal é menor que o custo total médio. Essa situação está ilustrada na Figura 9, que apresenta uma empresa com custo fixo alto seguido de custo médio marginal constante. Se o governo estabelecer um preço igual ao custo marginal, este será menor que o custo total da empresa, que então perderá dinheiro. Desse modo, em vez de cobrar um preço tão baixo, a empresa simplesmente abandonará o mercado.

Os que fazem a regulamentação podem reagir a esse problema de diversas maneiras, mas nenhuma é perfeita. Uma maneira seria subsidiar o monopolista. Na verdade, o governo arcaria com as perdas inerentes à determinação do preço pelo custo marginal. Mas, para pagar pelo subsídio, o governo precisaria arrecadar dinheiro por meio dos impostos, que têm seu próprio peso morto. Alternativamente, o governo poderia permitir que o monopolista cobrasse um preço superior ao custo marginal. Se o preço regulamentado for igual ao custo total médio, o monopolista terá lucro econômico igual a zero. No entanto, a determinação do preço gera peso morto, porque o preço do monopolista deixa de refletir o custo marginal da produção do bem. Essencialmente, a determinação do preço pelo custo médio é como um imposto sobre o bem que o monopolista está vendendo.

O segundo problema da determinação de preço pelo custo marginal como um sistema de regulamentação (e também da determinação do preço pelo custo médio) é que isso não dá ao monopolista nenhum incentivo para reduzir os custos. Cada empresa de um mercado competitivo tenta reduzir seus custos, porque menores custos significam maiores lucros. Mas um monopolista regulamentado sabe que quem faz a regulamentação reduzirá os preços sempre que os custos caírem e que ele não se beneficiará dos custos menores. Na prática, os responsáveis pela regulamentação lidam com esse problema permitindo que os monopolistas fiquem com parte dos benefícios dos menores custos sob a forma de um lucro mais elevado, uma prática que exige desviar-se um pouco da determinação do preço pelo custo marginal.

Figura 9
Determinação do preço pelo custo marginal para um monopólio natural
Como um monopólio natural tem custo total médio decrescente, o custo marginal é inferior ao custo total médio. Assim, se quem faz a regulamentação exigir que um monopólio natural cobre um preço igual ao custo marginal, o preço será inferior ao custo total médio e o monopólio perderá dinheiro.

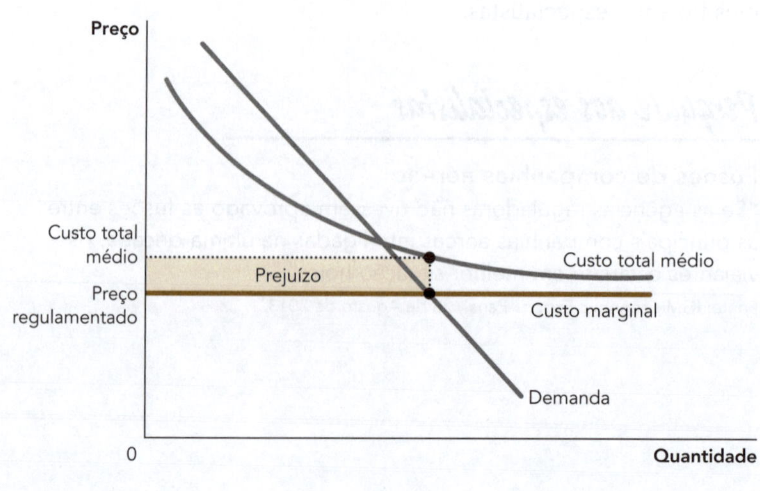

15_5C Propriedade pública

A terceira política usada pelo governo para lidar com o monopólio é a propriedade pública, ou seja, em vez de regulamentar um monopólio natural administrado por uma empresa privada, o próprio governo pode administrar o monopólio. Essa solução é comum em muitos países europeus, nos quais o governo é proprietário e operador de empresas de serviços públicos, como as de telefonia, água e energia elétrica. Nos Estados Unidos, o governo administra o Serviço Postal. A entrega de correspondência registrada é, muitas vezes, considerada um monopólio natural.

Os economistas costumam preferir a propriedade privada à propriedade pública dos monopólios naturais. A questão central está em como a propriedade da empresa afeta os custos de produção. Há um incentivo para que os proprietários privados minimizem os custos, desde que possam ficar com parte do benefício sob a forma de lucros mais elevados. Se os administradores da empresa não estiverem sendo bem-sucedidos na redução dos custos, os proprietários os demitirão. Em contrapartida, se os burocratas do governo que administram um monopólio trabalharem mal, os perdedores serão os clientes e os contribuintes, cujo único recurso é o sistema político. Os burocratas podem tornar-se um grupo de interesse especial e tentar bloquear reformas que objetivem reduzir custos. Em termos mais claros, como maneira de garantir que as empresas sejam bem-administradas, a cabine eleitoral é menos confiável que a motivação do lucro.

15_5D Não fazer nada

Cada uma das políticas anteriores destinadas a reduzir o problema do monopólio tem suas desvantagens. Como resultado, alguns economistas argumentam que, em muitos casos, o melhor para o governo é não tentar remediar as ineficiências da determinação de preços monopolista. Eis aqui a avaliação do economista George Stigler, vencedor do Prêmio Nobel por seu trabalho na área da organização industrial:

> Um famoso teorema em economia afirma que uma economia com empresas competitivas produzirá a maior renda possível a partir de um determinado estoque de recursos. Nenhuma economia real atende exatamente às condições do teorema e todas as economias reais ficam aquém da economia ideal - uma diferença chamada "falha do mercado". Entretanto, em minha opinião, o grau de "falha do mercado" da economia norte-americana é muito menor que o de "falha política" decorrente das imperfeições das políticas econômicas encontradas nos sistemas políticos reais.

Como essa citação deixa claro, determinar o papel apropriado do governo na economia requer julgamento tanto político quanto econômico.

Teste rápido Descreva as maneiras como os formuladores de políticas podem reagir às ineficiências causadas pelos monopólios. Descreva um problema em potencial decorrente de cada uma dessas reações políticas.

15_6 CONCLUSÃO: A PREVALÊNCIA DOS MONOPÓLIOS

Este capítulo abordou o comportamento de empresas que têm controle sobre os preços que cobram. Vimos que essas empresas se comportam muito diferentemente das empresas competitivas que estudamos no capítulo anterior. A Tabela 2 apresenta resumidamente algumas das semelhanças e diferenças entre os mercados competitivos e monopolistas.

Do ponto de vista da política pública, um resultado crucial é que os monopolistas produzem menos que a quantidade socialmente eficiente e cobram preços superiores ao custo marginal. Como resultado, um monopólio gera peso morto. Em alguns casos, essas ineficiências podem ser atenuadas por meio da discriminação de preços por parte do monopolista, mas, em outros, os formuladores de políticas do governo precisam adotar uma postura ativa.

Tabela 2
Competição *versus* monopólio: uma comparação resumida

	Competição	Monopólio
Semelhanças		
Objetivo das empresas	Maximizar o lucro	Maximizar o lucro
Regra de maximização	$RMg = CMg$	$RMg = CMg$
Pode obter lucros econômicos no curto prazo?	Sim	Sim
Diferenças		
Número de empresas	Muitas	Uma
Receita marginal	$RMg = P$	$RMg < P$
Preço	$P = CM$	$P > CMg$
Produz uma quantidade de produto que maximiza o bem-estar?	Sim	Não
Entrada no longo prazo?	Sim	Não
Pode obter lucro econômico no longo prazo?	Não	Sim
É possível praticar discriminação de preços?	Não	Sim

Até que ponto os problemas do monopólio predominam? Essa pergunta tem duas respostas.

Em certo sentido, os monopólios são comuns. A maioria das empresas tem algum controle sobre os preços que cobram. Elas não são obrigadas a cobrar o preço de mercado por seus produtos, porque estes não são exatamente idênticos aos ofertados por outras empresas. Um Ford Taurus não é idêntico a um Toyota Camry. O sorvete da Ben & Jerry não é idêntico ao da Breyer. Todos esses bens têm curvas de demanda com inclinação descendente, o que confere a cada produtor certo grau de poder de monopólio.

No entanto, empresas com poder de monopólio substancial são bastante raras. Poucos bens são realmente únicos. A maioria tem substitutos que, ainda que não sejam exatamente idênticos, são bastante similares. A Ben & Jerry pode aumentar um pouco o preço de seus sorvetes sem perder a totalidade de suas vendas, mas se o preço aumentar demais, as vendas cairão substancialmente, na medida em que seus clientes mudarem para outras marcas.

No fim, o poder de monopólio é uma questão de grau. É verdade que muitas empresas têm algum poder de monopólio, como também é verdade que seu poder de monopólio é, normalmente, limitado. Nesses casos, não estaremos muito errados ao assumir que essas empresas operam em mercados competitivos, ainda que não seja exatamente esse o caso.

Teste rápido do capítulo

1. Uma empresa é um monopólio natural se exibir a seguinte alternativa à medida que aumenta a produção:

a. Receita marginal decrescente.
b. Custo marginal crescente.
c. Receita média decrescente.
d. Custo total médio decrescente.

2. Em um monopólio com maximização do lucro que cobra o mesmo preço de todos os consumidores, qual é a relação entre preço *P*, receita marginal *RM* e custo marginal *CM*?

a. $P = RM$ e $RM = CM$.
b. $P > RM$ e $RM = CM$.
c. $P = RM$ e $RM > CM$.
d. $P > RM$ e $RM > CM$.

3. Se os custos fixos de um monopólio aumentam, seu preço vai _______ e seu lucro vai _______.

a. Aumentar, diminuir.
b. Diminuir, aumentar.
c. Aumentar, permanecer o mesmo.
d. Permanecer o mesmo, diminuir.

4. Em comparação com o ótimo social, uma empresa monopolista escolhe:
a. Uma quantidade muito baixa e um preço muito alto.
b. Uma quantidade muito alta e um preço muito baixo.
c. Quantidade e preço muito altos.
d. Quantidade e preço muito baixos.

5. O peso morto de um monopólio surge porque:
a. A empresa monopolista obtém lucros maiores do que uma empresa competitiva obteria.
b. Alguns consumidores potenciais que abrem mão da compra do bem o valorizam mais do que seu custo marginal.
c. Consumidores que compram o bem precisam pagar mais do que o custo marginal, reduzindo o excedente do consumidor.
d. A empresa monopolista escolhe uma quantidade que não é capaz de equiparar preço e receita média.

6. Quando um monopolista passa da cobrança de preço único para a discriminação perfeita de preço, ele reduz:
a. A quantidade produzida.
b. O lucro da empresa.
c. O excedente do consumidor.
d. O excedente total.

RESUMO

- Um monopolista é uma empresa que é a única vendedora em seu mercado. Um monopólio surge quando uma única empresa detém um recurso-chave, quando o governo concede a uma empresa o direito exclusivo de produzir um bem ou quando uma só empresa pode suprir o mercado inteiro a um custo menor que o atingido por duas ou mais empresas.
- Como o monopolista é o único produtor em seu mercado, ele se defronta com uma curva de demanda de inclinação descendente para o seu produto. Quando um monopolista aumenta a produção em uma unidade, o preço do seu produto diminui, o que reduz o montante da receita obtida sobre todas as unidades produzidas e vendidas. Como resultado, a receita marginal é sempre inferior ao preço do bem.
- Da mesma forma que uma empresa competitiva, uma empresa monopolista maximiza seus lucros produzindo a quantidade em que a receita marginal é igual ao custo marginal. O monopólio então escolhe o preço coerente com essa quantidade demandada. Diferentemente do que ocorre com uma empresa competitiva, o preço de um monopolista excede a sua receita marginal, de modo que o preço é maior que o custo marginal.
- O nível de produção que maximiza o lucro de um monopolista é inferior ao nível que maximiza a soma dos excedentes do consumidor e do produtor. Ou seja, quando o monopolista cobra um preço superior ao custo marginal, alguns clientes que atribuem ao bem valor superior ao custo de produção não o compram. Como resultado, o monopólio provoca um peso morto similar àquele provocado pelos impostos.
- Os monopolistas costumam aumentar seus lucros cobrando preços diferentes pelo mesmo bem com base na disposição para pagar dos compradores. Essa prática de discriminação de preço pode aumentar o bem-estar econômico ao fazer que o bem chegue a alguns consumidores que, caso contrário, não o comprariam. No caso extremo da discriminação de preços perfeita, as perdas causadas pelo peso morto do monopólio são completamente eliminadas e todo o excedente do mercado vai para o produtor desse monopólio. De maneira mais geral, quando a discriminação de preços é imperfeita, pode aumentar ou diminuir o bem-estar econômico em comparação com o resultado quando o preço do monopolista é único.
- Os formuladores de políticas podem reagir à ineficiência do comportamento monopolista de quatro maneiras: usar a legislação antitruste para tentar tornar a indústria mais competitiva; regulamentar os preços cobrados pelo monopólio; transformar o monopolista em uma empresa estatal; ou, se a falha de mercado for considerada pequena se comparada às imperfeições inevitáveis das políticas, podem não fazer nada.

CONCEITOS-CHAVE

monopólio, p. 236
monopólio natural, p. 237
discriminação de preços, p. 247

QUESTÕES PARA REVISÃO

1. Dê um exemplo de monopólio criado pelo governo. A criação de tal monopólio é necessariamente uma má política pública? Explique.
2. Defina *monopólio natural*. O que o tamanho de um mercado tem a ver com o fato de uma indústria ser ou não um monopólio natural?
3. Por que a receita marginal de um monopolista é inferior ao preço do bem? A receita marginal pode ser negativa? Explique.
4. Represente graficamente as curvas de demanda, de receita marginal, de custo total médio e de custo marginal para um monopólio. Mostre o nível de produção que maximiza o lucro, o preço que maximiza o lucro e o montante do lucro.
5. No diagrama feito para a questão 4, mostre o nível de produção que maximiza o excedente total. Mostre o peso morto causado pelo monopólio. Explique sua resposta.
6. Dê dois exemplos de discriminação de preços. Em cada caso, explique por que o monopolista decidiu seguir essa estratégia de negócio.
7. O que confere ao governo poderes para regulamentar fusões entre empresas? Do ponto de vista do bem-estar da sociedade, dê um bom motivo e um mau motivo pelos quais duas empresas poderiam querer se fundir.
8. Descreva os dois problemas que podem surgir quando os responsáveis pela regulamentação ordenam a um monopólio natural que fixe um preço igual ao custo marginal.

PROBLEMAS E APLICAÇÕES

1. Uma editora tem o seguinte cronograma de demanda para o próximo romance de um de seus autores mais populares:

Preço	Quantidade demandada
$ 100	0 romance
90	100.000
80	200.000
70	300.000
60	400.000
50	500.000
40	600.000
30	700.000
20	800.000
10	900.000
0	1.000.000

O autor recebe $ 2 milhões para escrever o livro e o custo marginal de publicação é uma constante de $ 10 por unidade.

a. Calcule a receita total, o custo total e o lucro para cada quantidade. Qual quantidade a editora escolheria para maximizar o lucro? Que valor ela cobraria?
b. Calcule a receita marginal. (Lembre-se de que $RMg = \Delta RT/\Delta Q$.) Qual é o comportamento da receita marginal em relação ao preço? Explique.
c. Represente graficamente as curvas de receita marginal, de custo marginal e de demanda. Em que quantidade as curvas de receita marginal e de custo marginal se cruzam? O que isso significa?
d. Em seu gráfico, sombreie a perda provocada pelo peso morto. Explique o que isso significa.
e. Se o autor recebesse $ 3 milhões, em vez de $ 2 milhões, para escrever o livro, como isso afetaria a decisão da editora sobre o preço a ser cobrado? Explique.
f. Suponha que a editora não se preocupe com a maximização de lucros, mas com a maximização da eficiência econômica. Que preço cobraria pelo livro? Qual o lucro obtido com esse preço?

2. Uma pequena cidade é atendida por diversos supermercados concorrentes, cada um com o mesmo custo marginal constante.
a. Usando um gráfico do mercado de gêneros alimentícios, indique o excedente do consumidor, o do produtor e o excedente total.
b. Suponha, agora, que os supermercados independentes se reúnam para formar uma rede. Usando um novo gráfico, indique o novo excedente do consumidor, do produtor e o excedente total. Em relação ao mercado competitivo,

qual é a transferência dos consumidores para os produtores? Qual é o peso morto?

3. Johnny Rockabilly acabou de gravar seu último CD. O departamento de marketing de sua gravadora concluiu que a demanda para o CD será a seguinte:

Preço	Número de CDs
$ 24	10.000
22	20.000
20	30.000
18	40.000
16	50.000
14	60.000

A empresa pode produzir o CD sem custo fixo e com um custo variável de $ 5 por CD.

a. Encontre a receita total para as quantidades iguais a 10 mil, 20 mil e assim por diante. Qual é a receita marginal para cada aumento de 10 mil na quantidade vendida de CDs?
b. Que quantidade de CDs maximizaria o lucro? Qual seria o preço? Qual seria o lucro?
c. Se você fosse o agente de Johnny, que pagamento aconselharia que ele cobrasse da gravadora? Por quê?

4. Uma empresa está pensando em construir uma ponte sobre um rio. A construção custaria $ 2 milhões e a manutenção não custaria nada. A tabela a seguir mostra a demanda que a empresa prevê ao longo da vida útil da ponte.

Preço por viagem	Número de travessias (milhares)
$ 8	0
7	100
6	200
5	300
4	400
3	500
2	600
1	700
0	800

a. Se a empresa construir a ponte, qual será o preço que maximizará o lucro? Esse seria o nível eficiente de produção? Por quê?
b. Se a empresa estiver interessada em maximizar o lucro, deve construir a ponte? Qual seria seu lucro ou prejuízo?
c. Se o governo construir a ponte, que preço deve cobrar?
d. O governo deve construir a ponte? Explique.

5. Considere a relação entre o preço de monopólio e a elasticidade de preço da demanda:

a. Explique por que uma empresa monopolista nunca produzirá uma quantidade em que a curva de demanda seja inelástica. (Dica: se a demanda é inelástica e a empresa aumenta o preço, o que acontece com a receita total e o custo total?)
b. Faça um diagrama para um monopólio, identificando exatamente a área da curva de demanda que é inelástica. (Dica: a resposta está relacionada com a curva da receita marginal.)
c. No diagrama, mostre a quantidade e o preço que maximizam a receita total.

6. Você mora em uma cidade com 300 adultos e 200 crianças e pensa em produzir uma peça de teatro para entreter seus vizinhos e ganhar algum dinheiro. A peça tem um custo fixo de $ 2 mil, mas vender um ingresso a mais tem custo marginal zero. Observe a tabela da demanda para os dois tipos de consumidores:

Preço	Adultos	Crianças
$ 10	0	0
9	100	0
8	200	0
7	300	0
6	300	0
5	300	100
4	300	200
3	300	200
2	300	200
1	300	200
0	300	200

a. Para maximizar os lucros, qual deveria ser o preço do ingresso para um adulto e para uma criança? Qual seria o lucro?
b. A prefeitura aprova uma lei que o proíbe de cobrar preços diferentes para consumidores

diferentes. Que preço você estabeleceria? Qual seria o lucro?

c. Quem se prejudica com essa lei que proíbe discriminação de preços? Quem se beneficia? (Se puder, quantifique as mudanças no bem-estar.)

d. Se o custo fixo da peça fosse de $ 2.500, em vez de $ 2.000, qual seria a mudança nas respostas dos itens (a), (b) e (c)?

7. Todos os moradores da cidade de Ectenia amam economia e o prefeito propõe construir um museu de economia. O museu tem um custo fixo de $ 2.400.000 e não tem custos variáveis. Há 100 mil moradores na cidade e cada um tem a mesma demanda por visitas ao museu: $Q^D = 10 - P$, onde P é o preço da entrada.

a. Represente graficamente a curva de custo total médio e a curva de custo marginal. Que tipo de mercado descreveria o museu?

b. O prefeito propõe financiar o museu com um imposto fixo de $ 24 e, então, abrir o museu gratuitamente ao público. Quantas vezes cada pessoa o visitaria? Calcule o benefício que cada pessoa teria com o museu, medido pelo excedente do consumidor menos o novo imposto.

c. O oponente anti-impostos do prefeito diz que o museu deve se financiar mediante a cobrança de uma taxa de entrada. Qual é o preço mais baixo que o museu pode cobrar sem incorrer em prejuízo? (Dica: encontre o número de visitas e os lucros do museu para preços de $ 2, $ 3, $ 4 e $ 5.)

d. Para o preço de equilíbrio que você encontrou no item (c), calcule o excedente do consumidor de cada morador. Em comparação ao plano do prefeito, quem se beneficia mais com essa taxa de entrada e quem se beneficia menos? Explique.

e. Que considerações do mundo real ausentes nesse problema podem ser argumentadas a favor da taxa de entrada?

8. Henry Potter possui o único poço da cidade que produz água potável. Ele enfrenta as seguintes curvas de demanda, de receita marginal e de custo marginal:

Demanda: $P = 70 - Q$

Receita marginal: $RM = 70 - 2Q$

Custo marginal: $CM = 10 + Q$

a. Elabore o gráfico dessas três curvas. Supondo que o Sr. Potter maximize o lucro, que quantidade ele produz? Qual é o preço cobrado por ele? Indique esses resultados no seu gráfico.

b. O prefeito, George Bailey, preocupado com os consumidores de água, está considerando estabelecer um preço máximo que estaria 10% abaixo do preço de monopólio derivado na parte (a). Qual seria a quantidade demandada a esse novo preço? O Sr. Potter produziria essa quantidade, considerando que ele visa maximizar o lucro? Explique. (Dica: pense sobre o custo marginal.)

c. O tio de George, Billy, diz que o preço máximo é uma má ideia, porque esse tipo de medida causa escassez. Ele está certo nesse caso? Qual seria o tamanho de escassez ocasionada pelo preço máximo? Explique.

d. A amiga de George, Clarence, que está ainda mais preocupada com os consumidores, sugere um preço máximo 50% abaixo do preço de monopólio. Que quantidade seria demandada a esse preço? Quanto o Sr. Potter produziria? Nesse caso, o tio Billy está certo? O preço máximo provocaria que tamanho de escassez?

9. Em um país chamado Wiknam, apenas uma empresa produz e vende bolas de futebol, o comércio internacional de bolas de futebol é proibido. As equações a seguir descrevem a demanda do monopolista, a receita marginal, o custo total e o custo marginal:

Demanda: $P = 10 - Q$

Receita marginal: $RMg = 10 - 2Q$

Custo total: $CT = 3 + Q + 0{,}5Q^2$

Custo marginal: $CMg = 1 + Q$

onde Q é a quantidade, e P, o preço medido em dólares wiknamianos.

a. Quantas bolas de futebol o monopolista produz? A que preço elas são vendidas? Qual será o lucro do monopolista?

b. Certo dia, o rei de Wiknam decreta que, dali em diante, haverá comércio livre - importações ou exportações - de bolas de futebol ao preço mundial de $ 6. A empresa é, agora, uma tomadora de preços em um mercado competitivo. O que acontece à produção interna de bolas de futebol? E ao consumo interno? Wiknam exporta ou importa bolas de futebol?
c. Em nossa análise do comércio internacional no Capítulo 9, um país torna-se um exportador quando o preço sem comércio está abaixo do preço mundial e importador quando o preço sem comércio está acima do preço mundial. Essa conclusão se mantém em suas respostas para os itens (a) e (b)? Explique.
d. Suponha que o preço mundial não seja $ 6, mas exatamente o mesmo que o preço interno sem comércio, conforme determinado no item (a). Permitir o comércio mudou alguma coisa na economia wiknamiana? Explique. Como esse resultado se compara à análise no Capítulo 9?

10. Com base em uma pesquisa de mercado, uma produtora de filmes de Ectenia obtém as seguintes informações sobre a demanda e os custos de produção de um novo DVD:

Demanda: $P = 1.000 - 10Q$
Receita total: $RT = 1.000Q - 10Q^2$
Receita marginal: $RMg = 1.000 - 20Q$
Custo marginal: $CMg = 100 + 10Q$

onde Q indica o número de cópias vendidas, e P, o preço em dólares ectenianos.

a. Calcule o preço e a quantidade que maximizam o lucro da empresa.
b. Encontre o preço e a quantidade que maximizariam o bem-estar social.
c. Calcule o peso morto resultante do monopólio.
d. Suponha que, além dos custos supracitados, seja preciso pagar o diretor do filme. A empresa considera quatro opções:
   i. Uma taxa fixa de 2 mil dólares ectenianos.
   ii. 50% dos lucros.
   iii. 150 dólares ectenianos por unidade vendida.
   iv. 50% da receita.

Para cada opção, calcule o preço e a quantidade que maximizam o lucro. Qual delas, se houver alguma, alteraria o peso morto do monopólio? Explique.

11. Larry, Curly e Moe administram o único bar da cidade. Larry quer vender o máximo possível de bebidas sem ter prejuízo. Curly quer que o bar traga a maior receita possível. Moe quer obter o maior lucro possível. Usando um simples gráfico da curva de demanda do bar e de suas curvas de custos, indique a combinação de preço e quantidade que satisfaça a preferência de cada um dos três sócios. Explique. (Dica: somente um dos sócios vai querer igualar a receita marginal ao custo marginal.)

12. Muitos esquemas de discriminação de preços envolvem algum custo. Por exemplo, os cupons de desconto consomem tempo e recursos tanto do comprador quanto do vendedor. Essa questão trata das implicações de custo decorrentes da discriminação de preços. Para simplificar, vamos assumir que os custos de produção de nossa empresa monopolista sejam proporcionais à produção, de modo que o custo total médio e o custo marginal sejam constantes e iguais entre si.

a. Represente graficamente as curvas de custo, de demanda e de receita marginal do monopolista. Indique o preço que o monopolista cobraria sem discriminação de preços.
b. Em seu gráfico, marque a área correspondente ao lucro do monopolista e chame-a de *X*. Marque a área correspondente ao excedente do consumidor e chame-a de *Y*. Marque a área correspondente ao peso morto e chame-a de *Z*.
c. Agora, suponha que o monopolista possa praticar uma discriminação de preços perfeita. Qual será o lucro dele? (Responda em termos de *X*, *Y* e *Z*.)
d. Qual é a variação do lucro do monopolista decorrente da discriminação de preços? Qual é a variação do excedente total decorrente da discriminação de preços? Qual das duas variações é maior? Explique. (Responda em termos de *X*, *Y* e *Z*.)

e. Agora, suponha que haja um custo para praticar discriminação de preços. Para modelar esse custo, suponha ainda que o monopolista precise pagar um custo fixo *C* para praticar discriminação de preços. Como o monopolista tomaria a decisão de pagar ou não esse custo fixo? (Responda em termos de *X*, *Y*, *Z* e *C*.)

f. De que forma um planejador social benevolente, que se preocupa com o excedente total, decidiria se o monopolista deve ou não praticar discriminação de preços? (Responda em termos de *X*, *Y*, *Z* e *C*.)

g. Compare suas respostas para as partes (e) e (f). De que forma o incentivo à discriminação de preços a que está sujeito o monopolista difere da discriminação de preços do planejador social benevolente? É possível que o monopolista pratique discriminação de preços mesmo que isso não seja socialmente desejável?

CAPÍTULO 16

Competição monopolística

Você entra em uma livraria para comprar um livro para ler durante as próximas férias. Nas prateleiras, encontra um livro de mistério de Patricia Cornwell, um de suspense de Stephen King, um livro de história de Nathaniel Philbrick, um romance distópico de sobrevivência de Suzanne Collins, e muitas outras possibilidades. Ao escolher e comprar um livro, de que tipo de mercado você está participando?

Por um lado, o mercado de livros parece ser competitivo. Ao observar as prateleiras da livraria, você vê que há muitos autores e muitas editoras competindo pela sua atenção. Nesse mercado, um comprador tem milhares de produtos concorrentes para escolher. E como qualquer pessoa pode entrar no setor, bastando escrever e publicar um livro, não se trata de um negócio muito lucrativo. Para cada romancista bem pago, há centenas de outros se esforçando para se destacar nesse mercado.

Por outro lado, o mercado de livros parece monopolístico. Como cada livro é único, as editoras têm alguma liberdade de escolha quanto ao preço que cobram. Os vendedores desse mercado são formadores de preços, mais que tomadores. E, de fato, o preço dos livros é muito superior ao seu custo marginal. O preço médio de um romance, por exemplo, é \$ 25, enquanto o custo de impressão de uma cópia adicional do romance é inferior a \$ 5.

O mercado editorial não se encaixa no modelo competitivo nem no de monopólio. Mais especificamente, ele é descrito de melhor forma pelo modelo de *competição monopolística*,[1] que é o assunto deste capítulo. À primeira vista, a expressão "competição monopolística" pode parecer um paradoxo, como a expressão "camarão jumbo". Entretanto, como veremos mais adiante, as indústrias monopolisticamente competitivas são monopolistas em certos aspectos e competitivas em outros. O modelo descreve não só a área editorial, mas também o mercado de vários outros bens e serviços.

16_1 ENTRE O MONOPÓLIO E A COMPETIÇÃO PERFEITA

Nos dois capítulos anteriores, analisamos mercados com muitas empresas competitivas e mercados com uma única empresa monopolista. No Capítulo 14, vimos que o preço em um mercado competitivo é sempre igual ao custo marginal de produção. Vimos também que, no longo prazo, a entrada e a saída de empresas levam o lucro econômico a zero, de modo que o preço também é igual ao custo total médio. No Capítulo 15, vimos como as empresas monopolistas podem usar o poder de mercado para manter os preços acima do custo marginal, gerando lucro econômico positivo para a empresa e peso morto para a sociedade. Competição e monopólio são formas extremas da estrutura do mercado. A competição ocorre quando existem muitas empresas em um mercado oferecendo produtos essencialmente idênticos; o monopólio ocorre quando existe apenas uma empresa no mercado.

1. Ou concorrência monopolística. (NRT)

oligopólio
uma estrutura de mercado em que apenas poucos vendedores oferecem produtos similares ou idênticos

competição monopolística
uma estrutura de mercado em que muitas empresas vendem produtos similares, mas não idênticos

Embora os casos de competição perfeita e monopólio ilustrem algumas ideias importantes sobre o funcionamento dos mercados, a maior parte deles inclui elementos dos dois casos e, desse modo, não é plenamente descrita por nenhum deles. A empresa típica da economia enfrenta uma concorrência que, no entanto, não é tão rigorosa a ponto de fazer que ela seja uma tomadora de preço, como as empresas analisadas no Capítulo 14. A empresa típica também tem certo grau de poder de mercado, mas não tanto para que seja descrita exatamente pelo modelo de monopólio analisado no Capítulo 15. Em outras palavras, muitas empresas podem estar entre os dois extremos de competição perfeita e monopólio. Os economistas chamam essa situação de *competição imperfeita*.[2]

Um tipo de mercado que não é perfeitamente competitivo é o **oligopólio**, com apenas alguns vendedores que oferecem produtos similares ou idênticos aos oferecidos por outros vendedores. Os economistas medem a dominação do mercado por um pequeno número de empresas, por meio de um cálculo estatístico chamado *coeficiente de concentração*, que é a porcentagem da produção total do mercado oferecida pelas quatro maiores empresas. Na economia norte-americana, a maioria dos mercados apresenta um coeficiente de concentração abaixo de 50%, mas em algumas áreas as empresas maiores têm maior predominância. Os mercados altamente concentrados incluem: eletrodomésticos (com uma taxa de concentração de 90%), pneus (91%), lâmpadas (92%), refrigerantes (94%) e telecomunicação sem fio (95%). Esses setores são mais bem descritos como oligopólios. No capítulo a seguir, veremos que o número pequeno de empresas em um oligopólio faz que suas interações estratégicas sejam parte fundamental da análise. Isto é, ao escolher quanto produzir e o preço que vai cobrar, cada empresa de um oligopólio preocupa-se não apenas com o que seus competidores fazem, mas também com a reação destes às suas ações.

Um segundo tipo de mercado que não é perfeitamente competitivo chama-se **competição monopolística**; a qual descreve uma estrutura de mercado em que há muitas empresas vendendo produtos similares, mas não idênticos. Em um mercado monopolisticamente competitivo, cada empresa tem monopólio sobre o seu produto, mas muitas outras empresas têm produtos similares, que competem pelos mesmos clientes.

Para ser mais exato, a competição monopolística descreve um mercado com os seguintes atributos:

- *Muitos vendedores*: há muitas empresas concorrendo pelo mesmo grupo de clientes.
- *Diferenciação de produto*: cada empresa oferece um produto, pelo menos, um pouco diferente dos produtos das demais empresas. Assim, em vez de ser tomadora de preços, cada empresa se defronta com uma curva de demanda de inclinação descendente.
- *Livres entrada e saída*: as empresas podem entrar no mercado e sair dele sem restrições. Assim, o número de empresas se ajusta até que o lucro econômico chegue a zero.

Uma análise rápida revela uma longa lista de mercados com esses atributos: livros, jogos de computador, restaurantes, aulas de piano, biscoitos, vestuário, entre outros.

A competição monopolística, assim como o oligopólio, é uma estrutura de mercado que está entre os casos extremos de competição e monopólio, mas o oligopólio e a competição monopolística são bem diferentes. O oligopólio parte do ideal perfeitamente competitivo do Capítulo 14, porque existem apenas alguns vendedores no mercado. O menor número de vendedores torna a competição rigorosa menos provável e a interação estratégica entre eles, vitalmente importante. Por outro lado, sob a competição monopolística, há muitos vendedores, mas cada um é pequeno se comparado ao mercado. Um mercado monopolisticamente competitivo parte do ideal perfeitamente competitivo, porque cada um dos vendedores oferece um produto de certa forma diferente.

2. Ou concorrência imperfeita. (NRT)

Figura 1
Os quatro tipos de estrutura de mercado
Os economistas que estudam a organização econômica dividem o mercado em quatro tipos – monopólio, oligopólio, competição monopolística e competição perfeita.

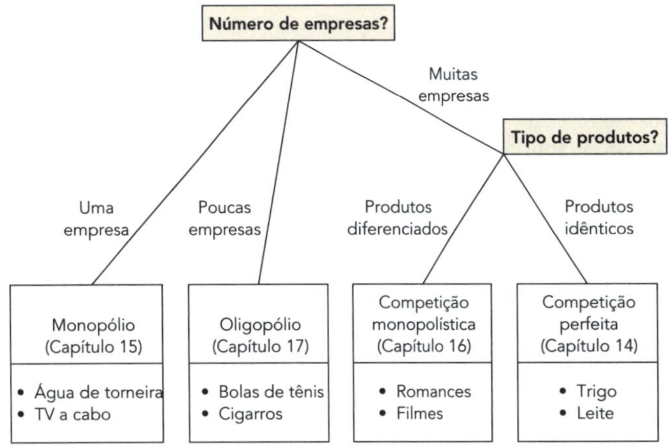

A Figura 1 resume os quatro tipos de estrutura de mercado. A primeira coisa a se perguntar sobre qualquer mercado é o número de empresas existentes. Se houver apenas uma, é considerado monopólio. Se houver poucas empresas, é considerado oligopólio. Se houver muitas empresas, precisamos fazer outra pergunta: elas vendem produtos idênticos ou diferenciados? Se muitas empresas venderem produtos diferenciados, teremos então um mercado competitivo monopolisticamente; mas se muitas empresas venderem produtos idênticos, o mercado será perfeitamente competitivo.

Como a realidade nem sempre é tão definida quanto a teoria, às vezes, você pode achar difícil decidir qual estrutura descreve melhor um mercado. Por exemplo, não há um número mágico que separe "poucas" de "muitas" quando se conta o número de empresas. (As empresas - aproximadamente uma dúzia - que hoje vendem carros nos Estados Unidos fazem desse mercado um oligopólio ou um mercado mais competitivo? A resposta está aberta ao debate.) De maneira similar, não há um meio garantido de determinar quando os produtos são diferenciados e quando são idênticos. (As diferentes marcas de leite são idênticas? Mais uma vez, a resposta está aberta ao debate.) Ao analisar os mercados do mundo real, os economistas precisam ter em mente as lições aprendidas com o estudo de todos os tipos de estrutura de mercado e, então, aplicar cada lição da maneira que lhes parecer apropriada.

Agora que entendemos como os economistas definem os vários tipos de estrutura de mercado, podemos continuar nossa análise de cada um deles. No próximo capítulo, analisaremos o oligopólio. Neste, trataremos da competição monopolística.

Teste rápido Defina oligopólio e competição monopolística, e dê um exemplo de cada.

16_2 COMPETIÇÃO COM PRODUTOS DIFERENCIADOS

Para entender os mercados de competição monopolística, precisamos antes considerar as decisões com que se depara uma empresa individual. Em seguida, examinaremos o que acontece no longo prazo, à medida que as empresas entram no mercado e saem dele. Então, iremos comparar o equilíbrio sob a competição monopolística com o equilíbrio sob a competição perfeita que examinamos no Capítulo 14 e, por fim, veremos se o resultado em um mercado de competição monopolística é desejável do ponto de vista da sociedade como um todo.

16_2A A empresa monopolisticamente competitiva no curto prazo

Cada empresa presente em um mercado monopolisticamente competitivo se assemelha de diversas maneiras a um monopólio. Como seu produto se diferencia dos oferecidos por outras empresas, a empresa monopolisticamente competitiva se defronta com uma curva de demanda de inclinação descendente (enquanto

Figura 2

Competição monopolística no curto prazo

Os competidores monopolísticos, da mesma forma que os monopólios, maximizam o lucro produzindo a quantidade na qual a receita marginal se iguala ao custo marginal. A empresa no painel (a) apresenta lucro, porque, a essa quantidade, o preço fica acima do custo total médio. A empresa no painel (b) tem prejuízo, porque, a essa quantidade, o preço é inferior ao custo total médio.

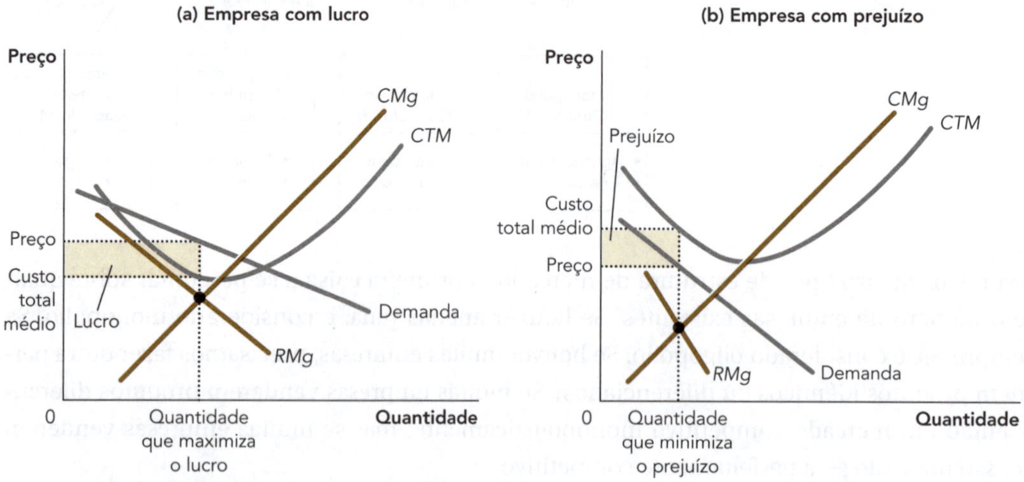

as empresas perfeitamente competitivas apresentam curvas de demanda horizontais na altura do preço de mercado). Assim, as empresas monopolisticamente competitivas seguem as regras monopolistas de maximização de lucro: escolhem a quantidade em que a receita marginal se iguala ao custo marginal e então usam a sua curva de demanda para identificar o preço condizente com essa quantidade.

A Figura 2 mostra as curvas de custo, de demanda e de receita marginal de duas empresas típicas, cada uma em certo setor de competição monopolística diferente. Em ambos os painéis, a quantidade que maximiza o lucro está na intersecção das curvas de receita marginal e de custo marginal. Os dois painéis da figura mostram diferentes situações no que se refere ao lucro da empresa. No painel (a), o preço supera o custo total, de modo que a empresa tem lucro. No painel (b), o preço é inferior ao custo total. Neste caso, a empresa não é capaz de obter lucro positivo, de modo que o máximo que pode fazer é minimizar os prejuízos.

Isso tudo deve lhe parecer familiar. Uma empresa monopolisticamente competitiva escolhe sua quantidade e seu preço da mesma maneira que o monopólio. No curto prazo, esses dois tipos de estrutura de mercado são semelhantes.

16_2B O equilíbrio no longo prazo

A situação retratada na Figura 2 não dura muito tempo. Quando as empresas apresentam lucro, como no painel (a), há um incentivo para que novas empresas entrem no mercado. Essa entrada aumenta o número de produtos dentre os quais os clientes podem escolher e isso, por sua vez, reduz a demanda para cada empresa já presente no mercado. Em outras palavras, o lucro incentiva a entrada, que desloca para a esquerda as curvas de demanda com que se deparam as empresas já existentes. À medida que cai a demanda pelos produtos dessas empresas, seus lucros diminuem.

Inversamente, quando as empresas têm prejuízo, como no painel (b), aquelas que estão no mercado têm um incentivo para sair. Com a saída de empresas, os clientes têm menos produtos para escolher. Essa queda do número de empresas aumenta a demanda para as que continuam no mercado. Em outras palavras, os prejuízos incentivam a saída, e esta desloca as curvas de demanda das empresas remanescentes para a direita. Com o aumento da demanda pelos produtos das empresas remanescentes, estas passam a ter lucros crescentes (isto é, prejuízos decrescentes).

Figura 3
Competição monopolística no longo prazo

No mercado monopolisticamente competitivo, se as empresas estiverem tendo lucro, novas empresas entrarão e as curvas de demanda daquelas já existentes se deslocarão para a esquerda. De maneira similar, se as empresas estiverem tendo prejuízos, algumas das existentes sairão do mercado, fazendo as curvas de demanda das remanescentes se deslocar para a direita. Por causa desses deslocamentos da demanda, uma empresa monopolisticamente competitiva acabará por se encontrar no equilíbrio de longo prazo mostrado aqui. Nesse equilíbrio, o preço é igual ao custo total médio e a empresa tem lucro igual a zero.

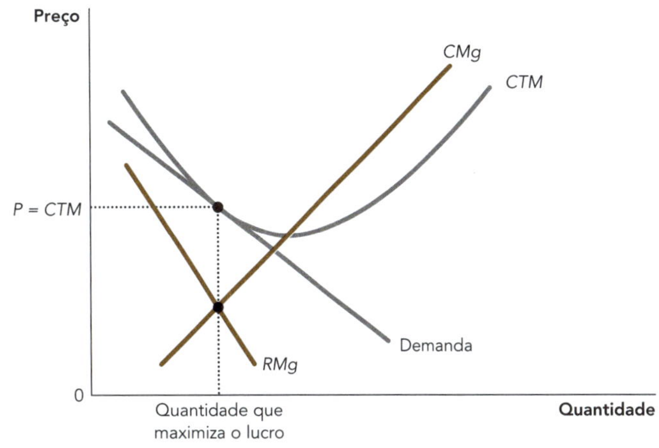

Esse processo de entrada e saída se mantém até que as empresas do mercado tenham lucro econômico exatamente igual a zero. A Figura 3 representa o equilíbrio de longo prazo. Assim que o mercado atingir esse equilíbrio, não haverá incentivo para a entrada de novas empresas nem para a saída daquelas já presentes no mercado.

Observe que a curva de demanda dessa figura mal toca a curva de custo total médio. Matematicamente, dizemos que as duas curvas são *tangentes* uma à outra. Essas duas curvas devem ser tangentes, uma vez que a entrada e a saída reduziram o lucro a zero. Como o lucro por unidade vendida é a diferença entre o preço (encontrado na curva de demanda) e o custo total médio, o lucro máximo somente será zero se essas duas curvas se tocarem sem se cruzar. Observe também que esse ponto de tangência ocorre na mesma quantidade em que a receita marginal se iguala ao custo marginal. O alinhamento desses dois pontos não é coincidência: ele é necessário, porque essa quantidade específica maximiza o lucro, e o lucro máximo é exatamente zero no longo prazo.

Em suma, são duas as características que descrevem o equilíbrio de longo prazo em um mercado monopolisticamente competitivo:

- Como no mercado monopolista, o preço é superior ao custo marginal ($P > CMg$). Essa conclusão surge porque a maximização do lucro requer que a receita marginal seja igual ao custo marginal ($RMg = CMg$) e porque a curva de demanda de inclinação descendente faz que a receita marginal seja inferior ao preço ($RMg < P$).
- Como no mercado competitivo, o preço é igual ao custo total médio ($P = CTM$). Essa conclusão surge porque as livres entrada e saída levam o lucro econômico a zero.

A segunda característica mostra de que maneira a competição monopolística difere do monopólio. Como o monopolista é o único vendedor de um produto que não tem substitutos próximos, ele pode obter lucro econômico positivo, mesmo no longo prazo. No entanto, como há livre entrada nos mercados monopolisticamente competitivos, o lucro econômico das empresas nesse tipo de mercado é reduzido a zero.

16_2C Competição monopolística *versus* competição perfeita

A Figura 4 compara o equilíbrio de longo prazo sob a competição monopolística com o equilíbrio de longo prazo sob a competição perfeita (o equilíbrio na competição foi abordado no Capítulo 14). Há duas diferenças dignas de nota entre a competição monopolística e a perfeita: a capacidade ociosa e o *markup*.[3]

3. Conceito que, genericamente, compreende a diferença entre o custo e o preço de venda, expressando-se aquele montante, usualmente, em termos percentuais, sobre o custo dado. (NRT)

Figura 4

Competição monopolística *versus* competição perfeita

O painel (a) mostra o equilíbrio de longo prazo no mercado monopolisticamente competitivo, e o painel (b) mostra o equilíbrio de longo prazo no mercado perfeitamente competitivo. Há duas diferenças notáveis. (1) A empresa perfeitamente competitiva produz na escala eficiente, em que o custo total médio é minimizado. A empresa monopolisticamente competitiva, por sua vez, produz abaixo da escala eficiente. (2) O preço é igual ao custo marginal na competição perfeita; já na competição monopolística o preço fica acima do custo marginal.

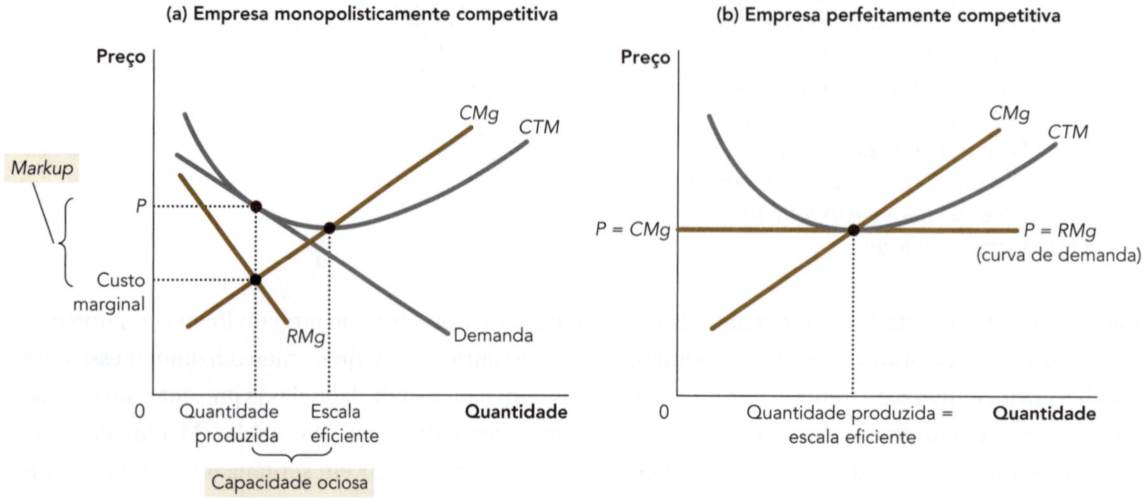

Capacidade ociosa Como acabamos de ver, a entrada e a saída levam cada empresa dos mercados monopolisticamente competitivos ao ponto de tangência entre suas curvas de demanda e de custo total médio. O painel (a) da Figura 4 mostra que a quantidade produzida nesse ponto é menor que a quantidade que minimiza o custo total médio. Assim, na competição monopolística, as empresas produzem na parte de inclinação descendente de suas curvas de custo total médio. Nesse sentido, a competição monopolística é muito diferente da competição perfeita. Como mostra o painel (b) da Figura 4, a livre entrada nos mercados competitivos leva as empresas a produzir no custo total médio mínimo.

A quantidade que minimiza o custo total médio é chamada *escala eficiente* da empresa. No longo prazo, as empresas perfeitamente competitivas produzem na escala eficiente, ao passo que as monopolisticamente competitivas produzem abaixo desse nível. Dizemos que, na competição monopolística, as empresas têm *capacidade ociosa*. Em outras palavras, as empresas monopolisticamente competitivas, ao contrário das perfeitamente competitivas, poderiam aumentar a quantidade produzida e reduzir o custo total médio da produção. A empresa renuncia a essa oportunidade porque precisaria reduzir o preço para vender a produção adicional. Para um competidor monopolista, é mais lucrativo continuar operando com capacidade ociosa.

***Markup* sobre o custo marginal** Uma segunda diferença entre a competição perfeita e a monopolística é a relação entre o preço e o custo marginal. Para uma empresa competitiva, como a representada no painel (b) da Figura 4, o preço é igual ao custo marginal. Para uma empresa monopolisticamente competitiva, como a representada no painel (a), o preço supera o custo marginal, porque a empresa sempre tem algum poder de mercado.

Como esse *markup* sobre o custo marginal é consistente com a livre entrada e com o lucro zero? A condição de lucro zero só garante que o preço seja igual ao custo total médio. *Não* assegura que o preço seja igual ao custo marginal. De fato, no equilíbrio de longo prazo, as empresas monopolisticamente competitivas operam na parte descendente de suas curvas de custo total médio, de modo que o custo marginal é inferior ao custo total médio. Assim, para que o preço seja igual ao custo total médio, ele deve ser superior ao custo marginal.

Nessa relação entre preço e custo marginal, percebemos uma diferença-chave entre o comportamento das empresas perfeitamente competitivas e o das monopolisticamente competitivas. Imagine que você perguntasse a uma empresa: "Você gostaria que entrasse pela porta um cliente pronto para comprar pelo seu preço corrente?". Uma empresa perfeitamente competitiva responderia que, para ela, não faz diferença, porque, como o preço é igual ao custo marginal, o lucro da venda de uma unidade a mais é zero. Entretanto, uma empresa monopolisticamente competitiva está sempre ansiosa por mais um cliente; pois, como o preço supera o custo marginal, uma unidade a mais vendida ao preço vigente representa um aumento do lucro.

Segundo uma antiga anedota, mercados de competição monopolística são aqueles nos quais os vendedores mandam cartões de Natal para seus clientes. A tentativa de atrair mais clientes só fará sentido se o preço exceder o custo marginal.

16_2D A competição monopolística e o bem-estar social

O resultado de um mercado monopolisticamente competitivo é desejável do ponto de vista da sociedade como um todo? Os formuladores de políticas podem melhorar o resultado do mercado? Nos capítulos anteriores, avaliamos os mercados do ponto de vista da eficiência, isto é, se a sociedade obtém o máximo possível dos recursos escassos. Vimos que mercados competitivos geram resultados eficientes, a menos que haja externalidades, e que os mercados monopolistas geram peso morto. Os mercados monopolisticamente competitivos são mais complexos que qualquer um daqueles casos; portanto, a avaliação do bem-estar nesses mercados é uma tarefa mais sutil.

Uma fonte de ineficiência é o *markup* do preço sobre o custo marginal. Por causa do *markup*, alguns consumidores que atribuem ao bem valor superior ao custo marginal de produção (mas inferior ao preço) serão impedidos de comprá-lo. Assim, um mercado monopolisticamente competitivo traz com ele o peso morto da determinação de preço monopolista.

Embora esse resultado seja evidentemente indesejável se comparado ao resultado em que o preço é igual ao custo marginal, não há, para os formuladores de políticas, uma maneira simples de solucionar o problema. Para forçar a fixação do preço pelo custo marginal, os formuladores de políticas precisariam regulamentar todas as empresas que produzem bens diferenciados. Como esses produtos são muito comuns na economia, o ônus administrativo desse tipo de regulamentação seria esmagador.

Além disso, regulamentar os competidores monopolísticos envolveria todos os problemas associados à regulamentação dos monopólios naturais. Mais especificamente, como os competidores monopolísticos já têm lucro zero, exigir que eles baixassem seus preços para igualá-los ao custo marginal faria que tivessem prejuízo. Para manter essas empresas em atividade, o governo teria de ajudá-las a cobrir essas perdas. Em vez de aumentar impostos para arcar com esses subsídios, os formuladores de políticas podem decidir que é melhor conviver com a ineficiência da fixação de preços do monopólio.

Outra razão pela qual a competição monopolística pode ser socialmente ineficiente é o fato de que o número de empresas do mercado pode não ser o "ideal", ou seja, pode haver entrada excessiva ou insuficiente. Uma maneira de enxergar esse problema é em termos das externalidades associadas à entrada. Sempre que uma nova empresa pensa em entrar no mercado com um produto novo, ela leva em consideração apenas o lucro que poderá ter. Mas a entrada teria, ainda, dois efeitos externos:

- *A externalidade da variedade de produto*: como os consumidores obtêm algum excedente do consumidor com a introdução de um novo produto, a entrada de uma nova empresa transfere-lhes uma externalidade positiva.
- *A externalidade do roubo de negócios*: como outras empresas perdem clientes e lucros com a entrada de um novo concorrente, a entrada de uma nova empresa impõe às existentes uma externalidade negativa.

Assim, no mercado monopolisticamente competitivo, há externalidades tanto positivas quanto negativas associadas à entrada de novas empresas. Dependendo de qual externalidade for maior, um mercado monopolisticamente competitivo pode ter muitos produtos ou muito poucos deles.

Essas duas externalidades estão estreitamente ligadas às condições da competição monopolística. A externalidade da variedade de produto surge porque uma nova empresa ofereceria produtos diferentes dos oferecidos pelas empresas existentes. A externalidade do roubo de negócios surge porque as empresas cobram preços acima do custo marginal e, portanto, estão sempre ansiosas por vender unidades adicionais. Inversamente, como as empresas competitivas produzem bens idênticos e cobram um preço igual ao custo marginal, nenhuma dessas duas externalidades existe sob condições de competição perfeita.

Por fim, podemos concluir apenas que os mercados monopolisticamente competitivos não têm todas as propriedades desejáveis em termos de bem-estar que os mercados perfeitamente competitivos têm. Ou seja, a mão invisível não garante que o excedente total seja maximizado sob a competição monopolística. Mas como as ineficiências são sutis, difíceis de medir e difíceis de solucionar, não há um caminho fácil para as políticas públicas melhorarem os resultados de mercado.

Teste rápido Enumere três atributos-chave da competição monopolística. • Represente graficamente e explique o equilíbrio de longo prazo no mercado monopolisticamente competitivo. De que maneira esse equilíbrio difere daquele presente em um mercado perfeitamente competitivo?

16_3 PUBLICIDADE

É quase impossível passar um dia típico em uma economia moderna sem ser bombardeado por publicidade. Esteja você navegando pela internet, postando no Facebook, lendo uma revista, vendo TV ou dirigindo na estrada, alguma empresa vai tentar convencê-lo a comprar seu produto. Esse comportamento é uma característica normal da competição monopolística, assim como de algumas empresas oligopolistas. Quando as empresas vendem produtos diferenciados e cobram preços superiores ao custo marginal, cada uma delas tem um incentivo para anunciar, procurando, assim, atrair mais compradores para o seu produto.

A quantidade de publicidade varia substancialmente de produto para produto. Empresas que vendem bens de consumo altamente diferenciados, como remédios que podem ser vendidos sem receita, perfumes, refrigerantes, lâminas de barbear, cereais matinais e ração para cães, costumam gastar entre 10% e 20% de suas receitas em publicidade. Empresas que vendem produtos industriais, como prensas e satélites de telecomunicação, costumam gastar muito pouco em publicidade. E empresas que vendem produtos homogêneos, como trigo, sal, açúcar ou petróleo cru, não gastam absolutamente nada.

Para a economia como um todo, o gasto em publicidade representa cerca de 2% da receita total das empresas. Essa despesa tem várias formas, incluindo anúncios em sites, redes sociais, televisão, rádio e *outdoors*, bem como em jornais, revistas e mala direta.

16_3A O debate sobre publicidade

Estaria a sociedade desperdiçando os recursos que dedica à publicidade? Ou será que a publicidade atende a algum propósito valioso? A avaliação do valor social da publicidade é difícil e costuma gerar discussões acaloradas entre economistas. Vejamos ambos os lados do debate.

A crítica à publicidade Os críticos da publicidade afirmam que as empresas anunciam para manipular as preferências das pessoas. Grande parte dos anúncios publicitários é mais psicológica do que informativa. Considere, por exemplo, um comercial de TV típico para alguma marca de refrigerante. É pouco provável que nele haja referência ao preço ou à qualidade do produto; em vez disso, pode mostrar um grupo de pessoas felizes em uma praia, em um belo dia ensolarado, tendo nas mãos latas do refrigerante anunciado. O objetivo do comercial é transmitir uma mensagem subconsciente (ainda que não muito sutil): "Você também pode ter muitos amigos e ser feliz, basta apenas beber nosso produto". Os críticos de publicidade afirmam que comerciais desse tipo criam um desejo que, de outra forma, poderia não existir.

Os críticos afirmam também que a publicidade dificulta a competição, porque, muitas vezes, tenta convencer os consumidores de que os produtos são mais diferenciados do que realmente são. Ao aumentar a percepção de diferenciação de produto e cultivar a fidelidade à marca, a publicidade faz que os compradores se preocupem menos com as diferenças de preço entre bens semelhantes, tornando, assim, a demanda por uma determinada marca menos elástica. Com uma curva de demanda menos elástica, a empresa pode aumentar seus lucros mediante a cobrança de um *markup* maior sobre o custo marginal.

A defesa da publicidade Os defensores da publicidade afirmam que as empresas a utilizam para oferecer informações aos clientes. A publicidade transmite os preços dos produtos que estão à venda, a existência de novos produtos e a localização dos pontos de venda no varejo. Essas informações permitem que os clientes façam escolhas melhores sobre o que comprar e, com isso, aumentam a capacidade de os mercados alocarem recursos com eficiência.

Os defensores afirmam também que a publicidade promove a competição. Ao permitir que os clientes estejam mais bem informados sobre todas as empresas do mercado, ela contribui para que eles tenham mais facilidade para aproveitar as diferenças de preço. Assim, cada empresa tem menos poder de mercado. Além disso, a publicidade permite que novas empresas entrem no mercado com mais facilidade, porque lhes fornece meios para atrair os clientes das empresas existentes.

Com o tempo, os formuladores de políticas aceitaram a visão de que a publicidade pode tornar os mercados mais competitivos. Um exemplo importante é o da regulamentação da publicidade de determinadas profissões, como advogado, médico e farmacêutico. No passado, esses grupos conseguiram que os governos estaduais proibissem a publicidade em suas áreas com base no argumento de que anunciar era "pouco profissional". Há alguns anos, contudo, os tribunais concluíram que o principal efeito dessas limitações à publicidade era dificultar a competição. Por isso, reverteram muitas das leis que proibiam esses profissionais de anunciar.

16_3B Publicidade como sinal de qualidade

Muitos tipos de publicidade contêm pouca informação aparente sobre o produto anunciado. Imagine uma empresa que esteja promovendo um novo cereal matinal. Um anúncio típico poderia apresentar algum ator famoso comendo o cereal e dizendo o quanto ele é gostoso. Mas quanta informação esse anúncio realmente transmite?

A resposta é: mais do que você pensa. Os defensores da publicidade argumentam que até anúncios que parecem conter poucas informações concretas podem, na verdade, dizer aos consumidores alguma coisa sobre a qualidade do produto. A disposição da empresa em gastar uma grande soma de dinheiro em publicidade pode, por si só, ser um *sinal* para os consumidores a respeito da qualidade do produto ofertado.

Considere o problema com que duas empresas - a General Mills e a Kellogg - se defrontam. Cada uma está lançando um novo tipo de cereal, que será a vendido a $ 3 a caixa. Para simplificar, vamos supor que o custo marginal da produção do cereal seja zero, de modo que os $ 3 são o lucro. Cada empresa sabe que, se gastar $ 10 milhões em publicidade, conseguirá que 1 milhão de clientes experimentem o novo cereal. E cada uma delas sabe também que, se os consumidores gostarem do cereal, o comprarão não uma única vez, mas diversas vezes.

Vamos considerar primeiro a decisão da General Mills. Com base em pesquisas de mercado, ela sabe que seu cereal tem gosto de jornal picado coberto com açúcar. Embora a publicidade seja capaz de vender rapidamente uma caixa por consumidor para 1 milhão de consumidores, estes rapidamente perceberão que o cereal não é muito bom e não comprarão mais. A empresa decide que não vale a pena gastar $ 10 milhões em publicidade para obter apenas $ 3 milhões em vendas, por isso, não se dá ao trabalho de anunciar e manda seus cozinheiros de volta para o laboratório, para elaborar uma receita melhor.

A Kellogg, por sua vez, sabe que seu cereal é ótimo. Cada pessoa que o experimentar comprará uma caixa por mês durante todos os 12 meses seguintes e, com isso, os $ 10 milhões gastos em publicidade trarão $ 36 milhões em vendas. Nesse caso, a publicidade é lucrativa, porque a Kellogg tem um bom produto que os consumidores comprarão repetidas vezes, motivo pelo qual a empresa decide anunciar seu produto.

Agora que observamos o comportamento das duas empresas, vamos examinar o comportamento dos consumidores. Comecemos pela afirmativa de que os consumidores estarão inclinados a experimentar um novo cereal que vejam anunciado. Mas será que esse comportamento é racional? Os consumidores devem experimentar um novo cereal apenas porque o vendedor decidiu anunciá-lo?

De fato, pode ser perfeitamente racional para os consumidores experimentar novos produtos que veem anunciados. Em nossa história, os consumidores decidem provar o novo cereal da Kellogg porque a empresa anuncia, e a Kellogg opta por anunciar porque sabe que seu cereal é muito bom, enquanto a General Mills opta por não anunciar porque sabe que seu cereal é apenas medíocre. Por meio de sua disposição para gastar dinheiro com publicidade, a Kellogg sinaliza para os consumidores a qualidade do seu cereal. Cada consumidor pensa sensatamente: "Se a Kellogg está disposta a gastar tanto dinheiro com a publicidade desse novo cereal, ele deve ser muito bom".

O mais surpreendente dessa teoria da publicidade é que o conteúdo do anúncio é irrelevante. A Kellogg sinaliza a qualidade de seu produto por meio da disposição para gastar dinheiro em publicidade. O que o anúncio diz não é tão importante quanto o fato de os consumidores saberem que a publicidade é cara. Já a publicidade barata pode não ser eficaz para sinalizar qualidade para os consumidores. Em nosso exemplo, se uma campanha publicitária custasse menos que $ 3 milhões, tanto a General Mills quanto a Kellogg a utilizariam para comercializar seus novos cereais. Mas como seriam anunciados tanto os cereais bons quanto os medíocres, os consumidores não poderiam inferir a qualidade do cereal pelo simples fato de ele estar sendo anunciado. Com o passar do tempo, os consumidores aprenderiam a ignorar essa publicidade barata.

Essa teoria pode ser a explicação do motivo pelo qual as empresas pagam enormes quantias de dinheiro em anúncios que parecem não transmitir nenhuma informação. A informação não está no conteúdo do anúncio, mas simplesmente em sua existência e na despesa que causa.

16_3C Marcas

A publicidade está estreitamente associada à existência de marcas. Em muitos mercados, há dois tipos de empresa. Algumas vendem produtos de marcas facilmente reconhecidas, enquanto outras vendem substitutos genéricos. Por exemplo, em certa farmácia típica, é possível encontrar a aspirina da Bayer e, na prateleira ao lado, uma aspirina genérica. Em uma mercearia, podemos encontrar a Pepsi perto de refrigerantes menos familiares. Na maioria dos casos, a empresa dona da marca gasta mais em publicidade e cobra um preço mais alto por seu produto.

Assim como há desavenças sobre a economia da publicidade, há desavenças sobre a economia das marcas. Vamos ver ambos os lados do debate.

Os críticos das marcas afirmam que elas levam os consumidores a ver diferenças que, na verdade, não existem, pois, em muitos casos, não se consegue distinguir o bem genérico do bem de marca. A disposição dos consumidores para pagar mais pelo bem de marca, afirmam os críticos, é uma forma de irracionalidade alimentada pela publicidade. O economista Edward Chamberlin, um dos pioneiros no desenvolvimento da teoria da competição monopolística, concluiu, com base nesse argumento, que as marcas eram ruins para a economia. Ele propôs que o governo desencorajasse o seu uso, recusando-se a proteger as marcas exclusivas que as empresas usam para identificar seus produtos.

Mais recentemente, alguns economistas defenderam as marcas como um modo útil de os consumidores se assegurarem de que estão comprando produtos de alta qualidade. Existem dois argumentos que reforçam isso. Primeiro, as marcas fornecem aos consumidores *informações* sobre a qualidade quando esta não pode ser julgada facilmente antes da compra. Segundo, as marcas dão às empresas um *incentivo* à manutenção da qualidade, já que elas têm interesse financeiro em manter a reputação de suas marcas.

Para vermos como esses argumentos funcionam na prática, vamos examinar uma marca famosa: McDonald's. Imagine que você esteja passando por uma cidade que não conhece e queira parar para almoçar. Você vê um McDonald's e um restaurante local ao lado. Qual deles escolhe? O restaurante local pode até oferecer comida melhor e preços menores, mas você não tem como saber disso. Por sua vez, o McDonald's oferece produtos semelhantes em muitas cidades. Essa marca pode ser útil para você como maneira de julgar a qualidade daquilo que está prestes a comprar.

A marca McDonald's também assegura que a empresa tem um incentivo para manter a qualidade. Por exemplo, se alguns clientes ficassem doentes por causa de comida estragada vendida em uma loja do McDonald's, essa notícia seria desastrosa para a empresa, que perderia grande parte da reputação construída em muitos anos de publicidade dispendiosa. Com isso, perderia vendas e lucros não só na loja que vendeu a comida estragada, mas em muitas outras por todo o país. No entanto, se alguns clientes passassem mal por causa da comida estragada vendida no restaurante local, ele poderia fechar as portas, mas os lucros perdidos seriam muito menores. Assim, o McDonald's tem um incentivo maior para garantir a segurança da comida que vende.

A discussão sobre as marcas, portanto, centra-se na questão de saber se os consumidores são racionais ao preferir os produtos de marca aos substitutos genéricos. Os críticos das marcas afirmam que elas são resultado de uma reação irracional dos consumidores à publicidade. Os defensores das marcas afirmam que os consumidores têm bons motivos para pagar mais pelos produtos de marca, porque podem confiar mais na qualidade deles.

Teste rápido Como a publicidade poderia tornar os mercados menos competitivos? Como poderia torná-los mais competitivos? • Apresente alguns argumentos favoráveis e contrários às marcas.

16_4 CONCLUSÃO

A competição monopolística faz jus ao nome que tem: é um híbrido de monopólio e competição perfeita. Como um monopólio, cada competidor monopolístico está sujeito a uma curva de demanda de inclinação descendente e, como resultado, cobra um preço superior ao custo marginal. Como ocorre em um mercado perfeitamente competitivo, há muitas empresas, e, no longo prazo, a entrada e saída de empresas leva o lucro de cada competidor monopolístico a zero. A Tabela 1 resume essas lições.

Uma vez que as empresas na competição monopolística oferecem produtos diferenciados, cada uma faz publicidade para atrair clientes para a sua própria marca. Em certa medida, a publicidade manipula as preferências dos

Tabela 1
Competição monopolística: entre a competição perfeita e o monopólio

	Estrutura de mercado		
	Competição perfeita	Competição monopolística	Monopólio
Características compartilhadas pelas três estruturas de mercado			
Objetivo das empresas	Maximizar o lucro	Maximizar o lucro	Maximizar o lucro
Regra de maximização	*RMg* = *CMg*	*RMg* = *CMg*	*RMg* = *CMg*
Pode ter lucro econômico no curto prazo?	Sim	Sim	Sim
Características compartilhadas pelo monopólio e pela competição monopolística			
Tomador de preços?	Sim	Não	Não
Preço	*P* = *CMg*	*P* > *CMg*	*P* > *CMg*
Produz uma quantidade que maximiza o bem-estar?	Sim	Não	Não
Características compartilhadas pela competição perfeita e pela competição monopolística			
Número de empresas	Muitas	Muitas	Uma
Entrada de empresas no longo prazo?	Sim	Sim	Não
Pode ter lucro econômico no longo prazo?	Não	Não	Sim

consumidores, promove uma fidelidade irracional à marca e impede a competição. Mas, em maior medida, a publicidade fornece informação, estabelece marcas de qualidade confiável e promove a competição.

A teoria da competição monopolística parece descrever muitos mercados da economia. Assim sendo, é desapontador o fato de a teoria não produzir conselhos simples e convincentes para a política econômica. Do ponto de vista da teoria econômica, a alocação de recursos nos mercados monopolisticamente competitivos não é perfeita. Mas do ponto de vista prático dos formuladores de políticas, pode haver muito pouco a fazer para melhorá-la.

Teste rápido do capítulo

1. Qual das seguintes condições NÃO descreve uma empresa em um mercado monopolisticamente competitivo?

a. Ela vende um produto diferente daquele de seus concorrentes.
b. Ela toma o preço como dado pelas condições de mercado.
c. Ela maximiza o lucro no curto e no longo prazo.
d. Ela tem a liberdade de entrar ou sair no longo prazo.

2. Qual dos mercados a seguir se enquadra melhor na definição de competição monopolística?

a. Trigo
b. Água encanada
c. Petróleo cru
d. Cortes de cabelo

3. Uma empresa monopolisticamente competitiva aumentará sua produção se:

a. A receita marginal for maior que o custo marginal.
b. A receita marginal for maior que o custo total médio.
c. O preço for maior que o custo marginal.
d. O preço for maior que o custo total médio.

4. Novas empresas entrarão em um mercado monopolisticamente competitivo se:

a. A receita marginal for maior que o custo marginal.
b. A receita marginal for maior que o custo total médio.
c. O preço for maior que o custo marginal.
d. O preço for maior que o custo total médio.

5. Qual das alternativas é verdadeira para um mercado monopolisticamente competitivo no equilíbrio de longo prazo?

a. O preço é maior que o custo marginal.
b. O preço é igual à receita marginal.
c. As empresas têm lucro econômico positivo.
d. As empresas produzem no mínimo do custo total médio.

6. Se a publicidade torna os consumidores mais leais a determinadas marcas, ela pode _______ a elasticidade da demanda e _______ o *markup* do preço sobre o custo marginal.

a. Aumentar, aumentar
b. Aumentar, diminuir
c. Diminuir, aumentar
d. Diminuir, diminuir

RESUMO

- Um mercado monopolisticamente competitivo é caracterizado por três atributos: muitas empresas, produtos diferenciados e entrada livre.
- O equilíbrio em um mercado monopolisticamente competitivo difere do equilíbrio existente em um mercado perfeitamente competitivo de duas maneiras correlatas. Primeiro, cada empresa em um mercado de competição monopolística tem capacidade ociosa, ou seja, ela opera na parte descendente da curva de custo total médio. Segundo, cada uma cobra preço superior ao custo marginal.
- A competição monopolística não tem todas as propriedades desejáveis da competição perfeita. Há o peso morto normal do monopólio, causado pelo *markup* do preço acima do custo marginal. Além disso, o número de empresas, e portanto, a variedade de produtos, pode ser muito grande ou muito pequeno. Na prática, a capacidade dos formuladores de políticas para corrigir essas ineficiências é limitada.
- A diferenciação de produto inerente à competição monopolística leva ao uso da publicidade e de marcas. Os críticos de publicidade e das marcas argumentam que as empresas as utilizam para manipular os gostos dos consumidores e para reduzir a competitividade. Os defensores da publicidade e das marcas argumentam que as empresas as utilizam para informar os clientes e para competir com maior vigor em preço e qualidade de produto.

CONCEITOS-CHAVE

oligopólio, p. 262

competição monopolística, p. 262

QUESTÕES PARA REVISÃO

1. Descreva os três atributos da competição monopolística. Em que ela se assemelha ao monopólio? Em que se assemelha à competição perfeita?
2. Represente graficamente uma empresa que esteja tendo lucro no mercado monopolisticamente competitivo. Agora, mostre o que acontece com ela quando novas empresas entram no setor.
3. Represente graficamente o equilíbrio de longo prazo no mercado monopolisticamente competitivo. Como o preço está relacionado com o custo total médio? Como o preço está relacionado com o custo marginal?
4. Um competidor monopolístico produz uma quantidade maior ou menor que o nível de eficiência máxima? Que considerações práticas tornam a questão difícil para os formuladores de políticas resolverem esse problema?
5. Como a publicidade pode reduzir o bem-estar econômico? E como pode aumentá-lo?
6. Como a publicidade sem conteúdo informativo aparente pode transmitir, de fato, informação aos consumidores?
7. Explique dois benefícios que podem surgir da existência de marcas.

PROBLEMAS E APLICAÇÕES

1. Entre monopólio, oligopólio, competição monopolística e competição perfeita, como você classificaria o mercado para cada uma das seguintes bebidas?
   a. Água de torneira
   b. Água engarrafada
   c. Refrigerantes
   d. Cerveja

2. Classifique os seguintes mercados como perfeitamente competitivos, monopolistas ou monopolisticamente competitivos. Explique suas respostas.
   a. Lápis nº 2
   b. Cobre
   c. Serviço de eletricidade local
   d. Creme de amendoim
   e. Batom

3. Indique se cada uma das seguintes afirmações descreve uma empresa perfeitamente competitiva, uma monopolisticamente competitiva, ambas ou nenhuma das duas.
   a. Vende um produto diferenciado daqueles dos seus competidores.
   b. Tem receita marginal menor que o preço.
   c. Tem lucro econômico no longo prazo.
   d. Produz no mínimo do custo total médio no longo prazo.
   e. Equilibra a receita marginal e o custo marginal.
   f. Cobra um preço acima do custo marginal

4. Indique se cada uma das seguintes afirmações descreve uma empresa monopolista, uma monopolisticamente competitiva, ambas ou nenhuma das duas.
   a. Enfrenta uma curva de demanda com inclinação descendente.
   b. Tem receita marginal menor que o preço.
   c. Enfrenta a entrada de novas empresas que oferecem produtos similares no mercado.
   d. Tem lucro econômico no longo prazo.
   e. Iguala receita marginal e custo marginal.
   f. Oferece a quantidade socialmente eficiente de produtos.

5. Você foi contratado como consultor de uma empresa monopolisticamente competitiva e essa empresa apresenta as informações a seguir a respeito de seu preço, custo marginal e custo total médio. Ela está maximizando o lucro? Se não estiver, o que será necessário fazer? Se estiver maximizado o lucro, a empresa está em equilíbrio de longo prazo? Se não estiver, o que será necessário fazer para recuperar esse equilíbrio?
   a. $L < CMg$, $P > CTM$

b. $L > CMg$, $P < CTM$
c. $L = CMg$, $P > CTM$
d. $L > CMg$, $P = CTM$

6. A Sparkle é uma das muitas empresas do mercado de creme dental que estão em equilíbrio de longo prazo.
   a. Represente graficamente as curvas de demanda, de receita marginal, de custo total médio e de custo marginal da Sparkle. Indique a quantidade e o preço que maximizam o lucro para a Sparkle.
   b. Qual é o lucro da Sparkle? Explique.
   c. Em seu diagrama, indique o excedente do consumidor derivado da compra do creme dental Sparkle. Indique também o peso morto em relação ao nível eficiente de produção.
   d. Se o governo obrigasse a Sparkle a produzir no nível eficiente, o que aconteceria com a empresa? O que aconteceria com seus clientes?

7. Considere um mercado monopolisticamente competitivo com *N* empresas. As oportunidades de negócio de cada empresa estão descritas nas seguintes equações:

$$\text{Demanda: } Q = 100/N - P$$
$$\text{Receita marginal: } RMg = 100/N - 2Q$$
$$\text{Custo total: } CT = 50 + Q^2$$
$$\text{Custo marginal: } CMg = 2Q$$

   a. De que maneira *N*, o número de empresas no mercado, afeta a curva de demanda de cada empresa? Por quê?
   b. Quantas unidades cada empresa produz? (As respostas a esta questão e às próximas duas perguntas dependem de *N*.)
   c. Que preço cada empresa cobra?
   d. Quanto lucro cada empresa obtém?
   e. No longo prazo, quantas empresas existirão nesse mercado?

8. Em Nutville, o mercado de creme de amendoim é monopolisticamente competitivo e apresenta equilíbrio de longo prazo. Um dia, Skippy Jif, defensor do consumidor, descobre que todas as marcas de creme de amendoim em Nutville são idênticas. Consequentemente, o mercado se torna perfeitamente competitivo e, novamente, alcança o equilíbrio de longo prazo. Usando um diagrama apropriado, explique se cada uma das seguintes variáveis aumenta, diminui ou permanece a mesma para uma típica empresa no mercado.
   a. Preço
   b. Quantidade
   c. Custo total médio
   d. Custo marginal
   e. Lucro

9. Para cada um dos pares de empresas apresentados a seguir, explique qual empresa estaria mais propensa a utilizar publicidade:
   a. Uma fazenda administrada por uma família ou um restaurante administrado por uma família.
   b. Um fabricante de empilhadeiras ou um fabricante de carros de passeio.
   c. Uma empresa que desenvolveu uma lâmina de barbear extremamente confortável ou uma empresa que desenvolveu uma menos confortável.

10. A Sleek Sneakers Co. é uma das muitas empresas do ramo de calçados.
   a. Suponha que ela, atualmente, obtenha lucros econômicos no curto prazo. Elabore um diagrama para mostrar o nível de produção e de preços que maximizam os lucros, assim como a área que representa o lucro.
   b. O que acontece com o preço, a produção e o lucro no longo prazo? Descreva essa mudança e apresente-a em outro diagrama.
   c. Suponha que, com o tempo, os consumidores se preocupem mais com as diferenças de estilo entre as marcas. De que modo essa mudança de atitude afeta a elasticidade-preço da demanda de cada empresa? No longo prazo, de que forma essa mudança na demanda afetará o preço, a produção e os lucros da Sleek Sneakers?
   d. Ao nível de preço que maximiza o lucro identificado no item (c), a curva de demanda é elástica ou inelástica? Explique.

CAPÍTULO 17

Oligopólio

Se você joga tênis, provavelmente usou bolas de um desses quatro fabricantes: Penn, Wilson, Prince ou Dunlop Slazenger (duas marcas da mesma companhia). Essas quatro empresas fabricam quase todas as bolas de tênis vendidas nos Estados Unidos. Juntas, elas determinam a quantidade de bolas de tênis produzidas e, dada a curva de demanda de mercado, o preço pelo qual serão vendidas.

oligopólio
a estrutura de mercado em que apenas poucos vendedores oferecem produtos similares ou idênticos

teoria dos jogos
o estudo de como as pessoas se comportam em situações estratégicas

O mercado de bolas de tênis é um exemplo de **oligopólio**. Em essência, um mercado oligopolista é aquele em que há poucos vendedores. Como resultado, as ações de qualquer vendedor do mercado podem ter grande impacto sobre os lucros de todos os outros. Ou seja, as empresas oligopolistas são interdependentes de uma forma que as empresas competitivas não o são. Neste capítulo, veremos como essa interdependência molda o comportamento das empresas e os problemas que traz para a política pública.

A análise do oligopólio oferece uma oportunidade para introduzir a **teoria dos jogos**, o estudo de como as pessoas se comportam em situações estratégicas. O termo "estratégicas", no caso, refere-se a uma situação em que um indivíduo, quando precisa escolher entre determinadas alternativas, deve considerar a reação das outras pessoas à decisão que ele toma. O pensamento estratégico é crucial não só nos jogos de damas, de xadrez e da velha, mas também em muitas decisões empresariais. Como os mercados oligopolistas têm apenas poucas empresas, cada uma precisa agir estrategicamente. Cada empresa sabe que os lucros não dependem unicamente da quantidade que produz, mas também de quanto as outras empresas produzem. Ao tomar decisões sobre produção, cada empresa em um oligopólio deve considerar como essa decisão pode afetar as decisões de produção de todas as outras empresas.

A teoria dos jogos não é necessária para compreender os mercados competitivos ou monopolistas. Em um mercado perfeito ou monopolisticamente competitivo, cada empresa é tão pequena, quando comparada ao mercado, que as interações estratégicas com outras empresas não são importantes. Em um mercado monopolístico, essas interações não acontecem, porque existe somente uma empresa. Mas, como veremos, a teoria dos jogos é útil para compreender os oligopólios e muitas outras situações em que um pequeno número de jogadores interage. A teoria dos jogos ajuda a explicar as estratégias que as pessoas escolhem, seja jogando tênis, seja vendendo bolas de tênis.

17_1 MERCADOS COM POUCOS VENDEDORES

Como em um mercado oligopolista há somente um pequeno número de vendedores, uma característica-chave do oligopólio é a tensão entre a cooperação e o interesse próprio. Os oligopolistas se beneficiam quando cooperam e agem como se fossem um monopólio, isto é, fabricando uma pequena quantidade de produto e cobrando um preço superior ao custo marginal. Mas como cada oligopolista se preocupa somente com seu próprio lucro, há fortes incentivos em ação que impedem que um grupo de empresas mantenha os resultados cooperativos.

17_1A Um exemplo de duopólio

Para entendermos o comportamento dos oligopólios, vamos considerar um oligopólio com apenas dois membros, chamado *duopólio*, o tipo mais simples de oligopólio. Os oligopólios com três ou mais membros enfrentam os mesmos problemas que os duopólios, que têm somente dois membros, de modo que não perderemos muito se começarmos pelo caso mais simples.

Imagine uma cidade em que apenas dois de seus habitantes - Jack e Jill - tenham poços que produzem água potável. Todo sábado, Jack e Jill decidem quantos galões de água vão bombear, levar até a cidade e vender pelo preço que o mercado puder pagar. Para simplificar, imaginemos que Jack e Jill possam bombear tanta água quanto quiserem sem custo. Ou seja, o custo marginal da água é zero.

A Tabela 1 mostra a escala de demanda de água. A primeira coluna mostra a quantidade demandada total, e a segunda, o preço. Se os dois proprietários dos poços venderem um total de 10 galões de água, cada galão custará $ 110. Se os dois proprietários venderem um total de 20 galões, o preço de cada galão cairá para $ 100; e assim por diante. Se representássemos graficamente essas duas colunas de números, obteríamos uma curva de demanda padrão, com inclinação descendente.

A última coluna da Tabela 1 mostra a receita total da venda de água, que é igual à quantidade vendida vezes o preço. Como não há custo para bombear água, a receita total dos dois produtores é igual ao seu lucro total.

Agora, examinemos como a organização do setor de abastecimento de água da cidade afeta o preço e a quantidade vendida de água.

17_1B Competição, monopólios e cartéis

Antes de examinarmos o preço e a quantidade de água que resultariam do duopólio de Jack e Jill, vamos abordar rapidamente o que aconteceria se o mercado fosse perfeitamente competitivo ou monopolístico. Esses dois casos são referências naturais.

Se o mercado de água fosse perfeitamente competitivo, as decisões de produção de cada empresa levariam a uma igualdade entre o preço e o custo marginal. Como assumimos que o custo marginal para a produção adicional de água é zero, o preço de equilíbrio da água em competição perfeita também é zero. A quantidade de equilíbrio seria 120 galões. Assim, o preço da água refletiria o custo de produção e a quantidade eficiente de água seria produzida e consumida.

Agora, veremos como um monopólio se comportaria. A Tabela 1 mostra que o lucro total é maximizado à quantidade de 60 galões e o preço de $ 60 por galão. Assim, um monopolista maximizador de lucros produziria essa quantidade e cobraria esse preço. Como é padrão no monopólio, o preço seria superior ao custo marginal. O resultado seria ineficiente, já que a quantidade de água vendida e consumida seria inferior ao nível socialmente eficiente de 120 galões.

conluio
o acordo entre as empresas de um mercado a respeito das quantidades a serem produzidas ou dos preços a serem cobrados

cartel
um grupo de empresas agindo conforme um acordo

Que resultado devemos esperar de nossos duopolistas? Uma possibilidade é que Jack e Jill se reúnam e façam um acordo em relação à quantidade de água a ser produzida e ao preço a ser cobrado. Tal acordo entre empresas sobre produção e preços é chamado **conluio**, e o grupo de empresas que age conforme esse acordo é denominado **cartel**. Uma vez formado um cartel, o mercado passa, na prática, a ser atendido por um monopólio, e podemos, então, aplicar a análise do Capítulo 15. Ou seja, se Jack e Jill entrassem em conluio, concordariam com o resultado de monopólio, porque esse resultado maximiza o lucro total que os produtores podem obter do mercado. Nossos

Tabela 1
A escala de demanda de água

Quantidade (em galões)	Preço	Receita total (e lucro total)
0	$ 120	$ 0
10	110	1.100
20	100	2.000
30	90	2.700
40	80	3.200
50	70	3.500
60	60	3.600
70	50	3.500
80	40	3.200
90	30	2.700
100	20	2.000
110	10	1.100
120	0	0

dois produtores bombeariam um total de 60 galões, que seriam vendidos ao preço de $ 60 cada. Novamente, o preço é superior ao custo marginal e o resultado é socialmente ineficiente.

Um cartel deve concordar não apenas com o nível total de produção, mas também com a quantidade a ser produzida pelos membros. Nesse caso, Jack e Jill devem concordar em como dividir a produção monopolista de 60 galões. Cada membro do cartel desejará uma participação maior no mercado, pois isso significa um lucro maior. Se Jack e Jill concordarem em dividir o mercado em partes iguais, cada um produzirá 30 galões, o preço será de $ 60 por galão e cada um deles terá lucro de $ 1.800.

17_1C O equilíbrio para um oligopólio

Os oligopolistas gostariam de formar cartéis e obter lucros monopolistas, mas, geralmente, isso não é possível. Muitas vezes, os conflitos entre os membros de um cartel a respeito de como dividir o lucro do mercado tornam impossível um acordo entre eles. Além disso, a legislação antitruste proíbe explicitamente acordos entre os oligopolistas, como questão de política pública, sem falar que restrições de preços e produção entre competidores pode ser uma infração penal. Vamos, assim, ver o que aconteceria se Jack e Jill decidissem separadamente a quantidade de água a ser produzida.

De início, seria de esperar que ambos chegassem ao resultado monopolista por si próprios, porque esse resultado maximiza o lucro conjunto. Na falta de um acordo entre as partes, contudo, o resultado monopolista é improvável. Para saber por que isso pode acontecer, imagine que Jack espere que Jill produza apenas 30 galões (metade da quantidade monopolista). Jack raciocinaria da seguinte maneira:

"Eu também poderia produzir 30 galões. Nesse caso, seria vendido um total de 60 galões de água ao preço de $ 60 por galão. Meu lucro seria de $ 1.800 (30 galões × $ 60 por galão). Eu poderia produzir 40 galões. Então, seria vendido um total de 70 galões ao preço de $ 50 por galão. Meu lucro seria de $ 2 mil (40 galões × $ 50 por galão). Embora o lucro total do mercado diminuísse, meu lucro seria maior porque eu teria uma participação maior no mercado".

Pergunte aos especialistas

Equilíbrio de Nash

"O comportamento em muitos cenários estratégicos complexos e aparentemente intrincados pode ser entendido com mais clareza se descobrirmos o que cada participante do jogo escolherá fazer quando perceber que os outros participantes estão resolvendo o mesmo problema. Essa percepção nos ajudou a entender comportamentos tão diversos quanto conflitos militares, estabelecimento de preços de empresas concorrentes e penalidades no futebol."

Fonte: IGM Economic Experts Panel, 2 de junho de 2015.

O que os economistas dizem?

É claro que Jill poderia seguir o mesmo raciocínio. Nesse caso, Jack e Jill levariam para a cidade 40 galões de água cada. A venda total seria de 80 galões, e o preço cairia para $ 40. Assim, se os duopolistas perseguissem somente seus interesses próprios ao decidir quanto produzir, produziriam uma quantidade total maior que a quantidade monopolista, cobrariam um preço inferior ao preço monopolista e teriam lucro total menor que o lucro monopolista.

Embora a lógica do interesse próprio aumente a produção do duopólio para além do nível de monopólio, ela não faz os duopolistas chegarem à alocação competitiva. Vamos ver o que acontece quando cada duopolista produz 40 galões. O preço é $ 40, e cada duopolista obtém um lucro de $ 1.600. Nesse caso, a lógica do interesse próprio de Jack leva a uma conclusão diferente:

"Agora, meu lucro é de $ 1.600. Se eu aumentasse a produção para 50 galões venderia um total de 90 galões de água e o preço seria de $ 30 por galão, de modo que o meu lucro seria de apenas $ 1.500. Então, em vez de aumentar a produção e diminuir o preço, é melhor eu manter a produção em 40 galões."

equilíbrio de Nash
uma situação em que os agentes econômicos que estão interagindo uns com os outros escolhem sua melhor estratégia, dadas as estratégias escolhidas pelos demais agentes

O resultado em que Jack e Jill produzem 40 galões cada parece ser uma espécie de equilíbrio. Na realidade, esse tipo de resultado é chamado *equilíbrio de Nash* (em homenagem ao economista John Nash, cuja vida foi retratada no livro e no filme chamados *Uma mente brilhante*). Um **equilíbrio de Nash** é uma situação em que agentes econômicos interagindo uns com os outros escolhem a melhor estratégia para si com base nas estratégias escolhidas pelos outros. Nesse caso, como Jill está produzindo 40 galões, a melhor estratégia para Jack é produzir também 40 galões. De maneira similar, como Jack está produzindo 40 galões, a melhor estratégia para Jill é produzir também 40 galões. Uma vez que tenham atingido esse equilíbrio de Nash, Jack e Jill não têm incentivos para tomar uma decisão diferente.

Esse exemplo ilustra a tensão entre cooperação e interesse próprio. Os oligopolistas estariam em melhor situação se cooperassem uns com os outros e atingissem o resultado de monopólio. Mas como cada um persegue seu próprio interesse, eles acabam não chegando ao resultado de monopólio e não maximizando o lucro conjunto. Cada oligopolista sente-se tentado a aumentar a produção e a capturar uma parte maior do mercado. À medida que tentam fazer isso, a produção total aumenta e o preço cai.

Ao mesmo tempo, o interesse próprio não conduz o mercado até o resultado competitivo. Assim como os monopolistas, os oligopolistas têm consciência de que aumentos da quantidade produzida por eles provocam a queda do preço do produto, que, por sua vez, afeta os lucros. Portanto, não chegam a seguir a regra das empresas competitivas de produzir até o ponto em que o preço é igual ao custo marginal.

Em suma, *em um oligopólio, quando as empresas escolhem individualmente a quantidade produzida que maximize o lucro, produzem uma quantidade maior que o nível produzido pelo monopólio e menor que o nível produzido pela competição. O preço oligopolista é inferior ao preço do monopolista, mas superior ao preço competitivo, que é igual ao custo marginal.*

17_1D Como o tamanho de um oligopólio afeta o resultado de mercado

Podemos usar os ensinamentos dessa análise do duopólio para ver de que maneira o tamanho de um oligopólio tende a afetar os resultados de um mercado. Suponhamos que, de repente, John e Joan descubram fontes de água em suas propriedades e se unam a Jack e Jill no oligopólio de água. A escala de demanda da Tabela 1 permanece a mesma, mas agora há mais produtores disponíveis para atender a essa demanda. Como um aumento do número de vendedores de dois para quatro afetaria o preço e a quantidade de água da cidade?

Se os vendedores de água puderem formar um cartel, tentarão novamente maximizar o lucro total produzindo a quantidade de monopólio e cobrando o preço de monopólio. Assim como ocorria quando havia apenas dois vendedores, os membros do cartel teriam de chegar a um acordo sobre os níveis de produção de cada um e encontrar uma maneira de fazer o acordo ser cumprido. Com o crescimento do cartel, contudo, esse resultado passa a ser menos provável. Torna-se mais difícil chegar a um acordo e fazer que seja cumprido quando o tamanho do grupo aumenta.

Se os oligopolistas não formam um cartel - talvez porque sejam impedidos pelas leis antitruste -, cada um precisa decidir por si só quanta água produzir. Para ver de que maneira o aumento do número de vendedores afeta o resultado, considere a decisão com a qual cada um se defronta. A qualquer momento, cada proprietário de poço tem a opção de aumentar a produção em um galão. Ao tomar essa decisão, o proprietário do poço pondera dois efeitos:

- *O efeito quantidade*: uma vez que o preço é superior ao custo marginal, vender mais um galão de água ao preço em vigor aumentará o lucro.
- *O efeito preço*: aumentar a produção aumentará a quantidade total vendida, o que diminuirá o preço da água e o lucro de todos os demais galões vendidos.

Se o efeito quantidade for maior que o efeito preço, o proprietário do poço aumentará a produção. Se o efeito preço for maior que o efeito quantidade, o proprietário do poço não aumentará a produção (na verdade, nesse caso, é lucrativo reduzir a produção). Cada oligopolista continua a aumentar a produção até que esses dois efeitos marginais estejam exatamente equilibrados, tomando a produção das demais empresas como dada.

Considere, agora, como o número de empresas no setor afeta a análise marginal de cada oligopolista. Quanto maior o número de vendedores, menos cada um deles se preocupará com seu próprio impacto sobre o preço de mercado. Ou seja, à medida que o tamanho do oligopólio aumenta, a magnitude do efeito preço diminui. Quando o oligopólio se torna muito grande, o efeito preço desaparece completamente, isto é, a decisão de produção de uma única empresa não terá mais nenhum efeito sobre o preço de mercado. Nesse caso extremo, cada empresa seguirá o preço do mercado quando decidir a quantidade a ser produzida. Ela aumentará a produção desde que o preço seja superior ao custo marginal.

Agora, podemos ver que um grande oligopólio é, essencialmente, um grupo de empresas competitivas. Uma empresa competitiva considera apenas o efeito quantidade quando decide quanto produzir: sendo as empresas competitivas tomadoras de preço, o efeito preço está ausente. Assim, *à medida que o número de vendedores em um oligopólio aumenta, o mercado oligopolista se torna cada vez mais parecido com um mercado competitivo: o preço se aproxima do custo marginal e a quantidade produzida se aproxima do nível socialmente eficiente.*

Essa análise do oligopólio oferece uma nova perspectiva em relação aos efeitos do comércio internacional. Imagine que a Toyota e a Honda sejam as únicas fabricantes de automóveis do Japão, que a Volkswagen e a BMW sejam as únicas da Alemanha, e que a Ford e a General Motors sejam as únicas dos Estados Unidos. Se esses países proibissem o comércio internacional de automóveis, cada um teria um oligopólio de automóveis com apenas dois membros, e o resultado do mercado, provavelmente, ficaria substancialmente afastado do ideal competitivo. Com o comércio internacional, no entanto, o mercado de carros se torna mundial e o oligopólio do exemplo passa a ter seis membros. A permissão do livre comércio aumenta o número de produtores entre os quais cada consumidor pode escolher, e essa competição maior mantém os preços mais próximos do custo marginal. Assim, a teoria do oligopólio nos dá outro motivo, além da teoria da vantagem comparativa abordada no Capítulo 3, pelo qual todos os países podem se beneficiar do livre comércio.

Teste rápido Se os membros de um oligopólio puderem chegar a um acordo sobre a quantidade total a ser produzida, que quantidade escolherão? • Se os oligopolistas não agirem de comum acordo e, em vez disso, tomarem decisões individualmente, produzirão uma quantidade total maior ou menor que a da resposta que você deu à pergunta anterior? Por quê?

17_2 A ECONOMIA DA COOPERAÇÃO

dilema dos prisioneiros um "jogo" entre dois prisioneiros que ilustra quão difícil é manter a cooperação, mesmo quando esta é mutuamente benéfica

Como vimos, os oligopólios gostariam de atingir o resultado monopolista, mas isso exige cooperação, que muitas vezes é difícil de estabelecer e manter. Nesta seção, analisaremos em maior profundidade os problemas que surgem quando a cooperação é desejável, porém difícil. Para analisar a economia da cooperação, precisamos aprender um pouco sobre a teoria dos jogos.

Vamos nos concentrar, particularmente, em um "jogo" importante, chamado **dilema dos prisioneiros**, o qual permite entender por que é difícil manter a cooperação. Na vida, muitas vezes, as pessoas deixam de cooperar umas com as outras mesmo que a cooperação seja benéfica para todas. Os oligopólios são apenas um exemplo disso. A história do dilema dos prisioneiros contém uma lição geral aplicável a qualquer grupo que tente manter a cooperação entre seus membros.

17_2A O dilema dos prisioneiros

O dilema dos prisioneiros é uma história sobre dois criminosos que foram capturados pela polícia. Vamos chamá-los de Bonnie e Clyde. A polícia dispõe de provas suficientes para condenar os dois por um crime menor, o de porte ilegal de arma, de modo que cada um passaria um ano na cadeia. A polícia também suspeita que os dois criminosos tenham cometido um assalto a banco juntos, mas não tem evidências concretas para condená-los por esse crime maior. A polícia os interroga em salas separadas e propõe a cada um deles o seguinte acordo:

"Até o momento, podemos prendê-los por um ano. Entretanto, se você confessar o assalto ao banco e acusar seu comparsa, nós lhe daremos imunidade e você ficará livre, enquanto seu cúmplice passará 20 anos na cadeia. Mas, se vocês dois confessarem o crime, não precisaremos do seu testemunho e poderemos economizar os custos do julgamento, de modo que vocês dois receberão uma pena intermediária de 8 anos."

Se Bonnie e Clyde, assaltantes insensíveis que são, só se preocupassem com suas próprias sentenças, o que você acha que eles fariam? A Figura 1 mostra as escolhas deles. Cada prisioneiro tem duas estratégias: confessar ou permanecer em silêncio. A sentença que cada um receberá depende da estratégia escolhida por ele (ou ela) e da estratégia escolhida por sua (ou seu) cúmplice no crime.

estratégia dominante em um jogo, é a melhor estratégia para um jogador, independentemente das estratégias escolhidas pelos demais jogadores

Vamos considerar, primeiro, a decisão de Bonnie. Ela raciocina da seguinte forma: "Não sei o que Clyde vai fazer. Se ele permanecer em silêncio, minha melhor estratégia é confessar, já que, assim, ficarei livre e não precisarei passar um ano na cadeia. Se ele confessar, minha melhor estratégia ainda será confessar, já que, assim, passarei 8 anos na cadeia, em vez de 20. Então, independentemente do que Clyde faça, é melhor para mim confessar".

Na linguagem da teoria dos jogos, um estratagema é chamado **estratégia dominante** se for a melhor para um dos jogadores, independentemente das estratégias

Figura 1

O dilema dos prisioneiros

Neste jogo entre dois criminosos suspeitos de terem cometido um crime, a sentença que cada um recebe depende tanto de sua própria decisão de confessar ou permanecer em silêncio quanto da decisão tomada pelo outro.

Decisão de Clyde \ Decisão de Bonnie	Confessar	Permanecer em silêncio
Confessar	Bonnie é condenada a 8 anos Clyde é condenado a 8 anos	Bonnie é condenada a 20 anos Clyde é solto
Permanecer em silêncio	Bonnie é solta Clyde é condenado a 20 anos	Bonnie é condenada a 1 ano Clyde é condenado a 1 ano

utilizadas pelos demais. Nesse caso, confessar é uma estratégia dominante para Bonnie. Ela passará menos tempo na cadeia se confessar, independentemente de Clyde confessar ou permanecer em silêncio.

Vamos ver agora a decisão de Clyde. Ele tem exatamente as mesmas opções que Bonnie e raciocina de maneira semelhante. Independentemente do que Bonnie faça, Clyde poderá reduzir seu tempo na prisão se confessar. Em outras palavras, confessar também é uma estratégia dominante para Clyde.

No final, tanto Bonnie quanto Clyde confessam e cada um passa 8 anos na cadeia. Este resultado é um equilíbrio de Nash: cada criminoso escolheu a melhor estratégia disponível, dada a estratégia seguida pelo outro. Ainda assim, do ponto de vista de cada um, esse é um péssimo resultado. Se os *dois* tivessem permanecido em silêncio, ambos estariam em melhor situação, passando apenas um ano na cadeia por causa da acusação de porte ilegal de arma. Ao perseguirem seus interesses próprios, os dois chegam, juntos, a um resultado que é pior para ambos.

Você pode ter pensado que Bonnie e Clyde teriam previsto essa situação e planejado com antecedência. Entretanto, mesmo com planejamento prévio, eles estariam com problemas. Imagine que, antes de terem sido capturados pela polícia, Bonnie e Clyde tenham feito um pacto de não confessar. Claramente, esse pacto os deixaria em melhor situação *se* os dois o cumprissem, já que, então, cada um passaria um ano na cadeia. Mas será que eles se manteriam em silêncio simplesmente por terem feito um pacto? Uma vez que comecem a ser interrogados separadamente, a lógica do interesse próprio assume o controle e os leva a confessar. É difícil manter a cooperação entre os prisioneiros, porque ela é irracional do ponto de vista individual.

17_2B Oligopólios como um dilema dos prisioneiros

O que o dilema dos prisioneiros tem a ver com os mercados e a competição imperfeita? É que o jogo dos oligopolistas que tentam atingir um resultado monopolista é semelhante ao jogo dos dois criminosos, no caso do "dilema dos prisioneiros".

Considere mais uma vez as escolhas que Jack e Jill precisam fazer. Depois de prolongada negociação, os dois fornecedores de água decidem manter a produção em 30 galões, de modo que o preço fique alto e juntos consigam obter o lucro máximo. Após concordarem sobre os níveis de produção, no entanto, cada um deve decidir se coopera e assume sua responsabilidade, ou se as ignora e produz em um nível mais alto. A Figura 2 mostra como o lucro dos dois produtores depende da estratégia que escolhem.

Suponha que você seja Jack. Seu raciocínio poderia ser o seguinte: "Eu poderia manter a produção em 30 galões, conforme o acordo, ou poderia aumentar minha produção e vender 40 galões. Se Jill respeitar o acordo e mantiver sua produção em 30 galões, terei um lucro de $ 2 mil com produção alta, e de $ 1.800 com produção baixa. Nesse caso, ficarei em melhor situação com produção alta. Se Jill desrespeitar o acordo e produzir 40 galões, então ganharei $ 1.600 com produção alta e $ 1.500 com produção baixa. Novamente, ficarei em melhor situação com produção alta. Assim, independentemente do que ela decidir fazer, ficarei em melhor situação se desrespeitar o acordo e aumentar a produção".

Figura 2

O jogo oligopolista de Jack e Jill

Neste jogo entre Jack e Jill, o lucro que cada um obtém com a venda da água depende tanto da quantidade que um decide vender quanto da quantidade que o outro decide vender.

		Decisão de Jack	
		Vender 40 galões	Vender 30 galões
Decisão de Jill	Vender 40 galões	Jack obtém lucro de $ 1.600 Jill obtém lucro de $ 1.600	Jack obtém lucro de $ 1.500 Jill obtém lucro de $ 2.000
	Vender 30 galões	Jack obtém lucro de $ 2.000 Jill obtém lucro de $ 1.500	Jack obtém lucro de $ 1.800 Jill obtém lucro de $ 1.800

Produzir 40 galões é a estratégia dominante para Jack. É claro que Jill raciocina da mesma maneira, e, assim, os dois produzem no nível de 40 galões. O resultado é uma receita menor (do ponto de vista de ambos), com lucros menores para os dois.

Esse exemplo ilustra por que os oligopólios têm dificuldade para manter lucros monopolistas. O resultado do monopólio é racional para o oligopólio no todo, mas cada oligopolista tem um incentivo para trapacear. Da mesma forma que o interesse próprio leva os criminosos do caso do dilema dos prisioneiros a confessar, o interesse próprio também faz que seja difícil para o oligopólio manter o resultado cooperativo com produção baixa, preços elevados e lucros de monopólio.

17_2C Outros exemplos do dilema dos prisioneiros

Vimos como o dilema dos prisioneiros pode ser usado para entender o problema enfrentado pelos oligopólios. A mesma lógica aplica-se a muitas outras situações. Aqui, consideraremos dois exemplos em que o interesse próprio impede a cooperação e leva a um resultado inferior para todas as partes envolvidas.

Corrida armamentista Nas décadas após a Segunda Guerra Mundial, as duas superpotências - os Estados Unidos e a União Soviética - estiveram engajadas em uma competição prolongada de poder militar, assunto esse que motivou alguns dos primeiros trabalhos sobre a teoria de jogos. Os estudiosos afirmavam que uma corrida armamentista é muito semelhante ao dilema dos prisioneiros.

Para saber por que, considere as decisões dos Estados Unidos e da União Soviética entre construir novas armas e desarmar-se. Cada país prefere ter mais armas que o outro, porque um arsenal maior lhe conferiria maior influência sobre os assuntos mundiais. Mas cada país também prefere viver em um mundo que esteja protegido das armas do outro.

A Figura 3 mostra esse jogo mortal. Se a União Soviética opta por se armar, os Estados Unidos ficam em melhor situação fazendo o mesmo para evitar a perda de poder. Se a União Soviética opta por se desarmar, os Estados Unidos ficam em melhor situação armando-se, porque isso lhes daria maior poder. Para cada país, armar-se é a estratégia dominante. Com isso, os dois optam por continuar a corrida armamentista, levando ao resultado inferior, que deixa ambos os países em risco.

Durante a Guerra Fria, de cerca de 1945 a 1991, os Estados Unidos e a União Soviética tentaram resolver esse problema por meio de negociações e acordos sobre controle de armas. Os problemas enfrentados por ambos eram semelhantes àqueles que os oligopolistas encontram quando tentam manter um cartel. Assim como os oligopolistas discutem sobre os níveis de produção, os Estados Unidos e a União Soviética discutiam sobre a quantidade de armas que seria permitida a cada país possuir. E, assim como os cartéis têm dificuldade para manter os níveis de produção combinados, os Estados Unidos e a União Soviética temiam que o país oponente descumprisse qualquer acordo. Tanto na corrida armamentista quanto nos oligopólios, a implacável lógica do interesse próprio leva os participantes a um resultado não cooperativo, que é pior para cada parte.

Figura 3

O jogo da corrida armamentista

Neste jogo entre dois países, a segurança e o poder de cada um dependem tanto de sua decisão de se armar quanto da decisão tomada pelo outro país.

Decisão da União Soviética (URSS) \ Decisão dos Estados Unidos (EUA)	Armar-se	Desarmar-se
Armar-se	EUA correndo risco URSS correndo risco	EUA correndo risco e enfraquecidos URSS segura e forte
Desarmar-se	EUA seguros e poderosos URSS em risco e enfraquecida	EUA seguros URSS segura

Recursos comuns Vimos no Capítulo 11 que as pessoas tendem a usar excessivamente os recursos comuns. Esse problema pode ser enfocado como um exemplo do dilema dos prisioneiros.

Imagine que duas empresas - Exxon e Texaco - sejam proprietárias de áreas petrolíferas adjacentes. Sob essas áreas, há uma bacia petrolífera comum, que vale $ 12 milhões, e a perfuração de um poço para extrair o petróleo custa $ 1 milhão. Se cada empresa construir um poço, extrairá metade do petróleo e terá um lucro de $ 5 milhões ($ 6 milhões em receitas menos $ 1 milhão em custos).

Como a bacia petrolífera é um recurso comum, as empresas não a utilizarão com eficiência. Suponhamos que uma das empresas possa perfurar um segundo poço. Se uma empresa tiver dois dos três poços, obterá dois terços do petróleo e terá lucro de $ 6 milhões. A outra ficará com um terço do petróleo e terá lucro de $ 3 milhões. Mas se cada empresa perfurar um segundo poço, as duas novamente dividirão o petróleo entre si. Nesse caso, cada uma arcará com o custo de um segundo poço, de modo que terá lucro de somente $ 4 milhões.

A Figura 4 mostra esse jogo. Perfurar dois poços é a estratégia dominante para cada empresa. Mais uma vez, o interesse próprio dos dois jogadores os leva a um resultado inferior.

17_2D O dilema dos prisioneiros e o bem-estar social

O dilema dos prisioneiros descreve muitas situações reais e mostra que pode ser difícil manter a cooperação, mesmo que ela possa beneficiar os dois participantes do jogo. Evidentemente, essa falta de cooperação é um problema para as partes envolvidas na situação. Mas será um problema do ponto de vista da sociedade como um todo? A resposta depende das circunstâncias.

Em alguns casos, o equilíbrio não cooperativo é ruim tanto para a sociedade quanto para os jogadores. Na Figura 3, no jogo da corrida armamentista, tanto os Estados Unidos quanto a União Soviética terminam em uma situação de risco. No jogo dos recursos comuns, na Figura 4, os poços adicionais perfurados pela Texaco

Figura 4

Um jogo dos recursos comuns

Neste jogo entre empresas que extraem petróleo de uma bacia comum, o lucro que cada uma obtém depende tanto do número de poços que perfura quanto do número de poços perfurados pela outra empresa.

Decisão da Texaco \ Decisão da Exxon	Perfurar dois poços	Perfurar um poço
Perfurar dois poços	A Exxon obtém lucro de $ 4 milhões A Texaco obtém lucro de $ 4 milhões	A Exxon obtém lucro de $ 3 milhões A Texaco obtém lucro de $ 6 milhões
Perfurar um poço	A Exxon obtém lucro de $ 6 milhões A Texaco obtém lucro de $ 3 milhões	A Exxon obtém lucro de $ 5 milhões A Texaco obtém lucro de $ 5 milhões

e pela Exxon são puro desperdício. Nos dois casos, a sociedade ficaria em melhor situação se os jogadores fossem capazes de chegar ao resultado cooperativo.

No entanto, no caso dos oligopolistas que tentam manter lucros monopolistas, a falta de cooperação é desejável do ponto de vista da sociedade como um todo. O resultado monopolista é bom para os oligopolistas, mas ruim para os consumidores do produto. Como vimos no Capítulo 7, o resultado competitivo é o melhor para a sociedade, porque maximiza o excedente total. Quando os oligopolistas não cooperam uns com os outros, a quantidade que produzem fica mais próxima do nível ótimo. Em outras palavras, a mão invisível orienta os mercados para que aloquem recursos de maneira eficiente apenas quando estes são competitivos, e os mercados são competitivos somente quando as empresas são incapazes de cooperar umas com as outras.

De maneira similar, considere o caso da polícia ao interrogar dois suspeitos. A falta de cooperação entre os suspeitos é desejável, porque permite que a polícia condene mais criminosos. O dilema dos prisioneiros é um dilema para os prisioneiros, mas pode ser um benefício para todas as outras pessoas.

17_2E Por que as pessoas às vezes cooperam

O dilema dos prisioneiros mostra que a cooperação é difícil. Mas será que é impossível? Nem todos os prisioneiros, ao serem interrogados pela polícia, decidem delatar seus cúmplices. Os cartéis, às vezes, conseguem manter acordos de conluio, apesar dos incentivos que cada membro tem para desertar. Com frequência, o motivo pelo qual os jogadores conseguem resolver o dilema dos prisioneiros se deve ao fato de que não participam do jogo apenas uma vez, mas muitas vezes.

Para vermos como é mais fácil obter a cooperação em jogos repetidos, voltemos aos nossos duopolistas, Jack e Jill, cujas escolhas foram apresentadas na Figura 2. Eles gostariam de manter o resultado monopolista em que cada um produz 30 galões. Mas se Jack e Jill participarem do jogo somente uma vez, nenhum deles terá incentivo para respeitar o acordo. O interesse próprio fará que cada um volte atrás no acordo e produza 40 galões.

Suponhamos, agora, que Jack e Jill saibam que participarão do mesmo jogo toda semana. Quando fizerem o acordo inicial de manter baixa a produção, eles também poderão especificar o que acontecerá se uma das partes desrespeitar o acordo. Ambos poderão concordar, por exemplo, que, se um deles desrespeitar o acordo e produzir 40 galões, os dois produzirão 40 galões daí em diante. Essa penalidade é de fácil aplicação, porque se uma parte elevar a produção, a outra parte terá todos os motivos para fazer o mesmo.

A ameaça dessa penalidade pode ser o suficiente para manter a cooperação. Cada um sabe que o rompimento do acordo elevaria seu lucro de $ 1.800 para $ 2 mil, mas esse benefício duraria somente uma semana. Depois disso, o lucro cairia para $ 1.600 e assim se manteria. Uma vez que os jogadores se preocupem o bastante com os lucros futuros, eles desistirão do ganho momentâneo decorrente do desrespeito ao acordo. Assim, em um jogo repetido do dilema dos prisioneiros, os dois jogadores podem perfeitamente ser capazes de chegar ao resultado cooperativo.

Teste rápido Conte a história do dilema dos prisioneiros. Crie uma tabela que apresente as escolhas dos prisioneiros e explique qual será o resultado provável. • O que o dilema dos prisioneiros nos ensina sobre os oligopólios?

17_3 POLÍTICA PÚBLICA QUANTO AOS OLIGOPÓLIOS

Um dos *Dez princípios de economia* do Capítulo 1 é que os governos, às vezes, podem melhorar os resultados do mercado. Esse princípio se aplica diretamente aos mercados oligopolistas. Como vimos, a cooperação entre os oligopolistas é indesejável do ponto de vista da sociedade como um todo, porque leva a uma produção excessivamente baixa e a preços muito elevados. Para deslocar a alocação de recursos para um ponto mais próximo do ótimo social, os formuladores de políticas devem tentar induzir as empresas participantes de um oligopólio a competir em vez de cooperar. Vamos ver como os formuladores de políticas fazem isso e, em seguida, examinar as controvérsias que surgem nessa área da política pública.

17_3A Restrição ao comércio e a legislação antitruste

Um modo político de desencorajar a cooperação é por meio das leis. Em geral, a liberdade contratual é parte essencial de uma economia de mercado. Empresas e famílias usam contratos para organizar transações mutuamente vantajosas. Para tanto, confiam no sistema judiciário para fazer valer os contratos. Há muitos séculos, porém, os juízes da Inglaterra e dos Estados Unidos estipularam que contratos entre concorrentes para reduzir quantidades e aumentar preços eram contrários ao bem público e, assim, passaram a recusar-se a fazer valer esses contratos.

A Lei Antitruste Sherman, de 1890, codificou e reforçou essa política:

> Todo contrato, combinação sob a forma de truste ou de qualquer outra forma, ou conspiração que tenha por objetivo restringir o intercâmbio ou comércio entre os diversos estados, ou com países estrangeiros é considerado ilegal. [...] Toda pessoa que monopolizar, ou tentar monopolizar, ou combinar, ou conspirar com alguma pessoa ou pessoas para monopolizar qualquer parte do intercâmbio ou comércio entre os diversos estados ou com países estrangeiros será considerada culpada de contravenção e, se condenada, será punida com multa não superior a $ 50 mil, ou à prisão por prazo não superior a um ano, ou com ambas as punições, a critério dos tribunais.

A Lei Sherman elevou os acordos oligopolistas de um contrato não executável e, em decorrência, sem validade para a categoria de conspirações criminosas.

A Lei Clayton, de 1914, veio para reforçar as leis antitruste. De acordo com ela, se uma pessoa pudesse provar ter sido prejudicada por um acordo ilegal de restrição ao comércio, poderia mover uma ação judicial e receber uma quantia equivalente a três vezes o valor do prejuízo sofrido. O objetivo dessa regra pouco comum de prejuízos multiplicados por três é encorajar processos privados contra oligopolistas em conluio.

Hoje, tanto o Departamento de Justiça dos Estados Unidos quanto partes privadas têm o direito de mover ações para fazer as leis antitruste serem aplicadas. Como vimos no Capítulo 15, essas leis são usadas para impedir fusões que levem a uma concentração excessiva de poder de mercado em uma só empresa. Além disso, essas mesmas leis são usadas para impedir que os oligopolistas ajam em conluio para tornar seus mercados menos competitivos.

17_3B Controvérsias sobre a política antitruste

Ao longo dos anos, houve muita controvérsia sobre os tipos de comportamento que as leis antitruste devem proibir. A maioria dos comentaristas concorda que os acordos de fixação de preços entre empresas concorrentes devem ser considerados ilegais, mas as leis antitruste foram utilizadas para condenar algumas práticas empresariais cujos efeitos não são óbvios. Trataremos aqui de três exemplos.

Fixação de preço de revenda Um exemplo de prática empresarial controvertida é a *fixação de preço de revenda*.[1] Imagine que a Superduper Electronics vende aparelhos de Blu-ray a lojas de varejo por $ 50. Se a Superduper exigir que os varejistas cobrem $ 75 dos clientes, estará praticando fixação de preço de revenda. Qualquer varejista que cobre menos que $ 75 terá violado seu contrato com a Superduper.

1. Também conhecida como "comércio justo". (NRT)

À primeira vista, a manutenção do preço de revenda pode parecer anticompetitiva e, portanto, negativa para a sociedade. Como um acordo entre os membros de um cartel, ela impede que os varejistas concorram em preço. Por isso, os tribunais, muitas vezes, consideram a fixação de preço de revenda uma violação à legislação antitruste.

Alguns economistas, no entanto, defendem a manutenção de preço de revenda com base em dois argumentos. Primeiro, negam que a prática tenha por objetivo reduzir a competição. Na medida em que a Superduper tenha qualquer poder de mercado, ela pode exercê-lo por meio do preço de atacado e não pela fixação do preço de revenda. Além disso, a Superduper não tem incentivo para desencorajar a competição entre seus revendedores. Com efeito, como um cartel de revendedores vende menos que um grupo de varejistas competitivos, a Superduper ficaria em pior situação se seus varejistas formassem um cartel.

Em segundo lugar, alguns economistas acreditam que a fixação de preço de revenda tem um objetivo legítimo. A Superduper pode querer que seus varejistas ofereçam aos clientes um *showroom* agradável e uma equipe de vendas bem treinada. Mas, sem a fixação do preço de revenda, alguns clientes se aproveitariam dos serviços de uma loja para aprender tudo sobre as características especiais dos aparelhos de Blu-ray e depois iriam comprar o produto num varejista que oferecesse um preço mais baixo e não prestasse esses serviços. Em certa medida, um bom atendimento é um bem público entre os varejistas que vendem produtos Superduper. Como vimos no Capítulo 11, quando uma pessoa oferece um bem público, outras são capazes de usufruir dele sem pagar por isso. Nesse caso, os varejistas que oferecem preço mais baixo pegariam uma carona no atendimento oferecido pelos demais, levando a uma quantidade de serviços menor que a desejável. A fixação do preço de revenda é uma maneira pela qual a Superduper pode lidar com o problema dos caronas.

O exemplo da fixação do preço de revenda ilustra um princípio importante: *práticas comerciais que parecem reduzir a competição podem, na realidade, ter objetivos legítimos*. Esse princípio dificulta a aplicação da legislação antitruste. Os economistas, advogados e juízes encarregados de aplicar essa legislação precisam determinar quais comportamentos devem ser proibidos pela política pública por impedirem a competição e reduzirem o bem-estar econômico. Essa tarefa, muitas vezes, é difícil.

Determinação de preços predatória As empresas que têm poder de mercado costumam usá-lo para elevar os preços para além do nível competitivo. Mas os formuladores de políticas devem se preocupar com a possibilidade de que as empresas com poder de mercado cobrem preços excessivamente baixos? Essa questão está no cerne de uma segunda discussão sobre a política antitruste.

Imagine que uma grande companhia aérea, que chamaremos de Coyote Air, tenha um monopólio sobre determinada rota. Então surge a Papa-léguas Express e consegue 20% do mercado, deixando a Coyote com 80%. Reagindo à competição, a Coyote começa a cortar os preços de suas passagens. Alguns analistas antitruste argumentam que a ação da Coyote poderia ser anticompetitiva: os cortes podem ter por objetivo empurrar a Papa-léguas para fora do mercado, de modo que a Coyote possa recuperar seu monopólio e elevar novamente os preços. Esse comportamento é chamado *determinação de preços predatória*.

Embora a determinação de preços predatória seja uma alegação comum em processos antitruste, alguns economistas são céticos em relação a esse argumento e acreditam que tal determinação de preços raramente, e talvez nunca, represente uma estratégia empresarial lucrativa. Por quê? Para que uma guerra de preços force uma empresa rival para fora do mercado, os preços precisam ficar abaixo do custo. Mas se a Coyote começar a vender passagens com prejuízo, precisará estar preparada para aumentar o número de voos, porque os preços menores atrairão mais clientes. A Papa-léguas, enquanto isso, poderá reagir à jogada predatória da Coyote, reduzindo o número de voos. Com isso, a Coyote acaba arcando com mais de 80% das perdas, deixando a Papa-léguas em posição privilegiada para sobreviver à guerra de preços. Nesse caso, o predador acaba sofrendo mais que a vítima, como no velho desenho animado.

Os economistas continuam a debater se o preço predatório deve ser uma preocupação para os formuladores de políticas antitruste. Há muitas questões em aberto. Essa determinação de preços pode ser uma estratégia empresarial lucrativa? Se pode, em que circunstâncias? Os tribunais são capazes de determinar quando os cortes de preços são competitivos e, portanto, bons para os consumidores, e quando são predatórios? Não há respostas simples para essas questões.

Venda casada Um terceiro exemplo de prática empresarial controvertida é a *venda casada*. Suponhamos que a Makemoney Filmes produza dois novos filmes: *Os Vingadores* e *Hamlet*. Se a empresa oferece aos cinemas os dois filmes juntos por um só preço, e não separadamente, diz-se que o estúdio está casando os dois produtos.

Quando a prática da venda casada foi contestada nos tribunais, a Suprema Corte a proibiu. O raciocínio foi o seguinte: imaginemos que *Os Vingadores* seja um sucesso de bilheteria, enquanto *Hamlet* é um filme de arte que não dá lucro. O estúdio poderia usar a alta demanda pelo filme *Os Vingadores* para forçar os cinemas a adquirir *Hamlet*. Parece que o estúdio poderia usar a venda casada como mecanismo de expansão de seu poder de mercado.

Muitos economistas são céticos em relação a esse argumento. Imagine que as salas de cinema estejam dispostas a pagar $ 20 mil por *Os Vingadores* e nada por *Hamlet*. Então, o máximo que um cinema estaria disposto a pagar pelos dois filmes seria $ 20 mil – o mesmo que pagaria pelo filme *Os Vingadores* sozinho. Forçar o cinema a aceitar um filme que não vale nada como parte da transação não aumenta a disposição de pagar do cinema. A Makemoney não pode aumentar seu poder de mercado simplesmente colocando os dois filmes em um pacote.

Por que, então, existem as vendas casadas? Uma possibilidade é que sejam uma forma de discriminação de preços. Suponhamos que só haja dois cinemas. O City Theater está disposto a pagar $ 15 mil por *Os Vingadores* e $ 5 mil por *Hamlet*, enquanto o Country Theater quer fazer exatamente o inverso: está disposto a pagar $ 5 mil por *Os Vingadores* e $ 15 mil por *Hamlet*. Se a Makemoney cobrar preços separados pelos dois filmes, sua melhor estratégia será cobrar $ 15 mil por filme e cada cinema optará por apresentar apenas um filme. Mas, se a Makemoney oferecer os dois filmes em um pacote, poderá cobrar de cada cinema $ 20 mil pelos filmes. Assim, se diferentes cinemas atribuírem valores diferentes aos filmes, a venda casada poderá permitir que o estúdio aumente seu lucro, cobrando um preço combinado mais próximo da disposição total para pagar dos compradores.

A venda casada ainda é uma prática empresarial controvertida. O argumento da Suprema Corte de que esse tipo de venda permite que uma empresa amplie seu poder de mercado a outros bens não está bem fundamentado, pelo menos em sua forma mais simples. Contudo, os economistas propuseram teorias mais elaboradas sobre como as vendas casadas podem impedir a competição. Dado nosso conhecimento econômico atual, não está claro se a venda casada tem efeito adverso sobre a sociedade.

Teste rápido Que tipo de acordo entre empresas é ilegal? • Por que a legislação antitruste é controvertida?

17_4 CONCLUSÃO

Os oligopólios gostariam de agir como os monopólios, mas o interesse próprio os aproxima da competição. Onde os oligopólios se situam nesse espectro depende do número de empresas que os compõem e da capacidade de cooperação entre elas. A história do dilema dos prisioneiros mostra por que os oligopólios podem ser incapazes de manter a cooperação, mesmo quando ela é de seu maior interesse.

Os formuladores de políticas regulam o comportamento dos oligopolistas por meio da legislação antitruste. A abrangência apropriada dessas leis é objeto de controvérsia constante. Embora a fixação de preços entre empresas concorrentes reduza claramente o bem-estar econômico e deva ser considerada ilegal, algumas práticas empresariais que parecem reduzir a competição podem ter finalidades legítimas, ainda que sutis. Por isso, os formuladores de políticas precisam ser cautelosos ao utilizar os consideráveis poderes da legislação antitruste para impor limites ao comportamento das empresas.

Teste rápido do capítulo

1. **Das afirmações a seguir, indique a que aponta a principal característica de um mercado oligopolista:**
   a. Cada empresa fabrica um produto diferente do das outras empresas.
   b. Uma única empresa escolhe um ponto na curva de demanda do mercado.
   c. Cada empresa toma o preço de mercado como dado.
   d. Um pequeno número de empresas age estrategicamente.

2. **Se uma indústria oligopolista se organiza como um cartel cooperativo, ela passa a produzir uma quantidade que é _______ que o nível competitivo e _______ que o nível de monopólio.**
   a. Menor, maior.
   b. Maior, menor.
   c. Menor, a mesma.
   d. A mesma, maior.

3. **Se um oligopólio não coopera e cada empresa escolhe sua própria quantidade, a indústria vai produzir uma quantidade que é _______ que o nível competitivo e _______ que o nível de monopólio.**
   a. Menor, maior.
   b. Maior, menor.
   c. Menor, a mesma.
   d. A mesma, maior.

4. **À medida que o número de empresas de um oligopólio aumenta, a indústria alcança um nível de produção que é _______ que o nível competitivo e _______ que o nível de monopólio.**
   a. Menor, maior.
   b. Maior, menor.
   c. Menor, a mesma.
   d. A mesma, maior.

5. **O dilema dos prisioneiros é um jogo entre dois participantes que ilustra:**
   a. Que, para ambos, o resultado cooperativo pode ser pior que o equilíbrio de Nash.
   b. Que, ainda que o resultado cooperativo seja melhor que o equilíbrio de Nash para um participante, esse resultado pode ser pior para o outro.
   c. Que, mesmo que a cooperação seja melhor que o equilíbrio de Nash, cada participante pode ter um incentivo para não cooperar.
   d. Que indivíduos racionais e egoístas naturalmente evitarão o equilíbrio de Nash, porque ele é pior para ambos.

6. **As leis antitruste visam:**
   a. Facilitar a cooperação entre empresas nas indústrias oligopolistas.
   b. Encorajar fusões para tirar proveito de economias de escala.
   c. Desencorajar empresas de mover unidades de produção para o exterior.
   d. Impedir que as empresas ajam de forma a reduzir a concorrência.

RESUMO

- Os oligopolistas maximizam seu lucro total formando cartéis e agindo como se fossem monopolistas. Mas se eles tomarem individualmente suas decisões sobre os níveis de produção, o resultado será uma quantidade maior e um preço menor que os do resultado monopolista. Quanto maior for o número de empresas de um oligopólio, mais próximos dos níveis competitivos ficam a quantidade e o preço.
- O dilema dos prisioneiros demonstra que o interesse próprio pode impedir que as pessoas mantenham a cooperação, ainda que ela seja de seu interesse. A lógica do dilema dos prisioneiros aplica-se a muitas situações, incluindo a corrida armamentista, os problemas de recursos comuns e os oligopólios.
- Os formuladores de políticas usam a legislação antitruste para impedir que os oligopólios se comportem de uma maneira que reduza a competição. A aplicação dessas leis pode ser controvertida, porque alguns comportamentos que parecem reduzir a competição podem, na verdade, ter finalidades empresariais legítimas.

CONCEITOS-CHAVE

oligopólio, p. 275
teoria dos jogos, p. 275
conluio, p. 276
cartel, p. 276
equilíbrio de Nash, p. 278
dilema dos prisioneiros, p. 280
estratégia dominante, p. 280

QUESTÕES PARA REVISÃO

1. Se um grupo de vendedores pudesse formar um cartel, que quantidade tentariam vender e a que preço?
2. Compare a quantidade e o preço de um oligopólio com os de um monopólio.
3. Compare a quantidade e o preço de um oligopólio com os de um mercado competitivo.
4. De que maneira o número de empresas de um oligopólio afeta o resultado de seu mercado?
5. O que é o dilema dos prisioneiros e o que ele tem a ver com o oligopólio?
6. Dê dois exemplos, que não o oligopólio, para demonstrar como o dilema dos prisioneiros ajuda a explicar um comportamento.
7. Que tipos de comportamento são proibidos pela legislação antitruste?

PROBLEMAS E APLICAÇÕES

1. Uma grande parte da oferta mundial de diamantes vem da Rússia e da África do Sul. Suponhamos que o custo marginal da produção de diamantes seja constante, de $ 1.000 por diamante, e que a demanda pelo produto seja a descrita pela tabela apresentada a seguir:

Preço	Quantidade
$ 8.000	5.000 diamantes
7.000	6.000
6.000	7.000
5.000	8.000
4.000	9.000
3.000	10.000
2.000	11.000
1.000	12.000

   a. Se houvesse muitos fornecedores de diamantes, quais seriam o preço e a quantidade?
   b. Se só houvesse um fornecedor de diamantes, quais seriam o preço e a quantidade?
   c. Se a Rússia e a África do Sul formassem um cartel, quais seriam o preço e a quantidade? Se esses países dividissem o mercado por igual, quais seriam a produção e o lucro da África do Sul? O que aconteceria com o lucro da África do Sul se ela aumentasse sua produção em mil unidades, enquanto a Rússia se mantivesse fiel ao acordo de cartel?
   d. Use sua resposta da parte (c) para explicar por que, em geral, os acordos de cartel são malsucedidos.

2. Alguns anos atrás, o *New York Times* reportou que, "na semana passada, a incapacidade de a Opep chegar a um acordo de corte de produção deixou o mercado de petróleo em turbulência [...] [levando ao] menor preço interno de petróleo desde junho de 1990".
   a. Por que os membros da Opep estavam tentando chegar a um acordo para reduzir a produção?
   b. Por que, em sua opinião, a Opep não conseguiu chegar a um acordo de corte de produção? Por que o mercado de petróleo entrou em "turbulência" como resultado disso?
   c. O jornal relata também a opinião da Opep de que "as nações produtoras não pertencentes à organização, como a Noruega e a Grã-Bretanha, poderiam fazer a sua parte e reduzir a produção". O que a frase "fazer a sua parte" sugere a respeito do relacionamento que a Opep desejaria ter com a Noruega e a Grã-Bretanha?

3. Este capítulo examinou empresas que são oligopolistas no mercado dos produtos que vendem. Muitas das mesmas ideias se aplicam às empresas que são oligopolistas no mercado dos insumos que compram.
   a. Se os vendedores que são oligopolistas tentam aumentar o preço dos bens que vendem, qual é o objetivo dos compradores que são oligopolistas?
   b. Os proprietários de times da liga principal norte-americana de beisebol têm um oligopólio do mercado de jogadores de beisebol. Qual é o objetivo desses proprietários no que se refere aos salários dos jogadores? Por que é difícil atingi-lo?

c. Os jogadores de beisebol fizeram greve em 1994 porque não queriam aceitar o teto de salário que os proprietários desejavam impor. Se os proprietários já estivessem em conluio em relação aos salários, por que sentiriam necessidade de impor um teto salarial?

4. Considere as relações comerciais entre os Estados Unidos e o México. Admita que os líderes dos dois países acreditem que o desfecho de algumas políticas comerciais alternativas seja o seguinte:

Decisão do México \ Decisão dos Estados Unidos	Tarifas baixas	Tarifas elevadas
Tarifas baixas	Os EUA ganham \$ 25 bilhões O México ganha \$25 bilhões	Os EUA ganham \$ 30 bilhões O México ganha \$ 10 bilhões
Tarifas elevadas	Os EUA ganham \$ 10 bilhões O México ganha \$ 30 bilhões	Os EUA ganham \$ 20 bilhões O México ganha \$ 20 bilhões

a. Qual é a estratégia dominante para os Estados Unidos? E para o México? Explique.

b. Defina o *equilíbrio de Nash*. Qual é o equilíbrio de Nash para a política comercial?

c. Em 1993, o Congresso norte-americano ratificou o Tratado Norte-Americano de Livre Comércio (Nafta), segundo o qual os Estados Unidos e o México concordaram em reduzir simultaneamente as barreiras ao comércio. Os resultados aqui indicados justificam esse tratamento da política comercial? Explique.

d. Com base em seu entendimento dos ganhos comerciais (discutidos nos capítulos 3 e 9), você acha que esses resultados refletem efetivamente o bem-estar de um país, considerando cada um dos quatro possíveis resultados?

5. A Synergy e a Dynaco são as duas únicas empresas em um mercado específico de alta tecnologia. Elas enfrentam a seguinte tabela orçamentária enquanto decidem sobre o montante do orçamento destinado à pesquisa:

a. A Synergy tem uma estratégia dominante? Explique.

b. A Dynaco tem uma estratégia dominante? Explique.

Decisão da Dynaco \ Decisão da Synergy	Orçamento pleno	Orçamento reduzido
Orçamento pleno	Synergy ganha \$ 20 milhões Dynaco ganha \$ 30 milhões	Synergy recebe 0 Dynaco recebe \$70 milhões
Orçamento reduzido	Synergy ganha \$ 30 milhões Dynaco ganha zero	Synergy ganha \$ 40 milhões Dynaco ganha \$ 50 milhões

c. Existe equilíbrio de Nash para esse cenário? Explique. (Dica: leia atentamente a definição de equilíbrio de Nash.)

6. Você e um colega devem fazer um trabalho no qual receberão a mesma nota. Vocês dois desejam tirar uma boa nota, mas não querem trabalhar muito. Especificamente, esta é a situação:

- Se os dois se esforçarem, os dois tirarão nota A, o que dará a cada um 40 unidades de felicidade.
- Se apenas um de vocês se esforçar, os dois tirarão nota B, o que dará a cada um 30 unidades de felicidade.
- Se nenhum de vocês se esforçar, os dois tirarão nota D, o que dará a cada um 10 unidades de felicidade.
- Trabalhar com afinco custa 25 unidades de felicidade.

a. Preencha a tabela com as decisões de cada um:

Decisão de seu colega \ Sua decisão	Trabalhar	Faltar ao dever
Trabalhar	Você Seu colega	Você Seu colega
Faltar ao dever	Você Seu colega	Você Seu colega

b. Qual será o resultado provável? Explique.

c. Se você tiver de fazer vários trabalhos com esse colega durante o ano, em vez de apenas um, como isso mudará o resultado previsto no item (b)?

d. Outro colega de classe se preocupa mais em tirar boas notas: ele recebe 50 unidades de felicidade por uma nota B e 80 unidades por uma nota A. Se ele fosse seu parceiro (mas as preferências não se modificam), como ficariam as respostas dos itens (a) e (b)? Qual colega você prefere como parceiro? Ele também preferiria você como parceiro?

7. Imagine duas companhias aéreas - a American Airlines e a Braniff Airways. Vamos analisar um jogo entre ambas. Suponha que cada uma possa cobrar um preço alto ou um preço baixo pela passagem aérea. Se uma companhia cobrar $ 100, terá lucros baixos se a outra cobrar o mesmo preço, e altos lucros se a outra cobrar $ 200. No entanto, se uma companhia cobrar $ 200, terá lucros muito baixos se a outra empresa cobrar $ 100, e lucros médios se a outra cobrar também $ 200.
   a. Faça a tabela de decisão para esse jogo.
   b. Qual é o equilíbrio de Nash para esse jogo? Explique.
   c. Existe um resultado que seria melhor que o equilíbrio de Nash para as duas empresas? Como conseguir isso? Quem sairia perdendo se isso acontecesse?

8. Dois atletas de igual habilidade estão competindo por um prêmio de $ 10 mil. Cada um está decidindo se toma ou não uma droga perigosa que melhora o desempenho. Se um atleta usa a droga e o outro não, aquele que usou a droga ganha o prêmio. Se ambos usarem a droga, chegarão a um empate e dividirão o prêmio, o que também acontecerá se nenhum deles usar a droga. O uso da droga impõe riscos à saúde que equivalem à perda de X dólares.
   a. Desenhe uma matriz de resultados 2 × 2 descrevendo as decisões que os atletas enfrentam.
   b. Para que *X* a decisão de tomar a droga é o equilíbrio de Nash?
   c. Tornar a droga mais segura (isto é, diminuir o *X*) melhora ou piora a situação dos atletas? Explique.

9. A Little Kona é uma pequena empresa produtora de café que está pensando em entrar em um mercado dominado pela Big Brew. O lucro de cada empresa depende da entrada ou não da Little Kona e do estabelecimento, pela Big Brew, de um preço alto ou baixo:

Little Kona \ Big Brew	Preço alto	Preço baixo
Entrar	A Brew ganha $ 3 milhões; A Kona ganha $ 2 milhões	A Brew ganha $ 1 milhão; A Kona perde $ 1 milhão
Não entrar	A Brew ganha $ 7 milhões; A Kona ganha zero	A Brew ganha $ 2 milhões; A Kona ganha zero

   a. Cada um dos jogadores tem uma estratégia dominante?
   b. A resposta do item (a) ajuda a imaginar o que o outro jogador deveria fazer? Qual é o equilíbrio de Nash? Existe apenas um?
   c. A Big Brew ameaça a Little Kona, dizendo: "Se você entrar, vamos colocar o preço lá em baixo, então é melhor ficar fora". Você acha que a Little Kona deve acreditar nessa ameaça? Explique.
   d. Se ambas as empresas fizerem conluio e concordarem em dividir o lucro total, qual resultado escolheriam?

Parte VI

A economia dos mercados de trabalho

CAPÍTULO 18

Os mercados de fatores de produção

Quando você terminar a faculdade, sua renda será determinada, em grande parte, pelo tipo de emprego que conseguir. Se você se tornar programador de computadores, ganhará mais do que se trabalhar como frentista de posto de gasolina. Não há nenhuma novidade nessa constatação, mas a razão pela qual é verdadeira não é tão óbvia. Não há lei que exija que programadores de computadores ganhem mais do que frentistas, bem como não há princípio ético que afirme que programadores são mais merecedores. Então, o que determina qual emprego pagará o maior salário a você?

Sua renda, naturalmente, é uma pequena parte de um grande quadro econômico. Em 2015, a renda total dos residentes nos Estados Unidos (uma estatística chamada *renda nacional*) foi de, aproximadamente, $ 16 trilhões, e as pessoas a obtiveram de diversas maneiras. Os trabalhadores receberam cerca de três quartos dela sob a forma de salários e benefícios adicionais. O restante foi para os proprietários de terras e para os proprietários do *capital* - o estoque de equipamentos, prédios e demais construções da economia - sob a forma de aluguéis, lucro e juros. O que determina quanto vai para os trabalhadores? E para os proprietários de terras e de capital? Por que alguns trabalhadores ganham salários mais altos que outros, alguns proprietários de terras ganham aluguéis mais elevados que outros e alguns proprietários de capital têm lucros maiores que outros? Por que, em particular, os programadores de computador ganham mais que os frentistas?

As respostas a essas perguntas, como a maioria das coisas em economia, dependem da oferta e da demanda. A oferta e a demanda por trabalho, terra e capital determinam os preços pagos a trabalhadores, proprietários de terras e proprietários de capital. Para entendermos por que algumas pessoas obtêm renda mais elevada que outras, precisamos analisar mais acuradamente os mercados dos serviços que elas oferecem. Essa será nossa tarefa neste e nos próximos dois capítulos.

Este capítulo oferece a teoria básica para a análise dos mercados de fatores de produção. Como você deve recordar, vimos no Capítulo 2 que os **fatores de produção** são os insumos usados para produzir bens e serviços. Mão de obra, terra e capital são os três fatores de produção mais importantes. Quando uma empresa de informática produz um novo programa para computador, usa o tempo dos programadores (mão de obra), o espaço físico em que estão seus escritórios (terra) e um prédio de escritórios e equipamentos de informática (capital). Da mesma forma, quando um posto vende gasolina, usa o tempo dos frentistas (mão de obra), o espaço físico (terra) e os tanques e as bombas de combustível (capital).

fatores de produção
os insumos usados para produzir bens e serviços

Em muitos aspectos, os mercados de fatores de produção lembram os mercados de bens e serviços analisados nos capítulos anteriores; contudo, apresentam uma diferença importante: a demanda por um fator de produção é uma *demanda derivada*. Isto é, a demanda de uma empresa por um fator de produção deriva da sua decisão de ofertar um bem em outro mercado. A demanda por programadores de computador está necessariamente ligada à oferta de programas de computador, e é inevitável que a demanda por frentistas esteja ligada à oferta de combustível.

Neste capítulo, analisaremos a demanda por fatores, considerando como uma empresa competitiva e maximizadora de lucro decide quanto comprar de um fator de produção. Começaremos nossa análise pelo exame da demanda por mão de obra. O trabalho é o fator de produção mais importante, porque os trabalhadores recebem a maior parte da renda total obtida na economia dos Estados Unidos. Mais adiante, neste capítulo, veremos que a nossa análise do mercado de trabalho também se aplica diretamente aos mercados dos demais fatores de produção.

A teoria básica dos fatores de produção desenvolvida neste capítulo é um grande passo para explicar como a renda da economia norte-americana se divide entre trabalhadores, proprietários de terras e proprietários de capital. O Capítulo 19 amplia essa análise, examinando em mais detalhes por que alguns trabalhadores ganham mais do que outros, e o Capítulo 20 examina quanta desigualdade de renda resulta do funcionamento dos fatores de mercado e considera o papel que o governo deveria desempenhar, e desempenha, na alteração da distribuição da renda.

18_1 A DEMANDA POR MÃO DE OBRA

Os mercados de trabalho, como outros da economia, são governados pelas forças de oferta e demanda, o que é ilustrado na Figura 1. No painel (a), a oferta e a demanda por maçãs determinam o preço dessa fruta. No painel (b), a oferta e a demanda por colhedores de maçãs determinam o preço, ou salário, deles.

Como já havíamos notado, o mercado de trabalho é diferente da maioria dos outros mercados, porque a demanda por mão de obra é uma demanda derivada. Na maioria dos casos, o trabalho, em vez de ser um bem final, pronto para ser desfrutado pelos consumidores, é um insumo na produção de outros bens. Para entender a demanda por mão de obra, precisamos focalizar as empresas que empregam a mão de obra e a utilizam para produzir bens para venda. Examinando o elo entre a produção de bens e a demanda por mão de obra para produzir esses bens, podemos entender a determinação dos salários de equilíbrio.

18_1A A empresa competitiva maximizadora de lucros

Vejamos de que maneira uma empresa típica, tal como uma produtora de maçãs, decide a quantidade de mão de obra que demandará. A empresa é proprietária de um pomar de macieiras e, a cada semana, precisa

Figura 1
A versatilidade da oferta e da demanda

As ferramentas básicas de oferta e demanda se aplicam aos bens e aos serviços da mão de obra. O painel (a) mostra como a oferta e a demanda por maçãs determinam o preço dessa fruta. O painel (b) mostra como a oferta e a demanda por colhedores de maçãs determinam o salário deles.

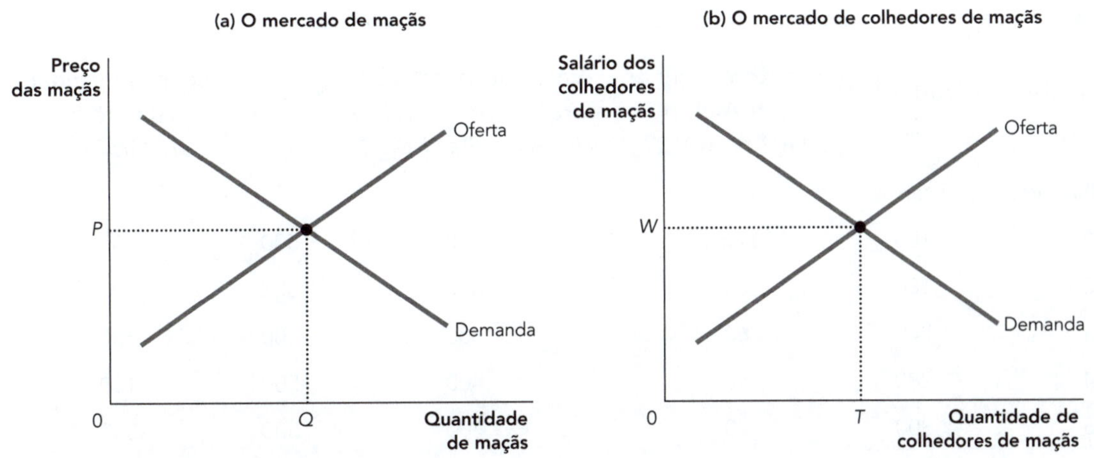

decidir quantos trabalhadores empregar para colher sua safra. Uma vez tomada a decisão de contratação, os trabalhadores colhem todas as maçãs que conseguem e, então, a empresa as vende, paga os trabalhadores e fica com o restante sob a forma de lucro.

Vamos fazer duas suposições em relação à nossa empresa. Primeiro, vamos assumir que ela seja *competitiva* tanto no mercado de maçãs (em que é vendedora) quanto no de colhedores de maçãs (em que é compradora). As empresas competitivas são tomadoras de preços. Uma vez que há muitas outras empresas que vendem maçãs e empregam colhedores, uma única empresa tem pouca influência sobre o preço que recebe pelas maçãs ou sobre o salário que paga aos colhedores. A empresa aceita o preço e o salário como dados pelas condições do mercado, só precisando decidir quantos trabalhadores empregar e quantas maçãs vender.

Segundo, assumimos que a empresa seja *maximizadora do lucro*. Desse modo, ela não se importa diretamente com o número de trabalhadores que tem ou com o número de maçãs que produz e vende. Só se interessa pelo lucro, que é igual à renda total da venda das maçãs menos o custo total de produção. A oferta de maçãs da empresa e sua demanda por trabalhadores são derivadas do seu objetivo principal de maximizar os lucros.

18_1B A função da produção e o produto marginal do trabalho

Para tomar a decisão de contratar, a empresa precisa considerar como o tamanho da sua força de trabalho afeta a quantidade produzida. Em outras palavras, precisa considerar como o número de colhedores de maçãs afeta a quantidade de maçãs que pode colher e vender. A Tabela 1 apresenta um exemplo numérico. Na primeira coluna encontra-se o número de trabalhadores, e na segunda, a quantidade de maçãs que eles colhem por semana.

função de produção
a relação entre a quantidade de insumos usados na produção de um bem e a quantidade produzida desse bem

Os números dessas duas colunas descrevem a capacidade de produção da empresa. Lembre-se de que os economistas utilizam a expressão **função de produção** para descrever a relação entre a quantidade de insumos utilizada na produção de um bem e a quantidade produzida desse bem. Aqui, o "insumo" são os colhedores de maçãs, e a "produção", as maçãs. Os demais insumos - as macieiras, a terra, os caminhões e tratores da empresa, e assim por diante - serão mantidos fixos por enquanto. A função de produção dessa empresa mostra que, se ela empregar 1 trabalhador, ele colherá 100 caixas de maçãs por semana. Se empregar 2 trabalhadores, eles colherão, juntos, 180 caixas por semana e assim por diante.

A Figura 2 apresenta graficamente os dados sobre mão de obra e produção apresentados na Tabela 1. O número de trabalhadores está representado no eixo horizontal, e a quantidade produzida, no eixo vertical. Essa figura ilustra a função de produção.

Tabela 1
Como as empresas competitivas decidem quantos trabalhadores contratarão

Mão de obra *T*	Produção *Q*	Produto marginal do trabalho $PMgT = \Delta Q/\Delta T$	Valor do produto marginal do trabalho $VPMgT = P \times PMgT$	Salário *S*	Lucro marginal $\Delta Lucro = VPMgT - S$
0 trabalhadores	0 caixas				
1	100	100 caixas	$ 1.000	$ 500	$ 500
2	180	80	800	500	300
3	240	60	600	500	100
4	280	40	400	500	-100
5	300	20	200	500	-300

Figura 2

A função de produção

A função da produção é a relação entre os insumos na produção (colhedores de maçãs) e a quantidade produzida (maçãs). À medida que a quantidade de insumos aumenta, a função de produção vai se tornando menos inclinada, quase chegando a ficar horizontal, refletindo a propriedade do produto marginal decrescente.

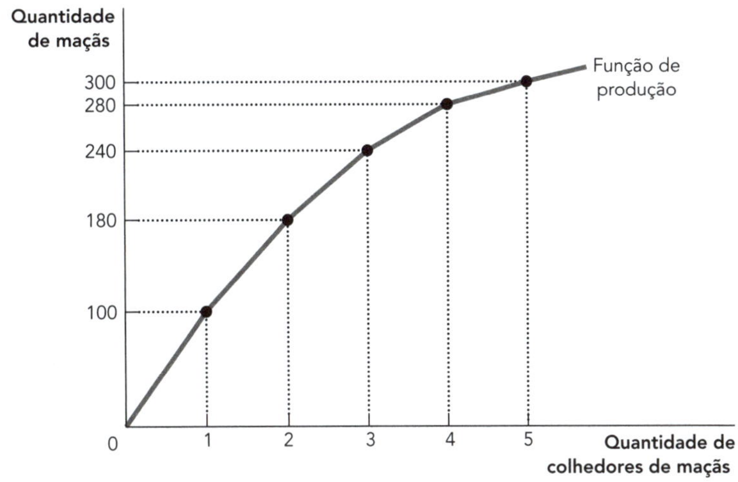

produto marginal do trabalho o aumento da quantidade produzida em decorrência do uso de uma unidade adicional de mão de obra

produto marginal decrescente a propriedade segundo a qual o produto marginal de um insumo diminui à medida que a quantidade do insumo aumenta

Um dos *Dez princípios de economia* introduzidos no Capítulo 1 é que as pessoas racionais pensam na margem. Essa ideia é a chave para entender como as empresas decidem que quantidade de mão de obra empregarão. Para dar um passo em direção a essa decisão, a terceira coluna da Tabela 1 fornece o **produto marginal do trabalho**, o aumento da quantidade produzida originado por uma unidade adicional de mão de obra. Quando a empresa aumenta o número de trabalhadores de 1 para 2, por exemplo, a quantidade de maçãs produzida aumenta de 100 para 180 caixas. Assim, o produto marginal do trabalho do segundo trabalhador são 80 caixas.

Observe que, com o aumento do número de trabalhadores, o produto marginal do trabalho diminui. Ou seja, o processo de produção apresenta o **produto marginal decrescente**. No início, quando há poucos trabalhadores empregados, eles colhem as maçãs dos galhos mais baixos. À medida que o número de trabalhadores aumenta, os trabalhadores adicionais precisam usar escadas para colher dos galhos mais altos. E assim, à medida que mais e mais trabalhadores são empregados, cada trabalhador adicional contribui menos para a produção de maçãs. Por essa razão, a função de produção da Figura 2 se torna mais horizontal com o aumento no número de trabalhadores.

18_1c O valor do produto marginal e a demanda por mão de obra

Nossa empresa maximizadora de lucro está mais preocupada com o dinheiro do que com as maçãs. Como resultado, ao decidir quantos trabalhadores empregar para colher maçãs, ela considera o lucro que cada trabalhador proporcionará. Uma vez que o lucro é a receita total menos o custo total, o lucro de cada trabalhador adicional é sua contribuição à receita menos seu salário.

Para encontrar a contribuição do trabalhador à receita, devemos converter o produto marginal do trabalho (medido em caixas de maçãs) no *valor* do produto marginal (que é medido em dólares). Fazemos isso usando o preço das maçãs. Prosseguindo com o nosso exemplo, se uma caixa de maçãs é vendida por $ 10 e um trabalhador adicional produz 80 caixas, então ele produz uma receita de $ 800.

valor do produto marginal o produto marginal de um insumo multiplicado pelo preço do produto

O **valor do produto marginal** de qualquer insumo é o produto marginal do insumo multiplicado pelo preço de mercado do produto. A quarta coluna da Tabela 1 mostra o valor do produto marginal do trabalho em nosso exemplo, supondo que o preço das maçãs seja $ 10 por caixa. Como o preço de mercado é constante para as empresas competitivas, enquanto o produto marginal diminui com mais trabalhadores, o valor do produto marginal diminui à medida que o número de trabalhadores aumenta. Às vezes, os economistas chamam essa coluna de números de *produto da* *receita marginal da empresa*: receita extra que a empresa obtém do emprego de uma unidade adicional de um fator de produção.

Agora, vamos ver quantos trabalhadores a empresa empregará. Suponhamos que o salário de mercado dos colhedores de maçã seja de $ 500 por semana. Nesse caso, como vemos na Tabela 1, o primeiro trabalhador que a empresa emprega é lucrativo: ele gera $ 1 mil em receita ou $ 500 em lucro. De maneira similar, o segundo trabalhador gera uma receita adicional de $ 800 ou um lucro de $ 300. O terceiro gera $ 600 em receita adicional ou $ 100 em lucro. Após o terceiro trabalhador, contudo, empregar mais trabalhadores não é lucrativo. O quarto trabalhador geraria uma receita adicional de apenas $ 400. Como o salário do trabalhador é de $ 500, empregá-lo significaria uma redução de $ 100 no lucro. Assim, a empresa emprega apenas três trabalhadores.

A Figura 3 apresenta um gráfico do valor do produto marginal. Essa curva tem inclinação descendente, porque o produto marginal do trabalho diminui à medida que o número de trabalhadores aumenta. A figura também inclui uma linha horizontal, que representa o salário de mercado. Para maximizar o lucro, a empresa emprega trabalhadores até o ponto em que as duas curvas se cruzam. Abaixo desse nível de emprego, o valor do produto marginal supera o salário, de modo que empregar mais um trabalhador aumenta o lucro. Acima desse nível, o valor do produto marginal é menor que o salário, de modo que o trabalhador adicional não é lucrativo. Assim, *uma empresa competitiva e maximizadora de lucro emprega trabalhadores até o ponto em que o valor do produto marginal do trabalho seja igual ao salário.*

Como a estratégia de contratação maximizadora de lucro das empresas competitivas já foi explicada, podemos agora oferecer uma teoria da demanda por mão de obra. Lembre-se de que a curva de demanda por mão de obra de uma empresa nos diz a quantidade de mão de obra que uma empresa demanda a qualquer salário dado. De acordo com a Figura 3, a empresa toma essa decisão escolhendo a quantidade de mão de obra em que o valor do produto marginal se iguala ao salário. Como resultado, *para as empresas competitivas maximizadoras de lucro, a curva de valor do produto marginal é a curva de demanda por mão de obra.*

18_1D O que faz a curva de demanda por trabalho se deslocar?

Agora entendemos que a curva de demanda por mão de obra reflete o valor do produto marginal do trabalho. Tendo isso em mente, vamos considerar algumas das coisas que podem fazer a curva de demanda por mão de obra se deslocar.

O preço do produto O valor do produto marginal é o produto marginal multiplicado pelo preço do produto de uma empresa. Assim, quando o preço do produto muda, o valor do produto marginal também muda e a curva de demanda por mão de obra se desloca. Um aumento no preço das maçãs, por exemplo, aumenta o

Figura 3
O valor do produto marginal do trabalho

Esta figura mostra como o valor do produto marginal (o produto marginal multiplicado pelo preço do produto) depende do número de trabalhadores. A curva é descendente em razão do produto marginal decrescente. Para as empresas competitivas maximizadoras de lucro, essa curva de valor do produto marginal é também a curva de demanda por mão de obra.

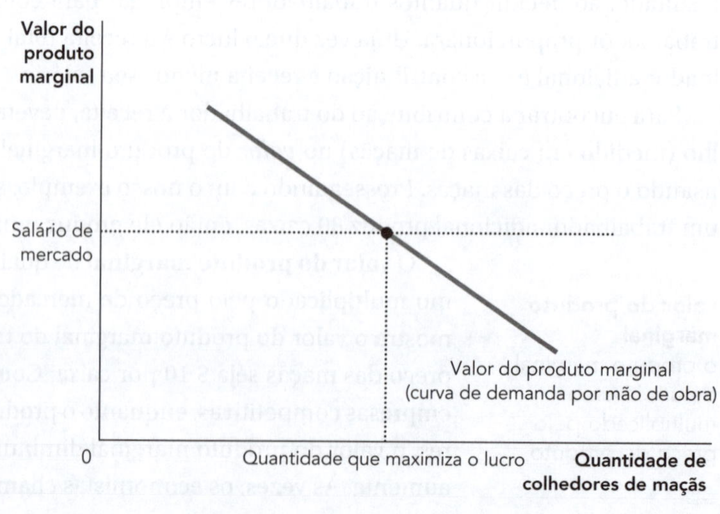

valor do produto marginal de cada trabalhador que as colhe e, com isso, aumenta a demanda por mão de obra por parte das empresas que ofertam maçãs. Inversamente, uma queda do preço das maçãs reduz o valor do produto marginal e a demanda por mão de obra.

Mudança tecnológica Entre 1960 e 2015, a produção por hora de um trabalhador norte-americano típico aumentou 195%. Por quê? O motivo mais importante é o progresso tecnológico: os cientistas e engenheiros estão sempre imaginando maneiras novas e melhores de fazer as coisas, o que traz implicações profundas para o mercado de trabalho. O avanço da tecnologia aumenta o produto marginal do trabalho, e isso, por sua vez, aumenta a demanda por mão de obra e desloca a curva de demanda por mão de obra para a direita.

Também é possível que as mudanças tecnológicas reduzam a demanda por mão de obra. A invenção de um robô industrial barato, por exemplo, poderia reduzir o produto marginal de mão de obra, deslocando a curva de demanda por mão de obra para a esquerda. Os economistas chamam essa mudança tecnológica de

Saiba mais sobre

DEMANDA DE INSUMOS E OFERTA DE PRODUTOS: DOIS LADOS DA MESMA MOEDA

No Capítulo 14, vimos como uma empresa competitiva maximizadora de lucro decide quanto venderá: ela escolhe a quantidade produzida na qual o preço do bem se iguala ao custo marginal da produção. Acabamos de ver como essa empresa decide quantos trabalhadores empregar: a empresa escolhe a quantidade de mão de obra em que o salário é igual ao valor do produto marginal. Como a função da produção liga a quantidade de insumos à quantidade produzida, você não deve se surpreender com o fato de a decisão da empresa sobre a demanda de insumos estar estreitamente ligada à sua decisão de produzir e ofertar. De fato, essas duas decisões são dois lados de uma mesma moeda.

Para entender melhor essa relação, vejamos como o produto marginal do trabalho (*PMgT*) e o custo marginal (*CMg*) estão relacionados. Suponhamos que um trabalhador adicional custe \$ 500 e tenha um produto marginal de 50 caixas de maçãs. Nesse caso, produzir mais 50 caixas custa \$ 500; o custo marginal de uma caixa é \$ 500/50, ou \$ 10. De forma mais geral, se o salário é W e uma unidade adicional de mão de obra produz *PMgT* unidades de produto, então o custo marginal de uma unidade de produção é $CMg = W/PMgT$.

Essa análise mostra que o produto marginal decrescente está estreitamente relacionado ao custo marginal crescente. Quando o nosso pomar de maçãs estiver lotado de trabalhadores, cada trabalhador adicional acrescentará menos à produção de maçãs (o *PMgT* cai). De maneira similar, quando a empresa estiver produzindo uma grande quantidade de maçãs, seu pomar já estará lotado de trabalhadores, de modo que o custo de produção de uma caixa adicional de maçãs será maior (o *CMg* sobe).

Vamos agora considerar o critério de maximização do lucro. Já determinamos que uma empresa maximizadora do lucro escolhe a quantidade de trabalho em que o valor do produto marginal ($P \times PMgT$) seja igual ao salário (W). Isso pode ser escrito matematicamente como

$$P \times PMgT = W.$$

Se dividirmos os dois lados da equação por *PMgT*, obteremos

$$P = W/PMgT.$$

Acabamos de ver que $W/PMgT$ é igual ao custo marginal, *CMg*. Assim, podemos fazer a substituição para chegar a

$$P = CMg.$$

Essa equação indica que o preço do produto da empresa é igual ao custo marginal de produção de uma unidade de produto. Assim, quando uma empresa competitiva contrata trabalhadores até o ponto em que o valor do produto marginal é igual ao salário, ela também produz até o ponto em que o preço é igual ao custo marginal. A análise da demanda por mão de obra feita neste capítulo é apenas outra maneira de enxergar a decisão de produção estudada no Capítulo 14.

economia de mão de obra. A história mostra, entretanto, que a maior parte do progresso tecnológico *aumenta a mão de obra*. Por exemplo, um carpinteiro com uma pistola de pregos é mais produtivo que um carpinteiro que usa apenas um martelo. O avanço tecnológico do aumento da mão de obra explica o aumento persistente do emprego diante do aumento dos salários: embora os salários (ajustados pela inflação) tenham aumentado 165% de 1960 a 2015, as empresas mais que dobraram a quantidade de mão de obra empregada.

A oferta de outros fatores A quantidade disponível de um fator de produção pode afetar o produto marginal de outros fatores. A produtividade dos colhedores de maçãs depende, por exemplo, da disponibilidade de escadas. Se a oferta de escadas diminuir, o produto marginal desses trabalhadores também diminuirá, reduzindo, com isso, a demanda por eles. Trataremos da ligação entre os fatores de produção mais adiante, neste capítulo.

Teste rápido Defina produto marginal do trabalho e valor do produto marginal do trabalho. • Descreva como uma empresa competitiva maximizadora de lucro decide quantos trabalhadores empregar.

18_2 A OFERTA DE MÃO DE OBRA

Depois de analisar em detalhes a demanda por mão de obra, vamos nos voltar para o outro lado do mercado e tratar da oferta de mão de obra. Há um modelo formal de oferta de mão de obra no Capítulo 21, no qual desenvolvemos a teoria da tomada de decisões no âmbito familiar. Aqui, discutiremos informalmente as decisões que estão por trás da curva de oferta de mão de obra.

18_2A O *tradeoff* entre trabalho e lazer

Um dos *Dez princípios de economia* do Capítulo 1 é que as pessoas enfrentam *tradeoffs*. É provável que não haja *tradeoff* mais óbvio ou mais importante na vida de uma pessoa do que aquele entre trabalho e lazer. Quanto mais horas você passar trabalhando, menos horas terá para assistir à TV, navegar nas redes sociais, jantar com amigos ou praticar seu *hobby* predileto. O *tradeoff* entre trabalho e lazer está por trás da curva de oferta de mão de obra.

Outro dos *Dez princípios de economia* é que o custo de uma coisa é aquilo de que abrimos mão para obtê-la. Do que abrimos mão para ter uma hora de lazer? Abrimos mão de uma hora de trabalho, o que, por sua vez, significa uma hora de salário. Assim, se seu salário for de $ 15 por hora, o custo de oportunidade de uma hora de lazer é $ 15. E quando você recebe um aumento e passa a ganhar $ 20 por hora, o custo oportunidade do lazer aumenta.

A curva de oferta de mão de obra reflete a maneira como as decisões dos trabalhadores sobre o *tradeoff* trabalho-lazer respondem a uma mudança daquele custo de oportunidade. Uma curva de oferta de mão de obra com inclinação ascendente significa que um aumento do salário induz os trabalhadores a aumentar a quantidade de trabalho que ofertam. Como o tempo é limitado, mais horas de trabalho significam que eles têm menos tempo para o lazer. Ou seja, os trabalhadores reagem ao aumento no custo de oportunidade do lazer desfrutando menos dele.

Vale a pena observar que a curva de oferta de mão de obra não precisa ter inclinação ascendente. Imagine que você receba um aumento de $ 15 para $ 20 por hora. O custo de oportunidade do lazer agora é maior, mas você também tem mais dinheiro que antes. Talvez conclua que, com esse dinheiro extra, pode agora se dar ao luxo de desfrutar de mais lazer. Ou seja, com um salário mais alto, você poderia optar por trabalhar menos horas. Nesse caso, sua curva de oferta de mão de obra se inclinaria para trás. No Capítulo 21, discutiremos essa possibilidade em termos dos efeitos conflitantes sobre sua decisão de oferecer seu trabalho (chamados de *efeitos renda* e *substituição*). Por enquanto, vamos ignorar a possibilidade de oferta de mão de obra com inclinação para trás e assumir que a curva de oferta de mão de obra tem inclinação ascendente.

18_2B O que faz a curva de oferta de mão de obra se deslocar?

A curva de oferta de mão de obra desloca-se sempre que as pessoas alteram a quantidade de trabalho que estão dispostas a realizar a um dado salário. Consideremos, agora, alguns dos fatos que podem causar tal deslocamento.

Mudanças das preferências Em 1950, 34% das mulheres tinham ou estavam procurando emprego remunerado. Em 2015, essa porcentagem subiu para 57%. Há, é claro, muitas explicações para isso, mas uma delas é a mudança das preferências ou atitudes em relação ao trabalho. Sessenta e cinco anos atrás, era uma regra as mulheres ficarem em casa cuidando dos filhos. Hoje, as famílias são menores e mais mães optam por trabalhar. O resultado é um aumento da oferta de mão de obra.

Mudanças das oportunidades alternativas Em qualquer mercado de trabalho, a oferta de mão de obra depende das oportunidades disponíveis em outros mercados de trabalho. Se o salário dos colhedores de peras aumentar subitamente, alguns colhedores de maçãs poderão optar por mudar de ocupação, e assim a oferta de mão de obra no mercado de colhedores de maçãs cairá.

Imigração A movimentação de trabalhadores entre regiões ou entre países é outra fonte importante de deslocamentos da oferta de mão de obra. Quando chegam imigrantes aos Estados Unidos, por exemplo, a oferta de mão de obra nesse país aumenta e a oferta de mão de obra nos países de origem dos imigrantes diminui. De fato, grande parte do debate político sobre a imigração está centrada em seus efeitos sobre a oferta de mão de obra e, portanto, sobre o equilíbrio dos salários no mercado de trabalho.

Pergunte aos especialistas

Imigração

"O cidadão norte-americano médio teria mais vantagens se um número maior de trabalhadores estrangeiros com alta escolaridade pudesse imigrar legalmente para os Estados Unidos todos os anos."

"O cidadão norte-americano médio teria mais vantagens se um número maior de trabalhadores estrangeiros menos qualificados pudesse imigrar legalmente para os Estados Unidos todos os anos."

"A menos que fossem compensados por outros, muitos trabalhadores norte-americanos menos qualificados seriam substancialmente prejudicados se um grande número de trabalhadores estrangeiros menos qualificados pudesse entrar legalmente nos Estados Unidos todos os anos."

Fonte: IGM Economic Experts Panel, 12 de fevereiro de 2013 e 10 de dezembro de 2013.

Teste rápido Quem tem maior custo de oportunidade para desfrutar de lazer: um faxineiro ou um neurocirurgião? Explique. Isso pode ajudar a explicar por que os médicos trabalham tanto?

18_3 EQUILÍBRIO NO MERCADO DE TRABALHO

Até aqui, estabelecemos dois fatos a respeito de como são determinados os salários nos mercados de trabalho competitivos:

- O salário se ajusta para equilibrar a oferta e a demanda por mão de obra.
- O salário é igual ao valor do produto marginal do trabalho.

À primeira vista, pode parecer surpreendente que essas duas coisas ocorram simultaneamente com o salário. Na verdade, não há nenhum mistério nisso, mas entender por que não há nenhum mistério é um passo importante para entender a determinação do salário.

A Figura 4 mostra o mercado de trabalho em equilíbrio, em que o salário e a quantidade de trabalho se ajustaram para equilibrar a oferta e a demanda. Quando o mercado está nesse equilíbrio, cada empresa empregou a quantidade de mão de obra que considerou ser lucrativa ao salário de equilíbrio. Ou seja, cada empresa seguiu a regra de maximização de lucro: contratou trabalhadores até que o valor do produto marginal fosse igual ao salário. Assim, o salário precisa ser igual ao valor do produto marginal do trabalho, uma vez que trouxe a oferta e a demanda ao equilíbrio.

Isso nos apresenta a uma lição importante: *qualquer evento que altere a oferta ou a demanda por mão de obra deve alterar o salário de equilíbrio e o valor do produto marginal no mesmo montante, porque eles devem sempre ser iguais*. Para entender como isso funciona, consideremos alguns eventos que podem deslocar essas curvas.

18_3A Deslocamentos da oferta de mão de obra

Suponha que a imigração aumente o número de trabalhadores dispostos a colher maçãs. Como mostra a Figura 5, a oferta de mão de obra desloca-se para a direita, de O_1 para O_2. Ao salário inicial W_1, a quantidade de mão de obra ofertada agora supera a quantidade demandada. Esse excesso de mão de obra pressiona o salário dos colhedores de maçãs para baixo, e a queda do salário de W_1 para W_2, por sua vez, faz que seja lucrativo para as empresas empregar mais trabalhadores. À medida que o número de trabalhadores empregados em cada pomar aumenta, o produto marginal de um trabalhador diminui e, com ele, o valor

Figura 4
Equilíbrio no mercado de trabalho

Como todos os preços, o preço da mão de obra (o salário) depende da oferta e demanda. Como a curva de demanda reflete o valor do produto marginal do trabalho, no equilíbrio os trabalhadores recebem o valor de sua contribuição marginal à produção de bens e serviços.

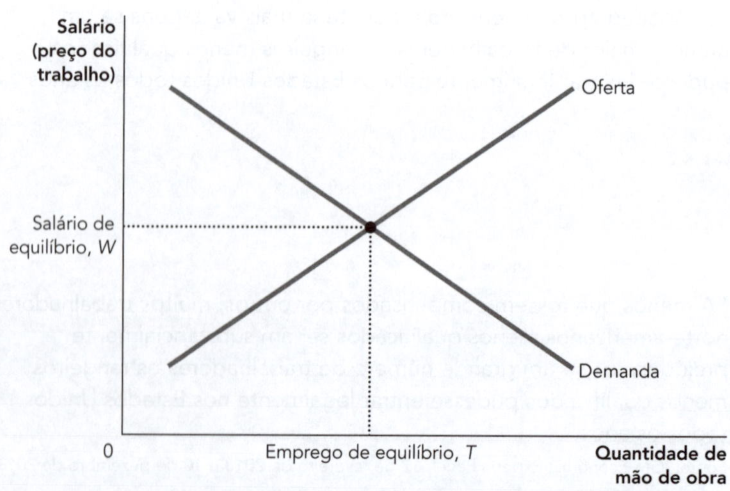

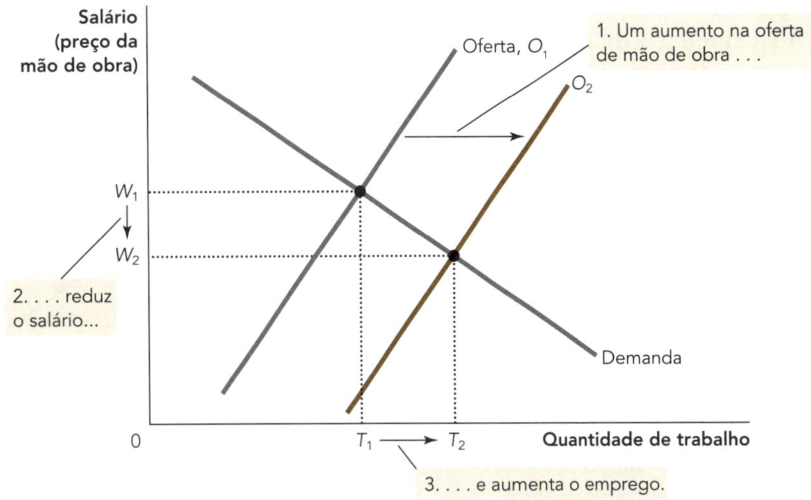

Figura 5
Deslocamento da oferta de mão de obra

Quando a oferta de mão de obra aumenta de O_1 para O_2, talvez por causa da imigração de novos trabalhadores, o salário de equilíbrio cai de W_1 para W_2. Com esse salário menor, as empresas empregam mais mão de obra, de modo que o emprego sobe de T_1 para T_2. A variação do salário reflete uma mudança no valor do produto marginal do trabalho: com mais trabalhadores, a produção adicional de um trabalhador extra é menor.

do produto marginal. No novo equilíbrio, tanto o salário quanto o valor do produto marginal do trabalho são menores do que eram antes do influxo de novos trabalhadores.

Um episódio passado em Israel, estudado pelo economista do MIT Joshua Angrist, ilustra como um deslocamento da oferta de mão de obra pode alterar o equilíbrio em um mercado de trabalho. Durante a maior parte da década de 1980, milhares de palestinos se deslocavam regularmente de seu lar na área ocupada por Israel, na Cisjordânia e na Faixa de Gaza, para trabalhar em Israel, principalmente na indústria de construção e na agricultura. Entretanto, em 1988 as perturbações políticas nessa área levaram o governo de Israel a tomar medidas cujo subproduto foi a redução dessa oferta de trabalhadores. Foram impostos toques de recolher, as permissões de trabalho eram conferidas mais meticulosamente e a proibição de pernoite de palestinos em Israel passou a ser fiscalizada com mais rigor. O impacto econômico dessas medidas foi exatamente o previsto pela teoria: o número de palestinos com emprego em Israel caiu pela metade, enquanto aqueles que continuaram a trabalhar em Israel desfrutaram de um aumento de salário de cerca de 50%. Com a redução do número de trabalhadores palestinos em Israel, o valor do produto marginal dos trabalhadores restantes elevou-se muito.

Ao considerar a economia da imigração, tenha em mente que a economia não é formada por um único mercado de trabalho, mas sim por uma variedade de mercados para diferentes tipos de trabalhadores. Uma onda de imigração pode diminuir os salários nos mercados de trabalho em que os novos imigrantes buscam emprego, mas pode ter o efeito contrário em outros. Por exemplo, se novos imigrantes procuram emprego de coletor de maçãs, a oferta de coletores de maçãs aumenta e o salário desses trabalhadores diminui. Porém, suponha que os novos imigrantes sejam médicos que usam parte de sua renda para comprar maçãs. Nesse caso, a onda de imigração aumentará a *oferta* de médicos, mas aumentará também a *demanda* por maçãs e, portanto, por coletores de maçãs. Como resultado, o salário dos médicos diminuirá e o dos coletores de maçãs aumentará. As ligações entre os vários mercados - às vezes chamadas de *efeitos do equilíbrio geral* - tornam a análise dos efeitos totais da imigração ainda mais complexa do que aparentava inicialmente.

18_3B Deslocamentos da demanda por mão de obra

Suponha, agora, que um aumento na popularidade das maçãs provoque a elevação dos preços. Esse aumento de preço não altera o produto marginal do trabalho a qualquer número dado de trabalhadores, mas eleva o *valor* do produto marginal. Com o alto preço das maçãs, contratar mais colhedores agora passa a ser lucrativo. Como mostra a Figura 6, quando a demanda por trabalho se desloca de D_1 para D_2, o salário de equilíbrio aumenta de W_1 para W_2 e o emprego de equilíbrio aumenta de T_1 para T_2. Mais uma vez, o salário e o valor do produto marginal do trabalho movem-se juntos.

Figura 6

Deslocamento da demanda por mão de obra

Quando a demanda por mão de obra aumenta de D_1 para D_2, talvez por causa de um aumento do preço do produto da empresa, o salário de equilíbrio aumenta de W_1 para W_2 e o emprego aumenta de T_1 para T_2. Novamente, a variação do salário reflete uma mudança do valor do produto marginal do trabalho: com preço mais elevado do produto, a produção adicional de um trabalhador a mais passa a ser mais valiosa.

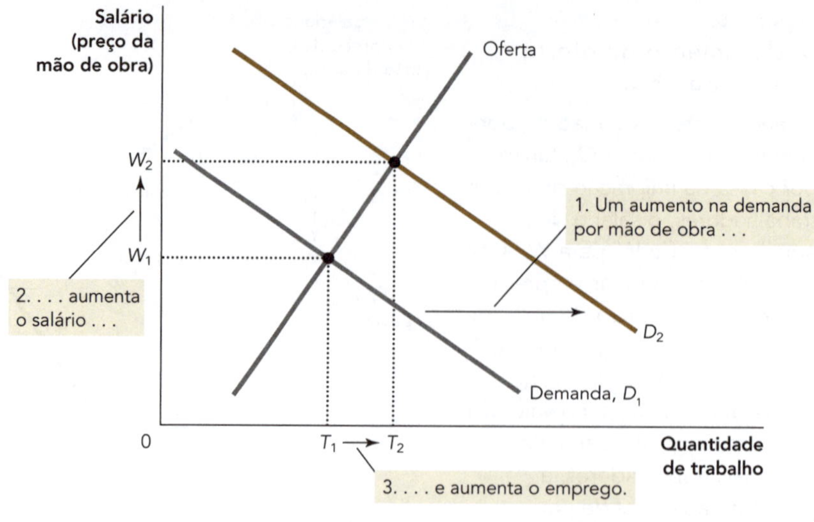

Essa análise mostra que a prosperidade das empresas de um setor está, muitas vezes, ligada à prosperidade dos trabalhadores desse setor. Quando o preço das maçãs sobe, os produtores dessa fruta obtêm maiores lucros e os colhedores ganham salários maiores. Quando o preço das maçãs cai, os produtores obtêm lucros menores e os colhedores ganham salários menores. Essa lição é bem conhecida pelos trabalhadores de setores em que os preços são altamente voláteis. Os trabalhadores de campos petrolíferos, por exemplo, sabem por experiência própria que seus ganhos estão estreitamente relacionados ao preço mundial do petróleo.

Saiba mais sobre

MONOPSÔNIO

Nas páginas anteriores, fizemos nossa análise do mercado de trabalho com as ferramentas de oferta e demanda. Ao fazer isso, supusemos que o mercado de trabalho era competitivo. Ou seja, supusemos que havia muitos compradores e muitos vendedores de mão de obra, de modo que cada um deles tivesse um efeito insignificante sobre o salário.

Ainda assim, essa suposição nem sempre se aplica. Imagine o mercado de trabalho de uma cidade pequena dominada por um único grande empregador. Esse empregador pode exercer grande influência sobre o salário vigente e usar esse poder de mercado para alterar o resultado. Um mercado como esse, em que haja apenas um comprador, é chamado *monopsônio*.

Um monopsônio (um mercado em que há apenas um comprador) é, em muitos sentidos, semelhante a um monopólio (um mercado em que há apenas um vendedor). Como vimos no Capítulo 15, uma empresa monopolista produz menos de um bem do que uma empresa competitiva; reduzindo a quantidade colocada à venda, a empresa monopolista se move ao longo da curva de demanda por seu produto, elevando o preço e o lucro que obtém. De maneira similar, uma empresa que seja monopsonista em um mercado de trabalho emprega menos trabalhadores do que uma empresa competitiva; reduzindo o número de empregos disponíveis, ela se move ao longo da curva de oferta de trabalho, reduzindo o salário que paga e elevando seus lucros. Com isso, tanto os monopolistas quanto os monopsonistas reduzem a atividade econômica de um mercado, colocando-a abaixo do nível socialmente ótimo. Nos dois casos, a existência do poder de mercado distorce o resultado e causa peso morto.

Este livro não apresenta o modelo formal de monopsônio, porque, no mundo real, os monopsônios são raros. Na maioria dos mercados de trabalho, os trabalhadores têm muitos empregadores possíveis e a empresas competem entre si para atrair trabalhadores. Nesse caso, o modelo de oferta e demanda é a melhor opção para usar.

Com base nesses exemplos, você já deve ter um bom entendimento de como os salários são estabelecidos nos mercados de trabalho competitivos. Juntas, a oferta e a demanda por mão de obra determinam o salário de equilíbrio, e os deslocamentos da curva de oferta ou de demanda por mão de obra fazem que o salário de equilíbrio se altere. Ao mesmo tempo, a maximização do lucro por parte das empresas que demandam mão de obra garante que o salário de equilíbrio seja sempre igual ao valor do produto marginal do trabalho.

Teste rápido Como a imigração de trabalhadores afeta a oferta e a demanda de mão de obra, o produto marginal do trabalho e o salário de equilíbrio?

18_4 OS OUTROS FATORES DE PRODUÇÃO: TERRA E CAPITAL

Já vimos como as empresas decidem quanta mão de obra empregar e como essas decisões determinam o salário dos trabalhadores. Ao mesmo tempo que as empresas estão contratando trabalhadores, estão também tomando decisões sobre os outros insumos da produção. Por exemplo, nossa empresa produtora de maçãs poderia ter de escolher o tamanho de seu pomar e o número de escadas disponibilizadas para seus colhedores. Podemos pensar nos fatores de produção da empresa como divididos em três categorias: trabalho, terra e capital.

capital os equipamentos e as estruturas usados para produzir bens e serviços

O significado dos termos *trabalho* e *terra* é claro, mas a definição de *capital* é um pouco mais complicada. Os economistas usam o termo **capital** para se referir ao estoque de equipamentos e estruturas usados para a produção. Ou seja, o capital da economia representa o estoque de bens produzidos no passado que está sendo usado no presente para a produção de novos bens e serviços. No caso da nossa empresa produtora de maçãs, o estoque de capital inclui as escadas usadas para subir nas macieiras, os caminhões usados para transportar as maçãs, os galpões usados para armazenar as maçãs e até as próprias macieiras.

18_4A Equilíbrio nos mercados de terra e de capital

O que determina quanto os proprietários de terra e de capital ganham por sua contribuição ao processo produtivo? Antes de respondermos a essa pergunta, precisamos distinguir entre dois preços: o preço de compra e o de arrendamento. O *preço de compra* da terra ou do capital é o preço que alguém paga para ser proprietário desse fator de produção por um período indeterminado. O *preço de arrendamento* é o preço que alguém paga para usar esse fator por um período limitado. É importante ter essa distinção em mente, porque, como veremos, esses preços são determinados por forças econômicas bem diferentes.

Após a definição desses termos, podemos agora aplicar aos mercados de terra e de capital a teoria da demanda por fatores que desenvolvemos para o mercado de trabalho. Como o salário é o preço de arrendamento do trabalho, grande parte do que aprendemos sobre a determinação dos salários aplica-se também aos preços de arrendamento da terra e do capital. Como mostra a Figura 7, o preço de arrendamento da terra, mostrado no painel (a), e o preço de arrendamento do capital, mostrado no painel (b), são determinados pela oferta e pela demanda. Ademais, a demanda por terra e por capital é determinada da mesma forma que a demanda por mão de obra. Ou seja, quando nossa empresa produtora de maçãs está decidindo quanta terra e quantas escadas arrendar, segue a mesma lógica de quando decide quantos trabalhadores empregar. No que se refere tanto à terra quanto ao capital, a empresa aumenta a quantidade empregada até que o valor do produto marginal do fator se iguale a seu preço. Assim, a curva de demanda de cada fator reflete a produtividade marginal desse fator.

Podemos agora explicar quanto da renda vai para o trabalho, quanto vai para os proprietários de terras e quanto vai para os proprietários de capital. Desde que as empresas que utilizam os fatores de produção sejam competitivas e maximizadoras de lucro, o preço de arrendamento de cada fator deve ser igual ao valor

Figura 7

Os mercados de terra e de capital

Oferta e demanda determinam a remuneração paga aos proprietários de terra, como mostra o painel (a), e a remuneração paga aos proprietários de capital, como mostra o painel (b). A demanda de cada fator, por sua vez, depende do valor do produto marginal do fator em questão.

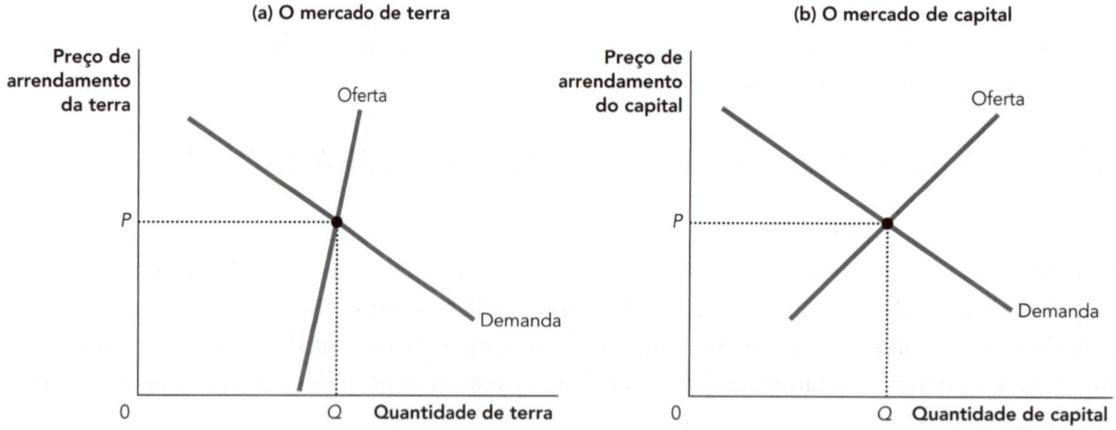

de seu produto marginal. *Trabalho, terra e capital obtêm como renda o valor de sua contribuição marginal ao processo de produção.*

Considere, agora, o preço de compra da terra e do capital. O preço de arrendamento e o de compra estão, obviamente, relacionados: os compradores estarão dispostos a pagar mais por uma quantidade de terra ou de capital se ambos produzirem um fluxo valioso de renda. E, como acabamos de ver, a renda de equilíbrio em qualquer ponto no tempo é igual ao valor do produto marginal do fator. Assim, o preço de compra de equilíbrio de uma quantidade de terra ou de capital depende tanto do valor presente do produto marginal quanto do valor do produto marginal esperado no futuro.

18_4B Elos entre os fatores de produção

Vimos que o preço pago por qualquer fator de produção – trabalho, terra ou capital – é igual ao valor do produto marginal desse fator. O produto marginal de qualquer fator, por sua vez, depende da quantidade do fator que estiver disponível. Por causa do produto marginal decrescente, um fator cuja oferta seja abundante tem baixo produto marginal e, portanto, baixo preço, enquanto um fator com oferta escassa tem produto marginal e preços altos. Como resultado, quando a oferta de um fator diminui, seu preço de equilíbrio aumenta.

Quando a oferta de qualquer fator muda, os efeitos, contudo, não se limitam ao mercado do fator em questão. Na maioria das situações, os fatores de produção são usados em conjunto, de maneira que faz a produtividade de cada fator depender da quantidade dos demais fatores disponíveis para ser utilizada no processo de produção. Como resultado, uma variação da oferta de qualquer fator altera os ganhos gerados por todos os outros fatores.

Por exemplo, suponha que um furacão destrua muitas das escadas que os trabalhadores usam para colher maçãs nos pomares. O que acontece com os ganhos gerados pelos diversos fatores de produção? O mais óbvio é que a oferta de escadas diminua e, com isso, o preço de arrendamento das escadas aumente. Agora, os proprietários que tiveram sorte o bastante para evitar danos às suas escadas obtêm um maior rendimento quando arrendam suas escadas para as empresas que produzem maçãs.

Os efeitos desse acontecimento, entretanto, não param no mercado de escadas. Como há menos escadas a serem usadas, os trabalhadores que colhem as maçãs têm um produto marginal menor. Assim, a redução da oferta de escadas reduz a demanda pelo trabalho dos colhedores de maçã, e isso provoca uma queda no salário de equilíbrio.

Saiba mais sobre

O QUE É RENDA DE CAPITAL?

A renda do trabalho é um conceito fácil de entender: é o contracheque que os trabalhadores recebem de seus empregadores. A renda obtida pelo capital, contudo, é menos óbvia.

Em nossa análise, supusemos implicitamente que as famílias são proprietárias do estoque de capital da economia – escadas, prensas, armazém, e assim por diante – e o arrendam às empresas que o utilizam. A renda do capital, nesse caso, é a renda que as famílias recebem pelo uso que é feito do seu capital. Essa suposição simplificou nossa análise de como os proprietários do capital são remunerados, mas não é totalmente realista. De fato, as empresas costumam ser proprietárias do capital que utilizam e, portanto, recebem os ganhos desse capital.

Esses ganhos de capital, contudo, acabam sendo pagos às famílias. Parte deles é paga sob a forma de juros às famílias que emprestaram dinheiro às empresas. Portadores de títulos e possuídores de depósitos bancários são dois exemplos de recebedores de juros. Assim, quando você recebe juros sobre o saldo de sua conta bancária, essa renda é parte da renda de capital da economia.

Além disso, parte dos ganhos de capital é paga às famílias sob a forma de dividendos, que são pagamentos que as empresas fazem aos seus acionistas. Acionista é uma pessoa que comprou uma parte da propriedade de uma empresa e, assim, tem o direito de compartilhar de seus lucros.

As empresas não precisam pagar às famílias todos os seus lucros sob a forma de juros e dividendos. Em vez disso, podem reter parte dos lucros e utilizá-la para subscrever capital adicional. Embora esses lucros retidos não sejam distribuídos aos acionistas da empresa, ainda assim eles são beneficiados. Uma vez que os lucros retidos aumentam o montante de capital da empresa, eles tendem a aumentar os lucros futuros e, com isso, o valor das ações da empresa.

Esses detalhes institucionais são interessantes e importantes, mas não alteram a nossa conclusão a respeito da renda obtida pelos proprietários de capital. O capital é remunerado de acordo com o valor de seu produto marginal, independentemente de essa renda ser transmitida às famílias sob forma de juros ou dividendos ou de ser mantida nas empresas sob a forma de lucros não distribuídos.

Essa história mostra uma lição genérica: *um evento que altere a oferta de qualquer fator de produção pode alterar os ganhos gerados por todos os demais fatores.* A alteração dos ganhos gerados por qualquer fator pode ser encontrada por meio da análise do impacto do evento sobre o valor do produto marginal do fator.

Teste rápido O que determina a renda dos proprietários, da terra e do capital? • Como um aumento da quantidade de capital afetaria a renda daqueles que já são proprietários de capital? Como afetaria a renda dos trabalhadores?

18_5 CONCLUSÃO

Este capítulo explicou como o trabalho, a terra e o capital são remunerados pelas funções que desempenham no processo produtivo. A teoria aqui desenvolvida é a chamada *teoria neoclássica da distribuição*, de acordo com a qual o valor pago a cada fator de produção depende da oferta e da demanda por esse fator. A demanda, por sua vez, depende da produtividade marginal do fator. No equilíbrio, cada fator de produção recebe o valor da sua contribuição marginal para a produção de bens e serviços.

A teoria neoclássica da distribuição é amplamente aceita. A maioria dos economistas, quando tenta explicar como os $ 16 trilhões em renda da economia norte-americana se dividem entre os diversos membros da economia, começa a fazê-lo pela teoria neoclássica. Nos dois capítulos seguintes, trataremos com mais detalhes da distribuição da renda. Como veremos, a teoria neoclássica oferece a estrutura para essa discussão.

Agora, já podemos usar a teoria para responder à pergunta que abriu este capítulo: por que os programadores de computador ganham mais que os frentistas de posto de gasolina? É porque os programadores podem produzir um bem de maior valor de mercado que os frentistas. As pessoas estão dispostas a pagar caro por um bom jogo de computador, mas estão dispostas a pagar pouco para alguém encher o tanque ou limpar os vidros de seu carro. O salário desses trabalhadores reflete os preços de mercado dos bens que produzem. Se, de repente, as pessoas se cansassem de usar computadores e decidissem passar mais tempo dirigindo, os preços desses bens mudariam e, com eles, os salários de equilíbrio desses dois grupos de trabalhadores.

Teste rápido do capítulo

1. Qual é o percentual aproximado da renda nacional dos Estados Unidos pago a trabalhadores, em oposição aos detentores de capital e terras?
a. 25%
b. 45%
c. 65%
d. 85%

2. Se as empresas forem competitivas e objetivarem a maximização do lucro, a curva de demanda por mão de obra será determinada:
a. Pelo custo de oportunidade do tempo do trabalhador.
b. Pelo valor do produto marginal do trabalho.
c. Contrabalanceando-se os efeitos de renda e de substituição.
d. Pelo valor do produto marginal do capital.

3. Uma padaria que opera em mercados competitivos vende sua produção a $ 20 por bolo e contrata mão de obra a $ 10 por hora. Para maximizar os lucros, ela deve empregar mão de obra até o produto marginal do trabalho ser:
a. ½ bolo por hora.
b. 2 bolos por hora.
c. 10 bolos por hora.
d. 15 bolos por hora.

4. Um avanço tecnológico que aumente o produto marginal do trabalho desloca a curva de _______ do trabalho para a _______.
a. Demanda, esquerda.
b. Demanda, direita.
c. Oferta, esquerda.
d. Oferta, direita.

5. Por volta de 1973, a economia dos Estados Unidos passou por uma _______ significativa no crescimento da produtividade, juntamente com uma _______ no crescimento dos salários reais.
a. Aceleração, aceleração.
b. Aceleração, desaceleração.
c. Desaceleração, aceleração.
d. Desaceleração, desaceleração.

6. Uma tempestade destrói várias fábricas, reduzindo, assim, o estoque de capital. Que efeito esse evento terá sobre os mercados de fatores de produção?
a. Os salários e o aluguel do capital aumentam.
b. Os salários e o aluguel do capital diminuem.
c. Os salários aumentam e o aluguel do capital diminui.
d. Os salários diminuem e o aluguel do capital aumenta.

RESUMO

- A renda da economia se distribuiu entre os mercados de fatores de produção. Os três fatores de produção mais importantes são o trabalho, a terra e o capital.
- A demanda por fatores, como o trabalho, é uma demanda derivada que surge das empresas que usam os fatores para produzir bens e serviços. Empresas competitivas maximizadoras de lucro empregam cada fator até o ponto em que o valor do produto marginal do fator se iguale ao seu preço.
- A oferta de trabalho resulta do *tradeoff* dos indivíduos entre trabalho e lazer. Uma curva de oferta com inclinação ascendente significa que as pessoas respondem a um aumento do salário trabalhando mais horas e desfrutando menos do lazer.
- O preço de cada fator ajusta-se para equilibrar a oferta e demanda. Dado que essa demanda reflete o valor do produto marginal do fator em questão, no equilíbrio cada fator é remunerado de acordo com sua contribuição marginal à produção de bens e serviços.
- Como os fatores de produção são usados em conjunto, o produto marginal de qualquer fator depende da quantidade de todos os fatores disponíveis. Como resultado, uma variação da oferta de um fator altera os ganhos de equilíbrio de todos os outros.

CONCEITOS-CHAVE

fatores de produção, p. 294
função de produção, p. 296
produto marginal do trabalho, p. 297
produto marginal decrescente, p. 297
valor do produto marginal, p. 297
capital, p. 305

QUESTÕES PARA REVISÃO

1. Explique como a função de produção de uma empresa está relacionada com o produto marginal do trabalho, como o produto marginal do trabalho de uma empresa está relacionado com o valor de seu produto marginal e como o valor do produto marginal de uma empresa está relacionado com sua demanda por mão de obra.
2. Dê dois exemplos de eventos que podem deslocar a demanda por mão de obra. Explique.
3. Dê dois exemplos de eventos que podem deslocar a oferta de mão de obra. Explique.
4. Explique como o salário pode se ajustar para equilibrar a oferta e a demanda por mão de obra ao mesmo tempo que se iguala ao valor do produto marginal do trabalho.
5. Se a população dos Estados Unidos aumentasse subitamente por causa de uma grande imigração, o que aconteceria com os salários? E com os ganhos dos proprietários de terra e de capital?

PROBLEMAS E APLICAÇÕES

1. Suponha que o presidente proponha uma nova lei que tenha por objetivo reduzir os custos do atendimento de saúde: todos os norte-americanos são obrigados a comer uma maçã por dia.
   a. Como a lei da maçã diária afetaria a demanda e o preço de equilíbrio das maçãs?
   b. Como essa lei afetaria o produto marginal e o valor do produto marginal dos colhedores de maçãs?
   c. Como a lei afetaria a demanda e o salário de equilíbrio dos colhedores de maçãs?

2. Demonstre o efeito de cada um dos seguintes eventos sobre o mercado de trabalho no setor de produção de computadores.
   a. O Congresso norte-americano compra computadores pessoais para todos os estudantes universitários dos Estados Unidos.
   b. Mais estudantes universitários formam-se em engenharia e ciência da computação.
   c. As empresas produtoras de computadores constroem novas fábricas.

3. Suponha que o trabalho seja o único insumo variável usado por uma empresa perfeitamente competitiva. A função de produção da empresa é:

Dias detrabalho	Unidades produzidas
0 dia	0 unidade
1	7
2	13
3	19
4	25
5	28
6	29
7	29

   a. Calcule o produto marginal para cada trabalhador adicional.
   b. Assumindo que cada unidade de produção é vendida a $ 10, calcule o valor do produto marginal de cada trabalhador adicional.
   c. Elabore uma tabela de demanda apresentando o número de trabalhadores empregados para todos os níveis de salário de zero a $ 100 por dia.
   d. Elabore o gráfico da curva de demanda da empresa.
   e. O que acontecerá com essa curva de demanda se o preço do produto aumentar de $ 10 para $ 12 por unidade?

4. A empresa de laticínios Smiling Cow pode vender todo leite que quiser por $ 4 o galão e alugar

todos os equipamentos que quiser para ordenhar suas vacas por $ 100 por dia. Esta é a tabela de produção da empresa:

Número de equipamentos	Produçãototal
0 dia	0 galão
1	50
2	85
3	115
4	140
5	150
6	155

a. Em que tipo de estrutura de mercado a empresa vende seus produtos? Como se pode afirmar isso?
b. Em que tipo de estrutura de mercado a empresa aluga os equipamentos para extração de leite? Como se pode afirmar isso?
c. Calcule o produto marginal e o valor do produto marginal para cada equipamento adicional.
d. Quantos equipamentos a empresa deve alugar? Explique.

5. Uma nação, Ectenia, tem 20 pomares de maçã competitivos, todos os quais vendendo a fruta ao preço mundial de $ 2. As seguintes equações descrevem a função de produção e o produto marginal do trabalho em cada pomar:

$$Q = 100T - T^2.$$
$$PMgT = 100 - 2T$$

onde Q é o número de maçãs produzidas por dia; T, o número de trabalhadores; e $PMgT$, o produto marginal do trabalho.
a. Qual é a demanda por mão de obra de cada pomar como uma função do salário diário W? Qual é a demanda por mão de obra do mercado?
b. Ectenia tem 200 trabalhadores que oferecem seu trabalho inelasticamente. Calcule o salário W. Quantos trabalhadores cada pomar deve empregar? Quanto lucro cada proprietário de pomar obtém?
c. Se o preço mundial de maçãs aumentar para $ 4, o que acontecerá com a renda dos trabalhadores e com a dos proprietários de pomares.
d. Agora, suponha que o preço das maçãs volte a $ 2, mas um furacão destrói metade dos pomares. Calcule como o furacão afeta a renda de cada trabalhador e de cada proprietário dos pomares restantes. O que acontece à renda da Ectenia como um todo?

6. Seu tio empreendedor abre uma lanchonete que emprega sete pessoas. Os empregados recebem $ 12 por hora, e cada sanduíche é vendido a $ 6. Se seu tio quiser maximizar o lucro, qual será o valor do produto marginal do último trabalhador empregado? Qual é o produto marginal desse funcionário?

7. A Leadbelly Co. vende lápis em um mercado perfeitamente competitivo e contrata trabalhadores em um mercado de mão de obra perfeitamente competitivo. Suponha que o valor de mercado do salário seja de $ 150 por dia.
a. Que regra a empresa deveria seguir para contratar a quantidade de mão de obra que maximize o lucro?
b. No nível de produção que maximiza o lucro, o produto marginal do último trabalhador empregado é de 30 caixas de lápis por dia. Calcule o preço de uma caixa.
c. Elabore o diagrama do mercado de trabalho para os operários de lápis (como na Figura 4 deste capítulo) próximo de um diagrama da oferta e demanda por mão de obra para a Leadbelly Co. (como na Figura 3). Especifique o salário de equilíbrio e a quantidade de mão de obra tanto para o mercado quanto para a empresa. Como os diagramas se relacionam?
d. Suponha que alguns trabalhadores mudem para a crescente indústria de computadores. Nos diagramas do item (c), mostre como essa mudança afeta o salário de equilíbrio e a quantidade de mão de obra para o mercado de lápis e para a Leadbelly. Como essa mudança afeta o produto marginal da mão de obra na empresa?

8. Nos últimos anos, alguns formuladores de políticas propuseram leis exigindo que as empresas concedessem alguns benefícios adicionais aos trabalhadores, como o seguro-saúde e licença-

-maternidade. Vamos considerar os efeitos dessa política sobre o mercado de trabalho.

a. Suponha que a lei exija que as empresas deem a cada trabalhador $ 3 sob a forma de benefícios por hora trabalhada na empresa. Como essa lei afeta o lucro marginal que a empresa obtém de cada trabalhador? Como ela afeta a curva de demanda por mão de obra? Represente graficamente sua resposta, colocando o salário, em unidades monetárias, no eixo vertical.
b. Se não houver alteração na oferta de mão de obra, de que forma essa lei afetaria o emprego e os salários?
c. Por que a curva de oferta de mão de obra se deslocaria em resposta a essa lei? Esse deslocamento da oferta de mão de obra aumentaria ou diminuiria o impacto da lei sobre os salários e o emprego?
d. Como vimos no Capítulo 6, os salários de alguns trabalhadores, especialmente os sem qualificação e experiência, são mantidos acima do nível de equilíbrio por meio da legislação do salário-mínimo. Que efeito os benefícios adicionais teriam sobre esses trabalhadores?

9. Alguns economistas acreditam que a economia dos Estados Unidos como um todo pode ser modelada com a seguinte função de produção, chamada *função de produção Cobb-Douglas*:

$$Y = AK^{1/3}L^{2/3},$$

onde Y é a quantidade produzida, K é a quantidade de capital, L é a quantidade de mão de obra e A é um parâmetro que mede o estado da tecnologia. Para essa função de produção, o produto marginal do trabalho é

$$PMgT = (2/3)\, A(K/L)^{1/3}.$$

Suponha que o preço do produto P seja 2, A seja 3, K seja 1.000.000 e L seja 1.000. O mercado de trabalho é competitivo; portanto, a mão de obra recebe o valor de seu produto marginal.

a. Calcule a quantidade produzida Y e o montante financeiro da produção PY.
b. Calcule o salário W e o salário real W/P. (Dica: o salário é a compensação trabalhista medida em dólares, enquanto o salário real é a compensação trabalhista medida em unidades de produção.)
c. Calcule o peso dos salários (a fração do valor de produção paga pelo trabalho), que é $(WL)/(PY)$.
d. Calcule o que acontece com a produção Y, o salário W, o salário real W/P e o peso dos salários $(WL)/(PY)$ em cada um dos seguintes cenários:
   i. A inflação aumenta o preço P de 2 para 3.
   ii. O progresso tecnológico aumenta A de 3 para 9.
   iii. A acumulação de capital aumenta K de 1.000.000 para 8.000.000.
   iv. Uma praga diminui L de 1.000 para 125.
e. Apesar das muitas mudanças na economia dos Estados Unidos ao longo do tempo, o peso dos salários se manteve relativamente estável. Essa observação é coerente com a função de produção Cobb-Douglas? Explique.

CAPÍTULO 19

Ganhos e discriminação

Nos Estados Unidos de hoje, um médico ganha aproximadamente $ 200 mil por ano; um policial comum, cerca de $ 60 mil; e um trabalhador rural comum, em torno de $ 20 mil. Esses exemplos ilustram as grandes diferenças de ganhos tão comuns em nossa economia. Tais diferenças explicam por que algumas pessoas moram em mansões, passeiam de limusine e passam férias na Riviera Francesa, enquanto outras habitam apartamentos pequenos, andam de ônibus e passam férias nos próprios quintais.

Por que os ganhos variam tanto de pessoa para pessoa? O Capítulo 18, que desenvolveu a teoria neoclássica básica do mercado de trabalho, oferece uma resposta a essa questão. Nele, vimos que os salários são regidos pela oferta e pela demanda por mão de obra. A demanda, por sua vez, reflete a produtividade marginal do trabalho. No equilíbrio, cada trabalhador recebe o valor da sua contribuição marginal à produção de bens e serviços da economia.

Essa teoria do mercado de trabalho, embora amplamente aceita pelos economistas, é apenas o começo da história. Para entendermos as grandes variações de ganhos que observamos, precisamos ir além dessa estrutura geral e examinar com maior precisão o que determina a oferta e a demanda dos diferentes tipos de mão de obra. Este é o nosso objetivo neste capítulo.

19_1 ALGUNS DETERMINANTES DOS SALÁRIOS DE EQUILÍBRIO

Os trabalhadores diferem uns dos outros de muitas maneiras, assim como os empregos, que também têm características diferentes. Nesta seção, veremos como as características dos trabalhadores e dos empregos afetam a oferta e demanda por mão de obra e os salários de equilíbrio.

19_1A Diferenciais compensatórios

Quando um trabalhador está decidindo se aceita ou não um emprego, o salário é apenas um dos muitos atributos que ele leva em consideração. Alguns empregos são fáceis, divertidos e seguros; outros são difíceis, entediante e perigosos. Quanto melhor o emprego, julgado de acordo com essas características não monetárias, mais pessoas estarão dispostas a aceitá-lo por qualquer salário dado. Em outras palavras, a oferta de mão de obra para empregos fáceis, divertidos e seguros é maior que a oferta para empregos difíceis, entediantes e perigosos. Como resultado, os "bons" empregos tendem a oferecer salários de equilíbrio menores que os empregos "ruins".

Por exemplo, imagine que você está procurando por um emprego de verão em uma cidade do litoral. Há dois tipos de emprego disponíveis: de salva-vidas ou de coletor de lixo. O salva-vidas passa o dia em seu posto, observando o comportamento dos banhistas e chamando-lhes a atenção quando necessário, a fim de

diferencial compensatório diferença nos salários que surge para compensar as características não monetárias de diferentes empregos

evitar ocorrências desagradáveis. O coletor de lixo levanta-se antes de o sol nascer e dirige caminhões sujos e barulhentos pela cidade, coletando o lixo. Qual desses empregos você escolheria? A maioria das pessoas iria preferir o emprego de salva-vidas, se os salários fossem iguais. Para induzir os indivíduos a se tornar coletores de lixo, a cidade precisa oferecer salários mais altos a esses profissionais que aos salva-vidas.

Os economistas usam a expressão **diferencial compensatório** para se referir às diferenças salariais decorrentes das características não monetárias de diferentes empregos. Os diferenciais compensatórios existem em toda a economia. Eis alguns exemplos:

- Os mineradores de carvão ganham mais que outros trabalhadores com nível similar de educação. O salário maior compensa a natureza suja e perigosa da mineração de carvão e os problemas de saúde que, no longo prazo, os mineradores sofrem.
- Os trabalhadores do turno da noite das fábricas ganham mais que os trabalhadores que exercem atividades semelhantes durante o dia. O salário maior compensa a necessidade de trabalhar à noite e dormir de dia, um estilo de vida que a maioria das pessoas considera indesejável.
- Os professores ganham menos que os advogados e os médicos, que têm nível similar de educação. O baixo salário dos professores compensa a grande satisfação intelectual e pessoal que seu emprego oferece. (Na verdade, ensinar economia é tão divertido que chega a ser surpreendente que os professores da disciplina recebam qualquer pagamento!)

19_1B Capital humano

Como vimos no capítulo anterior, a palavra *capital* normalmente se refere ao estoque de equipamentos e estruturas da economia. O estoque de capital inclui o trator do fazendeiro, a fábrica do industrial e o quadro-negro do professor. Essencialmente, o capital é um fator de produção que foi, ele mesmo, produzido.

capital humano o acúmulo de investimentos nas pessoas, tais como educação e treinamento no emprego

Há outro tipo de capital que, embora menos tangível que o capital físico, é igualmente importante para a produção da economia. O **capital humano** é o acúmulo dos investimentos feitos nas pessoas. E o tipo mais importante de capital humano é a educação. Como todas as formas de capital, a educação representa um gasto de recursos em um ponto do tempo para aumentar a produtividade no futuro. Mas, ao contrário do investimento em outras formas de capital, o investimento em educação está vinculado a uma pessoa específica, e é essa ligação que o torna capital humano.

Não é de surpreender que os trabalhadores que têm mais capital humano ganhem, em média, mais que aqueles que têm menos. Nos Estados Unidos, por exemplo, os graduados recebem quase o dobro dos ganhos daqueles que apenas concluíram o ensino médio. Essa grande diferença foi documentada em diversos países do mundo e tende a ser maior nos países menos desenvolvidos, em que a oferta de trabalhadores com instrução é escassa.

É fácil perceber por que a educação eleva os salários pela perspectiva da oferta e da demanda. As empresas – que demandam mão de obra – estão dispostas a pagar mais aos trabalhadores com alto grau de instrução, porque eles têm um produto marginal maior. Os trabalhadores – ofertantes de mão de obra – estão dispostos a pagar o custo da instrução somente se houver alguma recompensa por isso. Essencialmente, a diferença salarial entre os trabalhadores com alto nível educacional e aqueles com nível educacional mais baixo pode ser considerada um diferencial compensatório pelo custo da instrução.

19_1C Talento, esforço e sorte

Por que os jogadores de beisebol das ligas principais ganham mais que os jogadores das ligas inferiores? Certamente, o salário mais elevado não é um diferencial compensatório. Jogar nas ligas principais não é uma tarefa menos agradável que jogar nas ligas inferiores; na verdade, ocorre o contrário. As ligas principais não

Pergunte aos especialistas

Desigualdade e qualificações

"Uma das principais causas do aumento da desigualdade de renda nos Estados Unidos ao longo das últimas três décadas é o fato de as alterações tecnológicas terem afetado trabalhadores com algumas qualificações diferentemente do que afetaram os outros."

Fonte: IGM Economic Experts Panel, 24 de janeiro de 2012.

exigem mais tempo de estudo ou mais experiência. Em grande medida, os jogadores das ligas principais ganham mais simplesmente porque têm um talento natural maior.

O talento natural é importante para os trabalhadores de todas as ocupações. Por causa da hereditariedade e da criação, as pessoas diferem em seus atributos físicos e mentais. Algumas são fortes; outras, fracas. Algumas são inteligentes; outras, nem tanto. Algumas são extrovertidas; outras sentem-se pouco à vontade em situações sociais. Essas e muitas outras características pessoais determinam a produtividade dos trabalhadores e, portanto, ajudam a estabelecer os salários que eles ganham.

Outro aspecto estreitamente relacionado ao talento é o esforço. Algumas pessoas trabalham duramente; outras são preguiçosas. Não deveria nos surpreender descobrir que as pessoas que trabalham arduamente são mais produtivas e ganham salários mais elevados. Em certa medida, as empresas recompensam os trabalhadores diretamente, remunerando as pessoas com base no que produzem. Os vendedores, por exemplo, costumam receber uma porcentagem das vendas que realizam. Em outros casos, o trabalho árduo é recompensado de forma menos direta, por meio de um salário anual maior ou de uma bonificação.

A sorte também influencia na determinação dos salários. Se uma pessoa frequentou uma escola técnica para aprender a consertar televisores a válvula e depois descobriu que essa qualificação se tornou obsoleta por causa da invenção do transistor, ela acabará ganhando um salário baixo se comparada com outras pessoas com o mesmo tempo de treinamento. O baixo salário desse trabalhador se deve à sorte - um fenômeno que os economistas reconhecem, mas sobre o qual pouco esclarecem.

Até que ponto o talento, o esforço e a sorte são importantes na determinação dos salários? Não se sabe ao certo por que esses fatores são difíceis de medir, mas as evidências indiretas sugerem que são muito importantes. Quando os economistas do trabalho estudam os salários, relacionam o salário do trabalhador com as variáveis que podem ser medidas, como anos de instrução, tempo de experiência, idade e características do emprego. Todas essas variáveis afetam o salário dos trabalhadores da maneira prevista pela teoria, mas respondem por menos da metade da variação nos salários em nossa economia. Como grande parte da variação nos salários não é explicada, as variáveis omitidas, incluindo talento, esforço e sorte, devem desempenhar um papel importante.

19_1D Uma visão alternativa da educação: sinalização

Anteriormente, abordamos a visão da educação sob o enfoque do capital humano, segundo o qual a instrução aumenta o salário dos trabalhadores porque os torna mais produtivos. Embora essa visão seja amplamente aceita, alguns economistas propuseram uma teoria alternativa, que enfatiza o fato de as empresas usarem a realização acadêmica como uma maneira de diferenciar os trabalhadores talentosos dos não talentosos. De acordo com essa visão alternativa, quando as pessoas obtêm seu diploma universitário, por exemplo, não se tornam mais produtivas, mas *sinalizam* seu maior talento aos empregadores em perspectiva. Como a obtenção de um diploma é mais fácil para as pessoas talentosas que para as não talentosas, mais pessoas talentosas obtêm graduação universitária. Como resultado, é racional para as empresas interpretar o título universitário como sinal de talento.

A teoria educacional da sinalização é semelhante à teoria publicitária da sinalização que abordamos no Capítulo 16. Segundo a teoria publicitária da sinalização, o anúncio em si não contém nenhuma informação, mas a empresa sinaliza a qualidade de seu produto aos consumidores por meio de sua disposição para gastar dinheiro com publicidade. Segundo a teoria educacional da sinalização, a instrução não traz nenhum benefício real em termos de produtividade, mas o trabalhador sinaliza sua produtividade inata aos empregadores por meio de sua disposição de passar vários anos estudando. Nos dois casos, uma ação está sendo realizada não por seu benefício intrínseco, mas porque a disposição para executá-la transmite informações particulares aos observadores.

Assim, temos agora duas visões da educação: a teoria do capital humano e a da sinalização. Ambas podem explicar por que os trabalhadores mais instruídos tendem a ganhar mais que os de menor instrução. De acordo com a teoria do capital humano, a instrução torna os trabalhadores mais produtivos; de acordo com a teoria da sinalização, a instrução está correlacionada com o talento natural. Mas as duas visões levam a previsões radicalmente diferentes sobre os efeitos das políticas que pretendem aumentar a instrução. De acordo com a teoria do capital humano, aumentar o nível de instrução de todos os trabalhadores aumentaria a produtividade de todos eles e, com isso, seus salários. Segundo a teoria da sinalização, a instrução não aumenta a produtividade, de modo que aumentar o nível de instrução de todos os trabalhadores não afetaria os salários.

O mais provável é que a verdade esteja em algum ponto entre esses dois extremos. Os benefícios da educação são, provavelmente, uma combinação dos efeitos do capital humano, que aumentam a produtividade, e dos efeitos da sinalização, que revelam a produtividade. A questão que está em aberto é o peso relativo desses dois efeitos.

19_1E O fenômeno dos superastros

Embora a maioria dos atores ganhe pouco e precise, muitas vezes, trabalhar como garçom para se sustentar, Robert Downey Jr. ganha milhões de dólares por filme que faz. Similarmente, enquanto a maioria das pessoas que joga tênis o faz de graça, como *hobby*, Maria Sharapova ganha milhões no circuito profissional. Downey e Sharapova são superastros em seus campos, e seu grande apelo ao público se reflete em rendas astronômicas.

Por que Downey e Sharapova ganham tanto? Não é de surpreender que haja diferenças de remuneração dentro de cada ocupação. Bons carpinteiros ganham mais que carpinteiros medíocres, e bons encanadores ganham mais que encanadores medíocres. O talento e o esforço das pessoas variam, e essas diferenças levam a diferenças de renda. Já os melhores carpinteiros e encanadores não ganham os milhões de dólares pagos aos melhores atores e atletas. O que explica essa diferença?

Para entender as enormes rendas de Downey e Sharapova é preciso examinar as características especiais dos mercados em que eles vendem seus serviços. Os superastros surgem em mercados que apresentam duas características:

- Todos os clientes do mercado querem desfrutar do bem ofertado pelo melhor produtor.
- O bem é produzido com uma tecnologia que possibilita ao melhor produtor ofertá-lo a todos os clientes a um baixo custo.

Se Robert Downey Jr. é o melhor ator que há, então todos irão querer assistir a seu próximo filme; assistir ao dobro de filmes com um ator que tenha a metade do talento dele não é um bom substituto. Além disso, é *possível* para todos assistir a uma atuação de Robert Downey Jr. Como é fácil fazer muitas cópias de um filme, Downey pode facilmente oferecer seu serviço a milhões de pessoas ao mesmo tempo. De maneira similar, como os jogos de tênis são transmitidos pela TV, milhões de fãs podem desfrutar do extraordinário talento de Maria Sharapova.

Podemos agora entender por que não há superastros entre os carpinteiros e os encanadores. Com as demais condições permanecendo iguais, todos preferem empregar o melhor carpinteiro, porém o carpinteiro, ao contrário do ator de cinema, só pode oferecer seu serviço a um número limitado de clientes. Embora o melhor carpinteiro possa obter um salário mais elevado que a média, o carpinteiro médio, ainda assim, conseguirá ganhar bem.

19_1F Salários acima do equilíbrio: legislação do salário-mínimo, sindicatos e salários de eficiência

A maioria das análises de diferenças salariais entre trabalhadores se baseia no modelo de equilíbrio do mercado de trabalho, ou seja, assume-se que os salários se ajustam para equilibrar a oferta e a demanda por mão de obra. Mas essa suposição nem sempre se aplica. Para alguns trabalhadores, os salários são mantidos acima do nível que equilibra oferta e demanda. Vamos estudar três motivos para isso.

Um motivo para a existência de salários acima do equilíbrio é a legislação do salário-mínimo, como vimos no Capítulo 6. A maioria dos trabalhadores da economia não é afetada por essa legislação, porque seus salários de equilíbrio estão bem acima do mínimo legal. Mas para alguns trabalhadores, especialmente os menos qualificados e experientes, a legislação do salário-mínimo traz os salários para um nível superior ao que eles ganhariam em um mercado de trabalho sem regulamentação.

sindicato
uma associação de trabalhadores que negocia salários e condições de trabalho com os empregadores

greve
a paralisação organizada do trabalho de uma empresa por parte de um sindicato

salários de eficiência
salários acima do nível de equilíbrio pagos pelas empresas, objetivando aumentar a produtividade dos trabalhadores

Uma segunda razão pela qual os salários podem se elevar acima de seu nível de equilíbrio é o poder de mercado dos sindicatos. Um **sindicato** é uma associação de trabalhadores que negocia salários e condições de trabalho com os empregadores. Os sindicatos, muitas vezes, conseguem fazer que os salários fiquem acima do nível que prevaleceria na ausência deles, talvez porque possam intimidar as empresas com a possibilidade de convocação de uma **greve**. Estudos sugerem que os salários de trabalhadores sindicalizados são 10% a 20% superiores aos daqueles que exercem a mesma atividade e não são sindicalizados.

Uma terceira razão para a existência de salários acima do equilíbrio é sugerida pela teoria dos **salários de eficiência**. Segundo essa teoria, as empresas podem considerar lucrativo pagar salários elevados, porque isso aumenta a produtividade de seus trabalhadores. Mais especificamente, salários elevados podem reduzir a rotatividade da mão de obra, aumentar o empenho do empregado e aprimorar a qualidade dos trabalhadores que procuram emprego na empresa. Se essa teoria estiver correta, então algumas empresas podem optar por pagar aos seus empregados mais que eles ganhariam normalmente.

Salários acima do equilíbrio, seja em razão da legislação do salário-mínimo, da atuação de sindicatos ou dos salários de eficiência, têm efeitos semelhantes sobre o mercado de trabalho. Mais propriamente, fazer que um salário fique acima do nível de equilíbrio aumenta a quantidade ofertada de mão de obra e reduz sua quantidade demandada. O resultado é um excesso de mão de obra ou desemprego. O estudo do desemprego e das políticas públicas voltadas a essa questão costuma ser considerado um tópico da macroeconomia, de modo que está fora do alcance deste capítulo. Mas seria um erro ignorar inteiramente essas questões quando se analisam os ganhos. Embora a maior parte das diferenças salariais possa ser compreendida mantendo a suposição de equilíbrio no mercado de trabalho, os salários superiores ao equilíbrio explicam essa diferença em alguns casos.

Teste rápido Defina diferencial compensatório e dê um exemplo. • Apresente dois motivos pelos quais os trabalhadores mais instruídos ganham mais que aqueles com menos instrução.

19_2 A ECONOMIA DA DISCRIMINAÇÃO

Outra fonte de diferenças nos salários é a discriminação. A **discriminação** ocorre quando o mercado oferece oportunidades diferentes a indivíduos semelhantes que diferem apenas por raça, grupo étnico, sexo, idade ou outras características pessoais. A discriminação reflete o preconceito de algumas pessoas em relação a determinados grupos sociais. Embora a discriminação seja um assunto com forte carga emocional, que costuma

discriminação
a oferta de oportunidades diferentes a indivíduos semelhantes que diferem entre si apenas por raça, grupo étnico, sexo, idade ou outras características pessoais

levar a debates exaltados, os economistas tentam estudá-lo com objetividade, a fim de separar o mito da realidade.

19_2A Medindo a discriminação no mercado de trabalho

Em que medida a discriminação nos mercados de trabalho afeta os ganhos de diferentes grupos de trabalhadores? Essa questão é importante, mas respondê-la não é fácil.

Não resta dúvida que diferentes grupos de trabalhadores recebem salários substancialmente diferentes, como demonstra a Tabela 1. Nos Estados Unidos, o homem negro mediano recebe 20% a menos que o homem branco mediano, e a mulher negra mediana recebe 17% a menos que a mulher branca mediana. As diferenças por sexo são ainda maiores. A mulher branca mediana recebe 21% a menos que o homem branco mediano, e a mulher negra mediana recebe 18% a menos que o homem negro mediano. Se tomados em seus valores absolutos, esses diferenciais parecem evidenciar que os empregadores discriminam negros e mulheres.

Há, no entanto, um problema em potencial com essa inferência. Mesmo em um mercado de trabalho livre de discriminação, pessoas diferentes recebem salários diferentes. As pessoas diferem no montante de capital humano que possuem e no tipo de trabalho que podem e desejam fazer. As diferenças de salários que observamos na economia podem, em certa medida, ser atribuídas aos determinantes dos salários de equilíbrio que abordamos na seção anterior. A simples observação das diferenças salariais entre grupos amplos - brancos e negros, homens e mulheres - não prova que os empregadores os discriminem.

Considere, por exemplo, o papel do capital humano. Em 2014, entre os homens com mais de 25 anos, 32% da população branca tinha diploma universitário, enquanto, na população negra, esse índice caía para 20%. Entre mulheres com mais de 25 anos, 32% da população branca tinha diploma universitário, enquanto, na população negra, esse índice caía para 24%. Assim, pelo menos parte da diferença entre os salários dos brancos e os dos negros pode ser atribuída a diferenças no nível de instrução.

Além disso, o capital humano pode ser mais importante na explicação dos diferenciais salariais do que sugerem as medidas de tempo de instrução. Historicamente, as escolas públicas das áreas predominantemente negras são de baixa qualidade - em termos de despesas, número de alunos por sala de aula, e assim por diante - se comparada às escolas públicas de áreas predominantemente brancas. De maneira similar, há muitos anos as escolas afastavam as meninas dos cursos de ciências e matemática, muito embora essas disciplinas tenham maior valor no mercado do que algumas das alternativas de estudo. Se pudéssemos medir a qualidade e a quantidade de instrução, as diferenças de capital humano entre esses grupos seriam ainda maiores.

Tabela 1
Ganhos anuais medianos por raça e sexo

	Brancos	Negros	Porcentagem em que os ganhos são menores para os trabalhadores negros
Homens	$ 51.022	$ 40.719	20%
Mulheres	$ 40.439	$ 33.533	17%
Porcentagem em que os ganhos são menores para as trabalhadoras	21%	18%	

Nota: Os dados de ganhos são referentes a 2014 e aplicam-se a trabalhadores, em período integral, com 14 anos ou mais. Indivíduos que relataram mais de uma raça foram excluídos desses dados.
Fonte: U.S. Census Bureau.

O capital humano adquirido pela forma de experiência de trabalho também pode ajudar a explicar as diferenças salariais. As mulheres, particularmente, são mais propensas a interromper a carreira para criar os filhos. Entre a população de 25 a 44 anos (faixa etária em que muitas pessoas têm filhos em casa), apenas cerca de 75% das mulheres participam da força de trabalho, em comparação a quase 90% dos homens. Como resultado, as trabalhadoras, em especial as mais velhas, tendem a ter menos experiência trabalhista que os homens.

Já outra fonte de diferenças salariais está nos diferenciais compensatórios. Homens e mulheres não escolhem os mesmos tipos de trabalho, e esse fato pode ajudar a explicar algumas das diferenças nos ganhos entre eles. Por exemplo, as mulheres, mais provavelmente, serão secretárias, e os homens, mais provavelmente, serão motoristas de caminhão. Os salários relativos de secretárias e dos motoristas de caminhão dependem, em parte, das condições de trabalho de cada ocupação. Como é difícil medir esses aspectos não monetários, é também difícil avaliar a importância prática dos diferenciais compensatórios para explicar as diferenças salariais observadas.

No fim, o estudo das diferenças salariais entre grupos não estabelece nenhuma conclusão clara sobre a existência de discriminação nos mercados de trabalho norte-americanos. A maioria dos economistas acredita que parte dos diferenciais salariais observados pode ser atribuída à discriminação, mas não há consenso a respeito de quanto. A única conclusão sobre a qual há consenso entre os economistas é negativa: uma vez que as diferenças entre os salários médios dos grupos refletem, em parte, as diferenças no capital humano e nas características dos empregos, elas, por si mesmas, não nos dizem nada a respeito de quanta discriminação há no mercado de trabalho.

Naturalmente, diferenças no capital humano entre grupos de trabalhadores podem, elas mesmas, refletir discriminação. Os currículos menos rigorosos tradicionalmente oferecidos às estudantes, por exemplo, podem ser considerados uma prática discriminatória. De forma similar, as escolas de qualidade inferior historicamente disponíveis para estudantes negros também podem ser atribuídas ao preconceito das câmaras municipais e dos conselhos de ensino. Mas esse tipo de discriminação ocorre muito antes de o trabalhador ingressar no mercado de trabalho, caracterizando, assim, uma doença política, ainda que o sintoma seja econômico.

19_2B Discriminação por parte dos empregadores

Vamos, agora, nos voltar da mensuração para as forças econômicas que estão por trás da discriminação nos mercados de trabalho. Se um grupo na sociedade recebe um salário menor que outro mesmo após ter controlado os efeitos do capital humano e das características do emprego, de quem é a culpa pela diferença?

A resposta não é óbvia. Pode parecer natural culpar os empregadores pelas diferenças salariais discriminatórias; afinal, as decisões de contratação que determinam a demanda por mão de obra e os salários são tomadas por eles. Se alguns grupos de trabalhadores recebem salários menores do que deveriam, parece que os responsáveis são os empregadores, mas muitos economistas são céticos em relação a essa resposta fácil. Eles acreditam que as economias competitivas e de mercado oferecem um antídoto natural para a discriminação por parte dos empregadores. Esse antídoto é chamado *motivação pelo lucro*.

Imagine uma economia em que os trabalhadores sejam diferenciados pela cor dos cabelos. Loiros e morenos têm as mesmas qualificações, experiência e ética de trabalho, mas, por causa da discriminação, os empregadores preferem contratar trabalhadores com cabelos escuros. Diante disso, a demanda por loiros é menor que seria na ausência de discriminação e, como resultado, os loiros recebem um salário menor que os morenos.

Por quanto tempo perduraria esse diferencial salarial? Nessa economia, há uma maneira fácil para uma empresa superar suas concorrentes: ela pode contratar trabalhadores loiros. Ao fazer isso, a empresa pagará salários menores e terá custos mais baixos que as empresas que contratam morenos. Ao longo do tempo, cada vez mais empresas "loiras" entrarão no mercado, para aproveitar essa vantagem de custo, enquanto as empresas "morenas" existentes estarão sujeitas a custos mais elevados e, portanto, começarão a perder dinheiro quando se depararem com as novas concorrentes. Essas perdas induzirão as empresas morenas a sair do negócio. Por fim, a entrada das empresas loiras e a saída das empresas morenas farão que a demanda por trabalhadores loiros aumente e a demanda por trabalhadores morenos diminua. Esse processo continua até que o diferencial salarial desapareça.

Dito de maneira mais simples, os proprietários das empresas que só se preocupam em ganhar dinheiro estão em vantagem quando concorrem contra aqueles que também se preocupam com a discriminação. Como resultado, as empresas que não discriminam tendem a substituir aquelas que o fazem. Dessa forma, os mercados competitivos têm um remédio natural para a discriminação por parte dos empregadores.

19_2C Discriminação por parte de clientes e governos

A motivação do lucro é uma força considerável que age para eliminar diferenciais salariais discriminatórios, mas existem limites para sua capacidade corretiva. Dois limites importantes são: preferências dos clientes e políticas governamentais.

Para ver como as preferências dos clientes pela discriminação podem afetar os salários, considere novamente nossa economia imaginária de loiros e morenos. Suponha que os proprietários de restaurantes discriminem os loiros ao contratar garçons. Como resultado, os garçons loiros receberão salários menores que os morenos. Nesse caso, um restaurante pode abrir com garçons loiros e cobrar preços mais baixos. Se os clientes só se preocuparem com a qualidade e o preço das refeições, as empresas discriminadoras serão expulsas do negócio e o diferencial salarial desaparecerá.

É possível, ainda, que os clientes prefiram ser servidos por garçons morenos. Se essa preferência discriminatória for forte, a entrada de restaurantes que contratam loiros não conseguirá eliminar o diferencial salarial entre morenos e loiros. Ou seja, se os clientes tiverem preferências discriminatórias, um mercado competitivo será consistente com um diferencial salarial discriminatório. Uma economia com tal discriminação conteria dois tipos de restaurante: os restaurantes que contratam loiros, têm custos menores e cobram preços mais baixos, e os restaurantes que contratam morenos, têm custos maiores e cobram preços mais elevados. Os clientes que não se preocupassem com a cor de cabelo dos garçons seriam atraídos pelos preços mais baixos dos restaurantes que contratam loiros; já os intolerantes iriam aos restaurantes que contratam morenos e pagariam por sua preferência discriminatória por meio de preços mais altos.

Outra maneira de a discriminação persistir nos mercados competitivos é a imposição de práticas discriminatórias pelo governo. Se, por exemplo, o governo aprovar uma lei que declare que os loiros podem lavar pratos nos restaurantes, mas não podem trabalhar como garçons, então o diferencial salarial persistirá em um mercado competitivo. Nos anos 1990, antes de a África do Sul abandonar seu sistema de *apartheid*, os negros eram proibidos de trabalhar em algumas ocupações. Os governos discriminatórios aprovam esse tipo de lei para suprimir a força equalizadora normal dos mercados livres e competitivos.

Em suma: *os mercados competitivos têm um remédio natural para a discriminação por parte dos empregadores. A entrada no mercado de empresas que só se preocupam com o lucro tende a eliminar os diferenciais salariais discriminatórios. Esses diferenciais salariais persistem nos mercados competitivos somente quando os clientes estão dispostos a pagar mais para manter a prática discriminatória ou quando o governo a impõe.*

Teste rápido Por que é difícil determinar se um grupo de trabalhadores está sendo discriminado? • Explique como as empresas maximizadoras de lucro tendem a eliminar os diferenciais salariais discriminatórios. • Como um diferencial salarial discriminatório pode persistir?

19_3 CONCLUSÃO

Nos mercados competitivos, os trabalhadores recebem um salário igual à sua contribuição marginal para a produção de bens e serviços. Há, contudo, muitas coisas que afetam o valor do produto marginal. As empresas pagam mais a trabalhadores que sejam mais talentosos, mais diligentes, mais experientes e mais instruídos porque eles são mais produtivos. As empresas pagam menos aos trabalhadores que são discriminados pela clientela porque eles contribuem menos para a receita.

A teoria do mercado de trabalho desenvolvida nos dois últimos capítulos explica por que alguns trabalhadores ganham salários mais altos que outros. Todavia, a teoria não diz que a distribuição resultante da renda é igual, justa ou desejável. Este é o tópico que abordaremos no Capítulo 20.

Teste rápido do capítulo

1. **Ted deixa seu trabalho como professor de matemática do Ensino Médio e volta a estudar as últimas inovações da programação de computadores. Depois disso, ele consegue um trabalho para ganhar mais em uma empresa de software. Este é um exemplo de:**
   a. Diferencial compensatório.
   b. Capital humano.
   c. Sinalização.
   d. Salário de eficiência.
2. **Marshall e Lily trabalham em uma loja de departamentos local. Marshall, que recepciona os clientes quando eles chegam, recebe menos que Lily, que limpa os banheiros. Este é um exemplo de:**
   a. Diferencial compensatório.
   b. Capital humano.
   c. Sinalização.
   d. Salário de eficiência.
3. **Barney dirige uma pequena empresa manufatureira. Ele paga aos seus funcionários aproximadamente o dobro do que pagam as outras empresas do setor, embora ele possa pagar menos e ainda recrutar todos os trabalhadores que deseja. Ele acredita que os salários mais altos tornam os funcionários mais leais e esforçados. Este é um exemplo de:**
   a. Diferencial compensatório.
   b. Capital humano.
   c. Sinalização.
   d. Salário de eficiência.
4. **Uma empresa de consultoria contrata Robin porque ela se formou em matemática na faculdade. Seu novo emprego não exige o conhecimento dessa área de estudo, mas a empresa acredita que qualquer pessoa que tenha conseguido se graduar em matemática deve ser muito inteligente. Este é um exemplo de:**
   a. Diferencial compensatório.
   b. Capital humano.
   c. Sinalização.
   d. Salário de eficiência.
5. **Medir o quanto a discriminação afeta os resultados do mercado de trabalho é difícil porque:**
   a. Os dados sobre salários são cruciais, mas não estão prontamente disponíveis.
   b. As empresas declaram incorretamente os salários que pagam para ocultar práticas discriminatórias.
   c. Os trabalhadores diferem em atributos e tipos de empregos que possuem.
   d. A mesma lei de salário-mínimo se aplica a trabalhadores de todos os grupos.
6. **As forças da competição nos mercados com livre entrada e saída tendem a eliminar as diferenciais salariais decorrentes da discriminação por parte de:**
   a. Empregadores.
   b. Clientes.
   c. Governo.
   d. Todas as alternativas anteriores.

RESUMO

- Os trabalhadores ganham salários diferentes por diversos motivos. Em certa medida, os diferenciais salariais compensam o trabalhador pelos seus atributos no emprego. Com as demais condições constantes, os trabalhadores em atividades difíceis e desagradáveis ganham mais que aqueles com empregos fáceis e agradáveis.
- Os trabalhadores com mais capital humano recebem mais que aqueles que têm menos capital humano. O retorno ao capital humano acumulado é elevado e tem aumentado nas duas últimas décadas.
- Embora anos de instrução, experiência e características do emprego afetem os ganhos, como a teoria prevê, há uma grande variação dos ganhos que não pode ser explicada por coisas que os economistas são capazes de medir. A variação não explicada dos ganhos é atribuída, em grande parte, ao talento natural, ao esforço e à sorte.

- Alguns economistas sugeriram que trabalhadores mais instruídos ganham salários mais altos não porque a instrução aumente a produtividade, mas porque trabalhadores com talento natural elevado usam a educação como forma de sinalizar sua capacidade aos empregadores. Se essa teoria da sinalização estiver correta, aumentar o nível de instrução de todos os trabalhadores não elevará o nível geral dos salários.
- Às vezes, os salários são impulsionados para cima do nível que equilibra oferta e demanda. Os três motivos que impulsionam os salários acima do equilíbrio são: a legislação do salário-mínimo, os sindicatos e os salários de eficiência.
- Algumas diferenças nos ganhos são atribuídas à discriminação por raça, sexo ou outros fatores. Mas medir o montante de discriminação é difícil, porque é preciso corrigir as diferenças de capital humano e as características do emprego.
- Os mercados competitivos tendem a limitar o impacto da discriminação sobre os salários. Se os salários de um grupo de trabalhadores forem inferiores aos de outro grupo por motivos que não estejam ligados à produtividade marginal, as empresas que não discriminam serão mais lucrativas que aquelas que discriminam. O comportamento maximizador de lucro pode, portanto, reduzir os diferenciais salariais discriminatórios. A discriminação persistirá nos mercados competitivos se os clientes estiverem dispostos a pagar mais às empresas que discriminam ou se o governo aprovar leis exigindo a discriminação por parte das empresas.

CONCEITOS-CHAVE

diferencial compensatório, p. 313
capital humano, p. 313
sindicato, p. 316
greve, p. 316
salários de eficiência, p. 316
discriminação, p. 317

QUESTÕES PARA REVISÃO

1. Por que os mineradores de carvão ganham mais que outros trabalhadores com o mesmo nível de instrução?
2. Em que sentido a instrução é um tipo de capital?
3. Como a instrução pode aumentar o salário de um trabalhador sem aumentar sua produtividade?
4. Que condições levam à existência de superastros na área de economia? É possível que haja superastros na área de odontologia? E na música? Explique.
5. Dê três motivos pelos quais o salário de um trabalhador pode ficar acima do nível que equilibra oferta e demanda.
6. Quais são as dificuldades para se determinar se um grupo de trabalhadores tem salário mais baixo por causa da discriminação?
7. As forças da competição econômica tendem a exacerbar ou a atenuar a discriminação racial?
8. Dê um exemplo de como a discriminação pode persistir em um mercado competitivo.

PROBLEMAS E APLICAÇÕES

1. Os estudantes universitários, às vezes, trabalham como estagiários de empresas privadas ou do governo. Muitos desses estágios pagam pouco ou nada.
   a. Qual é o custo de oportunidade de aceitar um emprego desse tipo?
   b. Explique por que os estudantes estão dispostos a aceitar esse tipo de emprego.
   c. Se comparasse os ganhos futuros dos que trabalham como estagiários com aqueles que, no mesmo período, trabalharam em empregos que pagavam mais, o que você esperaria encontrar?
2. Como foi explicado no Capítulo 6, a lei do salário-mínimo distorce o mercado de mão de obra de baixo salário. Para reduzir isso, alguns economistas defendem um sistema de salário-mínimo em duas categorias: um mínimo regular para adultos

e um mais baixo para adolescentes. Apresente duas razões pelas quais um salário-mínimo único poderia distorcer o mercado de mão de obra de adolescentes mais que o faria no mercado de trabalhadores adultos.

3. Uma conclusão básica da economia do trabalho é a de que os trabalhadores mais experientes da força de trabalho ganham mais que os menos experientes, ainda que tenham o mesmo nível de instrução. Por que isso acontece? Alguns estudos concluíram também que a experiência em um mesmo emprego (chamada *estabilidade no emprego*) tem efeito adicional positivo sobre o salário. Explique.

4. Em algumas faculdades e universidades, os professores de economia ganham mais que os de outras áreas.
   a. Por que isso pode ser verdade?
   b. Outras faculdades e universidades têm a política de pagar salários iguais aos professores de todas as áreas. Em algumas dessas escolas, os professores de economia têm cargas horárias menores que os de outras áreas. Que papel representam as diferenças de carga horária?

5. Imagine que alguém lhe ofereça uma escolha: você pode passar quatro anos estudando na melhor universidade do mundo, mas tem de manter sua frequência nessa instituição em segredo, ou pode receber um diploma da melhor universidade do mundo, mas não pode frequentar as aulas. Em sua opinião, qual das duas possibilidades lhe proporcionaria maiores ganhos no futuro? O que a sua resposta diz a respeito do papel da educação no debate sobre sinalização *versus* capital humano?

6. Quando os dispositivos de gravação foram inventados, há quase cem anos, os músicos puderam fornecer sua música a grandes públicos a um custo baixo. Em sua opinião, como isso afetou a renda dos melhores músicos? E como afetou a renda dos músicos medianos?

7. Um debate atual na área da educação é se os professores deveriam receber de acordo com uma escala padrão, com base apenas no tempo de estudo e de experiência, ou se parte do salário deveria basear-se no desempenho ("pagamento por mérito").
   a. Por que o pagamento por mérito seria desejável?
   b. Quem se oporia ao sistema de pagamento por mérito?
   c. Qual é o desafio potencial do pagamento por mérito?
   d. Uma questão relacionada a essa: por que uma cidade deveria decidir pagar aos seus professores um salário significativamente maior que o pago pelas cidades vizinhas?

8. Quando Alan Greenspan (que viria a ser presidente do Federal Reserve) operava uma empresa de consultoria econômica no fim da década de 1960, ele contratava principalmente economistas do sexo feminino. Greenspan, certa vez, declarou ao *New York Times*: "Sempre atribuí igual valor a homens e mulheres, e descobri que, porque outras pessoas não o faziam, economistas competentes do sexo feminino eram mais baratas que economistas do sexo masculino". O comportamento maximizado de lucros de Greenspan é admirável ou desprezível? Se mais empregadores fossem como ele, o que aconteceria com o diferencial salarial entre homens e mulheres? Por que outras empresas de consultoria da época não seguiram a estratégia empresarial de Greenspan?

CAPÍTULO 20

Desigualdade de renda e pobreza

O notável primeiro-ministro britânico Winston Churchill resumiu certa vez os sistemas econômicos alternativos da seguinte forma: "O vício inerente ao capitalismo é a repartição desigual de bênçãos. A virtude inerente ao socialismo é a repartição igual das misérias". A ironia de Churchill atrai a atenção para dois importantes fatores. Primeiro, as nações que usam mecanismos de mercado para alocar recursos costumam obter maior prosperidade do que aquelas que não o fazem, o que é o resultado da mão invisível de Adam Smith. Segundo, a prosperidade que as economias de mercado produzem não é repartida igualmente, ou seja, a renda pode diferir muito entre os que estão no topo e os que estão na base da pirâmide econômica. A lacuna entre ricos e pobres é um importante e fascinante tópico de estudo - para os ricos confortáveis, para os pobres em dificuldades e para a classe média aspirante e preocupada.

Com base nos dois capítulos anteriores, você já deve ter algum entendimento do motivo pelo qual pessoas diferentes têm rendas diferentes. Os ganhos de uma pessoa dependem da oferta e da demanda pelo seu trabalho, que, por sua vez, depende do talento natural, do capital humano, dos diferenciais compensatórios, da discriminação, e assim por diante. Como os ganhos do trabalho representam cerca de dois terços da renda total da economia norte-americana, os fatores que determinam os salários são também, em grande medida, responsáveis por determinar de que maneira a renda total da economia é distribuída entre os vários membros da sociedade. Em outras palavras, eles determinam quem é rico e quem é pobre.

Neste capítulo, abordaremos a distribuição de renda - um tópico que levanta algumas questões fundamentais a respeito do papel da política econômica. Um dos *Dez princípios de economia* do Capítulo 1 é que os governos, às vezes, podem melhorar os resultados do mercado. Essa possibilidade é particularmente importante quando consideramos a distribuição de renda. A mão invisível do mercado age de maneira a alocar recursos com eficiência, mas isso não garante, necessariamente, que eles sejam alocados com justiça. Como resultado, muitos economistas - mas não todos - acreditam que o governo deve redistribuir a renda para conseguir uma maior igualdade. Ao fazer isso, o governo se depara com outro dos *Dez princípios de economia*: as pessoas enfrentam *tradeoffs*. Quando o governo adota políticas para tornar a distribuição de renda mais equitativa, ele distorce os incentivos, altera os comportamentos e torna a alocação de recursos menos eficiente.

Nossa abordagem sobre a distribuição de renda se dará em três etapas. Primeiro, vamos avaliar o grau de desigualdade existente em nossa sociedade. Em seguida, consideraremos alguns dos diferentes pontos de vista sobre a função que o governo deveria desempenhar na alteração da distribuição de renda. Por fim, discutiremos diversas políticas públicas que têm por objetivo ajudar os membros mais pobres da sociedade.

20_1 A MENSURAÇÃO DA DESIGUALDADE

Começamos nosso estudo da distribuição de renda abordando quatro questões ligadas à mensuração:

- Quanta desigualdade há em nossa sociedade?
- Quantas pessoas vivem na pobreza?
- Quais problemas surgem na mensuração da desigualdade?
- Com que frequência as pessoas mudam de uma classe de renda para outra?

Essas questões de mensuração são o ponto de partida natural, com base no qual se discutem as políticas públicas que pretendem mudar a distribuição de renda.

20_1A Desigualdade de renda nos Estados Unidos

Imagine que você enfileirasse todas as famílias da economia de acordo com sua renda anual e, então, as dividisse em cinco grupos iguais: o quinto inferior, o segundo quinto, o quinto intermediário, o quarto quinto e o quinto superior. A Tabela 1 mostra as faixas de renda de cada um desses grupos, assim como dos 5% superiores. Você pode usar essa tabela para descobrir em que faixa da distribuição de renda sua família se encontra.

Para examinar as diferenças de distribuição de renda ao longo do tempo, os economistas consideram mais útil apresentar os dados de renda como na Tabela 2, que mostra a parcela da renda total recebida por cada grupo de famílias por um período específico. Em 2014, o quintil[1] inferior das famílias recebeu 3,6% de toda a renda e o quintil superior, 48,9% de toda a renda. Em outras palavras, embora os quintis superior e inferior incluam o mesmo número de famílias, o quintil superior tem mais de 13 vezes mais renda que o quintil inferior.

A última coluna da tabela mostra a parcela da renda total recebida pelas famílias mais ricas. Em 2014, as famílias do grupo dos 5% de maior renda receberam 20,8% da renda total, que foi maior que a renda total dos 40% mais pobres.

A Tabela 2 mostra também a distribuição de renda em vários anos a partir de 1935. À primeira vista, a distribuição de renda parece ter permanecido notavelmente estável ao longo do tempo. Nas últimas décadas, o quintil inferior das famílias recebeu cerca de 4% a 5% da renda, enquanto o quintil superior recebeu cerca de 40% a 50% da renda. Mas uma inspeção mais cuidadosa da tabela mostra algumas tendências quanto ao grau de desigualdade. De 1935 a 1970, a distribuição tornou-se, gradualmente, mais igual. A participação do quinto inferior subiu de 4,1% para 5,5%, e a participação do quinto superior caiu de 51,7% para 40,9%. Em

Tabela 1
Distribuição de renda nos Estados Unidos: 2014

Grupo	Renda familiar anual
Quintil inferior	Menos de $ 29.100
Segundo quintil	$ 29.101 a $ 52.697
Quintil intermediário	$ 52.698 a $ 82.032
Quarto quintil	$ 82.033 a $ 129.006
Quintil superior	$ 129.007 ou mais
5% superiores	$ 230.030 ou mais

Fonte: U.S. Bureau of the Census.

1. Em estatística, quintil é qualquer um dos valores de uma distribuição de frequência que divide o conjunto ordenado em cinco partes iguais. (NRT)

Tabela 2
Desigualdade de renda nos Estados Unidos

Esta tabela mostra a porcentagem da renda total, antes do pagamento de impostos, recebida pelas famílias em cada quintil da distribuição de renda e pelas famílias que se encontram entre os 5% mais ricos.

Ano	Quintil inferior	Segundo quintil	Quintil intermediário	Quarto quintil	Quintil superior	5% superiores
2014	3,6%	9,2%	15,1%	23,2%	48,9%	20,8%
2010	3,8%	9,4%	15,4%	23,5%	47,9%	20,0%
2000	4,3%	9,8%	15,4%	22,7%	47,7%	21,1%
1990	4,6%	10,8%	16,6%	23,8%	44,3%	17,4%
1980	5,3%	11,6%	17,6%	24,4%	41,1%	14,6%
1970	5,4%	12,2%	17,6%	23,8%	40,9%	15,6%
1960	4,8%	12,2%	17,8%	24%	41,3%	15,9%
1950	4,5%	12%	17,4%	23,4%	42,7%	17,3%
1935	4,1%	9,2%	14,1%	20,9%	51,7%	26,5%

Fonte: U.S. Bureau of the Census.

anos mais recentes, essa tendência se reverteu. De 1970 a 2014, a participação do quintil inferior caiu de 5,4% para 3,6%, e a do quinto superior aumentou de 40,9% para 48,9%.

No Capítulo 19, abordamos algumas explicações para esse recente aumento da desigualdade. O crescimento do comércio internacional com países em que os salários são baixos e as mudanças tecnológicas reduziram a demanda por mão de obra não qualificada e aumentaram a demanda por mão de obra qualificada. Como resultado, os salários dos trabalhadores não qualificados caíram em relação aos salários dos trabalhadores qualificados, e essa mudança dos salários relativos aumentou a desigualdade de renda entre as famílias.

20_1B Desigualdade ao redor do mundo

Como a desigualdade de renda nos Estados Unidos se compara com a de outros países? Essa questão é interessante, mas respondê-la é problemático. Para alguns países, não há dados disponíveis. E mesmo quando há, nem todos os países coletam dados da mesma maneira; por exemplo, alguns coletam dados sobre a renda individual, enquanto outros, sobre a renda familiar. Outros, ainda, coletam dados sobre os gastos, em vez da renda. Como resultado, sempre que encontramos uma diferença entre dois países, nunca podemos ter certeza de que ela reflita uma diferença verdadeira entre as duas economias ou meramente uma diferença na forma de coletar os dados.

Com essa advertência em mente, observe a Figura 1, que compara a desigualdade em 20 países destacados. A medida de desigualdade usada aqui é a *razão dos quintis*, que é a renda do quintil mais rico dividida pela do quintil mais pobre. A maior igualdade é encontrada na Suécia, onde o quintil superior recebe 3,7 vezes mais que o quintil inferior, e a menor igualdade é encontrada na África do Sul, onde o grupo superior recebe 28,5 vezes mais renda que o grupo inferior. Todos os países apresentam disparidades significativas entre ricos e pobres, mas o grau de desigualdade varia substancialmente ao redor do mundo.

Quando os países são classificados de acordo com a desigualdade, os Estados Unidos apresentam mais desigualdade que um país típico. Sua disparidade de renda é maior que a da maioria dos países economicamente desenvolvidos, como o Japão e a Alemanha, mas sua distribuição de renda é mais igualitária que a de alguns países em desenvolvimento, como a África do Sul e o Brasil. Os Estados Unidos têm aproximadamente o mesmo nível de desigualdade que a China, a nação mais populosa do mundo.

Figura 1
A desigualdade ao redor do mundo

Esta figura mostra a proporção entre a renda do quintil mais rico e a do quintil mais pobre. Entre essas nações, a Suécia e o Paquistão têm a distribuição de bem-estar econômico mais igualitária, enquanto a África do Sul e o Brasil têm a menos equitativa.

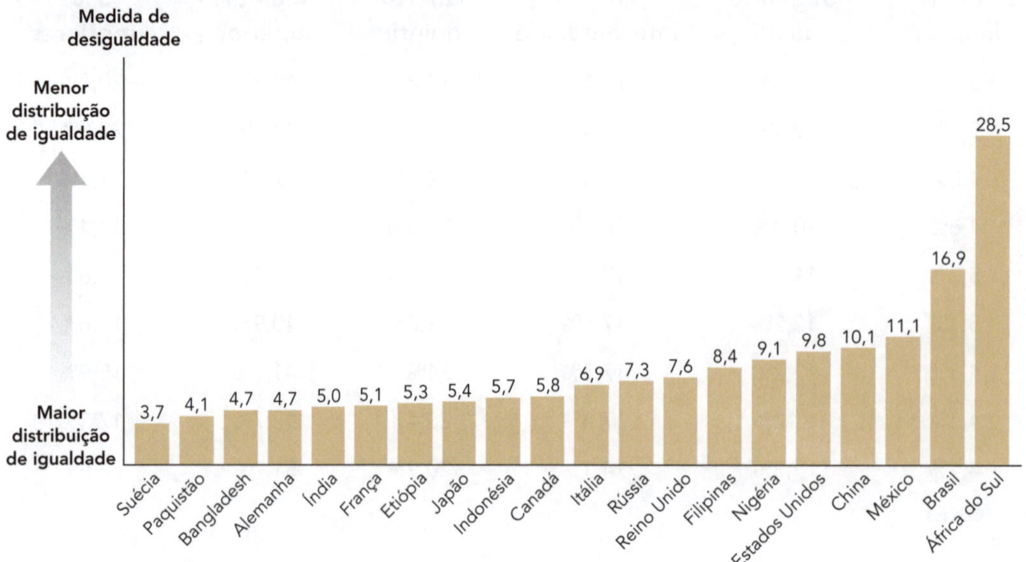

Fonte: Human Development Report 2015.

20_1C A taxa de pobreza

Uma medida comum da distribuição de renda é a taxa de pobreza. A **taxa de pobreza** é o percentual da população cuja renda familiar se encontra abaixo de um nível absoluto chamado **linha de pobreza**, que é estabelecida pelo governo federal em aproximadamente três vezes o custo de uma dieta adequada. Essa linha depende do tamanho da família e é ajustada anualmente para levar em conta mudanças no nível de preços.

Para ter uma ideia do que nos diz a taxa de pobreza, considere os dados de 2014. Nesse período, a família mediana teve renda de $ 66.632, e a linha de pobreza para uma família de quatro pessoas era $ 24.230. A taxa de pobreza foi de 14,8%. Em outras palavras, 14,8% da população era membro de famílias com renda inferior à linha de pobreza.

taxa de pobreza
a porcentagem da população cuja renda familiar se encontra abaixo de um nível absoluto denominado linha de pobreza

linha de pobreza
um nível absoluto de renda fixado pelo governo federal para cada tamanho de família, abaixo do qual a família é considerada em estado de pobreza

A Figura 2 mostra a taxa de pobreza desde 1959, quando começaram os dados oficiais. Você pode constatar que a taxa de pobreza caiu de 22,4%, em 1959, para uma taxa inferior de 11,1%, em 1973. Essa queda não surpreende, porque a renda média da economia, descontada a inflação, cresceu mais de 50% nesse período. Como a linha de pobreza é um padrão absoluto, não relativo, mais famílias são trazidas para cima da linha à medida que o crescimento econômico conduz toda a distribuição de renda para cima. Como disse John F. Kennedy, a maré alta ergue todos os barcos.

Desde o início da década de 1970, contudo, a maré alta da economia deixou alguns barcos para trás. Apesar do crescimento contínuo na renda média, a taxa de pobreza não caiu abaixo do nível atingido em 1973. Essa falta de avanços na redução da pobreza nas últimas décadas está estreitamente relacionada ao aumento da desigualdade que vimos na Tabela 2. Embora o crescimento econômico tenha aumentado a renda da família típica, o aumento da desigualdade tem impedido as famílias mais pobres de compartilhar essa maior prosperidade econômica.

A pobreza é uma doença econômica que afeta todos os grupos da população, mas não os afeta com igual frequência. A Tabela 3 mostra as taxas de pobreza de diversos grupos e revela três fatos marcantes:

Figura 2
A taxa de pobreza

A taxa de pobreza mostra a porcentagem da população cuja renda se encontra abaixo de um nível absoluto denominado linha de pobreza.
Fonte: U.S. Bureau of the Census.

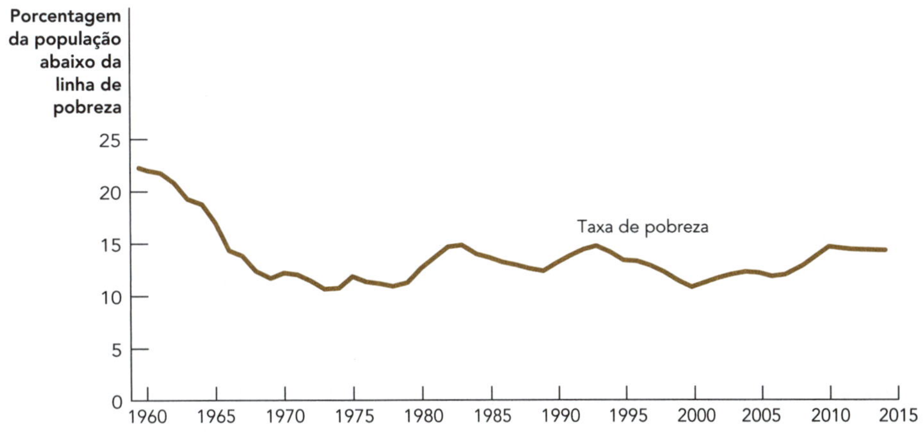

Tabela 3
Quem é pobre?

Esta tabela mostra que a taxa de pobreza varia muito entre os diferentes grupos da população.

Grupo	Taxa de pobreza
Todos	14,8%
Brancos não hispânicos	10,1
Negros	26,2
Hispânicos	23,6
Asiáticos	12,0
Crianças (menores de 18 anos)	21,1
Idosos (acima de 64 anos)	10,0
Famílias de casais	6,2
Famílias encabeçadas por mulheres, sem a presença de cônjuge	33,1

Fonte: U. S. Bureau of the Census. Os dados são de 2014.

- A pobreza está correlacionada à raça. Negros e hispânicos têm cerca de três vezes mais probabilidade de viver na pobreza que os brancos.
- A pobreza está correlacionada à idade. As crianças têm probabilidade acima da média de pertencer a famílias pobres, e os idosos têm menos probabilidade que a média de ser pobres.
- A pobreza está correlacionada à composição da família. As famílias encabeçadas por um adulto do sexo feminino e sem cônjuge têm quase seis vezes mais probabilidade de viver na pobreza que as famílias encabeçadas por um casal.

Esses três fatos descrevem a sociedade norte-americana há muitos anos e mostram quais pessoas têm maior probabilidade de ser pobres. Esses efeitos também atuam em conjunto: das crianças negras e hispânicas que vivem em famílias encabeçadas por mulheres, cerca de metade vive na pobreza.

20_1D Problemas na mensuração da desigualdade

Embora os dados sobre distribuição de renda e taxa de pobreza ajudem a ter alguma ideia do grau de desigualdade na sociedade norte-americana, interpretá-los não é tão simples e direto quanto possa parecer à primeira vista. Os dados se baseiam nas rendas anuais das famílias. O que interessa, contudo, às pessoas não é a renda auferida, mas a capacidade de manter um bom padrão de vida. Por pelo menos três motivos, os dados sobre distribuição de renda e taxa de pobreza oferecem um quadro incompleto da desigualdade de padrão de vida.

Transferência em espécie As medidas da distribuição de renda e da taxa de pobreza se baseiam na renda *pecuniária* (em dinheiro) das famílias. Mas, por meio de diversos programas governamentais, os pobres recebem muitos itens não monetários, incluindo vales-alimentação, auxílio-moradia e serviços médicos. As transferências aos pobres dadas em forma de bens e serviços, em vez de dinheiro, são chamadas **transferências em espécie**. As medidas padrão do grau de desigualdade não consideram esse tipo de transferência.

transferências em espécie
transferências aos pobres dadas em forma de bens e serviços, em vez de dinheiro

Como as transferências em espécie são recebidas predominantemente pelos membros mais pobres da sociedade, a sua não inclusão na renda afeta em muito a taxa de pobreza medida. De acordo com um estudo do Census Bureau, se as transferências em espécie fossem incluídas na renda pelo seu valor de mercado, o número de famílias em estado de pobreza seria cerca de 10% menor do que indicam os dados padronizados.

O ciclo de vida econômico A renda varia de maneira previsível durante a vida de cada pessoa. Um trabalhador jovem, especialmente se estiver estudando, tem renda baixa. A renda aumenta à medida que o trabalhador ganha maturidade e experiência, atinge seu pico em torno dos 50 anos de idade, e cai acentuadamente quando o trabalhador se aposenta, por volta dos 65 anos. Esse padrão regular de variação da renda é chamado **ciclo de vida.**

ciclo de vida
o padrão regular de variação de renda ao longo da vida de uma pessoa

Como as pessoas podem tomar empréstimos e poupar para suavizar as variações da renda durante o ciclo de vida, seu padrão de vida em qualquer ano depende mais da renda ao longo da vida que da renda naquele ano. Os jovens, muitas vezes, se endividam, seja para pagar os estudos, seja para comprar uma casa, e então pagam esses empréstimos quando sua renda aumenta. As pessoas têm sua maior taxa de poupança quando chegam à meia-idade. Como elas podem poupar antes de se aposentar, a grande queda da renda por ocasião da aposentadoria não leva a uma queda semelhante do padrão de vida. Esse padrão normal do ciclo de vida causa uma desigualdade na distribuição anual de renda, mas não representa verdadeira desigualdade em termos de padrão de vida.

Renda transitória *versus* permanente As rendas variam ao longo da vida das pessoas não só por causa da variação previsível, resultante do ciclo de vida, mas também por causa de forças aleatórias e transitórias. Em um ano, a geada destrói a safra de laranja da Flórida e os produtores de laranjas veem sua renda cair temporariamente. Ao mesmo tempo, a geada na Flórida faz o preço da laranja subir, e os produtores da Califórnia veem sua renda aumentar temporariamente. No ano seguinte, pode acontecer o inverso.

Assim como as pessoas podem tomar empréstimos e poupar para suavizar as variações de renda ao longo do ciclo de vida, também podem tomar e conceder empréstimos para suavizar uma variação transitória da renda. Na medida em que uma família poupa nos períodos bons e se endivida (ou recorre à poupança) nos períodos ruins, as variações temporárias da renda não afetam seu padrão de vida. A capacidade que uma família tem de comprar bens e serviços depende, em grande parte, de sua **renda permanente**, que é sua renda normal, ou média.

renda permanente
a renda normal de uma pessoa

Para medir a desigualdade dos padrões de vida, a distribuição da renda permanente é mais relevante que a distribuição da renda anual. Muitos economistas acreditam que as pessoas baseiam seu consumo na renda permanente; por conseguinte, a desigualdade do consumo é uma medida da desigualdade da renda permanente. Como a renda permanente e o consumo são menos afetados pelas mudanças transitórias da renda, eles são distribuídos de forma mais igual que a renda corrente.

20_1E Mobilidade econômica

As pessoas, às vezes, referem-se aos "ricos" e aos "pobres" como se esses grupos consistissem nas mesmas famílias, ano após ano, mas isso não é verdade. A mobilidade econômica, a movimentação das pessoas entre as classes de renda, é substancial na economia dos Estados Unidos. Movimentos para cima na escala de renda podem ser devidos à boa sorte ou ao trabalho duro, e movimentos para baixo podem ser devidos à má sorte ou à indolência. Parte dessa mobilidade reflete variações transitórias da renda, enquanto parte reflete mudanças mais persistentes na renda.

Como a renda das famílias muda ao longo do tempo, a pobreza temporária é mais comum que a taxa de pobreza sugere, já a pobreza persistente é menos comum. Em um período típico de dez anos, cerca de uma em cada quatro famílias fica abaixo da linha de pobreza pelo menos um ano, mas menos de 3% delas se mantêm pobres por oito anos ou mais. Como é provável que os temporariamente pobres e os persistentemente pobres enfrentem problemas diferentes, as políticas que tenham como propósito o combate à pobreza precisam distinguir entre esses grupos.

Outra maneira de avaliar a mobilidade econômica é a persistência do sucesso econômico de geração para geração. Os economistas que estudaram esse tópico descobriram que ter uma renda média superior continua de pai para filho, mas a persistência não é perfeita, indicando mobilidade substancial entre as classes de renda. Se um pai ganha 20% mais que a renda média de sua geração, seu filho provavelmente ganhará 8% mais que a renda média de sua geração. Existe apenas uma pequena correlação entre a renda de um avô e a de seu neto.

Um resultado dessa grande mobilidade econômica é o fato de que a economia norte-americana está repleta de milionários que se fizeram por si próprios, assim como de herdeiros que esbanjaram as fortunas que herdaram. De acordo com um estudo realizado, cerca de quatro em cada cinco milionários fizeram sua riqueza por si próprios, seja fundando uma empresa, seja subindo a escada da hierarquia corporativa. Apenas um de cada cinco milionários herdou sua fortuna.

Teste rápido O que mede a taxa de pobreza? • Descreva três problemas em potencial na interpretação da mensuração da taxa de pobreza.

20_2 A FILOSOFIA POLÍTICA DA REDISTRIBUIÇÃO DE RENDA

Acabamos de ver como a renda da economia é distribuída e examinamos alguns dos problemas existentes com a interpretação da desigualdade medida. Essa discussão foi *positiva* no sentido de que se limitou a descrever o mundo como ele é. Agora nos voltaremos para a questão *normativa* com a qual se deparam os formuladores de políticas: o que o governo deve fazer a respeito da desigualdade econômica?

Essa questão não é meramente econômica. A análise econômica, por si só, não pode nos dizer se os formuladores de políticas deveriam ou não tentar tornar nossa sociedade mais igualitária. Nossas opiniões sobre esse ponto são, em grande medida, uma questão de filosofia política. Contudo, como o papel do governo na redistribuição de renda é central para muitos debates de política econômica, vamos nos desviar aqui da ciência econômica para tratar um pouco da filosofia política.

20_2A Utilitarismo

utilitarismo
a filosofia política segundo a qual o governo deve escolher políticas que maximizem a utilidade total de todos na sociedade

Uma proeminente escola de pensamento político é o **utilitarismo**. Seus fundadores foram os filósofos ingleses Jeremy Bentham (1748-1832) e John Stuart Mill (1806-1873). Em grande medida, o objetivo dos utilitaristas é aplicar a lógica da tomada de decisões individual a questões ligadas à moralidade e às políticas públicas.

utilidade
uma medida da felicidade ou satisfação

O ponto de partida do utilitarismo é o conceito de **utilidade** – o nível de felicidade ou satisfação que alguém obtém de suas condições. A utilidade é uma medida de bem-estar e, segundo os utilitaristas, é o objetivo último de todas as ações públicas e privadas. O objetivo adequado do governo, eles alegam, é maximizar a soma de utilidade conseguida por todos os membros da sociedade.

O argumento utilitarista para a redistribuição da renda se baseia na hipótese da *utilidade marginal decrescente*. Parece razoável que um dólar a mais de renda para uma pessoa pobre proporcione a ela mais utilidade adicional do que um dólar a mais para uma pessoa rica. Em outras palavras, à medida que a renda de uma pessoa aumenta, o bem-estar adicional derivado de um dólar adicional de renda diminui. Essa suposição bastante plausível, somada ao objetivo utilitarista de maximização da utilidade total, implica que o governo deveria tentar atingir uma distribuição de renda mais igualitária.

O argumento é simples. Imagine que Peter e Paul sejam iguais, a não ser pelo fato de que Peter ganha $ 80 mil, e Paul, $ 20 mil. Nesse caso, tirar um dólar de Peter e entregá-lo a Paul reduzirá a utilidade de Peter e aumentará a de Paul. Mas, por causa da utilidade marginal decrescente, a utilidade de Peter cai menos que a utilidade de Paul aumenta. Assim, essa redistribuição de renda aumenta a utilidade total, que é o objetivo dos utilitaristas.

À primeira vista, esse argumento utilitarista parece implicar que o governo deve continuar a redistribuir a renda até que todos os membros da sociedade tenham exatamente a mesma renda. Realmente, seria esse o caso se a quantidade total de renda – $ 100 mil, no nosso exemplo – fosse fixa, o que, de fato, ela não é. Os utilitaristas rejeitam a completa equalização das rendas porque aceitam um dos *Dez princípios de economia* apresentados no Capítulo 1: as pessoas reagem a incentivos.

Para retirar de Peter e dar a Paul o governo precisa adotar políticas que redistribuam a renda, como o imposto de renda federal e o sistema de bem-estar social. Com essas políticas, as pessoas que têm renda elevada pagam impostos elevados e as que têm baixa renda recebem transferências de renda. Estas transferências de renda são eliminadas gradualmente: à medida que a pessoa ganha mais, ela passa a receber menos do governo. No entanto, quando Peter se depara com um imposto de renda mais alto e Paul enfrenta um sistema de transferência de renda com eliminação gradual, ambos têm menos incentivos para trabalhar arduamente, porque cada um deles ficará com apenas uma fração de todo o ganho adicional. Como trabalham menos, a renda da sociedade diminui e, com ela, a utilidade total. O governo utilitarista precisa equilibrar os ganhos da maior igualdade com as perdas da distorção de incentivos. Portanto, para maximizar a utilidade total, o governo não chega a tornar a sociedade totalmente igualitária.

Uma parábola famosa esclarece a lógica utilitarista. Imagine que Peter e Paul sejam viajantes sedentos, presos em lugares diferentes do deserto. O oásis de Peter tem muita água; o de Paul, só um pouco. Se o governo pudesse transferir água de um oásis para o outro sem custo, maximizaria a utilidade total da água, igualando a quantidade dela nos dois lugares. Mas suponha que o governo tenha somente um balde com furos, quando tentar transportar a água de um lugar para outro perderá parte dela no caminho. Nesse caso, um governo utilitarista, ainda assim, poderia tentar transferir alguma água de Peter para Paul, dependendo de quanto Paul estivesse sedento e de quantos furos o balde tivesse. Entretanto, se dispuser apenas de um balde furado, um governo utilitarista não tentará atingir a igualdade completa.

20_2B Liberalismo

Uma segunda maneira de encarar a desigualdade pode ser chamada de **liberalismo**. O filósofo John Rawls desenvolveu essa visão em seu livro *Uma teoria da justiça*, que foi publicado pela primeira vez em 1971 e se tornou rapidamente um clássico da filosofia política.

Rawls parte da premissa de que as instituições, leis e políticas de uma sociedade deveriam ser justas. E, então, levanta uma questão que surge naturalmente: como podemos nós, membros da sociedade, chegar a um acordo sobre o que significa justiça? Pode parecer que o ponto de vista de cada pessoa se baseia inevita-

liberalismo
a filosofia política segundo a qual o governo deveria escolher políticas consideradas justas, como aquelas avaliadas por um observador imparcial que esteja encoberto, ou seja, por trás de um "véu de ignorância"

critério maximin
a afirmação de que o governo deveria ter por objetivo maximizar o bem-estar da pessoa em pior situação na sociedade

seguro social
política do governo para proteger as pessoas contra o risco de adversidades

velmente em suas circunstâncias pessoais - se a pessoa tem mais ou menos talento, se é diligente ou indolente, se é instruída ou não, se nasceu em uma família rica ou pobre. Será que poderíamos determinar *objetivamente* como deveria ser uma sociedade justa?

Para responder a essa questão, Rawls propõe o seguinte raciocínio experimental: imagine que, antes de qualquer um de nós ter nascido, todos nos reunamos no período que antecede a vida (uma versão pré-nascimento da vida após a morte) para estabelecer as regras que governam a sociedade. Nesse ponto, todos nós ignoramos a posição que ocuparemos na vida. Nas palavras de Rawls, estaríamos em uma "posição original", por trás de um "véu de ignorância". Nessa posição original, argumenta Rawls, podemos escolher um conjunto de regras justas para a sociedade, porque precisamos pensar em como elas afetarão cada pessoa. Segundo o filósofo, "Desde que todos estejam em situação semelhante e ninguém seja capaz de estabelecer princípios que favoreçam suas condições pessoais, os princípios de justiça são o resultado de acordo ou negociação justos". Estabelecer políticas públicas e instituições dessa maneira nos permite ser objetivos a respeito de quais políticas são justas.

Rawls passa, então, a considerar o que a política pública concebida por trás desse véu de ignorância tentaria atingir. Mais especificamente, ele considera qual distribuição de renda uma pessoa acharia justa se não soubesse se iria estar no topo, na base ou no meio da distribuição. Rawls argumenta que uma pessoa na posição original estaria particularmente preocupada com a possibilidade de se ver na *base* da distribuição de renda. Quando se estabelecem políticas públicas, devemos, portanto, procurar aumentar o bem-estar da pessoa que está em pior situação na sociedade. Ou seja, em vez de maximizar a soma da utilidade de todos, como fariam os utilitaristas, Rawls maximizaria a utilidade mínima. A regra de Rawls é chamada **critério maximin**.

Como o critério maximin enfatiza a pessoa menos afortunada da sociedade, ele justifica políticas públicas que tenham por objetivo equalizar a distribuição de renda. Transferindo renda dos ricos para os pobres, a sociedade aumenta o bem-estar dos menos afortunados. No entanto, o critério maximin não levaria a uma sociedade inteiramente igualitária. Se o governo prometesse igualar completamente a renda de todos, as pessoas não teriam incentivos para trabalhar duramente, a renda total da sociedade cairia de maneira substancial e a pessoa menos afortunada se veria em pior situação. Assim, o critério maximin ainda permite disparidades de renda, porque estas podem melhorar os incentivos e, com isso, aumentar a capacidade de a sociedade ajudar os pobres. No entanto, como a filosofia de Rawls põe peso apenas nos membros menos afortunados da sociedade, ela requer uma maior redistribuição de renda que o utilitarismo.

Os pontos de vista de Rawls são controversos, mas o raciocínio experimental que ele propõe tem forte apelo. Mais especificamente, seu raciocínio experimental nos permite considerar a redistribuição de renda como uma forma de **seguro social**. Ou seja, da perspectiva da posição original, por trás do véu de ignorância, a redistribuição de renda é como uma apólice de seguro. Os proprietários de imóveis fazem seguros contra incêndio para se proteger do risco de que sua casa pegue fogo. De maneira similar, quando nós, como sociedade, escolhemos políticas que tributam os ricos para suplementar a renda dos pobres, estamos todos contratando um seguro contra a possibilidade de virmos a ser membros de uma família pobre. Como as pessoas têm aversão ao risco, deveríamos estar felizes por termos nascido em uma sociedade que proporcione esse tipo de seguro.

Não está claro, porém, que as pessoas racionais por trás do véu de ignorância seriam realmente tão avessas ao risco a ponto de seguirem o critério maximin. De fato, como uma pessoa na posição original poderia ficar em qualquer ponto da distribuição de renda, ela poderia tratar todos os resultados possíveis da mesma maneira ao estabelecer políticas públicas. Nesse caso, a melhor política por trás do véu de ignorância seria maximizar a utilidade média dos membros da sociedade, e a noção de justiça resultante seria mais utilitarista que rawlsiana.

20_2C Libertarismo

libertarismo
a filosofia política segundo a qual o governo deveria punir os crimes e fazer valer os acordos voluntários, mas não redistribuir a renda

Uma terceira visão da desigualdade é o chamado **libertarismo**. Os dois pontos de vista de que tratamos até aqui - o utilitarismo e o liberalismo - veem a renda total da sociedade como um recurso compartilhado que um planejador social pode livremente redistribuir para atingir algum objetivo social. Os libertaristas, por sua vez, argumentam que a sociedade em si não ganha renda - apenas membros individuais da sociedade ganham renda. Segundo os libertaristas, o governo não deveria tirar de alguns indivíduos e dar a outros com o objetivo de alcançar uma distribuição de renda particular.

Por exemplo, em seu famoso livro *Anarquia, Estado e utopia*, de 1974, o filósofo Robert Nozick escreveu o seguinte:

> Não estamos na posição de crianças que receberam fatias de torta de alguém que agora faz ajustes de última hora para corrigir cortes malfeitos. Não há distribuição *central*, não há uma pessoa ou um grupo encarregado de controlar todos os recursos, decidindo em conjunto como devem ser distribuídos. Cada indivíduo recebe de outras pessoas aquilo que estas lhe dão em troca de algo ou como presente. Em uma sociedade livre, diferentes pessoas controlam diferentes recursos e novas propriedades surgem das trocas e de ações pessoais.

Enquanto utilitaristas e liberalistas procuram julgar quanto de desigualdade é desejável em uma sociedade, Nozick nega a própria validade da questão.

A alternativa libertarista à avaliação dos *resultados* econômicos é avaliar o *processo* por meio do qual esses resultados surgem. Quando a distribuição de renda é atingida de maneira injusta - por exemplo, quando uma pessoa furta de outra -, o governo tem o direito e o dever de remediar o problema. Mas se o processo que determina a distribuição de renda for justo, a distribuição resultante também o será, não importa o quão desigual seja.

Nozick critica o liberalismo de Rawls, fazendo uma analogia entre a distribuição de renda na sociedade e a distribuição de notas em um curso. Suponha que você fosse chamado para avaliar a equidade das notas do curso de economia em que está matriculado. Você se imaginaria por trás de um véu de ignorância e escolheria uma distribuição de notas sem conhecer o talento e o esforço de cada aluno, ou se certificaria de que o processo de atribuição de notas aos alunos é justo, independentemente de a distribuição de notas resultante ser igual ou desigual? Pelo menos no caso das notas, a ênfase dos libertaristas no processo, em detrimento do resultado, é convincente.

Os libertaristas concluem que a igualdade de oportunidades é mais importante que a igualdade de rendas. Eles acreditam que o governo deve fazer valer os direitos individuais para garantir que todos tenham a mesma oportunidade de usar seus talentos e ter sucesso. Uma vez estabelecidas as regras do jogo, o governo não tem nenhum motivo para alterar a distribuição de renda resultante.

Teste rápido Pam ganha mais que Pauline. Alguém propõe tributar Pam para suplementar a renda de Pauline. Como essa proposta seria avaliada por um utilitarista, um liberalista e um libertarista?

20_3 POLÍTICAS DE REDUÇÃO DA POBREZA

Como acabamos de ver, os filósofos políticos têm diversas teorias sobre o papel que o governo deve desempenhar na alteração da distribuição de renda. O debate político entre a grande população de eleitores reflete uma discussão semelhante. Apesar desses debates, a maioria das pessoas acredita que, no mínimo, o governo deveria tentar ajudar os mais necessitados. De acordo com uma metáfora popular, o governo deveria oferecer uma "rede de segurança" para impedir que qualquer cidadão sofra uma grande queda.

A pobreza é um dos problemas mais difíceis enfrentados pelos formuladores de políticas. As famílias pobres estão mais propensas do que a população em geral à falta de moradia, dependência de drogas, problemas de saúde, gravidez na adolescência, analfabetismo, desemprego e baixo grau de escolaridade. Os membros de famílias pobres têm mais probabilidade de praticar crimes ou de ser vítimas de crimes. Embora seja difícil separar as causas da pobreza de seus efeitos, não há dúvida de que a pobreza esteja associada a diversos males econômicos e sociais.

Suponha que você seja um formulador de políticas governamentais e que sua meta seja reduzir o número de pessoas que vivem na pobreza. Como você atingiria esse objetivo? Aqui, examinaremos algumas opções de políticas a serem consideradas. Cada uma dessas opções ajuda algumas pessoas a escapar da pobreza, mas nenhuma é perfeita, e decidir qual é a melhor combinação a ser adotada não é fácil.

20_3A Legislação do salário-mínimo

A legislação que estabelece o salário-mínimo que deve ser pago aos trabalhadores pelos empregadores é uma fonte constante de debates. Os defensores enxergam o salário-mínimo como uma maneira de ajudar o trabalhador pobre sem nenhum custo para o governo. Os críticos acreditam que ele prejudica aqueles a quem pretende ajudar.

O salário-mínimo pode ser facilmente compreendido com as ferramentas de oferta e demanda que vimos pela primeira vez no Capítulo 6. Para trabalhadores com baixos níveis de qualificação e experiência, um salário-mínimo elevado leva o salário acima do nível que equilibra oferta e demanda. Com isso, aumenta o custo da mão de obra para as empresas e reduz a quantidade de mão de obra que elas demandam, resultando em maior desemprego entre os grupos de trabalhadores afetados pelo salário-mínimo. Embora os trabalhadores que mantêm seus empregos sejam beneficiados por um salário maior, aqueles que poderiam empregar-se a um salário menor são prejudicados.

A magnitude desses efeitos depende crucialmente da elasticidade da demanda. Os defensores de um salário-mínimo elevado argumentam que a demanda por mão de obra não qualificada é relativamente inelástica, de modo que um salário-mínimo elevado diminuiria muito pouco o nível de emprego. Os críticos do salário-mínimo argumentam que a demanda por mão de obra é mais elástica, especialmente no longo prazo, quando as empresas podem ajustar produção e emprego mais plenamente. Observam também que muitos trabalhadores que recebem salário-mínimo são adolescentes de famílias de classe média, de modo que o salário-mínimo é uma política imperfeita de assistência aos pobres.

20_3B Bem-estar social

bem-estar social programas governamentais que suplementam a renda dos necessitados

Uma maneira de elevar o padrão de vida dos pobres é a suplementação de sua renda pelo governo. A principal via adotada pelo governo nesse sentido é o sistema de bem-estar social. **Bem-estar social** é uma expressão ampla, que inclui diversos programas governamentais. A Assistência Temporária para Famílias Necessitadas (*Temporary Assistance for Needy Families* – TANF) é um programa que assiste famílias com crianças, mas sem nenhum adulto capaz de sustentar a família. Em uma família típica beneficiária do programa, o pai está ausente e a mãe fica em casa cuidando dos filhos pequenos. Outro programa de bem-estar social é a Renda de Segurança Suplementar (Supplemental Security Income – SSI), que oferece assistência aos pobres que são doentes ou inválidos. Observe que ninguém pode se candidatar a nenhum desses dois programas simplesmente por ter uma renda baixa; o beneficiário precisa provar ter também alguma "necessidade" adicional, como filhos pequenos ou uma incapacidade.

Uma crítica comum aos programas de bem-estar social é que eles criam incentivos para que as pessoas se tornem "necessitadas". Por exemplo, esses programas podem incentivar a desestruturação familiar, porque muitas famílias só fazem jus à assistência financeira se o pai estiver ausente. Os programas também podem incentivar os nascimentos ilegítimos, porque muitas mulheres pobres e solteiras só se qualificam para a assistência se tiverem filhos. Uma vez que as mães pobres e solteiras são uma parte muito grande da questão da pobreza e como os programas de bem-estar social parecem aumentar o número de mães pobres e solteiras, os críticos do sistema de bem-estar social afirmam que essas políticas exacerbam os problemas que deveriam sanar. Em consequência desses argumentos, o sistema de bem-estar social foi reformado em 1996 por uma lei que limitou o prazo pelo qual os beneficiários poderiam permanecer no programa.

Quão graves são esses problemas potenciais enfrentados pelo sistema de bem-estar social? Ninguém sabe ao certo. Os defensores do sistema observam que ser uma mãe solteira e pobre dependente do bem-estar social é, na melhor das hipóteses, uma vida difícil, e duvidam de que muitas pessoas seriam incentivadas a levar esse tipo de vida se este não lhes tivesse sido imposto. Além disso, as tendências ao longo do tempo não sustentam a visão de que o declínio das famílias com pai e mãe seja um sintoma do sistema de bem-estar social, como os críticos do sistema por vezes afirmam. Desde o início da década de 1970, os benefícios do bem-estar social (descontada a inflação) diminuíram, mas a porcentagem de crianças que vivem com apenas um dos pais aumentou.

20_3C Imposto de renda negativo

Sempre que o governo escolhe um sistema de arrecadação de impostos, isso afeta a distribuição de renda. Isso é claramente verdadeiro no caso do imposto de renda progressivo, segundo o qual as famílias de alta renda pagam uma porcentagem maior de sua renda em impostos do que as famílias de baixa renda. Como vimos no Capítulo 12, a equidade entre grupos de renda é um critério importante no projeto de um sistema tributário.

imposto de renda negativo um sistema tributário que arrecada receita das famílias de alta renda e concede subsídios àquelas de baixa renda

Muitos economistas são favoráveis à suplementação da renda dos pobres usando um **imposto de renda negativo**. Segundo essa política, todas as famílias declarariam sua renda ao governo. As famílias de alta renda pagariam um imposto com base em suas rendas, enquanto as de baixa renda receberiam um subsídio, ou seja, "pagariam" um "imposto negativo".

Suponha que o governo use a seguinte fórmula para calcular quanto uma família deve em impostos:

Impostos devidos = (⅓ da renda) – $ 10 mil.

Nesse caso, uma família que ganhasse $ 60 mil pagaria $ 10 mil em impostos, e uma que ganhasse $ 90 mil pagaria $ 20 mil. Já uma família que ganhasse $ 30 mil não pagaria nada, enquanto uma que recebesse $ 15 mil "deveria" –$ 5 mil. Em outras palavras, o governo enviaria a essa família um cheque no valor de $ 5 mil.

Com um imposto de renda negativo, as famílias pobres receberiam assistência financeira sem que precisassem demonstrar sua necessidade. A única qualificação necessária para receber a assistência seria uma baixa renda. Dependendo do ponto de vista, essa característica pode ser uma vantagem ou uma desvantagem. Por um lado, um imposto de renda negativo não incentiva nascimentos ilegítimos nem a desestruturação familiar, como os críticos do sistema de bem-estar social acreditam que a atual política faça. Por outro lado, um imposto de renda negativo subsidiaria não apenas os menos afortunados, mas também aqueles que são simplesmente indolentes e que, na visão de algumas pessoas, não merecem apoio do governo.

Uma cláusula do sistema tributário que funciona muito como se fosse um imposto de renda negativo é o *Earned Income Tax Credit* – EITC (Crédito de Imposto de Renda), um crédito de imposto de renda. Esse crédito permite que famílias de trabalhadores pobres recebam restituições de imposto de renda maiores do que os impostos pagos durante o ano. Como o EITC se aplica somente aos pobres que estão empregados, ele não desestimula o trabalho, como dizem que outros programas de combate à pobreza fazem. Pelo mesmo motivo, contudo, não ajuda a aliviar a pobreza que resulta do desemprego, da doença ou de outra incapacidade de trabalhar.

20_3D Transferências em espécie

Outra maneira de ajudar os pobres é lhes fornecer diretamente alguns dos bens e serviços de que precisam para elevar seu padrão de vida. Por exemplo, há instituições de caridade que, no Natal, oferecem aos necessitados alimentos, vestuário, abrigo e brinquedos. O governo fornece às famílias pobres *vales-alimentação,* que podem ser usados para comprar comida nas lojas, e também oferece assistência médica a muitos pobres por meio de um programa chamado *Medicaid.*

É melhor ajudar os pobres com essas transferências em espécie ou com pagamentos em dinheiro? Não há resposta clara.

Os defensores das transferências em espécie afirmam que tais transferências garantem que os pobres recebam aquilo de que mais precisam. Entre os membros mais pobres da sociedade, o vício em álcool e drogas é mais comum do que na sociedade como um todo. Ao proporcionar alimentos e abrigo aos pobres, a sociedade pode estar mais segura de não estar ajudando a sustentar o vício. Esse é um dos motivos pelos quais as transferências em espécie são mais populares politicamente do que os pagamentos em dinheiro aos pobres.

Os defensores dos pagamentos em dinheiro, por sua vez, argumentam que as transferências em espécie são ineficientes e desrespeitosas. O governo não sabe de que bens e serviços os pobres mais necessitam. Muitos dos pobres são pessoas comuns que não tiveram sorte. Apesar de seu infortúnio, estão na melhor posição para decidir como elevar o próprio padrão de vida. Em vez de dar aos pobres transferências em espécie dos bens e serviços que eles podem não desejar, talvez seja melhor dar-lhes dinheiro e permitir que comprem aquilo que consideram ser mais necessário.

20_3E Programas antipobreza e incentivos ao trabalho

Muitas políticas destinadas a ajudar os pobres podem ter o efeito não intencional de desencorajá-los a escapar da pobreza por si próprios. Para entender o motivo, considere o seguinte exemplo: suponha que uma família precise de uma renda de $ 20 mil para manter um padrão de vida razoável e que, por sua preocupação com os pobres, o governo prometa garantir essa renda a cada família. Seja qual for a renda da família, o governo complementará a diferença entre essa renda e os $ 20 mil. Que efeito teria essa política?

Os efeitos em termos de incentivos são óbvios: qualquer pessoa que ganhasse menos de $ 20.000 trabalhando teria pouco incentivo para procurar e manter um emprego. Para cada dólar que essa pessoa ganhasse, o governo reduziria a renda complementar em um dólar. Na prática, o governo taxaria 100% de cada ganho adicional. Uma alíquota marginal efetiva de 100% é, certamente, uma política com grande peso morto.

Os efeitos adversos dessa alta taxa efetiva podem persistir ao longo do tempo. Uma pessoa desencorajada a trabalhar perde o treinamento que uma empresa poderia lhe fornecer. Além disso, os filhos dessa pessoa perdem as lições que poderiam aprender ao observá-la trabalhando em tempo integral, e isso pode ter efeitos adversos sobre sua capacidade de encontrar e manter um emprego.

Embora o programa antipobreza abordado até aqui seja hipotético, não é tão irreal como pode parecer à primeira vista. O bem-estar social, o Medicaid, os vales-alimentação e o EITC são programas que têm por objetivo ajudar os pobres e estão todos ligados à renda familiar. À medida que a renda da família aumenta, ela deixa de ter direito a esses programas. Quando todos esses programas são tomados em conjunto, é comum as famílias depararem com alíquotas marginais efetivas muito altas. Algumas vezes, a alíquota marginal efetiva chega a mais de 100%, de modo que algumas famílias pobres ficariam em pior situação se ganhassem mais. Ao tentar ajudar os pobres, o governo desencoraja essas famílias a trabalhar. De acordo com os críticos dos programas de combate à pobreza, esses programas alteram as atitudes em relação ao trabalho e criam uma "cultura de pobreza".

Pode parecer que existe uma solução fácil para esse problema: reduzir benefícios das famílias pobres de forma mais gradual, à medida que sua renda aumenta. Por exemplo, se uma família pobre perder 30 centavos em benefícios para cada dólar que ganhar, sua alíquota marginal efetiva será de 30%. Embora essa alíquota reduza o esforço do trabalho em certa medida, não elimina completamente o incentivo ao trabalho.

O problema dessa solução é que ela aumenta em muito o custo dos programas de combate à pobreza. Se os benefícios forem reduzidos gradualmente, à medida que a renda das famílias pobres aumenta, então as famílias logo acima do nível de pobreza também estarão qualificadas a receber benefícios substanciais. Quanto mais gradual for a redução dos benefícios, mais famílias estarão qualificadas e maiores serão os custos do programa. Assim, os formuladores de políticas deparam com um *tradeoff* entre onerar os pobres com alíquotas marginais elevadas e onerar os contribuintes com programas dispendiosos para a redução da pobreza.

Há diversas outras maneiras de tentar reduzir o desestímulo ao trabalho causado pelos programas de combate à pobreza. Uma é exigir que qualquer pessoa que receba os benefícios aceite um emprego dado pelo governo – um sistema por vezes chamado *workfare*,[2] e outra possibilidade é oferecer os benefícios por um prazo limitado. Esse caminho foi adotado em 1996, quando da reforma do sistema de bem-estar social, que limitou em cinco anos a concessão de benefícios aos contemplados. Quando o presidente Bill Clinton assinou a lei, ele explicou que "o programa de bem-estar social deve ser uma segunda chance, não um meio de vida".

Teste rápido Indique três políticas que tenham por objetivo ajudar os pobres e aponte seus prós e contras.

20_4 CONCLUSÃO

As pessoas refletem muito sobre a distribuição de renda na sociedade. Platão, o filósofo da Grécia antiga, concluiu que, em uma sociedade ideal, a renda da pessoa mais rica não deveria ser mais do que quatro vezes maior que a da pessoa mais pobre. Embora a mensuração da desigualdade seja difícil, é claro que nossa sociedade tem muito mais desigualdade do que a recomendada por Platão.

De acordo com um dos *Dez princípios de economia* discutidos no Capítulo 1, os governos podem, algumas vezes, melhorar os resultados de mercado. Mas há pouco consenso sobre como esse princípio deveria ser aplicado à distribuição de renda. Os filósofos e formuladores de políticas de hoje não concordam sobre quanto de desigualdade de renda é desejável ou até se as políticas públicas deveriam ter como objetivo alterar a distribuição de renda. Grande parte do debate público reflete essa discordância. Sempre que os impostos aumentam, por exemplo, os legisladores discutem a respeito de quanto do aumento deve recair sobre os ricos, a classe média e os pobres.

Outro dos *Dez princípios de economia* aponta que as pessoas se deparam com *tradeoffs*. É importante ter em mente esse princípio quando se pensa a respeito da desigualdade econômica. Políticas que penalizam os bem-sucedidos e recompensam os malsucedidos reduzem o incentivo para o sucesso. Consequentemente, os formuladores de políticas deparam com um *tradeoff* entre igualdade e eficiência. Quanto mais igualmente o bolo estiver dividido, menor ele se torna. Essa é uma lição relativa à distribuição de renda com a qual quase todos concordam.

Teste rápido do capítulo

1. Nos Estados Unidos de hoje, o quinto mais pobre da população ganha cerca de ____% da renda total, enquanto o quinto mais rico ganha cerca de ____%.

a. 2, 70
b. 4, 50
c. 6, 35
d. 8, 25

2. Ao se comparar a desigualdade de renda entre as nações, descobre-se que os Estados Unidos são:

a. O país mais igualitário do mundo.
b. Mais igualitários que a maioria dos países, mas não o mais igualitário.
c. Menos igualitário que a maioria das nações, mas não o menos igualitário.
d. O país menos igualitário do mundo.

2. Programa de obras públicas (iniciativa tomada pelo governo para diminuir o número de desempregados). (NT)

3. Um utilitarista acredita que a redistribuição de renda dos ricos para os pobres vale a pena desde que:

a. Os membros mais prejudicados da sociedade se beneficiem dela.
b. Os que contribuem para o sistema sejam favoráveis a ela.
c. A renda de cada pessoa, depois de impostos e transferências, reflita seu produto marginal.
d. O efeito distorção sobre os incentivos ao trabalho não seja tão grande.

4. O raciocínio experimental de Rawls sobre a "posição original" por trás do "véu da ignorância" destina-se a chamar a atenção para o fato de que:

a. A maioria das pessoas pobres não sabe como encontrar melhores empregos e escapar da pobreza.
b. O estado de vida em que cada um de nós nasceu é, em grande parte, questão de sorte.
c. Os ricos têm tanto dinheiro que não sabem como gastá-lo.
d. Os resultados só serão eficientes se todos começarem com oportunidades iguais.

5. Um imposto de renda negativo é uma política sob a qual:

a. Os indivíduos com baixa renda recebem transferências do governo.
b. O governo aumenta a receita tributária sem distorcer os incentivos.
c. Todos pagam menos do que um imposto de renda convencional.
d. Alguns contribuintes estão no lado errado da curva de Laffer.

6. Se os benefícios de um programa contra a pobreza forem eliminados gradualmente, à medida que a renda do indivíduo aumenta, tal programa irá:

a. Encorajar um maior esforço dos pobres em relação ao trabalho.
b. Levar a uma oferta excessiva de mão de obra entre trabalhadores não qualificados.
c. Aumentar a taxa marginal efetiva de imposto que os pobres enfrentam.
d. Custar mais ao governo do que um programa que beneficie a todos.

RESUMO

- Os dados sobre a distribuição de renda mostram uma ampla disparidade na sociedade norte-americana. A renda das famílias do quinto mais rico é mais de 12 vezes maior que a do quinto mais pobre.
- Uma vez que as transferências em espécie, o ciclo de vida econômico, a renda transitória e a mobilidade econômica são tão importantes para a compreensão das variações da renda, é difícil medir o grau de desigualdade na sociedade usando dados de distribuição de renda somente de um ano. Quando esses outros fatores são levados em conta, tendem a sugerir que o bem-estar econômico é distribuído mais igualmente que a renda anual.
- Os filósofos políticos divergem em suas teorias sobre o papel do governo na alteração da distribuição de renda. Utilitaristas, como John Stuart Mill, escolheriam a distribuição de renda que maximiza a soma das utilidades de todos na sociedade. Liberalistas, como John Rawls, determinariam a distribuição de renda como se estivéssemos por trás de um "véu de ignorância" que nos impedisse de conhecer a situação em que viveríamos. Libertaristas, como Robert Nozick, prefeririam que o governo assegurasse os direitos individuais para garantir um processo justo, mas não se preocupariam com a desigualdade da distribuição de renda resultante.
- Diversas políticas destinam-se a ajudar os pobres, como a legislação do salário-mínimo, bem-estar social, imposto de renda negativo e transferências em espécie. Embora cada uma dessas políticas ajude algumas famílias a escapar da pobreza, elas também têm efeitos colaterais não intencionais. Dado que a assistência financeira diminui à medida que a renda aumenta, os pobres, frequentemente, deparam com alíquotas marginais efetivas muito elevadas, que desencorajam as famílias pobres a escapar da pobreza por si próprias.

CONCEITOS-CHAVE

taxa de pobreza, p. 326
linha de pobreza, p. 326
transferências em espécie, p. 328
ciclo de vida, p. 328
renda permanente, p. 328
utilitarismo, p. 329

utilidade, p. 330
liberalismo, p. 331
critério maximin, p. 331
seguro social, p. 331
libertarismo, p. 332
bem-estar social, p. 333
imposto de renda negativo, p. 334

QUESTÕES PARA REVISÃO

1. O quinto mais rico da população norte-americana tem renda aproximadamente 3, 6 ou 12 vezes maior que o quinto mais pobre?
2. O que aconteceu com a parcela da renda do quinto mais rico da população dos Estados Unidos nos últimos 40 anos?
3. Que grupos da população têm maior probabilidade de viver na pobreza?
4. Por que as variações transitórias e cíclicas da renda causam dificuldades na avaliação do grau de desigualdade?
5. Como um utilitarista, um liberalista e um libertarista determinariam o grau permissível de desigualdade de renda?
6. Quais são os prós e os contras das transferências em espécie (em vez de dinheiro) para os pobres?
7. Descreva como os programas de combate à pobreza podem desencorajar os pobres a trabalhar. Como você reduziria esse desestímulo? Quais são as desvantagens da sua proposta política?

PROBLEMAS E APLICAÇÕES

1. A Tabela 2 mostra que a desigualdade de renda nos Estados Unidos aumentou desde 1970. Alguns dos fatores que contribuíram para esse aumento foram discutidos no Capítulo 19. Quais são?
2. A Tabela 3 mostra que o percentual de crianças em famílias com renda abaixo da linha de pobreza excede em muito a porcentagem de idosos nessas famílias. Como a alocação de dinheiro do governo entre diferentes programas sociais contribuiu para esse fenômeno?
3. Este capítulo discutiu a importância da mobilidade econômica.
   a. Que políticas o governo poderia empregar para aumentar a mobilidade econômica *dentro* de uma geração?
   b. Que políticas o governo poderia empregar para aumentar a mobilidade econômica *entre* gerações?
   c. Em sua opinião, devemos reduzir as despesas com os atuais programas de bem-estar social a fim de aumentar as despesas com programas que intensifiquem a mobilidade econômica? Quais são as vantagens e desvantagens de se fazer isso?
4. Considere duas comunidades. Em uma delas, dez famílias têm renda de $ 100 mil cada e dez famílias têm renda de $ 20 mil cada. Na outra comunidade, dez famílias têm renda de $ 200 mil cada e dez famílias têm renda de $ 22 mil cada.
   a. Em qual comunidade a distribuição de renda é mais desigual? Em qual das comunidades o problema da pobreza tende a ser pior?
   b. Qual distribuição de renda Rawls preferiria? Explique.
   c. Qual distribuição de renda você preferiria? Explique.
   d. Por que alguém teria uma preferência oposta?
5. O capítulo valeu-se de uma analogia com um "balde furado" para explicar uma restrição à redistribuição de renda.
   a. Quais elementos do sistema norte-americano de redistribuição de renda criam furos no balde? Seja específico.
   b. Em sua opinião, quem, em geral, acredita que o balde usado para redistribuir a renda está mais furado: republicanos ou democratas? Como essa crença afeta a sua opinião sobre o montante de redistribuição de renda que o governo deveria realizar?

6. Suponha que haja duas possibilidades de distribuição de renda em uma sociedade de dez pessoas. Na primeira, nove pessoas teriam renda de $ 30 mil e uma teria renda de $ 10 mil. Na segunda, todas as dez pessoas teriam renda de $ 25 mil.
   a. Se a sociedade tivesse a primeira distribuição de renda, qual seria o argumento utilitarista para redistribuir renda?
   b. Qual distribuição de renda Rawls consideraria mais equitativa? Explique.
   c. Qual distribuição de renda Nozick consideraria mais equitativa? Explique.

7. A taxa de pobreza seria substancialmente menor se o valor de mercado das transferências em espécie fosse somado à renda das famílias. A maior transferência em espécie é o Medicaid, o programa de assistência à saúde para os pobres. Digamos que o programa custe $ 10 mil por família.
   a. Se o governo entregasse a cada família beneficiária um cheque no valor de R$ 10 mil, em vez de inscrevê-la no programa Medicaid, você acha que a maioria dessas famílias usaria essa quantia para fazer um plano de assistência médica? Por quê? (Lembre-se de que a linha de pobreza é abaixo de $ 23 mil para uma família de quatro pessoas.)
   b. De que maneira sua resposta à parte (a) afeta sua opinião sobre se deveríamos determinar a taxa de pobreza atribuindo às transferências em espécie valor igual ao preço que o governo paga por elas? Explique.
   c. De que maneira sua resposta à parte (a) afeta sua opinião sobre se deveríamos oferecer assistência aos pobres na forma de dinheiro ou transferências em espécie? Explique.

8. Considere dois dos programas de seguridade de renda nos Estados Unidos: a assistência temporária a famílias necessitadas (TANF) e o crédito do imposto de renda (EITC).
   a. Quando uma mulher com filhos e renda muito baixa ganha um dólar extra, ela recebe menos em benefícios da TANF. Qual é o efeito disso sobre a oferta de mão de obra de mulheres de baixa renda? Explique.
   b. O EITC oferece mais benefícios, à medida que trabalhadores com baixa renda ganham mais (até determinado ponto). Qual é o efeito desse programa sobre a oferta de mão de obra de pessoas de baixa renda? Explique.
   c. Quais as desvantagens de se eliminar o programa TANF e alocar as economias para o EITC?

Parte VII

Tópicos de estudos avançados

CAPÍTULO 21

A teoria da escolha do consumidor

Quando você entra em uma loja, confronta-se com milhares de bens que poderia comprar. Naturalmente, como os seus recursos financeiros são limitados, você não pode comprar todas as coisas que quer. Portanto, considera o preço dos vários bens à venda e compra um conjunto de bens que, dados os seus recursos, melhor atenda às suas necessidades e aos seus desejos.

Neste capítulo, desenvolveremos a teoria que descreve como os consumidores tomam decisões sobre o que comprar. Até este ponto do livro, resumimos as decisões dos consumidores por meio da curva de demanda. Como já vimos, a curva de demanda de um bem reflete a disposição do consumidor para pagar por ele. Quando o preço de um bem aumenta, os consumidores estão dispostos a pagar por menos unidades, de modo que a quantidade demandada diminui. Agora, analisaremos com mais profundidade as decisões que estão por trás da curva de demanda. A teoria da escolha do consumidor apresentada neste capítulo permite um entendimento mais completo da demanda, assim como a teoria da empresa competitiva do Capítulo 14 proporciona um entendimento mais completo da oferta.

Um dos *Dez princípios de economia* discutidos no Capítulo 1 é que as pessoas enfrentam *tradeoffs*. A teoria da escolha do consumidor examina os *tradeoffs* com os quais as pessoas se deparam no papel de consumidores. Quando um consumidor compra mais de um bem, tem de comprar menos de outros. Quando despende mais tempo desfrutando de lazer e menos tempo trabalhando, tem renda menor e pode consumir menos. Quando gasta mais de sua renda no presente e poupa menos, ele deve aceitar um nível de consumo mais baixo no futuro. A teoria da escolha do consumidor examina como os consumidores que se deparam com esses *tradeoffs* tomam decisões e como respondem a mudanças em seu ambiente.

Após desenvolvermos as bases da teoria da escolha do consumidor, iremos aplicá-la a três questões sobre as decisões das famílias. Mais especificamente, perguntaremos:

- Todas as curvas de demanda têm inclinação negativa?
- Como os salários afetam a oferta de mão de obra?
- Como as taxas de juros afetam a poupança das famílias?

À primeira vista, parece que essas questões não estão relacionadas. Mas, como veremos a seguir, podemos usar a teoria da escolha do consumidor para responder a cada uma delas.

21_1 A RESTRIÇÃO ORÇAMENTÁRIA: O QUE O CONSUMIDOR PODE GASTAR

A maioria das pessoas gostaria de aumentar a quantidade ou a qualidade dos bens que consome - tirar férias mais longas, dirigir carros mais imponentes ou comer em restaurantes melhores. As pessoas consomem menos que desejam porque seus gastos são *restritos*, ou seja, limitados por sua renda. Começaremos nosso estudo da escolha do consumidor examinando essa ligação entre renda e despesas.

Para simplificar, examinemos a decisão de um consumidor que compra somente dois bens: pizza e Pepsi. É claro que, no mundo real, as pessoas compram milhares de diferentes tipos de bens, mas assumir que só haja dois bens simplifica o problema sem alterar a compreensão básica a respeito da escolha do consumidor.

Primeiro, vejamos como a renda do consumidor restringe o montante que ele gasta em Pepsi e em pizza. Suponha que o consumidor tenha renda de $ 1.000 por mês e decida gastar toda a sua renda, a cada mês, em Pepsi e pizza. Uma lata de Pepsi custa $ 2, e uma pizza, $ 10.

A tabela da Figura 1 mostra algumas das muitas combinações de Pepsi e pizza que o consumidor pode comprar. A primeira linha da tabela indica que, se o consumidor gastar toda a sua renda em pizza, poderá comer 100 pizzas durante o mês, mas não poderá comprar nenhuma quantidade de Pepsi. A segunda linha mostra outra combinação de consumo possível: 90 pizzas e 50 latas de Pepsi. E assim por diante. Cada combinação de consumo mostrada na tabela custa exatamente $ 1.000.

O gráfico da Figura 1 ilustra as combinações de consumo que o consumidor pode escolher. O eixo vertical mede a quantidade de latas de Pepsi, e o horizontal, a de pizzas. Três pontos estão marcados na figura. No ponto A, o consumidor não compra Pepsi e consome 100 pizzas. No ponto B, o consumidor não compra pizza e consome 500 latas de Pepsi. No ponto C, o consumidor compra 50 pizzas e 250 latas de Pepsi. O ponto C, que está exatamente no meio da linha que liga A e B, é o ponto em que o consumidor gasta a mesma quantia ($ 500) em Pepsi e em pizza. Naturalmente, estas são apenas três das muitas combinações de Pepsi e pizza que o consumidor pode escolher. Todos os pontos da linha que vai de A a B são possíveis. Essa linha, chamada **restrição orçamentária**, mostra as combinações de consumo de que o consumidor dispõe. Nesse caso, representa o *tradeoff* entre Pepsi e pizza com que o consumidor se depara.

restrição orçamentária
o limite das combinações de consumo de bens que o consumidor pode adquirir

Figura 1

A restrição orçamentária do consumidor

A restrição orçamentária mostra as várias combinações de bens que o consumidor pode comprar com determinada renda. Aqui, o consumidor compra combinações de pizza e Pepsi. A tabela e o gráfico mostram o que o consumidor poderá comprar se sua renda for $ 1.000, o preço da pizza for $10 e o preço da Pepsi for $ 2.

Quantidade de pizzas	Latas de Pepsi	Despesa com pizza	Despesa com Pepsi	Despesa total
100	0	$ 1.000	$ 0	$ 1.000
90	50	900	100	1.000
80	100	800	200	1.000
70	150	700	300	1.000
60	200	600	400	1.000
50	250	500	500	1.000
40	300	400	600	1.000
30	350	300	700	1.000
20	400	200	800	1.000
10	450	100	900	1.000
0	500	0	1.000	1.000

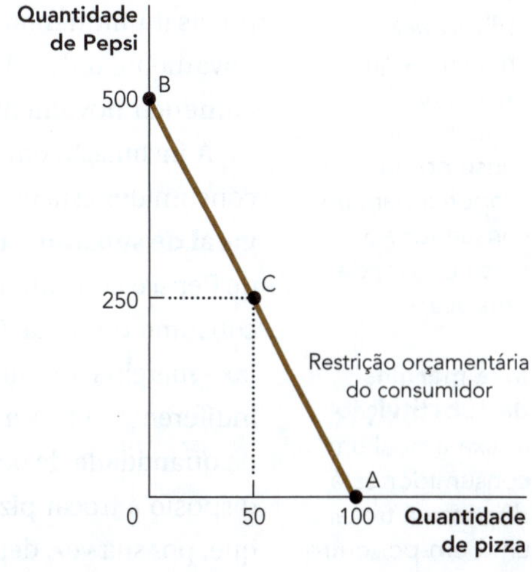

A inclinação da restrição orçamentária mede a taxa à qual o consumidor pode trocar um bem pelo outro. Lembre-se de que a inclinação entre dois pontos é calculada como a variação da distância vertical dividida pela variação da distância horizontal ("aumento sobre distância"). Do ponto A ao ponto B, a distância vertical é de 500 latas e a distância horizontal é de 100 pizzas. Assim, a inclinação é de 5 latas por pizza. (Na verdade, como a restrição orçamentária se inclina para baixo, a inclinação é um número negativo. Para o nosso propósito, entretanto, vamos ignorar o sinal negativo.)

Observe que a inclinação da restrição orçamentária é igual ao *preço relativo* dos dois bens - o preço de um bem comparado ao preço do outro. Uma pizza custa 5 vezes mais que uma lata de Pepsi, de modo que o custo de oportunidade de uma pizza são 5 latas de Pepsi. A inclinação da restrição orçamentária no valor de 5 reflete o *tradeoff* que o mercado oferece ao consumidor: 1 pizza por 5 latas de Pepsi.

Teste rápido Represente graficamente a restrição orçamentária de uma pessoa com renda de $ 1.000, se o preço da Pepsi for $ 5 e o da pizza for $ 10. Qual é a inclinação dessa restrição orçamentária?

21_2 PREFERÊNCIAS: O QUE O CONSUMIDOR QUER

Nosso objetivo neste capítulo é verificar como os consumidores fazem escolhas. A restrição orçamentária é uma parte da análise: ela mostra quais combinações de bens o consumidor pode adquirir, dados a sua renda e o preço dos bens. As escolhas do consumidor, contudo, não dependem apenas de sua restrição orçamentária, mas também de suas preferências em relação aos dois bens. Portanto, as preferências do consumidor representam a próxima parte da nossa análise.

21_2A Representação das preferências com curvas de indiferença

As preferências do consumidor lhe permitem escolher entre diferentes combinações de Pepsi e pizza. Se você oferecer ao consumidor duas combinações diferentes, ele escolherá aquela que melhor atenda a suas preferências. Se ambas atenderem igualmente a suas preferências, dizemos que o consumidor é *indiferente* entre as duas combinações.

Da mesma forma que representamos graficamente a restrição orçamentária do consumidor, podemos também representar graficamente suas preferências. Fazemos isso com as curvas de indiferença. Uma **curva de indiferença** mostra as combinações de consumo que fazem o consumidor igualmente feliz. Nesse caso, as curvas de indiferença mostram as combinações de Pepsi e pizza com as quais o consumidor está igualmente satisfeito.

A Figura 2 mostra duas das muitas curvas de indiferença do consumidor. Este é indiferente em relação às combinações A, B e C porque elas estão na mesma curva. Não surpreendentemente, se o consumo de pizza do consumidor for reduzido, digamos, do ponto A para o ponto B, o consumo de Pepsi precisará aumentar para mantê-lo igualmente satisfeito. Se o consumo de pizza for novamente reduzido, do ponto B para o C, a quantidade consumida de Pepsi precisará aumentar novamente.

curva de indiferença uma curva que mostra as combinações de consumo que proporcionam ao consumidor o mesmo nível de satisfação

taxa marginal de substituição a taxa à qual um consumidor está disposto a trocar um bem por outro

A inclinação em qualquer ponto de uma curva de indiferença é igual à taxa à qual o consumidor está disposto a substituir um bem por outro. Essa taxa é chamada **taxa marginal de substituição** (*TMgS*). Nesse caso, a taxa marginal de substituição mede quanto de Pepsi o consumidor precisa para se sentir compensado pela perda de uma unidade no consumo de pizza. Observe que, como as curvas de indiferença não são linhas retas, a taxa marginal de substituição não é a mesma em todos os pontos de uma dada curva de indiferença. A taxa à qual o consumidor está disposto a trocar um bem por outro depende da quantidade de bens que já está consumindo. Ou seja, a taxa à qual o consumidor está disposto a trocar pizza por Pepsi depende de ele estar mais faminto ou mais sedento, o que, por sua vez, depende de quanta pizza e quanta Pepsi está consumindo.

Figura 2

As preferências do consumidor

As preferências do consumidor são representadas com curvas de indiferença, que mostram as combinações de Pepsi e pizza que o deixam igualmente satisfeito. Como o consumidor prefere mais de um bem, os pontos que estiverem em uma curva de indiferença mais elevada (I_2, neste caso) são preferidos aos pontos de uma curva de indiferença mais baixa (I_1). A taxa marginal de substituição (*TMgS*) mostra a taxa à qual o consumidor está disposto a trocar a Pepsi por pizza. Ela mede a quantidade de latas de Pepsi que devem ser dadas na troca por uma pizza.

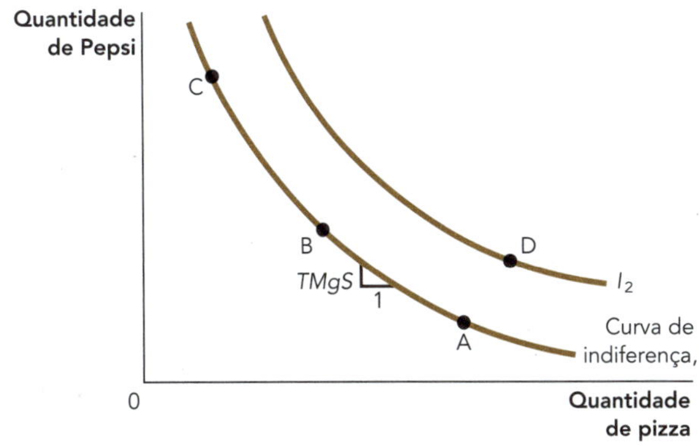

O consumidor está igualmente satisfeito em todos os pontos de uma dada curva de indiferença, mas prefere algumas curvas de indiferença a outras. Como ele prefere mais consumo a menos consumo, as curvas de indiferença mais elevadas são preferíveis às mais baixas. Na Figura 2, qualquer ponto na curva de indiferença I_2 é preferível a qualquer ponto na curva I_1.

O conjunto de curvas de indiferença de um consumidor nos dá uma classificação completa das suas preferências. Ou seja, podemos usar as curvas de indiferença para classificar quaisquer duas combinações de bens. Por exemplo, as curvas de indiferença nos dizem que o ponto D é preferível ao ponto A, porque está em uma curva de indiferença mais elevada que o ponto A (essa conclusão é óbvia, já que o ponto D proporciona ao consumidor mais pizza e mais Pepsi). As curvas de indiferença também nos dizem que o ponto D é preferível ao ponto C, porque está em uma curva de indiferença mais elevada. Embora no ponto D haja menos Pepsi que no ponto C, ele contém uma quantidade de pizza adicional que é mais do que suficiente para fazer o consumidor preferir esse ponto. Vendo qual ponto está situado na curva de indiferença mais elevada, podemos usar o conjunto de curvas de indiferença para classificar quaisquer combinações de Pepsi e pizza.

21_2B Quatro propriedades das curvas de indiferença

Como as curvas de indiferença representam as preferências do consumidor, elas têm determinadas propriedades que refletem essas preferências. Examinaremos aqui quatro propriedades que descrevem a maioria das curvas de indiferença:

- *Propriedade 1: as curvas de indiferença mais elevadas são preferíveis às mais baixas.* Em geral, os consumidores preferem ter mais de alguma coisa a ter menos. Essa preferência por maiores quantidades se reflete nas curvas de indiferença. Como mostra a Figura 2, curvas de indiferença mais elevadas representam quantidades maiores de bens do que curvas de indiferença mais baixas. Portanto, o consumidor prefere estar nas curvas de indiferença mais elevadas.
- *Propriedade 2: as curvas de indiferença se inclinam para baixo.* A inclinação de uma curva de indiferença reflete a taxa à qual o consumidor está disposto a substituir um bem por outro. Na maioria dos casos, o consumidor gosta dos dois bens. Portanto, se a quantidade de um bem for reduzida, a quantidade do outro precisará ser aumentada a fim de que o consumidor fique igualmente satisfeito. Por essa razão, a maioria das curvas de indiferença se inclina para baixo.
- *Propriedade 3: as curvas de indiferença não se cruzam.* Para verificar por que essa premissa é verdadeira, suponha que duas curvas de indiferença se cruzassem como na Figura 3. Então, como o ponto A está na mesma curva de indiferença que o ponto B, os dois pontos deixariam o consumidor igualmente satisfeito. Além disso, como o ponto B está na mesma curva de indiferença que o ponto C, esses dois pontos também dariam ao consumidor o mesmo grau de satisfação. Mas essas conclusões implicam que os pontos

Figura 3
A impossibilidade de intersecção de curvas de indiferença

Uma situação como essa nunca pode acontecer. De acordo com estas curvas de indiferença, o consumidor estaria igualmente satisfeito nos pontos A, B e C, embora o ponto C tenha mais de ambos os bens que o ponto A.

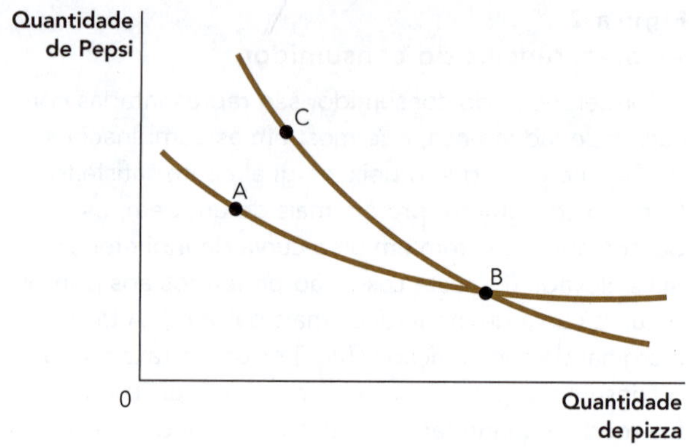

A e C também deixariam o consumidor igualmente satisfeito, mesmo que o ponto C tenha maior quantidade de ambos os bens. Isso contradiz nossa hipótese de que o consumidor sempre prefere mais dos dois bens a menos. Portanto, as curvas de indiferença não podem se cruzar.

- *Propriedade 4: as curvas de indiferença são convexas em relação à origem dos eixos.* A inclinação de uma curva de indiferença é a taxa marginal de substituição – a taxa à qual o consumidor está disposto a trocar um bem por outro. A taxa marginal de substituição (*TMgS*) usualmente depende da quantidade de cada bem que o consumidor está consumindo atualmente. Mais especificamente, como as pessoas estão mais dispostas a trocar bens que tenham em abundância e menos dispostas a trocar bens que tenham em pequena quantidade, as curvas de indiferença são convexas em relação à origem dos eixos. Por exemplo, considere a Figura 4. No ponto A, como o consumidor tem muita Pepsi e somente um pouco de pizza, está com muita fome, mas não tem muita sede. Para induzir o consumidor a abrir mão de 1 pizza, é preciso dar-lhe 6 latas de Pepsi: a taxa marginal de substituição é de 6 latas por pizza. Já no ponto B, o consumidor tem pouca Pepsi e muita pizza, de modo que está sedento, mas não tem muita fome. Nesse ponto, ele estaria disposto a abrir mão de 1 pizza para obter 1 lata de Pepsi: a taxa marginal de substituição é de 1 lata por pizza. Portanto, a convexidade da curva de indiferença reflete a maior disposição do consumidor para abrir mão do bem que ele já tem em grande quantidade.

21_2C Dois exemplos extremos de curvas de indiferença

O formato de uma curva de indiferença nos diz sobre a disposição de um consumidor em trocar um bem por outro. Quando os bens são facilmente substituíveis um pelo outro, as curvas de indiferença são menos convexas; quando é difícil substituir um bem por outro, as curvas de indiferença são muito convexas. Para comprová-lo, vamos analisar os casos extremos.

Substitutos perfeitos Suponha que alguém lhe ofereça dois pacotes, cada um com diferentes combinações de moedas de 5 e 10 centavos. Como você classificaria os diferentes pacotes?

Muito provavelmente, você só se preocuparia com o valor monetário total de cada pacote. Nesse caso, você sempre estaria disposto a trocar uma moeda de 10 centavos por duas de 5 centavos, qualquer que fosse o número de moedas de 10 centavos e de 5 centavos contidas em cada pacote. Sua taxa marginal de substituição entre moedas de 5 e 10 centavos seria um número fixo: 2.

substitutos perfeitos
dois bens cujas curvas de indiferença são retas

Podemos representar suas preferências entre moedas de 5 e 10 centavos com as curvas de indiferença do painel (a) da Figura 5. Como a taxa marginal de substituição é constante, as curvas de indiferença são linhas retas. Nesse caso extremo de curvas de indiferença retas, dizemos que os dois bens são **substitutos perfeitos**.

Complementos perfeitos Suponha, agora, que alguém lhe ofereça lotes de sapatos. Alguns sapatos servem no pé direito, ao passo que outros servem no esquerdo. Como você classificaria esses diferentes lotes?

Figura 4
Curvas de indiferença convexas
As curvas de indiferença costumam ser convexas. Esse formato implica que a taxa marginal de substituição (*TMgS*) depende da quantidade dos dois bens que o consumidor está consumindo. No ponto A, o consumidor tem pouca pizza e muita Pepsi, de modo que serão necessárias muitas Pepsis a mais para induzi-lo a abrir mão de uma pizza: a taxa marginal de substituição é de 6 latas de Pepsi por pizza. No ponto B, o consumidor tem muita pizza e pouca Pepsi, de modo que serão necessárias poucas Pepsis a mais para induzi-lo a abrir mão de uma pizza: a taxa marginal de substituição é de 1 lata de Pepsi por pizza.

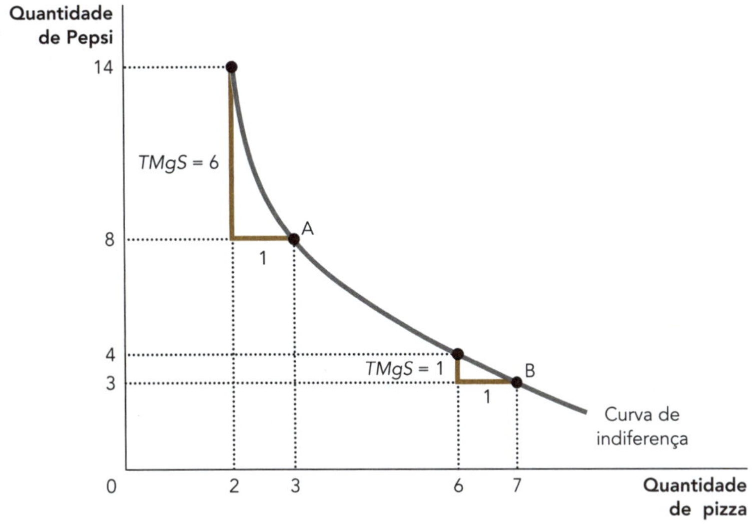

Figura 5
Substitutos e complementos perfeitos
Quando dois bens são facilmente substituíveis um pelo outro, como moedas de 5 e 10 centavos, as curvas de indiferença são linhas retas, como mostra o painel (a). Quando dois bens são fortemente complementares, como os pés esquerdo e direito dos sapatos, as curvas de indiferença apresentam um ângulo reto, como mostra o painel (b).

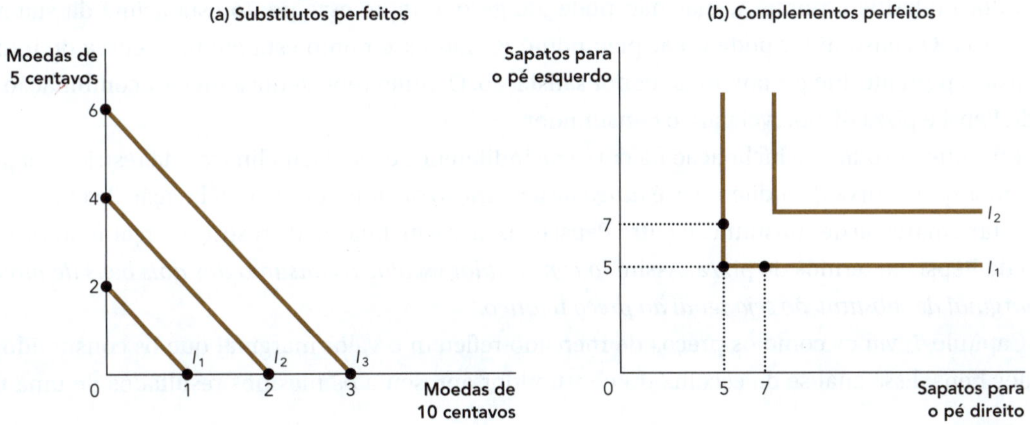

Nesse caso, você ficaria preocupado somente com o número de pares de sapatos. Em outras palavras, avaliaria um lote de sapatos com base no número de pares que pudesse reunir a partir dele. Um lote com 5 pés esquerdos e 7 pés direitos renderia apenas 5 pares. Obter mais um pé direito não tem nenhum valor se não houver um pé esquerdo para fazer par.

complementos perfeitos
dois bens cujas curvas de indiferença formam um ângulo reto

Podemos representar suas preferências por sapatos para os pés esquerdo e direito por meio das curvas de indiferença do painel (b) da Figura 5. Nesse caso, um lote com 5 pés esquerdos e 5 pés direitos tem o mesmo valor que um lote com 5 pés esquerdos e 7 pés direitos. Tem também o mesmo valor que um lote com 7 pés esquerdos e 5 pés direitos. As curvas de indiferença, portanto, têm formato de ângulos retos. Nesse caso extremo de curvas de indiferença com ângulo reto, dizemos que os bens são **complementos perfeitos.**[1]

1. Os bens complementos são também denominados bens complementares. (NRT)

No mundo real, naturalmente, a maioria dos bens não é de substitutos perfeitos (como moedas de 5 e 10 centavos) nem de complementos perfeitos (como sapatos para os pés esquerdo e direito). Em geral, as curvas de indiferença são convexas, mas não a ponto de formar ângulos retos.

Teste rápido Represente graficamente algumas curvas de indiferença de Pepsi e pizza. Explique as quatro propriedades dessas curvas de indiferença.

21_3 OTIMIZAÇÃO: O QUE O CONSUMIDOR ESCOLHE

O objetivo deste capítulo é entender como um consumidor faz suas escolhas. Já temos os dois componentes necessários para essa análise: a restrição orçamentária do consumidor (quanto pode gastar) e as preferências do consumidor (o que deseja). Agora, vamos reunir esses dois componentes e analisar a decisão do consumidor a respeito do que comprar.

21_3A As escolhas ótimas do consumidor

Vamos utilizar novamente o exemplo da Pepsi e da pizza. O consumidor gostaria de terminar com a melhor combinação possível de Pepsi e pizza, ou seja, a combinação na curva de indiferença mais elevada possível. Mas o consumidor também precisa manter-se na linha ou abaixo da linha de restrição orçamentária, que mede o total de recursos disponíveis para ele.

A Figura 6 mostra a restrição orçamentária do consumidor e três de suas muitas curvas de indiferença. A curva mais elevada que o consumidor pode atingir (I_2, na figura) é aquela que tangencia a restrição orçamentária. O ponto em que essa curva de indiferença e a restrição orçamentária se tocam é chamado *ótimo.* O consumidor preferiria o ponto A, mas não pode atingi-lo, porque esse ponto está acima da sua restrição orçamentária. O consumidor pode optar pelo ponto B, mas esse ponto está em uma curva de indiferença mais baixa e, portanto, lhe proporciona menor satisfação. O ótimo representa a melhor combinação de consumo de Pepsi e pizza disponível para o consumidor.

Observe que, no ótimo, a inclinação da curva de indiferença é igual à inclinação da restrição orçamentária. Dizemos que a curva de indiferença é *tangente* à restrição orçamentária. A inclinação da curva de indiferença é a taxa marginal de substituição entre Pepsi e pizza, e a inclinação da restrição orçamentária é o preço relativo da Pepsi em termos de pizza. Assim, *o consumidor escolhe o consumo dos dois bens de modo que a taxa marginal de substituição seja igual ao preço relativo.*

No Capítulo 7, vimos como os preços de mercado refletem o valor marginal que os consumidores atribuem aos bens. Essa análise da escolha do consumidor apresenta os mesmos resultados de uma maneira

Figura 6
O ótimo do consumidor
O consumidor escolhe o ponto de sua restrição orçamentária que toca a maior curva de indiferença. Nesse ponto, denominado ótimo, a taxa marginal de substituição é igual ao preço relativo dos dois bens. Aqui, a curva de indiferença mais elevada que o consumidor pode atingir é I_2. O consumidor prefere o ponto A, que está na curva de indiferença I_3, mas sua restrição orçamentária o impede de obter essa combinação de pizza e Pepsi. Em contrapartida, o ponto B, é compatível com suas possibilidades, mas como está em uma curva de indiferença mais baixa, o consumidor não o prefere.

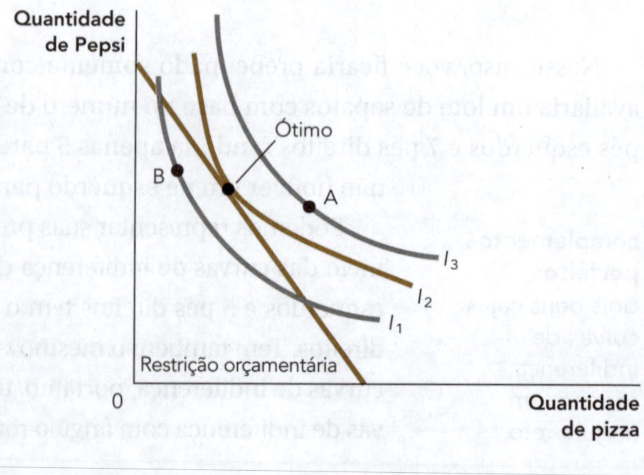

Saiba mais sobre

UTILIDADE: UMA FORMA ALTERNATIVA DE DESCREVER AS PREFERÊNCIAS E A OTIMIZAÇÃO

Temos utilizado as curvas de indiferença para representar as preferências do consumidor. Outra forma comum de representar preferências é por meio do conceito de *utilidade*. Utilidade é uma medida abstrata da satisfação ou felicidade que um consumidor obtém de um conjunto de bens. De acordo com os economistas, um consumidor prefere um conjunto de bens a outro se o primeiro oferecer mais utilidade que o segundo.

As curvas de indiferença e a utilidade estão estreitamente relacionadas. Como o consumidor prefere os pontos que estejam em curvas de indiferença mais elevadas, os conjuntos de bens que estão em curvas de indiferença mais elevadas proporcionam maior utilidade. Como o consumidor fica igualmente satisfeito em todos os pontos que estejam em uma mesma curva de indiferença, todos esses conjuntos proporcionam a mesma utilidade. Podemos pensar em uma curva de indiferença como se fosse uma curva de "utilidade igual".

A *utilidade marginal* de qualquer bem é o aumento de utilidade que o consumidor obtém de uma unidade adicional do bem em questão. Supõe-se que a maioria dos bens exibe *utilidade marginal decrescente*: quanto mais de um bem o consumidor tem, menor a utilidade marginal proporcionada por uma unidade a mais do mesmo bem.

A taxa marginal de substituição entre dois bens depende de suas utilidades marginais. Por exemplo, se a utilidade marginal do bem X for duas vezes a utilidade marginal do bem Y, então o indivíduo precisaria de duas unidades do bem Y para compensar a perda de uma unidade do bem X, e a taxa marginal de substituição é igual a 2. De maneira mais geral, a taxa marginal de substituição (e, portanto, a inclinação da curva de indiferença) é igual à utilidade marginal de um bem dividida pela utilidade marginal do outro bem.

A análise da utilidade nos proporciona outra maneira de descrever a otimização do consumidor. Lembre-se de que, no ótimo do consumidor, a taxa marginal de substituição é igual à razão entre os preços. Isto é,

$$TMgS = P_x / P_y$$

Como a taxa marginal de substituição é igual à razão das utilidades marginais, podemos escrever essa condição de otimização como

$$UMg_x \,/\, UMg_y = P_x \,/\, P_y$$

E podemos reorganizar essa expressão para chegar a

$$UMg_x / P_x = UMg_y / P_y$$

Esta equação apresenta uma interpretação simples: no ótimo, a utilidade marginal por dólar gasto com o bem X é igual à utilidade marginal por dólar gasto com o bem Y. (Por quê? Se essa igualdade não se mantivesse, o consumidor poderia aumentar a utilidade gastando menos com o bem que lhe proporcionasse menor utilidade marginal por dólar e mais com o bem que proporcionasse maior utilidade marginal por dólar.)

Quando os economistas debatem a teoria da escolha do consumidor, podem expressá-la usando diferentes palavras. Um economista poderia dizer que o objetivo do consumidor é maximizar a utilidade, enquanto outro diria que o objetivo do consumidor é situar-se na curva de indiferença mais elevada possível. O primeiro economista concluiria que, no ótimo do consumidor, a utilidade marginal por dólar é a mesma para todos os bens, ao passo que o segundo concluiria que o ótimo do consumidor fica no ponto em que a curva de indiferença é tangente à restrição orçamentária. No fundo, trata-se de duas maneiras de dizer a mesma coisa.

diferente. Ao fazer suas escolhas de consumo, o consumidor toma como dado o preço relativo dos dois bens e, então, escolhe um ótimo, cuja taxa marginal de substituição seja igual ao preço relativo. O preço relativo é a taxa à qual o *mercado* está disposto a trocar um bem por outro, ao passo que a taxa marginal de substituição é a taxa à qual o *consumidor* está disposto a trocar um bem por outro. No ótimo do consumidor, a avaliação que ele faz dos dois bens (como medida pela taxa marginal de substituição) é igual à avaliação do mercado (como medida pelo preço relativo). Como resultado dessa otimização pelo consumidor, o preço de mercado dos diferentes bens reflete o valor que os consumidores atribuem a cada bem.

21_3B Como as variações na renda afetam as escolhas do consumidor

Agora que vimos como o consumidor toma uma decisão de consumo, estudaremos como ele responde a variações na renda. Mais especificamente, suponha que a renda do consumidor aumente. Com uma renda maior, o consumidor pode comprar mais dos dois bens. O aumento na renda, portanto, desloca a restrição orçamentária para fora,[2] como na Figura 7. Como o preço relativo dos dois bens continua o mesmo, a inclinação da nova restrição orçamentária é a mesma que a inclinação da restrição orçamentária original, isto é, um aumento na renda leva a um deslocamento paralelo da restrição orçamentária.

Figura 7
Um aumento na renda
Quando a renda do consumidor aumenta, sua restrição orçamentária desloca-se para fora. Se os dois bens forem bens normais, o consumidor responderá ao aumento da renda comprando mais de ambos os bens. Aqui, o consumidor compra mais pizza e mais Pepsi.

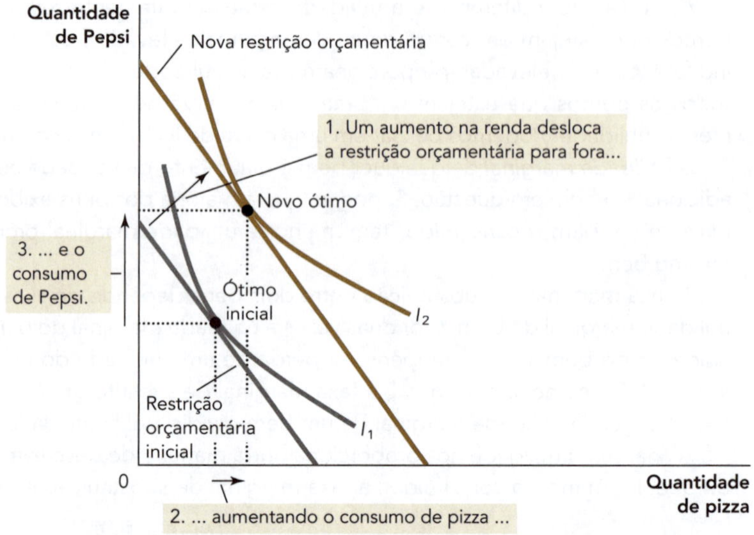

A restrição orçamentária expandida permite que o consumidor escolha uma melhor combinação de Pepsi e pizza que esteja em uma curva de indiferença mais elevada. Dados o deslocamento da restrição orçamentária e as preferências do consumidor, como representadas pelas suas curvas de indiferença, o ótimo do consumidor move-se do ponto indicado como "ótimo inicial" para o ponto indicado como "novo ótimo".

Observe que, na Figura 7, o consumidor opta por consumir mais Pepsi e mais pizza. Embora a lógica do modelo não exija aumento do consumo dos dois bens em resposta a um aumento na renda, esse é o resultado mais comum. Como vimos no Capítulo 4, se um consumidor deseja mais de um bem quando sua renda aumenta, os economistas chamam esse bem de **bem normal**. As curvas de indiferença da Figura 7 foram desenhadas supondo que tanto a Pepsi quanto a pizza sejam bens normais.

bem normal
um bem para o qual um aumento na renda eleva a quantidade demandada

bem inferior
um bem para o qual um aumento na renda diminui a quantidade demandada

A Figura 8 mostra um exemplo em que um aumento na renda induz o consumidor a comprar mais pizza, porém menos Pepsi. Se um consumidor compra menos de um bem quando sua renda aumenta, os economistas chamam esse bem de **bem inferior**. A Figura 8 foi desenhada supondo que a pizza seja um bem normal, e a Pepsi, um bem inferior.

Embora a maioria dos bens seja normal, existem alguns bens inferiores no mundo real. Um exemplo está nas passagens de ônibus. À medida que a renda aumenta, é maior a probabilidade de que os consumidores tenham carro ou andem de táxi e menor a probabilidade de andarem de ônibus. As passagens de ônibus são, portanto, um bem inferior.

2. Ou para a direita, como também é usual se dizer. (NRT)

Figura 8
Um bem inferior

Um bem é inferior se o consumidor compra menos dele quando sua renda aumenta. Aqui, a Pepsi é um bem inferior: quando a renda do consumidor aumenta e sua restrição orçamentária se desloca para fora, o consumidor compra mais pizza e menos Pepsi.

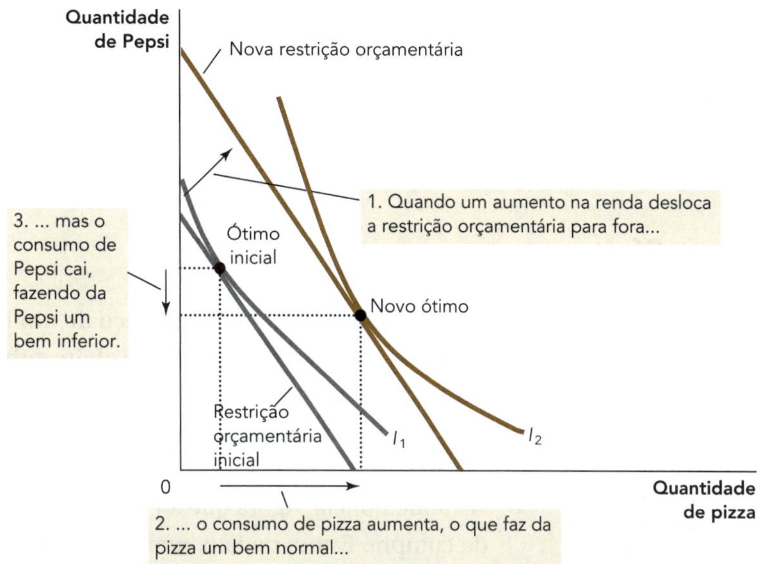

21_3C Como as variações nos preços afetam as escolhas do consumidor

Usaremos agora esse modelo da escolha do consumidor para ver como uma mudança no preço de um dos bens altera suas escolhas. Suponha, mais especificamente, que o preço da Pepsi caia de $ 2 para $ 1 por lata. Não é de surpreender que o menor preço expanda o conjunto de oportunidades de compra do consumidor. Em outras palavras, uma queda no preço de qualquer um dos bens desloca a restrição orçamentária para fora.

A Figura 9 mostra mais especificamente como a queda de preço afeta a restrição orçamentária. Se o consumidor gastar toda a sua renda de $ 1.000 em pizza, o preço da Pepsi será irrelevante; portanto, o ponto A na figura permanecerá o mesmo. Mas, se o consumidor gastar toda a sua renda de $ 1.000 em Pepsi, poderá agora comprar 1.000 latas em vez de apenas 500. Assim, o ponto final da restrição orçamentária desloca-se do ponto B para o D.

Observe que, nesse caso, o deslocamento para fora da restrição orçamentária altera sua inclinação (isso difere do caso anterior, quando os preços se mantiveram os mesmos, mas a renda do consumidor mudou). Como vimos, a inclinação da restrição orçamentária reflete os preços relativos da pizza e da Pepsi. Como o preço da Pepsi caiu de $ 2 para $ 1, enquanto o da pizza se manteve em $ 10, o consumidor pode agora trocar

Figura 9
Uma variação no preço

Quando o preço da Pepsi cai, a restrição orçamentária do consumidor desloca-se para fora e muda sua inclinação. O consumidor move-se do ótimo inicial para o novo ótimo, o que muda as suas compras tanto de pizza quanto de Pepsi. Nesse caso, a quantidade consumida de Pepsi aumenta e a quantidade consumida de pizza cai.

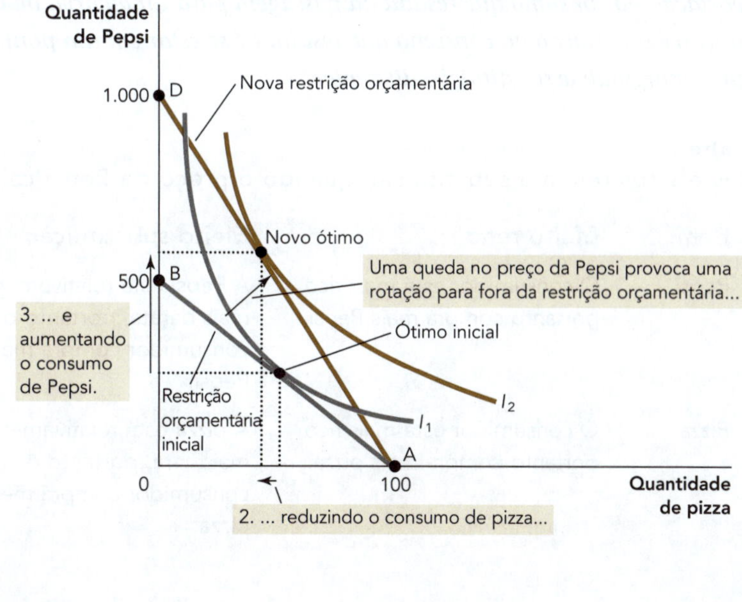

uma pizza por 10 latas de Pepsi, em vez de 5 latas, como ocorria anteriormente. Como resultado, a nova restrição orçamentária tem uma inclinação maior.

A maneira como a alteração na restrição orçamentária muda o consumo de ambos os bens depende das preferências do consumidor. As curvas de indiferença traçadas nesta figura mostram que o consumidor compra mais Pepsi e menos pizza.

21_3D Efeito renda e efeito substituição

efeito renda
a variação de consumo que ocorre quando uma mudança de preço move o consumidor para uma curva de indiferença mais elevada ou menos elevada

efeito substituição
a variação de consumo que ocorre quando uma mudança de preço move o consumidor ao longo de uma dada curva de indiferença até um ponto com uma nova taxa marginal de substituição

O impacto de uma mudança no preço de um bem sobre o consumo pode ser decomposto em dois efeitos: **efeito renda** e **efeito substituição**. Para entender esses dois efeitos, imagine como o consumidor reagiria se soubesse que o preço da Pepsi caiu. Ele poderia raciocinar das seguintes maneiras:

- "Grande notícia! Agora que a Pepsi está mais barata, minha renda tem maior poder de compra. Estou, de fato, mais rico que antes. Como estou mais rico, posso comprar mais Pepsi e mais pizza". (Este é o efeito renda.)
- "Agora que o preço da Pepsi caiu, posso comprar mais latas de Pepsi para cada pizza de que eu abrir mão. Como a pizza agora está relativamente mais cara, eu deveria comprar menos pizza e mais Pepsi". (Este é o efeito substituição.)

Qual das duas afirmações você julga ser a mais correta?

Na verdade, as duas afirmações fazem sentido. A queda no preço da Pepsi deixa o consumidor em melhor situação. Se tanto a Pepsi quanto a pizza são bens normais, o consumidor desejará distribuir seu maior poder de compra entre os dois bens. Esse efeito renda tende a fazer que o consumidor compre mais pizza e mais Pepsi. Mas, ao mesmo tempo, o consumo de Pepsi tornou-se mais barato em relação ao consumo de pizza. Esse efeito substituição tende a fazer o consumidor escolher mais Pepsi e menos pizza.

Considere agora o resultado desses dois efeitos concomitantemente. O consumidor, certamente, compra mais Pepsi, já que tanto o efeito renda quanto o efeito substituição agem para aumentar as compras de Pepsi. Mas não se pode dizer com certeza de que ele comprará mais pizza, porque os efeitos renda e substituição trabalham em direções opostas. Essa conclusão é sintetizada na Tabela 1.

Podemos interpretar os efeitos renda e substituição usando curvas de indiferença. *O efeito renda é a variação no consumo que resulta da passagem para uma curva de indiferença mais elevada. O efeito substituição é a variação no consumo que resulta de se estar em um ponto de uma curva de indiferença com uma taxa marginal de substituição diferente.*

Tabela 1
Os efeitos renda e substituição quando o preço da Pepsi cai

Bem	Efeito renda	Efeito substituição	Efeito total
Pepsi	O consumidor está mais rico, portanto compra mais Pepsi.	A Pepsi está relativamente mais barata, portanto o consumidor compra mais Pepsi.	Os efeitos renda e substituição agem no mesmo sentido, portanto o consumidor compra mais Pepsi.
Pizza	O consumidor está mais rico, portanto compra mais pizza.	A pizza está relativamente mais cara, portanto o consumidor compra menos pizza.	Os efeitos renda e substituição agem em direções opostas, portanto o efeito total sobre o consumo de pizza é incerto.

Figura 10
Efeitos renda e substituição

O efeito de uma mudança no preço pode ser decomposto em efeitos renda e substituição. O efeito substituição – o movimento ao longo de uma curva de indiferença para um ponto com taxa marginal de substituição diferente – é representado pela mudança do ponto A para o ponto B ao longo da curva de indiferença I_1. O efeito renda – o deslocamento para uma curva de indiferença mais elevada – é representado aqui pela mudança do ponto B na curva de indiferença I_1 para o ponto C na curva de indiferença I_2.

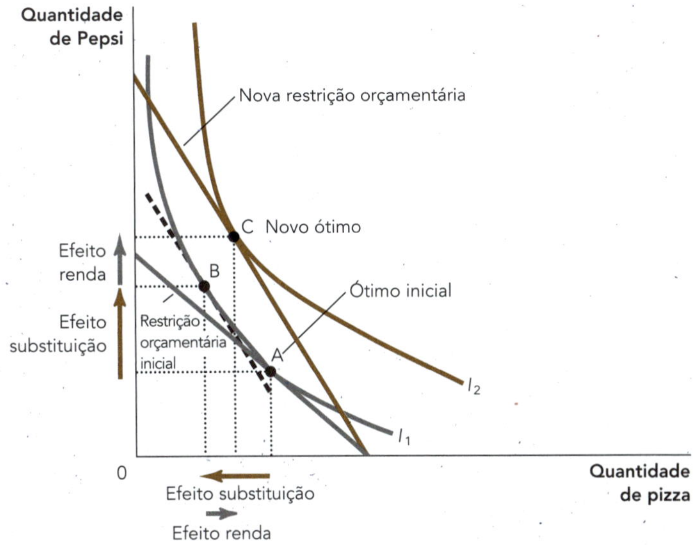

A Figura 10 representa graficamente a decomposição da mudança da decisão do consumidor em seus efeitos renda e substituição. Quando o preço da Pepsi cai, o consumidor se move do ótimo inicial, ponto A, para o novo ótimo, o ponto C. Podemos considerar que essa mudança se dê em duas etapas. Primeiro, o consumidor se move *ao longo* da curva de indiferença inicial I_1, do ponto A para o B. O consumidor está igualmente satisfeito nesses dois pontos, mas no ponto B a taxa marginal de substituição reflete o novo preço relativo (a linha tracejada que passa pelo ponto B reflete o novo preço relativo, sendo paralela à nova restrição orçamentária). Em seguida, o consumidor se *desloca* para a curva de indiferença mais elevada, I_2, movendo-se do ponto B para o C. Embora os pontos B e C estejam em curvas de indiferença diferentes, eles têm a mesma taxa marginal de substituição. Ou seja, a inclinação da curva de indiferença I_1 no ponto B é igual à inclinação da curva de indiferença I_2 no ponto C.

Embora o consumidor nunca chegue a escolher efetivamente o ponto B, esse ponto hipotético é útil para esclarecer os dois efeitos que determinam a decisão do consumidor. Observe que a passagem do ponto A para o B representa uma pura variação da taxa marginal de substituição, sem nenhuma mudança no bem-estar do consumidor. De forma similar, a mudança do ponto B para o C representa uma pura mudança no bem-estar do consumidor, sem nenhuma variação da taxa marginal de substituição. Portanto, o movimento de A para B mostra o efeito substituição, e o movimento de B para C mostra o efeito renda.

21_3E Derivando a curva de demanda

Acabamos de ver como mudanças no preço de um bem alteram a restrição orçamentária do consumidor e, portanto, as quantidades dos dois bens que ele escolhe comprar. A curva de demanda de qualquer bem reflete essas decisões de consumo. Lembre-se de que a curva de demanda mostra a quantidade demandada de um bem a qualquer preço dado. Podemos enxergar a curva de demanda de um consumidor como um resumo das decisões ótimas que decorrem de sua restrição orçamentária e de suas curvas de indiferença.

Por exemplo, a Figura 11 mostra a demanda por Pepsi. O painel (a) mostra que, quando o preço de uma lata cai de $ 2 para $ 1, a restrição orçamentária do consumidor desloca-se para fora. Por causa dos efeitos renda e substituição, o consumidor aumenta suas compras de Pepsi de 250 para 750 latas. O painel (b) mostra a curva de demanda resultante das decisões desse consumidor. Dessa forma, a teoria da escolha do consumidor proporciona os fundamentos teóricos para a curva de demanda do consumidor.

Pode ser reconfortante saber que a curva de demanda surge naturalmente da teoria da escolha do consumidor, mas esse exercício, por si só, não justifica o desenvolvimento da teoria. Não há necessidade de uma estrutura analítica rigorosa apenas para estabelecer que as pessoas respondam às variações nos preços.

Figura 11
Derivando a curva de demanda

O painel (a) mostra que, quando o preço da Pepsi cai de $ 2 para $ 1, o ótimo do consumidor se move do ponto A para o ponto B, e a quantidade de Pepsi consumida aumenta de 250 para 750 latas. A curva de demanda do painel (b) reflete essa relação entre o preço e a quantidade demandada.

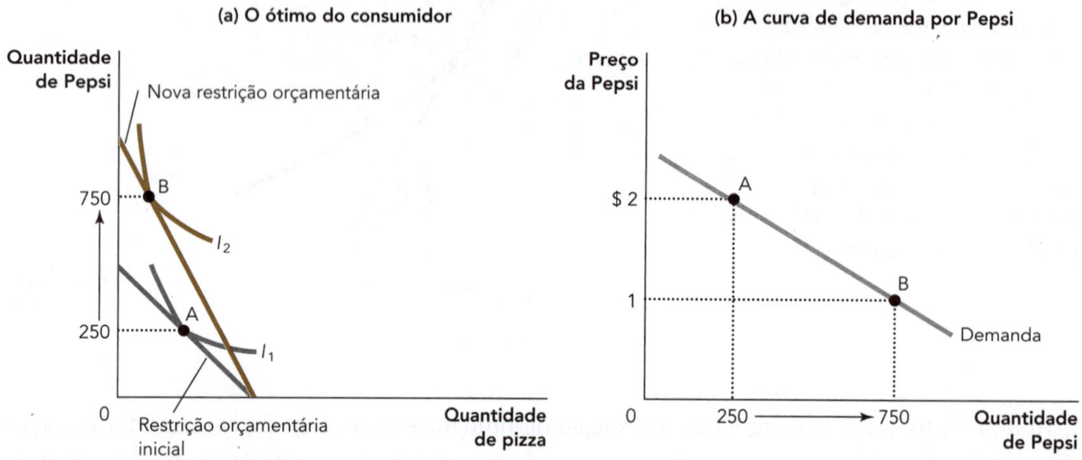

A teoria da escolha do consumidor é, contudo, muito útil para estudar as diversas decisões que as pessoas tomam durante a vida, como veremos na próxima seção.

Teste rápido Represente graficamente uma restrição orçamentária e as curvas de indiferença de Pepsi e pizza. Mostre o que acontece com a restrição orçamentária e o ótimo do consumidor quando o preço da pizza aumenta. Em seu diagrama, decomponha a variação em efeitos renda e substituição.

21_4 TRÊS APLICAÇÕES

Agora que desenvolvemos a teoria básica da escolha do consumidor, vamos usá-la para lançar luz sobre três questões a respeito de como funciona a economia. De início, pode parecer que essas três questões não estão relacionadas, mas, como cada uma delas envolve a tomada de decisões pelas famílias, podemos abordá-las com o modelo de comportamento do consumidor que acabamos de desenvolver.

21_4A Todas as curvas de demanda têm inclinação negativa?

Normalmente, quando o preço de um bem aumenta, as pessoas compram menos desse bem. Esse comportamento usual, denominado *lei da demanda*, se reflete na inclinação negativa da curva de demanda.

Como assunto de teoria econômica, entretanto, as curvas de demanda podem, em alguns casos, ter inclinação positiva. Em outras palavras, os consumidores podem, às vezes, violar a lei da demanda e comprar *maior* quantidade de um bem quando seu preço aumenta. Para ver como isso pode acontecer, considere a Figura 12. Nesse exemplo, o consumidor compra dois bens: carne e batatas. Inicialmente, a restrição orçamentária é a linha que vai do ponto A ao B. O ótimo é o ponto C. Quando o preço das batatas aumenta, a restrição orçamentária se desloca para dentro e passa a ser a linha que vai do ponto A ao D. O ótimo é agora o ponto E. Observe que o aumento do preço das batatas fez que o consumidor passasse a comprar uma quantidade maior delas.

Por que o consumidor reage de maneira aparentemente perversa? Nesse exemplo, as batatas são um bem fortemente inferior; ou seja, são um bem que uma pessoa compra muito menos quando sua renda aumenta e muito mais quando sua renda cai. Na Figura 12, o aumento no preço das batatas torna o consumidor mais

Figura 12
Um bem de Giffen

Neste exemplo, quando o preço das batatas aumenta, o ótimo do consumidor desloca-se do ponto C para o ponto E. Nesse caso, o consumidor responde ao maior preço das batatas comprando menos carne e mais batatas.

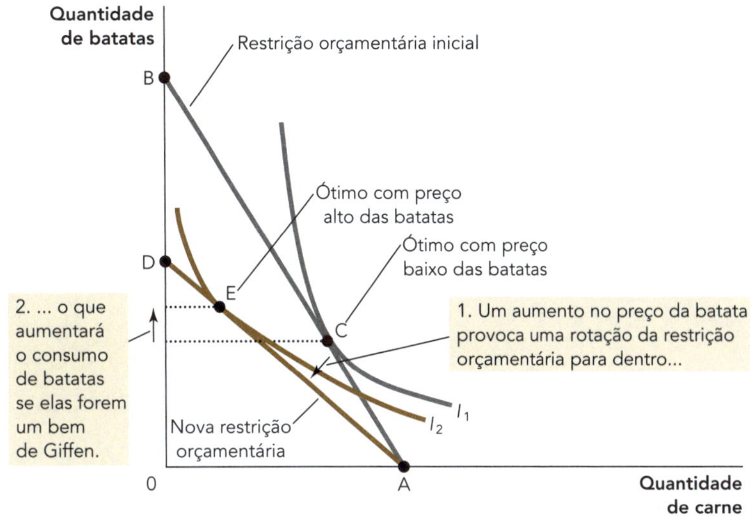

bem de Giffen
um bem para o qual um aumento no preço provoca um aumento na quantidade demandada

pobre; isto é, o preço mais alto o coloca em uma curva de indiferença inferior. Como a pessoa está mais pobre e as batatas são um bem inferior, o efeito renda faz que ela queira comprar menos carne e mais batatas. Ao mesmo tempo, como as batatas se tornaram mais caras em relação à carne, o efeito substituição faz o consumidor querer comprar mais carne e menos batatas. Se o efeito renda for muito maior que o efeito substituição, como neste exemplo, o consumidor responderá ao preço mais alto das batatas comprando menos carne e mais batatas.

Os economistas usam a expressão **bem de Giffen** para descrever um bem que viola a lei da demanda (a expressão vem do economista Robert Giffen, que foi o primeiro a observar essa possibilidade). Nesse exemplo, as batatas são bens de Giffen. Os bens de Giffen são bens inferiores, para os quais o efeito renda domina o efeito substituição. Portanto, suas curvas de demanda têm inclinação ascendente.

21_4B Como os salários afetam a oferta de trabalho?

Até aqui, usamos a teoria da escolha do consumidor para analisar como uma pessoa aloca sua renda entre dois bens. Podemos usar a mesma teoria para analisar como ela aloca seu tempo. As pessoas passam parte do tempo com lazer e parte com trabalho, para que tenham condições de adquirir bens de consumo. A essência do problema de alocação de tempo é o *tradeoff* entre consumo e lazer.

Vamos analisar a decisão com que se depara Sally, uma programadora de computadores autônoma. Sally permanece acordada 100 horas por semana. Ela gasta parte desse tempo desfrutando de algum tipo de lazer - jogando *Minecraft*, assistindo *The Bachelor* na televisão e lendo este livro-texto. E passa o restante do tempo desenvolvendo programas de computador. Para cada hora que passa desenvolvendo programas, ela ganha \$ 50, gastos no consumo de bens - alimentação, vestiário e baixando músicas. Seu salário (\$ 50) reflete o *tradeoff* entre lazer e trabalho com o qual Sally depara. Para cada hora de lazer de que abre mão, ela trabalha uma hora a mais e ganha \$ 50 para consumo.

A Figura 13 mostra a restrição orçamentária de Sally. Se gastar todas as 100 horas desfrutando de lazer, ela não terá consumo. Se passar todas as 100 horas trabalhando, ela ganhará consumo semanal de \$ 5 mil, mas não terá tempo para lazer. Se fizer uma jornada normal de 40 horas por semana, terá 60 horas de lazer e consumo semanal de \$ 2 mil.

A Figura 13 usa as curvas de indiferença para representar as preferências de Sally por consumo e lazer. Aqui, consumo e lazer são os dois "bens" entre os quais Sally precisa escolher. Como ela sempre prefere mais lazer e mais consumo, sua preferência é por pontos em curvas de indiferença mais elevadas. Ao salário de \$ 50 por hora, Sally escolhe uma combinação de consumo e lazer representada pelo ponto indicado

Figura 13
A decisão trabalho-lazer

Esta figura mostra a restrição orçamentária de Sally para decidir quanto trabalhar, suas curvas de indiferença para consumo e lazer, e seu ótimo.

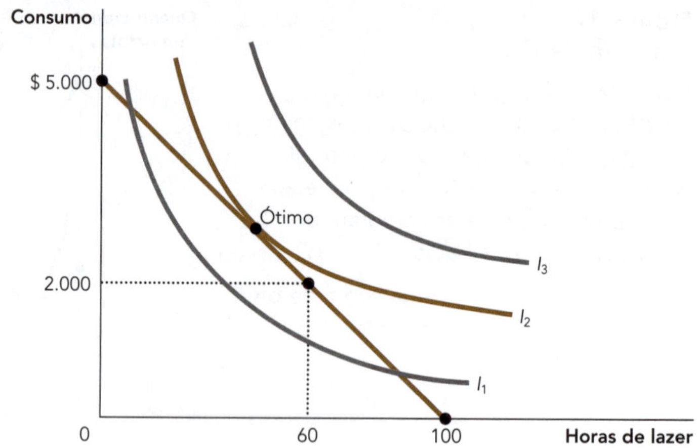

como "ótimo". Esse é o ponto da restrição orçamentária que se situa na curva de indiferença mais alta possível, que é I_2.

Vejamos, agora, o que acontece quando o salário de Sally aumenta de $ 50 para $ 60 por hora. A Figura 14 mostra dois resultados possíveis. Em cada caso, a restrição orçamentária mostrada no gráfico à esquerda se desloca para fora, de RO_1 para RO_2. Nesse processo, a restrição orçamentária se torna mais inclinada, refletindo a mudança no preço relativo: com o salário maior, Sally obtém mais consumo para cada hora de lazer de que abre mão.

As preferências de Sally, como representadas pelas curvas de indiferença, determinam as respostas resultantes de consumo e de lazer ao maior salário. Nos dois painéis, o consumo aumenta, mas a resposta do lazer à mudança no salário é diferente em cada caso. No painel (a), Sally responde ao maior salário desfrutando de menos lazer. No painel (b), ela responde desfrutando de mais lazer.

A decisão de Sally entre lazer e consumo determina sua oferta de trabalho, porque quanto mais lazer ela desfruta, menos tempo ela tem para trabalhar. Em cada painel da Figura 14, o gráfico à direita mostra a curva de oferta de trabalho implícita na decisão de Sally. No painel (a), um salário maior induz Sally a desfrutar de menos lazer e trabalhar mais, de modo que a curva de oferta de trabalho tem inclinação positiva. No painel (b), um salário maior induz Sally a desfrutar de mais lazer e trabalhar menos, de modo que a curva de oferta de trabalho se inclina "para trás".

À primeira vista, a curva de oferta de trabalho com inclinação para trás é enigmática. Por que alguém responderia a um salário maior trabalhando menos? A resposta é dada pelos efeitos renda e substituição decorrentes de um salário maior.

Vamos tratar, primeiro, do efeito substituição. Quando o salário de Sally aumenta, o lazer se torna mais caro em relação ao consumo, e isso a encoraja a substituir lazer por consumo. Em outras palavras, o efeito substituição induz Sally a trabalhar mais em resposta aos maiores salários, o que tende a fazer que a curva de oferta de trabalho tenha inclinação positiva.

Consideremos agora o efeito renda. Quando o salário de Sally aumenta, ela se move para uma curva de indiferença mais elevada. Ela agora está em uma situação melhor que antes. Desde que lazer e consumo sejam bens normais, ela tenderá a usar esse aumento de bem-estar para desfrutar de mais consumo e mais lazer. Em outras palavras, o efeito renda a induz a trabalhar menos, o que tende a fazer que a curva de oferta de trabalho se incline para trás.

No fim, a teoria econômica não nos permite prever com clareza se o aumento do salário induzirá Sally a trabalhar mais ou menos. Se o efeito substituição for maior que o efeito renda, ela trabalhará mais. Se, para Sally, o efeito renda for maior que o efeito substituição, ela trabalhará menos. A curva de oferta de trabalho, portanto, pode ter inclinação positiva ou pode se inclinar para trás.

Figura 14

Um aumento no salário

Os dois painéis desta figura mostram como uma pessoa poderia reagir a um aumento no salário. Os gráficos à esquerda mostram a restrição orçamentária original do consumidor, RO_1, e a nova restrição orçamentária, RO_2, além das escolhas ótimas do consumidor entre consumo e lazer. Os gráficos à direita mostram a curva de oferta de trabalho resultante. Como as horas trabalhadas são iguais ao total de horas disponíveis menos as horas de lazer, qualquer alteração no número de horas de lazer implica uma mudança no sentido oposto na quantidade de trabalho ofertada. No painel (a), quando o salário aumenta, o consumo aumenta e o lazer diminui, resultando em uma curva de oferta de trabalho de inclinação positiva. No painel (b), quando o salário aumenta, tanto o consumo quanto o lazer aumentam, resultando em uma curva de oferta de trabalho que se inclina para trás.

(a) Para uma pessoa com estas preferências... ... a curva de oferta de trabalho tem inclinação positiva.

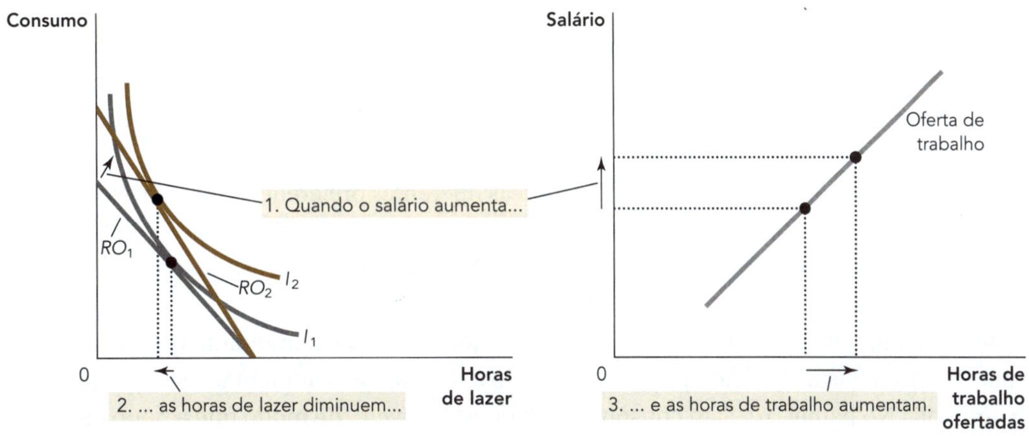

(b) Para uma pessoa com estas preferências... ... a curva de oferta de trabalho se inclina para trás.

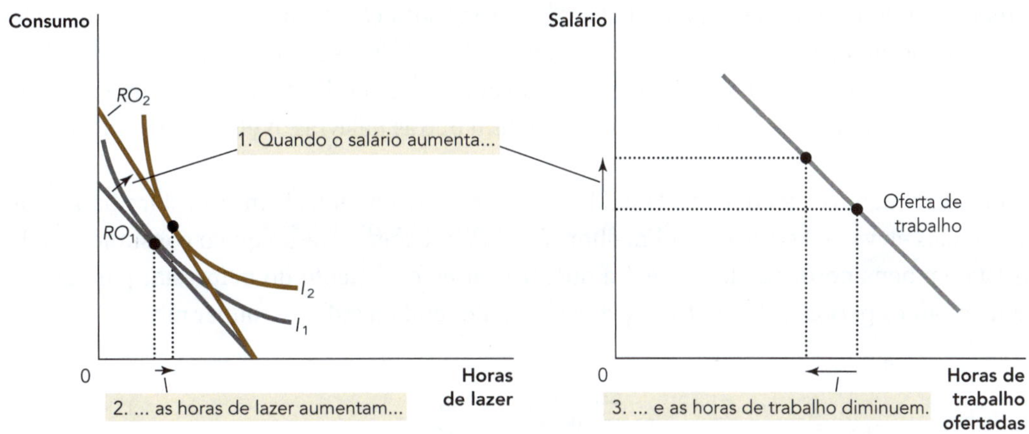

21_4C Como as taxas de juros afetam a poupança das famílias?

Uma decisão importante com a qual todas as pessoas se deparam é quanto da renda consumir hoje e quanto poupar para o futuro. Podemos usar a teoria da escolha do consumidor para analisar como as pessoas tomam essa decisão e em que medida o montante que poupam depende da taxa de juros que suas poupanças renderão.

Considere a decisão de Sam, um trabalhador que está planejando sua aposentadoria. Para simplificar, vamos dividir a vida de Sam em dois períodos. No primeiro, Sam é jovem e trabalha. No segundo, é idoso e está aposentado. Quando jovem, Sam ganha $ 100 mil e divide essa renda entre o consumo corrente e a poupança. Quando for idoso, Sam consumirá o que poupou, incluindo os juros que sua poupança rendeu.

Suponha que a taxa de juros seja de 10%. Então, para cada dólar que Sam poupa quando jovem, pode consumir $ 1,10 quando idoso. Podemos considerar o "consumo na fase jovem" e o "consumo na fase idosa" como os dois bens entre os quais Sam precisa escolher. A taxa de juros determina o preço relativo desses dois bens.

A Figura 15 mostra a restrição orçamentária de Sam. Se ele não poupar nada, consumirá $ 100 mil quando jovem e nada quando idoso. Se poupar tudo, não consumirá nada quando jovem e $ 110 mil quando idoso. A restrição orçamentária mostra essas duas possibilidades e todas as outras intermediárias.

A Figura 15 usa curvas de indiferença para representar as preferências de Sam por consumo nos dois períodos. Como ele prefere consumir mais nos dois períodos, irá preferir pontos que estejam nas curvas de indiferença elevadas a pontos situados em curvas de indiferença mais baixas. Dadas as suas preferências, Sam escolhe a combinação ótima de consumo nos dois períodos de sua vida, que é o ponto da restrição orçamentária que está na curva de indiferença mais elevada possível. Nesse ótimo, Sam consome $ 50 mil quando jovem e $ 55 mil quando idoso.

Vejamos agora o que acontece se a taxa de juros aumentar de 10% para 20%. A Figura 16 mostra dois resultados possíveis e, em ambos os casos, a restrição orçamentária desloca-se para fora e se torna mais inclinada. Com a nova taxa de juros, mais alta, Sam, quando idoso, pode consumir mais para cada dólar de consumo de que abre mão quando jovem.

Os dois painéis mostram os resultados considerando as diferentes preferências de Sam. Nos dois casos, o consumo na fase idosa aumenta, mas a resposta do consumo na fase jovem à variação da taxa de juros é diferente em cada caso. No painel (a), Sam responde ao aumento da taxa de juros consumindo menos quando jovem. No painel (b), ele responde consumindo mais quando jovem.

A poupança de Sam, naturalmente, é sua renda na fase jovem menos o montante que consome quando jovem. No painel (a), o consumo na fase jovem cai quando a taxa de juros aumenta, de modo que a poupança também aumenta. No painel (b), Sam consome mais quando jovem, de modo que a poupança deve cair.

O caso mostrado no painel (b) pode parecer estranho à primeira vista: Sam responde a um aumento do rendimento da poupança poupando menos. Mas esse comportamento não é tão peculiar quanto pode parecer, e podemos entendê-lo considerando os efeitos renda e substituição de uma taxa de juros mais elevada.

Consideremos, primeiro, o efeito substituição. Quando a taxa de juros aumenta, o consumo na fase idosa se torna mais barato em relação ao consumo na fase jovem. Desse modo, o efeito substituição induz Sam a consumir mais quando idoso e menos quando jovem. Em outras palavras, o efeito substituição o induz a poupar mais.

Vamos considerar agora o efeito renda. Quando a taxa de juros aumenta, Sam se desloca para uma curva de indiferença mais elevada. Está agora em melhor situação que antes. Desde que o consumo nos dois períodos consista em bens normais, ele tenderá a querer usar esse aumento do bem-estar para aumentar o consumo em ambos os períodos. Em outras palavras, o efeito renda o induz a poupar menos.

Figura 15
A decisão consumo-poupança

A figura mostra a restrição orçamentária para uma pessoa que decide quanto consumir nos dois períodos de sua vida, as curvas de indiferença representam suas preferências e o ponto ótimo.

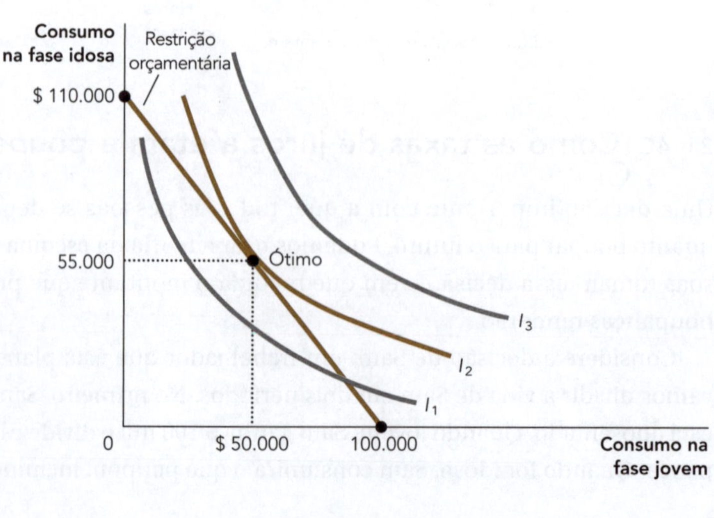

Figura 16

Um aumento da taxa de juros

Nos dois painéis, um aumento da taxa de juros desloca a restrição de orçamento para fora. No painel (a), o consumo cai na fase jovem e aumenta na fase idosa: o resultado é um aumento da poupança quando jovem. No painel (b), o consumo aumenta nos dois períodos: o resultado é uma redução da poupança na fase jovem.

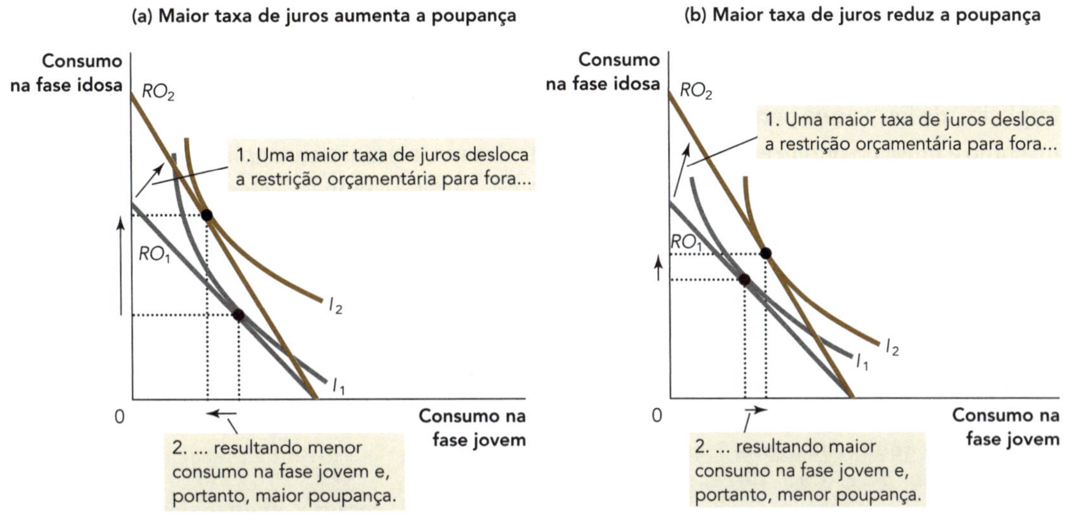

O resultado depende, é claro, dos efeitos renda e substituição. Se o efeito substituição de uma taxa de juros mais alta for maior que o efeito renda, Sam poupará mais. Se o efeito renda for maior que o efeito substituição, Sam poupará menos. Assim, a teoria da escolha do consumidor diz que um aumento da taxa de juros pode encorajar ou desencorajar a poupança.

Embora esse resultado ambíguo seja interessante do ponto de vista da teoria econômica, é desapontador do ponto de vista da política econômica. Ocorre que uma questão importante da política tributária depende, em parte, de como a poupança responde às taxas de juros. Alguns economistas propuseram reduzir a tributação sobre os juros e outras rendas de capital, argumentando que essa mudança aumentaria a taxa de juros recebida pelos poupadores após os impostos e, com isso, encorajaria as pessoas a poupar mais. Outros economistas argumentam que, como os efeitos substituição e renda tendem a se anular, uma mudança tributária como essa poderia não aumentar a poupança, podendo até reduzi-la. Infelizmente, a pesquisa não leva a um consenso a respeito de como a taxa de juros afeta a poupança. Como resultado, permanece o desacordo entre os economistas sobre se as mudanças na política fiscal com o objetivo de encorajar a poupança têm, de fato, o efeito desejado.

Teste rápido Explique como um aumento no salário pode, potencialmente, diminuir o tempo que a pessoa deseja trabalhar.

21_5 CONCLUSÃO: AS PESSOAS PENSAM REALMENTE ASSIM?

A teoria da escolha do consumidor descreve de que maneira as pessoas tomam decisões. Como vimos, ela tem ampla aplicabilidade e pode explicar como uma pessoa escolhe entre Pepsi e pizza, trabalho e lazer, consumo e poupança, e assim por diante.

A esta altura, contudo, você pode estar tentado a tratar a teoria da escolha do consumidor com algum ceticismo. Afinal de contas, você é um consumidor. Você decide o que comprar sempre que entra em uma loja. E sabe que não decide utilizando restrições orçamentárias e curvas de indiferença. Esse conhecimento do seu próprio processo de tomada de decisões não fornece uma evidência contra a teoria?

A resposta é não. A teoria da escolha do consumidor não pretende explicar de forma literal de que maneira as pessoas tomam decisões. Ela é um modelo. E, como vimos no Capítulo 2, os modelos não pretendem ser completamente realistas.

A melhor maneira de enxergar a teoria da escolha do consumidor é como uma metáfora de como os consumidores tomam decisões. Nenhum consumidor (exceto um ocasional economista) desenvolve as etapas da otimização descrita pela teoria, embora os consumidores estejam cientes de que suas escolhas são restritas por seus recursos financeiros. E, dadas essas restrições, eles fazem o melhor que podem para atingir o nível mais elevado de satisfação. A teoria da escolha do consumidor procura descrever esse processo psicológico implícito, de forma que permita uma análise econômica explícita.

Assim como a prova do pudim está em comê-lo, o teste de uma teoria são suas aplicações. Na última seção do capítulo, aplicamos a teoria da escolha do consumidor a três questões práticas sobre a economia. Se você fizer cursos mais avançados de economia, verá que essa teoria fornece o arcabouço para muitas análises adicionais.

Teste rápido do capítulo

1. Emilio compra pizza por $ 10 e refrigerante por $ 2. Ele tem uma renda de $ 100. Qual dos eventos a seguir acarretará um deslocamento paralelo para fora de sua restrição orçamentária?

a. O preço da pizza cair para $ 5, o preço do refrigerante cair para $ 1 e sua renda cair para $ 50.
b. O preço da pizza subir para $ 20, o preço do refrigerante subir para $ 4 e sua renda permanecer a mesma.
c. O preço da pizza cair para $ 8, o preço do refrigerante cair para $ 1 e sua renda subir para $ 120.
d. O preço da pizza subir para $ 20, o preço do refrigerante subir para $ 4 e sua renda subir para $ 400.

2. Em qualquer ponto de uma curva de indiferença, a inclinação da curva mede:

a. A renda do consumidor.
b. A disposição do consumidor para trocar um bem por outro.
c. A percepção do consumidor sobre os dois bens serem substitutos ou complementares.
d. A elasticidade da demanda do consumidor.

3. Matthew e Susan são consumidores otimizadores no mercado de camisetas e bonés, em que pagam $ 100 por uma camiseta e $ 50 por um boné. Matthew compra 4 camisetas e 16 bonés, enquanto Susan compra 6 camisetas e 12 bonés. Com base nessas informações, podemos inferir que a taxa marginal de substituição de Matthew é _____ bonés por camiseta, enquanto a de Susan é _____.

a. 2, 1
b. 2, 2
c. 4, 1
d. 4, 2

4. Darius compra apenas lagosta e frango. A lagosta é um bem normal, enquanto o frango é um bem inferior. Quando o preço da lagosta sobe, Darius compra:

a. Menos dos dois bens.
b. Mais lagosta e menos frango.
c. Menos lagosta e mais frango.
d. Menos lagosta, porém o impacto sobre o frango é ambíguo.

5. Se o preço do macarrão aumentar e um consumidor comprar mais macarrão, podemos inferir que:

a. O macarrão é um bem normal e o efeito renda é maior que o efeito substituição.
b. O macarrão é um bem normal e o efeito substituição é maior que o efeito renda.
c. O macarrão é um bem inferior e o efeito renda é maior que o efeito substituição.
d. O macarrão é um bem inferior e o efeito substituição é maior que o efeito renda.

6. A curva de oferta de mão de obra terá inclinação ascendente se:

a. O lazer for um bem normal.
b. O consumo for um bem normal.
c. O efeito renda sobre o lazer for maior que o efeito substituição.
d. O efeito substituição sobre o lazer for maior que o efeito renda.

RESUMO

- A restrição orçamentária do consumidor mostra as possíveis combinações de bens que ele pode comprar com base em sua renda e nos preços dos bens. A inclinação da restrição orçamentária é igual ao preço relativo dos bens.

- As curvas de indiferença do consumidor representam suas preferências. Uma curva de indiferença mostra as diversas combinações de bens que deixam o consumidor igualmente satisfeito. Pontos localizados em curvas de indiferença mais elevadas são preferíveis aos pontos localizados em curvas de indiferença mais baixas. A inclinação de uma curva de indiferença em um ponto qualquer é a taxa marginal de substituição do consumidor - a taxa à qual o consumidor está disposto a trocar um bem por outro.
- O consumidor otimiza, escolhendo o ponto de sua restrição orçamentária que tangencia a curva de indiferença mais elevada. Nesse ponto, a inclinação da curva de indiferença (a taxa marginal de substituição entre os bens) é igual à inclinação da restrição orçamentária (o preço relativo dos bens); e o valor que o consumidor atribui aos dois bens (medido pela taxa marginal de substituição) é igual ao valor do mercado (medido pelo preço relativo).
- Quando o preço de um bem cai, o impacto sobre as escolhas do consumidor pode ser decomposto em efeitos renda e substituição. O efeito renda é a variação de consumo que ocorre porque um preço mais baixo deixa o consumidor em melhor situação. O efeito substituição é a variação do consumo que ocorre porque uma mudança no preço encoraja um aumento do consumo do bem que tiver se tornado relativamente mais barato. O efeito renda se reflete no movimento de uma curva de indiferença mais baixa para outra mais elevada, ao passo que o efeito substituição se reflete em um movimento ao longo de uma curva de indiferença para um ponto com uma inclinação diferente.
- A teoria da escolha do consumidor pode ser aplicada a muitas situações. Pode explicar por que as curvas de demanda podem, potencialmente, ter inclinação positiva, por que maiores salários podem aumentar ou diminuir a quantidade ofertada de trabalho e por que maiores taxas de juros podem aumentar ou diminuir a poupança.

CONCEITOS-CHAVE

restrição orçamentária, p. 343
curva de indiferença, p. 344
taxa marginal de substituição, p. 344
substitutos perfeitos, p. 346
complementos perfeitos, p. 347
bem normal, p. 350
bem inferior, p. 350
efeito renda, p. 352
efeito substituição, p. 352
bem de Giffen, p 355

QUESTÕES PARA REVISÃO

1. Um consumidor tem renda de $ 3 mil. O copo de vinho custa $ 3 e o quilo de queijo, $ 6. Represente graficamente a restrição orçamentária desse consumidor com o vinho no eixo vertical. Qual é a inclinação dessa restrição orçamentária?
2. Represente graficamente as curvas de indiferença entre vinho e queijo. Descreva e explique quatro propriedades dessas curvas de indiferença.
3. Escolha um ponto da curva de indiferença entre vinho e queijo e mostre a taxa marginal de substituição. O que nos diz a taxa marginal de substituição?
4. Mostre a restrição orçamentária de um consumidor e suas curvas de indiferença entre vinho e queijo. Mostre a escolha de consumo ótima. Se o preço do copo de vinho for $ 3 e o do quilo de queijo for $ 6, qual será a taxa marginal de substituição nesse ótimo?
5. Uma pessoa que consome vinho e queijo ganha um aumento, de modo que sua renda passa de $ 3 mil para $ 4 mil. Mostre o que ocorre se tanto o queijo quanto o vinho forem bens normais. Agora, mostre o que ocorre se o queijo for um bem inferior.
6. O preço do quilo de queijo sobe de $ 6 para $ 10, enquanto o do copo de vinho se mantém em $ 3. Mostre o que ocorre com o consumo de vinho e de queijo para um consumidor com renda constante de $ 3 mil. Decomponha a variação em efeitos renda e substituição.
7. Um aumento no preço do queijo pode induzir um consumidor a comprar mais queijo? Explique.

PROBLEMAS E APLICAÇÕES

1. Jennifer divide sua renda entre café e *croissants* (ambos são bens normais). Uma geada prematura no Brasil provoca grande aumento no preço do café nos Estados Unidos.
   a. Mostre o efeito da geada na restrição orçamentária de Jennifer.
   b. Mostre o efeito da geada sobre a combinação ótima de consumo de Jennifer, supondo que o efeito substituição exceda o efeito renda por *croissants*.
   c. Mostre o efeito da geada sobre a combinação ótima de consumo, supondo que o efeito renda exceda o efeito substituição por *croissants*.

2. Compare os dois pares de bens a seguir:
   - Coca e Pepsi
   - Esquis e travas para esquis

   a. Em que caso os dois bens são complementares? Em que caso são substitutos?
   b. Em que caso as curvas de indiferença serão linhas retas? Em que caso as curvas de indiferença serão muito convexas?
   c. Em que caso o consumidor responderá mais a uma variação no preço relativo dos dois bens?

3. Você consome apenas refrigerante e pizza. Um dia, o preço do refrigerante sobe, o preço da pizza diminui, e você continua tão feliz como era antes das mudanças de preços.
   a. Ilustre essa situação em um gráfico.
   b. Como seu consumo desses dois bens se altera? Como sua resposta dependerá dos efeitos renda e substituição?
   c. Você pode pagar a combinação de refrigerante e pizza que consumiu antes das alterações de preços?

4. Mário consome apenas queijo e bolachas.
   a. Tanto o queijo quanto as bolachas podem ser bens inferiores para Mário? Explique.
   b. Suponha que, para Mário, o queijo seja um bem normal e as bolachas um bem inferior. Se o preço do queijo cair, o que acontecerá com o seu consumo de bolachas? E com seu consumo de queijo? Explique.

5. Jim só compra leite e biscoitos.
   a. No ano 1, Jim ganha $ 100, o leite custa $ 2 o litro e os biscoitos custam $ 4 a dúzia. Represente graficamente a restrição orçamentária de Jim.
   b. Suponha, agora, que todos os preços aumentem 10% no ano 2 e que o salário de Jim também aumente 10%. Represente graficamente a nova restrição orçamentária de Jim. Compare a combinação ótima de leite e biscoitos de Jim no ano 2 à combinação ótima no ano 1.

6. Assinale V (verdadeiro) ou F (falso) para cada uma das afirmativas a seguir. Explique as suas respostas.
   a. "Todos os bens de Giffen são bens inferiores."
   b. "Todos os bens inferiores são bens de Giffen."

7. Um estudante universitário tem duas opções de alimentação: comer no bandejão por $ 6 a refeição ou tomar um prato de sopa por $ 1,50. Seu orçamento semanal é de $ 60.
   a. Represente graficamente a restrição orçamentária, mostrando o *tradeoff* entre comer no bandejão e tomar a sopa. Supondo que o estudante gaste valores iguais nos dois produtos, elabore a curva de indiferença, mostrando a escolha ótima. Identifique essa escolha como o ponto A.
   b. Suponha que o preço da sopa aumente para $ 2. Use o diagrama do item (a) para mostrar as consequências dessa mudança de preço. Imagine que, agora, o estudante gaste apenas 30% da renda no bandejão. Identifique essa nova escolha ótima como o ponto B.
   c. O que aconteceu com a quantidade de sopa consumida como resultado da mudança de preço? O que esse resultado mostra sobre os efeitos renda e substituição? Explique.
   d. Empregue os pontos A e B para determinar a curva de demanda por sopa. Como se chama esse tipo de produto?

8. Considere sua decisão sobre quantas horas trabalhar.
   a. Represente graficamente sua restrição orçamentária, supondo que você não paga imposto de renda. No mesmo diagrama, represente outra restrição orçamentária, supondo que você pague 15%.
   b. Mostre como o imposto poderia levá-lo a trabalhar mais horas, menos horas ou o mesmo número de horas. Explique.

9. Sarah passa 100 horas por semana acordada. Usando um diagrama, mostre as restrições orçamentárias de Sarah se ela ganhar $ 12 por hora, $ 16 por hora e $ 20 por hora. Agora, represente graficamente as curvas de indiferença, de tal forma que a curva de oferta de trabalho de Sarah tenha inclinação positiva quando o salário está entre $ 12 e $ 16 por hora e inclinação para trás quando está entre $ 16 e $ 20 por hora.

10. Represente graficamente a curva de indiferença de alguém que esteja decidindo como alocar o tempo entre trabalho e lazer. Suponha que o salário aumente. É possível que o consumo da pessoa diminua? Isso seria plausível? Discuta. (Dica: pense nos efeitos renda e substituição.)

11. O economista George Stigler, certa vez, escreveu que, de acordo com a teoria do consumidor, "se os consumidores não comprarem menos de uma mercadoria quando sua renda aumentar, eles certamente comprarão menos quando o preço da mercadoria subir". Explique essa declaração empregando os conceitos de efeitos renda e substituição.

12. Cinco consumidores têm a seguinte utilidade marginal por maçãs e peras:

	Utilidade marginal por maçãs	Utilidade marginal por peras
Jerry	6	12
George	6	6
Elaine	6	3
Kramer	3	6
Newman	3	12

O preço de uma maçã é $ 1 e o da pera é $ 2. Qual desses consumidores otimiza (se é que algum deles o faz) a escolha entre as frutas? Para os que não o fazem, como deveriam modificar seus gastos?

CAPÍTULO 22

Fronteiras da microeconomia

A economia é o estudo das escolhas que as pessoas fazem e das interações resultantes que têm umas com as outras. Esse estudo tem muitas facetas, como vimos nos capítulos anteriores, mas seria um erro pensar que todas as facetas que vimos compõem uma joia acabada, perfeita e imutável. Como todos os cientistas, os economistas estão sempre em busca de novas áreas de estudo e novos fenômenos para explicar. Este último capítulo sobre a microeconomia trata de três tópicos que estão na fronteira da disciplina para mostrar como os economistas estão tentando expandir sua compreensão do comportamento humano e da sociedade.

O primeiro tópico é a economia da *informação assimétrica*. Muitas vezes, na vida, algumas pessoas estão mais bem informadas que outras, e essa diferença de informação pode afetar as escolhas que fazem e a maneira como se relacionam umas com as outras. Pensar nessa assimetria pode lançar luz sobre muitos aspectos do mundo real, do mercado de carros usados ao costume de dar presentes.

O segundo tópico que analisaremos neste capítulo é a *economia política*. Ao longo deste livro, vimos muitos exemplos em que os mercados falham e a política governamental pode potencialmente melhorar a situação. Mas o termo "potencialmente" é um qualificador necessário: se esse potencial se realiza ou não depende de quão bem nossas instituições políticas funcionam. O campo da economia política aplica as ferramentas da economia para compreender o funcionamento do governo.

O terceiro tópico do capítulo é a *economia comportamental*. Esse campo traz alguns conhecimentos da psicologia para o estudo de questões econômicas. Oferece uma visão do comportamento humano mais sutil e complexa que a encontrada na teoria econômica convencional, e, possivelmente, também mais realista.

Este capítulo é muito abrangente. Assim, não trata em profundidade de qualquer um dos três tópicos, mas oferece uma amostra de cada um deles. Um dos objetivos é mostrar algumas das direções que os economistas estão explorando em seus esforços para expandir o conhecimento de como a economia funciona. Outro objetivo é despertar o seu interesse para mais cursos de economia.

22_1 INFORMAÇÃO ASSIMÉTRICA

"Eu sei algo que você não sabe." Essa provocação é comum entre crianças, mas também traduz uma verdade profunda a respeito de como as pessoas interagem umas com as outras em algumas situações. Em muitas situações da vida, uma pessoa sabe mais do que outra sobre o que está acontecendo. Uma diferença de acesso a conhecimento relevante é chamada *informação assimétrica*.

Os exemplos disso são muitos. Um trabalhador sabe mais que seu empregador sobre quanto esforço despende em seu trabalho. Um vendedor de carros usados sabe mais que o comprador sobre a verdadeira condição do carro. O primeiro caso é um exemplo de *ação oculta*, enquanto o segundo é um exemplo de *característica oculta*. Em cada caso, a parte que não tem conhecimento (o empregador, o comprador do carro) gostaria de ter as informações relevantes, mas a parte informada (o trabalhador, o vendedor do carro) pode ter um incentivo para ocultá-las.

Uma vez que a assimetria de informação é tão predominante, nas últimas décadas os economistas dedicaram grandes esforços ao estudo dos seus efeitos. Vamos abordar algumas das conclusões proporcionadas por esse estudo.

22_1A Ações ocultas: principais, agentes e risco moral

risco moral
a tendência que alguém, inadequadamente monitorado, tem de apresentar comportamento desonesto ou indesejável

agente
alguém que pratica um ato em nome de outra pessoa, chamada principal

principal
alguém em cujo nome outra pessoa, chamada agente, pratica algum ato

O **risco moral** é um problema que surge quando alguém, chamado **agente**, realiza alguma tarefa em nome de outra pessoa, denominada **principal**. Se o principal não puder monitorar perfeitamente o comportamento do agente, este tende a empregar menos esforços do que o principal consideraria desejável. A expressão *risco moral* refere-se ao risco de comportamento inadequado ou "imoral" por parte do agente. Em tal situação, o principal tenta, de diversas maneiras, encorajar o agente a agir de maneira mais responsável.

A relação de emprego é o exemplo clássico. O empregador é o principal e o trabalhador é o agente. O problema do risco moral é a tentação que trabalhadores, inadequadamente monitorados, têm de fugir às suas responsabilidades. Os empregadores podem reagir a esse problema de diversas maneiras:

- *Melhor monitoramento*. Os empregadores podem instalar câmeras de vídeo ocultas para registrar o comportamento dos trabalhadores. O objetivo é identificar comportamentos irresponsáveis, que podem ocorrer quando os supervisores estiverem ausentes.
- *Altos salários*. De acordo com as *teorias do salário de eficiência* (abordadas no Capítulo 19), alguns empregadores podem optar por pagar aos seus trabalhadores um salário superior ao nível que equilibra oferta e demanda no mercado de trabalho. Um trabalhador que receba um salário superior ao de equilíbrio tem menos chances de esquivar-se do trabalho, porque, se for observado e demitido, pode não ser capaz de encontrar outro emprego que o remunere tão bem.
- *Pagamento adiado*. As empresas podem adiar o pagamento de parte da remuneração de um trabalhador, de modo que, se ele for flagrado esquivando-se de suas responsabilidades, sofrerá uma grande penalidade. Um exemplo de pagamento adiado é a gratificação de fim de ano. De forma similar, uma empresa pode optar por pagar a seus empregados mais adiante em suas vidas. Assim, os aumentos de salário que os trabalhadores recebem à medida que envelhecem podem refletir não só os benefícios da experiência, mas também uma resposta ao risco moral.

Os empregadores podem usar uma combinação de diversos mecanismos para reduzir o problema do risco moral.

Há muitos outros exemplos do risco moral além do ambiente de trabalho. Um proprietário de imóvel que tenha seguro contra incêndio, provavelmente, comprará poucos extintores, porque é ele quem arca com o custo desse equipamento, enquanto a companhia de seguros recebe grande parte do benefício. Uma família pode viver próxima a um rio com alto risco de inundação porque aprecia a paisagem, enquanto o governo arca com o custo da assistência às vítimas de desastres, se houver uma inundação. Muitas regras têm por objetivo tratar desse problema: uma companhia de seguros pode exigir que os proprietários comprem extintores, e o governo pode proibir a construção de imóveis em terras com alto risco de inundação. Mas a companhia de seguros não tem informações perfeitas sobre o grau de cuidado do proprietário do imóvel, e o governo não tem informações perfeitas sobre o risco que as famílias assumem quando escolhem onde morar. Como resultado, o problema do risco moral persiste.

Saiba mais sobre

ADMINISTRAÇÃO CORPORATIVA

Na economia moderna, grande parte da produção acontece nas companhias.[1] Como outras empresas, essas companhias compram insumos nos mercados de fatores de produção e vendem o produto nos mercados de bens e serviços. Também, como outras empresas, são guiadas em suas decisões pelo objetivo de maximização do lucro. Entretanto, uma grande corporação tem de lidar com algumas questões que não existem nas pequenas empresas familiares.

O que distingue uma companhia? Do ponto de vista legal, uma companhia é uma organização reconhecida como uma entidade separada, com direitos próprios e responsabilidades distintas das de seus proprietários e empregados. Do ponto de vista econômico, a característica mais importante na organização de uma companhia é a separação de propriedade e de controle. Um grupo, os acionistas, é proprietário e divide os lucros. Outro grupo, os administradores, é contratado para tomar decisões sobre os recursos da empresa.

A separação entre propriedade e controle cria o problema do agente-principal.[2] Nesse caso, os acionistas são o principal, e os administradores, o agente. O presidente da empresa e outros gestores são os que estão em melhor posição para conhecer as oportunidades de negócios disponíveis e são responsáveis pela tarefa de maximizar os lucros para os acionistas. Contudo, nem sempre é fácil garantir que isso aconteça. Os administradores podem ter os próprios objetivos, como não se preocupar excessivamente, ter um escritório maravilhoso e um jatinho particular, dar festas extravagantes ou presidir um império corporativo. Os objetivos dos gestores nem sempre coincidem com os da maximização dos lucros.[3]

O conselho diretor é responsável por contratar e demitir a administração superior. Esse conselho monitora o desempenho dos administradores e estabelece um pacote de compensações, que geralmente inclui incentivos para alinhar os interesses dos acionistas com os da administração. Os administradores podem receber benefícios com base no desempenho ou opções para comprar ações da empresa, que são mais valiosas se a empresa obtém bons resultados.

Observe, porém, que os próprios diretores são agentes dos acionistas. A existência de um conselho que supervisiona a administração apenas transfere o problema do agente-principal. A questão agora é como garantir que o conselho diretor cumpra sua obrigação legal de atuar no interesse dos acionistas. Se os diretores forem muito amigáveis com os administradores, talvez não façam a supervisão requerida.

O problema da agência da empresa foi amplamente noticiado em 2005. Descobriu-se, então, que administradores de cargos proeminentes de empresas como Enron, Tyco e WorldCom estavam envolvidos em atividades que os enriqueciam à custa dos acionistas. Nesses casos, as ações eram tão extremas, a ponto de serem consideradas criminosas, e os gestores, além de serem demitidos, foram presos. Às vezes, os acionistas processam os diretores por não supervisionarem a administração adequadamente.

Felizmente, a atividade criminosa por parte dos administradores de grandes empresas é rara. Contudo, de alguma forma, é apenas a ponta do *iceberg*. Sempre que propriedade e controle são separados, como acontece na maioria das companhias, existe uma tensão inevitável entre os interesses dos acionistas e os da administração.

1 As companhias são sociedades anônimas, empresas cuja propriedade é constituída por acionistas. (NRT)

2 Usualmente denominado problema de agência, consiste na probabilidade de os administradores colocarem seus interesses pessoais acima dos interesses dos acionistas. (NRT)

3 Além de nem sempre coincidirem com o da maximização da riqueza dos proprietários, o objetivo principal da empresa segundo as finanças corporativas. (NRT)

22_1B Características ocultas: seleção adversa e o problema dos "abacaxis"

A **seleção adversa** é um problema que surge em mercados em que o vendedor sabe mais sobre os atributos de um bem que está sendo vendido que o comprador do bem. Como resultado, o comprador corre o risco de comprar um bem de baixa qualidade, ou seja, a "seleção" dos bens vendidos pode ser "adversa" do ponto de vista do comprador desinformado.

O exemplo clássico de seleção adversa é o mercado de carros usados. Os vendedores de carros usados conhecem os defeitos dos veículos, ao passo que os compradores, frequentemente, os desconhecem. Como

seleção adversa
a tendência de que o *mix* de atributos não observados se torne indesejável do ponto de vista de uma parte desinformada

os proprietários dos piores carros têm maior probabilidade de vendê-los que os proprietários dos melhores carros, os compradores muitas vezes têm medo de adquirir um "abacaxi". Com isso, muitas pessoas evitam comprar veículos no mercado de carros usados. O problema dos "abacaxis" pode explicar por que um carro com apenas algumas semanas de uso pode ser milhares de dólares mais barato que um carro novo do mesmo tipo. O comprador pode achar que o vendedor está tentando se livrar do carro rapidamente porque sabe de algo que ele, o comprador, desconhece.

Um segundo exemplo de seleção adversa ocorre no mercado de trabalho. De acordo com outra teoria do salário de eficiência, as qualificações dos trabalhadores variam e eles podem conhecê-las melhor que as empresas que os contratam. Quando uma empresa reduz os salários que paga, os trabalhadores mais talentosos são os que mais tendem a pedir demissão, sabendo que têm mais chances de conseguir outro emprego. Pelo mesmo raciocínio, uma empresa pode optar por pagar salários acima do equilíbrio para atrair um *mix* melhor de trabalhadores.

Um terceiro exemplo de seleção adversa ocorre nos mercados de seguros. Por exemplo, os usuários de seguro-saúde sabem mais sobre os seus problemas de saúde do que as seguradoras. Uma vez que as pessoas com maiores problemas de saúde ocultos são mais propensas a contratar um seguro-saúde que as demais pessoas, o preço do seguro reflete os custos de uma pessoa mais doente que a média. Com isso, as pessoas de saúde média podem ser desencorajadas a contratar um seguro-saúde por causa do alto preço.

Quando os mercados estão sujeitos à seleção adversa, a mão invisível não necessariamente pode operar sua mágica. No mercado de carros usados, os proprietários de veículos bons podem optar por ficar com eles, em vez de vendê-los pelo preço baixo que os compradores céticos estão dispostos a pagar. No mercado de trabalho, os salários podem ficar acima do nível que equilibra oferta e demanda, resultando em desemprego. Nos mercados de seguros, os compradores com baixo risco podem optar por permanecer sem seguro, já que as apólices que lhes são oferecidas não refletem suas verdadeiras características. Algumas vezes, os defensores do seguro-saúde do governo apontam para o problema da seleção adversa como uma das razões pelas quais não se deve confiar no mercado privado para oferecer, por conta própria, a quantidade adequada de seguro-saúde.

22_1C Sinalização para transmitir informação particular

sinalização
uma ação praticada por uma parte informada para revelar informações particulares à parte desinformada

Embora a informação assimétrica seja, algumas vezes, motivação para políticas públicas, ela também motiva comportamentos individuais que, de outra forma, poderiam ser difíceis de explicar. Os mercados respondem ao problema da informação assimétrica de diversas maneiras. Uma delas é a **sinalização**, que se refere às ações praticadas por uma parte informada com o propósito exclusivo de revelar com credibilidade suas informações particulares.

Vimos exemplos de sinalização em capítulos anteriores. Como abordado no Capítulo 16, as empresas podem gastar dinheiro em publicidade para sinalizar aos clientes em potencial que seus produtos são de alta qualidade. No Capítulo 19, vimos que, em vez de aumentar sua produtividade, estudantes podem concluir graduações e pós-graduações para sinalizar aos empregadores em potencial que são pessoas de grande qualificação. Esses dois exemplos de sinalização (publicidade, instrução) podem parecer muito diferentes, mas, na verdade, são bem parecidos: nos dois casos, a parte informada (a empresa, o aluno) está usando o sinal para convencer a parte desinformada (o cliente, o empregador) de que está oferecendo algo de alta qualidade.

O que é preciso para que uma ação constitua um sinal eficaz? Obviamente, ela deve ter um custo. Se um sinal fosse gratuito, todos o usariam e ele não transmitiria nenhuma informação. Pelo mesmo motivo, há outro requisito: o sinal deve ser menos custoso, ou mais benéfico, para a pessoa que tiver o produto de maior qualidade. Do contrário, todos estariam sujeitos ao mesmo incentivo para usar o sinal e ele nada revelaria.

Considere novamente nossos dois exemplos. No caso da publicidade, uma empresa que tenha um bom produto colhe o benefício da publicidade, porque os consumidores que o experimentam uma vez têm maior chance de se tornar clientes constantes. Portanto, é racional para a empresa com um bom produto pagar pelo custo do sinal (publicidade) e é racional para o consumidor usar o sinal como fonte de informação sobre a qualidade do produto. No caso da instrução, uma pessoa talentosa pode concluir os estudos com mais facilidade que outra com menos talento. Assim, é racional para a pessoa talentosa arcar com o custo do sinal (instrução) e é racional para o empregador usar o sinal como fonte de informação sobre o talento de uma pessoa.

O mundo está repleto de exemplos de sinalização. Anúncios em revistas muitas vezes recorrem à frase "como mostrado na TV". Por que uma empresa que vende um produto em uma revista iria querer destacar esse fato? Uma possibilidade é que a empresa esteja tentando transmitir sua disposição para pagar por um sinal caro (um *spot* na TV), na esperança de que o leitor faça a inferência de que o produto é de alta qualidade. Pelo mesmo motivo, os formados em escolas de elite sempre destacam esse fato em seu currículo.

22_1D Seleção para descobrir informações privadas

seleção
uma ação praticada por uma parte desinformada para induzir a parte informada a revelar informações

Quando uma parte informada pratica ações para revelar suas informações particulares, chamamos esse fenômeno de *sinalização*. Já quando uma parte desinformada pratica ações para induzir a parte informada a revelar informações particulares, o fenômeno é chamado **seleção**.

Em alguns casos, a seleção nada mais é do que bom senso. Alguém que compra um carro usado pode perguntar se ele foi verificado por um mecânico antes da venda. O vendedor que se recuse a responder revela sua informação particular de que o carro é um abacaxi. O comprador pode optar por oferecer um preço mais baixo ou procurar outro carro.

Outros exemplos de seleção são mais sutis. Imagine, por exemplo, uma empresa que venda apólices de seguro para carros. A empresa gostaria de cobrar um prêmio baixo dos motoristas cautelosos e um prêmio alto dos motoristas de maior risco. Mas como diferenciar uns dos outros? Os motoristas sabem se são cautelosos ou de maior risco, mas não o revelariam. O histórico do motorista é uma fonte de informação (que as seguradoras efetivamente usam), mas, por causa da aleatoriedade intrínseca aos acidentes de automóvel, é um indicador imperfeito do risco futuro.

A seguradora poderia separar os dois tipos de motorista, oferecendo apólices diferentes que os induzissem a se distinguir por si mesmos. Uma política teria prêmio elevado e cobriria o custo total de quaisquer acidentes que acontecessem. A outra teria um prêmio menor, mas uma franquia de, digamos, \$ 1.000, ou seja, o motorista se responsabilizaria pelos primeiros \$ 1.000 em danos, e a companhia de seguros cobriria o restante. Observe que a franquia representa um encargo maior para os motoristas de maior risco, porque eles têm mais chances de se envolver em acidentes. Assim, havendo uma franquia grande o bastante, a apólice de prêmio menor com a franquia atrairia os motoristas cautelosos, enquanto a de prêmio maior sem a franquia atrairia os motoristas de maior risco. Em face desses dois tipos de apólice, os dois tipos de motorista revelariam suas informações particulares escolhendo apólices diferentes.

22_1E Informação assimétrica e política pública

Examinamos dois tipos de informação assimétrica – o risco moral e a seleção adversa – e vimos como as pessoas podem responder ao problema por meio de sinalização ou seleção. Vamos ver agora o que o estudo da informação assimétrica sugere a respeito do propósito adequado da política pública.

A tensão entre o sucesso de mercado e a falha de mercado é crucial para a microeconomia. No Capítulo 7, vimos que o equilíbrio de oferta e demanda é eficiente, já que maximiza o excedente total que a sociedade pode obter do mercado. A mão invisível de Adam Smith parecia ter poder supremo. Essa conclusão foi, então, temperada com o estudo das externalidades (Capítulo 10), dos bens públicos (Capítulo 11), da competição imperfeita (capítulos 15 a 17) e da pobreza (Capítulo 20). Esses exemplos de falhas de mercado demonstraram que o governo pode, às vezes, melhorar os resultados do mercado.

O estudo da informação assimétrica nos dá uma nova razão para ter cautela com os mercados. Quando algumas pessoas conhecem mais que outras, o mercado pode falhar ao colocar seus recursos em seu melhor uso. As pessoas que têm carros usados de alta qualidade podem ter dificuldade para vendê-los, porque os compradores têm medo de ficar com um abacaxi. Pessoas saudáveis podem ter dificuldade para conseguir seguro-saúde de baixo custo, porque as seguradoras as colocam na mesma categoria das pessoas que têm problemas de saúde significativos, porém ocultos.

Embora a informação assimétrica possa exigir ação do governo em alguns casos, há três fatos que complicam a questão. Primeiro, como vimos, o mercado privado pode, algumas vezes, lidar sozinho com as assimetrias de informação usando uma combinação de sinalização e seleção. Segundo, o governo raramente dispõe de mais informações que as partes privadas. Mesmo que a alocação de recursos do mercado não seja a melhor possível, pode ser a segunda melhor, ou seja, quando há informações assimétricas, os formuladores de políticas podem ter dificuldade para melhorar o resultado reconhecidamente imperfeito do mercado. E, terceiro, o próprio governo é uma instituição imperfeita – um tópico que abordaremos na próxima seção.

Teste rápido Alguém que contrata um seguro de vida paga determinada quantia por ano e sua família recebe uma quantia muito maior no caso de sua morte. Em sua opinião, as taxas de mortalidade entre os contratantes de seguro de vida devem ser maiores ou menores que entre as pessoas médias? Como isso pode ser um exemplo de risco moral? E de seleção adversa? Como uma companhia de seguros pode lidar com esses problemas?

22_2 ECONOMIA POLÍTICA

economia política
o estudo do governo mediante a utilização dos métodos analíticos da economia

Como vimos, os mercados, por si sós, nem sempre atingem uma alocação desejável dos recursos. Quando julgamos se o resultado de mercado é ineficiente ou injusto, pode ser a oportunidade para o governo entrar e melhorar a situação. Mas, antes de adotarmos um governo ativista, precisamos considerar mais um fato: o governo também é uma instituição imperfeita. O campo da **economia política** (por vezes chamado campo da *escolha pública*) aplica os métodos da economia para estudar como o governo funciona.

22_2A O paradoxo eleitoral de Condorcet

A maioria das sociedades avançadas usa os princípios democráticos para estabelecer políticas governamentais. Quando uma cidade está decidindo entre dois locais para a construção de um novo parque, por exemplo, há uma maneira simples de escolher: vence a maioria. Mas para a maioria das questões políticas o número de resultados possíveis é bem maior do que dois. Um novo parque, por exemplo, poderia ser construído em muitos locais diferentes. Nesse caso, como observou o marquês de Condorcet, um teórico político francês do século XVIII, a democracia pode ter algumas dificuldades para escolher o melhor resultado.

Suponha, por exemplo, que haja três resultados possíveis, chamados A, B e C, e que haja três tipos de eleitores com as preferências indicadas na Tabela 1. O prefeito da cidade quer agregar essas preferências individuais em preferências da sociedade como um todo. Como ele deve proceder?

De início, ele poderia experimentar agregar votos em pares. Se pedir aos eleitores que escolham entre B e C, os eleitores dos tipos 1 e 2 votarão em B, ficando B com a maioria. Se, então, pedir aos eleitores que escolham entre A e B, os eleitores dos tipos 1 e 3 escolherão A, dando a essa opção a maioria. Observando que A vence B e B vence C, o prefeito poderia concluir que A é a escolha dos eleitores.

Mas, espere: suponha que o prefeito peça, então, aos eleitores que escolham entre A e C. Nesse caso, os eleitores dos tipos 2 e 3 escolherão C, dando a essa opção a maioria dos votos. Ou seja, nas eleições

paradoxo de Condorcet
o fracasso da regra da maioria para produzir preferências transitivas para a sociedade

majoritárias em pares, A vence B, B vence C e C e vence A. Normalmente, a expectativa seria de que as preferências apresentassem uma propriedade chamada *transitividade*: se A é preferido a B e B é preferível a C, então seria de esperar que A fosse preferível a C. O **paradoxo de Condorcet** é que os resultados democráticos nem sempre obedecem a essa propriedade. A votação em pares pode produzir preferências transitivas para uma sociedade, mas, como mostra o exemplo da tabela, não há nada que garanta que o faça.

Uma implicação do paradoxo de Condorcet é de que a ordem em que as coisas são votadas pode afetar o resultado. Se o prefeito sugerir escolher primeiro entre A e B e, então, comparar o vencedor com C, a cidade acabará por escolher C. Mas, se os eleitores escolherem primeiro entre B e C e depois compararem o vencedor com A, a cidade escolherá A. E se os eleitores escolherem primeiro entre A e C e depois compararem o vencedor com B, a cidade acabará escolhendo B.

O paradoxo de Condorcet nos ensina duas lições. Uma, mais limitada, é de que, quando há mais de duas opções, a agenda (ou seja, a ordem em que os itens são votados) pode ter forte influência sobre o resultado de uma eleição democrática. A segunda, mais ampla, é de que o voto da maioria, por si só, não diz qual o resultado que uma sociedade realmente deseja.

22_2B O teorema da impossibilidade de Arrow

Desde que os cientistas políticos perceberam o paradoxo de Condorcet, dedicaram grandes esforços ao estudo dos sistemas eleitorais existentes e à sugestão de novos. Por exemplo, como alternativa ao voto majoritário em pares, o prefeito da cidade poderia pedir a cada eleitor que classificasse os resultados possíveis por ordem de preferência. Para cada eleitor, poderíamos atribuir 1 ponto para o último lugar, 2 pontos para o penúltimo, 3 pontos para o antepenúltimo, e assim por diante. Venceria o resultado que tivesse o maior número total de pontos. Com as preferências da Tabela 1, o vencedor seria o resultado B (faça as contas você mesmo). Esse método eleitoral é chamado *contagem de Borda*, em homenagem ao matemático e cientista político francês do século XVIII que o concebeu. É muito usado em pesquisas de classificação de equipes esportivas.

Há algum sistema eleitoral perfeito? O economista Kenneth Arrow abordou essa questão em seu livro de 1951, *Escolha social e valores individuais*. Arrow partiu da definição do que poderia ser um sistema eleitoral perfeito. Ele assume que os indivíduos da sociedade têm preferências entre os diversos resultados possíveis: A, B, C, e assim por diante. Então, faz a suposição de que a sociedade deseja um sistema eleitoral para escolher, entre esses resultados, aquele que satisfaça diversas condições:

- *Unanimidade*: se todos preferirem A a B, então A deverá superar B.
- *Transitividade*: se A supera B e B supera C, então A deve superar C.

Tabela 1
O paradoxo de Condorcet
Se os eleitores tivessem as preferências apresentadas a seguir pelos resultados A, B e C, então, em eleições majoritárias em pares, A venceria B, B venceria C e C venceria A.

	Tipo de eleitor		
	Tipo 1	Tipo 2	Tipo 3
Porcentagem do eleitorado	35%	45%	20%
Primeira opção	A	B	C
Segunda opção	B	C	A
Terceira opção	C	A	B

- *Independência de alternativas irrelevantes:* a classificação de dois resultados quaisquer A e B não deve depender de um terceiro resultado C que também esteja disponível.
- *Ausência de ditadores*: não existe nenhuma pessoa que sempre vença, independentemente das preferências de todas as demais.

teorema da impossibilidade de Arrow um resultado matemático que mostra que, em certas condições assumidas, não há sistema que permita agregar as preferências individuais em um conjunto válido de preferências sociais

Todas essas propriedades parecem ser as que um sistema eleitoral deva ter. Mas Arrow provou, matemática e irrefutavelmente, *que nenhum sistema eleitoral é capaz de satisfazer todas essas propriedades.* Esse resultado surpreendente é chamado **teorema da impossibilidade de Arrow**.

Os cálculos necessários para provar o teorema de Arrow vão além do objetivo deste livro, mas podemos ter uma noção de por que o teorema é verdadeiro a partir de dois exemplos. Já vimos o problema da votação majoritária em pares. O paradoxo de Condorcet mostra que a regra da maioria não é capaz de produzir uma classificação de resultados que sempre satisfaça a transitividade.

Como outro exemplo, a contagem de Borda não satisfaz a condição de independência das alternativas irrelevantes. Lembre-se de que, com base nas preferências da Tabela 1, o resultado B vencerá se for adotada uma contagem de Borda. Mas suponha que C desapareça subitamente como alternativa. Se o método de contagem de Borda for aplicado somente aos resultados A e B, então A vencerá (mais uma vez, faça as contas você mesmo). Portanto, a eliminação da alternativa C altera a classificação entre A e B. O motivo para essa alteração é que o resultado da contagem de Borda depende do número de pontos que A e B recebem, e o número de pontos depende de a alternativa irrelevante C também estar disponível.

O teorema da impossibilidade de Arrow é um resultado profundo e perturbador. Não nos diz que devemos abandonar a democracia como forma de governo. Mas diz, isso sim, que, independentemente do sistema eleitoral adotado por uma sociedade para agregar as preferências individuais de seus membros, de algum modo ele será falho como mecanismo de escolha social.

22_2C O eleitor mediano é o rei

Apesar do teorema de Arrow, as eleições são o meio usado por muitas sociedades para escolher líderes e políticas públicas, frequentemente por maioria. O passo seguinte do estudo do governo é verificar como funcionam os governos regidos pela vontade da maioria. Ou seja, em uma sociedade democrática, quem determina qual a política escolhida? Em alguns casos, a teoria do governo democrático resulta em uma resposta surpreendentemente simples.

teorema do eleitor mediano um resultado matemático que mostra que, se os eleitores estão escolhendo um ponto ao longo de uma linha e cada eleitor desejar o ponto mais próximo de seu preferido, então a regra da maioria levará à escolha do ponto preferido do eleitor mediano

Vamos exemplificar. Imagine que a sociedade esteja decidindo quanto dinheiro gastar em algum bem público, como o Exército ou parques nacionais. Cada eleitor tem seu orçamento preferido e sempre considera resultados mais próximos à sua preferência que resultados mais distantes dela. Portanto, poderíamos classificar os eleitores desde aqueles que preferem o menor orçamento aos que preferem o maior. A Figura 1 é um exemplo, no qual há cem eleitores e o orçamento varia de zero a $ 20 bilhões. Dadas essas preferências, que resultado você poderia esperar que a democracia produzisse?

De acordo com um resultado famoso chamado **teorema do eleitor mediano**, a vontade da maioria produzirá o resultado preferido pelo eleitor mediano. O *eleitor mediano* é aquele que está exatamente no meio de uma distribuição. Nesse exemplo, se tomarmos uma fila de eleitores organizada por ordem de preferência do orçamento e contarmos 50 eleitores até o fim da fila, veremos que o eleitor mediano deseja um orçamento de $ 10 bilhões. Entretanto, o resultado preferido médio (que é calculado

Figura 1
O teorema do eleito mediano: um exemplo
Este gráfico mostra como o orçamento preferido de cem eleitores se distribui entre cinco opções, de zero a $ 20 bilhões. Se a sociedade decidir pela vontade da maioria, o eleitor mediano (que, nesse caso, deseja um orçamento de $ 10 bilhões) determinará o resultado.

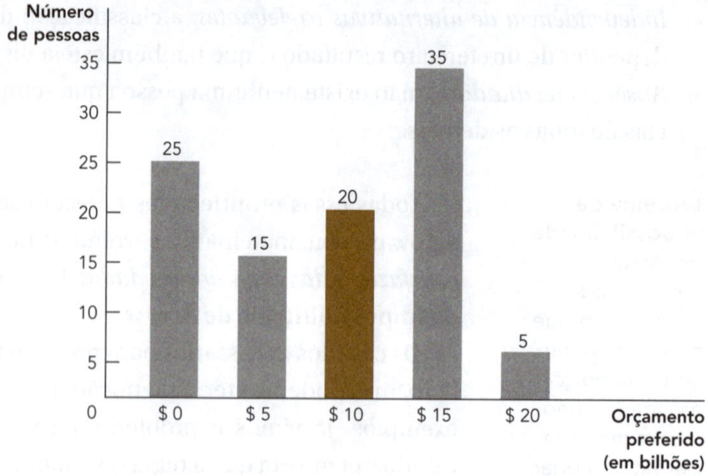

somando-se os resultados e dividindo-os pelo número de eleitores) é de $ 9 bilhões, e o modal (o resultado preferido do maior número de eleitores) é de $ 15 bilhões.

O eleitor mediano vence, porque seu resultado preferido supera qualquer outra proposta em uma disputa entre duas opções. Em nosso exemplo, mais da metade dos eleitores quer orçamentos de $ 10 bilhões ou mais, e mais da metade quer orçamentos de $ 10 bilhões ou menos. Se alguém propuser, digamos, $ 8 bilhões em vez de $ 10 bilhões, todos os que preferem $ 10 bilhões ou mais votarão com o eleitor mediano. De forma similar, se alguém propuser $ 12 bilhões, todos os que querem $ 10 bilhões ou menos votarão com o eleitor mediano. Seja em um caso, seja no outro, o eleitor mediano tem mais da metade dos eleitores do seu lado.

E quanto ao paradoxo eleitoral de Condorcet? Ocorre que, quando a maioria dos eleitores está escolhendo um ponto ao longo de uma linha e cada eleitor tenta se aproximar do seu ponto preferido, o paradoxo de Condorcet não pode surgir. O resultado preferido do eleitor mediano supera todos os concorrentes.

Uma implicação do teorema do eleitor mediano é que, se dois partidos políticos estiverem, cada um deles, tentando maximizar sua chance de eleição, os dois moverão seu posicionamento para aproximar-se do eleitor mediano. Suponha, por exemplo, que o Partido Democrata proponha um orçamento de $ 15 bilhões, e o Partido Republicano, um orçamento de $ 10 bilhões. A posição democrata é mais popular, no sentido de que a proposta de $ 15 bilhões atrai mais eleitores que qualquer outra proposta por si só. Ainda assim, os republicanos conseguem mais de 50% dos votos: eles atraem os 20 eleitores que desejam $ 10 bilhões, os 15 que desejam $ 5 bilhões e os 25 que desejam zero. Se os democratas quiserem vencer, terão de mover sua plataforma para um ponto mais próximo do eleitor mediano. Isso explica, na teoria, por que os partidos em um sistema bipartidário são tão parecidos. Os dois estão se aproximando do eleitor mediano.

Outra implicação do teorema do eleitor mediano é que as opiniões minoritárias nunca recebem muita atenção. Imagine que 40% da população deseje que se gaste muito dinheiro nos parques nacionais e que 60% deseje que não se gaste nada. Nesse caso, a preferência do eleitor mediano é zero, independentemente da opinião da minoria. É assim que funciona a democracia. Em vez de atingir um meio-termo que leve em consideração as preferências de todos, a regra da maioria se volta apenas para a pessoa que está exatamente no meio da distribuição.

22_2D Os políticos também são pessoas

Quando os economistas estudam o comportamento dos consumidores, supõem que estes comprem a combinação de bens e serviços que lhes proporciona o maior nível de satisfação. Quando os economistas estudam o comportamento das empresas, supõem que elas produzam a quantidade de bens e serviços que leva ao maior nível de lucros. O que os economistas deveriam supor quando estudam as pessoas envolvidas na prática de políticas?

Os políticos também têm objetivos. Seria bom poder admitir que os líderes políticos estão sempre em busca do bem-estar da sociedade como um todo, que eles têm como meta uma combinação ótima de eficiência e igualdade. Seria bom, mas não realista. O interesse próprio é uma motivação tão poderosa para os políticos quanto o é para os consumidores e proprietários das empresas. Alguns políticos são motivados pelo desejo de se reeleger e se dispõem a sacrificar o interesse nacional se isso puder solidificar sua base de eleitores. Outros são motivados por simples ganância. Se tiver alguma dúvida quanto a isso, basta observar os países mais pobres do mundo, onde a corrupção entre os executivos do governo é um obstáculo comum ao desenvolvimento econômico.

Este livro não é o meio adequado para desenvolver uma teoria do comportamento político. Mas ao pensar na política econômica, lembre-se de que ela é feita não por um rei benevolente (ou mesmo por economistas benevolentes), e sim por pessoas reais, com seus próprios interesses puramente humanos. Às vezes, elas são motivadas pelo desenvolvimento nacional, em outros casos, porém, sua motivação está em suas próprias ambições políticas e financeiras. Não devemos, portanto, nos surpreender quando a política econômica diverge dos ideais apontados nos livros de economia.

Teste rápido Uma escola pública distrital está votando para decidir o orçamento escolar e, consequentemente, a proporção entre alunos e professores. Uma pesquisa revela que 20% dos eleitores desejam uma proporção de 9/1, 25% desejam 10/1, 15% desejam 11/1 e 40% desejam 12/1. Que resultado você esperaria da votação? Explique.

22_3 ECONOMIA COMPORTAMENTAL

economia comportamental a área da economia que integra os *insights*[1] da psicologia

A economia é o estudo do comportamento humano, mas não é o único campo que pode fazer essa afirmação, pois a ciência social da psicologia também lança luz sobre as escolhas que as pessoas fazem durante a vida. Os campos da economia e da psicologia costumam operar independentemente, em parte porque abordam um conjunto diferente de questões. No entanto, surgiu recentemente um campo chamado **economia comportamental**, em que os economistas estão usando princípios básicos de psicologia. Vamos abordar aqui alguns desses princípios.

22_3A As pessoas nem sempre são racionais

A teoria econômica é povoada por uma espécie de indivíduos às vezes chamada *Homo economicus.* Os membros dessa espécie são sempre racionais. Como administradores de empresas, maximizam os lucros. Como consumidores, maximizam a utilidade (ou, o que dá no mesmo, escolhem o ponto da curva de indiferença mais alta). Dadas as restrições a que estão sujeitos, ponderam racionalmente os custos e os benefícios e sempre escolhem o melhor curso de ação possível.

As pessoas reais, contudo, são *Homo sapiens*. Embora lembrem de muitas maneiras os habitantes racionais e calculistas da teoria econômica, elas são muito mais complexas. Podem ser esquecidas, impulsivas, confusas, emotivas e de horizontes curtos. Essas imperfeições do raciocínio humano são o ganha-pão da psicologia, mas, até recentemente, os economistas as desconsideravam.

Herbert Simon, um dos primeiros cientistas sociais a trabalhar na fronteira entre a economia e a psicologia, sugeriu que os humanos podem ser vistos não como maximizadores racionais, mas como *satisficers.*[2] Em vez de sempre escolherem o melhor curso de ação, tomam decisões que são apenas boas o suficiente. De forma similar, outros economistas sugeriram que os humanos são apenas "quase racionais" ou que apresentam "racionalidade limitada".

1. Percepção repentina de revelação subconsciente de alguma coisa. (NRT)
2. Consumidor que fica satisfeito quando encontra algo que é "bom o suficiente". (NRT)

Estudos sobre a tomada de decisões dos humanos procuraram identificar erros sistemáticos que as pessoas cometem. Eis algumas das descobertas:

- *As pessoas são excessivamente confiantes.* Imagine que alguém lhe faça perguntas numéricas, como o número de países africanos membros das Nações Unidas, a altura da montanha mais alta da América do Norte etc. Em vez de responder com uma estimativa exata, você deve indicar um intervalo de confiança de 90%, ou seja, um intervalo em que você possa ter 90% de certeza de que o número verdadeiro está dentro dele. Quando psicólogos fazem experimentos desse tipo, percebem que a maioria das pessoas propõe intervalos muito pequenos: o número verdadeiro cai dentro de seus intervalos bem menos que 90% das vezes. Ou seja, a maioria das pessoas confia demais na própria capacidade.
- *As pessoas dão importância demais a um pequeno número de observações vívidas.* Imagine que você esteja pensando em comprar um carro da marca X. Para saber mais sobre a confiabilidade do veículo, lê a *Consumer Reports*, que fez uma pesquisa com mil proprietários do carro X. Então você encontra uma amiga que possui um carro da marca e ela diz que é um "abacaxi". Como você trata a observação da sua amiga? Se pensar racionalmente, verá que ela só aumentou o tamanho da amostra de 1.000 para 1.001, o que não representa muita informação nova. Mas como a história de sua amiga é de fato vívida, você pode sentir-se tentado a dar maior peso a ela em sua tomada de decisão do que deveria.
- *As pessoas relutam em mudar de ideia.* As pessoas tendem a interpretar as evidências de maneira a confirmar crenças que já tenham. Em um estudo, pediu-se aos entrevistados que lessem e avaliassem um relatório de pesquisa a respeito da pena capital quanto à sua capacidade de reduzir a criminalidade. Após lerem o relatório, as pessoas inicialmente favoráveis à pena de morte afirmaram estar mais convencidas de sua opinião, e as que eram contrárias também disseram estar mais convencidas de sua opinião. Os dois grupos interpretaram as mesmas evidências de maneiras exatamente opostas.

Pense nas decisões que tomou em sua vida. Você apresenta alguns desses traços?

Uma questão frequente em debates acalorados é se os desvios de racionalidade são importantes para entender os fenômenos econômicos. Um exemplo intrigante surge no estudo dos planos 401(k), as contas de poupança com vantagens tributárias para aposentadoria que algumas empresas oferecem a seus trabalhadores. Em algumas empresas, os trabalhadores podem escolher participar do plano, bastando preencher um formulário simples. Em outras, os trabalhadores são inscritos automaticamente e podem optar por sair do plano, bastando preencher um formulário simples. O fato é que mais trabalhadores participam no segundo caso que no primeiro. Se os trabalhadores fossem maximizadores perfeitamente racionais, escolheriam a quantidade ótima de poupança para a aposentadoria, independentemente da condição inicial oferecida pelo empregador. De fato, o comportamento dos trabalhadores parece exibir considerável grau de apatia. Entender seu comportamento parece mais fácil quando abandonamos o modelo do homem racional.

Por que, você poderia perguntar, a economia se baseia na hipótese da racionalidade quando a psicologia e o bom senso a colocam em dúvida? Uma resposta possível é que a hipótese, mesmo que não seja exatamente verdadeira, pode ser uma boa aproximação de modelos de comportamento razoavelmente precisos. Por exemplo, quando estudamos as diferenças entre as empresas monopolistas e as competitivas, a hipótese de que as empresas racionais maximizam o lucro rendeu muitas considerações importantes e válidas. A incorporação de desvios psicológicos complexos da racionalidade no exemplo pode ter acrescentado algum realismo, mas também teria deixado as coisas mais obscuras, tornando tais considerações mais difíceis de serem deduzidas. Lembre-se de que, como vimos no Capítulo 2, os modelos econômicos não pretendem ser réplicas da realidade, mas simplesmente mostrar a essência do problema.

Outro motivo pelo qual os economistas adotam com tanta frequência a hipótese da racionalidade pode ser porque os próprios economistas não são, eles mesmos, maximizadores racionais. Como a maioria das pessoas, eles têm excesso de confiança e relutam em mudar de ideia. Sua escolha entre teorias alternativas do comportamento humano pode exibir apatia excessiva. Além disso, os economistas podem se contentar com uma teoria que, se não é perfeita, é boa o suficiente. O modelo do homem racional pode ser a teoria da escolha que deixa satisfeito um cientista social.

22_3B As pessoas se importam com a justiça

Outro princípio a respeito do comportamento humano pode ser mais bem ilustrado com um experimento chamado *jogo do ultimato*. O jogo funciona assim: dizemos a dois voluntários (que não se conhecem) que eles vão participar de um jogo e podem ganhar até $ 100. Antes do jogo, eles aprendem as regras. Primeiro, joga-se uma moeda para atribuir aos jogadores os papéis de jogador A e jogador B. O objetivo do jogador A é propor uma divisão do prêmio de $ 100 entre ele e o outro jogador. Depois de o jogador A ter feito sua proposta, o jogador B decide se a aceita ou não. Se aceitar, os dois são pagos de acordo com a proposta, mas se o jogador B rejeitá-la, os dois irão embora sem ganhar nada. Qualquer que seja a decisão tomada, o jogo termina.

Nessa situação, se fosse o jogador A, que divisão dos $ 100 proporia? Se fosse o jogador B, que propostas aceitaria?

A teoria econômica convencional admite que as pessoas sejam maximizadoras de riqueza racionais. Essa hipótese leva a uma previsão simples: o jogador A deve propor ficar com $ 99, o que significa que o jogador B receberá $ 1, e que o jogador B deve aceitar a proposta. Afinal de contas, uma vez feita a proposta, o jogador B estará em melhor situação se aceitá-la, desde que receba alguma coisa. Além disso, como o jogador A sabe que aceitar a proposta favorece os interesses de B, não tem nenhum motivo para oferecer mais do que $ 1. Na linguagem da teoria dos jogos (abordada no Capítulo 17), a divisão 99-1 é o equilíbrio de Nash.

No entanto, quando economistas experimentais pedem a pessoas reais que participem do jogo do ultimato, os resultados são muito diferentes dos previstos aqui. As pessoas que estão no papel do jogador B costumam rejeitar as propostas que só proporcionam $ 1 ou outra quantia muito pequena. Cientes disso, as pessoas que estão no papel de jogador A, geralmente, propõem dar ao jogador B bem mais que $ 1. Algumas pessoas oferecem divisão em partes iguais, mas é muito mais comum o jogador A oferecer ao jogador B uma quantia como $ 30 ou $ 40, mantendo a maior parte para si. Nesse caso, o jogador B costuma aceitar a proposta.

O que está acontecendo aqui? A interpretação intuitiva é a de que as pessoas são motivadas, em parte, por um senso de justiça inato. Uma divisão 99-1 parece tão injusta para tantas pessoas que elas a rejeitam, mesmo em detrimento de si próprias. No entanto, uma divisão 70-30 ainda é injusta, mas não tanto que leve as pessoas ao abandono de seu interesse próprio.

Em todo o nosso estudo do comportamento das famílias e empresas, o senso natural de justiça não desempenhou nenhuma função, mas os resultados do jogo do ultimato sugerem que talvez devesse. Por exemplo, nos capítulos 18 e 19, vimos como os salários são determinados pela oferta e demanda de mão de obra. Alguns economistas sugerem que a sensação de justiça a respeito do que uma empresa paga a seus trabalhadores também deve ser levada em consideração. Assim sendo, quando uma empresa tem um ano especialmente lucrativo, os trabalhadores (como o jogador B) podem esperar receber uma parte justa de recompensa, mesmo que o equilíbrio normal não o determine. A empresa (como o jogador A) pode perfeitamente decidir dar aos trabalhadores mais que o salário de equilíbrio, temendo que, do contrário, eles procurem puni-la com menor esforço, greves ou até mesmo vandalismo.

22_3C As pessoas são inconsistentes ao longo do tempo

Imagine alguma tarefa irritante, como lavar sua roupa, limpar a neve da calçada ou preencher os formulários do imposto de renda. Agora considere as seguintes questões:

1. Você preferiria (A) passar 50 minutos cumprindo a tarefa imediatamente ou (B) passar 60 minutos cumprindo a tarefa no dia seguinte?
2. Você preferiria (A) passar 50 minutos cumprindo a tarefa daqui a 90 dias ou (B) passar 60 minutos cumprindo a tarefa daqui a 91 dias?

Quando questões como essas são propostas, muitas pessoas escolhem B na questão 1 e A na questão 2. Quando olham para o futuro (como na questão 2), elas minimizam a quantidade de tempo dedicada à tarefa incômoda. Mas ante a perspectiva de cumprir a tarefa imediatamente (como na questão 1), preferem adiar.

De certa forma, esse comportamento não surpreende: todos procrastinam de tempos em tempos. Mas do ponto de vista da teoria do homem racional, isso causa estranheza. Suponha que, respondendo à questão 2, alguém opte por gastar 50 minutos daqui a 90 dias. Então, quando chega o 90º dia, permitimos que mude de ideia. Na prática, a pessoa se deparará com a questão 1, de modo que optará por deixar a tarefa para o dia seguinte. Mas por que a simples passagem do tempo afeta as escolhas feitas?

Em muitas situações na vida, as pessoas fazem planos para si mesmas, mas não os cumprem. Um fumante promete parar, mas poucas horas depois de apagar o último cigarro sente vontade de fumar e quebra sua promessa. Alguém que esteja tentando emagrecer promete parar de comer sobremesa, mas quando o garçom traz o carrinho de doces a promessa é esquecida. Nos dois casos, o desejo por uma satisfação imediata induz o tomador de decisões a abandonar seus próprios planos.

Alguns economistas acreditam que a decisão consumo-poupança é um exemplo importante dessa inconsistência ao longo do tempo. Para muitas pessoas, os gastos representam uma forma de satisfação imediata. Poupar, como parar de fumar ou abandonar a sobremesa, exige um sacrifício do presente em troca de uma recompensa no futuro distante. E assim como muitos fumantes adorariam conseguir parar de fumar e muitas pessoas acima do seu peso ideal desejariam comer menos, muitos consumidores gostariam de poupar mais. De acordo com uma pesquisa, 76% dos norte-americanos afirmam que não estão poupando o suficiente para sua aposentadoria.

Uma implicação dessa incoerência ao longo do tempo é que as pessoas tentariam encontrar maneiras de se comprometer com o cumprimento dos planos que fazem. Um fumante que quer parar de fumar pode jogar fora os cigarros que restam, e alguém que esteja de dieta pode colocar um cadeado na geladeira. O que pode fazer alguém que não poupa o suficiente? Essa pessoa precisa encontrar alguma maneira de "trancar" seu dinheiro antes que possa gastá-lo. É exatamente o que fazem algumas contas de aposentadoria, como os planos 401(k). Um trabalhador pode concordar em ter algum dinheiro retirado de seu contracheque antes mesmo de tê-lo em mãos. O dinheiro é depositado em uma conta que somente pode ser movimentada antes da aposentadoria mediante o pagamento de uma multa. Talvez esta seja a razão pela qual essas contas de aposentadoria são tão populares: elas protegem as pessoas de seus próprios desejos de satisfação imediata.

Teste rápido Descreva pelo menos três maneiras pelas quais a tomada de decisões humana difere da do indivíduo racional da teoria econômica convencional.

22_4 CONCLUSÃO

Este capítulo examinou a fronteira da microeconomia. Você talvez tenha percebido que nos limitamos a delinear as ideias, sem desenvolvê-las. Isso não foi por acaso. Um dos motivos é que você poderá estudar esses tópicos com mais detalhes em cursos avançados. O outro é que esses tópicos são áreas ativas de pesquisa e, portanto, ainda estão sendo investigados.

Para ver como esses tópicos se enquadram no panorama geral, lembre-se dos *Dez princípios de economia* do Capítulo 1. Um deles diz que os mercados costumam ser um bom jeito de organizar a atividade econômica. Outro, declara que os governos podem, às vezes, melhorar os resultados de mercado. Ao estudar a economia, você poderá apreciar mais plenamente a verdade desses princípios e também as limitações que eles apresentam. O estudo das informações assimétricas deve tê-lo deixado cauteloso com os resultados de mercado. O estudo da economia política deve tê-lo deixado precavido com as soluções do governo. E o estudo da economia comportamental deve tê-lo deixado precavido com qualquer instituição que dependa da tomada de decisões pelas pessoas - incluindo os mercados e o governo.

Se há um tema comum a esses tópicos, é o de que a vida é complicada. A informação é imperfeita, o governo é imperfeito, as pessoas são imperfeitas. É claro que você já sabia disso muito antes de começar a estudar economia, mas os economistas precisam entender essas imperfeições com a maior precisão possível para que possam explicar e, quem sabe, melhorar o mundo que os cerca.

Teste rápido do capítulo

1. Como Elaine tem um histórico familiar de problemas médicos significativos, ela paga seguro-saúde, enquanto seu amigo Jerry, que tem uma família mais saudável, vive sem ele. Este é um exemplo de:

a. Risco moral.
b. Seleção adversa.
c. Sinalização.
d. Seleção.

2. George tem uma apólice de seguro de vida que pagará $ 1 milhão à sua família caso ele morra. Como resultado, ele não hesita em aproveitar seu *hobby* favorito: saltar de *bungee jumping*.[3] Este é um exemplo de:

a. Risco moral.
b. Seleção adversa.
c. Sinalização.
d. Seleção.

3. Antes de vender uma apólice de seguro de saúde, a Kramer Insurance Company exige que os interessados passem por um exame médico. A empresa cobra mais daqueles que apresentarem problemas médicos graves preexistentes. Este é um exemplo de:

a. Risco moral.
b. Seleção adversa.
c. Sinalização.
d. Seleção.

4. O paradoxo de Condorcet ilustra o teorema da impossibilidade de Arrow ao mostrar que a votação majoritária em pares:

a. É inconsistente com o princípio da unanimidade.
b. Leva a preferências sociais que não são transitivas.
c. Viola a independência das alternativas irrelevantes.
d. Torna uma pessoa efetivamente um ditador.

5. Dois candidatos políticos estão disputando o cargo de prefeito da cidade e a questão principal é quanto gastar na queima de fogos de artifício anual na festa da independência. Entre os 100 eleitores, 40 querem gastar $ 30 mil, 30 querem gastar $ 10 mil e 30 não querem gastar nada. Qual é a posição vencedora desta questão?

a. $ 10 mil
b. $ 15 mil
c. $ 20 mil
d. $ 30 mil

6. O experimento chamado jogo do ultimato ilustra que as pessoas:

a. Confiam demais em suas habilidades.
b. Empregam o equilíbrio de Nash em situações estratégicas.
c. Preocupam-se com justiça, mesmo que seja em detrimento próprio.
d. Tomam decisões inconsistentes ao longo do tempo.

RESUMO

- Em muitas transações econômicas, a informação é assimétrica. Quando há ações ocultas, os principais podem temer que os agentes sofram do problema do risco moral. Quando há características ocultas, os compradores podem temer a questão da seleção adversa entre os vendedores. Os mercados privados, às vezes, lidam com a informação assimétrica por meio de sinalização e seleção.
- Embora a política governamental possa, às vezes, melhorar os resultados de mercado, os governos são, eles mesmos, instituições imperfeitas. O paradoxo de Condorcet mostra que a regra da maioria fracassa em produzir preferências transi-

3. Esporte radical, que consiste em saltar de uma altura num vazio elevado amarrado aos tornozelos ou cintura por uma corda elástica. (NRT)

tivas para a sociedade, e o teorema da impossibilidade de Arrow mostra que não há sistema eleitoral perfeito. Em muitas situações, as instituições democráticas produzem o resultado desejado pelo eleitor mediano, independentemente das preferências do restante do eleitorado. Além disso, as pessoas que estabelecem a política governamental podem ser motivadas por interesses próprios, e não pelo interesse nacional.

- O estudo da psicologia e da economia revela que a tomada de decisões humana é mais complexa do que se costuma admitir na teoria econômica convencional. As pessoas nem sempre são racionais, elas se preocupam com a justiça dos resultados econômicos (mesmo em detrimento próprio) e podem ser inconsistentes ao longo do tempo.

CONCEITOS-CHAVE

risco moral, p. 365
agente, p. 365
principal, p. 365
seleção adversa , p. 367
sinalização, p. 367
seleção, p. 368
economia política p. 369
paradoxo de Condorcet , p. 370
teorema da impossibilidade de Arrow, p. 371
teorema do eleitor mediano, p. 371
economia comportamental, p. 373

QUESTÕES PARA REVISÃO

1. O que é risco moral? Relacione três coisas que um empregador poderia fazer para atenuar esse problema.
2. O que é seleção adversa? Dê um exemplo de um mercado em que a seleção adversa poderia representar um problema.
3. Defina *sinalização* e *seleção,* e dê um exemplo de cada um deles.
4. Que propriedade estranha do processo eleitoral foi observada por Condorcet?
5. Explique por que a regra da maioria respeita as preferências do eleitor mediano e não as do eleitor médio.
6. Descreva o jogo do ultimato. Que resultado a teoria econômica convencional poderia prever para esse jogo? A prática confirma essa previsão? Explique.

PROBLEMAS E APLICAÇÕES

1. Todas as situações a seguir envolvem risco moral. Em cada caso, identifique o principal e o agente e explique por que há informação assimétrica. De que maneira a ação descrita atenua o problema do risco moral?
   a. Os proprietários exigem que seus inquilinos depositem uma caução.
   b. As empresas recompensam seus executivos mais graduados com opções de compra de ações da empresa a determinado preço no futuro.
   c. As seguradoras de carros oferecem descontos a clientes que instalem dispositivos antifurto em seus veículos.
2. Suponha que a Live-Long-and-Prosper Health Insurance Company cobre $ 5 mil por ano por uma apólice familiar. Para aumentar os lucros, o presidente da empresa sugere elevar o preço anual para $ 6 mil. Se a empresa seguir essa sugestão, que problema econômico poderá surgir? A clientela da empresa tenderia, em média, a se tornar mais ou menos saudável? Os lucros da empresa aumentariam, necessariamente?
3. Um homem pode sinalizar para sua namorada que a ama oferecendo-lhe um presente apropriado. Você acha que dizer "eu te amo" também pode servir como um sinal? Por quê?

4. A reforma do seguro-saúde sancionada pelo presidente Obama em 2010 incluía as duas disposições a seguir:

   i. As companhias de seguro devem oferecer convênios a todos os requerentes e cobrar o mesmo preço, independentemente das condições de saúde preexistentes da pessoa.

   ii. Todos devem dispôr do seguro-saúde ou pagar uma penalidade, caso não o façam.

   a. Qual dessas políticas, considerada isoladamente, torna pior o problema da seleção adversa? Explique.
   b. Por que você acha que a política identificada na parte (a) foi incluída na lei?
   c. Por que você acha que a outra política foi incluída na lei?

5. Ken entra em uma sorveteria:

   Garçom: "Hoje temos sorvete de creme e de chocolate."
   Ken: "Quero o de creme."
   Garçom: "Quase me esqueci. Também temos de morango."
   Ken: "Nesse caso, quero o de chocolate."

   Que propriedade padrão da tomada de decisão Ken violou? (Dica: leia a seção sobre o teorema da impossibilidade de Arrow.)

6. Três amigos estão escolhendo um restaurante para jantar. Veja as preferências de cada um.

	Rachel	Ross	Joey
Primeira opção	Italiano	Italiano	Chinês
Segunda opção	Chinês	Chinês	Mexicano
Terceira opção	Mexicano	Mexicano	Francês
Quarta opção	Francês	Francês	Italiano

   a. Se eles empregarem a contagem de Borda para decidir, onde irão jantar?
   b. Quando estão a caminho do restaurante escolhido, percebem que os restaurantes francês e mexicano estão fechados, então usam a contagem de Borda mais uma vez para decidir entre as duas opções que restam. Qual escolhem?
   c. De que modo as respostas dos itens (a) e (b) se relacionam com o teorema da impossibilidade de Arrow?

7. Três amigos estão escolhendo um programa de TV para assistir. Veja as preferências de cada um deles.

	Chandler	Phoebe	Mônica
Primeira opção	*Empire*	*Supergirl*	*Homeland*
Segunda opção	*Supergirl*	*Homeland*	*Empire*
Terceira opção	*Homeland*	*Empire*	*Supergirl*

   a. Se os três usarem a contagem de Borda para decidir a que programa assistir, o que acontecerá?
   b. Mônica sugere uma votação pela vontade da maioria. Ela propõe que primeiro escolham entre *Empire* e *Supergirl*, em seguida entre o vencedor da primeira votação e *Homeland*. Se todos votarem honestamente, qual será o resultado?
   c. Chandler deve concordar com a sugestão de Mônica? Que sistema de votação ele preferiria?
   d. Phoebe e Mônica convencem Chandler a concordar com o sistema de votação de Mônica. Na primeira votação, Chandler, desonestamente, diz que prefere *Supergirl* a *Empire*. Por que ele faria isso?

8. Cinco colegas de quarto planejam passar o final de semana assistindo a filmes no quarto e estão discutindo quantos filmes irão assistir. Eis a disponibilidade de cada um para pagar:

	Quentin	Spike	Ridley	Martin	Steven
Primeiro filme	$ 14	$ 10	$ 8	$ 4	$ 2
Segundo filme	12	8	4	2	0
Terceiro filme	10	6	2	0	0
Quarto filme	6	2	0	0	0
Quinto filme	2	0	0	0	0

   Comprar um DVD custa $ 15, que, dividido igualmente entre os cinco colegas, resultaria no pagamento individual de $ 3 por filme.

   a. Qual é o número eficiente de filmes para assistir, ou seja, o número de filmes que maximiza o excedente total?
   b. Do ponto de vista de cada um deles, qual é o número preferível de filmes?
   c. Qual é a preferência do colega mediano?
   d. Se eles fizessem uma votação entre o resultado eficiente *versus* a preferência do eleitor

mediano, como cada um deles votaria? Que resultado teria a maioria dos votos?

e. Se um deles propusesse um número diferente de filmes, de que modo essa proposta derrotaria o vencedor do item (d) em uma votação?

f. A regra da maioria pode ser usada para alcançar resultados eficientes na provisão de bens públicos?

9. Dois carrinhos de sorvete estão decidindo onde se instalar em uma praia com 2 quilômetros de extensão. As pessoas estão uniformemente distribuídas ao longo da praia e cada uma compra exatamente um sorvete por dia do carrinho mais próximo. Cada vendedor deseja para si o número máximo de clientes. Em qual ponto da praia os dois irão ficar? Esse problema refere-se a que resultado abordado neste capítulo?

10. O governo está considerando duas formas de ajudar os necessitados: dando-lhes dinheiro ou dando-lhes refeições gratuitas em cozinhas comunitárias.

a. Forneça um argumento, com base na teoria padrão do consumidor racional, a favor da doação de dinheiro.

b. Forneça um argumento, com base na informação assimétrica, que mostre por que a cozinha comunitária pode ser melhor que a doação de dinheiro.

c. Forneça um argumento, com base na economia comportamental, que mostre por que a cozinha comunitária pode ser melhor que a doação de dinheiro.

Parte VIII

Dados macroeconômicos

CAPÍTULO 23

Medindo a renda nacional

Quando você concluir os estudos e começar a procurar por um emprego em tempo integral, sua experiência será moldada, em grande medida, pelas condições econômicas do momento. Em alguns períodos, as empresas de toda a economia expandem sua produção de bens e serviços, o nível de emprego aumenta e as pessoas encontram facilmente trabalho. Em outros, as empresas reduzem a produção, o nível de emprego está em declínio e as pessoas têm dificuldade para encontrar um bom trabalho. Não surpreende, portanto, que qualquer estudante recém-formado prefira entrar no mercado de trabalho em um ano de expansão econômica a ingressar em um ano de contração econômica.

Como a saúde geral da economia afeta profundamente todos nós, as mudanças das condições econômicas são muito noticiadas pela mídia. Na verdade, é difícil pegar um jornal, ler um portal de notícias *on-line* ou ligar a TV sem ver alguma estatística recém-divulgada sobre economia. A estatística pode medir a renda total de todas as pessoas da economia (produto interno bruto - PIB), a taxa a que os preços estão aumentando ou caindo (inflação/deflação), a porcentagem da força de trabalho que está sem emprego (taxa de desemprego), a despesa total nas lojas (vendas no varejo) ou o desequilíbrio do comércio entre os Estados Unidos e o restante do mundo (déficit comercial). Todas essas estatísticas são *macroeconômicas*. Em vez de dizerem algo sobre uma família, uma empresa específica ou um mercado, indicam algo sobre toda a economia.

Como vimos no Capítulo 2, a ciência econômica se divide em dois ramos: microeconomia e macroeconomia A **microeconomia** é o estudo de como as famílias e as empresas individuais tomam decisões e interagem umas com as outras nos mercados. A **macroeconomia** é o estudo da economia como um todo. O objetivo da macroeconomia é explicar as mudanças econômicas que afetam muitas famílias, empresas e mercados simultaneamente. Os macroeconomistas abordam diversas questões. Por que a renda média é elevada em alguns países e baixa em outros? Por que os preços sobem rapidamente em algumas épocas e permanecem mais estáveis em outras? Por que a produção e o emprego aumentam em alguns anos e se contraem em outros? O que o governo pode fazer para promover o crescimento acelerado da renda, a baixa inflação e um nível de emprego estável? Estas perguntas são todas de natureza macroeconômica, porque se referem ao funcionamento da economia como um todo.

microeconomia
o estudo de como famílias e empresas tomam decisões e de como interagem nos mercados

macroeconomia
o estudo de fenômenos que afetam a economia como um todo, incluindo inflação, desemprego e crescimento econômico

Como a economia nada mais é que um conjunto de muitas famílias e muitas empresas que interagem em muitos mercados, a microeconomia e a macroeconomia estão intimamente associadas. As ferramentas básicas de oferta e demanda, por exemplo, são tão cruciais para a análise macroeconômica quanto para a microeconômica. Mas estudar a economia levanta alguns desafios novos e intrigantes.

Neste capítulo e no próximo, abordaremos alguns dos dados que os economistas e os formuladores de políticas usam para monitorar o desempenho da economia, os quais refletem as mudanças econômicas que os macroeconomistas procuram explicar. Este capítulo trata do *produto interno bruto*, ou simplesmente PIB, que mede a renda total de um país. O PIB é a estatística econômica acompanhada com mais atenção, porque é considerada a melhor medida do bem-estar econômico de uma sociedade.

23_1 RENDA E DESPESA DA ECONOMIA

Se você fosse julgar a situação econômica de uma pessoa, olharia primeiramente para a renda dela. Uma pessoa com renda elevada tem mais facilidade para pagar pelos bens necessários e supérfluos que existem. Não surpreende que pessoas de renda elevada desfrutem de melhor padrão de vida - melhor moradia, melhor atendimento à saúde, carros mais luxuosos, férias mais opulentas, e assim por diante.

A mesma lógica se aplica à economia de um país. Ao julgar se uma economia vai bem ou mal, é natural examinar a renda total obtida por todos os membros dessa economia. Essa é a função do produto interno bruto (PIB).

O PIB mede duas coisas ao mesmo tempo: a renda total de todas as pessoas da economia e a despesa total com os bens e serviços produzidos na economia. O PIB consegue medir tanto a renda total quanto a despesa total porque, na verdade, as duas são a mesma coisa. *Para a economia como um todo, a renda deve ser igual à despesa.*

Por que isso é verdadeiro? A renda de uma economia é igual à despesa porque cada transação envolve duas partes: um comprador e um vendedor. Cada dólar de despesa de algum comprador corresponde a um dólar de renda para um vendedor. Suponha, por exemplo, que Karen pague a Doug $ 100 para que corte seu gramado. Nesse caso, Doug é um vendedor de um serviço e Karen é uma compradora. Doug ganha $ 100 e Karen gasta $ 100. Assim, a transação contribui igualmente para a renda da economia e para a despesa do país. O PIB, independentemente de ser medido pela renda ou pela despesa, aumenta em $ 100.

Outra maneira de enxergar a igualdade entre renda e despesa é por meio do diagrama de fluxo circular representado na Figura 1. Como vimos no Capítulo 2, esse diagrama descreve todas as transações que envolvem as famílias e as empresas de uma economia simples. Podemos simplificar as coisas supondo que todos

Figura 1
O diagrama do fluxo circular

As famílias compram bens e serviços das empresas, e as empresas usam a receita que obtêm das vendas para pagar salários aos trabalhadores, aluguel aos proprietários de terra e lucros aos proprietários das empresas. O PIB é igual ao total das despesas das famílias no mercado de bens e serviços. E é igual também ao total de salários, aluguéis e lucros pagos pelas empresas no mercado de fatores de produção.

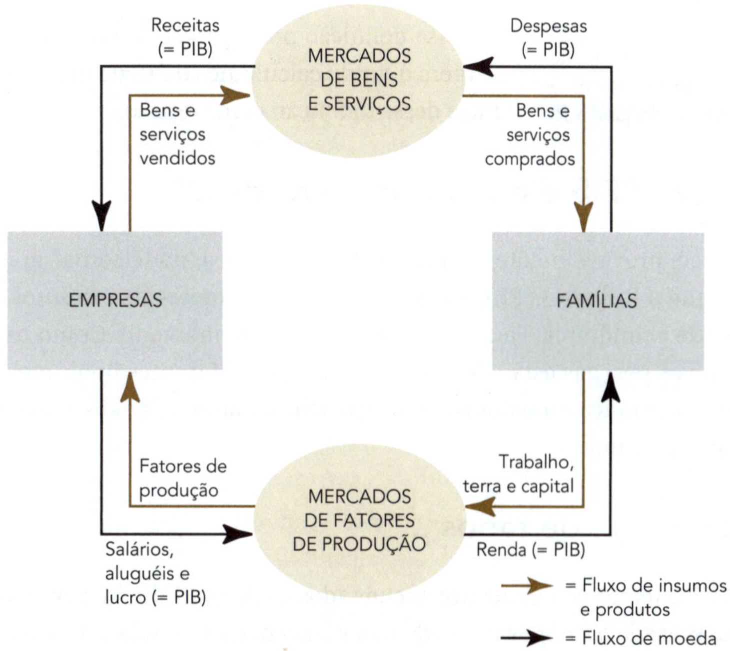

os bens e serviços são comprados por famílias e que elas gastam toda a sua renda. Nessa economia, as famílias compram bens e serviços das empresas; essas despesas fluem através dos mercados de bens e serviços. As empresas, por sua vez, usam o dinheiro que recebem pelas vendas para pagar salários aos trabalhadores, aluguéis aos proprietários da terra e lucros aos proprietários das empresas; essa renda flui através dos mercados de fatores de produção. Nessa economia, o dinheiro flui continuamente das famílias para as empresas e destas para as famílias.

Esse fluxo monetário é medido pelo PIB, que pode ser calculado de duas maneiras: somando-se a despesa total das famílias ou somando-se a renda total (salários, aluguéis e lucros) paga pelas empresas. Como qualquer despesa da economia acaba como renda de alguém, o PIB é o mesmo, independentemente do método de cálculo escolhido.

A economia real, naturalmente, é mais complicada que a representada na Figura 1. Em particular, as famílias não gastam toda a sua renda. Elas entregam parte ao governo, na forma de impostos, e poupam parte para algum uso futuro. Além disso, famílias não compram todos os bens e serviços produzidos na economia. Alguns bens e serviços são comprados pelos governos e outros por empresas que planejam usá-los no futuro na própria produção. Ainda assim, a lição básica permanece a mesma: independentemente de o comprador do bem ou serviço ser uma família, um governo ou uma empresa, a transação terá um comprador e um vendedor. Assim, para a economia como um todo, a despesa e a renda são sempre iguais.

Teste rápido Quais são as duas coisas medidas pelo produto interno bruto? Como ele pode medir duas coisas ao mesmo tempo?

23_2 MENSURAÇÃO DO PRODUTO INTERNO BRUTO

Agora que abordamos o significado do produto interno bruto em termos gerais, vamos ser mais precisos a respeito da medição dessa estatística. A seguir, apresentamos uma definição de PIB que o considera uma medida dos gastos totais:

produto interno bruto (PIB)
o valor de mercado de todos os bens e serviços finais produzidos em um país em um dado período

- **Produto interno bruto (PIB)** é o valor de mercado de todos os bens e serviços finais produzidos em um país em um dado período.

Essa definição pode parecer bem simples, mas, na verdade, muitas questões sutis surgem quando calculamos o PIB de uma economia. Vamos, portanto, considerar cada frase dessa definição com atenção.

23_2A "PIB é o valor de mercado..."

Você, provavelmente, já ouviu dizer que não se pode somar maçãs com laranjas, mas é exatamente isso o que o PIB faz. O PIB soma vários tipos diferentes de produtos em uma única medida de valor da atividade econômica. Para isso, usa os preços de mercado. Como os preços de mercado medem o montante que as pessoas estão dispostas a pagar por diferentes bens, eles refletem o valor desses bens. Se o preço de uma maçã for o dobro do preço de uma laranja, então a maçã contribuirá duas vezes mais para o PIB que a laranja.

23_2B "... de todos ..."

O PIB tenta ser abrangente. Inclui todos os itens produzidos na economia e vendidos legalmente nos mercados. Mede o valor de mercado não só das maçãs e das laranjas, mas também das peras e das uvas, dos livros e dos ingressos de cinemas, dos cortes de cabelo e dos serviços de saúde, e assim por diante.

O PIB também inclui o valor de mercado dos serviços de moradia prestados pelo estoque de moradias da economia. No caso das moradias alugadas, é fácil calcular esse valor - o aluguel é igual à despesa do inquilino e à renda do proprietário. Entretanto, muitas pessoas são donas do lugar em que vivem, e, por isso, não pagam aluguel. O governo inclui a moradia própria no PIB, estimando o valor de aluguel. Ou seja, o PIB se baseia na hipótese de que o proprietário pague o valor imputado do aluguel a si próprio, de modo que o aluguel esteja incluído tanto em suas despesas quanto em sua renda.

Há, contudo, alguns produtos que o PIB exclui por serem de difícil mensuração. O PIB desconsidera todos os itens produzidos e vendidos ilegalmente, como as drogas ilegais. Exclui também itens produzidos e consumidos em casa e que, portanto, nunca entram no mercado. As verduras que você compra na quitanda fazem parte do PIB, mas não as que você cultiva em casa.

Essas exclusões do PIB podem, por vezes, levar a resultados paradoxais. Por exemplo, quando Karen paga a Doug para que corte seu gramado, a transação faz parte do PIB. Se ela se casasse com Doug, a situação mudaria. Embora Doug possa continuar a cortar o gramado de Karen, o valor do serviço deixa de ser incluído no PIB, porque o serviço de Doug não está mais sendo vendido em um mercado. Assim, quando Karen e Doug se casam, o PIB se reduz.

23_2C "... bens e serviços ..."

O PIB inclui tanto os bens tangíveis (alimento, vestuário, carros) quanto os serviços intangíveis (cortes de cabelo, faxina, consultas médicas). Quando você compra um CD da sua banda predileta, está comprando um bem, e o preço de compra faz parte do PIB. Quando você paga para assistir a um show da mesma banda, está comprando um serviço, e o preço do ingresso também faz parte do PIB.

23_2D "... finais ..."

Quando a International Paper produz papel que a Hallmark usa para fazer um cartão, o papel é chamado *bem intermediário*, e o cartão, *bem final*. O PIB inclui somente o valor dos bens finais. E o motivo disso é que o valor dos bens intermediários já está incluído no preço dos bens finais. Somar o valor de mercado do papel ao valor de mercado do cartão seria uma dupla contagem, ou seja, contar duas vezes (incorretamente) o papel.

Uma exceção importante a esse princípio surge quando um bem intermediário é produzido e, em vez de ser usado, é acrescentado ao estoque de bens de uma empresa para ser usado ou vendido em uma data posterior. Nesse caso, o bem intermediário é considerado "final", nesse momento, e seu valor como investimento em estoque é incluído como parte do PIB. Portanto, os acréscimos ao estoque são somados ao PIB; quando o bem em estoque for, mais tarde, utilizado ou vendido, as reduções do estoque serão subtraídas do PIB.

23_2E "... produzidos ..."

O PIB inclui os bens e serviços produzidos no presente. Não inclui transações que envolvam itens produzidos no passado. Quando a Ford produz e vende um carro novo, o valor do carro é incluído no PIB. Quando uma pessoa vende a outra um carro usado, o valor do carro usado não é incluído no PIB.

23_2F "... em um país..."

O PIB mede o valor da produção dentro dos limites geográficos de um país. Quando um cidadão canadense trabalha temporariamente nos Estados Unidos, sua produção faz parte do PIB dos Estados Unidos. Quando um cidadão norte-americano é dono de uma fábrica no Haiti, a produção da sua fábrica não faz parte do PIB dos Estados Unidos, mas sim do Haiti. Assim, os itens criados serão incluídos no PIB de um país se forem produzidos internamente, independentemente da nacionalidade do produtor.

23_2G "... em um dado período"

O PIB mede o valor da produção que tem lugar em um intervalo de tempo específico. Em geral, esse intervalo costuma ser de um ano ou um trimestre. O PIB mede o fluxo de renda e despesa durante esse intervalo.

Quando o governo divulga o PIB de um trimestre, geralmente o apresenta "a uma taxa anual", ou anualizado. Isso significa que o valor relatado do PIB é o montante de renda e despesa durante o trimestre multiplicado por 4. O governo usa essa convenção para facilitar a comparação entre os valores trimestrais e anuais do PIB.

Além disso, quando o governo divulga o PIB trimestral, apresenta os dados depois de terem sido modificados por um procedimento estatístico chamado *ajustamento sazonal*. Os dados não ajustados normalmente mostram com clareza que a economia produz mais bens e serviços em algumas épocas do ano que em outras (como você pode imaginar, dezembro, com as compras de fim de ano, é um dos pontos altos). Quando monitoram as condições da economia, economistas e legisladores frequentemente preferem olhar além dessas variações sazonais. Assim, os estatísticos do governo ajustam os dados trimestrais de maneira a excluir o ciclo sazonal. Os dados sobre o PIB divulgados nos noticiários são sempre ajustados sazonalmente.

Vamos, agora, repetir a definição de PIB:

- Produto interno bruto (PIB) é o valor de mercado de todos os bens e serviços finais produzidos em um país em um dado período.

Essa definição enfoca o PIB como gastos totais na economia, mas não se esqueça de que cada dólar gasto pelo comprador de um bem ou serviço se torna um dólar para a renda do vendedor desse bem ou serviço. Portanto, além de aplicar essa definição, o governo também acrescenta a renda total na economia. As duas formas de calcular o PIB fornecem quase a mesma resposta. (Por que "quase"? Embora as duas medidas devam ser precisamente as mesmas, as fontes dos dados não são perfeitas. A diferença entre os dois cálculos do PIB chama-se *discrepância estatística*.)

Deve estar claro que o PIB é uma medida sofisticada do valor da atividade econômica. Nos cursos avançados de macroeconomia, você aprenderá mais sobre as sutilezas que surgem durante seu cálculo. Mas já é possível perceber que cada expressão dessa definição está repleta de significados.

Teste rápido O que contribui mais para o PIB: a produção de um quilo de carne moída ou a de um quilo de caviar? Por quê?

23_3 OS COMPONENTES DO PIB

A despesa na economia assume diversas formas. A qualquer momento, a família Smith pode estar almoçando em uma lanchonete Burger King, a Ford pode estar construindo uma fábrica de carros, a Marinha pode adquirir um submarino, e a British Airways pode comprar um avião da Boeing. O PIB inclui todas essas diversas formas de despesas em bens e serviços produzidos internamente.

Para entender como a economia está usando seus recursos escassos, os economistas estudam a composição do PIB de acordo com diversos tipos de dispêndio. Para isso, o PIB (que chamaremos Y) é dividido em quatro componentes: consumo (C), investimento (I), compras do governo (G) e exportações líquidas (EL):

$$Y = C + I + G + EL$$

Esta equação é uma *identidade* – uma equação que deve ser verdadeira a propósito de como as variáveis na equação são definidas. Nesse caso, como cada dólar de dispêndio incluído no PIB é colocado em um dos quatro componentes do PIB, a soma dos quatro componentes deve ser igual ao PIB. Vamos analisar cada um desses quatro componentes com maior profundidade.

Saiba mais sobre

OUTRAS MEDIDAS DE RENDA

Quando o Departamento de Comércio dos Estados Unidos calcula o PIB do país, a cada três meses, calcula também várias outras medidas de renda para obter um panorama mais completo sobre o que está acontecendo na economia. Essas outras medidas diferem do PIB porque incluem ou excluem certas categorias de renda. O que se segue é uma breve descrição de cinco dessas medidas de renda, ordenadas da maior para a menor.

- *Produto nacional bruto* (PNB) é a renda total dos residentes permanentes de um país. Difere do PIB por incluir a renda que nossos cidadãos ganham no exterior e por excluir a renda que os estrangeiros ganham aqui. Por exemplo, quando um cidadão do Canadá trabalha temporariamente nos Estados Unidos, sua produção é parte do PIB norte-americano, mas não é parte do PNB norte-americano (sua produção é parte do PNB canadense). Para a maioria dos países, incluindo Estados Unidos, residentes domésticos são responsáveis pela maior parte da produção interna, de modo que o PIB e o PNB são muito próximos.
- *Produto nacional líquido* (PNL) é a renda total dos residentes de uma nação (PNB) menos as perdas decorrentes da depreciação. *Depreciação* é o desgaste do estoque de equipamentos e estruturas da economia, como a ferrugem dos caminhões e a obsolescência dos computadores. Nas contas da renda nacional preparadas pelo Departamento de Comércio, a depreciação é denominada "consumo de capital fixo".
- *Renda nacional* é a renda total obtida pelos residentes de uma nação na produção de bens e serviços. Trata-se de uma medida quase idêntica ao PNL.[1] A renda nacional e o PNL diferem em razão da *discrepância estatística* que surge de problemas decorrentes da coleta de dados
- *Renda pessoal* é a renda recebida pelas famílias e pelas empresas não constituídas no formato de sociedades por ações. Ao contrário da renda nacional, a renda pessoal não inclui os *lucros retidos*, que são a renda obtida pelas empresas, mas não distribuída a seus proprietários. A renda pessoal também subtrai os impostos indiretos (como impostos sobre vendas), impostos de renda das pessoas jurídicas e as contribuições para a previdência social, principalmente os impostos para Seguridade Social. Além disso, a renda pessoal inclui a renda de juros que as famílias recebem sobre os empréstimos que fazem ao governo e a renda que recebem de programas de transferência governamental, como os de bem-estar e a Seguridade Social.
- *Renda pessoal disponível* é a renda que resta às famílias e empresas não constituídas no formato de sociedades por ações depois de satisfeitas todas as suas obrigações perante o governo. É igual à renda pessoal menos os impostos pessoais e certos pagamentos que não são impostos, como multas de trânsito.

Embora as diversas medidas de renda difiram em detalhes, quase sempre nos dizem a mesma coisa sobre as condições econômicas. Quando o PIB está crescendo rapidamente, essas outras medidas de renda costumam crescer rapidamente. Quando o PIB está em queda, essas outras medidas costumam cair também. Para monitorar as flutuações da economia global, não importa muito qual medida de renda utilizamos.

1. À exceção das pequenas discrepâncias estatísticas, a renda nacional é igual ao PNL a custo de fatores, ou seja, pela remuneração dos recursos produtivos. (NRT)

23_3A Consumo

consumo
as despesas das famílias em bens e serviços, excetuando-se a compra de imóveis residenciais novos

O **consumo** é a despesa das famílias em bens e serviços, com a exceção de compra de novas moradias. Os "bens" incluem as despesas das famílias em bens duráveis, como carros e eletrodomésticos, e bens não duráveis, como alimento e vestuário. Os "serviços" incluem itens intangíveis, como cortes de cabelo e serviços de saúde. As despesas das famílias em educação também são incluídas no consumo de serviços, embora seja possível argumentar que elas se encaixariam melhor no próximo componente.

23_3B Investimento

investimento
os dispêndios em equipamento de capital, estoques e estruturas

O **investimento** é a compra de bens (chamados de *bens de capital*) que serão usados no futuro para produzir mais bens e serviços. É a soma das compras do capital empresarial, do capital residencial e dos estoques. O capital empresarial inclui as estruturas de uma empresa (como uma fábrica ou o edifício do escritório), equipamentos (como o computador do funcionário) e produtos de propriedade intelectual (como o software em execução no computador). O capital residencial inclui o prédio de aluguel de um senhorio e a residência pessoal de um proprietário. Por convenção, a compra de uma casa nova é o tipo de gasto doméstico classificado como investimento, e não consumo.

Como já foi dito neste capítulo, o tratamento dos estoques acumulados é digno de nota. Quando a Apple produz um computador e, em vez de vendê-lo, acrescenta-o a seu estoque, assume-se que ela tenha "comprado" o computador para si mesma. Ou seja, os contadores da renda nacional tratam o computador como parte dos dispêndios de investimento da empresa. (Se, depois, a Apple vier a vender o computador, tirando-o de seu estoque, o investimento dela no estoque será, então, negativo, compensando o dispêndio positivo do comprador.) Os estoques são tratados dessa maneira porque um dos objetivos do PIB é medir o valor da produção da economia, e os bens acrescentados aos estoques são parte da produção do período em questão.

Observe que a contabilidade do PIB emprega a palavra *investimento* com sentido diferente do que é geralmente usado. Quando ouvir a palavra *investimento*, você poderá pensar em investimentos financeiros, como ações, debêntures e fundos mútuos – assuntos que estudaremos mais adiante. No entanto, como o PIB mede os gastos com bens e serviços, aqui a palavra *investimento* se refere à compra de bens (como equipamentos de capital, estruturas e estoques) utilizados para produzir outros bens.

23_3C Compras do governo

compras do governo
gastos em bens e serviços pelos governos municipais, estaduais e federal

As **compras do governo** incluem os gastos em bens e serviços dos governos municipais, estaduais e federal, nisso incluindo os salários dos funcionários do governo e as despesas em obras públicas. Recentemente, as contas de renda nacional dos Estados Unidos passaram a ser chamadas pelo nome mais longo de *despesa de consumo e investimento bruto do governo*; neste livro, porém, usaremos a expressão mais tradicional e mais breve: *compras do governo*.

O significado das "compras do governo" exige algum esclarecimento. Quando o governo paga o salário de um general do Exército ou de um professor, o salário faz parte das compras do governo. Mas quando o governo paga um benefício da Seguridade Social a um idoso ou um seguro-desemprego a um trabalhador demitido recentemente, a história é bem diferente: esse tipo de dispêndio é denominado *pagamento de transferência*, porque não é feito em troca de um bem ou serviço produzido correntemente na economia. Os pagamentos de transferência afetam a renda das famílias, mas não refletem a produção da economia (do ponto de vista macroeconômico, os pagamentos de transferência são como impostos negativos). Uma vez que o PIB tem por objetivo medir a renda e as despesas ligadas à produção de bens e serviços, os pagamentos de transferências não são contados como parte das compras do governo.

23_3D Exportações líquidas

As **exportações líquidas** equivalem às compras feitas por estrangeiros de bens produzidos internamente (exportações) menos as compras internas de bens estrangeiros (importações). Uma venda feita por uma empresa nacional a um comprador de outro país, como a venda pela Boeing à British Airways, aumenta as exportações líquidas.

exportações líquidas
gastos com bens produzidos internamente por parte de estrangeiros (exportações) menos gastos com bens estrangeiros por parte de residentes internos (importações)

A palavra *líquida* na expressão *exportações líquidas* refere-se ao fato de que as importações são subtraídas das exportações. Essa subtração é feita porque outros componentes do PIB incluem as importações de bens e serviços. Por exemplo, suponha que uma família compre um carro de $ 40 mil da Volvo, a fabricante sueca. Essa transação aumenta o consumo em $ 40 mil, porque as compras de carros fazem parte das despesas de consumo, e também reduz as exportações líquidas em $ 40 mil, porque o carro é uma importação. Em outras palavras, as exportações líquidas incluem os bens e serviços produzidos no exterior (com sinal negativo), porque esses bens e serviços já estão incluídos no consumo, no investimento e nas compras do governo (com sinal positivo). Assim sendo, quando uma família, empresa ou governo adquire um bem ou serviço do exterior, a compra reduz as exportações líquidas, mas, como também aumenta o consumo, o investimento ou as compras do governo, não afeta o PIB.

Teste rápido Liste os quatro componentes da despesa. Qual deles é o maior?

23_4 PIB REAL *VERSUS* PIB NOMINAL

Como acabamos de ver, o PIB mede a despesa total em bens e serviços em todos os mercados de uma economia. Se a despesa total aumenta de um ano para o outro, pelo menos uma destas duas afirmações deve ser verdadeira: (1) a economia está produzindo uma quantidade maior de bens e serviços ou (2) os bens e serviços estão sendo vendidos a preços mais elevados. Quando estudam mudanças da economia ao longo do tempo, os economistas querem separar esses dois efeitos. Mais especificamente, o que querem é uma medida da quantidade total de bens e serviços produzidos pela economia que não seja afetada pelas variações nos preços desses bens e serviços.

Para que isso ocorra, os economistas usam uma medida denominada *PIB real*, que responde à seguinte pergunta hipotética: qual seria o valor dos bens e serviços produzidos neste ano se os avaliássemos com base nos preços vigentes em algum outro ano específico, no passado? Quando se avalia a produção corrente a preços fixos em níveis passados, o PIB real mostra como a produção geral de bens e serviços da economia muda com o passar do tempo.

Para vermos com mais precisão como o PIB real é construído, vamos considerar um exemplo.

23_4A Um exemplo numérico

A Tabela 1 mostra alguns dados de uma economia que produz somente dois bens: cachorros-quentes e hambúrgueres. A tabela mostra o preço e a quantidade produzida dos dois bens em 2016, 2017 e 2018.

Para calcular a despesa total dessa economia, devemos multiplicar as quantidades de cachorros-quentes e hambúrgueres por seus respectivos preços. Em 2016, 100 cachorros-quentes são vendidos a $ 1 cada, de modo que a despesa total com cachorro-quente é de $ 100. No mesmo ano, são vendidos 50 hambúrgueres a $ 2 cada, de modo que a despesa total com hambúrgueres também é de $ 100. A despesa total da economia - a soma das despesas com cachorros-quentes e das despesas com hambúrgueres - é de $ 200. Esse montante, a produção de bens e serviços avaliada a preços correntes, é denominado **PIB nominal**.

PIB nominal
a produção de bens e serviços avaliada a preços correntes

PIB real
a produção de bens e serviços avaliada a preços constantes

A tabela mostra o cálculo do PIB nominal desses três anos. A despesa total aumenta de $ 200, em 2016, para $ 600, em 2017, e, em seguida, para $ 1.200, em 2018. Parte destes aumentos pode ser atribuída ao aumento nas quantidades de cachorros-quentes e hambúrgueres, e parte ao aumento nos preços dos cachorros-quentes e dos hambúrgueres.

Para obter uma medida do montante produzido que não seja afetada pelas variações nos preços, usamos o **PIB real**, que é a produção dos bens e serviços avaliada

Tabela 1

PIB real e PIB nominal

Esta tabela mostra como calcular o PIB real, o PIB nominal e o deflator do PIB para uma economia hipotética que só produz cachorros-quentes e hambúrgueres.

Preços e quantidades				
Ano	**Preço dos cachorros-quentes**	**Quantidade de cachorros-quentes**	**Preço dos hambúrgueres**	**Quantidade de hambúrgueres**
2016	$ 1	100	$ 2	50
2017	$ 2	150	$ 3	100
2018	$ 3	200	$ 4	150

Cálculo do PIB nominal	
2016	($ 1 por cachorro-quente × 100 cachorros-quentes) + ($ 2 por hambúrguer × 50 hambúrgueres) = $ 200
2017	($ 2 por cachorro-quente × 150 cachorros-quentes) + ($ 3 por hambúrguer × 100 hambúrgueres) = $ 600
2018	($ 3 por cachorro-quente × 200 cachorros-quentes) + ($ 4 por hambúrguer × 150 hambúrgueres) = $ 1.200
Cálculo do PIB real (ano-base 2010)	
2016	($ 1 por cachorro-quente × 100 cachorros-quentes) + ($ 2 por hambúrguer × 50 hambúrgueres) = $ 200
2017	($ 1 por cachorro-quente × 150 cachorros-quentes) + ($ 2 por hambúrguer × 100 hambúrgueres) = $ 350
2018	($ 1 por cachorro-quente × 200 cachorros-quentes) + ($ 2 por hambúrguer × 150 hambúrgueres) = $ 500
Cálculo do deflator do PIB	
2016	($ 200 / $ 200) × 100 = 100
2017	($ 600 / $ 350) × 100 = 171
2018	($ 1.200 / $ 500) × 100 = 240

a preços constantes. Para calcular o PIB real, determinamos primeiro um ano como *ano-base*. Então, utilizamos os preços dos cachorros-quentes e dos hambúrgueres no ano-base para calcular o valor dos bens e serviços em todos os anos. Em outras palavras, os preços do ano-base fornecem a base para comparar quantidades em diferentes anos.

Suponha que, em nosso exemplo, 2016 seja o ano-base. Podemos, então, utilizar os preços dos cachorros-quentes e dos hambúrgueres em 2016 para calcular o valor dos bens e serviços produzidos em 2016, 2017 e 2018. A Tabela 1 mostra esses cálculos. Para calcular o PIB real de 2016, usamos os preços dos cachorros-quentes e hambúrgueres em 2016 (o ano-base) e as quantidades de cachorros-quentes e hambúrgueres produzidas em 2016 (assim, para o ano-base, o PIB real será sempre igual ao PIB nominal). Para calcular o PIB real de 2017, usamos os preços dos cachorros-quentes e hambúrgueres em 2016 (o ano-base) e as quantidades de cachorros-quentes e hambúrgueres produzidas em 2017. Da mesma forma, para calcular o PIB real para 2018, utilizamos os preços em 2016 e as quantidades em 2018. Ao constatarmos que o PIB real aumentou de $ 200, em 2016, para $ 350, em 2017, e para $ 500, em 2018, sabemos que o aumento é atribuído a uma elevação nas quantidades produzidas, porque os preços estão sendo mantidos fixos nos níveis do ano-base.

Em suma: *o PIB nominal usa os preços correntes para atribuir um valor à produção de bens e serviços da economia. O PIB real usa preços constantes do ano-base para atribuir um valor à produção de bens e serviços da economia.* Como o PIB real não é afetado pela variação nos preços, suas variações refletem somente as mudanças nas quantidades produzidas. Assim, o PIB real é uma medida da produção de bens e serviços da economia.

Ao calcular o PIB, nosso objetivo é medir o desempenho da economia como um todo. Como o PIB real mede a produção de bens e serviços da economia, ele reflete a capacidade de a economia satisfazer as necessidades e os desejos das pessoas. Assim, o PIB real é uma medida melhor do bem-estar econômico que o PIB nominal. Quando os economistas falam do PIB da economia, em geral estão se referindo ao PIB real, não ao nominal. E, quando falam do crescimento da economia, estão falando de um crescimento medido como a variação percentual do PIB real de um período para outro.

23_4B O deflator do PIB

deflator do PIB uma medida do nível de preços calculada como a razão entre o PIB nominal e o PIB real multiplicada por 100

Como acabamos de ver, o PIB nominal reflete tanto as quantidades de bens e serviços produzidas na economia quanto os preços deles. Entretanto, mantendo os preços constantes nos níveis do ano-base, o PIB real refletirá apenas as quantidades produzidas. A partir dessas duas estatísticas, podemos calcular uma terceira, chamada deflator do PIB, que reflete apenas os preços dos bens e serviços.

O **deflator do PIB** é calculado da seguinte maneira:

$$\text{Deflator do PIB} = \frac{\text{PIB nominal}}{\text{PIB real}} \times 100$$

Como o PIB nominal e o PIB real devem ser iguais no ano-base, o deflator do PIB para o ano-base é sempre igual a 100. O deflator do PIB para os anos subsequentes mede a variação do PIB nominal a partir do ano-base que não pode ser atribuída a uma variação do PIB real.

O deflator do PIB mede o nível de preços corrente em relação ao nível de preços do ano-base. Para verificar por que isso é verdadeiro, vamos considerar dois exemplos simples. Primeiro, imagine que as quantidades produzidas na economia aumentem com o tempo, mas os preços permaneçam os mesmos. Nesse caso, tanto o PIB nominal quanto o PIB real aumentam juntos, de modo que o deflator do PIB é constante. Suponha, agora, que os preços aumentem com o tempo, mas as quantidades produzidas permaneçam as mesmas. Nesse segundo caso, o PIB nominal aumenta, mas o PIB real se mantém inalterado, de modo que o deflator do PIB também aumenta. Observe que, em ambos os casos, o deflator do PIB reflete o que está acontecendo com os preços, não com as quantidades.

Vamos examinar novamente o exemplo numérico da Tabela 1. O deflator do PIB é calculado na parte inferior da tabela. Em 2016, o PIB nominal é $ 200 e o PIB real também é $ 200, então o deflator é 100. (O deflator é sempre 100 no ano-base.) Em 2017, o PIB nominal é $ 600, e o PIB real, $ 350, portanto o deflator do PIB é 171.

Os economistas usam o termo *inflação* para descrever uma situação em que o nível geral de preços da economia aumenta. A *taxa de inflação* é a mudança na porcentagem, em alguma medida, do nível de preços de um período para o outro. Quando se emprega o deflator, a taxa de inflação entre dois anos consecutivos é calculada da seguinte forma:

$$\text{Taxa de inflação no ano 2} = \frac{\text{Deflator do PIB no ano 2} - \text{deflator do PIB no ano 1}}{\text{Deflator do PIB no ano 1}} \times 100$$

Como em 2017 o deflator do PIB aumentou de 100 para 171, a taxa de inflação é 100 × (171 – 100)/100, ou 71%. Em 2018, o deflator do PIB aumentou de 171, no ano anterior, para 240; portanto, a taxa de inflação é 100 × (240 – 171)/171, ou 40%.

O deflator do PIB é uma medida que os economistas usam para monitorar o nível médio de preços na economia e, consequentemente, a taxa de inflação. O deflator do PIB tem esse nome porque pode ser empregado para obter a inflação do PIB nominal, ou seja, para "deflacionar" o PIB nominal por causa do aumento em razão da elevação de preços. O próximo capítulo examina outra medida do nível de preços da economia, chamado *índice de preços ao consumidor*, e também descreve as diferenças entre as duas medidas.

Teste rápido Defina PIB real e PIB nominal. Qual dos dois é a melhor medida do bem-estar econômico? Por quê?

23_5 O PIB É UMA BOA MEDIDA DE BEM-ESTAR ECONÔMICO?

No início do capítulo, dissemos que o PIB é a melhor medida do bem-estar econômico de uma sociedade. Agora que sabemos o que é PIB, podemos avaliar essa afirmação.

Como vimos, o PIB mede tanto a renda total quanto a despesa total da economia em bens e serviços. Assim, o PIB *per capita* nos fala da renda e das despesas do indivíduo médio na economia. Como a maioria das pessoas preferiria ter maior renda e desfrutar de uma despesa maior, o PIB *per capita* parece ser uma medida natural do bem-estar econômico do indivíduo médio.

Algumas pessoas, no entanto, contestam a validade do PIB como medida do bem-estar. Quando o senador Robert Kennedy concorreu à presidência, em 1968, fez uma comovente crítica a respeito dessas medidas econômicas:

> [O produto interno bruto] não leva em consideração a saúde de nossas crianças, a qualidade de sua educação ou a felicidade de suas brincadeiras. Não inclui a beleza de nossa poesia nem a solidez de nossos casamentos, a inteligência de nosso debate público ou a integridade dos funcionários públicos. Não mede nem nossa coragem, nem nossa sabedoria, nem nossa devoção ao país. Em resumo, mede tudo, exceto aquilo que faz a vida valer a pena, e pode nos dizer tudo sobre a América, exceto a razão pela qual nos orgulhamos de ser norte-americanos.

Muito do que Robert Kennedy disse está correto. Então, por que nos preocupamos com o PIB?

A resposta é que um PIB elevado nos ajuda, de fato, a levar uma vida confortável. O PIB não mede a saúde das crianças, mas países com PIBs maiores podem arcar com o custo de um melhor atendimento de saúde para suas crianças. O PIB não mede a qualidade da educação, mas países com PIBs maiores podem ter sistemas educacionais melhores. Ele não mede a beleza da nossa poesia, mas países com PIBs maiores podem ensinar mais cidadãos a ler e a apreciar a poesia. O PIB não leva em consideração nossa inteligência, integridade, coragem, sabedoria ou devoção ao país, mas todos esses louváveis atributos são mais fáceis de desenvolver quando as pessoas estão menos preocupadas em garantir as necessidades materiais da vida. Em suma, o PIB não mede diretamente as coisas que fazem a vida valer a pena, mas mede nossa capacidade de obter os insumos para uma vida que valha a pena.

O PIB, entretanto, não é uma medida perfeita do bem-estar. Algumas coisas que contribuem para uma boa vida ficam de fora dele. Uma delas é o lazer. Suponha, por exemplo, que todas as pessoas da economia subitamente começassem a trabalhar todos os dias da semana, em vez de desfrutar de lazer nos fins de semana. Mais bens e serviços seriam produzidos e o PIB aumentaria. Mas, apesar do aumento do PIB, não poderíamos concluir que todos estariam em melhor situação. A perda de bem-estar decorrente da redução do lazer seria compensada pelos ganhos de bem-estar decorrentes da produção e do consumo de uma maior quantidade de bens e serviços.

Como o PIB usa os preços de mercado para avaliar bens e serviços, ele desconsidera o valor de quase todas as atividades que ocorrem fora dos mercados. Mais especificamente, o PIB omite o valor dos bens e serviços produzidos em casa. Quando um *chef* prepara uma deliciosa refeição e a vende em seu restaurante, o valor dessa refeição faz parte do PIB, mas, se ele preparar a mesma refeição para a família, o valor que agregou aos ingredientes não entrará para o PIB. De forma similar, o cuidado infantil oferecido em creches faz parte do PIB, enquanto o cuidado infantil realizado pelos pais em casa não faz parte do

PIB. O trabalho voluntário contribui para o bem-estar dos membros da sociedade, mas o PIB não reflete essas contribuições.

Outra coisa que o PIB exclui é a qualidade do meio ambiente. Imagine que o governo elimine todas as regulamentações ambientais. Nesse caso, as empresas poderiam produzir bens e serviços sem levar em consideração a poluição que criam e o PIB poderia aumentar, mas o bem-estar, provavelmente, diminuiria. A deterioração da qualidade do ar e da água mais que contrabalançaria os ganhos decorrentes da maior produção.

O PIB também não diz nada a respeito da distribuição da renda. Uma sociedade em que 100 pessoas tenham renda anual de $ 50 mil tem um PIB de $ 5 milhões e, o que não é surpreendente, um PIB *per capita* de $ 50 mil. O mesmo se dá em uma sociedade em que 10 pessoas ganhem $ 500 mil cada e 90 sofram sem ganhar nada. Poucas pessoas olhariam para essas duas situações e diriam que são equivalentes. O PIB *per capita* diz o que acontece com a pessoa média, mas por trás da média existe uma ampla variedade de experiências individuais. No fim das contas, podemos concluir que o PIB é uma boa medida do bem-estar econômico para a maioria dos propósitos, mas não para todos. É importante ter em mente o que o PIB inclui e o que fica de fora dele.

Teste rápido Por que os formuladores de políticas devem se preocupar com o PIB?

23_6 CONCLUSÃO

Este capítulo discutiu a forma como os economistas medem a renda total de um país. A medição, naturalmente, é somente um ponto de partida. Grande parte da macroeconomia tem por objetivo revelar os determinantes de longo e de curto prazo do produto interno bruto de um país. Por exemplo, por que o PIB é mais elevado nos Estados Unidos e no Japão que na Índia e na Nigéria? O que os governos dos países mais pobres podem fazer para promover o crescimento mais rápido do PIB? Por que o PIB dos Estados Unidos aumenta rapidamente em alguns anos e cai em outros? O que os formuladores de políticas norte-americanos podem fazer para reduzir a severidade dessas flutuações do PIB? Essas questões serão abordadas mais adiante.

Neste ponto, é importante reconhecer a relevância da simples mensuração do PIB. Com isso, todos temos uma percepção de como vai a economia enquanto levamos a vida. No entanto, os economistas que estudam as mudanças na economia e os formuladores de políticas que estabelecem as políticas econômicas precisam de mais que uma percepção vaga – precisam de dados concretos em que possam basear suas decisões. Quantificar o comportamento da economia com estatísticas como o PIB é, portanto, o primeiro passo para desenvolver a ciência da macroeconomia.

Teste rápido do capítulo

1. Se o preço de um cachorro-quente é $ 2 e o preço de um hambúrguer é $ 4, então 30 cachorros-quentes contribuem para o PIB tanto quanto _____ hambúrgueres.

a. 5
b. 15
c. 30
d. 60

2. Angus, pastor de ovelhas, vende lã a Barnaby, dono de uma malharia, por $ 20. Barnaby faz dois suéteres, cada um deles com um preço de mercado de $ 40. Collete compra um deles, enquanto o outro permanece na prateleira da loja de Barnaby, para ser vendido posteriormente. De quanto é o PIB aqui?

a. $ 40
b. $ 60
c. $ 80
d. $ 100

3. Qual das seguintes alternativas NÃO adiciona valor ao PIB dos EUA?

a. A Air France compra um avião da Boeing, fabricante norte-americana de aviões.
b. A General Motors monta uma nova fábrica de automóveis na Carolina do Norte.
c. A cidade de Nova York paga um salário a um policial.
d. O governo federal envia um cheque da Seguridade Social para sua avó.

4. Um norte-americano compra um par de sapatos fabricado na Itália. Como as contas da renda nacional dos Estados Unidos tratam a transação?
a. As exportações líquidas e PIB aumentam.
b. As exportações líquidas e PIB diminuem.
c. As exportações líquidas caem, enquanto o PIB permanece inalterado.
d. As exportações líquidas permanecem inalteradas, enquanto o PIB aumenta.

5. Qual é o maior componente do PIB?
a. Consumo.
b. Investimentos.
c. Compras do governo.
d. Exportações líquidas.

6. Se todas as quantidades produzidas aumentassem 10% e todos os preços caíssem 10%, qual dos seguintes resultados ocorreria?
a. O PIB real aumentaria 10%, enquanto o PIB nominal cairia 10%.
b. O PIB real aumentaria 10%, enquanto o PIB nominal permaneceria inalterado.
c. O PIB real permaneceria inalterado, enquanto o PIB nominal aumentaria 10%.
d. O PIB real permaneceria inalterado, enquanto o PIB nominal cairia 10%.

RESUMO

- Como cada transação tem um comprador e um vendedor, a despesa total da economia deve ser igual à renda total da economia.
- O produto interno bruto (PIB) mede a despesa total de uma economia em bens e serviços recentemente produzidos e a renda total obtida com a produção desses bens e serviços. Mais precisamente, o PIB é o valor de mercado de todos os bens e serviços finais produzidos em um país, em determinado período de tempo.
- O PIB é dividido entre quatro componentes de despesa: consumo, investimento, compras do governo e exportações líquidas. O consumo inclui despesas das famílias em bens e serviços, excetuando a compra de novas residências. O investimento inclui os gastos em capital empresarial, capital residencial e estoques. As compras do governo incluem as despesas em bens e serviços dos governos municipais, estaduais e federal. A exportação líquida é igual ao valor dos bens e serviços produzidos internamente e vendidos no exterior (exportações) menos o valor dos bens e serviços produzidos no exterior e vendidos internamente (importações).
- O PIB nominal usa os preços correntes para avaliar a produção de bens e serviços da economia. O PIB real usa preços constantes de um ano-base para avaliar a produção de bens e serviços da economia. O deflator do PIB – calculado como a razão entre o PIB nominal e o PIB real – mede o nível de preços da economia.
- O PIB é uma boa medida de bem-estar econômico, porque as pessoas preferem rendas elevadas a rendas baixas, mas não é uma medida perfeita de bem-estar. Por exemplo, o PIB desconsidera o valor do lazer e o de um meio ambiente limpo.

CONCEITOS-CHAVE

microeconomia, p. 382
macroeconomia, p. 382
produto interno bruto (PIB), p. 384
consumo, p. 387
investimento, p. 388
compras do governo, p. 388
exportações líquidas, p. 389
PIB nominal, p. 389
PIB real, p. 389
deflator do PIB, p. 391

QUESTÕES PARA REVISÃO

1. Explique por que a renda de uma economia deve ser igual às suas despesas.
2. O que contribui mais para o PIB: a produção de um carro popular ou a de um carro de luxo? Por quê?

3. Um agricultor vende trigo para um padeiro por $ 2 e este usa o trigo para produzir pão, que é vendido a $ 3. Qual é a contribuição total dessas transações para o PIB?
4. Há muitos anos, Peggy pagou $ 500 para montar uma coleção de CDs. Hoje, ela vendeu seus CDs por $ 100. Como essa venda afeta o PIB corrente?
5. Enumere os quatro componentes do PIB. Dê um exemplo de cada um deles.
6. Por que os economistas usam o PIB real, e não o nominal, para medir o bem-estar econômico?
7. Em 2017, a economia produziu 100 pães, que são vendidos a $ 2 cada. Em 2018, a economia produziu 200 pães, que são vendidos a $ 3 cada. Calcule o PIB nominal, o PIB real e o deflator do PIB em cada ano. (Use 2017 como o ano-base.) Qual será o aumento percentual de cada uma dessas três estatísticas de um ano para o outro?
8. Por que é desejável para um país ter um PIB elevado? Dê um exemplo de algo que poderia aumentar o PIB, mas que seria indesejável.

PROBLEMAS E APLICAÇÕES

1. Quais componentes do PIB (se houver) cada uma das transações a seguir afetaria? Explique.
   a. Tio Henry compra um novo refrigerador de um fabricante nacional.
   b. Tia Jane compra uma nova casa de um construtor local.
   c. A família Jackson compra uma antiga casa vitoriana da família Walker.
   d. Você paga ao cabeleireiro por um corte de cabelo.
   e. A Ford vende um Mustang de seu estoque para a família Martinez.
   f. A Ford fabrica um Focus e o vende para a Avis, empresa locadora de veículos.
   g. A Califórnia emprega trabalhadores para recapear a Rodovia 101.
   h. O governo federal envia um cheque da Seguridade Social para sua avó.
   i. Seus pais compram uma garrafa de vinho francês.
   j. A Honda expande sua fábrica em Ohio.

2. Complete as lacunas:

Ano	PIB real (em $ de 2000)	PIB nominal (em $ atuais)	Deflator do PIB (ano-base: 2000)
1970	3.000	1.200	____
1980	5.000	____	60
1990	____	6.000	100
2000	____	8.000	____
2010	____	15.000	200
2020	10.000	____	300
2030	20.000	50.000	____

3. O componente "compras do governo" do PIB não inclui as despesas em pagamentos de transferência, como Seguridade Social. Pensando sobre a definição do PIB, explique por que os pagamentos de transferência são excluídos.

4. Como vimos neste capítulo, o PIB não inclui o valor de bens usados que são revendidos. Por que a inclusão dessas transações faria do PIB uma medida menos precisa do bem-estar econômico?

5. A seguir, são apresentados alguns dados sobre a terra do leite e do mel.

Ano	Preço do leite	Quantidade do leite (litros)	Preço do mel	Quantidade do mel (litros)
2016	$ 1	100	$ 2	50
2017	1	200	2	100
2018	2	200	4	100

   a. Calcule o PIB nominal, o PIB real e o deflator do PIB para cada ano, usando 2016 como ano-base.
   b. Calcule a variação percentual do PIB nominal, do PIB real e do deflator do PIB em 2017 e 2018 em relação ao ano anterior. Para cada ano, identifique a variável que se mantém inalterada. Explique por que sua resposta faz sentido.
   c. O bem-estar econômico aumentou mais em 2017 ou em 2018? Explique.

6. Considere uma economia que produz apenas barras de chocolate. No ano 1, a quantidade pro-

duzida é de 3 barras e o preço é $ 4. No ano 2, a quantidade produzida é de 4 barras e o preço é $ 5. No ano 3, a quantidade produzida é de 5 barras e o preço é $ 6. O ano 1 é o ano-base.

a. Qual é o PIB nominal de cada ano?
b. Qual é o PIB real de cada ano?
c. Qual é o deflator do PIB de cada ano?
d. Qual é a porcentagem da taxa de crescimento do PIB real do ano 2 para o ano 3?
e. Qual é a taxa de inflação, como medida pelo deflator do PIB, do ano 2 para o ano 3?
f. Nesse cenário de economia favorável, como você teria respondido às questões (d) e (e) sem responder primeiramente às questões (b) e (c)?

7. Considere os seguintes dados sobre o PIB dos Estados Unidos:

Ano	PIB nominal ($ bilhões)	Deflator do PIB (ano-base 2009)
2014	17.419	108,3
1994	7.309	73,8

a. Qual foi a taxa de crescimento do PIB nominal entre 1994 e 2014? (Dica: a taxa de crescimento de uma variável *X* sobre um período anual-*N*, é calculada como $100 \times [(X_{final}/X_{inicial})^{1/N} - 1]$.)
b. Qual foi a taxa de crescimento do deflator do PIB entre 1994 e 2014?
c. Qual era o PIB real em 1994, medido a preços de 2009?
d. Qual era o PIB real em 2014, medido a preços de 2009?
e. Qual foi a taxa de crescimento do PIB real entre 1994 e 2014?
f. A taxa de crescimento do PIB nominal foi maior ou menor que a taxa de crescimento do PIB real? Explique.

8. O governo costuma divulgar estimativas revistas do PIB norte-americano próximo ao fim de cada mês. Encontre um artigo de jornal que fale da divulgação mais recente ou leia você mesmo o comunicado no endereço http://www.bea.gov, o *site* do Bureau of Economic Analysis dos Estados Unidos. Discuta as variações recentes no PIB real, no PIB nominal e nos componentes do PIB.

9. Um fazendeiro cultiva trigo, que é vendido ao moleiro por $ 100. Este transforma o trigo em farinha, que é vendida ao padeiro por $ 150. Este, por sua vez, transforma a farinha em pão, que é vendido aos consumidores por $ 180. Os consumidores consomem o pão.

a. Qual é o PIB nessa economia? Explique.
b. *O valor agregado* é definido como o valor de um produto menos o valor dos bens intermediários que o produtor compra para produzir um bem. Supondo que não haja bens intermediários, além dos descritos anteriormente, calcule o valor agregado de cada um dos três produtores.
c. Qual é o valor agregado total dos três produtores dessa economia? De que forma pode ser comparado com o PIB? Esse exemplo sugere outra forma de calcular o PIB?

10. Os bens e serviços que não são vendidos nos mercados, como alimentos produzidos e consumidos em casa, não costumam ser incluídos no PIB. Você pode imaginar por que isso poderia fazer que os números da segunda coluna da Tabela 3 fossem enganosos em uma comparação do bem-estar econômico nos Estados Unidos e na Índia? Explique.

11. A participação das mulheres na força de trabalho norte-americana aumentou drasticamente desde 1970.

a. Na sua opinião, como esse aumento afetou o PIB?
b. Agora, imagine uma medida de bem-estar econômico que inclua o tempo gasto com trabalhos domésticos e lazer. De que maneira a mudança dessa medida de bem-estar se compararia com a mudança do PIB?
c. Você consegue pensar em outros aspectos do bem-estar que estejam associados ao aumento da participação feminina na força de trabalho? Seria prático construir uma medida de bem-estar que incluísse esses aspectos?

12. Barry, o barbeiro, ganha $ 400 por dia com cortes de cabelo. Durante esse período, o equipamento se deprecia em $ 50. Dos $ 350 restantes, Barry paga $ 30 em impostos de vendas ao governo,

leva para casa $ 220 em salário e retém $ 100 para adquirir novos equipamentos no futuro. Dos $ 220 que leva consigo, ele paga $ 70 em imposto de renda. Com base nessa informação, calcule a contribuição de Barry para as seguintes medidas de renda.

a. Produto interno bruto
b. Produto nacional líquido
c. Renda nacional
d. Renda pessoal
e. Renda pessoal disponível

CAPÍTULO 24

Medindo o custo de vida

Em 1931, enquanto a economia norte-americana sofria os efeitos da Grande Depressão, Babe Ruth, o famoso jogador de beisebol, recebeu do New York Yankees $ 80 mil. Na época, o salário era extraordinário, mesmo entre as estrelas do esporte. De acordo com uma história, um repórter perguntou a Ruth se ele achava certo ganhar mais que o presidente Herbert Hoover, cujo salário era de apenas $ 75 mil. Ruth respondeu: "Eu tive um ano melhor".

Em 2015, o salário médio dos jogadores da liga principal de beisebol foi cerca de $ 4 milhões. O arremessador do Los Angeles Dodgers, Clauton Kershaw, recebeu $ 31 milhões. À primeira vista, esse fato pode nos levar a pensar que o beisebol se tornou muito mais lucrativo ao longo dos últimos 80 anos. Mas, como todos sabem, os preços dos bens e serviços também aumentaram. Em 1931, um sorvete de casquinha custava 10 centavos, e com 25 centavos podia-se comprar um ingresso para o cinema. Como na época de Babe Ruth os preços eram muito mais baixos que hoje, não está claro se ele desfrutava de um padrão de vida melhor ou pior que os jogadores de hoje.

No capítulo anterior, vimos como os economistas usam o produto interno bruto (PIB) para medir a quantidade de bens e serviços que a economia está produzindo. Este capítulo examina como os economistas medem o custo de vida geral. Para comparar o salário de $ 80 mil de Babe Ruth com os salários de hoje, precisamos encontrar uma maneira de transformar os valores monetários em medidas significativas de poder aquisitivo. É exatamente essa a função de uma estatística chamada *índice de preços ao consumidor*. Depois de ver como se constrói o índice de preços ao consumidor, abordaremos como usar esse índice para comparar valores monetários em diferentes momentos.

O índice de preços ao consumidor é usado para monitorar mudanças no custo de vida ao longo do tempo. Quando esse índice aumenta, a família típica precisa gastar mais dinheiro para manter o mesmo padrão de vida. Os economistas empregam o termo *inflação* para descrever uma situação em que o nível geral de preços da economia está em ascensão. A *taxa de inflação* é a variação percentual do nível de preços em relação a um período anterior. No capítulo anterior, vimos como os economistas medem a inflação usando o deflator do PIB. A taxa de inflação de que ouvimos falar nos noticiários da televisão, no entanto, não é calculada com essa estatística, mas com o índice de preços ao consumidor, que, por refletir os bens e serviços comprados pelos consumidores, é o dado mais comum para avaliar a inflação.

Como veremos nos próximos capítulos, a inflação é um aspecto do desempenho macroeconômico cuidadosamente observado e uma variável-chave na orientação da política macroeconômica. Este capítulo fornece o conhecimento para essa análise, mostrando como os economistas medem a taxa de inflação por meio do índice de preços ao consumidor e como esses dados podem ser empregados para comparar valores em épocas diferentes.

24_1 O ÍNDICE DE PREÇOS AO CONSUMIDOR

índice de preços ao consumidor (IPC) uma medida do custo total dos bens e serviços comprados por um consumidor típico

O **índice de preços ao consumidor (IPC)** é uma medida do custo geral de todos os bens e serviços comprados por um consumidor típico. A cada mês, o Bureau of Labor Statistics (BLS), que é uma divisão do Department of Labor, calcula e divulga o índice de preços ao consumidor. Nesta seção, abordaremos como o índice de preços ao consumidor é calculado e os problemas relacionados à sua medição. Veremos, ainda, como esse índice se compara ao deflator do PIB, outra medida do nível geral de preços que examinamos no capítulo anterior.

24_1A Como é calculado o índice de preços ao consumidor

Quando o BLS calcula o índice de preços ao consumidor e a taxa de inflação, usa dados relativos aos preços de milhares de bens e serviços. Para ver como, exatamente, essas estatísticas são construídas, consideremos uma economia simples, em que os consumidores só comprem dois bens - cachorros-quentes e hambúrgueres. A Tabela 1 mostra as cinco etapas seguidas pelo BLS.

1. *Fixar a cesta.* A primeira etapa no cálculo do índice de preços ao consumidor consiste em determinar quais preços são mais importantes para o consumidor típico. Se o consumidor típico compra mais

Tabela 1

Cálculo do índice de preços ao consumidor e da taxa de inflação: um exemplo

Esta tabela mostra como calcular o índice de preços ao consumidor e a taxa de inflação para uma economia hipotética, em que os consumidores compram apenas cachorros-quentes e hambúrgueres.

Etapa 1: Pesquisar os consumidores para determinar uma cesta fixa de bens		
Cesta = 4 cachorros-quentes, 2 hambúrgueres		
Etapa 2: Coletar o preço de cada bem em cada ano		
Ano	Preço dos cachorros-quentes	Preço dos hambúrgueres
2016	$ 1	$ 2
2017	2	3
2018	3	4
Etapa 3: Calcular o custo da cesta de bens a cada ano		
2016	($ 1 por cachorro-quente × 4 cachorros-quentes) + ($ 2 por hambúrguer × 2 hambúrgueres) = $ 8 por cesta	
2017	($ 2 por cachorro-quente × 4 cachorros-quentes) + ($ 3 por hambúrguer × 2 hambúrgueres) = $ 14 por cesta	
2018	($ 3 por cachorro-quente × 4 cachorros-quentes) + ($ 4 por hambúrguer × 2 hambúrgueres) = $ 20 por cesta	
Etapa 4: Escolher um ano como ano-base (2010) e calcular o índice de preços ao consumidor em cada ano		
2016	($ 8 / $ 8) × 100 = 100	
2017	($ 14 / $ 8) × 100 = 175	
2018	($ 20 / $ 8) × 100 = 250	
Etapa 5: Usar o índice de preços do consumidor para calcular a taxa de inflação do ano anterior		
2017	(175 – 100) / 100 × 100 = 75%	
2018	(250 – 175) / 175 × 100 = 43%	

cachorros-quentes que hambúrgueres, então o preço do cachorro-quente é mais importante que o do hambúrguer e, portanto, deve ter um peso maior no cálculo do custo de vida. O BLS estabelece esses pesos pesquisando os consumidores e identificando a cesta de bens e serviços que o consumidor típico compra. No exemplo da tabela, ele compra uma cesta de quatro cachorros-quentes e dois hambúrgueres.

2. *Coletar os preços.* A segunda etapa consiste em coletar os preços de cada um dos bens e serviços da cesta em cada momento. A tabela mostra os preços dos cachorros-quentes e dos hambúrgueres em três anos diferentes.
3. *Calcular o custo da cesta.* A terceira etapa consiste em usar os dados sobre preços para calcular o custo da cesta de bens e serviços em diferentes momentos. A tabela mostra esse cálculo para cada um dos três anos. Observe que, nesse cálculo, somente os preços mudam. Mantendo constante a cesta de bens (quatro cachorros-quentes e dois hambúrgueres), estamos isolando os efeitos das variações de preços do efeito de qualquer variação de quantidade que possa estar ocorrendo ao mesmo tempo.
4. *Escolher um ano-base e calcular o índice.* A quarta etapa consiste em designar um ano como ano-base, que servirá como padrão em relação ao qual os demais anos serão comparados. (A escolha do ano-base é arbitrária, pois o índice é usado para medir as *mudanças* no custo de vida.) Após a escolha do ano-base, o índice é calculado da seguinte forma:

$$\text{Índice de preços ao consumidor} = \frac{\text{Preço da cesta de bens e serviços no ano corrente}}{\text{Preço da cesta no ano-base}} \times 100$$

   Ou seja, para calcular o índice, o preço da cesta de bens e serviços em cada ano é dividido pelo preço da cesta no ano-base, e essa razão é então multiplicada por 100. O número resultante é o índice de preços ao consumidor.

   No exemplo da Tabela 1, o ano-base é 2016. Nesse ano, a cesta de cachorros-quentes e hambúrgueres custava $ 8. Consequentemente, o preço da cesta em todos os anos é dividido por $ 8 e multiplicado por 100. O índice de preços ao consumidor é 100 em 2016 (o índice é sempre 100 no ano-base). O índice de preço ao consumidor é 175 em 2017, o que significa que o preço da cesta em 2017 é 175% do seu preço no ano-base. Em outras palavras, uma cesta de bens que custava $ 100 no ano-base custa $ 175 em 2017. De forma similar, o índice de preço ao consumidor é 250 em 2018, indicando que o nível de preço nesse ano é 250% do nível de preço no ano-base.
5. *Calcular a taxa de inflação.* A quinta e última etapa consiste em usar o índice de preços ao consumidor para calcular a **taxa de inflação**, que é a variação percentual do índice de preços em relação a um período anterior. Ou seja, a taxa de inflação entre dois anos consecutivos é calculada da seguinte maneira:

$$\text{Taxa de inflação no ano 2} = \frac{\text{IPC no ano 2} - \text{IPC no ano 1}}{\text{IPC no ano 1}} \times 100$$

taxa de inflação a variação percentual do índice de preços em relação a um período anterior

Como se pode ver no final da Tabela 1, a taxa de inflação, em nosso exemplo, é de 75%, em 2017, e de 43%, em 2018.

Embora esse exemplo simplifique a realidade, incluindo apenas dois bens, ele mostra como o BLS calcula o índice de preços ao consumidor e a taxa de inflação. O BLS coleta e processa dados sobre os preços de milhares de bens e serviços a cada mês e, seguindo as cinco etapas que acabamos de abordar, determina o quão rapidamente o custo de vida está subindo para o consumidor típico. Quando o BLS faz seu comunicado mensal do índice de preços ao consumidor, em geral ouvimos o número no noticiário noturno da TV ou lemos sobre ele no jornal da manhã seguinte.

Saiba mais sobre

O QUE HÁ NA CESTA DO IPC?

Ao construir o índice de preços ao consumidor, o Bureau of Labor Statistics tenta incluir todos os bens e serviços que o consumidor típico compra. Além disso, tenta atribuir pesos a esses bens e serviços de acordo com a quantidade que os consumidores compram de cada item.

A Figura 1 mostra a decomposição das despesas dos consumidores nas principais categorias de bens e serviços. A maior categoria, de longe, é a moradia, que representa 42% do orçamento do consumidor típico. Essa categoria inclui o custo de moradia (33%), combustível e outros serviços públicos (5%) e mobiliário doméstico e materiais de limpeza (4%). A segunda maior categoria, com 16%, é transporte, que inclui despesas com carros, gasolina, passagens de ônibus, metrô etc. Em seguida, com 15%, vêm alimentos e bebidas; essa categoria inclui alimentos consumidos em casa (8%), alimentos consumidos fora de casa (6%) e bebidas alcoólicas (1%). A seguir, vêm assistência médica (8%), recreação (6%), educação e comunicação (7%). Vestuário, que inclui roupas, calçados e joias, representa 3% do orçamento do consumidor típico.

Também incluída na figura, com 3% das despesas, temos a categoria outros bens e serviços: trata-se de uma classificação genérica para as coisas que os consumidores compram e que não se enquadram nas demais categorias, como cigarros, cortes de cabelo e despesas com funerais.

Figura 1
A cesta típica de bens e serviços

Esta figura mostra como o consumidor típico divide suas despesas entre as várias categorias de bens e serviços. O Bureau of Labor Statistics chama cada porcentagem de "importância relativa" da categoria.

Fonte: Bureau of Labor Statistics.

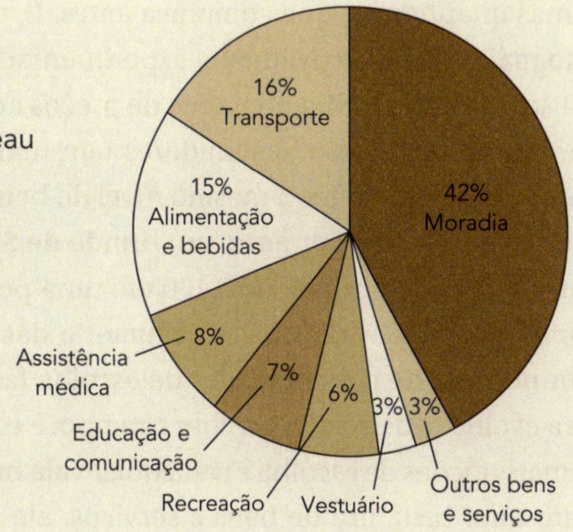

núcleo do IPC
uma medida do custo total dos bens de consumo e serviços, exceto alimentos e energia

índice de preços ao produtor (IPP)
uma medida do custo de uma cesta de bens e serviços comprados pelas empresas

Além do índice de preços ao consumidor da economia como um todo, o BLS calcula diversos outros índices de preços. Ele divulga o índice de categorias restritas de bens e serviços, como alimentos, vestuário e energia, e também calcula o IPC de todos os bens e serviços, excluindo alimentos e energia, mediante uma estatística chamada **núcleo do IPC**. Como os preços de alimentos e energia mostram grande volatilidade no curto prazo, o núcleo do IPC reflete melhor as tendências da inflação em andamento. Por fim, o BLS calcula ainda o **índice de preços ao produtor (IPP)**, que mede o custo de uma cesta de bens e serviços comprados pelas empresas, e não pelos consumidores. Uma vez que as empresas acabam por repassar seus custos aos consumidores na forma de preços mais elevados, as variações no índice de preços ao produtor são frequentemente consideradas úteis para prever variações no índice de preços ao consumidor.

24_1B Problemas no cálculo do custo de vida

O objetivo do índice de preços ao consumidor é medir variações no custo de vida. Em outras palavras, o IPC tenta avaliar quanto as rendas devem aumentar para manter um padrão de vida constante. O IPC, contudo, não é uma medida perfeita do custo de vida; ele contém três problemas que todos reconhecem, mas que são de difícil resolução.

O primeiro problema é chamado *tendência à substituição*. Quando os preços mudam de um ano para outro, não mudam todos na mesma proporção: alguns preços aumentam mais que outros. Os consumidores respondem a essas diferentes variações de preços comprando menos dos bens cujos preços subiram mais e mais daqueles cujos preços subiram menos ou até diminuíram. Ou seja, os consumidores substituem os bens que se tornaram relativamente mais caros pelos que se tornaram relativamente mais baratos. Se um índice de preços é calculado a partir de uma cesta fixa de bens e serviços, ele ignora a possibilidade de substituição pelos consumidores e pressupõe, em essência, que eles continuem comprando os produtos que agora estão mais caros nas mesmas quantidades de antes. Ao desconsiderar a possibilidade de substituição, o índice superestima o aumento do custo de vida de um ano para o outro.

Consideremos um exemplo simples. Imagine que no ano-base as maçãs estivessem mais baratas que as peras e que, portanto, os consumidores tenham comprado mais maçãs do que peras. Quando o BLS construiu a cesta de bens, incluiu mais maçãs do que peras. Suponha que, no ano seguinte, as peras estavam mais baratas que as maçãs, e os consumidores, naturalmente, responderam à mudança de preço comprando mais peras e menos maçãs. Todavia, ao calcular o índice de preços ao consumidor, o BLS usa uma cesta fixa que, em essência, pressupõe que os consumidores continuem comprando maçãs, que agora estão mais caras, nas mesmas quantidades que comprava antes. E, por essa razão, o índice medirá um aumento do custo de vida muito maior que o efetivamente experimentado pelos consumidores.

O segundo problema do índice de preços ao consumidor é a *introdução de novos bens*. Quando um novo bem é introduzido, os consumidores têm maior variedade de produtos para escolher, e isso, por sua vez, reduz o custo de manter o mesmo nível de bem-estar econômico. Para entender como isso ocorre, suponha que você possa escolher entre um brinde de $ 100 em uma grande loja, que oferece uma grande variedade de produtos, e um brinde de $ 100 em uma pequena loja com os mesmos preços, mas com menor número de opções. O que você prefere? A maioria das pessoas escolheria a loja com maior variedade. No fundo, o maior número de possibilidades de escolha faz que cada dólar tenha mais valor. Isso também é verdadeiro para a evolução da economia com o tempo: à medida que novos produtos são introduzidos, os consumidores têm mais opções de escolha e cada dólar vale mais. Contudo, como o índice de preços ao consumidor baseia-se em uma cesta fixa de bens e serviços, ele não reflete o aumento do valor da moeda que ocorre com a introdução de novos bens.

Vamos considerar outro exemplo. Quando o iPod foi introduzido no mercado, em 2001, os consumidores acharam o dispositivo mais conveniente para ouvir suas músicas favoritas. Já havia outros reprodutores de música, mas estavam longe de ser tão portáteis e versáteis. O iPod foi uma inovação que aumentou o leque de oportunidades dos consumidores. Para qualquer valor estabelecido, a introdução do iPod fez os aficionados ficarem em melhor situação; por outro lado, alcançar o mesmo nível de bem-estar econômico exigia menos recursos. Um índice de custo de vida perfeito teria refletido a inclusão do iPod com uma queda no custo de vida; o IPC, no entanto, não caiu em resposta à introdução do iPod. Mais tarde, o BLS revisou a cesta de bens para incluir o aparelho e, a partir de então, o índice refletiu as mudanças no preço do iPod. A redução do custo de vida associada à inclusão inicial do iPod, porém, nunca foi registrada no indicador.

O terceiro problema do índice de preços ao consumidor é a *mudança de qualidade não medida*. Se a qualidade de um bem se deteriora de um ano para o outro, o valor do dólar cai, mesmo que o preço do bem continue o mesmo. De forma similar, se a qualidade de um bem aumenta de um ano para o outro, o valor do dólar sobe. O BLS faz o possível para levar em conta as mudanças qualitativas. Quando a qualidade de um bem da cesta muda – por exemplo, quando um modelo de carro tem a sua potência aumentada ou passa a consumir menos gasolina de um ano para o outro –, o BLS ajusta o preço do bem para levar em conta a mudança qualitativa. Trata-se, em essência, de tentar calcular o preço de uma cesta de bens de qualidade constante. Apesar desses esforços, as mudanças de qualidade continuam sendo um problema, porque a medição da qualidade é difícil.

Ainda há muito debate entre os economistas a respeito da gravidade desses problemas de medição e do que se pode fazer em relação a eles. Diversos estudos publicados na década de 1990 concluíram que o índice de preços ao consumidor superestimava a inflação em cerca de um ponto percentual ao ano. Em resposta a essas críticas, o BLS adotou diversas mudanças técnicas para melhorar o IPC, e muitos economistas acreditam que a distorção é hoje cerca da metade do que já foi. A questão é importante porque muitos programas governamentais usam o índice de preços ao consumidor para ajustar valores às mudanças no nível geral de preços. Os beneficiários da Seguridade Social, por exemplo, recebem aumentos anuais nos benefícios de acordo com a variação do índice de preços ao consumidor. Alguns economistas sugeriram modificar esses programas para corrigir os problemas de mensuração, reduzindo, por exemplo, a magnitude dos aumentos automáticos dos benefícios.

24_1C O deflator do PIB *versus* o índice de preços ao consumidor

No capítulo anterior, examinamos outra medida do nível geral de preços na economia: o deflator do PIB. O deflator do PIB é a razão entre o PIB nominal e o PIB real. Como o PIB nominal é a produção corrente avaliada a preços correntes e o PIB real é a produção corrente avaliada a preços do ano-base, o deflator do PIB reflete o nível de preços corrente em relação ao nível de preços do ano-base.

Os economistas e formuladores de políticas monitoram tanto o deflator do PIB quanto o índice de preços ao consumidor para avaliar a velocidade de crescimento dos preços. Em geral, essas duas estatísticas contam a mesma história, mas há duas diferenças importantes que podem fazê-las divergir.

A primeira diferença é que o deflator do PIB reflete os preços de todos os bens e serviços *produzidos internamente*, enquanto o índice de preços ao consumidor reflete os preços de todos os bens e serviços *comprados pelos consumidores*. Por exemplo, suponha que o preço de um avião produzido pela Boeing e vendido à Força Aérea aumente. Embora o avião faça parte do PIB, não faz parte da cesta de bens e serviços comprados por um consumidor típico. Assim, o aumento do preço aparece no deflator do PIB, mas não no índice de preços ao consumidor.

Como outro exemplo, suponha que a Volvo aumente os preços de seus carros. Como os carros da Volvo são fabricados na Suécia, o carro não faz parte do PIB norte-americano. Todavia, os consumidores dos Estados Unidos compram Volvo, e, por isso, o carro faz parte da cesta de bens dos consumidores típicos. Assim, um aumento no preço de um bem importado, como um carro da Volvo, aparece no índice de preços ao consumidor, mas não no deflator do PIB.

A primeira diferença entre o índice de preços ao consumidor e o deflator do PIB é especialmente importante quando aumenta o preço do petróleo. Embora os Estados Unidos produzam certa quantidade de petróleo, grande parte do que é consumido no país é importada. Com isso, o petróleo e seus derivados, como a gasolina e o óleo combustível utilizados para aquecimento, têm uma participação maior nas despesas do consumidor que no PIB. Quando o preço do petróleo aumenta, o índice de preços ao consumidor aumenta muito mais que o deflator do PIB.

A segunda e mais sutil diferença entre o deflator do PIB e o índice de preços ao consumidor diz respeito a como os diversos preços são ponderados a fim de que resultem em um só número referente ao nível geral de preços. O índice de preços ao consumidor compara o preço de uma cesta *fixa* de bens e serviços com o preço da mesma cesta no ano-base. O BLS muda apenas ocasionalmente a composição da cesta de bens. Por sua vez, o deflator do PIB compara o preço dos bens e serviços *produzidos correntemente* com o preço dos mesmos bens e serviços no ano-base. Assim sendo, o grupo de bens e serviços usados para calcular o deflator do PIB muda automaticamente ao longo do tempo. Essa diferença não é importante quando todos os preços mudam proporcionalmente. Entretanto, se os preços de diferentes bens e serviços estiverem mudando em ritmos diferentes, a forma como os preços são ponderados influenciará a taxa geral de inflação.

A Figura 2 mostra a taxa de inflação medida tanto pelo deflator do PIB quanto pelo índice de preços ao consumidor para cada ano desde 1965. Como podemos ver, as duas medidas às vezes divergem. Quando isso

Figura 2

Duas medidas de inflação

A figura mostra a taxa de inflação – a variação percentual do nível de preços – medida pelo deflator do PIB e pelo índice de preços ao consumidor usando dados anuais desde 1965. Observe que, em geral, as duas medidas de inflação se movem juntas.

Fonte: U. S. Department of Labor; U. S. Department of Commerce.

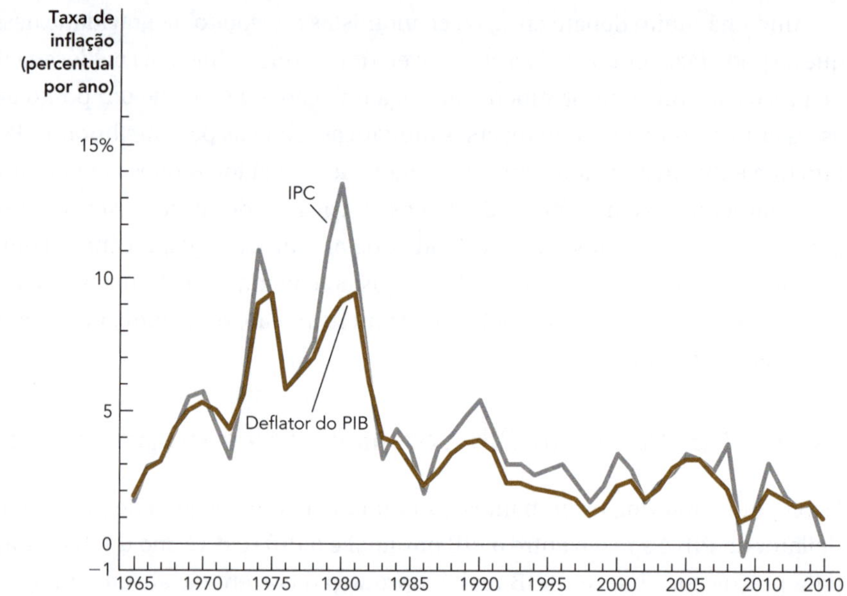

acontece, é possível olhar por trás dos números e explicar a divergência com as duas diferenças que acabamos de abordar. Por exemplo, em 1979 e 1980 a taxa de inflação do IPC disparou mais que o deflator do PIB, em grande parte porque o preço do petróleo mais que duplicou durante aquele período. Contudo, a divergência entre as duas medidas é a exceção, e não a regra. No final da década de 1970, tanto o deflator do PIB quanto o índice de preços ao consumidor mostram taxas de inflação elevadas. No final das décadas de 1980, 1990 e início da década de 2000, ambas as medidas mostram taxas de inflação baixa.

Teste rápido Explique em poucas palavras o que o índice de preços ao consumidor tenta medir e como ele é construído. • Identifique uma razão pela qual o IPC é uma medida imperfeita do custo de vida.

24_2 CORRIGINDO AS VARIÁVEIS ECONÔMICAS DOS EFEITOS DA INFLAÇÃO

O objetivo de medir o nível geral de preços na economia é permitir uma comparação entre os valores monetários em diferentes momentos. Agora que sabemos como são calculados os índices de preços, vejamos como se pode utilizá-los para comparar uma quantia monetária do passado com uma quantia monetária do presente.

24_2A Valores monetários em diferentes épocas

Primeiro, voltemos à questão do salário de Babe Ruth. Seu salário de $ 80 mil, em 1931, era alto ou baixo se comparado aos salários dos jogadores de hoje?

Para responder a essa pergunta, precisamos conhecer o nível de preços em 1931 e o nível de preços de hoje. Parte do aumento dos salários no beisebol serve apenas para compensar os jogadores pelo maior nível de preços de hoje. Para comparar o salário de Ruth com o dos jogadores atuais, temos de inflacionar o salário de Ruth, a fim de transformar os dólares de 1931 em dólares de hoje.

A fórmula para transformar os valores em dólar do ano *T* em valores atuais é a seguinte:

$$\text{Quantia em dólares atuais} = \text{Quantia em dólares no ano T} \times \frac{\text{Nível de preços atuais}}{\text{Nível de preços no ano T}}$$

Um índice de preços como o IPC mede o nível de preços e, assim, determina o tamanho da correção de inflação.

Vamos aplicar a fórmula ao salário de Babe Ruth. As estatísticas do governo mostram um índice de preços ao consumidor de 15,2 para 1931 e de 237 para 2015. Assim, o nível geral de preços aumentou por um fator de 15,6 (o que equivale a 237/15,2). Podemos usar esses números para medir o salário de Ruth em dólares de 2015. O cálculo é o seguinte:

$$\text{Salário em dólar de 2015} = \text{Salário no valor do dólar de 1931} = \frac{\text{Nível de preços em 2015}}{\text{Nível de preços em 1931}}$$

$$= \$\ 80.000 \times \frac{237}{15{,}2}$$

$$= \$\ 1.247.368$$

Concluímos que, em 1931, o salário de Ruth equivaleria a um salário atual de mais de $ 1,2 milhão. Era uma boa renda, mas era apenas um terço do salário de um jogador médio de hoje e somente 4% do que o Dodgers paga a Clayton Kershaw. Várias forças, incluindo o crescimento econômico geral e as participações cada vez maiores que os superastros recebem, aumentaram substancialmente o padrão de vida dos melhores atletas.

Vamos examinar também o salário do presidente Hoover em 1931, que era de $ 75.000. Para converter esse valor em dólares de 2015, novamente temos de multiplicá-lo pela razão dos níveis de preços nos dois anos. Verificamos que o salário de Hoover era o equivalente a $ 75 mil x (237/15,2), ou $ 1.169.408 em dólares de 2015. Isso está bem acima do salário de $ 400 mil do presidente Barack Obama. Parece que, afinal, o presidente Hoover teve um ano muito bom.

24_2B Indexação

Como acabamos de ver, os índices de preços são usados para corrigir os efeitos da inflação quando comparamos valores monetários de diferentes épocas. Esse tipo de correção aparece em muitas situações da

Saiba mais sobre

O SR. ÍNDICE VAI A HOLLYWOOD

Qual foi o filme mais popular de todos os tempos? A resposta pode ser uma surpresa.

A popularidade dos filmes costuma ser medida pela bilheteria. Por esse critério, *Star Wars: o despertar da força* é o filme número um de todos os tempos, com receita nacional de $ 923 milhões, seguido por *Avatar* ($ 761 milhões) e *Titanic* ($ 659 milhões). Mas esse *ranking* ignora um fato óbvio, mas importante: os preços, incluindo os de ingressos de cinema, aumentam ao longo do tempo. A inflação dá uma vantagem a filmes mais novos.

Quando corrigimos as bilheteiras pela inflação, a história é bem diferente. O número 1 agora é *E o vento levou* ($ 1,758 bilhão), seguido pelo filme original da série *Star Wars* ($ 1,550 bilhão) e *A noviça rebelde* ($ 1,239 bilhão). *Star Wars: o despertar da força* cai para a 11ª posição.

E o vento levou foi lançado em 1939, antes que todo mundo tivesse televisores em casa. Nos anos 1930, cerca de 90 milhões de norte-americanos iam ao cinema todas as semanas, comparados aos cerca de 25 milhões de hoje. No entanto, os filmes daquela época raramente aparecem nas listas convencionais de popularidade, porque os ingressos eram vendidos por apenas um quarto dos valores de hoje. De fato, como o *ranking* se baseia no valor nominal da bilheteria, *E o vento levou* não está entre os 100 primeiros colocados. Scarlett e Rhett se saem muito melhor quando corrigimos os efeitos da inflação.

indexação
a correção automática, por força de lei ou de contrato, de uma quantia pela inflação

economia. Quando alguma quantia em dólares é automaticamente corrigida por mudanças no nível de preços, por força de lei ou de contrato, dizemos que a quantia está **indexada** pela inflação.

Por exemplo, muitos contratos de longo prazo entre empresas e sindicatos incluem uma indexação total ou parcial do salário pelo índice de preços ao consumidor. Condições como essa são chamadas *cost-of-living allowance* (reajuste pelo custo de vida) ou Cola. O Cola automaticamente aumenta os salários quando o índice de preços ao consumidor aumenta.

A indexação também é uma característica de muitas leis. Os benefícios da Seguridade Social, por exemplo, são reajustados a cada ano para compensar os idosos pelos aumentos dos preços. As faixas do imposto de renda federal - os níveis de renda em que as alíquotas mudam - também são indexadas. Há, contudo, muitos pontos do sistema tributário que não estão indexados, quando talvez devessem estar. Abordaremos essas questões em maior profundidade quando tratarmos dos custos da inflação, mais adiante.

24_2C Taxas de juros reais e nominais

Corrigir as variáveis econômicas pelos efeitos da inflação é particularmente importante, e por vezes complicado, quando observamos os dados sobre as taxas de juros. O conceito de taxa de juros envolve necessariamente a comparação de valores entre períodos diferentes. Quando você deposita sua poupança em uma conta bancária, recebe juros sobre seu depósito. Da mesma forma, quando você faz um empréstimo bancário, terá de pagar juros sobre esse empréstimo. Nos dois casos, para entender os aspectos dessas transações, é preciso saber que os valores monetários futuros podem ser diferentes dos atuais. Ou seja, é preciso saber como corrigir os efeitos da inflação.

Vamos considerar um exemplo. Suponha que Sally Saver deposite $ 1.000 em uma conta bancária que paga taxa anual de juros de 10%. Após um ano, Sally acumulou $ 100 em juros. Ela então retira os seus $ 1.100. Sally está $ 100 mais rica que quando fez o depósito, um ano antes?

A resposta depende do que queremos dizer com "rica". Sally tem $ 100 a mais que um ano atrás. Em outras palavras, o número de dólares aumentou 10%. Sally não se importa com a quantidade de dinheiro em si, mas com o que pode adquirir com ele. Se os preços subiram enquanto o dinheiro estava no banco, cada dólar agora compra menos que há um ano. Nesse caso, seu poder de compra - a quantidade de bens e serviços que pode comprar - não aumentou 10%.

Simplificando, vamos supor que Sally goste de música e compre apenas DVDs. Quando ela fez o depósito, um DVD custava $ 10. O depósito de $ 1.000 era equivalente a 100 DVDs. Um ano mais tarde, após receber os 10% de juros, ela tem $ 1.100. Quantos DVDs ela pode comprar? Depende do que aconteceu com o preço. Observe alguns exemplos:

- Inflação zero: se o preço do DVD permanece $ 10, a quantidade que ela pode comprar aumenta de 100 para 110 DVDs. O aumento de 10% no total depositado representa um aumento de 10% no poder de compra.
- Inflação de 6%: se o preço do DVD aumenta de $ 10 para $ 10,60, a quantidade que ela pode comprar aumenta de 100 para aproximadamente 104 DVDs. O poder de compra aumenta cerca de 4%.
- Inflação de 10%: se o preço do DVD aumenta de $ 10 para $ 11, ela pode comprar apenas 100 DVDs. Embora o valor depositado tenha aumentado, o poder de compra permanece o mesmo de um ano antes.
- Inflação de 12%: se o preço do DVD aumenta de $ 10 para $ 11,20, então, mesmo com mais dinheiro, a quantidade de DVDs que pode comprar cai de 100 para aproximadamente 98. Mesmo com mais dólares, o poder de compra diminui quase 2%.

Se Sally vivesse em uma economia com deflação - queda de preços -, poderia surgir outra possibilidade:

- Deflação de 2%: se o preço do DVD cai de $ 10 para $ 9,80, a quantidade de DVDs que ela pode comprar aumenta de 100 para aproximadamente 112 DVDs. O poder de compra aumenta cerca de 12%.

taxa de juros nominal
a taxa de juros tal como normalmente cotada, sem a correção dos efeitos da inflação

taxa de juros real
a taxa de juros após o desconto da taxa de inflação

Esses exemplos mostram que quanto maior a taxa de inflação, menor é o aumento no poder de compra de Sally. Se a taxa de inflação exceder a taxa de juros, o poder de compra diminuirá. Se houver deflação (ou seja, taxa de inflação negativa), o poder de compra aumentará mais que a taxa de juros.

Para entender o quanto uma pessoa ganha com a caderneta de poupança, é preciso considerar a taxa de juros e as mudanças de preços. A taxa de juros que o banco paga é chamada **taxa de juros nominal**, e a taxa de juros corrigida pela inflação é chamada **taxa de juros real**. Podemos representar a relação entre taxa de juros nominal, taxa de juros real e taxa de inflação da seguinte maneira:

Taxa de juros real = Taxa de juros nominal - Taxa de inflação

A taxa de juros real é a diferença entre a taxa de juros nominal e a taxa de inflação. A taxa de juros nominal nos informa a que velocidade o número de dólares aumenta na conta bancária ao longo do tempo, enquanto a taxa de juros real nos diz a que velocidade o poder aquisitivo de uma conta bancária cresce ao longo do tempo.

Teste rápido Em 1914, Henry Ford pagava a seus operários $ 5 por dia. Se o índice de preços ao consumidor fosse 10 em 1914 e 237 em 2015, quanto valeria o salário dos empregados da Ford em dólares de 2015?

24_3 CONCLUSÃO

"Um *dime* (10 centavos) não vale nem um *nickel* (5 centavos) hoje em dia", observou certa vez o jogador de beisebol Yogi Berra. De fato, por toda a história recente, os valores reais do *nickel*, do *dime* e do dólar não se mantiveram estáveis. Aumentos persistentes do nível geral de preços têm sido a norma. Essa inflação reduz o poder aquisitivo de cada unidade monetária ao longo do tempo. Quando comparamos valores expressos em dólar de diferentes épocas, é importante lembrar que um dólar de hoje não é o mesmo que um dólar de 20 anos atrás ou, muito provavelmente, que um dólar daqui a 20 anos.

Este capítulo abordou como os economistas medem o nível geral de preços da economia e como usam os índices de preços para corrigir variáveis econômicas dos efeitos da inflação. A indexação de preços permite comparar valores monetários em diferentes momentos no tempo e entender melhor as mudanças na economia.

A abordagem sobre os índices de preços (apresentada neste capítulo) e a do PIB (apresentada no capítulo anterior) representam apenas a primeira etapa no estudo da macroeconomia. Ainda não examinamos o que determina o PIB de um país ou as causas e os efeitos da inflação. Para fazer isso, precisamos ir além das questões ligadas à mensuração. Com efeito, será essa a nossa próxima tarefa. Tendo explicado, nos dois últimos capítulos, como os economistas medem as quantidades macroeconômicas e os preços, agora estamos prontos para desenvolver os modelos que explicam os movimentos dessas variáveis.

Esta será nossa estratégia para os próximos capítulos. Primeiro, examinaremos os determinantes de longo prazo do PIB real e as respectivas variáveis, como poupança, investimento, taxa de juros reais e desemprego. Em seguida, examinaremos os determinantes de longo prazo do nível de preços e as respectivas variáveis, como oferta monetária, inflação e taxa de juros nominal. Por fim, após o estudo de como essas variáveis são determinadas no longo prazo, examinaremos a questão mais complexa do que provoca as flutuações no curto prazo no PIB real e no nível de preços. Em todos esses capítulos, as medidas que acabamos de discutir fornecem a fundamentação para as análises.

Teste rápido do capítulo

1. **O IPC mede aproximadamente o mesmo fenômeno econômico que:**
   a. O PIB nominal.
   b. O PIB real.
   c. O deflator do PIB.
   d. A taxa de desemprego.

2. **O maior componente da cesta de bens e serviços usada para calcular o IPC é:**
   a. Alimentos e bebidas.
   b. Moradia.
   c. Assistência médica.
   d. Vestuário.

3. **Se um fabricante de armas da Pensilvânia aumenta o preço dos rifles que vende ao Exército norte-americano, este aumento irá elevar:**
   a. O IPC e o deflator do PIB.
   b. Nem o IPC nem o deflator do PIB.
   c. O IPC, mas não o deflator do PIB.
   d. O deflator do PIB, mas não o IPC.

4. **Considerando que os consumidores podem, às vezes, comprar bens mais baratos em substituição àqueles que tiveram aumentos no preço,**
   a. O IPC superestima a inflação.
   b. O IPC subestima a inflação.
   c. O deflator do PIB superestima a inflação.
   d. O deflator do PIB subestima a inflação.

5. **Se o IPC era 200 em 1980 e é 300 hoje, a quantia de $ 600 em 1980 tinha o mesmo poder de compra que _____ hoje.**
   a. $ 400
   b. $ 500
   c. $ 700
   d. $ 900

6. **Você deposita $ 2.000 em uma conta de poupança e, um ano depois, tem $ 2.100. Enquanto isso, o IPC aumenta de 200 para 204. Nesse caso, a taxa de juros nominal é de _____% e a taxa de juros real é de _____%.**
   a. 1,5
   b. 3,5
   c. 5,1
   d. 5,3

RESUMO

- O índice de preços ao consumidor mostra o custo de uma cesta de bens e serviços em relação ao custo da mesma cesta no ano-base. O índice é usado para medir o nível geral de preços da economia. A variação percentual do índice de preços ao consumidor mede a taxa de inflação.
- O índice de preços ao consumidor é uma medida imperfeita do custo de vida por três motivos. Primeiro, não leva em consideração a capacidade que os consumidores têm de, com o passar do tempo, substituir os bens que se tornam mais caros por bens que se tornam relativamente mais baratos. Segundo, não considera aumentos do poder aquisitivo do dólar causados pela introdução de novos bens. Terceiro, é distorcido por variações não medidas na qualidade dos bens e serviços. Por causa desses problemas de mensuração, o IPC superestima a inflação ocorrida.
- Da mesma forma que o índice de preços ao consumidor, o deflator do PIB mede o nível geral de preços da economia. Embora esses dois índices andem juntos, há diferenças importantes. O deflator do PIB é diferente do IPC, porque inclui bens e serviços produzidos em vez de bens e serviços consumidos. Com isso, os bens e serviços importados afetam o índice de preços ao consumidor, mas não o deflator do PIB. Além disso, enquanto o índice de preços ao consumidor usa uma cesta fixa de bens, o deflator do PIB muda automaticamente o grupo de bens e serviços, à medida que, com o passar do tempo, a composição do PIB muda.
- Os valores monetários em diferentes momentos não representam comparação válida do poder aquisitivo. Para comparar valores monetários do passado com valores monetários de hoje, o valor antigo precisa ser inflacionado por meio de um índice de preços.
- Várias leis e contratos privados usam índices de preços para corrigir os efeitos da inflação. As leis tributárias, contudo, são apenas parcialmente indexadas pela inflação.
- A correção da inflação é especialmente importante quando analisamos dados sobre taxas de juros. A taxa de juros nominal é a taxa de juros

que costuma ser divulgada; é a taxa à qual o número de dólares depositados em uma conta de poupança aumenta com o passar do tempo. Por sua vez, a taxa de juros real leva em consideração variações do valor do dólar ao longo do tempo. A taxa de juros real é igual à taxa de juros nominal menos a taxa de inflação.

CONCEITOS-CHAVE

índice de preços ao consumidor (IPC), p. 399
taxa de inflação, p. 400
núcleo do IPC, p. 401
índice de preços ao produtor (IPP), p. 401
indexação, p. 406
taxa de juros nominal, p. 407
taxa de juros real, p. 407

QUESTÕES PARA REVISÃO

1. Dos dados apresentados a seguir, qual tem maior efeito sobre o índice de preços ao consumidor: um aumento de 10% no preço do frango ou um aumento de 10% no preço do caviar? Por quê?
2. Descreva os três problemas que fazem do índice de preços ao consumidor uma medida imperfeita do custo de vida.
3. Se o preço de um vinho francês aumentar, o que será mais afetado: o índice de preços ao consumidor ou o deflator do PIB? Por quê?
4. Durante um longo período de tempo, o preço da barra de chocolate aumentou de $ 0,20 para $ 1,20. No mesmo período, o índice de preços ao consumidor subiu de 150 para 300. Corrigindo pela inflação total, quanto aumentou o preço de barra de chocolate?
5. Explique o significado de *taxa de juros nominal* e de *taxa de juros real*. Como as duas estão relacionadas?

PROBLEMAS E APLICAÇÕES

1. Suponha que no ano em que você nasceu alguém tenha comprado $ 100 de bens e serviços para o seu chá de bebê. Quanto custaria hoje comprar a mesma quantidade de bens e serviços? Agora, encontre dados sobre o índice de preços ao consumidor e calcule a resposta com base nele. (A calculadora da inflação do Bureau of Labor Statistics (BLS) está disponível em: http://www.bls.gov/data/ inflation_calculator.htm.)

2. Os habitantes de Vegópia gastam toda a renda em couve-flor, brócolis e cenouras. Em 2016, compraram 100 cabeças de couve-flor por $ 200, 50 maços de brócolis por $ 75 e 500 cenouras por $ 50. Em 2017, compraram 75 cabeças de couve-flor por $ 225, 80 maços de brócolis por $ 120 e 500 cenouras por $ 100.
   a. Calcule o preço de cada tipo de legume em cada ano.
   b. Considerando 2016 como ano-base, calcule o IPC de cada ano.
   c. Qual é a taxa de inflação em 2017?

3. Suponha que as pessoas consumam apenas três bens, como mostra a tabela:

	Bolas de tênis	Bolas de golfe	Garrafas de Gatorade
Preço de 2017	$ 2	$ 4	$ 1
Quantidade de 2017	100	100	200
Preço de 2018	$ 2	$ 6	$ 2
Quantidade de 2018	100	100	200

   a. Qual é a variação percentual no preço de cada um dos três bens?
   b. Empregando um método semelhante ao do IPC, calcule a variação percentual no nível total de preços.
   c. Se você soubesse que o tamanho da garrafa de Gatorade aumentaria de 2017 para 2018, essa informação afetaria o cálculo da taxa de inflação? Explique.

d. Se você soubesse que a Gatorade introduziria novos sabores em 2018, essa informação afetaria o cálculo da taxa de inflação? Explique.

4. Visite o *site* do Bureau of Labor Statistics (http://www.bls.gov) e encontre dados sobre o índice de preços ao consumidor. Quanto o índice que inclui todos os itens aumentou durante o último ano? Em quais categorias de despesas os preços subiram mais? Em quais categorias subiram menos? Houve categorias que apresentaram queda de preços? Você consegue explicar algum desses fatos?

5. Um pequeno país com 10 pessoas adora o programa de TV *The Voice*. Tudo o que produzem e consomem são equipamentos de *karaoke* e CDs, nas seguintes quantidades:

	Máquinas de *karaoke*		CDs	
	Quantidade	Preço	Quantidade	Preço
2017	10	$ 40	30	$ 10
2018	12	60	50	12

a. Usando um método semelhante ao do Índice de Preço ao consumidor, calcule a variação na porcentagem do nível geral de preços. Considere 2017 como ano-base e estabeleça a cesta em 1 equipamento de *karaoke* e 3 CDs.
b. Usando um método semelhante ao do deflator do PIB, calcule a alteração na porcentagem do nível geral de preços. Considere também 2017 como ano-base.
c. A taxa de inflação em 2018 é a mesma apurando-a com os dois métodos? Explique.

6. Dos problemas ligados à construção do IPC, qual deles cada uma das situações a seguir exemplifica? Explique.
a. A invenção dos telefones celulares.
b. A introdução de *air bags* nos carros.
c. Aumento das compras de computadores pessoais em resposta a uma queda de seus preços.
d. Maior quantidade de passas em cada pacote de granola.
e. Maior uso de carros mais eficientes depois do aumento dos preços da gasolina.

7. Uma dúzia de ovos custava $ 0,88 em janeiro de 1980 e $ 2,11 em janeiro de 2015. O salário médio dos trabalhadores da produção era $ 7,58 por hora em janeiro de 1980 e $ 19,64 em janeiro de 2015.
a. Qual foi o percentual de aumento do preço dos ovos?
b. Qual foi o percentual de aumento dos salários?
c. Em cada ano, quantos minutos um trabalhador teve de trabalhar para ganhar o suficiente para comprar uma dúzia de ovos?
d. O poder de compra dos trabalhadores em termos de ovos aumentou ou diminuiu?

8. O capítulo explica que os benefícios da Seguridade Social aumentam a cada ano de acordo com o aumento do IPC, embora a maioria dos economistas acredite que o IPC superestima a inflação ocorrida.
a. Se os idosos consumirem a mesma cesta de mercado que as demais pessoas, a Seguridade Social lhes proporcionará uma melhoria do padrão de vida a cada ano? Explique.
b. Na verdade, os idosos consomem mais assistência médica que os mais jovens, e os custos da assistência médica subiram mais que a inflação geral. O que você faria para determinar se os idosos estão, realmente, em melhor situação a cada ano?

9. Suponha que um tomador de empréstimo e um credor concordem com uma taxa de juros nominal a ser paga em um empréstimo. Então, a inflação se revela mais alta do que ambos esperavam.
a. A taxa de juros real do empréstimo é maior ou menor que a esperada?
b. O credor sai ganhando ou perdendo com essa inflação inesperadamente elevada? E o tomador do empréstimo sai ganhando ou perdendo?
c. A inflação durante os anos 1970 foi muito mais elevada que a maioria das pessoas esperava quando a década teve início. Como isso afetou os proprietários de imóveis que obtiveram hipotecas a taxas fixas durante os anos 1960? Como afetou os bancos que concederam os empréstimos?

Parte IX

A economia real no longo prazo

CAPÍTULO 25

Produção e crescimento

Quando viajamos pelo mundo, vemos tremendas variações nos padrões de vida. A renda média de um país rico, como os Estados Unidos, o Japão ou a Alemanha, é mais de dez vezes a renda média de um país pobre, como a Índia, a Nigéria ou a Nicarágua. Essas grandes diferenças de renda se refletem em grandes disparidades na qualidade de vida. As pessoas nos países mais ricos têm melhor nutrição, moradia mais segura, melhor atendimento de saúde e maior expectativa de vida, além de mais carros, mais telefones e mais televisores.

Mesmo dentro de um só país, há grandes variações no padrão de vida ao longo do tempo. Nos Estados Unidos, durante o século passado, a renda média medida pelo PIB real *per capita* aumentou cerca de 2% ao ano. Embora 2% possa parecer pouco, essa taxa de crescimento significa que a renda média dobra a cada 35 anos. Por causa desse crescimento, a renda média de hoje é cerca de oito vezes maior que a renda média de um século atrás. Com isso, o norte-americano típico desfruta de prosperidade econômica muito maior que seus pais, avós ou bisavós desfrutaram.

As taxas de crescimento variam substancialmente de país para país. De 2000 a 2014, o PIB *per capita* da China cresceu a uma taxa de 11% ao ano, acumulando um aumento de 357% na renda média. Um país que vivencia um crescimento tão rápido pode, em uma geração, deixar de estar entre os mais pobres do mundo para figurar entre os mais ricos. Em comparação, no mesmo período de tempo, a renda *per capita* no Zimbábue caiu um total de 13%, deixando o cidadão típico mergulhado na pobreza.

O que explica essas diferenças? Como os países ricos podem garantir a manutenção de seus elevados padrões de vida? Quais políticas os países mais pobres devem adotar para promover crescimento mais rápido, a fim de ingressar no mundo desenvolvido? Essas questões estão entre as mais importantes da macroeconomia. Como pontificou o economista Robert Lucas, vencedor do Prêmio Nobel, "as consequências para o bem-estar humano em questões como essas são simplesmente inacreditáveis: quando se começa a pensar nela, é difícil pensar em qualquer outra coisa".

Nos dois últimos capítulos, vimos como os economistas medem as quantidades e os preços do ponto de vista macroeconômico. Podemos agora começar a estudar as forças que determinam essas variáveis. Como vimos, o produto interno bruto (PIB) de um país mede tanto a renda total auferida na economia quanto o gasto total em bens e serviços nessa economia. O nível do PIB real é uma boa medida da prosperidade econômica, e seu crescimento é uma boa medida do progresso econômico. Neste capítulo, vamos nos concentrar nos determinantes de longo prazo do nível e do crescimento do PIB real. Mais adiante, estudaremos as flutuações de curto prazo do PIB real em torno de sua tendência de longo prazo.

Prosseguiremos em três etapas. Primeiro, examinaremos dados internacionais sobre o PIB real *per capita*. Esses dados nos darão uma ideia de quanto o nível e o crescimento dos padrões de vida variam ao redor do mundo. Segundo, examinaremos o papel da *produtividade*: a quantidade de bens e serviços produzida por hora de trabalho. Mais especificamente, veremos que o padrão de vida de uma nação é determinado pela produtividade de seus trabalhadores e examinaremos os fatores que determinam a produtividade de uma nação. Terceiro, examinaremos a ligação entre a produtividade e as políticas econômicas adotadas por uma nação.

25_1 CRESCIMENTO ECONÔMICO AO REDOR DO MUNDO

Como ponto de partida para o nosso estudo do crescimento no longo prazo, vamos verificar as experiências de algumas das economias do mundo. A Tabela 1 mostra dados sobre o PIB real *per capita* em 13 países. Para cada país, os dados abrangem cerca de um século de história. A primeira e a segunda colunas da tabela apresentam os países e os períodos de tempo (os períodos de tempo diferem um pouco de país para país por causa de diferenças quanto à disponibilidade de dados). As terceira e quarta colunas mostram estimativas do PIB real *per capita* há cerca de um século e em um ano recente.

Os dados sobre o PIB real *per capita* mostram que os padrões de vida variam consideravelmente de país para país. A renda *per capita* nos Estados Unidos, por exemplo, é cerca de quatro vezes a da China e cerca de dez vezes a da Índia. Os países mais pobres têm níveis de renda média que há muitas décadas não são vistos no mundo desenvolvido. Em 2014, o cidadão típico do Paquistão tinha a mesma renda real que o cidadão típico do Reino Unido em 1870, e o cidadão típico de Bangladesh tinha uma renda real consideravelmente menor que o americano típico de 1870.

A última coluna da tabela mostra a taxa de crescimento de cada país. A taxa de crescimento mede a velocidade com que o PIB real *per capita* cresceu em um ano típico. Nos Estados Unidos, por exemplo, onde o PIB real *per capita* foi de $ 4.264 em 1870 e de $ 55.860 em 2014, a taxa de crescimento foi de 1,80% ao ano. Isso significa que, se o PIB real *per capita*, partindo de $ 4.264, aumentasse 1,80% ao ano durante 144 anos, acabaria em $ 55.860. É claro que a renda não aumentou exatamente 1,80% em todos os anos: em alguns, aumentou mais; em outros, menos; e em outros, ainda, até caiu. A taxa de crescimento de 1,80% ao ano

Tabela 1
As variedades de experiências do crescimento

País	Período	PIB real per capita no início do período*	PIB real per capita no final do período*	Taxa de crescimento por ano
Brasil	1900-2014	$ 828	$ 15.590	2,61%
Japão	1890-2014	1.600	37.920	2,59
China	1900-2014	762	13.170	2.53
México	1900-2014	1.233	16.640	2,31
Alemanha	1870-2014	2.324	46.850	2,11
Indonésia	1900-2014	948	10.190	2,10
Canadá	1870-2014	2.527	43.360	1,99
Índia	1900-2014	718	5.630	1,82
Estados Unidos	1870-2014	4.264	55.860	1,80
Paquistão	1900-2014	785	5.090	1,65
Argentina	1900-2014	2.440	12.510	1,44
Bangladesh	1900-2014	663	3.330	1,43
Reino Unido	1870-2014	5.117	39.040	1,42

* PIB real medido em dólares norte-americanos de 2014.
Fonte: Robert J. Barro e Xavier Sala-i-Martin, Economic Growth (New York: McGraw-Hill, 1995), Tabelas 10.2 e 10.3; dados *on-line* do Banco Mundial; e cálculos do autor. Para compatibilizar as diferenças internacionais de preço, os dados foram ajustados com base na paridade do poder de compra, quando disponível.

Saiba mais sobre

UMA IMAGEM VALE MAIS QUE MIL ESTATÍSTICAS

Certa vez, George Bernard Shaw disse que "a marca de uma pessoa verdadeiramente inteligente é ser movida pelas estatísticas". A maioria de nós, no entanto, têm problemas para se aprofundar nos dados do PIB – até entendermos o que eles representam.

As três fotos que ilustram esta seção mostram famílias típicas do Reino Unido, do México e de Mali. Cada família foi fotografada na frente da própria casa, com todos os seus bens materiais.

Com base no PIB e em outras estatísticas, esses países apresentam padrão de vida muito diferente, como se pode observar nas fotos.

- O Reino Unido é uma economia avançada. Em 2014, a renda *per capita* era de $ 39.040. Um bebê nascido no Reino Unido pode esperar por uma infância relativamente saudável. Apenas quatro, entre mil crianças, morrem antes de completar 5 anos. Quase toda a população tem acesso a instalações sanitárias modernas, como banheiros e sistema de esgoto para a remoção dos dejetos humanos. O nível de escolaridade é alto: entre os indivíduos em idade universitária, 60% estão matriculados no ensino superior.
- O México é um país de renda média. Em 2014, a renda *per capita* era de $ 16.640. Cerca de 13, entre mil crianças, morrem antes de completar 5 anos. Aproximadamente 80% da população tem acesso ao saneamento moderno. Entre os que estão em idade universitária, 30% estão matriculados.
- O Mali é um país pobre. Em 2014, a renda *per capita* era de apenas $ 1.510. A vida é interrompida com frequência: 115, entre mil crianças, morrem antes de completar 5 anos. Apenas 25% da população tem acesso a instalações sanitárias modernas. A permanência escolar é baixa: entre os adultos em idade universitária, somente 7% estão matriculados.

Os economistas que avaliam o crescimento econômico tentam entender o que provoca diferenças tão grandes no padrão de vida.

© DAVID REED – MATERIAL WORLD

Uma família típica no Reino Unido.

Uma família típica no México.

Uma família típica no Mali.

Saiba mais sobre

VOCÊ É MAIS RICO QUE O NORTE-AMERICANO MAIS RICO?

A revista *American Heritage* publicou, certa vez, uma lista dos norte-americanos mais ricos de todos os tempos. O primeiro lugar coube a John D. Rockefeller, o empresário do petróleo que viveu de 1839 a 1937. De acordo com os cálculos da revista, sua fortuna equivaleria hoje a $ 200 bilhões, cerca de quatro vezes maior que a fortuna de Bill Gates, o empresário de *software* que, atualmente, é o norte-americano mais rico.

Apesar de sua grande fortuna, Rockefeller não desfrutava de muitos dos confortos a que estamos habituados. Ele não podia assistir à TV, jogar *videogames*, navegar na internet ou enviar *e-mails*. No calor imenso do verão, ele não podia refrescar sua casa com ar-condicionado. Durante grande parte de sua vida, não podia viajar de carro ou de avião e não tinha como telefonar a seus parentes ou amigos. Se ficasse doente, não poderia se beneficiar de muitos remédios, como os antibióticos, que os médicos hoje usam rotineiramente para prolongar e melhorar a vida.

Agora, pense: quanto teriam de pagar para que você abrisse mão, pelo resto de sua vida, de todos os confortos modernos que Rockefeller desconhecia? Você o faria por $ 200 bilhões? Talvez não. E, se não o fizesse, seria correto dizer que você está em melhor situação que John D. Rockefeller, considerado o norte-americano mais rico de todos os tempos?

O capítulo anterior abordou como os índices de preço padrão, usados para comparar somas de dinheiro de diferentes épocas, não conseguem refletir plenamente a introdução de novos bens na economia. Como resultado, a taxa de inflação é superestimada. O outro lado dessa observação é que a taxa de crescimento econômico real é subestimada. Pensar na vida de Rockefeller mostra como esse problema pode ser significativo. Por causa dos tremendos avanços da tecnologia, o norte-americano médio de hoje pode ser considerado "mais rico" que o norte-americano mais rico há cem anos, embora esse fato esteja perdido nas estatísticas econômicas comuns.

desconsidera as flutuações de curto prazo em torno da tendência de longo prazo e representa uma taxa média de crescimento do PIB real *per capita* no decorrer de muitos anos.

Os países da Tabela 1 estão ordenados segundo a taxa de crescimento, da mais rápida para a mais lenta. Nela pode-se ver a grande variedade nas experiências de crescimento. No topo da lista estão o Brasil e a China, que passaram de países mais pobres do mundo para nações de classe média. Também no topo encontra-se o Japão, que passou de uma nação de renda média para uma das mais ricas.

Quase no fim da lista é possível encontrar o Paquistão e Bangladesh, que estavam entre os países mais pobres no fim do século XIX e ainda permanecem nessa posição nos dias de hoje. Na base da lista está o Reino Unido. Em 1870, o Reino Unido era o país mais rico do mundo, com renda média cerca de 20% maior que a dos Estados Unidos e mais que duas vezes maior que a do Canadá. Hoje, a renda média do Reino Unido é 30% inferior à encontrada nos Estados Unidos e 10% inferior à do Canadá.

Esses dados mostram que os países mais ricos do mundo não têm garantia de que continuarão sendo os mais ricos e que os mais pobres não estão condenados a permanecer na pobreza para sempre. Mas o que explica essas mudanças ao longo do tempo? Por que alguns países avançam rapidamente, enquanto outros ficam para trás? São exatamente essas as perguntas que abordaremos a seguir.

Teste rápido Qual é a taxa aproximada de crescimento do PIB real (*per capita*) nos Estados Unidos? Indique um país com crescimento mais rápido e outro com crescimento mais lento.

25_2 PRODUTIVIDADE: SEU PAPEL E SEUS DETERMINANTES

Explicar as grandes variações dos padrões de vida em todo o mundo é, de certa forma, muito fácil. Como veremos, a explicação pode ser resumida em uma só palavra: *produtividade*. Em outro sentido, contudo, as variações internacionais são profundamente complicadas. Para explicar por que as rendas são mais altas em alguns países que em outros, precisamos analisar os muitos fatores que determinam a produtividade de uma nação.

25_2A Por que a produtividade é tão importante

Começaremos nosso estudo da produtividade e do crescimento econômico desenvolvendo um modelo simples com base no famoso romance *Robinson Crusoé*, de Daniel Defoe. Um náufrago preso em uma ilha deserta. Como vive só, Crusoé pesca seu próprio peixe, cultiva seus legumes e faz suas próprias roupas. Podemos pensar nas atividades dele - sua produção e seu consumo de peixes, legumes e roupas - como uma economia simples. Examinando a economia de Crusoé, podemos aprender algumas coisas que também se aplicam a economias mais complexas e realistas.

produtividade a quantidade de bens e serviços produzidos por unidade de insumo de mão de obra

O que determina o padrão de vida de Crusoé? Em uma palavra, **produtividade** é a quantidade de bens e serviços produzidos por cada unidade de trabalho empregada. Se Crusoé for hábil em pescar, cultivar legumes e fazer roupas, viverá bem. Se não tiver competência para realizar essas atividades, viverá mal. Como ele só pode consumir o que produz, seu padrão de vida está ligado à sua produtividade.

No caso da economia de Crusoé, é fácil perceber que a produtividade é o determinante-chave do padrão de vida e que o crescimento da produtividade é o determinante-chave do crescimento dos padrões de vida. Quanto mais peixes Crusoé puder pescar por hora, mais poderá comer no jantar. Se ele encontrar um lugar melhor para pescar, sua produtividade aumentará. O aumento da produtividade o deixará em melhor situação: ele poderá comer mais peixes ou despender menos tempo pescando e dedicar mais tempo à produção de outros bens que deseje.

O papel-chave da produtividade na determinação dos padrões de vida é tão verdadeiro para as nações quanto para os marinheiros presos em uma ilha. Lembre-se de que o produto interno bruto (PIB) de um país mede duas coisas ao mesmo tempo: a renda total auferida por todas as pessoas da economia e a despesa total com os bens e serviços produzidos na economia. O PIB é capaz de medir duas coisas simultaneamente porque, para a economia como um todo, elas precisam ser iguais. Dito de maneira mais simples, a renda de uma economia é igual à produção da economia.

Da mesma forma que Crusoé, uma nação só pode gozar de um padrão de vida elevado se puder produzir uma grande quantidade de bens e serviços. Os norte-americanos vivem melhor que os nigerianos porque os trabalhadores norte-americanos são mais produtivos que os trabalhadores nigerianos. Os japoneses desfrutaram de um crescimento mais rápido de seu padrão de vida que os argentinos porque a produtividade dos trabalhadores japoneses cresceu mais rapidamente. De fato, um dos *Dez princípios de economia* do Capítulo 1 é que o padrão de vida de um país depende de sua capacidade de produzir bens e serviços.

Assim, para entendermos as grandes diferenças entre os padrões de vida que observamos em diversos países, ou em diferentes períodos, precisamos nos concentrar na produção de bens e serviços. Mas perceber a ligação entre padrões de vida e produtividade é apenas o primeiro passo, o que leva naturalmente à próxima pergunta: por que algumas economias são tão melhores que outras na produção de bens e serviços?

25_2B Como a produtividade é determinada

Embora a produtividade tenha uma importância singular para determinar o padrão de vida de Robinson Crusoé, são muitos os fatores que a determinam. Crusoé pescará melhor, por exemplo, se tiver mais varas de pesca, se tiver sido treinado nas melhores técnicas de pesca, se sua ilha tiver uma oferta abundante de peixes ou se ele inventar uma isca de pesca melhor. Cada um desses determinantes da produtividade de Crusoé - que podemos chamar *capital físico*, *capital humano*, *recursos naturais* e *conhecimento tecnológico* - tem sua contraparte em economias mais complexas e realistas. Vamos considerar cada um desses fatores.

Capital físico Os trabalhadores serão mais produtivos se dispuserem de ferramentas para trabalhar. O estoque de equipamentos e estruturas usado para produzir bens e serviços é chamado **capital físico** ou, simplesmente, *capital*. Por exemplo, quando os marceneiros fabricam móveis, usam serrotes, tornos e brocas

capital físico
o estoque de equipamentos e estruturas usado para produzir bens e serviços

capital humano
o conhecimento e as habilidades que os trabalhadores adquirem por meio de educação, treinamento e experiência

de perfurar. Uma quantidade maior de ferramentas permite que o trabalho seja realizado com mais rapidez e precisão. Ou seja, um trabalhador que tenha apenas ferramentas manuais básicas fabricará menos móveis por semana que outro que tenha equipamentos de marcenaria sofisticados e especializados.

Como você deve se lembrar, os insumos usados para produzir bens e serviços - trabalho, capital etc. - são chamados *fatores de produção*. Uma característica importante do capital é ser um fator de produção *produzido*. Ou seja, o capital é um insumo do processo produtivo que foi, no passado, o produto de outro processo produtivo. O marceneiro usa um torno para fazer a perna de uma mesa. Antes disso, o próprio torno foi produção de uma empresa que fabrica tornos. O fabricante de tornos, por sua vez, usou outro equipamento para fazer seu produto. Assim, o capital é um fator de produção usado para produzir todos os tipos de bens e serviços, incluindo mais capital.

Capital humano Um segundo determinante da produtividade é o capital humano. **Capital humano** é a expressão utilizada pelos economistas para designar o conhecimento e as habilidades que os trabalhadores adquirem por meio de educação, treinamento e experiência. O capital humano inclui as habilidades adquiridas nos programas de primeira infância, nos ensinos fundamental e médio, na universidade e no treinamento no emprego para trabalhadores adultos.

Educação, treinamento e experiência são menos tangíveis que tornos, escavadeiras e prédios, mas o capital humano é semelhante ao capital físico em muitos aspectos. Assim como o capital físico, o capital humano aumenta a capacidade da nação para a produção de bens e serviços. Da mesma forma que o capital físico, o capital humano é um fator de produção produzido. Produzir capital humano exige insumos na forma de professores, bibliotecas e tempo dos estudantes. De fato, os estudantes podem ser vistos como "trabalhadores" que têm a importante tarefa de produzir o capital humano que será usado na produção futura.

recursos naturais
os insumos para a produção de bens e serviços que são fornecidos pela natureza, como terra, rios e depósitos minerais

Recursos naturais Um terceiro determinante da produtividade são os **recursos naturais**. Recursos naturais são os insumos proporcionados pela natureza, como terra, rios e depósitos minerais. Os recursos naturais assumem duas formas: renováveis e não renováveis. Uma floresta é um exemplo de recurso natural renovável. Quando uma árvore é derrubada, uma muda pode ser plantada em seu lugar para ser utilizada no futuro. Já o petróleo é um exemplo de recurso natural não renovável. Como é produzido pela natureza ao longo de milhões de anos, sua oferta é limitada: uma vez esgotadas as reservas de petróleo, é impossível criar mais.

As diferenças quanto aos recursos naturais respondem por algumas das diferenças entre os padrões de vida pelo mundo. O sucesso histórico dos Estados Unidos foi impulsionado, em parte, pela grande oferta de terras adequadas para a agricultura. Hoje, alguns países do Oriente Médio, como o Kuwait e a Arábia Saudita, são ricos simplesmente porque estão localizados sobre algumas das maiores reservas de petróleo do mundo.

Embora os recursos naturais sejam importantes, não são necessários para que uma economia seja altamente eficiente na produção de bens e serviços. O Japão, por exemplo, é um dos países mais ricos do mundo, apesar de ter poucos recursos naturais. O comércio internacional torna possível seu sucesso. O Japão importa muitos dos recursos naturais de que necessita, como petróleo, e exporta bens manufaturados para economias ricas em recursos naturais.

conhecimento tecnológico
o conhecimento que a sociedade tem das melhores maneiras de produzir bens e serviços

Conhecimento tecnológico Um quarto determinante da produtividade é o **conhecimento tecnológico**, ou seja, conhecer as melhores maneiras de produzir bens e serviços. Há cem anos, a maioria dos norte-americanos trabalhava em fazendas porque a tecnologia agropecuária exigia uma grande quantidade do insumo trabalho para alimentar toda a população. Hoje, graças aos avanços da tecnologia agropecuária, uma

Saiba mais sobre

A FUNÇÃO DE PRODUÇÃO

Os economistas costumam usar uma *função de produção* para descrever a relação entre a quantidade de insumos utilizada na produção e a quantidade de produtos obtida. Por exemplo, suponha que Y represente a quantidade produzida; L, a quantidade de trabalho; K, a quantidade de capital físico; H, a quantidade de capital humano; e N, a quantidade de recursos naturais. Então, podemos escrever

$$Y = A\ F(L, K, H, N)$$

onde $F(\ )$ é uma função que mostra como os insumos são combinados para gerar o produto, e A, a variável que representa a tecnologia produtiva disponível. À medida que a tecnologia é aperfeiçoada, A aumenta, de modo que a economia produz mais a partir qualquer combinação de insumos dada.

Muitas funções de produção têm uma propriedade chamada *retornos constantes de escala*. Se uma função de produção tem retornos constantes de escala, então a duplicação de todos os insumos faz que a quantidade produzida também seja duplicada. Matematicamente, podemos dizer que a função de produção tem retornos constantes de escala se, para qualquer valor positivo de x,

$$xY = A\ F(xL, xK, xH, xN)$$

A duplicação de todos os insumos é representada nesta equação por $x = 2$. O lado direito mostra a duplicação dos insumos, e o lado esquerdo, a duplicação da produção.

As funções de produção com retornos constantes de escala trazem uma implicação interessante. Para ver qual é, façamos $x = 1/L$. Então, aquela equação passa a ser

$$Y/L = A\ F(1, K/L, H/L, N/L)$$

Observe que Y/L é a produção por trabalhador, que é uma medida de produtividade. Essa equação diz que a produtividade depende do capital físico por trabalhador (K/L), do capital humano por trabalhador (H/L) e dos recursos naturais por trabalhador (N/L). A produtividade depende ainda do estado da tecnologia, representado pela variável A. Assim, essa equação proporciona um resumo matemático dos quatro determinantes de produtividade que acabamos de abordar.

pequena fração da população é capaz de produzir alimento suficiente para o país todo. Essa mudança tecnológica disponibilizou mão de obra para a produção de outros bens e serviços.

O conhecimento tecnológico assume diversas formas. Algumas tecnologias são de conhecimento comum, isto é, depois que alguém as utiliza, todos ficam a par delas. Por exemplo, depois que Henry Ford introduziu com êxito a produção em linhas de montagem, outros fabricantes de automóveis rapidamente seguiram seu exemplo. Outras tecnologias são proprietárias, ou seja, são conhecidas apenas pela empresa que as descobriu. Por exemplo, apenas a Coca-Cola Company conhece a receita secreta para produzir seu famoso refrigerante. Outras tecnologias ainda são proprietárias por um curto período. Quando uma empresa farmacêutica descobre um novo medicamento, o sistema de patentes lhe confere um direito temporário de fabricação exclusiva. Quando a patente expira, outras empresas podem fabricar o medicamento. Todas essas formas de conhecimento tecnológico são importantes para a produção de bens e serviços da economia.

Vale a pena distinguir entre conhecimento tecnológico e capital humano. Embora estejam estreitamente relacionados, há uma diferença importante. O conhecimento tecnológico se refere ao conhecimento que a sociedade tem de como o mundo funciona, enquanto o capital humano se refere aos recursos gastos para transmitir esse conhecimento à força de trabalho. Para usar uma metáfora relevante, diríamos que o conhecimento é a qualidade dos livros-texto da sociedade, enquanto o capital humano é a quantidade de tempo que a população dedica à sua leitura. A produtividade dos trabalhadores depende tanto da qualidade dos livros-texto disponíveis quanto do tempo despendido estudando-os.

Teste rápido Enumere e descreva quatro determinantes da produtividade de um país.

25_3 CRESCIMENTO ECONÔMICO E POLÍTICAS PÚBLICAS

Até aqui, determinamos que o padrão de vida de uma sociedade depende de sua capacidade de produzir bens e serviços e que sua produtividade depende do capital físico, do capital humano, dos recursos naturais e do conhecimento tecnológico. Vamos agora nos voltar para a questão com a qual se deparam os formuladores de políticas de todo o mundo: o que a política governamental pode fazer para aumentar a produtividade e os padrões de vida?

25_3A Poupança e investimento

Como o capital é um fator de produção produzido, uma sociedade pode alterar a quantidade de capital de que dispõe. Se hoje a economia produz uma grande quantidade de novos bens de capital, amanhã ela terá um maior estoque de capital e poderá produzir mais de todos os tipos de bens e serviços. Portanto, uma maneira de aumentar a produtividade futura é investir mais recursos correntes na produção de capital.

Um dos *Dez princípios de economia* do Capítulo 1 é que as pessoas enfrentam *tradeoffs*. Esse princípio é particularmente importante quando consideramos a acumulação de capital. Como os recursos são escassos, dedicar mais recursos à produção de capital implica dedicar menos recursos à produção de bens e serviços para consumo corrente. Ou seja, para que uma sociedade invista mais em capital, ela deve consumir menos e poupar mais de sua renda corrente. O crescimento que decorre da acumulação de capital não é gratuito: exige que a sociedade sacrifique o consumo de bens e serviços no presente para desfrutar de maior consumo no futuro.

No próximo capítulo, examinaremos mais detalhadamente como os mercados financeiros da economia coordenam a poupança e o investimento. Também examinaremos como as políticas governamentais influenciam as quantidades de poupança e investimento que ocorrem. Nesse ponto, é importante observar que incentivar a poupança e o investimento é uma das maneiras pelas quais o governo pode estimular o crescimento e, no longo prazo, aumentar o padrão de vida da economia.

25_3B Rendimentos decrescentes e o efeito de alcance

Suponha que um governo adote políticas que aumentem a taxa de poupança da nação – o percentual do PIB destinado à poupança, não ao consumo. O que aconteceria? Quando a nação poupa mais, menos recursos são necessários para produzir bens de consumo e há mais recursos disponíveis para produzir bens de capital. Como resultado, o estoque de capital aumenta, levando a uma produtividade crescente e a um crescimento mais rápido do PIB. Mas quanto tempo dura essa alta taxa de crescimento? Na hipótese de que a taxa de poupança permaneça nesse novo nível elevado, a taxa de crescimento do PIB se manterá elevada indefinidamente ou apenas por um período?

A visão tradicional do processo de produção é de que o capital está sujeito a **rendimentos decrescentes**: à medida que o estoque de capital aumenta, a produção extra, advinda de uma unidade adicional de capital, cai. Em outras palavras, quando os trabalhadores já dispõem de uma grande quantidade de capital para utilizar na produção de bens e serviços, dar a eles uma unidade adicional de capital aumenta muito pouco sua produtividade. A Figura 1 ilustra esse aspecto, que mostra como a quantidade de capital por trabalhador determina a quantidade produzida por trabalhador, mantendo constantes todos os outros determinantes da produção, como os recursos naturais e o conhecimento tecnológico.

rendimentos decrescentes
a propriedade segundo a qual o benefício de uma unidade adicional de um insumo diminui à medida que a quantidade do insumo aumenta

Por causa dos rendimentos decrescentes, um aumento da taxa de poupança leva a um maior crescimento apenas durante algum tempo. À medida que a maior taxa de poupança permite maior acumulação de capital, os benefícios do capital adicional se tornam menores com o passar do tempo e o crescimento se desacelera. *No longo prazo, uma maior taxa de poupança leva a um maior nível de produtividade e renda, mas não*

Figura 1
Ilustrando a função de produção

Esta figura mostra como a quantidade de capital por trabalhador influencia o montante da produção com outros fatores, incluindo capital humano, recursos naturais e tecnologia, permanecendo constantes. A curva se torna mais plana à medida que a quantidade de capital aumenta por causa dos rendimentos decrescentes para o capital.

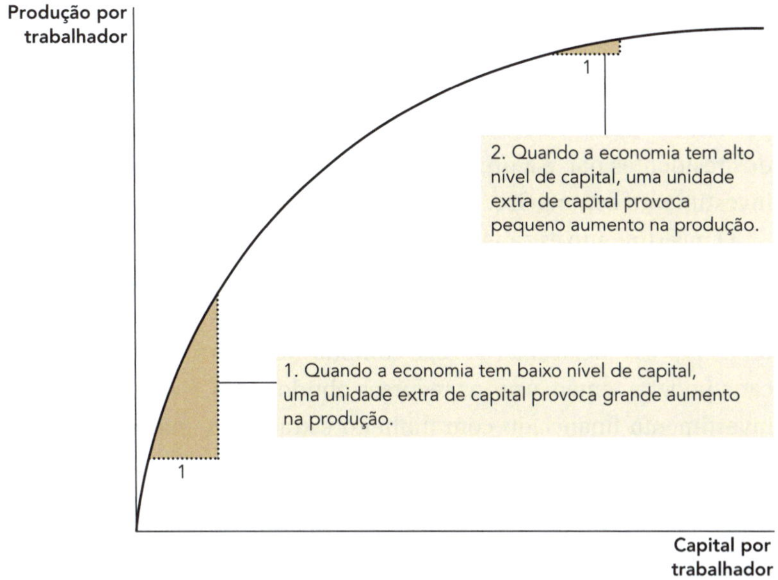

a um maior crescimento dessas variáveis. Atingir esse longo prazo, porém, pode levar bastante tempo. De acordo com estudos de dados internacionais sobre crescimento econômico, aumentar a taxa de poupança pode levar a um crescimento substancialmente mais alto por um período de diversas décadas.

efeito de alcance
a propriedade pela qual países que partem de um patamar pobre tendem a crescer mais rapidamente que países que partem de um patamar rico

Os rendimentos decrescentes para o capital têm outras implicações importantes: com tudo o mais permanecendo constante, é mais fácil para um país crescer rapidamente se ele for relativamente pobre no início do processo. Esse efeito das condições iniciais sobre o crescimento subsequente é, por vezes, chamado **efeito de alcance**. Em países pobres, faltam aos trabalhadores até as ferramentas mais rudimentares, e, como resultado, a produtividade é baixa. Pequenos investimentos em capital aumentariam substancialmente a produtividade desses trabalhadores. Por sua vez, os trabalhadores de países ricos têm grandes quantidades de capital à sua disposição, e isso explica, em parte, sua alta produtividade. Mas se a quantidade de capital por trabalhador já é tão elevada, investimentos adicionais de capital têm efeito relativamente pequeno sobre a produtividade. Estudos de dados internacionais sobre crescimento econômico confirmam o efeito de alcance: controlando as demais variáveis, como o percentual do PIB destinado ao investimento, os países pobres tendem a crescer a um ritmo mais rápido que os países ricos.

Esse efeito de alcance pode ajudar a explicar alguns fatos enigmáticos de outra maneira. Por exemplo: de 1960 a 1990, os Estados Unidos e a Coreia do Sul destinaram parcelas semelhantes de PIB ao investimento. Mas, durante esse período, os Estados Unidos tiveram um crescimento apenas medíocre, em torno de 2%, enquanto a Coreia apresentou um crescimento espetacular de mais de 6%. A explicação está no efeito de alcance. Em 1960, o PIB *per capita* da Coreia era menos que um décimo do nível dos Estados Unidos, em parte porque o investimento anterior tinha sido muito baixo. Com um pequeno estoque inicial de capital, os benefícios da acumulação de capital foram muito maiores na Coreia do Sul, o que proporcionou uma maior taxa de crescimento subsequente.

O efeito de alcance surge também em outros aspectos da vida. Quando uma escola concede um prêmio no final do ano ao aluno que apresentou "o melhor aproveitamento", o aluno agraciado costuma ser alguém que começou o ano com desempenho relativamente fraco. Os alunos que começam o ano sem estudar têm maior facilidade para melhorar do que os que sempre estudaram muito. Observe que é bom ser o aluno de "melhor aproveitamento", dado o ponto de partida, mas é ainda melhor ser o "melhor aluno". De forma similar, o crescimento econômico nas últimas décadas foi muito mais rápido na Coreia do Sul que nos Estados Unidos, mas o PIB *per capita* ainda é maior nos Estados Unidos.

25_3C Investimento estrangeiro

Até aqui, abordamos como as políticas que têm por objetivo aumentar a taxa de poupança de um país podem aumentar o investimento e, com isso, o crescimento econômico de longo prazo. Mas a poupança dos residentes não é a única maneira pela qual um país pode investir em capital novo. Outra maneira é o investimento estrangeiro.

O investimento estrangeiro assume várias formas. A Ford Motor Company poderia construir uma fábrica de carros no México. Um investimento de capital que é possuído e operado por uma entidade estrangeira é chamado *investimento estrangeiro direto*. Alternativamente, um norte-americano poderia comprar ações de uma empresa mexicana (ou seja, comprar uma participação na propriedade da empresa); a empresa mexicana poderia, então, usar os recursos obtidos com a venda de ações para construir uma nova fábrica. Um investimento financiado com dinheiro estrangeiro, mas operado por residentes, é chamado *investimento estrangeiro de portfólio*. Nos dois casos, os norte-americanos proporcionam os recursos necessários para aumentar o estoque de capital do México, ou seja, a poupança norte-americana está sendo usada para financiar investimento mexicano.

Quando estrangeiros investem em um país, eles o fazem porque esperam obter um retorno sobre seu investimento. A fábrica de carros da Ford aumenta o estoque de capital mexicano e, com isso, aumenta a produtividade e o PIB do México. Mas a Ford leva parte dessa renda adicional de volta aos Estados Unidos, na forma de lucros. De forma similar, quando um investidor norte-americano compra ações mexicanas, tem direito a uma parte do lucro obtido pela empresa mexicana.

Assim, as medidas de prosperidade econômica – o PIB e o PNB – são afetadas de forma diferenciada pelo investimento estrangeiro. Lembre-se de que o produto interno bruto (PIB) é a renda obtida em um país tanto por residentes quanto por não residentes, enquanto o produto nacional bruto (PNB) é a renda obtida pelos residentes de um país tanto no país quanto no exterior. Quando a Ford abre sua fábrica no México, parte da renda gerada vai para pessoas que não vivem no México. Como resultado, o investimento estrangeiro no México aumenta a renda dos mexicanos (medida pelo PNB), em menor medida que aumenta a produção do México (medida pelo PIB).

Ainda assim, o investimento estrangeiro é uma maneira pela qual os países podem crescer. Mesmo que parte dos benefícios desse investimento retorne ao proprietário estrangeiro, o investimento aumenta o estoque de capital da economia, propiciando maior produtividade e maiores salários. Além disso, o investimento estrangeiro é uma forma pela qual os países pobres podem aprender tecnologias avançadas desenvolvidas e usadas por países mais ricos. Por essas razões, muitos economistas que assessoram governos de países menos desenvolvidos apoiam políticas que incentivam o investimento estrangeiro. Isso, muitas vezes, significa remover restrições que esses governos impuseram anteriormente à propriedade estrangeira do capital.

Uma organização que procura incentivar o fluxo de capital para os países pobres é o Banco Mundial. Essa organização internacional capta recursos dos países avançados, como os Estados Unidos, e os utiliza para conceder empréstimos a países menos desenvolvidos, de forma que eles possam investir em estradas, saneamento básico, escolas e outros tipos de capital. E também oferece a esses países assessoria sobre como empregar melhor os recursos. O Banco Mundial, juntamente com a sua instituição coirmã, o Fundo Monetário Internacional, foi estabelecido após a Segunda Guerra Mundial. Uma lição aprendida com a guerra foi a de que as dificuldades econômicas, muitas vezes, levam a turbulências políticas, tensões militares e conflitos internacionais. Portanto, todos os países têm interesse em promover a prosperidade econômica em todo o mundo. O Banco Mundial e o Fundo Monetário Internacional visam atingir esse objetivo comum.

25_3D Educação

A educação – o investimento em capital humano – é, pelo menos, tão importante quanto o investimento em capital físico para o sucesso econômico de longo prazo de um país. Historicamente, nos Estados Unidos, cada ano de estudo eleva o salário de uma pessoa em 10%, em média. Em países menos desenvolvidos, nos quais o capital humano é especialmente escasso, o hiato entre os salários dos trabalhadores instruídos e não instruídos é ainda maior. Assim, uma maneira pela qual a política governamental pode elevar o padrão de vida é oferecendo boas escolas e incentivando a população a utilizá-las.

O investimento em capital humano, assim como o investimento em capital físico, tem um custo de oportunidade. Quando os estudantes estão na escola, abrem mão dos salários que poderiam ganhar. Em países menos desenvolvidos, as crianças costumam abandonar a escola muito jovens, ainda que o benefício da educação seja muito alto, simplesmente porque seu trabalho é necessário para ajudar a manter a família.

Alguns economistas argumentam que o capital humano é particularmente importante para o crescimento econômico, porque propaga externalidades positivas. Uma *externalidade* é o efeito das ações de uma pessoa sobre o bem-estar de quem esteja próximo. Uma pessoa instruída, por exemplo, poderia gerar novas ideias sobre a melhor forma de produzir bens e serviços. Se essas ideias entrarem para o conjunto de conhecimentos de uma sociedade, de modo que todos possam usá-las, então elas serão uma externalidade da educação. Nesse caso, o retorno da instrução para a sociedade é ainda maior que o retorno para o indivíduo. Esse argumento justificaria os grandes subsídios ao investimento em capital humano que observamos na forma de educação pública.

Um problema que alguns países pobres enfrentam é a *fuga de cérebros* - a emigração de muitos dos trabalhadores mais instruídos para países ricos, onde eles podem desfrutar de um padrão de vida mais elevado. Se o capital humano tem externalidades positivas, essa fuga de cérebros deixaria as pessoas que ficam para trás ainda mais pobres que antes. Esse problema cria um dilema para os formuladores de políticas. Por um lado, os Estados Unidos e outros países ricos têm os melhores sistemas de educação superior e seria natural que os países mais pobres enviassem seus melhores alunos para o exterior, a fim de melhorar sua instrução. Por outro lado, esses alunos que passaram algum tempo fora podem decidir não voltar para seus países de origem, e essa fuga de cérebros reduzirá ainda mais o estoque de capital humano da nação pobre.

25_3E Saúde e nutrição

A expressão *capital humano*, geralmente, refere-se à educação, mas também pode ser usada para descrever outro tipo de investimento nas pessoas: gastos que promovam a saúde da população, pois, desde que os demais fatores sejam mantidos constantes, trabalhadores saudáveis são mais produtivos. Fazer os investimentos certos na saúde da população é uma forma de aumentar a produtividade e melhorar o padrão de vida.

O historiador econômico Robert Fogel defende que um fator significativo para o crescimento econômico de longo prazo é melhorar a saúde da população pela nutrição. Ele estima que na Grã-Bretanha, em 1780, uma em cada cinco pessoas era tão malnutrida, que era incapaz de realizar qualquer trabalho manual. Entre os que conseguiam trabalhar, a ingestão insuficiente de calorias reduzia substancialmente a força que poderiam ter para o trabalho. A melhora da nutrição se refletiu na produtividade.

Fogel estuda essas tendências históricas, em parte, observando a altura da população. Baixa estatura pode indicar má nutrição, principalmente durante a gestação e os primeiros anos de vida. Ele descobriu que, conforme o país se desenvolve economicamente, as pessoas comem mais e a estatura da população aumenta. De 1775 a 1975, a média de ingestão calórica na Grã-Bretanha cresceu 26%, e a altura do homem médio aumentou quase 10 cm. Da mesma forma, durante o crescimento econômico espetacular na Coreia do Sul, de 1962 a 1995, o consumo de calorias aumentou 44%, e a altura do homem médio aumentou quase 6 cm. Naturalmente, a altura de uma pessoa é determinada por uma combinação de fatores genéticos e ambientais. Porém, como a estrutura genética de uma população demora a se alterar, é provável que o aumento da altura média se deva a mudanças ambientais - a nutrição é a explicação óbvia.

Além disso, estudos descobriram que a altura é um indicador de produtividade. Analisando os dados referentes a um grande número de trabalhadores, em um período específico, os pesquisadores concluíram que trabalhadores mais altos tendem a ganhar mais. Como o salário reflete a produtividade, essa descoberta sugere que trabalhadores mais altos tendem a ser mais produtivos. O efeito da altura sobre os salários é principalmente acentuado em países pobres, onde a desnutrição é um risco maior.

Robert Fogel ganhou o Prêmio Nobel de Economia em 1993 por seu trabalho sobre a história da economia, que inclui, além dos estudos sobre nutrição, estudos sobre a escravidão nos Estados Unidos e o papel das ferrovias no desenvolvimento da economia norte-americana. No discurso que fez, ao receber o prêmio, destacou a relação entre saúde e crescimento econômico. Concluiu dizendo que "a melhoria da nutrição correspondeu a aproximadamente 30% do crescimento da renda *per capita* na Inglaterra entre 1790 e 1980".

Felizmente, hoje é raro encontrar pessoas desnutridas em países desenvolvidos, como a Grã-Bretanha e os Estados Unidos. (Obesidade é o problema mais comum.) Contudo, aqueles que vivem em países em desenvolvimento, saúde ruim e alimentação inadequada continuam a ser obstáculos para produtividade mais elevada e melhor padrão de vida. Segundo a Organização das Nações Unidas, quase um terço da população na região da África subsaariana é desnutrida.

A relação de causa entre saúde e riqueza segue nas duas direções. Os países pobres são pobres, em parte, porque a população não é saudável, e a população não tem saúde, em parte, porque é pobre e não tem condições para ter nutrição e cuidados com a saúde adequados. É um círculo vicioso. Contudo, esse fato abre a possibilidade de um círculo virtuoso: políticas que levam a um crescimento econômico mais rápido naturalmente melhorariam as condições de saúde, o que, por sua vez, promoveria o crescimento econômico.

25_3F Direitos de propriedade e estabilidade política

Outra maneira pela qual os formuladores de políticas públicas podem incentivar o crescimento econômico é protegendo os direitos de propriedade e promovendo a estabilidade política. Essa questão atinge o âmago do funcionamento da economia de mercado.

A produção nas economias de mercado resulta das interações entre milhões de indivíduos e empresas. Quando você compra um carro, por exemplo, está comprando a produção de uma concessionária, de um fabricante, de uma siderúrgica, de uma mineradora de ferro, e assim por diante. Essa divisão da produção entre muitas empresas permite que os fatores de produção da economia sejam usados da maneira mais eficaz possível. Para atingir esse resultado, é preciso coordenar as transações entre as empresas e entre elas e os consumidores. Essa coordenação é alcançada por meio dos preços de mercado, ou seja, os preços são o instrumento com o qual a mão invisível equilibra a oferta e a demanda em cada um dos milhares de mercados que compõem a economia.

Um pré-requisito importante para o funcionamento do sistema de preços é um respeito amplo na economia pelos *direitos de propriedade*. Os direitos de propriedade referem-se à capacidade de as pessoas exercerem autoridade sobre os recursos que possuem. Uma empresa mineradora não se dará ao trabalho de extrair minério de ferro se achar que esse minério será roubado. Ela só irá operar se tiver certeza de que irá se beneficiar da venda subsequente do minério extraído. Por isso, os tribunais desempenham um papel importante nas economias de mercado: eles fazem que os direitos de propriedade sejam cumpridos, desencorajando o roubo por meio do sistema de justiça penal. Além disso, por meio do sistema de justiça cível, os tribunais garantem que compradores e vendedores respeitem os contratos.

Nos países desenvolvidos, os direitos de propriedade são considerados garantidos, mas as pessoas que vivem nos países menos desenvolvidos sabem que a ausência desses direitos pode representar um problema. Em muitos países, o sistema de justiça não funciona bem. É difícil fazer os contratos serem cumpridos, e fraudes costumam ficar impunes. Em casos mais extremos, o governo não somente falha ao fazer os direitos de propriedade serem cumpridos, como também os infringe. Para que possam fazer negócios em alguns países, a expectativa é de que as empresas precisem subornar funcionários públicos importantes. Essa corrupção impede o poder de coordenação de mercados e também desestimula a poupança interna e o investimento estrangeiro.

Uma ameaça aos direitos de propriedade é a instabilidade política. Quando revoluções e golpes de Estado ocorrem com frequência, não se sabe se os direitos de propriedade serão respeitados no futuro. Se um governo revolucionário confiscar o capital de algumas empresas, como aconteceu com frequência após revoluções comunistas, os residentes terão menos incentivos para poupar, investir e iniciar novos negócios. Ao mesmo tempo, os estrangeiros terão menos incentivos para investir no país. Até uma ameaça de revolução pode servir para deprimir o padrão de vida de um país.

A prosperidade econômica, portanto, depende, em parte, da prosperidade política. Um país que tenha um sistema judiciário eficiente, funcionários públicos honestos e uma constituição estável desfrutará de um padrão de vida econômico mais elevado que outro que tenha um sistema judiciário fraco, funcionários corruptos e revoluções e golpes de Estado frequentes.

25_3G Livre comércio

Alguns dos países mais pobres do mundo tentaram atingir um crescimento econômico mais rápido adotando *políticas voltadas para dentro*. Essas políticas têm por objetivo aumentar a produtividade e os padrões de vida no país, evitando interação com o restante do mundo. As empresas locais, frequentemente, valendo-se do argumento da indústria nascente, reivindicam proteção contra concorrentes estrangeiros para competir e crescer. O argumento da indústria nascente, juntamente com uma desconfiança generalizada em relação aos estrangeiros, por vezes tem levado os formuladores de políticas de países menos desenvolvidos a impor tarifas e outras restrições ao comércio.

A maioria dos economistas de hoje acredita que os países pobres se dão melhor quando adotam *políticas voltadas para fora*, que os integrem à economia mundial. O comércio internacional de bens e serviços pode melhorar o bem-estar econômico dos cidadãos de um país. O comércio é, de certa forma, um tipo de tecnologia. Quando um país exporta trigo e importa produtos têxteis, beneficia-se da mesma forma que se tivesse inventado uma tecnologia capaz de transformar trigo em produtos têxteis. Portanto, um país que elimine as restrições ao comércio experimentará o mesmo tipo de crescimento econômico que ocorreria após um grande avanço tecnológico.

O impacto negativo da orientação para dentro torna-se claro quando se leva em consideração o pequeno tamanho de muitas economias menos desenvolvidas. O PIB total da Argentina, por exemplo, é próximo do de Houston. Imagine o que aconteceria se a Câmara Municipal de Houston proibisse seus habitantes de comerciar com pessoas de fora dos limites da cidade. Sem poder tirar vantagens dos ganhos comerciais, a cidade precisaria produzir tudo o que consumisse. Também teria de produzir todos os seus bens de capital, em vez de importar equipamentos de ponta de outras cidades. Os padrões de vida de Houston cairiam imediatamente e o problema, provavelmente, só pioraria com o tempo. Foi exatamente o que aconteceu durante grande parte do século XX, quando a Argentina adotou políticas voltadas para dentro. Por sua vez, países que adotaram políticas voltadas para fora, como a Coreia do Sul, Cingapura e Taiwan, têm desfrutado de taxas elevadas de crescimento econômico.

O montante do comércio de uma nação com outras é determinado não só pela política do governo, mas também pela geografia. Países com bons portos marítimos naturais têm mais facilidade para comerciar com outros países que aqueles que não dispõem desse recurso. Não é coincidência que muitas das grandes cidades do mundo, como Nova York, São Francisco e Hong Kong, estejam perto dos oceanos. De forma similar, como os países sem saída para o mar têm maior dificuldade para comerciar internacionalmente, tendem a ter níveis de renda menores que os países que têm fácil acesso às vias marítimas. Por exemplo, países em que 80% da população vive em locais até 100 quilômetros do litoral apresentam média de PIB *per capita* quatro vezes maior que aqueles em que menos de 20% da população vive perto da costa. A importância crítica do acesso ao mar ajuda a explicar por que o continente africano, com muitos países sem esse acesso, é tão pobre.

25_3H Pesquisa e desenvolvimento

A principal razão pela qual o padrão de vida é mais elevado hoje que há um século é o avanço do conhecimento tecnológico. O telefone, o transistor, o computador e o motor de combustão interna estão entre as milhares de inovações que melhoraram a capacidade de produzir bens e serviços.

Embora a maior parte dos avanços tecnológicos venha de pesquisas realizadas por empresas privadas e inventores individuais, há também um interesse público em promover esses esforços. Em grande medida, o conhecimento é um *bem público*: uma vez que alguém tenha uma ideia, esta entra para o conjunto de conhecimentos da sociedade e outras pessoas podem fazer livre uso dela. Da mesma forma que o governo tem um papel na oferta de bens públicos, como a defesa nacional, também tem um papel a desempenhar no incentivo à pesquisa e ao desenvolvimento de novas tecnologias.

O governo norte-americano, há tempos, desempenha um papel importante na criação e disseminação do conhecimento tecnológico. Há um século, o governo patrocinava a pesquisa de métodos de produção agrícola e aconselhava os agricultores sobre como usar melhor a terra. Mais recentemente, por meio da Força Aérea e da Nasa, o governo norte-americano sustentou a pesquisa aeroespacial; como resultado, os Estados Unidos tornaram-se líderes na produção de foguetes e aviões. O governo continua a incentivar o avanço do conhecimento com bolsas de pesquisa da National Science Foundation e do National Institutes of Health, além de deduções de impostos para as empresas que se dedicam à pesquisa e ao desenvolvimento.

Outra maneira de a política governamental incentivar a pesquisa é por meio do sistema de patentes. Quando uma pessoa ou empresa inventa um novo produto, como uma nova droga, por exemplo, o inventor pode solicitar uma patente. Se o produto for considerado realmente original, o governo concede a patente, que dá ao inventor direito exclusivo de fabricação do produto por um número determinado de anos. Em essência, a patente dá ao inventor direito de propriedade sobre sua invenção, tornando a nova ideia um bem privado, em vez de um bem público. Ao permitir que os inventores lucrem com seus inventos - ainda que só temporariamente -, o sistema de patentes aumenta o incentivo para que indivíduos e empresas se dediquem à pesquisa.

25_3I Crescimento populacional

Os economistas e outros cientistas sociais, há muito, debatem sobre os efeitos do crescimento populacional em uma sociedade. O efeito mais direto é o tamanho da força de trabalho: uma grande população significa que há mais trabalhadores para produzir bens e serviços. O tamanho da população é um dos motivos pelos quais a China tem um papel tão importante na economia mundial.

Ao mesmo tempo, contudo, o grande número de habitantes significa que há mais pessoas para consumir esses bens e serviços. Assim, embora isso signifique maior produção total de bens e serviços, não significa padrão de vida mais alto para o cidadão típico. Na verdade, tanto países grandes quanto pequenos são encontrados em todos os níveis do desenvolvimento econômico.

Pergunte aos especialistas

Inovação e crescimento

"Inovações futuras ao redor do mundo não terão poder de transformação suficiente para, ao longo do próximo século, promover taxas sustentadas de crescimento econômico *per capita* tão altas quanto as dos últimos 150 anos nos Estados Unidos e na Europa ocidental."

Fonte: IGM Economic Experts Panel, 11 de fevereiro de 2014.

O que os economistas dizem?

Além desses efeitos óbvios do tamanho da população, o crescimento populacional interage com outros fatores de produção de maneiras mais sutis e mais abertas ao debate.

Expandindo o aproveitamento dos recursos naturais Thomas Robert Malthus (1766-1834), um pastor e pensador econômico inglês, é famoso por seu livro *Ensaio sobre o princípio da população.* Nele, Malthus apresentou o que pode ser a previsão mais aterradora da história. O autor argumentou que um crescimento constante da população sobrecarregaria cada vez mais a capacidade da sociedade de se prover. Como resultado, a humanidade estaria condenada a viver para sempre na pobreza.

A lógica de Malthus era simples. Ele começou observando que "o alimento é necessário para a existência do homem" e que "a paixão entre os sexos é necessária e continuará próxima de seu estado atual". E concluiu que "o vigor da população é infinitamente maior que a capacidade que a terra tem de produzir subsistência para o homem". De acordo com Malthus, os únicos controles sobre o crescimento populacional seriam "a miséria e o vício". As tentativas das instituições de caridade e dos governos de atenuar a pobreza eram contraproducentes, argumentava ele, porque simplesmente permitiam que os pobres, de tempos em tempos, tivessem mais filhos, colocando um peso ainda maior sobre a capacidade produtiva da sociedade.

Malthus pode ter descrito corretamente o mundo na época em que viveu, mas, felizmente, sua terrível previsão estava longe de se concretizar. A população mundial multiplicou-se por seis nos dois últimos séculos, mas os padrões de vida em todo o mundo estão mais altos, em média. Por causa do crescimento econômico, a fome e a desnutrição crônicas são menos comuns hoje que nos tempos de Malthus. Quando a fome moderna ocorre, ela é mais frequentemente o resultado da má distribuição de renda ou da instabilidade política que de uma produção inadequada de alimentos.

Onde Malthus errou? Como temos visto acontecer, o crescimento da capacidade de invenção da humanidade contrabalançou os efeitos de uma população maior. Os pesticidas, os fertilizantes, as fazendas com equipamentos mecanizados, as novas variedades de cultivo e outros avanços tecnológicos que Malthus jamais imaginou permitiram que cada agricultor alimentasse um número crescente de pessoas. Mesmo com mais bocas para alimentar, são necessários menos fazendeiros, porque cada um deles é muito mais produtivo.

Diluindo o estoque de capital Enquanto Malthus se preocupava com os efeitos da população sobre o uso dos recursos naturais, algumas teorias modernas do crescimento econômico têm enfatizado seus efeitos sobre a acumulação de capital. De acordo com essas teorias, um crescimento populacional elevado reduz o PIB por trabalhador, porque o crescimento rápido do número de trabalhadores faz que o estoque de capital seja distribuído entre mais pessoas. Em outras palavras, quando o crescimento populacional é rápido, cada trabalhador fica equipado com menos capital. Uma quantidade menor de capital por trabalhador leva a uma produtividade menor e a um PIB menor por trabalhador.

Esse problema é mais aparente no caso do capital humano. Países com alto crescimento populacional têm um grande número de crianças em idade escolar, o que impõe um peso maior sobre o sistema educacional. Não é de surpreender, portanto, que a escolaridade seja menor em países com alto crescimento populacional.

As diferenças de crescimento populacional no mundo todo são grandes. Nos países desenvolvidos, como os Estados Unidos e a Europa Ocidental, a população tem crescido somente cerca de 1% ao ano nas últimas décadas, e espera-se que cresça ainda mais lentamente no futuro. No entanto, em muitos países pobres da África, a população cresce cerca de 3% ao ano. A essa taxa, a população dobra a cada 23 anos. Esse rápido crescimento populacional faz que seja mais difícil dotar os trabalhadores com as ferramentas e habilidades de que precisam para atingir níveis mais elevados de produtividade.

Embora o rápido crescimento populacional não seja a principal razão pela qual os países menos desenvolvidos são pobres, alguns analistas acreditam que a redução na taxa de crescimento populacional poderia ajudar esses países a elevar seus padrões de vida. Em alguns países, esse objetivo está sendo atingido diretamente com leis que regulamentam o número de filhos que cada família pode ter. De 1980 a 2015, a China, por exemplo, só permitia um filho por família; os casais que infringissem essa lei estavam sujeitos a multas substanciais. Em países com maior grau de liberdade, o objetivo de redução do crescimento populacional é atingido menos diretamente, por meio de uma maior conscientização das técnicas de controle de natalidade.

Outra maneira pela qual os países podem influenciar o crescimento populacional é aplicar um dos *Dez princípios de economia*: as pessoas respondem a incentivos. Ter um filho, como qualquer decisão, tem um custo de oportunidade. Quando o custo de oportunidade aumentar, as pessoas optarão por ter famílias menores. Mais especificamente, as mulheres que têm a oportunidade de receber uma boa educação e empregos desejáveis tendem a querer menos filhos que as que têm menos oportunidades de trabalho fora de casa. Assim, políticas que promovem tratamento igual para as mulheres podem ser um meio pelo qual as economias menos desenvolvidas podem reduzir a taxa de crescimento populacional e, talvez, aumentar o padrão de vida.

Promovendo o progresso tecnológico Embora o rápido crescimento populacional possa deprimir a prosperidade econômica, reduzindo o capital disponível para cada trabalhador, ele também pode trazer certos benefícios. Alguns economistas sugeriram que o crescimento populacional mundial tem sido um mecanismo de progresso tecnológico e prosperidade econômica. A lógica é simples: se houver mais pessoas, então haverá mais cientistas, inventores e engenheiros para contribuir para o avanço tecnológico, o que beneficia a todos.

O economista Michael Kremer proporcionou alguma sustentação a essa hipótese no artigo "Population growth and technological change: one million B.C. to 1990" ("Crescimento populacional e mudança tecnológica: de um milhão de anos antes de Cristo a 1990"), publicado no *Quartely Journal of Economics*, em 1993. Kremer começa por observar que, durante a longa história da humanidade, as taxas de crescimento mundial aumentaram juntamente com a população do mundo. Por exemplo, o crescimento mundial foi mais rápido quando a população estava em 1 bilhão de pessoas (o que se deu em torno de 1800) do que quando era de apenas 100 milhões (por volta de 500 a.C.). Esse fato é consistente com a hipótese de que ter uma população maior leva a um maior progresso tecnológico.

A segunda parte da evidência de Kremer vem de uma comparação de diferentes regiões do mundo. O derretimento das calotas polares no fim da idade do gelo, em torno de 10.000 a.C., fez submergir as pontes terrestres e separou o mundo em diversas regiões distintas, que não puderam se comunicar umas com as outras durante milhares de anos. Se o progresso tecnológico é mais rápido quando há mais pessoas para descobrir coisas, então as regiões maiores devem ter experimentado um crescimento mais rápido.

Segundo Kremer, foi exatamente isso o que aconteceu. A região mais bem-sucedida do mundo em 1500, quando Colombo restabeleceu o contato, abrangia as civilizações do Velho Mundo, da grande região da Eurásia-África. Em seguida, no desenvolvimento tecnológico, vinham as civilizações asteca e maia, nas Américas, seguidas pelos caçadores-coletores na Austrália, e, finalmente, os povos primitivos da Tasmânia, aos quais faltavam até mesmo o fogo e a maioria das ferramentas de pedra e osso.

A menor região isolada era a Ilha Flinders, uma minúscula ilha entre a Tasmânia e a Austrália. Com a menor população, a Ilha Flinders teve um mínimo de oportunidades de avanço tecnológico e, de fato, parece ter regredido. Em torno de 3.000 a.C., a sociedade humana da ilha desapareceu completamente. Uma numerosa população, concluiu Kremer, é um pré-requisito para o avanço tecnológico.

Teste rápido Descreva três maneiras pelas quais um formulador de políticas do governo pode tentar aumentar o crescimento dos padrões de vida de uma sociedade. Essas políticas apresentam alguma desvantagem?

25_4 CONCLUSÃO: A IMPORTÂNCIA DO CRESCIMENTO NO LONGO PRAZO

Neste capítulo, vimos o que determina o padrão de vida de uma nação e como os formuladores de políticas públicas podem tentar elevar o padrão de vida por meio de políticas que promovam o crescimento econômico. A maior parte deste capítulo se resume em um dos *Dez princípios de economia*: o padrão de vida de um país depende de sua capacidade de produzir bens e serviços. Os formuladores de políticas que queiram incentivar a elevação do padrão de vida devem procurar aumentar a capacidade produtiva da nação, estimulando a rápida acumulação de fatores de produção e garantindo que sejam empregados da maneira mais eficaz possível.

Os economistas divergem quanto à visão que têm do papel do governo na promoção do crescimento econômico. O governo pode, no mínimo, auxiliar a mão invisível, mantendo os direitos de propriedade e a estabilidade política. Uma questão mais controversa é se o governo deve ou não visar a setores mais específicos, que podem ser de especial importância para o progresso tecnológico. Não há dúvidas de que essas questões estão entre as mais importantes da economia. O sucesso de uma geração de formuladores de políticas públicas no aprendizado e na aplicação das lições fundamentais sobre crescimento econômico determina o tipo de mundo que a próxima geração herdará.

Teste rápido do capítulo

1. Ao longo do último século, o PIB real *per capita* dos Estados Unidos cresceu cerca de _____% ao ano, o que significa que ele dobrou a cada _____ anos.

a. 2, 14
b. 2, 35
c. 5, 14
d. 5, 35

2. Os países mais ricos do mundo, como os Estados Unidos e a Alemanha, têm uma renda *per capita* que é cerca de _____ vezes a renda *per capita* dos países mais pobres do mundo, como o Paquistão e a Índia.

a. 2
b. 4
c. 10
d. 30

3. A maioria dos economistas ________ com o fato de os recursos naturais poderem, eventualmente, limitar o crescimento econômico. Como evidência disso, destacam que o preço da maioria dos recursos naturais, ajustados pela inflação global, tendeu a ________ ao longo do tempo.

a. Está preocupada, aumentar.
b. Está preocupada, diminuir.
c. Não está preocupada, aumentar.
d. Não está preocupada, diminuir.

4. Como o capital está sujeito a rendimentos decrescentes, poupança e investimentos maiores não levam a um(a) maior:

a. Renda no longo prazo.
b. Renda no curto prazo.
c. Crescimento no longo prazo.
d. Crescimento no curto prazo.

5. Quando a fabricante japonesa de automóveis Toyota amplia uma de suas fábricas nos Estados Unidos, qual é o impacto provável desse evento sobre o produto interno bruto e sobre o produto nacional bruto daquele país?

a. O PIB aumenta e o PNB cai.
b. O PNB aumenta e o PIB cai.
c. O PIB apresenta um aumento maior que o PNB.
d. O PNB apresenta um aumento maior que o PIB.

6. Thomas Robert Malthus acreditava que o aumento populacional:

a. Prejudicaria a capacidade da economia de produzir alimentos, condenando os humanos a permanecer na pobreza.
b. Repartiria o estoque de capital muito escassamente entre a força de trabalho, reduzindo a produtividade de cada trabalhador.
c. Promoveria o progresso tecnológico, porque haveria mais cientistas e inventores.
d. Com o tempo, se reduziria a níveis sustentáveis, com a melhoria do controle de natalidade e as pessoas tendo famílias menores.

RESUMO

- A prosperidade econômica, medida pelo PIB *per capita*, varia substancialmente no mundo. A renda média dos países mais ricos do mundo é mais de dez vezes superior à dos países mais pobres. Como as taxas de crescimento do PIB real também variam substancialmente, as posições relativas dos países podem mudar drasticamente ao longo do tempo.
- O padrão de vida em uma economia depende da capacidade que ela tem de produzir bens e serviços. A produtividade, por sua vez, depende da quantidade de capital físico, capital humano,

recursos naturais e conhecimento tecnológico disponível para os trabalhadores.

- As políticas governamentais podem tentar influenciar a taxa de crescimento econômico de muitas maneiras: incentivando a poupança e o investimento, estimulando o investimento estrangeiro, promovendo a educação e a saúde, mantendo os direitos de propriedade e a estabilidade política, permitindo o livre comércio e promovendo a pesquisa e o desenvolvimento de novas tecnologias.
- A acumulação de capital está sujeita a rendimentos decrescentes: quanto mais capital há em uma economia, menor a produção adicional gerada por uma unidade adicional de capital. Como resultado, enquanto maiores poupanças levam a um maior crescimento por um determinado período, o crescimento acaba por se desacelerar à medida que o capital, a produtividade e a renda aumentam. Também por causa dos rendimentos decrescentes, o retorno do capital é especialmente elevado nos países pobres. Com tudo o mais permanecendo constante, esses países podem crescer mais rapidamente por causa do efeito de alcance.
- O aumento da população apresenta efeitos variados sobre o crescimento econômico. Por um lado, o aumento rápido da população pode diminuir a produtividade pela ampliação do fornecimento de recursos naturais e pela redução da quantidade de capital disponível para cada trabalhador. Por outro, uma população maior pode melhorar a taxa de progresso tecnológico, porque há mais cientistas e engenheiros.

CONCEITOS-CHAVE

produtividade, p. 417
capital físico, p. 418
capital humano, p. 418
recursos naturais, p. 418
conhecimento tecnológico, p. 418
rendimentos decrescentes, p. 420
efeito de alcance, p. 421

QUESTÕES PARA REVISÃO

1. O que o nível do PIB de uma nação mede? O que a taxa de crescimento do PIB mede? Você preferiria viver em uma nação com nível do PIB elevado e baixa taxa de crescimento ou com baixo nível do PIB e elevada taxa de crescimento?
2. Enumere e descreva quatro determinantes da produtividade.
3. De que maneira um diploma universitário é uma forma de capital?
4. Explique como uma maior poupança leva a um padrão de vida mais elevado. O que poderia impedir um formulador de políticas públicas de tentar elevar a taxa de poupança?
5. Uma maior taxa de poupança leva a um maior crescimento temporário ou indefinidamente?
6. Por que remover uma restrição ao comércio, tal como uma tarifa, poderia levar a um crescimento econômico mais rápido?
7. Como a taxa de crescimento populacional influencia o nível do PIB *per capita*?
8. Descreva duas maneiras pelas quais o governo norte-americano tenta estimular avanços no conhecimento tecnológico.

PROBLEMAS E APLICAÇÕES

1. A maioria dos países, incluindo os Estados Unidos, importa quantidades substanciais de bens e serviços de outros países. Entretanto, o capítulo diz que um país só poderá desfrutar de um padrão de vida elevado se puder produzir ele mesmo uma grande quantidade de bens e serviços. Como conciliar esses dois fatos?
2. Suponha que a sociedade decida reduzir o consumo e aumentar o investimento.

a. Como essa mudança afetaria o crescimento econômico?
b. Quais grupos da sociedade se beneficiariam dessa mudança? Quais grupos poderiam ser prejudicados?

3. As sociedades escolhem qual parcela de seus recursos deve ser destinada ao consumo e qual deve ser destinada ao investimento. Algumas dessas decisões envolvem despesas privadas; outras envolvem gastos do governo.
   a. Descreva algumas formas de despesa privada que representam consumo e investimento. As contas de renda nacional incluem o ensino como parte do gasto do consumidor. Em sua opinião, os recursos que você aplica em sua educação são considerados uma forma de consumo ou de investimento?
   b. Descreva algumas formas de gastos do governo que representam consumo e investimento. Em sua opinião, o gasto do governo com programas de saúde deve ser considerado uma forma de consumo ou de investimento? Você diferenciaria os programas de saúde para jovens e para idosos?

4. Qual é o custo de oportunidade do investimento em capital? Em sua opinião, um país pode investir "excessivamente" em capital? Qual é o custo de oportunidade do investimento em capital humano? Em sua opinião, um país pode investir "excessivamente" em capital humano? Explique.

5. Na década de 1990 e na primeira década dos anos 2000, investidores das economias asiáticas do Japão e da China fizeram significativos investimentos diretos e de carteira nos Estados Unidos. Na época, muitos norte-americanos ficaram insatisfeitos com esses investimentos.
   a. Em que sentido foi melhor para os Estados Unidos receber esses investimentos estrangeiros que não recebê-los?
   b. Em que sentido teria sido ainda melhor se os investimentos tivessem sido realizados por norte-americanos?

6. Em muitos países em desenvolvimento, o número de mulheres jovens matriculadas no nível médio é menor que o de homens jovens. Descreva as diversas maneiras pelas quais maiores oportunidades de ensino para as mulheres jovens poderiam levar a um rápido crescimento econômico nesses países.

7. O International Property Right Index classifica os países com base no ambiente legal e político e na forma como os direitos de propriedade são protegidos. Pesquise na internet e descubra a classificação mais recente. Escolha três países com uma pontuação alta e três com uma pontuação baixa. Então, descubra as estimativas de PIB *per capita* de cada um desses seis países. Que padrão você encontrou? Forneça duas possíveis interpretações para esse padrão.

8. Dados internacionais mostram uma correlação positiva entre a renda individual e a saúde da população.
   a. Explique como a renda mais alta pode causar melhores resultados na saúde.
   b. Explique como os melhores resultados na saúde podem causar renda mais alta.
   c. De que modo a importância relativa das duas hipóteses é relevante para as políticas públicas?

9. O grande economista do século XVIII Adam Smith escreveu: "Pouco mais é necessário, para levar um estado da mais baixa barbárie ao mais alto grau de opulência, do que paz, impostos baixos e uma administração de justiça tolerável: todo o resto é feito pelo curso natural das coisas". Explique de que maneira cada uma das três condições descritas por Smith promoveria o crescimento econômico.

CAPÍTULO 26

Poupança, investimento e sistema financeiro

Imagine que você tenha acabado de se formar na faculdade (em economia, é claro) e decida iniciar seu próprio negócio: uma empresa de previsões econômicas. Antes de ganhar qualquer dinheiro vendendo suas previsões, você precisa incorrer em custos substanciais para montar a empresa. Precisa comprar computadores com os quais fará suas previsões, assim como mesas, cadeiras e arquivos para equipar seu novo escritório. Cada um desses itens é um tipo de capital que sua empresa usará para produzir e vender seus serviços.

Como você obterá os recursos para investir nesses bens de capital? Talvez possa pagar por eles, utilizando sua própria poupança. Entretanto, o mais provável é que, como a maioria dos empreendedores, você não disponha de recursos próprios suficientes para financiar o início do seu negócio. Como resultado, terá de obter o dinheiro de que precisa de outras fontes.

Há muitas maneiras de você financiar esses investimentos de capital. Poderia tomar um empréstimo de um banco, um amigo ou um parente e, nesse caso, você se comprometeria não só a devolver o dinheiro em uma data futura, mas também a pagar juros pelo uso dele. Como alternativa, poderia convencer alguém a fornecer o dinheiro necessário para seu negócio em troca de uma participação nos seus lucros futuros, quaisquer que sejam. Em qualquer um desses casos, seu investimento em computadores e equipamentos de escritório estará sendo financiado pela poupança de outra pessoa.

sistema financeiro
o grupo de instituições da economia que ajuda a promover o encontro da poupança de uma pessoa com o investimento de outra pessoa

O **sistema financeiro** é composto de instituições presentes na economia que ajudam a promover o encontro das pessoas que poupam com aquelas que investem. Como vimos no capítulo anterior, poupança e investimento são elementos-chave do crescimento econômico de longo prazo: quando um país poupa uma grande parte de seu PIB, há mais recursos disponíveis para investimento em capital, e uma maior quantidade de capital aumenta a produtividade e o padrão de vida de um país. Mas o capítulo anterior não explicou como a economia coordena poupança e investimento. Em dado momento, há pessoas que querem poupar uma parte de sua renda para uso no futuro e há outras que querem tomar empréstimos para financiar investimentos em novos negócios e o crescimento dos negócios existentes. O que reúne esses dois grupos de pessoas? O que garante que a oferta de fundos daqueles que querem poupar seja igual à demanda por fundos daqueles que querem investir?

Este capítulo examina o funcionamento do sistema financeiro. Primeiro, discutiremos a grande variedade de instituições que compõem o sistema financeiro dos Estados Unidos. Segundo, examinaremos a relação entre o sistema financeiro e algumas variáveis macroeconômicas fundamentais – principalmente poupança e investimento. Terceiro, desenvolveremos um modelo de oferta e demanda de fundos nos mercados financeiros. No modelo, a taxa de juros é o preço que se ajusta para equilibrar oferta e demanda. O modelo mostra como diversas políticas governamentais afetam a taxa de juros e, portanto, a alocação dos recursos escassos da sociedade.

26_1 INSTITUIÇÕES FINANCEIRAS NA ECONOMIA DOS ESTADOS UNIDOS

No nível mais amplo, o sistema financeiro move os recursos escassos da economia dos poupadores (as pessoas que gastam menos do que ganham) para os tomadores (as pessoas que gastam mais do que ganham). Os poupadores poupam por várias razões - para financiar o estudo dos filhos até a universidade daqui a alguns anos ou para ter uma aposentadoria confortável daqui a algumas décadas. De forma similar, os tomadores também fazem empréstimos por várias razões - para comprar uma casa onde morar ou para iniciar um negócio. Os poupadores ofertam seu dinheiro ao sistema financeiro com a expectativa de recebê-lo de volta com juros em uma data futura. Os tomadores demandam dinheiro do sistema financeiro conscientes de que terão de devolvê-lo com juros em uma data futura.

O sistema financeiro se compõe de diversas instituições financeiras que ajudam a coordenar poupadores e tomadores. Como prelúdio à análise das forças econômicas que movem o sistema financeiro, trataremos das instituições financeiras mais importantes, que podem ser agrupadas em duas categorias: mercados financeiros e intermediários financeiros. Abordaremos cada uma dessas categorias a seguir.

26_1A Mercados financeiros

mercados financeiros
instituições financeiras por meio das quais os poupadores podem fornecer fundos diretamente aos tomadores de empréstimos

título
um certificado de dívida

Os **mercados financeiros** são as instituições por meio das quais uma pessoa que quer poupar pode oferecer fundos diretamente a uma pessoa que deseja tomar empréstimo. Os dois mercados financeiros mais importantes da economia norte-americana são o mercado de títulos e o de ações.

O mercado de títulos Quando a Intel, a gigante dos *chips* de computadores, quer tomar um empréstimo para financiar a construção de uma nova fábrica, pode tomar dinheiro diretamente do público, e o faz com a venda de títulos. Um **título** é um certificado de dívida que especifica as obrigações do tomador do empréstimo para com o detentor do título. Dito de maneira mais simples, um título é um acordo escrito para a devolução de uma dívida (*I Owe You* - IOU). Ele identifica o período de tempo em que o empréstimo será pago, chamado *data de vencimento*, e a taxa de juros que serão pagos periodicamente até o vencimento do empréstimo. O comprador de um título entrega seu dinheiro à Intel em troca da promessa de pagamento de juros e reembolso final do montante emprestado (chamado *principal*). O comprador pode ficar com o título até seu vencimento ou vendê-lo antes a outra pessoa.

Há, literalmente, milhões de títulos diferentes na economia norte-americana. Quando grandes empresas, o governo federal ou governos estaduais e locais precisam tomar empréstimos para financiar a compra de uma nova fábrica, um novo bombardeiro a jato ou uma nova escola, costumam fazê-lo por meio da emissão de títulos. Se você procurar no *Wall Street Journal* ou na seção de negócios de seu jornal local, encontrará uma lista dos preços e taxas de juros de algumas das principais emissões de títulos. Esses títulos apresentam três características significativas.

A primeira característica é o *prazo* do título, ou seja, a duração do tempo até o vencimento do título. Alguns títulos têm prazo curto, alguns meses, enquanto outros podem ter prazos longos, de até 30 anos. (O governo britânico já emitiu um título que nunca vence, chamado *perpetuidade*. Esse título paga juros para sempre, mas o principal nunca será reembolsado.) A taxa de juros de um título depende, em parte, do seu prazo. Títulos de longo prazo apresentam maior risco que os de curto prazo, porque seus detentores precisam esperar mais pelo reembolso do principal. Se o detentor de um título de longo prazo precisar de seu dinheiro antes da data de vencimento, não terá escolha a não ser vendê-lo a outra pessoa, talvez a um preço reduzido. Para compensar esse risco, os títulos de longo prazo, em geral, costumam pagar taxas de juros mais elevadas que os de curto prazo.

A segunda característica importante de um título é seu *risco de crédito,* isto é, a probabilidade de que o tomador deixe de pagar parte dos juros ou do principal. Esse não pagamento é chamado *inadimplência.* Os tomadores podem - e às vezes o fazem - deixar de pagar seus empréstimos, declarando falência. Quando os compradores de títulos percebem que a probabilidade de inadimplência é elevada, exigem uma taxa de juros mais alta para compensar esse risco. Como o governo norte-americano é considerado um risco de crédito seguro, os títulos do governo tendem a pagar uma taxa de juros baixa. Por sua vez, empresas em dificuldades financeiras levantam recursos com a emissão dos chamados *títulos podres* (*junk bonds*), que pagam taxas de juros muito elevadas. Os compradores de títulos podem julgar o risco de crédito por meio de diversas agências privadas, como a Standard & Poor's, que classifica o risco de crédito de diferentes títulos de AAA (mais seguros) a D (aqueles que já estão inadimplentes).

A terceira característica importante dos títulos é o *tratamento tributário,* que é a maneira como a legislação tributária trata os juros ganhos sobre o título. Os juros da maioria dos títulos constituem renda tributável, de modo que o detentor precisa pagar parte dos juros recebidos como imposto de renda. No entanto, quando os governos estaduais e municipais emitem títulos, chamados *títulos municipais,* os detentores não devem imposto de renda federal sobre os juros ganhos. Por causa dessa vantagem tributária, os títulos emitidos pelos governos estaduais e municipais pagam juros menores que os títulos emitidos pelas empresas ou pelo governo federal.

ações
direito a uma parte da propriedade de uma empresa

O mercado de ações Outra maneira de a Intel levantar fundos para a construção de uma nova fábrica de semicondutores é a venda de ações da empresa. As **ações** representam propriedade da empresa e, portanto, um direito sobre os lucros que a empresa obtiver. Por exemplo, se a Intel vender um total de 1 milhão de ações, cada ação representará a propriedade de 1/1 milhão da empresa.

A venda de ações para levantar fundos é denominada *financiamento patrimonial,* enquanto a venda de títulos é denominada *financiamento por endividamento.* Embora as empresas usem os dois tipos de financiamento para levantar fundos para novos investimentos, ações e títulos são muito diferentes. O proprietário de ações da Intel é proprietário de parte da empresa, enquanto o proprietário de um título da Intel é um credor da empresa. Se a Intel for muito lucrativa, os acionistas se beneficiam dos lucros, enquanto os detentores de títulos recebem apenas os juros que lhes são devidos, se a Intel ficar em dificuldades financeiras, os detentores de títulos receberão o que lhes é devido antes de os acionistas receberem qualquer coisa. Comparadas aos títulos, as ações oferecem riscos maiores aos acionistas. Em compensação, oferecem rendimento potencialmente maior.

Depois que uma empresa emite ações e as vende ao público, elas são negociadas entre os acionistas em bolsas de valores organizadas. Nessas transações, a empresa em si não recebe nada quando suas ações mudam de mãos. As bolsas de valores mais importantes da economia norte-americana são a Bolsa de Valores de Nova York, a American Stock Exchange e a National Association of Securities Dealers Automated Quotation System (Nasdaq). A maioria dos países do mundo tem suas próprias bolsas de valores, nas quais são negociadas as ações das empresas locais.

Os preços a que as ações são negociadas nas bolsas de valores são determinados pela oferta e demanda das ações de cada empresa. Como uma ação representa a propriedade de uma empresa, a demanda por uma ação - e, portanto, seu preço - reflete a percepção das pessoas sobre a lucratividade futura da empresa. Quando as pessoas estão otimistas acerca do futuro de uma empresa, a demanda pelas ações dessa empresa aumenta e, consequentemente, também seu preço. No entanto, quando as pessoas esperam que uma empresa tenha lucros baixos, ou até mesmo prejuízo, o preço da ação cai.

Há diversos índices de ações para monitorar o nível geral dos preços das ações. Um *índice de ações* é calculado como a média de um grupo de preços de ações. O índice de ações mais famoso é o Dow Jones Industrial Average, que tem sido calculado com regularidade desde 1896. Atualmente, o cálculo é fundamentado nos preços das ações das 30 principais empresas norte-americanas, como a General Electric, Microsoft,

Coca-Cola, Boeing, Apple e Wal-Mart. Outro índice de ações bem conhecido é o Standard & Poor's 500, com base nos preços das ações das 500 principais empresas norte-americanas. Como os preços das ações refletem a lucratividade esperada, esses índices de ações são observados atentamente como possíveis indicadores das condições econômicas futuras.

26_1B Intermediários financeiros

intermediários financeiros
instituições financeiras por meio das quais os poupadores podem, indiretamente, ofertar fundos aos tomadores de empréstimos

Os **intermediários financeiros** são instituições financeiras por meio das quais os poupadores podem, de forma indireta, ofertar fundos aos tomadores de empréstimos. A palavra *intermediário* reflete o papel dessas instituições, que se situam entre os poupadores e os tomadores. Aqui, vamos tratar de dois dos mais importantes intermediários financeiros: os bancos e os fundos mútuos.

Bancos Se o proprietário de uma pequena mercearia quiser financiar a expansão de seu negócio, provavelmente adotará uma estratégia bem diferente da utilizada pela Intel. Ao contrário da Intel, o dono de uma pequena mercearia terá dificuldade para levantar fundos nos mercados de títulos e de ações. Muitos compradores de ações e títulos preferem comprar aqueles emitidos por empresas maiores e mais conhecidas. O dono da pequena mercearia, portanto, provavelmente financiará a expansão de seu negócio por meio de um empréstimo tomado em um banco.

Os bancos são os intermediários financeiros com os quais as pessoas estão mais familiarizadas. Um dos principais negócios dos bancos é receber depósitos das pessoas que querem poupar e usar esses depósitos para conceder empréstimos a pessoas que os desejam. Os bancos pagam aos depositantes um juro sobre seus depósitos e cobram dos tomadores um juro ligeiramente superior. A diferença entre essas taxas de juros cobre os custos bancários e rende um lucro para os proprietários dos bancos.

Além de serem intermediários financeiros, os bancos desempenham um segundo papel importante na economia: facilitam a aquisição de bens e serviços, permitindo que as pessoas emitam cheques contra seus depósitos e acessem esses depósitos com cartões de débito. Em outras palavras, os bancos ajudam a criar um ativo especial que as pessoas podem usar como *meio de troca*. Um meio de troca é um item que as pessoas podem facilmente usar para realizar transações. O papel dos bancos em prover um meio de troca os distingue de muitas outras instituições financeiras. Ações e títulos, assim como os depósitos bancários, são uma possível *reserva de valor* para a riqueza que as pessoas acumularam com sua poupança, mas o acesso a essa riqueza não é tão fácil, barato e imediato como a assinatura de um cheque. Por enquanto, vamos ignorar esse segundo papel dos bancos; retornaremos a ele quando discutirmos o sistema monetário, mais adiante, neste livro.

fundo mútuo
instituição que vende cotas ao público e usa o resultado das vendas para comprar uma carteira de ações e títulos

Fundos mútuos O fundo mútuo é um intermediário financeiro de importância crescente nos Estados Unidos. Um **fundo mútuo** é uma instituição que vende cotas ao público e usa o resultado da venda para comprar uma seleção, ou *carteira de títulos,* de diversos tipos de ações, de títulos ou de ambos. O cotista do fundo mútuo aceita todos os riscos e retornos associados à carteira de títulos. Se o valor da carteira aumentar, o cotista terá ganhos; se o valor da carteira cair, o cotista perderá.

A vantagem inicial dos fundos mútuos é o fato de eles permiterem que pessoas com pequenas quantias de dinheiro diversifiquem suas aplicações. Os compradores de ações e títulos devem dar ouvidos ao ditado: "Não ponha todos os seus ovos em uma só cesta". Como o valor de qualquer ação ou título está atrelado ao resultado de uma empresa específica, possuir um só tipo de ação ou título é algo muito arriscado. No entanto, as pessoas que têm uma carteira diversificada de ações e títulos enfrentam menor risco, porque têm pouco em jogo em cada empresa. Os fundos mútuos facilitam essa diversificação. Com apenas poucas centenas de dólares, uma pessoa pode comprar cotas de um fundo

Saiba mais sobre

NÚMEROS-CHAVE PARA OS OLHEIROS DO MERCADO DE AÇÕES

Ao acompanhar as ações de qualquer companhia, deve-se prestar atenção em três números-chave. Eles são publicados na seção de finanças de alguns jornais e também é fácil obtê-los na internet (em *sites* como o Yahoo! Finance).

- **Preço.** A informação mais importante a respeito de uma ação é seu preço. As agências de notícias, geralmente, apresentam diversos preços. O "último" preço ou preço de "fechamento" é o preço da última transação realizada antes do fechamento da bolsa no último dia útil. Muitos noticiários também publicam os preços "máximo" e "mínimo" do último dia de negociação e, algumas vezes, do último ano também. Ainda podem informar a alteração do preço de fechamento do dia anterior.
- **Dividendos.** As empresas distribuem parte de seus lucros aos seus acionistas. Esse montante é chamado *dividendo* (os lucros não pagos são chamados *lucros retidos* e usados pela empresa para investimentos adicionais). Os jornais costumam publicar os dividendos distribuídos por ação no ano anterior e, às vezes publicam o *rendimento do dividendo*, que é o dividendo expresso como percentual do preço da ação.
- **Índice preço/lucro.** Os ganhos ou lucros de uma empresa são a receita que ela obtém da venda de seus produtos menos os custos de produção, conforme são medidos por seus contadores. O lucro por ação é o lucro da empresa dividido pelo número de ações em circulação. O *índice preço/lucro*, frequentemente denominado P/L, é o preço das ações de uma empresa dividido pelo lucro por ação do ano interior. Historicamente, o índice preço/lucro típico é de aproximadamente 15. Um P/L alto indica que a ação da empresa está cara em relação aos seus lucros recentes; isso pode significar que as pessoas esperam que o lucro aumente no futuro ou que a ação esteja supervalorizada. Por sua vez, um P/L baixo significa que as ações da empresa estão baratas em relação aos seus lucros recentes; isso pode indicar que as pessoas esperam que os lucros caiam ou que a ação esteja subvalorizada.

Por que os noticiários divulgam esses dados? Muitas pessoas que investem sua poupança em ações acompanham esses números de perto para decidir quais ações comprar e vender. Por sua vez, outros acionistas usam uma estratégia de comprar e manter ações: eles compram as ações de empresas bem administradas e as mantêm por longos períodos, sem reagir às flutuações diárias.

mútuo e, indiretamente, tornar-se coproprietária ou credora de centenas de grandes empresas. Por esse serviço, a empresa operadora do fundo mútuo cobra dos cotistas uma taxa, geralmente entre 0,5% e 2,0% dos ativos por ano.

Uma segunda vantagem dos fundos mútuos é o fato de eles darem a pessoas comuns acesso às habilidades de administradores financeiros profissionais. Os administradores da maioria dos fundos mútuos prestam muita atenção ao desenvolvimento e às perspectivas das empresas das quais compram ações. Esses administradores compram ações das empresas que, em sua opinião, terão um futuro lucrativo, e vendem as das empresas que eles acreditam apresentar perspectivas menos promissoras. Argumenta-se que essa administração profissional é capaz de aumentar o retorno que os cotistas de fundos mútuos obtêm em suas aplicações.

No entanto, os economistas financeiros costumam se mostrar céticos em relação a esse segundo argumento. Com milhares de administradores dando tanta atenção às perspectivas de cada empresa, o preço das ações costuma ser um bom reflexo do verdadeiro valor da empresa. Como resultado, é difícil "ganhar do mercado" comprando ações boas e vendendo as ruins. De fato, os fundos mútuos denominados *fundos de índice*, que compram todas as ações de determinado índice de ações, têm, em média, desempenho um pouco superior ao dos fundos mútuos que utilizam a transação ativa realizada por um administrador financeiro profissional. A explicação do desempenho superior dos fundos de índice é que eles mantêm os custos baixos, por comprar e vender muito raramente, e por não ter de pagar os salários dos administradores financeiros profissionais.

26_1C Juntando tudo

A economia norte-americana contém uma grande variedade de instituições financeiras. Além do mercado de títulos, do mercado de ações, dos bancos e dos fundos mútuos, também há fundos de pensão, cooperativas de crédito, empresas de seguros e até agiotas locais. Essas instituições diferem umas das outras de muitas maneiras. Entretanto, quando se analisa o papel macroeconômico do sistema financeiro, é mais importante ter em mente as semelhanças entre elas do que as diferenças. Essas instituições financeiras atendem a um mesmo objetivo, que é direcionar os recursos dos poupadores para as mãos dos tomadores de empréstimos.

Teste rápido O que é uma ação? O que é um título? Em que diferem? Em que se assemelham?

26_2 POUPANÇA E INVESTIMENTO NAS CONTAS DA RENDA NACIONAL

Os eventos que ocorrem no sistema financeiro são fundamentais para entender os acontecimentos na economia. Como acabamos de ver, as instituições que compõem o sistema – o mercado de títulos, o mercado de ações, os bancos e os fundos mútuos – têm o papel de coordenar a poupança e o investimento da economia. E, conforme vimos no capítulo anterior, a poupança e o investimento são determinantes importantes do crescimento em longo prazo do PIB e dos padrões de vida. Consequentemente, os macroeconomistas precisam entender de que maneira os mercados financeiros funcionam e de que maneira diferentes acontecimentos e políticas os afetam.

Como ponto de partida para uma análise dos mercados financeiros, discutiremos nesta seção as principais variáveis macroeconômicas que medem a atividade nesses mercados. A ênfase aqui não é no comportamento, mas na contabilidade. *Contabilidade* diz respeito à maneira como diferentes números são definidos e somados. Um contador pessoal pode ajudar uma pessoa a somar sua renda e suas despesas. Um contador da renda nacional faz o mesmo em relação à economia. As contas da renda nacional incluem, particularmente, o PIB e muitas estatísticas correlatas.

As regras de contabilidade da renda nacional incluem diversas identidades importantes. Lembre-se de que uma *identidade* é uma equação que precisa ser verdadeira por causa da maneira como suas variáveis são definidas. É útil ter as identidades em mente, porque elas esclarecem a maneira como diferentes variáveis estão relacionadas entre si. Aqui, examinaremos algumas identidades contábeis que lançam luz sobre o papel macroeconômico dos mercados financeiros.

26_2A Algumas identidades importantes

Vimos que o produto interno bruto (PIB) é tanto a renda total de uma economia quanto a despesa total em bens e serviços produzidos pela economia. O PIB (denotado por Y) se divide em quatro componentes de dispêndio: consumo (C), investimento (I), compras do governo (G) e exportações líquidas (EL). Escrevemos:

$$Y = C + I + G + EL$$

Essa equação é uma identidade, porque cada dólar do dispêndio que surge do lado esquerdo também aparece em um dos quatro componentes do lado direito. Por causa da maneira como cada uma das variáveis é definida e medida, essa equação deve sempre ser verdadeira.

Neste capítulo, simplificaremos a análise, supondo que a economia analisada seja fechada. Uma *economia fechada* é uma economia que não interage com outras economias. Mais especificamente, uma economia fechada não se engaja no comércio internacional de bens e serviços e não toma nem concede empréstimos internacionais. É claro que as economias no mundo real são *economias abertas*, ou seja, elas interagem com outras economias do mundo. Ainda assim, a suposição de uma economia fechada é uma simplificação útil, com a qual podemos aprender algumas lições que se aplicam a todas as economias. Além disso, essa suposição aplica-se perfeitamente à economia mundial (porque o comércio interplanetário ainda não é comum).

Como uma economia fechada não está engajada no comércio internacional, as importações e as exportações são iguais a zero. Portanto, as exportações líquidas (*EL*) também são zero. Nesse caso, podemos escrever:

$$Y = C + I + G$$

Essa equação afirma que o PIB é a soma do consumo, do investimento e das compras do governo. Cada unidade de produto vendida em uma economia fechada é consumida, investida ou comprada pelo governo.

Para vermos o que essa identidade pode dizer a respeito dos mercados financeiros, vamos subtrair C e G dos dois lados da equação. Obtemos então:

$$Y - C - G = I$$

poupança nacional (poupança) o que resta da renda total da economia após o pagamento dos gastos de consumo e das compras do governo

O lado esquerdo da equação ($Y - C - G$) é o que resta da renda total da economia após o pagamento dos gastos de consumo e das compras do governo: esse montante é chamado **poupança nacional**, ou simplesmente **poupança**, e é denotado por S. Substituindo S por $Y - C - G$, podemos escrever a última equação como

$$S = I$$

Essa equação afirma que a poupança é igual ao investimento.

Para entender o significado da poupança nacional, é útil manipular um pouco mais sua definição. Seja T o montante que o governo recolhe das famílias na forma de impostos menos a quantia que restitui a elas na forma de pagamentos de transferência (como Seguridade Social e bem-estar social). Então, podemos representar a poupança nacional de duas maneiras:

$$S = Y - C - G$$

ou

$$S = (Y - T - C) + (T - G)$$

poupança privada a renda que fica com as famílias após o pagamento de impostos e de despesas de consumo

poupança pública a receita tributária que fica com o governo após o pagamento de suas despesas

Essas equações são iguais, porque os dois Ts da segunda equação cancelam-se mutuamente, mas cada uma delas revela uma maneira diferente de pensar sobre a poupança nacional. Em particular, a segunda equação separa a poupança nacional em duas partes: poupança privada ($Y - T - C$) e poupança pública ($T - G$).

Vamos considerar cada uma dessas duas partes. **Poupança privada** é o montante da renda que fica com as famílias após o pagamento de seus impostos e de seus gastos de consumo. Mais especificamente, como as famílias recebem renda de Y, pagam impostos T e gastam C em consumo, a poupança privada é $Y - T - C$. **Poupança pública** é o montante da receita tributária que fica com o governo após o pagamento de seus gastos. O governo recebe T em impostos e gasta G em bens e serviços. Se T for maior que G, o governo obterá um **superávit orçamentário**, porque receberá mais dinheiro do que gasta. Esse excedente de $T - G$ representa a poupança pública.

superávit orçamentário o excesso de arrecadação tributária em relação aos gastos do governo

déficit orçamentário arrecadação tributária menor que os gastos do governo

Se o governo gastar mais que arrecadar em receita tributária, então G será maior que T. Nesse caso, o governo terá um **déficit orçamentário**, e a poupança pública $T - G$ será um número negativo.

Consideremos agora como essas identidades contábeis se relacionam com os mercados financeiros. A equação $S = I$ revela um fato importante: *para a economia como um todo, a poupança deve ser igual ao investimento.* Mas isso levanta algumas questões importantes. Que mecanismos estão por trás dessa identidade? O que coordena as pessoas que estão decidindo quanto poupar e as que estão decidindo quanto investir? A resposta é: o sistema financeiro. O mercado de títulos, o mercado de ações, os bancos, os fundos mútuos e os demais mercados e intermediários financeiros colocam-se entre os dois lados da equação $S = I$. Eles recolhem a poupança nacional e a direcionam para o investimento nacional.

26_2B O significado da poupança e do investimento

Às vezes, os termos *poupança* e *investimento* podem causar confusão. A maioria das pessoas utiliza esses termos de maneira casual e até intercambiável. Já os macroeconomistas que processam as contas da renda nacional utilizam esses termos com cautela e de maneira distinta.

Por exemplo, suponha que Larry ganhe mais que gasta e deposite a renda não gasta em um banco ou a utilize para comprar um título ou algumas ações de uma empresa. Como a renda de Larry supera seu consumo, ele aumenta a poupança nacional. Larry pode pensar que está "investindo" seu dinheiro, mas um macroeconomista diria que ele está poupando, e não investindo.

Na linguagem macroeconômica, investimento refere-se à compra de novo capital, como equipamentos ou prédios. Quando Moe toma dinheiro emprestado do banco para construir para si uma casa nova, ele aumenta o investimento nacional (lembre-se de que a compra de um imóvel é um gasto familiar considerado investimento, e não consumo). De modo similar, quando a Curly Corporation vende ações e usa o resultado da venda para construir uma nova fábrica, isso também aumenta o investimento nacional.

Embora a identidade contábil $S = I$ mostre que poupança e investimento são iguais para a economia, isso não precisa ser verdadeiro para cada família ou empresa específica. A poupança de Larry pode ser maior que seu investimento, e ele pode depositar o excedente em um banco. A poupança de Moe pode ser menor que seu investimento, e ele pode tomar um empréstimo bancário para cobrir a diferença. Os bancos e as demais instituições financeiras tornam possíveis essas diferenças individuais entre poupança e investimento ao permitir que a poupança de uma pessoa financie o investimento de outra.

Teste rápido Defina poupança privada, poupança pública, poupança nacional e investimento. Como eles estão relacionados?

26_3 O MERCADO DE FUNDOS DISPONÍVEIS PARA EMPRÉSTIMOS

Após abordarmos aspectos relacionados a algumas das instituições financeiras mais importantes em nossa economia e o papel macroeconômico delas, estamos prontos para construir um modelo dos mercados financeiros. Nosso objetivo com esse modelo é explicar de que maneira os mercados financeiros coordenam a poupança e o investimento da economia. O modelo também oferece um instrumento com o qual podemos analisar diversas políticas governamentais que influenciam a poupança e o investimento.

Para simplificar, partiremos do pressuposto de que a economia tem apenas um mercado financeiro, denominado **mercado de fundos para empréstimos**. Todos os poupadores precisam ir a esse mercado para depositar sua poupança, e todos os tomadores precisam ir a esse mercado para obter empréstimos. Assim, a expressão *fundos de empréstimos* refere-se a toda renda que as pessoas decidiram poupar e emprestar, em

mercado de fundos para empréstimos
o mercado em que aqueles que querem poupar ofertam fundos e aqueles que querem tomar empréstimos para investir demandam fundos

vez de usarem-na para seu próprio consumo, e ao montante que os investidores decidiram tomar emprestado para financiar novos projetos de investimento. No mercado de fundos de empréstimos, há uma só taxa de juros que representa tanto o retorno da poupança quanto o custo do empréstimo.

É claro que a suposição de um só mercado financeiro não é literalmente verdadeira. Como vimos, a economia tem muitos tipos de instituições financeiras. Mas, como vimos no Capítulo 2, a arte da construção de um modelo econômico está em simplificar o mundo para explicá-lo. Para nossos propósitos aqui, podemos ignorar a diversidade de instituições financeiras e supor que a economia tenha um só mercado financeiro.

26_3A Oferta e demanda de fundos para empréstimos

O mercado de fundos de empréstimos, como os demais mercados da economia, é regido pela oferta e demanda. Para entender como o mercado de fundos de empréstimos opera, devemos primeiro analisar as fontes de oferta e demanda desse mercado.

A oferta de fundos para empréstimos vem das pessoas que têm alguma renda extra que desejam poupar e emprestar. Esse empréstimo pode ocorrer diretamente, por exemplo, quando uma família compra um título de uma empresa, ou indiretamente, como quando uma família faz um depósito em um banco que, por sua vez, usa os fundos para conceder empréstimos. Nos dois casos, *a poupança é a fonte da oferta de fundos para empréstimos.*

A demanda por fundos para empréstimos vem das famílias e das empresas que desejam tomar empréstimos para realizar investimentos. Essa demanda inclui hipotecas imobiliárias. Inclui também as empresas que tomam empréstimos para a compra de novos equipamentos ou para a construção de fábricas. Nos dois casos, *o investimento é a fonte da demanda por fundos para empréstimos.*

A taxa de juros é o preço de um empréstimo. Representa o montante que os tomadores pagam pelo empréstimo e o montante que os que emprestam recebem por sua poupança. Como uma taxa de juros elevada torna o empréstimo mais caro, a quantidade demandada de fundos para empréstimos cai à medida que a taxa de juros aumenta. Simultaneamente, como uma taxa de juros elevada torna a poupança mais atrativa, a quantidade ofertada de fundos para empréstimos aumenta quando a taxa de juros se eleva. Em outras palavras, a curva de demanda por fundos para empréstimos tem inclinação negativa e a curva da oferta de fundos para empréstimos tem inclinação positiva.

A Figura 1 mostra a taxa de juros que equilibra a oferta e a demanda de fundos para empréstimos. No equilíbrio, a taxa de juros é de 5% e a quantidade demandada e ofertada de fundos para empréstimos é de $ 1.200 bilhão.

O ajuste da taxa de juros para o nível de equilíbrio ocorre pelas razões de sempre. Se a taxa de juros fosse menor que o nível de equilíbrio, a quantidade ofertada de fundos para empréstimos seria menor que a quantidade demandada. A escassez de fundos para empréstimos resultante incentivaria os que fazem empréstimos a aumentar a taxa de juros cobrada. Uma taxa de juros mais elevada estimularia a poupança, aumentando com isso a quantidade ofertada de fundos para empréstimos, e desestimularia a tomada de empréstimos para investimento, diminuindo, assim, a quantidade demandada de fundos para empréstimos. De modo inverso, se a taxa de juros fosse maior que o nível de equilíbrio, a quantidade ofertada de fundos para empréstimos seria maior que a quantidade demandada. Como os emprestadores competiriam pelos escassos tomadores de empréstimos, a taxa de juros cairia. Com isso, a taxa de juros caminharia para o nível de equilíbrio, em que a oferta e a demanda de fundos para empréstimos são iguais.

Lembre-se de que os economistas fazem distinção entre taxa de juros real e taxa de juros nominal. A taxa de juros nominal é aquela usualmente informada, como o retorno monetário da poupança e o custo dos empréstimos. A taxa de juros real é a taxa de juros nominal corrigida pela inflação; ela é igual à taxa de juros

Figura 1
O mercado de fundos para empréstimos

A taxa de juros da economia se ajusta para equilibrar a oferta e a demanda de fundos para empréstimos. A oferta de fundos para empréstimos vem da poupança nacional, incluindo tanto a poupança privada quanto a pública. A demanda por fundos para empréstimos vem das empresas e famílias que querem tomar empréstimos com o objetivo de investir. Aqui, a taxa de juros de equilíbrio é de 5% e $ 1.200 bilhão de fundos para empréstimos são ofertados e demandados.

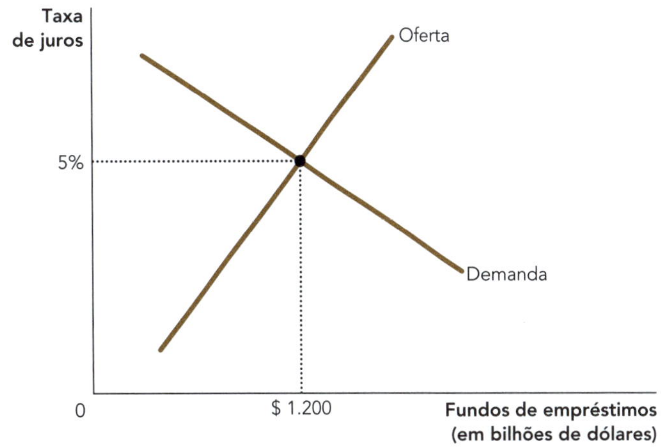

nominal menos a taxa de inflação. Como a inflação corrói o valor do dinheiro ao longo do tempo, a taxa de juros real reflete, de forma mais acurada, o retorno real da poupança e o custo real dos empréstimos. Portanto, a oferta e a demanda de fundos para empréstimos dependem da taxa de juros real, em vez da taxa nominal, e o equilíbrio da Figura 1 deveria ser interpretado como a determinação da taxa de juros real da economia. No restante do capítulo, ao se deparar com a expressão *taxa de juros,* lembre-se de que estamos falando da taxa de juros real.

Esse modelo de oferta e demanda de fundos para empréstimos mostra que os mercados financeiros funcionam como os demais mercados da economia. No mercado do leite, por exemplo, o preço do produto se ajusta para que a quantidade ofertada de leite seja igual à quantidade demandada. Dessa forma, a mão invisível coordena o comportamento dos produtores e dos consumidores de leite. Uma vez que se compreenda que a poupança representa a oferta de fundos para empréstimos e que o investimento representa a demanda, é possível ver como a mão invisível coordena a poupança e o investimento. Quando a taxa de juros se ajusta para equilibrar oferta e demanda no mercado de fundos de empréstimos, ela coordena o comportamento das pessoas que querem poupar (os ofertantes de fundos para empréstimos) e das pessoas que querem investir (os demandantes de fundos para empréstimos).

Podemos agora usar essa análise do mercado de fundos de empréstimos para examinar diversas políticas governamentais que afetam a poupança e o investimento da economia. Como se trata de um modelo de oferta e demanda em um mercado específico, analisamos qualquer política usando os três passos discutidos no Capítulo 4. Primeiro, decidimos se a política desloca a curva de oferta ou a curva de demanda. Segundo, determinamos a direção do deslocamento. Terceiro, usamos o diagrama de oferta e demanda para ver como o equilíbrio muda.

26_3B Política 1: incentivos à poupança

Muitos economistas e formuladores de políticas defendem o incremento da poupança pessoal. O argumento é simples. Um dos *Dez princípios de economia* do Capítulo 1 é que o padrão de vida de um país depende de sua capacidade de produzir bens e serviços. E, como vimos no capítulo anterior, a poupança é um determinante importante da produtividade de um país no longo prazo. Se os Estados Unidos pudessem, de alguma maneira, aumentar sua taxa de poupança para o nível que prevalece em outros países, a taxa de crescimento do PIB aumentaria, e, com o tempo, os cidadãos norte-americanos poderiam desfrutar de um padrão de vida mais elevado.

Outro dos *Dez princípios de economia* é que as pessoas respondem a incentivos. Muitos economistas usaram esse princípio para sugerir que a baixa taxa de poupança dos Estados Unidos pode, pelo menos em parte, ser atribuída a leis tributárias que desencorajam a poupança. O governo federal norte-americano, assim como muitos governos estaduais, obtém receita tributando a renda, incluindo juros e dividendos na renda tributável. Para ver os efeitos dessa política, imagine uma pessoa de 25 anos que poupe $ 1.000 e compre um título de 30 anos que paga uma taxa de juros de 9%. Na ausência de impostos, os $ 1.000 aumentariam para $ 13.268 quando o poupador atingisse a idade de 55 anos. No entanto, se o juro fosse tributado a uma taxa de, digamos, 33%, então a taxa de juro após os impostos seria de apenas 6%. Nesse caso, os $ 1.000 aumentariam para apenas $ 5.743 após 30 anos. O imposto sobre a renda de juros reduz substancialmente o rendimento futuro da poupança corrente e, como resultado, diminui o incentivo à poupança.

Em resposta a esse problema, muitos economistas e legisladores propuseram reformar o código tributário para incentivar a poupança. Uma das propostas é a de se expandir o número de contas especiais, como as Contas Individuais de Aposentadoria, que permitem que as pessoas protejam parte de sua poupança da tributação. Consideremos o efeito de tal incentivo à poupança no mercado de fundos de empréstimos, como ilustra a Figura 2. Vamos analisar essa política em três etapas.

Em primeiro lugar, qual curva seria afetada por essa política? Como a mudança tributária alteraria o incentivo para que as famílias poupem *para qualquer taxa de juros dada*, ela afetaria a quantidade ofertada de fundos para empréstimos a cada taxa de juros. Portanto, a curva de oferta de fundos para empréstimos se deslocaria. A curva de demanda por fundos para empréstimos se manteria inalterada, porque a mudança tributária não afetaria diretamente o montante que os tomadores de empréstimo desejariam emprestar a qualquer taxa de juros.

Em segundo lugar, em que direção a curva de oferta se deslocaria? Como a poupança seria menos tributada em relação às condições da legislação atual, as famílias aumentariam sua poupança, consumindo uma fração menor de suas rendas. As famílias usariam essa poupança adicional para aumentar seus depósitos nos bancos ou comprar mais títulos. A oferta de fundos para empréstimos aumentaria e a curva de oferta se deslocaria para a direita, de O_1 para O_2, como mostra a Figura 2.

Por fim, podemos comparar o equilíbrio antigo e o novo. Na figura, a maior oferta de fundos para empréstimos reduz a taxa de juros de 5% para 4%. A menor taxa de juros aumenta a quantidade demandada de fundos para empréstimos de $ 1.200 bilhão para $ 1.600 bilhão. Ou seja, o deslocamento na curva de oferta move o equilíbrio de mercado ao longo da curva de demanda. Com o menor custo dos empréstimos, as famílias e as empresas ficam motivadas a tomar mais empréstimos para financiar maiores investimentos. Portanto, *se uma mudança tributária incentivasse uma maior poupança, o resultado seria uma menor taxa de juros e um maior investimento.*

Embora essa análise dos efeitos de uma maior poupança seja aceita de maneira generalizada entre os economistas, há menos consenso quanto aos tipos de mudanças tributárias que deveriam ser feitas. Muitos

Figura 2
Os incentivos à poupança aumentam a oferta de fundos para empréstimos

Uma mudança na legislação tributária para incentivar os norte-americanos a poupar mais deslocaria a curva de oferta de fundos para empréstimos para a direita, de O_1 a O_2. Como resultado, a taxa de juros de equilíbrio cairia, e a taxa de juros menor estimularia o investimento. Aqui, a taxa de juros de equilíbrio cai de 5% para 4%, e a quantidade de equilíbrio de fundos para empréstimos poupados e investidos aumenta de $ 1.200 bilhão para $ 1.600 bilhão.

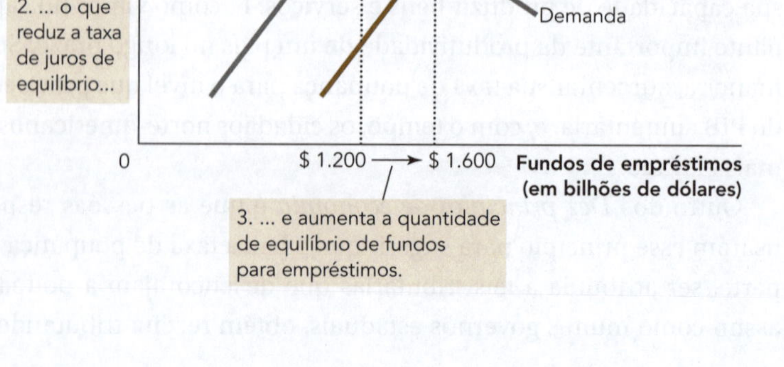

economistas apoiam uma mudança tributária com o propósito de aumentar a poupança, a fim de estimular o investimento e o crescimento. Mas outros são céticos e duvidam de que essas mudanças tributárias possam ter grande efeito sobre a poupança nacional. Esses céticos também questionam a equidade das mudanças propostas. Eles argumentam que, em muitos casos, os benefícios das mudanças iriam, principalmente, para os ricos, que são os que menos precisam de um alívio tributário.

26_3C Política 2: incentivos ao investimento

Suponha que o Congresso aprove uma mudança tributária cujo objetivo seja tornar o investimento mais atraente. Essencialmente, é isso que o Congresso faz quando cria um *crédito tributário para investimento*, como acontece de tempos em tempos. Um crédito tributário para investimento concede uma vantagem tributária a qualquer empresa que construa uma nova fábrica ou compre um novo equipamento. Consideremos os efeitos de tal mudança tributária sobre o mercado de fundos de empréstimos, como ilustra a Figura 3.

Primeiro, a lei afetaria a oferta ou a demanda? Como o crédito tributário recompensaria as empresas que tomassem empréstimos e investissem em novo capital, isso alteraria o investimento para qualquer taxa de juros dada e, portanto, mudaria a demanda por fundos para empréstimos. No entanto, como o crédito tributário não afetaria o montante que as famílias poupam para qualquer taxa de juros dada, ele não alteraria a oferta de fundos para empréstimos.

Segundo, em qual direção a curva de demanda se deslocaria? Como as empresas teriam um incentivo para aumentar o investimento a qualquer taxa de juros, a quantidade demandada de fundos para empréstimos seria maior para qualquer taxa de juros dada. Portanto, a curva de demanda por fundos para empréstimos se moveria para a direita, como mostra o deslocamento de *D*1 para *D*2 na figura.

Terceiro, vamos examinar como o equilíbrio mudaria. Na Figura 3, a maior demanda por fundos para empréstimos eleva a taxa de juros de 5% para 6%, e a maior taxa de juros, por sua vez, eleva a quantidade ofertada de fundos para empréstimos de $ 1.200 bilhão para $ 1.400 bilhão, à medida que as famílias respondem, aumentando o montante que poupam. Essa mudança no comportamento das famílias é representada, aqui, como um movimento ao longo da curva de oferta. Portanto, *se uma mudança na legislação tributária incentivasse um maior investimento, o resultado seria uma taxa de juros mais elevada e maior poupança.*

Figura 3
Os incentivos ao investimento aumentam a demanda por fundos para empréstimos

Se a aprovação de um crédito tributário para investimento incentivasse as empresas a investir mais, a demanda por fundos para empréstimos aumentaria. Como resultado, a taxa de juros de equilíbrio aumentaria e a taxa de juros mais elevada estimularia a poupança. Aqui, quando a curva de demanda se desloca de D_1 para D_2, a taxa de juros de equilíbrio aumenta de 5% para 6%, e a quantidade de equilíbrio de fundos para empréstimos poupados e investidos aumenta de $ 1.200 bilhão para $ 1.400 bilhão.

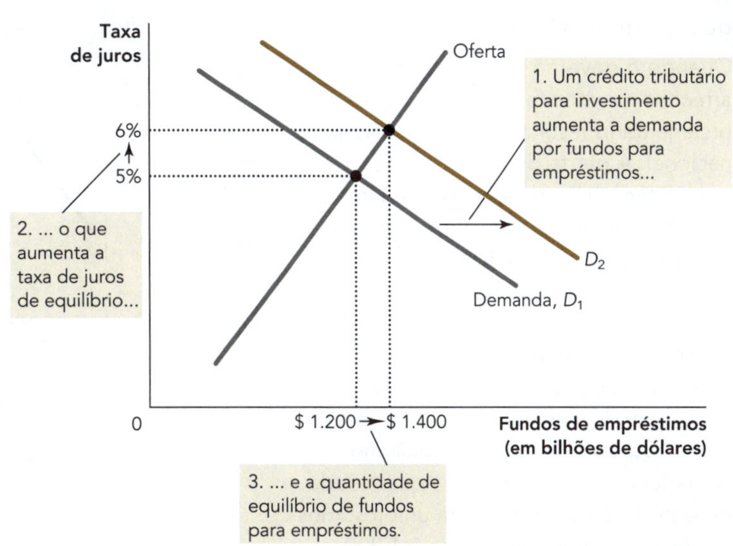

26_3D Política 3: déficits e superávits orçamentários do governo

Um assunto constante do debate político é a situação do orçamento governamental. Lembre-se de que um *déficit orçamentário* ocorre quando o governo gasta mais do que arrecada em impostos. O governo financia seus déficits orçamentários tomando empréstimos no mercado de títulos, e o acúmulo de empréstimos do governo é chamado *dívida pública*. Um *superávit orçamentário*, que se dá quando a receita tributária do governo é maior que suas despesas, pode ser usado para pagar parte dessa dívida pública. Se a despesa do governo for exatamente igual à sua arrecadação tributária, dizemos que o governo está com o *orçamento equilibrado*.

Imagine que o governo comece com um orçamento equilibrado e então, por causa de um corte de impostos ou um aumento das despesas, passe a incorrer em um déficit orçamentário. Podemos analisar os efeitos do déficit orçamentário seguindo os três passos no mercado de fundos de empréstimos, como ilustra a Figura 4.

Primeiro, qual curva se desloca quando o governo começa a apresentar déficit orçamentário? Lembre-se de que a poupança nacional - a fonte de oferta de fundos para empréstimos - é composta de poupança privada e de poupança pública. Uma alteração no equilíbrio orçamentário do governo representa uma alteração na poupança pública e, portanto, na oferta de fundos para empréstimos. Como o déficit orçamentário não influencia o montante que as famílias e empresas desejam tomar emprestado para financiar o investimento a qualquer taxa de juros dada, ele não altera a demanda por fundos para empréstimos.

Segundo, em qual direção a curva de oferta se desloca? Quando o governo incorre em déficit orçamentário, a poupança pública é negativa, e isso reduz a poupança nacional. Em outras palavras, quando o governo toma empréstimos para financiar seu déficit orçamentário, reduz a oferta de fundos para empréstimos disponível para financiar o investimento das famílias e das empresas. Portanto, um déficit orçamentário desloca a curva de oferta de fundos para empréstimos para a esquerda, de O_1 para O_2, como mostra a Figura 4.

Terceiro, podemos comparar o antigo equilíbrio com o novo. Na figura, quando o déficit orçamentário reduz a oferta de fundos para empréstimos, a taxa de juros aumenta de 5% para 6%. Essa taxa de juros mais elevada altera o comportamento das famílias e das empresas que participam do mercado de empréstimos. Mais especificamente, muitos demandantes de fundos para empréstimos são desestimulados pela taxa de juros mais elevada. Menos famílias compram casas novas e menos empresas optam por construir novas

Figura 4

O efeito de um déficit orçamentário governamental

Quando o governo gasta mais do que arrecada em receita tributária, o déficit orçamentário resultante reduz a poupança nacional. A oferta de fundos para empréstimos diminui e a taxa de juros de equilíbrio aumenta. Assim, quando o governo toma empréstimos para financiar seu déficit orçamentário, desloca as famílias e empresas que, em outras condições, desejariam levantar empréstimos para financiar investimentos. Aqui, quando a oferta se desloca de O_1 para O_2, a taxa de juros de equilíbrio aumenta de 5% para 6%, e a quantidade de equilíbrio de fundos para empréstimos poupados e investidos cai de $ 1.200 bilhão para $ 800 bilhões.

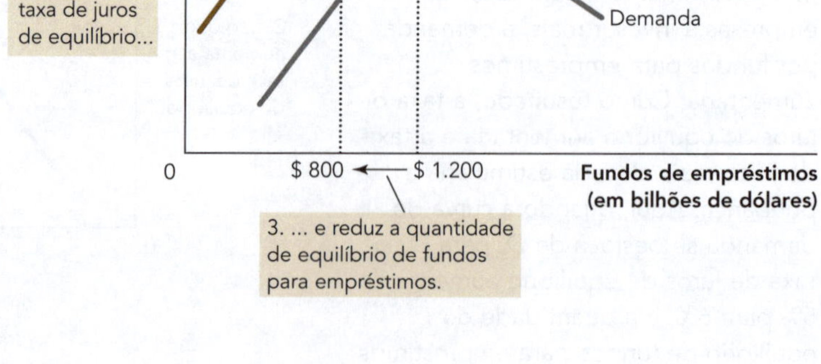

deslocamento uma diminuição do investimento resultante da tomada de empréstimos pelo governo

fábricas. A queda no investimento resultante da tomada de empréstimos pelo governo é chamada **deslocamento** (*crowding out*) e é representada na figura por um movimento ao longo da curva de demanda de uma quantidade de $ 1.200 bilhão em fundos emprestáveis para $ 800 bilhões. Ou seja, quando o governo toma empréstimos para financiar seu déficit orçamentário, desloca tomadores privados que estão tentando financiar investimentos.

Portanto, a lição mais básica sobre os déficits orçamentários decorre diretamente de seus efeitos sobre a oferta e a demanda de fundos para empréstimos: *quando o governo reduz a poupança nacional por meio de um déficit orçamentário, a taxa de juros aumenta e o investimento diminui.* Como o investimento é importante para o crescimento econômico de longo prazo, os déficits orçamentários do governo reduzem a taxa de crescimento da economia.

Você poderia perguntar por que um déficit orçamentário afeta a oferta de fundos para empréstimos e não a demanda por eles? Afinal, o governo financia um déficit orçamentário vendendo títulos, portanto, tomando emprestado do setor privado. Por que o aumento dos empréstimos do governo altera a curva da oferta, enquanto o aumento dos empréstimos feitos pelos investidores privados altera a curva de demanda? Para responder a essa pergunta, é preciso examinar melhor o significado de "fundos de empréstimos". O modelo aqui apresentado usa essa expressão para se referir ao *fluxo de recursos disponíveis para financiar o investimento privado*; assim, um déficit orçamentário do governo reduz a oferta de fundos de empréstimos. Se, ao contrário, a expressão "fundos de empréstimos" significasse o *fluxo de recursos disponíveis oriundo da poupança privada*, então o déficit orçamentário do governo aumentaria a demanda, em vez de reduzir a oferta. Se mudássemos a interpretação da expressão, provocaríamos uma mudança semântica na forma como o modelo foi descrito, mas, no fundo, seria a mesma coisa: nos dois casos, o déficit orçamentário aumenta a taxa de juros, forçando um deslocamento dos tomadores de empréstimos privados, que dependem dos mercados financeiros para financiar projetos de investimento privados.

Até aqui, examinamos o déficit orçamentário que resulta de um aumento dos gastos do governo; porém, um déficit orçamentário resultante de um corte de impostos tem efeitos similares. Um corte de impostos reduz a poupança pública, $T - G$. A poupança privada, $Y - T - C$, deve aumentar em razão de um T menor, mas, como as famílias respondem à queda nos impostos consumindo mais, C aumenta. Portanto, a poupança privada aumenta menos que a poupança pública declina. Assim, a poupança nacional ($S = Y - C - G$), a soma das poupanças pública e privada, diminui também. Mais uma vez, o déficit orçamentário reduz a oferta de fundos disponíveis para empréstimos, aumenta a taxa de juros e causa um deslocamento dos tomadores que tentam financiar investimentos de capital.

Agora que entendemos o impacto dos déficits orçamentários, podemos inverter nossa análise e observar que os superávits orçamentários do governo têm o efeito oposto. Quando o governo arrecada mais em impostos do que gasta, ele poupa a diferença, reduzindo parte da dívida pública. Esse superávit orçamentário, ou poupança pública, contribui para a poupança nacional. Assim, *um superávit orçamentário aumenta a oferta de fundos para empréstimos, reduz a taxa de juros e estimula o investimento.* Maior investimento, por sua vez, significa maior acumulação de capital e crescimento econômico mais rápido.

Pergunte aos especialistas

Política fiscal e poupança

"Políticas sustentáveis de impostos e gastos que impulsionem o consumo de maneiras que reduzam a taxa de poupança provavelmente reduzirão os padrões de vida de longo prazo."

Fonte: IGM Economic Experts Panel, 8 de julho de 2013.

O que os economistas dizem?

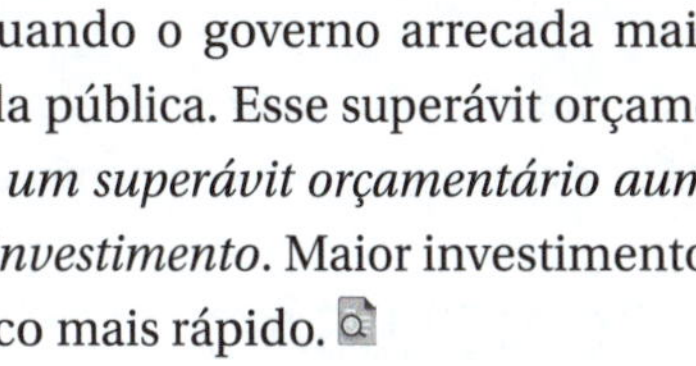

Saiba mais sobre

CRISE FINANCEIRA

Em 2008 e 2009, a economia norte-americana e muitas outras economias importantes ao redor do mundo passaram por uma crise financeira, o que levou, por sua vez, a uma profunda desaceleração na atividade econômica. Examinaremos esses eventos em detalhes mais adiante, no livro, mas como este capítulo apresenta o sistema financeiro, podemos delinear os elementos-chave da crise financeira.

O primeiro elemento de uma crise financeira é um grande declínio dos preços de alguns ativos. Em 2008 e 2009, ocorreu o declínio dos ativos imobiliários. O preço da habitação, após passar por um *boom* no início da década, caiu cerca de 30% em apenas alguns anos. Não se via um declínio tão grande nos preços dos imóveis nos Estados Unidos desde a década de 1930.

O segundo elemento de uma crise financeira é a insolvência generalizada das instituições financeiras (uma empresa está *insolvente* quando suas dívidas superam o valor de seus ativos). Em 2008 e 2009, muitos bancos e outras instituições financeiras apostaram no preço dos imóveis, sustentados pelas garantias das hipotecas desses mesmos imóveis. Quando o preço dos imóveis caiu, um grande número de proprietários parou de pagar os empréstimos e essas inadimplências levaram muitas instituições financeiras à falência.

O terceiro elemento de uma crise financeira é o declínio na confiança nas instituições financeiras. Apenas alguns depósitos bancários são garantidos pelo governo. À medida que a insolvência aumenta, todas as instituições financeiras se tornam possíveis candidatas à falência. Indivíduos e empresas com depósitos não segurados nessas instituições sacam todo o numerário. Para enfrentar saques maciços, os bancos começaram a vender ativos (às vezes, a preços muito abaixo do normal) e a cortar novos empréstimos.

O quarto elemento de uma crise financeira é a escassez de crédito. Com muitas instituições financeiras enfrentando dificuldades, os potenciais mutuários tiveram problemas para obter empréstimos, mesmo que tivessem projetos de investimento rentáveis. Basicamente, o sistema financeiro teve problemas em executar sua função normal de direcionar os recursos dos poupadores para os tomadores de empréstimos com as melhores oportunidades de investimento.

O quinto elemento de uma crise financeira é uma crise econômica. Com as pessoas impossibilitadas de obter financiamentos para novos projetos de investimento, houve declínio na demanda agregada de bens e serviços. Como resultado, por razões que discutiremos mais a fundo oportunamente, a renda nacional caiu e o desemprego aumentou.

O sexto e último elemento de uma crise financeira é um círculo vicioso. A crise econômica reduziu a rentabilidade de muitas empresas e o valor de muitos ativos. Assim, voltamos ao primeiro estágio, em que os problemas no sistema financeiro e a crise econômica se reforçam mutuamente.

Crises financeiras, como as de 2008 e 2009, podem ter graves consequências. Felizmente, elas terminam. As instituições financeiras acabam por se reerguer, talvez com alguma ajuda da política governamental, e retornam à sua função normal de intermediação financeira.

Teste rápido Se mais norte-americanos adotassem a filosofia de "viver para o dia de hoje", como isso afetaria a poupança, o investimento e a taxa de juros?

26_4 CONCLUSÃO

"Não empreste a ninguém nem peça emprestado", aconselha Polônio a seu filho em *Hamlet*, de Shakespeare. Se todos seguissem esse conselho, este capítulo teria sido desnecessário.

Poucos economistas concordariam com Polônio. Em nossa economia, as pessoas concedem e tomam empréstimos com frequência e, geralmente, o fazem por bons motivos. Algum dia você poderá tomar um empréstimo para iniciar seu próprio negócio ou comprar uma casa. E as pessoas podem conceder um empréstimo na esperança de que os juros que você vai pagar as ajudem a desfrutar uma aposentadoria mais próspera. O sistema financeiro tem a função de coordenar essas atividades de concessão e tomada de empréstimos.

De muitas maneiras, os mercados financeiros são como todos os demais mercados da economia. O preço dos fundos para empréstimos - a taxa de juros - é governado pelas forças de oferta e demanda, como os outros preços da economia. E podemos analisar deslocamentos da oferta e da demanda nos mercados financeiros da mesma maneira como analisamos os de outros mercados. Um dos *Dez princípios de economia* introduzidos no Capítulo 1 é que os mercados costumam ser uma boa maneira de organizar a atividade econômica. Esse princípio se aplica também aos mercados financeiros. Quando os mercados financeiros equilibram a oferta e a demanda de fundos para empréstimos, ajudam a alocar os recursos escassos da economia da forma mais eficiente.

De certo modo, contudo, os mercados financeiros são especiais. Estes mercados, ao contrário da maioria dos outros mercados, desempenham a importante função de ligar o presente e o futuro. Os que ofertam fundos para empréstimos - os poupadores - o fazem porque querem converter parte de sua renda corrente em poder aquisitivo futuro. Os que demandam fundos para empréstimos - os tomadores de empréstimos - o fazem porque querem investir hoje para ter capital adicional no futuro para produzir bens e serviços. Portanto, o bom funcionamento dos mercados financeiros é importante não só para as gerações atuais, mas também para as futuras, que herdarão muitos dos benefícios resultantes.

Teste rápido do capítulo

1. Elaine deseja comprar e operar um caminhãozinho de sorvetes, mas não tem os recursos financeiros para começar o negócio. Ela pede $ 10.000 emprestado ao seu amigo George, a quem promete uma taxa de juros de 7%, e mais $ 20.000 a seu amigo Jerry, a quem promete um terço de seus lucros. Qual alternativa melhor descreve essa situação?

a. George detém ações e Elaine detém títulos.
b. George detém ações e Jerry detém títulos.
c. Jerry detém ações e Elaine detém títulos.
d. Jerry detém ações e George detém títulos.

2. Se o governo coletar um valor de receita tributária superior aos seus gastos e as famílias consumirem mais do que obtêm em renda depois dos impostos, então:

a. As poupanças privada e pública serão positivas.
b. As poupanças privada e pública serão negativas.
c. A poupança privada será positiva, mas a poupança pública será negativa.
d. A poupança privada será negativa, mas a poupança pública será positiva.

3. Uma economia fechada tem renda de $ 1.000, gastos do governo de $ 200, impostos de $ 150 e investimento de $ 250. Qual é o valor da poupança privada?

a. $ 100
b. $ 200
c. $ 300
d. $ 400

4. Se um famoso programa de TV sobre finanças pessoais convencer os norte-americanos a economizar mais para a aposentadoria, a curva de ________ dos fundos disponíveis para empréstimos se deslocará, levando a taxa de juros de equilíbrio para ________.

a. Oferta, cima.
b. Oferta, baixo.
c. Demanda, cima.
d. Demanda, baixo.

5. Se a comunidade empresarial se tornar mais otimista em relação à lucratividade do capital, a curva de ________ dos fundos disponíveis para empréstimos se deslocará, levando a taxa de juros de equilíbrio para ________.

a. Oferta, cima.
b. Oferta, baixo.
c. Demanda, cima.
d. Demanda, baixo.

6. De 2008 a 2012, a relação entre os débitos do governo e o PIB nos Estados Unidos:

a. Aumentou acentuadamente.
b. Diminuiu acentuadamente.
c. Ficou estável em um nível historicamente alto.
d. Ficou estável em um nível historicamente baixo.

RESUMO

- O sistema financeiro norte-americano é composto de muitos tipos de instituições financeiras, como o mercado de títulos, o mercado de ações, os bancos e os fundos mútuos. Todas essas instituições agem para direcionar os recursos das famílias que querem poupar parte de sua renda para as mãos das famílias e empresas que querem tomar empréstimos.
- As identidades contábeis da renda nacional revelam algumas relações importantes entre as

variáveis macroeconômicas. Mais especificamente, em uma economia fechada, a poupança nacional deve ser igual ao investimento. As instituições financeiras são o mecanismo por meio do qual a economia une a poupança de uma pessoa com o investimento de outra.

- A taxa de juros é determinada pela oferta e demanda de fundos para empréstimos. A oferta de fundos para empréstimos vem das famílias que querem poupar parte de sua renda e emprestá-la. A demanda por fundos para empréstimos vem das famílias e empresas que querem tomar empréstimos para investir. Para analisar como qualquer política ou evento afeta a taxa de juros, é preciso analisar a maneira como eles afetam a oferta e a demanda de fundos para empréstimos.
- A poupança nacional é igual à poupança privada mais a poupança pública. Um déficit orçamentário do governo representa poupança pública negativa o que, por sua vez, reduz a poupança nacional e a oferta de fundos para empréstimos disponíveis para financiar o investimento. Quando um déficit orçamentário governamental desloca o investimento, reduz o crescimento da produtividade e do PIB.

CONCEITOS-CHAVE

sistema financeiro, p. 432
mercados financeiros, p. 433
título, p. 433
ações, p. 434
intermediários financeiros, p. 435
fundo mútuo, p. 435
poupança nacional (poupança), p. 438
poupança privada, p. 438
poupança pública, p. 438
superávit orçamentário, p. 439
déficit orçamentário, p. 439
mercado de fundos para empréstimos, p. 440
deslocamento, p. 445

QUESTÕES PARA REVISÃO

1. Qual é a função do sistema financeiro? Cite e descreva dois mercados que são parte do sistema financeiro da economia dos Estados Unidos. Cite e descreva dois intermediários financeiros.
2. Por que é importante que as pessoas tenham ações e títulos para diversificar seus ativos? Que tipo de instituição financeira facilita a diversificação?
3. O que é poupança nacional? O que é poupança privada? O que é poupança pública? Como essas três variáveis se relacionam?
4. O que é investimento? Como ele se relaciona com a poupança nacional?
5. Descreva uma alteração do código tributário capaz de aumentar a poupança privada. Se essa medida fosse implementada, como ela poderia afetar o mercado de fundos emprestáveis?
6. O que é um déficit orçamentário do governo? Como ele afeta as taxas de juros, o investimento e o crescimento econômico?

PROBLEMAS E APLICAÇÕES

1. Para cada um dos pares a seguir, qual título deve pagar taxas de juros mais altas? Explique.
   a. Um título do governo norte-americano ou um título de um país do Leste Europeu.
   b. Um título que reembolsa o principal em 2020 ou um título que reembolsa o principal em 2040.
   c. Um título da Coca-Cola ou um título de uma empresa de *software* que funciona em sua garagem.
   d. Um título emitido pelo governo federal ou um título emitido pelo estado de Nova York.
2. Muitos trabalhadores têm grandes quantidades de ações emitidas pelas empresas em que trabalham. Na sua opinião, por que as empresas encorajam esse comportamento? Por que uma pessoa poderia *não* querer ter ações da empresa em que trabalha?

3. Explique a diferença entre poupança e investimento, tal como definida por um macroeconomista. Quais das situações a seguir representam investimento? E poupança? Explique.
   a. Sua família faz uma hipoteca e compra uma casa nova.
   b. Você usa $ 200 de seu salário para comprar ações da AT&T.
   c. Seu colega ganha $ 100 e os deposita no banco, em sua própria conta.
   d. Você toma $ 1.000 emprestados do banco para comprar um carro que utilizará em seu negócio de entrega de pizzas em domicílio.

4. Suponha que o PIB seja de $ 8 trilhões, os impostos sejam de $ 1,5 trilhão, a poupança privada seja de $ 0,5 trilhão e a poupança pública seja de $ 0,2 trilhão. Admitindo a hipótese de que se trata de uma economia fechada, calcule o consumo, as compras do governo, a poupança nacional e o investimento.

5. Os economistas da Funlândia, uma economia fechada, obtiveram as seguintes informações sobre a economia em um ano específico:

$$Y = 10.000$$
$$C = 6.000$$
$$T = 1.500$$
$$G = 1.700$$

Os economistas também estimam que a função investimento é:

$$I = 3.300 - 100\,r$$

onde r é a taxa de juros real do país, expressa em porcentagem. Calcule a poupança privada, a poupança pública, a poupança nacional, o investimento e a taxa de juros real de equilíbrio.

6. Suponha que a Intel esteja pensando em construir uma nova fábrica de *chips*.
   a. Supondo que a Intel precise tomar dinheiro emprestado no mercado de títulos, por que um aumento na taxa de juros afetaria a decisão da Intel de construir ou não a fábrica?
   b. Se a Intel tiver recursos próprios em quantidade suficiente para construir a nova fábrica sem fazer empréstimos, um aumento na taxa de juros ainda afetaria sua decisão de construir ou não a fábrica? Explique.

7. Três estudantes economizaram $ 1.000 cada um. Cada um deles tem uma oportunidade de investimento de até $ 2.000. Eis as taxas de retorno dos projetos de investimento dos alunos:

Harry: 5%
Ron: 8%
Hermione: 20%

   a. Como emprestar e tomar emprestado é proibido, cada aluno usará as próprias economias para financiar seu projeto individual. Quanto cada um terá um ano mais tarde, quando ocorrer o retorno do projeto?
   b. Agora, suponha que a escola abra um mercado de fundos para empréstimo, no qual os alunos possam tomar emprestado e emprestar entre si a uma taxa de juros r. O que determina a escolha do aluno entre ser tomador ou financiador nesse mercado?
   c. Entre esses três alunos, qual seria a quantidade de fundos disponíveis para empréstimos e a quantidade demandada a uma taxa de juros de 7%? E a 10%?
   d. A que taxa de juros o mercado de fundos disponíveis para empréstimos entre esses três alunos estaria em equilíbrio? A essa taxa de juros, qual – ou quais – deles tomaria empréstimo e quem emprestaria?
   e. À taxa de juros de equilíbrio, quanto cada aluno terá um ano mais tarde, após os projetos de investimento darem seu retorno e os empréstimos serem reembolsados? Compare suas respostas com aquelas que você deu na parte (a). Quem se beneficia com a existência do mercado de fundos disponíveis para empréstimo: aquele que toma emprestado ou aquele que empresta? Quem tem a pior posição?

8. Suponha que, no ano que vem, o governo tome $ 20 bilhões a mais em empréstimos que neste ano.

a. Use um diagrama de oferta e demanda para analisar essa política. A taxa de juros aumenta ou diminui?
b. O que acontece com o investimento? E com a poupança privada? E com a poupança pública? E com a poupança nacional? Compare a dimensão das alterações com os $ 20 bilhões de empréstimos adicionais do governo.
c. Como a elasticidade da oferta de fundos para empréstimos afeta a dimensão dessas alterações?
d. Como a elasticidade da demanda por fundos para empréstimos afeta a dimensão dessas alterações?
e. Suponha que as famílias acreditem que o maior endividamento do governo hoje implique maiores impostos para pagar a dívida pública no futuro. O que essa crença traz para a poupança privada e para a oferta de fundos para empréstimos hoje? Ela aumenta ou diminui os efeitos que você discutiu nas partes (a) e (b)?

9. Este capítulo explica que o investimento pode aumentar tanto por meio da redução dos impostos sobre a poupança privada quanto por meio da redução do déficit orçamentário do governo.
a. Por que é difícil implementar as duas políticas ao mesmo tempo?
b. O que você precisaria saber sobre a poupança privada para avaliar qual das duas políticas seria um meio mais eficaz para aumentar o investimento?

CAPÍTULO 27

As ferramentas básicas das finanças

Em algum momento de sua vida, você terá de lidar com o sistema financeiro da economia. Irá depositar sua poupança em uma conta bancária ou fazer uma hipoteca para comprar uma casa. Após conseguir um emprego, decidirá se deve investir sua conta de aposentadoria em ações, títulos ou outros instrumentos financeiros. Pode, ainda, tentar montar sua própria carteira de ações e, então, terá de decidir se deve apostar em empresas já bem estabelecidas, como a General Electric, ou em outras mais novas, como o Twitter. E sempre que assistir ao noticiário noturno, obterá informações sobre a ascensão ou a queda do mercado de ações, com as tentativas, em geral frágeis, de explicar o comportamento do mercado.

Se refletir por um momento sobre as muitas decisões financeiras que terá de tomar durante sua vida, constatará que há dois elementos relacionados em quase todas elas: tempo e risco. Como vimos nos dois capítulos anteriores, o sistema financeiro coordena a poupança e o investimento da economia, que, por sua vez, são determinantes cruciais para o crescimento econômico. Portanto, fundamentalmente, o sistema financeiro diz respeito às decisões que tomamos hoje e que afetarão nossa vida no futuro. Mas o futuro é desconhecido. Quando alguém decide poupar ou quando uma empresa decide investir, a decisão se baseia em uma previsão sobre um provável resultado futuro. O resultado real, contudo, pode acabar sendo bem diferente do previsto.

Este capítulo apresenta algumas ferramentas que nos ajudam a entender as decisões que as pessoas tomam quando participam do mercado financeiro. O campo das **finanças** desenvolve essas ferramentas em mais detalhes, e você poderá optar por fazer cursos que se concentrem nesse assunto. Mas, em razão da grande importância do sistema financeiro para o funcionamento da economia, muitos dos princípios básicos das finanças são cruciais para compreender como a economia funciona. As ferramentas financeiras também podem ajudar a pensar em algumas das decisões que você terá de tomar durante a vida.

finanças
o campo que estuda como as pessoas tomam decisões sobre a alocação de recursos ao longo do tempo e como lidam com o risco

Este capítulo aborda três tópicos. Primeiro, discutiremos como comparar somas de dinheiro em diferentes pontos no tempo. Segundo, trataremos de como gerenciar o risco. Terceiro, construiremos nossa análise do tempo e do risco para examinar o que determina o valor de um ativo, como uma ação, por exemplo.

27_1 VALOR PRESENTE: MEDINDO O VALOR DO DINHEIRO NO TEMPO

Imagine que alguém ofereça a você $ 100 hoje ou $ 100 daqui a dez anos. Qual das duas alternativas você escolheria? Trata-se de uma pergunta fácil. Ter $ 100 hoje é melhor porque se pode depositar o dinheiro em um banco, tê-lo ainda daqui a dez anos e, enquanto isso, receber juros sobre os $ 100. A lição: uma quantia qualquer é mais valiosa hoje que a mesma quantia no futuro.

valor presente
o montante de dinheiro que seria necessário hoje para produzir, à taxa de juros vigente, certo montante de dinheiro no futuro

valor futuro
o montante de dinheiro no futuro que um montante de dinheiro hoje vai render, dada a atual taxa de juros

composição
a acumulação de uma soma de dinheiro em uma conta bancária, em que os juros ganhos são mantidos na conta para ganhar juros adicionais no futuro

Considere agora uma situação mais difícil: imagine que alguém ofereça-lhe \$ 100 hoje ou \$ 200 daqui a dez anos. Qual das alternativas você escolheria? Para responder a essa pergunta, você precisa comparar, de alguma maneira, somas de dinheiro em diferentes pontos no tempo. Os economistas fazem isso por meio de um conceito denominado *valor presente*. O **valor presente** de qualquer soma de dinheiro futura é a quantidade que seria necessária hoje, às atuais taxas de juros, para produzir aquela soma futura.

Para aprendermos a usar o conceito de valor presente, vamos analisar dois exemplos simples:

Pergunta: Se você depositar \$ 100 hoje em uma conta bancária, quanto isso valerá em N anos? Ou seja, qual será o **valor futuro** desses \$ 100?

Resposta: Vamos usar r para representar a taxa de juros na forma decimal, ou seja, uma taxa de juros de 5% significa que $r = 0{,}05$. Suponha que os juros sejam pagos anualmente e que permaneçam na conta bancária rendendo mais juros, em um processo chamado **composição.** Assim sendo, os \$ 100 se tornarão

$(1 + r) \times \$\,100$	após um ano
$(1 + r) \times (1 + r) \times \$\,100 = (1 + r)^2 \times \$\,100$	após dois anos
$(1 + r) \times (1 + r) \times (1 + r) \times \$\,100 = (1 + r)^3 \times \$\,100$	após três anos...
$(1 + r)^N \times \$\,100$	após N anos

Por exemplo, se estivermos investindo a uma taxa de juros de 5% por dez anos, o valor futuro dos \$ 100 será de $(1{,}05)^{10} \times \$\,100$, ou \$ 163.

Pergunta: Suponha agora que você vá receber \$ 200 daqui a N anos. Qual é o *valor presente* desse pagamento futuro? Ou seja, quanto você teria de depositar em um banco hoje para ter \$ 200 em N anos?

Resposta: Para responder a essa pergunta, basta inverter a resposta anterior. Na última pergunta, calculamos um valor futuro com base no valor presente *multiplicando* pelo fator $(1 + r)^N$. Para calcularmos um valor presente a partir de um valor futuro, *dividimos* pelo fator $(1 + r)^N$. Portanto, o valor presente de \$ 200 em N anos é $\$\,200/(1 + r)^N$. Se esse valor fosse depositado em um banco hoje, após N anos se tornaria $(1 + r)^N \times [\$\,200/(1 + r)^N]$, o que daria \$ 200. Por exemplo, se a taxa de juros for de 5%, o valor presente de \$ 200 em dez anos será $\$\,200/(1{,}05)^{10}$, ou \$ 123. Isso significa que os \$ 123 depositados hoje em uma conta bancária que recebeu 5% produziriam \$ 200 após dez anos.

Isso ilustra a fórmula geral:

- Sendo r a taxa de juros, um montante X a ser recebido em N anos tem valor presente de $X/(1 + r)^N$.

Como a possibilidade do ganho de juros faz que o valor presente seja menor que X, o processo de encontrar o valor presente de um montante futuro chama-se *desconto*. Essa fórmula mostra precisamente o montante a ser descontado.

Agora, voltemos à pergunta anterior: você deveria optar por \$ 100 hoje ou \$ 200 daqui a dez anos? Podemos deduzir, com base em nossos cálculos do valor presente, que, se a taxa de juros for de 5%, você deverá escolher \$ 200 daqui a dez anos. Os \$ 200 futuros têm valor presente de \$ 123, que é maior que \$ 100. Você se sairá melhor se esperar pela soma futura.

Observe que a resposta à nossa pergunta depende da taxa de juros. Se a taxa de juros fosse de 8%, então os \$ 200 em dez anos teriam valor presente de $\$\,200/(1{,}08)^{10}$, que é apenas \$ 93. Nesse caso, você deveria aceitar os \$ 100 hoje. Por que a taxa de juros deve afetar sua decisão? A resposta é que, quanto maior a taxa de juros, mais você pode ganhar depositando seu dinheiro no banco e mais atraente se torna ter $ 100 hoje.

O conceito de valor presente é útil em muitas aplicações, até mesmo em decisões com que as empresas se deparam ao avaliar projetos de investimento. Por exemplo, imagine que a General Motors esteja pensando em construir uma nova fábrica. Suponha que a fábrica custará $ 100 milhões hoje e renderá à empresa $ 200 milhões em dez anos. A General Motors deve realizar o projeto? É fácil perceber que a decisão é idêntica à que acabamos de estudar. Para tomar a decisão, a empresa deve comparar o valor presente do rendimento de $ 200 milhões com o custo de $ 100 milhões.

A decisão da empresa, portanto, dependerá da taxa de juros. Se a taxa de juros for de 5%, o valor presente do retorno de $ 200 milhões será de $ 123 milhões, e a empresa deve optar por arcar com o custo de $ 100 milhões. No entanto, se a taxa de juros for de 8%, o valor presente do retorno será de apenas $ 93 milhões, e a empresa deve optar por deixar o projeto de lado. Assim, o conceito de valor presente ajuda a explicar por que o investimento - e, portanto, a quantidade demandada de fundos para empréstimos - diminui quando a taxa de juros aumenta.

Eis outra explicação do valor presente: suponha que você ganhe uma loteria de um milhão de dólares e possa optar entre receber $ 20 mil por ano durante 50 anos (em um total de $ 1 milhão) ou receber um pagamento imediato de $ 400 mil. Qual opção você escolheria? Para tomar a decisão apropriada, você precisa calcular o valor presente do fluxo de pagamentos. Suponhamos que a taxa de juros seja de 7%. Após realizar 50 cálculos semelhantes ao feito anteriormente (um para cada pagamento) e somar os resultados,

Saiba mais sobre

A MÁGICA DA COMPOSIÇÃO E A REGRA DE 70

Suponha que você observe que um país tem uma taxa de crescimento média de 1% ao ano, enquanto outro cresce, em média, 3% ao ano. À primeira vista, isso pode não parecer grande coisa. Que diferença 2% pode fazer?

A reposta é: uma grande diferença. As taxas de crescimento que parecem pequenas, quando escritas em termos percentuais, parecem grandes depois de se compor por muitos anos.

Vamos considerar um exemplo. Suponha que dois graduados – Finn e Quinn – consigam o primeiro emprego aos 22 anos, ganhando $ 30 mil por ano. Finn vive em uma economia em que todas as rendas crescem 1% ao ano, ao passo que Quinn vive em uma economia em que as rendas crescem a uma taxa de 3% ao ano. Bastam alguns cálculos simples para mostrar o que acontece. Quarenta anos depois, quando ambos tiverem 62 anos, Finn estará ganhando $ 45 mil por ano, enquanto Quinn estará ganhando $ 98 mil. Por causa dessa diferença de dois pontos percentuais na taxa de crescimento, o salário de Quinn será mais que o dobro do de Finn.

Uma antiga regra de ouro, chamada *regra de 70*, ajuda a entender as taxas de crescimento e os efeitos da composição. Segundo a regra de 70, se uma variável crescer a uma taxa de x% ao ano, então a variável dobrará a cada $70/x$ anos, aproximadamente. Na economia de Finn, a renda cresce 1% ao ano, de modo que levará cerca de 70 anos para se duplicar. Na economia de Quinn, a renda cresce 3% ao ano, de modo que levará aproximadamente 70/3, ou 23 anos, para dobrar.

A regra de 70 não se aplica apenas ao crescimento de uma economia, mas também ao de uma caderneta de poupança. Eis um exemplo: em 1791, Ben Franklin morreu e deixou $ 5 mil para ser investidos por um período de 200 anos em benefício de estudantes de medicina e da pesquisa científica. Se esse dinheiro rendesse 7% ao ano (o que teria sido possível), o investimento dobraria de valor a cada dez anos. Após 200 anos, teria dobrado 20 vezes. No fim dos 200 anos de composição, o investimento valeria $2^{20} \times$ $ 5 mil, o que é cerca de $ 5 bilhões (na realidade, os $ 5 mil de Franklin só chegaram a $ 2 milhões em 200 anos, porque parte do dinheiro foi gasta nesse meio-tempo).

Como mostram esses exemplos, as taxas de crescimento e as taxas de juros compostos podem levar, ao longo dos anos, a resultados impressionantes. Provavelmente, foi por isso que Albert Einstein chamou certa vez a composição de "a maior invenção matemática de todos os tempos".

você constatará que o valor presente do prêmio de um milhão de dólares a uma taxa de juros de 7% é de apenas $ 276 mil. Você ficará em uma situação melhor se aceitar o pagamento imediato de $ 400 mil. Um milhão de dólares pode parecer muito dinheiro, mas os fluxos de caixa futuros, uma vez descontados para o presente, valem bem menos.

Teste rápido A taxa de juros é de 7%. Qual será o valor presente de $ 150 a ser recebido daqui a dez anos?

27_2 ADMINISTRAÇÃO DO RISCO

A vida é cheia de riscos. Quando você esquia, corre o risco de quebrar a perna em uma queda. Quando vai de carro para o trabalho, corre o risco de se envolver em um acidente. Quando põe parte de sua poupança no mercado de ações, corre o risco de uma queda nos preços. A resposta racional a esse risco não é, necessariamente, evitá-lo a qualquer custo, mas levá-lo em consideração em sua tomada de decisão. Vamos ver como isso pode ser feito.

27_2A Aversão ao risco

aversão ao risco uma antipatia à incerteza

A maioria das pessoas tem **aversão ao risco**. Isso não significa apenas que as pessoas não gostam que coisas ruins aconteçam com elas. Significa que a elas desagradam coisas ruins mais do que agradam coisas boas comparáveis.

Por exemplo, suponha que um amigo lhe ofereça a seguinte oportunidade. Ele vai jogar uma moeda. Se der cara, ele pagará $ 1.000 a você. Mas, se der coroa, você terá de pagar $ 1.000 a ele. Você aceitaria a proposta? Não, se fosse avesso ao risco. Para alguém avesso ao risco, a dor de perder $ 1.000 supera o prazer de ganhar $ 1.000.

Os economistas desenvolveram modelos de aversão ao risco usando o conceito de *utilidade*, que é a medida subjetiva de bem-estar ou satisfação de uma pessoa. Cada nível de riqueza proporciona determinada quantidade de utilidade, como mostra a função utilidade representada na Figura 1. Mas a função exibe a propriedade da utilidade marginal decrescente: quanto mais riqueza tem uma pessoa, menos utilidade ela obtém de um dólar adicional. Assim, na figura, a inclinação da função utilidade diminui à medida que a riqueza aumenta. Por causa da utilidade marginal decrescente, a utilidade perdida por causa da perda da aposta de $ 1.000 é maior que a utilidade ganha se a aposta for vencida. Como resultado, as pessoas são avessas ao risco.

A aversão ao risco representa o ponto de partida para a explicação de diversas coisas que observamos na economia. Vamos considerar três delas: seguros, diversificação e o *tradeoff* risco-retorno.

Figura 1
A função utilidade

Esta função utilidade mostra como a utilidade, uma medida subjetiva de satisfação, depende da riqueza. À medida que a riqueza aumenta, a função utilidade torna-se menos inclinada, refletindo a propriedade da utilidade marginal decrescente. Por causa da utilidade marginal decrescente, uma perda de $ 1.000 reduz a utilidade em maior medida que um ganho de $ 1.000 a aumenta.

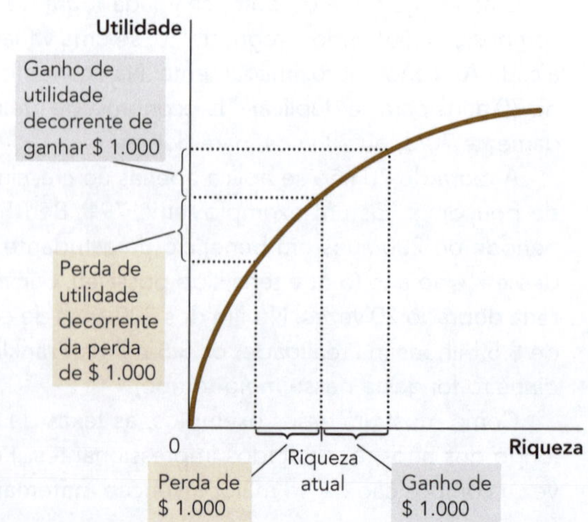

27_2B Os mercados de seguros

Uma maneira de lidar com o risco é contratar um seguro. Como característica geral dos contratos de seguro, a pessoa que enfrenta o risco paga uma taxa a uma companhia seguradora, que, por sua vez, concorda em aceitar total ou parcialmente o risco. Há muitos tipos de seguro. O seguro para carros cobre o risco de envolvimento em um acidente de trânsito, o seguro contra incêndio cobre o risco de que sua casa pegue fogo, o seguro-saúde cobre o risco de que você precise de tratamento médico dispendioso e o seguro de vida cobre o risco de que você morra e deixe sua família privada de sua renda. Há também o seguro contra o risco de ter uma vida muito longa: em troca de uma taxa paga hoje, as seguradoras lhe pagarão uma *anuidade*, ou seja, uma renda regular por todos os anos até a sua morte.

Em certo sentido, cada contrato de seguro é uma aposta. É possível que você não se envolva em um acidente de trânsito, que sua casa não pegue fogo e que você nunca precise de tratamentos médicos caros. Na maioria dos anos, você pagará o prêmio à seguradora e não terá nada em troca, a não ser paz de espírito. De fato, a seguradora conta com o fato de que a maioria das pessoas não reivindique suas apólices; do contrário, ela não poderia atender às reivindicações dos poucos desafortunados e continuar em operação.

Do ponto de vista da economia, o papel do seguro não é eliminar os riscos inerentes à vida, mas distribuí-los com maior eficiência. Vamos considerar, por exemplo, o seguro contra incêndio. Ter um seguro contra incêndio não reduz o risco de você perder sua casa em um incêndio, mas se esse infeliz sinistro ocorrer, a empresa seguradora lhe pagará uma indenização. O risco, em vez de ser suportado só por você, é dividido entre os milhares de acionistas da seguradora. Como as pessoas são avessas ao risco, é mais fácil para 10 mil pessoas arcarem com 1/10 mil do risco que para uma pessoa arcar com todo o risco por si só.

O mercado de seguros sofre de dois tipos de problemas que reduzem sua capacidade de distribuição do risco. Um problema é a *seleção adversa*: uma pessoa de alto risco tem maior probabilidade de contratar um seguro que uma de baixo risco. Um segundo problema é o *risco moral*: depois que contratam um seguro, as pessoas têm menos incentivo para serem cuidadosas com seu comportamento de risco porque a seguradora cobrirá grande parte de eventuais perdas. As seguradoras estão cientes desses problemas, mas não conseguem se prevenir totalmente contra eles, pois não conseguem distinguir perfeitamente entre segurados de alto risco e de baixo risco, assim como não são capazes de controlar o comportamento de risco dos clientes. O preço do seguro reflete os riscos reais que a seguradora enfrentará após a contratação da apólice. O alto preço dos seguros é o motivo pelo qual algumas pessoas, especialmente as que sabem que são de baixo risco, optam por não contratar seguro e, em vez disso, suportar por si sós algumas das incertezas da vida.

27_2C Diversificação do risco específico da empresa

Em 2002, a Enron, uma grande e outrora respeitada empresa, foi à falência cercada de acusações de fraude e irregularidades contábeis, e vários de seus altos executivos foram processados e condenados à prisão. A parte mais triste da história, contudo, envolveu milhares de empregados dos níveis inferiores. Eles não apenas perderam o emprego, como também, muitos deles, perderam toda a sua poupança. Cerca de dois terços dos fundos de aposentadoria dos empregados estavam em ações da Enron, que perderam todo o valor.

diversificação
a redução do risco obtida por meio da substituição de um único risco por um grande número de riscos menores e não correlacionados

Se há um conselho que as finanças oferecem às pessoas avessas ao risco, é o seguinte: "Não coloque todos os ovos na mesma cesta". Você, talvez, já tenha ouvido isso antes, mas as finanças transformaram essa tradicional sabedoria em uma ciência. Essa ciência se chama **diversificação**.

O mercado de seguros é um exemplo de diversificação. Imagine uma cidade com 10 mil proprietários de casas, todos se deparando com o risco de o imóvel pegar fogo. Se alguém fundar uma seguradora e cada pessoa da cidade se tornar tanto acionista quanto portadora de apólice da empresa, todas reduzirão seu risco por meio da diversificação. Cada pessoa estará sujeita agora a 1/10 mil do risco de 10 mil possíveis incêndios, em vez da totalidade do risco de um só incêndio em seu próprio imóvel. A menos que a cidade toda pegue fogo ao mesmo tempo, o resultado negativo que cada pessoa enfrenta é bem menor.

Quando as pessoas usam sua poupança para comprar ativos financeiros, elas também podem reduzir o risco por meio da diversificação. A pessoa que compra ações de uma empresa está apostando na lucratividade futura da empresa. Essa aposta, muitas vezes, é de alto risco, porque é difícil prever o destino das empresas. A Microsoft evoluiu, começando com alguns jovens peritos em computação, e chegou a ser uma das mais valiosas empresas do mundo em poucos anos; a Enron passou de uma das empresas mais respeitadas do mundo para uma companhia quase sem valor em apenas alguns meses. Felizmente, os acionistas não precisam atrelar sua própria sorte à de uma empresa qualquer. O risco pode ser reduzido fazendo um grande número de apostas menores, em vez de um pequeno número de grandes apostas.

A Figura 2 mostra como o risco de uma carteira de ações depende do número de ações que há em uma carteira. O risco é medido aqui com a estatística denominada *desvio padrão*, que você talvez tenha aprendido em uma aula de matemática ou estatística. O desvio padrão mede a volatilidade de uma variável, ou seja, o quanto é provável que a variável flutue. Quanto maior for o desvio padrão do retorno de uma carteira, maior será a probabilidade de o retorno ser mais volátil e maior será o risco de o detentor dessa carteira conseguir o retorno esperado.

A figura mostra que o risco de uma carteira de ações cai substancialmente com o aumento do número de ações. Para uma carteira com uma só ação, o desvio padrão é de 49%. Passar de uma para dez ações elimina cerca de metade do risco. Passar de dez para 20 ações reduz o risco em mais 10%. À medida que o número de ações continua a aumentar, o risco continua a cair, embora as reduções do risco após 20 ou 30 ações sejam pequenas.

risco específico da empresa
risco que afeta apenas uma única empresa

risco de mercado
risco que afeta todas as empresas no mercado de ações

Observe que é impossível eliminar todo o risco por meio do aumento do número de ações em carteira. A diversificação é capaz de eliminar o **risco específico da empresa** – a incerteza associada a empresas específicas. Mas a diversificação não pode eliminar o **risco de mercado**[1] – a incerteza associada à economia como um todo, que afeta todas as empresas cujas ações são negociadas na bolsa de valores. Por exemplo, quando a economia entra em recessão, a maioria das empresas apresenta queda nas vendas, redução do lucro e baixo retorno de suas ações. A diversificação reduz o risco dos detentores de ações, mas não o elimina.

27_2D O *tradeoff* entre risco e retorno

Um dos *Dez princípios de economia* do Capítulo 1 é que as pessoas enfrentam *tradeoffs*. O *tradeoff* mais importante para a compreensão das decisões financeiras é aquele que ocorre entre risco e retorno.

Como vimos, há riscos inerentes às ações, mesmo em uma carteira diversificada. Mas as pessoas avessas ao risco estão dispostas a aceitar essa incerteza, porque são remuneradas por isso. Historicamente, as ações oferecem taxas de retorno muito mais elevadas que outros ativos financeiros, como títulos e cadernetas de poupança. Nos dois últimos séculos, as ações proporcionaram retorno real médio de aproximadamente 8% ao ano, enquanto os títulos governamentais de curto prazo pagaram retorno real de apenas 3% ao ano.

Ao decidir como alocar suas poupanças, as pessoas precisam decidir quanto risco estão dispostas a aceitar para obter o maior retorno. Por exemplo, considere uma pessoa escolhendo como alocar sua carteira de ações entre duas classes de ativos.

1. Em termos financeiros, o risco específico da empresa é comumente denominado *risco diversificável* ou *não sistemático*, enquanto o risco de mercado é chamado *risco sistemático* ou *não diversificável*. O risco total é composto do risco diversificável mais o risco não diversificável. (NRT)

Figura 2

A diversificação reduzo risco

Esta figura mostra como o risco de uma carteira, medido aqui com a estatística denominada *desvio padrão*, depende do número de ações na carteira. Presume-se que o investidor coloque um percentual igual de sua carteira em cada uma das ações. Aumentar o número de ações reduz mas não elimina o montante de risco de uma carteira de ações.

Fonte: Adaptada de Meir Statman, How many stocks make a diversified portfolio?, *Journal of Financial and Quantitative Analysis*, p. 353-364, set. 1987.

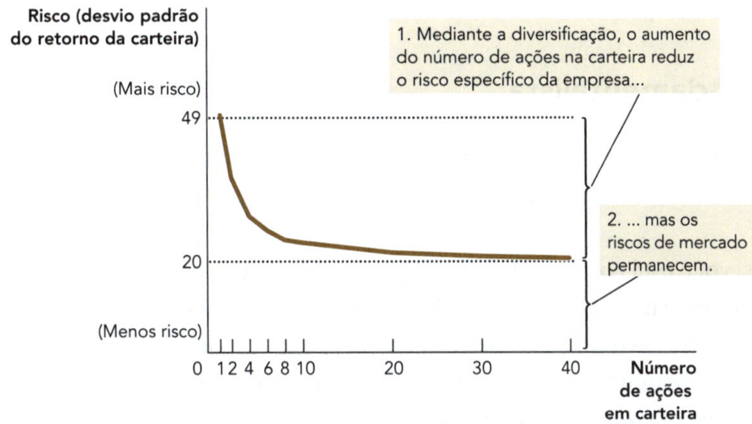

- A primeira classe de ativos é um grupo diversificado de ações de risco, com retorno médio de 8% e desvio padrão de 20%. (Como você já viu em aulas de matemática ou de estatística, uma variável aleatória normal situa-se entre dois desvios padrão de sua média em, aproximadamente, 95% das vezes. Assim, embora os retornos reais se situem em torno de 8%, eles tipicamente variam de um ganho de 48% a uma perda de 32%.)
- A segunda classe de ativos é uma alternativa segura, com retorno de 3% e desvio padrão de zero. Essa alternativa segura pode ser uma conta de poupança ou títulos do governo.

A Figura 3 ilustra o *tradeoff* entre risco e retorno. Cada ponto da figura representa uma alocação específica de uma carteira entre as ações de risco e o ativo seguro. A figura mostra que, quanto mais a pessoa investe em ações, maiores são tanto o risco quanto o retorno.

Reconhecer o *tradeoff* risco-retorno, por si só, não diz o que alguém deve fazer. A escolha de uma combinação específica de risco e retorno depende da aversão da pessoa ao risco, o que reflete as próprias preferências pessoais. Por isso, é importante os acionistas perceberem que o preço do retorno médio mais elevado que eles apreciam vem do maior risco.

Teste rápido Descreva três maneiras pelas quais uma pessoa avessa ao risco poderia reduzir o risco com que se depara.

Figura 3

O *tradeoff* entre risco e retorno

Quando as pessoas aumentam o percentual de suas poupanças colocado em ações, elas aumentam o retorno médio que podem esperar ganhar, mas também os riscos que enfrentam.

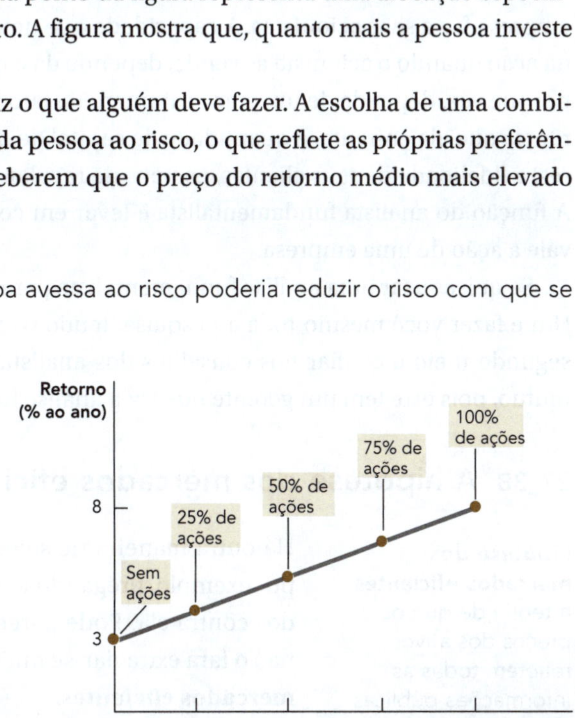

27_3 AVALIAÇÃO DE ATIVOS

Agora que desenvolvemos uma compreensão básica dos dois tijolos das finanças - tempo e risco -, vamos aplicar esse conhecimento. Esta seção trata de uma questão simples: o que determina o preço de uma ação? Como a maioria dos preços, a resposta é a oferta e a demanda. Mas isso não é o fim da história. Para entender os preços das ações, precisamos pensar mais profundamente sobre o que determina a disposição de uma pessoa para pagar por uma ação.

27_3A Análise fundamentalista

Imaginemos que você decida investir 60% de sua poupança em ações e que, para diversificar, resolva comprar 20 ações diferentes. Se abrir o jornal, encontrará uma lista com milhares de ações. Como escolher as 20 para sua carteira?

Ao comprar ações, você está comprando uma participação em uma empresa. Ao decidir de quais empresas deseja ser proprietário, é natural considerar dois fatores: o valor das ações da empresa e o preço ao qual elas estão sendo negociadas. Se o preço for inferior ao valor, diz-se que a ação está *subvalorizada*. Se o preço for maior que o valor, diz-se que a ação está *supervalorizada*. Se o preço e o valor forem iguais, diz-se que a ação está *corretamente valorizada*. Ao escolher as 20 ações para sua carteira, você deve dar preferência às ações subvalorizadas. Nesse caso, você estará fazendo um bom negócio, pagando menos que a empresa vale.

análise fundamentalista
o estudo das demonstrações contábeis e das expectativas futuras de uma empresa para determinar seu valor

Porém, é mais fácil falar do que fazer. Não há nenhuma dificuldade em descobrir o preço: basta somente consultar o jornal. O difícil é determinar o valor da empresa. A expressão **análise fundamentalista** se refere a uma análise detalhada da empresa para determinar seu valor. Muitas empresas de Wall Street contratam analistas de ações para realizar esse tipo de análise e aconselhar a compra de ações.

O valor de uma ação para um acionista é o que ele recebe por ser seu proprietário, o qual inclui o valor presente do fluxo de pagamentos de dividendos e o preço final de venda. Lembre-se de que *dividendos* são pagamentos em dinheiro que uma empresa faz a seus acionistas. A capacidade que uma empresa tem de pagar dividendos, assim como o valor da ação quando o acionista as vende, depende da capacidade de a empresa obter lucros. A sua lucratividade, por sua vez, depende de um grande número de fatores, como a demanda por seu produto, o grau de concorrência que ela enfrenta, a quantidade de capital de que dispõe, o nível de sindicalização de seus trabalhadores, a fidelidade de seus clientes, os tipos de regulamentos governamentais, os impostos, e assim por diante. A função do analista fundamentalista é levar em consideração todos esses fatores para determinar quanto vale a ação de uma empresa.

Se quiser usar uma análise fundamentalista para escolher uma carteira de ações, há três meios para isso. Um é fazer você mesmo toda a pesquisa, lendo os relatórios anuais das empresas, e assim por diante. Um segundo meio é confiar nos conselhos dos analistas de Wall Street. E o terceiro é participar de um fundo mútuo, pois este tem um gerente que faz a análise fundamentalista e toma a decisão por você.

27_3B A hipótese dos mercados eficientes

hipótese dos mercados eficientes
a teoria de que os preços dos ativos refletem todas as informações públicas disponíveis sobre o valor de um ativo

Há outra maneira de selecionar as 20 ações para sua carteira: escolher a esmo, por exemplo, pregando a página de cotações do jornal na parede e lançando dardos contra ela. Pode parecer loucura, mas há uma razão para acreditar que isso não o fará extraviar-se muito do caminho. Essa razão é denominada **hipótese dos mercados eficientes**.

Para entender essa teoria, o ponto de partida é reconhecer que cada empresa cotada em uma bolsa de valores importante é atentamente acompanhada por muitos administradores de recursos, como as pessoas que gerenciam os fundos mútuos. Todos os dias, esses administradores monitoram notícias e fazem análises fundamentalistas para tentar determinar o valor da ação. O trabalho desses profissionais é comprar uma ação quando o preço é fixado abaixo do seu valor e vender quando o preço supera o seu valor.

A segunda parte da hipótese dos mercados eficientes é que o equilíbrio de oferta e demanda estabelece o preço de mercado. Isso significa que, ao preço de mercado, o número de ações oferecidas para venda é exatamente igual ao número de ações que as pessoas desejam comprar. Em outras palavras, ao preço de mercado, o número de pessoas que acham que a ação está supervalorizada equilibra o de pessoas que acham que ela está subvalorizada. No julgamento da pessoa típica presente no mercado, todas as ações estão corretamente valorizadas o tempo todo.

eficiência informativa descrição dos preços de um ativo que refletem racionalmente toda a informação disponível

De acordo com essa teoria, o mercado de ações apresenta **eficiência informativa**: reflete toda a informação disponível sobre o valor do ativo. Os preços das ações mudam quando a informação muda. Quando são publicadas boas notícias sobre as perspectivas de uma empresa, o valor e o preço de sua ação sobem. Quando as perspectivas a respeito da empresa se deterioram, o valor e o preço caem. Mas, a qualquer momento, o preço de mercado é a melhor estimativa do valor de uma empresa com base nas informações disponíveis.

passeio aleatório a trajetória de uma variável cujas variações são impossíveis de prever

Uma implicação da hipótese dos mercados eficientes é que os preços das ações devem seguir um **passeio aleatório**.[2] Isso significa que as variações dos preços das ações são impossíveis de ser previstas com base nas informações disponíveis. Se, com base nas informações disponíveis para o público, uma pessoa pudesse prever que o preço de uma ação iria aumentar 10% amanhã, então o mercado de ações estaria falhando ao incorporar essa informação hoje. Segundo essa teoria, só o que pode mudar os preços das ações são notícias que alterem a percepção que o mercado tem do valor da empresa. Mas as notícias devem ser imprevisíveis; do contrário, não seriam realmente notícias. Pelo mesmo motivo, as variações dos preços das ações devem ser imprevisíveis.

Se a hipótese dos mercados eficientes estiver correta, então há pouca objetividade em passar muitas horas estudando a página de negócios do jornal para decidir quais as 20 ações que serão acrescentadas à sua carteira. Se os preços refletem todas as informações disponíveis, nenhuma ação será uma compra melhor do que qualquer outra. O melhor que você pode fazer é comprar uma carteira diversificada.

27_3C Irracionalidade do mercado

A hipótese dos mercados eficientes admite que as pessoas que compram e vendem ações processam racionalmente as informações que têm sobre o valor subjacente da ação. Mas será o mercado de ações realmente tão racional? Ou será que os preços das ações às vezes se desviam das expectativas razoáveis quanto ao seu real valor?

Há uma longa tradição sugere que as flutuações dos preços das ações são, em parte, psicológicas. Na década de 1930, o economista John Maynard Keynes sugeriu que os mercados de ativos são movidos pelos "instintos animais" dos investidores - ondas irracionais de otimismo e pessimismo. Na década de 1990, quando o mercado de ações atingiu níveis recordes, o presidente do Fed, Alan Greenspan, questionou se o *boom* poderia ser um reflexo de "exuberância irracional". Os preços das ações caíram subsequentemente, mas se a exuberância dos anos de 1990 foi irracional, dadas as informações disponíveis na época, ainda é discutível. Sempre que o preço de um ativo aumenta acima do que parece ser seu valor fundamental, diz-se que o mercado passa por uma *bolha especulativa*.

A possibilidade de tais bolhas especulativas no mercado de ações deve-se, em parte, ao fato de o valor de uma ação para o acionista depender não só do fluxo de pagamentos de dividendos, mas também do preço

2. Passeio aleatório, do inglês *random walk*, é também conhecido como caminhada aleatória ou caminhada de bêbado. (NRT)

Pergunte aos especialistas

Diversificação

"Em geral, quando não há informações privilegiadas, um investidor de ações pode esperar um melhor resultado ao escolher um fundo de índice bem diversificado e de baixo custo, em vez de selecionar algumas ações."

Fonte: IGM Economic Experts Panel, 20 de novembro de 2013.

de venda final. Portanto, uma pessoa pode estar disposta a pagar mais por uma ação do que ela vale hoje, se acreditar que outra pessoa estará disposta a pagar ainda mais amanhã. Ao avaliar uma ação, você precisa estimar não apenas o valor da empresa, mas também o que outras pessoas pensarão que ela vale no futuro.

Há muito debate entre os economistas sobre a frequência e a importância de desvios da formação racional dos preços. Os que acreditam na irracionalidade do mercado indicam (corretamente) que, em geral, o mercado de ações se move de maneiras difíceis de explicar com base em notícias que poderiam alterar uma avaliação racional. Os que acreditam na hipótese dos mercados eficientes indicam (corretamente) que é impossível saber o valor correto e racional de uma empresa; por isso, ninguém deve chegar apressadamente à conclusão de que qualquer avaliação específica seja irracional. Além disso, se o mercado fosse irracional, uma pessoa racional deveria ser capaz de se aproveitar disso; mas, como vimos no estudo de caso anterior, bater o mercado é quase impossível.

Teste rápido A revista *Fortune* publica regularmente uma lista das empresas "mais respeitadas". De acordo com a hipótese dos mercados eficientes, se você restringir sua carteira de ações a essas empresas, terá um retorno melhor que a média? Explique.

27_4 CONCLUSÃO

Este capítulo desenvolveu algumas das ferramentas básicas que as pessoas devem usar (e frequentemente usam) para tomar decisões financeiras. O conceito de valor presente nos lembra que um dólar no futuro vale menos que um dólar no presente e oferece uma maneira de comparar somas de dinheiro em diferentes pontos no tempo. A teoria da administração do risco nos lembra que o futuro é incerto e que as pessoas avessas ao risco podem tomar precauções para se proteger contra essa incerteza. E o estudo da valorização de ativos nos diz que o preço da ação de uma empresa qualquer reflete a expectativa quanto à sua lucratividade futura.

Embora a maioria das ferramentas financeiras esteja bem estabelecida, há mais controvérsia quanto à validade da hipótese dos mercados eficientes e à possibilidade de os preços das ações serem, na prática, estimativas racionais do verdadeiro valor de uma empresa. Racionais ou não, os grandes movimentos dos preços das ações que observamos trazem importantes implicações macroeconômicas. As flutuações do mercado de ações costumam andar de mãos dadas com flutuações mais amplas da economia. Trataremos novamente do mercado de ações quando estudarmos as flutuações econômicas, mais adiante.

Teste rápido do capítulo

1. Se a taxa de juros é zero, então a quantia de $ 100 a ser paga em dez anos tem um valor presente:

a. Menor que $ 100.
b. Exatamente $ 100.
c. Maior que $ 100.
d. Indeterminado.

2. Se a taxa de juros é 10%, então o valor futuro em dois anos de $ 100 hoje será:

a. $ 80
b. $ 83
c. $ 120
d. $ 121

3. Se a taxa de juros é 10%, então o valor presente de $ 100 a serem pagos em dois anos é:

a. $ 80
b. $ 83
c. $ 120
d. $ 121

4. A capacidade de um seguro de distribuir o risco é limitada por:

a. Aversão ao risco e risco moral.
b. Aversão ao risco e seleção adversa.
c. Risco moral e seleção adversa.
d. Somente aversão ao risco.

5. O benefício da diversificação ao construir um portfólio é que ela pode eliminar:

a. Bolhas especulativas.
b. Aversão ao risco.
c. Risco específico da empresa.
d. Risco de mercado.

6. De acordo com a hipótese dos mercados eficientes,

a. Mudanças nos preços de ações são impossíveis de se prever a partir de informações públicas.
b. O excesso da diversificação pode reduzir os retornos de um portfólio esperados pelo investidor.
c. O mercado de ações se move com base nas alterações do espírito animal dos investidores.
d. Os fundos mútuos ativamente gerenciados devem dar retornos maiores que os fundos de índice.

RESUMO

- Como a poupança pode render juros, uma soma de dinheiro hoje é mais valiosa que a mesma soma de dinheiro no futuro. Uma pessoa pode comparar somas em diferentes momentos usando o conceito de valor presente. O valor presente de qualquer soma futura é o montante que seria necessário hoje, dada a taxa de juros em vigor, para produzir aquela soma futura.
- Por causa da utilidade marginal decrescente, a maioria das pessoas é avessa ao risco. As pessoas avessas ao risco podem reduzir o risco a que estão sujeitas por meio de seguros, de diversificação e da escolha de uma carteira com menor risco e menor retorno.
- O valor de um ativo é igual ao valor presente dos fluxos de caixa que o proprietário receberá. Para cada ação, esse fluxo de caixa inclui o fluxo de dividendos e o preço de venda final. De acordo com a hipótese dos mercados eficientes, os mercados financeiros processam racionalmente as informações disponíveis, de modo que o preço de uma ação é sempre igual à melhor estimativa do valor subjacente da empresa. Mas alguns economistas questionam a hipótese dos mercados eficientes e acreditam que fatores psicológicos irracionais também podem afetar os preços dos ativos.

CONCEITOS-CHAVE

finanças, p. 451
valor presente, p. 452
valor futuro, p. 452
composição, p. 452
aversão ao risco, p. 454
diversificação, p. 455
risco específico da empresa, p. 456
risco de mercado, p. 456
análise fundamentalista, p. 458
hipótese dos mercados eficientes, p. 458
eficiência informativa, p. 459
passeio aleatório, p. 459

QUESTÕES PARA REVISÃO

1. A taxa de juros é de 7%. Use o conceito de valor presente para comparar $ 200 a serem recebidos em 10 anos e $ 300 a serem recebidos em 20 anos.
2. Que benefício as pessoas obtêm do mercado de seguros? Quais são os dois problemas que impedem o mercado de seguros de funcionar perfeitamente?
3. O que é diversificação? Um acionista diversifica mais passando de uma para dez ações ou de 100 para 120 ações?

4. Em uma comparação entre ações de empresas e títulos do governo, qual opção traz maior risco? Qual paga maior retorno médio?
5. Que fatores um analista de ações deve levar em consideração ao determinar o valor de uma ação?
6. Descreva a hipótese dos mercados eficientes e forneça uma das evidências consistentes com essa hipótese.
7. Explique a opinião dos economistas que são céticos em relação à hipótese dos mercados eficientes.

PROBLEMAS E APLICAÇÕES

1. Conforme uma velha lenda, os índios norte-americanos venderam a ilha de Manhattan 400 anos atrás por $ 24. Se eles tivessem investido esse dinheiro a uma taxa de juros de 7% ao ano, quanto teriam hoje?

2. Uma empresa tem um projeto de investimento que custaria $ 10 milhões hoje e renderia um lucro de $ 15 milhões em quatro anos.
   a. Considerando as possíveis taxas de juros de 11%, 10%, 9% e 8%, a cada uma delas, a empresa deve realizar o projeto?
   b. Você é capaz de descobrir a taxa de juros que separa a lucratividade da não lucratividade?

3. O título A paga $ 8.000 em 20 anos, e o título B, $ 8.000 em 40 anos. (Para simplificar, suponha que se trate de títulos de cupom zero, o que significa que o valor de $ 8.000 é o único pagamento que o portador do título recebe.)
   a. Se a taxa de juros for de 3,5 %, qual é o valor de cada título hoje? Qual título vale mais? Por quê? (*Dica:* você pode usar uma calculadora, mas a regra de 70 deve facilitar o cálculo.)
   b. Se a taxa de juros aumentar para 7%, qual é o valor de cada título hoje? Qual título tem a maior *porcentagem* de alteração de valor?
   c. Com base no exemplo anterior, assinale o termo mais adequado – entre colchetes – para completar esta frase: "O valor de um título [aumenta/cai] quando a taxa de juros aumenta e os títulos com maior vencimento são [mais/menos] sensíveis a mudanças na taxa de juros".

4. Seu banco paga uma taxa de juros de 8%. Você pensa em comprar ações da empresa XYZ por $ 110. Após um, dois e três anos, os dividendos serão de $ 5. Você espera vender as ações após três anos por $ 120. Essa empresa é um bom investimento? Faça os cálculos para justificar sua resposta.

5. Para cada um dos seguintes tipos de seguro, dê um exemplo de comportamento que poderia ser chamado risco moral e outro de comportamento que poderia ser chamado *seleção adversa*.
   a. Seguro-saúde.
   b. Seguro de automóvel.

6. Que tipo de ação você espera que pague a maior taxa de retorno: a ação de uma empresa pertencente a um setor muito sensível às condições econômicas (como uma montadora de veículos) ou a de uma empresa pertencente a um setor relativamente insensível às condições econômicas (como uma fornecedora de água potável)? Por quê?

7. Uma empresa enfrenta dois tipos de risco. Um risco específico da empresa, de que um concorrente possa entrar no mercado e conquistar parte de sua clientela. E um risco de mercado, de que a economia possa entrar em recessão, reduzindo as vendas. Qual desses dois riscos tem maior chance de levar os acionistas da empresa a demandar um retorno maior? Por quê?

8. Quando os executivos das empresas compram e vendem ações com base em informações reservadas, obtidas em decorrência do cargo que ocupam, estão fazendo o que é chamado *insider trading* (informação privilegiada).
   a. Dê um exemplo de informação privilegiada que possa ser útil na compra ou na venda de ações.
   b. Os que negociam ações com base em informações privilegiadas costumam obter taxas muito elevadas de retorno. Esse fato viola a hipótese dos mercados eficientes?
   c. O *insider trading* é ilegal. Por quê?

9. Jamal tem uma função utilidade $U = W^{1/2}$, onde W é sua riqueza em milhões de dólares (o que determina quanto ele tem para comprar e consumir ao longo de sua vida), e U, a utilidade que ele obtém. No estágio final de um *game show*, o apresentador oferece a Jamal a opção de escolher entre (A) \$ 4 milhões, com certeza, ou (B) uma aposta com 0,6 de probabilidade de pagar \$ 1 milhão e 0,4 de probabilidade de pagar \$ 9 milhões.
   a. Trace o gráfico da função de utilidade de Jamal. Ele é avesso ao risco? Explique.
   b. Qual opção oferece a Jamal o maior prêmio esperado: A ou B? Explique seu raciocínio com cálculos apropriados. (*Dica*: o valor esperado de uma variável aleatória é a média ponderada dos possíveis resultados, na qual as probabilidades são os pesos.)
   c. Qual opção oferece a Jamal a maior utilidade esperada: A ou B? Novamente, apresente seus cálculos.
   d. Jamal deve escolher A ou B? Por quê?

CAPÍTULO 28

Desemprego

Perder o emprego pode ser um dos eventos econômicos mais desoladores na vida de uma pessoa. A maioria das pessoas conta com os ganhos de seu trabalho para manter seu padrão de vida, e muitas obtêm do trabalho não só renda, mas também um sentimento de realização pessoal. A perda de emprego significa um padrão de vida mais baixo no presente, ansiedade em relação ao futuro e baixa autoestima. Não é de surpreender, portanto, que políticos em campanha eleitoral falem com frequência a respeito de como suas propostas políticas ajudarão a criar empregos.

Nos capítulos anteriores, vimos algumas das forças que determinam o nível e o crescimento dos padrões de vida de um país. Um país que poupa e investe uma parcela elevada de sua renda, por exemplo, desfruta de crescimento mais rápido de seu estoque de capital e de seu PIB que um país semelhante que poupa e investe menos. Um determinante ainda mais óbvio do padrão de vida de um país é o nível de desemprego que ele normalmente enfrenta. As pessoas que gostariam de trabalhar, mas não conseguem encontrar emprego, não estão contribuindo para a produção de bens e serviços da economia. Embora certo grau de desemprego seja inevitável em uma economia complexa, com milhares de empresas e milhões de trabalhadores, o nível de desemprego varia substancialmente ao longo do tempo e de país para país. Quando um país mantém seus trabalhadores o mais plenamente empregados possível, atinge um nível de PIB maior do que se deixasse muitos de seus trabalhadores ociosos.

Este capítulo dá início ao nosso estudo sobre o desemprego. O problema do desemprego costuma ser dividido em duas categorias: o problema de longo prazo e o de curto prazo. A *taxa natural de desemprego* da economia refere-se ao nível de desemprego que a economia apresenta normalmente. *O desemprego cíclico* refere-se às flutuações de ano para ano do desemprego em torno de sua taxa natural e está estreitamente associado aos altos e baixos da atividade econômica de curto prazo. O desemprego cíclico tem sua própria explicação, da qual trataremos mais adiante, depois de estudar as flutuações econômicas de curto prazo. Neste capítulo, abordaremos os determinantes da taxa natural de desemprego de uma economia. Como veremos, a designação *natural* não implica que essa taxa de desemprego seja desejável. Muito menos que seja constante ao longo do tempo ou imune à política econômica. Significa apenas que esse desemprego não desaparece por si só, nem mesmo no longo prazo.

Começaremos o capítulo analisando alguns dos fatos relevantes que descrevem o desemprego. Mais especificamente, examinaremos três questões. Como o governo mede a taxa de desemprego da economia? Que problemas surgem na interpretação dos dados de desemprego? Por quanto tempo o desempregado típico permanece sem trabalho?

Em seguida, estudaremos as razões pelas quais as economias sempre apresentam algum nível de desemprego e os meios pelos quais os formuladores de políticas podem ajudar os desempregados. Vamos abordar quatro explicações para a taxa natural de desemprego na economia: a busca de emprego, legislação do salário mínimo, sindicatos e salários de eficiência. Como veremos, o desemprego de longo prazo não decorre de um único problema que tenha somente uma solução. Pelo contrário, ele reflete uma série de problemas relacionados. Como consequência, não há um caminho simples para os formuladores de políticas para reduzir a taxa natural de desemprego da economia e, ao mesmo tempo, aliviar as dificuldades enfrentadas pelos desempregados.

28_1 IDENTIFICANDO O DESEMPREGO

Começaremos este capítulo examinando em detalhes o que significa o termo *desemprego*.

28_1A Como se mede o desemprego?

A medição do desemprego nos Estados Unidos é tarefa do Bureau of Labor Statistics (BLS), que faz parte do Departamento do Trabalho. A cada mês, o BLS produz dados sobre o desemprego e outros aspectos do mercado de trabalho, como os tipos de emprego, a duração, em média, da semana de trabalho e a duração do desemprego. Esses dados vêm de uma pesquisa regular com 60 mil famílias, denominada *Pesquisa da População Atual* (*Current Population Survey*).

Com base nas respostas às perguntas da pesquisa, o BLS coloca cada adulto (pessoas com 16 anos ou mais) em cada domicílio pesquisado em uma das seguintes categorias:

- *Empregados*: esta categoria inclui aqueles que trabalhavam como assalariados, os que tinham negócio próprio ou os que trabalhavam sem receber salário em um negócio de família. Também inclui aqueles que trabalhavam em período integral ou meio período, e os que estavam temporariamente afastados do trabalho em decorrência de férias, doença ou mau tempo.
- *Desempregados*: esta categoria inclui aqueles que não estavam empregados, que estavam disponíveis para o trabalho e que estiveram procurando uma colocação nas quatro semanas anteriores. Também inclui aqueles que estavam esperando ser chamados para o trabalho do qual haviam sido dispensados temporariamente.
- *Fora da força de trabalho*: esta categoria inclui aqueles que não se encaixam em nenhuma das categorias anteriores, como estudantes em tempo integral, aposentados e donas de casa.

A Figura 1 mostra essa divisão para janeiro de 2016.

Tendo enquadrado todas as pessoas abrangidas pela pesquisa em alguma das categorias, o BLS calcula diversas estatísticas para resumir a situação em que se encontra o mercado de trabalho. O BLS define **força de trabalho** como a soma dos empregados e desempregados:

força de trabalho o número total de trabalhadores, incluindo tanto os empregados quanto os desempregados

$$\text{Força de trabalho} = \text{Número de empregados} + \text{Número de desempregados}$$

O BLS define a **taxa de desemprego** como o percentual da força de trabalho que está desempregado.

taxa de desemprego o percentual da força de trabalho que está sem emprego

$$\text{Taxa de desemprego} = \frac{\text{Número de desempregados}}{\text{Força de trabalho}} \times 100$$

O BLS calcula taxas de desemprego para toda a população adulta e para grupos de definição mais limitada, como negros, brancos, homens, mulheres, e assim por diante.

taxa de participação na força de trabalho o percentual da população adulta que está na força de trabalho

O BLS usa a mesma pesquisa para produzir dados sobre a participação na força de trabalho. A **taxa de participação na força de trabalho** mede o percentual da população adulta total dos Estados Unidos que está na força de trabalho:

Figura 1

A divisão da população em janeiro de 2016

O Bureau of Labor Statistics divide a população adulta em três categorias: empregados, desempregados e fora da força de trabalho.

Fonte: Bureau of Labor Statistics.

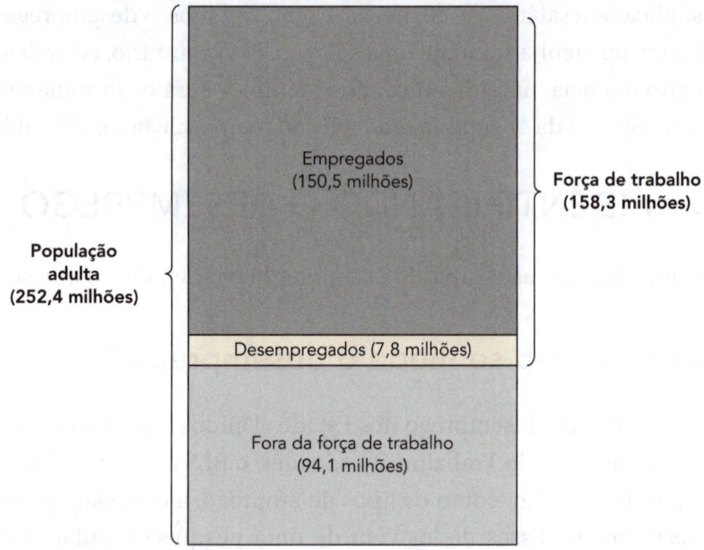

$$\text{Taxa de participação na força de trabalho} = \frac{\text{Força de trabalho}}{\text{População adulta}} \times 100$$

Essa estatística indica a parcela da população que optou por participar do mercado de trabalho. A taxa de participação na força de trabalho, assim como a taxa de desemprego, é calculada para toda a população adulta e para grupos mais específicos.

Para ver como esses dados são calculados, considere os dados de janeiro de 2016. Nesse ano, havia 150,5 milhões de pessoas empregadas e 7,8 milhões desempregados. A força de trabalho era

$$\text{Força de trabalho} = 150{,}5 + 7{,}8 = 158{,}3 \text{ milhões}$$

Tabela 1

O mercado de trabalho de acordo com vários grupos demográficos

Esta tabela mostra a taxa de desemprego e a taxa de participação na força de trabalho de vários grupos em 2014.

Grupo demográfico	Taxa de desemprego	Taxa de participação na força de trabalho
Adultos (25-54 anos)		
Brancos, homens	4,4%	89,4%
Brancos, mulheres	4,6	74,3
Negros, homens	10,1	80,7
Negros, mulheres	9,1	75,8
Adolescentes (entre 16 e 19 anos)		
Brancos, homens	19,2	35,6
Brancos, mulheres	15,5	36,8
Negros, homens	36,5	25,9
Negros, mulheres	29,7	28,4

Fonte: Bureau of Labor Statistics.

Figura 2

Taxa de desemprego desde 1960

Este gráfico usa dados anuais da taxa de desemprego para mostrar a parcela da força de trabalho sem emprego. A taxa natural de desemprego é o nível normal de desemprego em torno do qual a taxa de desemprego flutua.

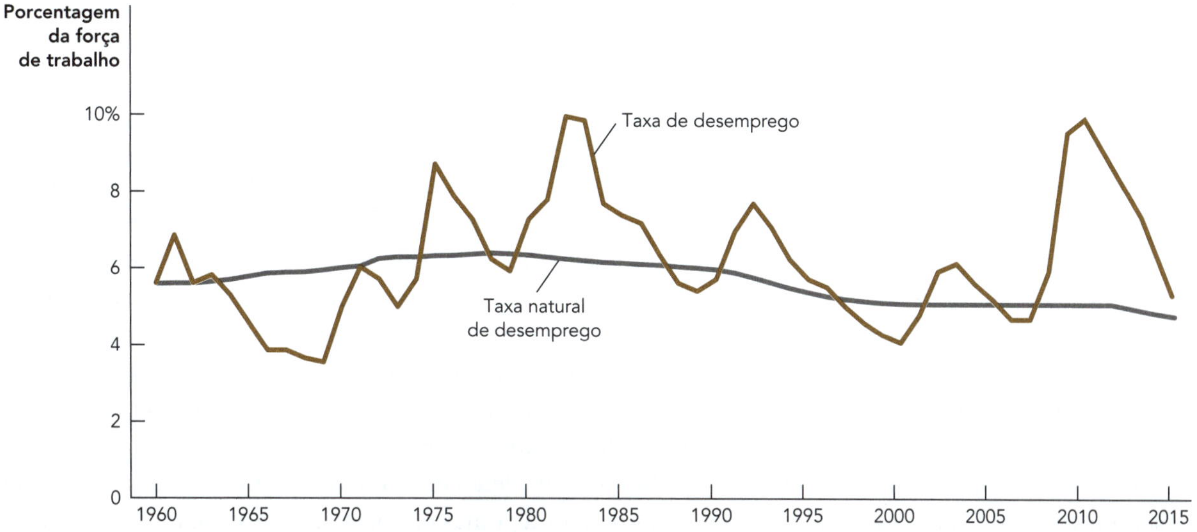

Fonte: U. S. Department of Labor, Congressional Budget Office.

A taxa de desemprego era:

$$\text{Taxa de desemprego} = (7{,}8/158{,}3) \times 100 = 4{,}9\%$$

Como a população adulta era de 252,4 milhões, a taxa de participação na força de trabalho era:

$$\text{Taxa de participação na força de trabalho} = (158{,}3/252{,}4) \times 100 = 62{,}7\%$$

Assim, em janeiro de 2016, quase dois terços da população adulta norte-americana participavam do mercado de trabalho, dos quais 4,9% estavam sem trabalho.

A Tabela 1 mostra as estatísticas de desemprego e de participação na força de trabalho para vários grupos da população dos Estados Unidos. Três comparações são mais evidentes. Primeiro: as mulheres em idade ativa (25 a 54 anos) têm uma taxa menor de participação na força de trabalho que os homens, mas, uma vez inseridas na força de trabalho, apresentam taxas de desemprego menores que as dos homens. Segundo: os negros em idade ativa têm taxas de participação na força de trabalho semelhantes às dos brancos, porém apresentam taxas de desemprego muito mais elevadas. Terceiro: os adolescentes apresentam baixas taxas de participação na força de trabalho e taxas muito mais elevadas de desemprego que a população em geral. Em termos mais gerais, esses dados mostram que as condições existentes no mercado de trabalho variam muito entre os diversos grupos da economia.

taxa natural de desemprego
a taxa normal de desemprego em torno da qual a taxa de desemprego flutua

desemprego cíclico
o desvio do desemprego em relação à sua taxa natural

Os dados do BLS a respeito do mercado de trabalho também permitem aos economistas e formuladores de políticas monitorar mudanças na economia ao longo do tempo. A Figura 2 mostra a taxa de desemprego nos Estados Unidos desde 1960. A figura indica que a economia sempre apresenta algum desemprego e que a taxa varia de ano para ano. A taxa normal de desemprego em torno da qual a taxa de desemprego flutua é chamada **taxa natural de desemprego**, e o desvio da taxa de desemprego em relação a essa taxa natural é chamado **desemprego cíclico**. A taxa natural de desemprego mostrada na figura é uma série estimada pelos economistas do Congressional Budget Office. Para 2015, foi estimada uma taxa natural de 4,9%, próxima da taxa de desemprego real de 5,3%. Mais adiante, discutiremos as flutuações econômicas de curto prazo, incluindo as flutuações do desemprego de ano para ano em torno de sua taxa natural. No restante deste capítulo, contudo, ignoraremos as flutuações de curto prazo e examinaremos por que sempre há algum desemprego nas economias de mercado.

28_1B A taxa de desemprego mede o que queremos?

Medir o desemprego de uma economia pode parecer simples, mas não é. Embora seja fácil distinguir entre uma pessoa com um emprego em tempo integral e outra que não esteja trabalhando, é muito mais difícil distinguir entre uma pessoa que esteja desempregada e outra que esteja fora da força de trabalho.

Os movimentos de entrada e saída da força de trabalho são, de fato, muito comuns. Mais de um terço dos desempregados entrou recentemente na força de trabalho. Isso inclui trabalhadores jovens procurando seu primeiro emprego e inclui também, em maior número, trabalhadores mais velhos que deixaram a força de trabalho anteriormente, mas agora voltam a procurar emprego. Além disso, nem todo desemprego termina com o interessado encontrando uma colocação no mercado de trabalho. Quase metade dos períodos de desemprego termina quando o desempregado abandona a força de trabalho.

Como as pessoas entram na força de trabalho e saem dela com tanta frequência, as estatísticas de desemprego são difíceis de ser interpretadas. Por um lado, algumas das pessoas que afirmam estar desempregadas podem não estar tentando encontrar um emprego com muita insistência. Elas podem estar se autodenominando desempregadas porque querem se qualificar a um programa governamental que dê assistência financeira aos desempregados ou porque estão trabalhando e sendo pagas "por fora" para evitar impostos sobre seus ganhos. Pode ser mais realista considerar essas pessoas fora da força de trabalho ou, em alguns casos, empregadas. Por outro lado, alguns dos que informam estar fora da força de trabalho podem, de fato, querer um emprego. Essas pessoas podem ter tentado encontrar emprego e desistido, depois de uma busca infrutífera. Essas pessoas, chamadas **trabalhadores desalentados**, não aparecem nas estatísticas de desemprego, muito embora sejam trabalhadores sem emprego.

trabalhadores desalentados indivíduos que gostariam de trabalhar, mas desistiram de procurar emprego

Por causa desses e de outros problemas, o BLS calcula diversas outras medidas de desemprego além da taxa oficial. Essas medidas alternativas são apresentadas na Tabela 2. No final, é melhor considerar a taxa oficial de desemprego como uma medida útil, porém imperfeita, do desemprego.

28_1C Por quanto tempo os desempregados ficam sem trabalho?

Quando se avalia a gravidade do problema do desemprego, uma questão a considerar é se o desemprego é tipicamente uma situação de curto prazo ou de longo prazo. Se o desemprego é de curto prazo, pode-se concluir que não é um problema muito importante. Os trabalhadores podem precisar de algumas semanas até encontrar a vaga que melhor se ajuste às suas preferências e habilidades. Porém, se o desemprego é de longo prazo, pode-se concluir que é um problema importante. Os trabalhadores que ficam desempregados por muitos meses têm maior probabilidade de enfrentar dificuldades econômicas e psicológicas.

Como a duração do desemprego pode afetar nossa visão a respeito da gravidade do problema, os economistas dedicaram grandes esforços ao estudo de dados sobre a duração dos períodos de desemprego. Nesse trabalho, descobriram um resultado importante, sutil e aparentemente contraditório: *a maioria dos períodos de desemprego é breve, e a maior parte do desemprego observado em qualquer período de tempo dado é de longo prazo.*

Para entender como essa afirmação pode ser verdadeira, vamos considerar um exemplo. Suponha que você visite o órgão do governo para o desemprego semanalmente, durante um ano, para pesquisar os desem-

Tabela 2
Medidas alternativas de desemprego

A tabela mostra diversas medidas de desemprego da economia norte-americana. Os dados são de janeiro de 2016.

Medida e descrição		Taxa
D-1	Pessoas desempregadas há 15 semanas ou mais, como uma porcentagem da força de trabalho civil (inclui somente desempregados de longo período).	2%
D-2	Pessoas que perderam o emprego e aquelas que concluíram trabalhos temporários, como uma porcentagem da força de trabalho civil (exclui os que deixaram o emprego).	2,3
D-3	Total de desempregados, como uma porcentagem da força de trabalho civil (taxa oficial de desemprego).	4,9
D-4	Total de desempregados mais trabalhadores desalentados, como uma porcentagem da força de trabalho civil mais trabalhadores desalentados.	5,3
D-5	Total de desempregados mais todos os trabalhadores marginalizados, como uma porcentagem da força de trabalho civil mais todos os trabalhadores marginalizados.	6,2
D-6	Total de desempregados mais todos os trabalhadores marginalizados mais o total dos que têm emprego de meio período por razões econômicas, como uma porcentagem da força de trabalho civil mais o total de trabalhadores marginalizados.	9,9

Nota: O Bureau of Labor Statistics estabelece a seguinte definição:

- *Trabalhadores marginalizados* são aqueles que, no momento, não estão nem trabalhando nem procurando trabalho, mas demonstram que desejam um emprego e que estão disponíveis para ele, tendo procurado trabalho em algum momento do passado recente.
- *Trabalhadores desalentados*, um subconjunto dos marginalizados, são aqueles que apresentaram uma razão relacionada ao mercado de trabalho para não estarem à procura de emprego atualmente.
- *Pessoas com trabalho de meio período por razões econômicas* são aquelas que desejam um emprego e estão disponíveis para trabalhos em tempo integral, mas tiveram de aceitar um trabalho de meio período.

Fonte: U. S. Department of Labor.

pregados. A cada semana, você constata que há quatro trabalhadores desempregados. Três deles são as mesmas pessoas durante todo o ano, enquanto o quarto é uma pessoa que muda a cada semana. Com base nessa experiência, você diria que o desemprego é tipicamente de curto prazo ou de longo prazo?

Alguns cálculos simples ajudam a responder a essa questão. Nesse exemplo, você encontra um total de 55 pessoas desempregadas no período de um ano; destas, 52 ficam desempregadas por uma semana, e 3, o ano inteiro. Portanto, 52/55, ou 95%, dos períodos de desemprego são de uma semana. Contudo, os centros de atendimento para desempregados mostram que três em cada quatro pessoas estão desempregadas o ano inteiro. Portanto, embora 95% dos períodos de desemprego acabem em uma semana, 75% são atribuídos aos indivíduos que ficam desempregados durante um ano inteiro. Nesse exemplo, assim como na realidade, a maioria dos períodos de desemprego é curta, assim como a maior parte do desemprego observado em qualquer período é de longo prazo.

Essa conclusão sutil implica que os economistas e formuladores de políticas devem ser cuidadosos ao interpretar dados sobre o desemprego e ao conceber políticas para ajudar os desempregados. A maioria das pessoas que fica desempregada logo encontrará um emprego; no entanto, a maior parte do problema do desemprego da economia é atribuível aos relativamente poucos trabalhadores que permanecem desempregados por longos períodos.

28_1D Por que sempre há algumas pessoas desempregadas?

Discutimos como o governo mede o nível de desemprego, os problemas que surgem na interpretação das estatísticas de desemprego e o que os economistas concluíram sobre a duração do desemprego. Agora você já deve ter uma boa ideia do que é o desemprego.

desemprego friccional
o desemprego que surge porque leva algum tempo para que os trabalhadores encontrem empregos que melhor se adaptem às suas preferências e habilidades

desemprego estrutural
o desemprego que surge porque o número de empregos disponíveis em alguns mercados de trabalho é insuficiente para proporcionar emprego a todos que o desejam

Essa discussão, contudo, não explicou por que as economias apresentam desemprego. Na maioria dos mercados existentes na economia, os preços se ajustam para conduzir a quantidade ofertada e a quantidade demandada ao equilíbrio. Em um mercado de trabalho ideal, os salários deveriam se ajustar para equilibrar a quantidade ofertada e demandada de mão de obra. Esse ajuste dos salários garantiria que todos os trabalhadores estivessem sempre plenamente empregados.

É claro que a realidade não se parece com esse ideal. Sempre há alguns trabalhadores sem emprego, mesmo quando a economia vai bem. Em outras palavras, a taxa de desemprego nunca cai para zero; em vez disso, flutua em torno da taxa natural de desemprego. Para que possamos entender essa taxa natural, as demais seções deste capítulo examinarão as razões pelas quais os mercados de trabalho reais se afastam do ideal de pleno emprego.

Como apresentação prévia de nossas conclusões, veremos que há quatro maneiras de explicar o desemprego de longo prazo. A primeira explicação é que leva algum tempo para os trabalhadores buscarem os empregos mais adequados. O desemprego resultante do processo de combinar trabalhadores com empregos é, por vezes, chamado **desemprego friccional**, e é frequentemente considerado como a explicação para períodos de desemprego relativamente curtos.

As outras três explicações para o desemprego sugerem que o número de empregos disponíveis em alguns mercados de trabalho pode ser insuficiente para empregar todas as pessoas que desejam trabalhar. Isso ocorre quando a quantidade de mão de obra ofertada supera a quantidade demandada. Às vezes, esse tipo de desemprego recebe o nome de **desemprego estrutural** e é frequentemente considerado para explicar longos períodos de desemprego. Como veremos, esse tipo de desemprego surge quando os salários estão, por alguma razão, fixados acima do nível que traz a oferta e a demanda ao equilíbrio. Examinaremos três possíveis razões para a ocorrência de salários acima do equilíbrio: a legislação do salário mínimo, os sindicatos e os salários de eficiência.

Teste rápido Como se mede a taxa de desemprego? • Como a taxa de desemprego pode superestimar o nível de desemprego? • Como ela pode subestimá-lo?

28_2 PROCURA DE EMPREGO

procura de emprego
o processo por meio do qual os trabalhadores encontram empregos apropriados, dadas suas preferências e habilidades

Uma razão pela qual as economias sempre registram algum desemprego é a procura de emprego. A **procura de emprego** é o processo de ajustar trabalhadores com trabalhos apropriados. Se todos os trabalhadores e todos os trabalhos fossem iguais, de modo que todos os trabalhadores fossem igualmente adequados para todos os trabalhos, a procura de emprego não seria problema, pois os trabalhadores demitidos encontrariam rapidamente novos empregos adequados. Mas, na verdade, as preferências e as habilidades dos trabalhadores variam, os atributos dos empregos variam e as informações sobre candidatos a empregos e empregos oferecidos se disseminam lentamente entre as muitas empresas e famílias na economia.

28_2A Por que o desemprego friccional é inevitável?

O desemprego friccional é, frequentemente, resultado de mudanças na demanda por mão de obra entre diferentes empresas. Quando os consumidores decidem que preferem os carros da Ford aos da General Motors, a Ford aumenta o emprego e a General Motors demite trabalhadores. Agora, os antigos trabalhadores

Saiba mais sobre

OS INDICADORES DO TRABALHO

Quando o Bureau of Labor Statistics divulga a taxa de desemprego no início de cada mês, também apresenta a diminuição ou o aumento no número de vagas da economia. Como um indicador de tendências econômicas de curto prazo, o número de empregos recebe tanta atenção quanto a taxa de desemprego.

Qual é a origem dessas estatísticas? Você pode achar que a mesma pesquisa com 60 mil famílias apresenta a taxa de desemprego. Essa pesquisa, de fato, apresenta informações sobre o volume total de desemprego. No entanto, os indicadores que chamam mais a atenção resultam de uma pesquisa separada, realizada em 160 mil empresas com mais de 40 milhões de trabalhadores na folha de pagamento. Esses resultados são anunciados ao mesmo tempo que o resultado da pesquisa com as famílias.

As duas pesquisas geram dados sobre o total de empregos, mas os resultados nem sempre são iguais. Primeiro, porque as empresas oferecem maior amostragem, o que as torna mais confiáveis. Segundo, as pesquisas não avaliam os mesmos aspectos. Por exemplo, uma pessoa que tem dois empregos de meio período, em empresas diferentes, seria contabilizada como uma única pessoa empregada na pesquisa com famílias, mas como duas vagas de emprego na pesquisa com as empresas. Outro exemplo: uma pessoa que tem negócio próprio seria considerada empregada na pesquisa com as famílias, contudo não seria contabilizada na pesquisa com as empresas, porque ela considera apenas os funcionários em folha de pagamento.

A pesquisa com as empresas é avaliada atentamente com relação aos dados de vagas, mas não apresenta nenhuma informação sobre o desemprego. Para medir esse indicador, é preciso saber quantos trabalhadores desempregados estão tentando encontrar uma colocação, e a pesquisa com as famílias é a única fonte para obter essa informação.

da General Motors precisam procurar emprego e a Ford precisa decidir quais novos trabalhadores contratar para os diversos empregos criados. O resultado dessa transição é um período de desemprego.

De forma similar, uma vez que diferentes regiões do país produzem diferentes bens, o emprego pode aumentar em uma região enquanto diminui em outra. Imagine, por exemplo, o que acontece quando o preço mundial do petróleo cai. As empresas produtoras de petróleo no Texas e na Dakota do Norte reagirão ao menor preço, reduzindo a produção e o emprego. Ao mesmo tempo, a gasolina mais barata estimula a venda de carros, de modo que as indústrias produtoras de automóveis em Michigan e Ohio aumentarão a produção e o emprego. O oposto acontece com o aumento no preço do petróleo. As mudanças na composição da demanda entre setores ou regiões são chamadas *mudanças setoriais*. Como leva tempo para que os trabalhadores procurem emprego nos novos setores, as mudanças setoriais causam desemprego temporário.

As mudanças nos padrões do comércio internacional também são uma fonte de desemprego friccional. No Capítulo 3, aprendemos que as nações exportam bens para os quais têm uma vantagem comparativa e importam bens para os quais outras nações têm uma vantagem comparativa. A vantagem comparativa, no entanto, não precisa ser estável ao longo do tempo. À medida que a economia mundial evolui, os países podem vir a importar e exportar bens diferentes do que aqueles que transacionavam no passado. Os trabalhadores precisarão, portanto, se deslocar entre as indústrias, e enquanto fazem essa transição, podem ficar desempregados por determinado período de tempo.

O desemprego friccional é inevitável, simplesmente porque a economia está sempre mudando. Por exemplo, na economia dos Estados Unidos, de 2004 a 2014, o nível de emprego caiu em 838 mil na construção civil e 2,1 milhões na indústria manufatureira. Durante o mesmo período, o nível de emprego aumentou em 321 mil na mineração, 629 mil no *design* de sistemas de computadores, 1,9 milhão nos serviços de alimentação e 2,6 milhões na área da saúde. Essa agitação da força de trabalho é normal em uma economia dinâmica e com um bom funcionamento. Já que os trabalhadores tendem a se mover na direção das indústrias em que são mais valorizados, o resultado de longo prazo desse processo é maior produtividade e padrões de vida mais elevados. Mas, ao longo do caminho, os trabalhadores de setores em declínio ficam desempregados e procuram novos empregos, o que resulta uma certa quantidade de desemprego friccional.

28_2B Política pública e procura de emprego

Embora um certo nível de desemprego friccional seja inevitável, seu nível exato não é. Quanto mais rápida a disseminação da informação sobre abertura de vagas e disponibilidade de trabalhadores, mais rapidamente a economia ajustará trabalhadores e empresas. A internet, por exemplo, pode ajudar a facilitar a procura de emprego e a reduzir o desemprego friccional. Além disso, a política pública também pode desempenhar um papel nesse sentido. Se a política puder reduzir o tempo necessário para que os trabalhadores desempregados encontrem novos empregos, poderá reduzir a taxa natural de desemprego da economia.

Os programas governamentais tentam facilitar a busca de emprego de diversas maneiras. Uma delas é por meio de agências de emprego operadas pelo governo, que dão informações sobre vagas no mercado. Outra é por meio de programas públicos de treinamento, que têm por objetivo facilitar a transição dos trabalhadores de setores em declínio para os que estão em crescimento e ajudar grupos desamparados a escapar da pobreza. Os defensores desses programas acreditam que eles fazem a economia operar de modo mais eficiente, mantendo a força de trabalho mais plenamente empregada, e que reduzem as desigualdades inerentes a uma economia de mercado em constante mudança.

Os críticos desses programas questionam se o governo deveria se envolver no processo de procura de emprego, argumentando que é melhor deixar o mercado privado ajustar trabalhadores e empregos. De fato, a maior parte da procura de emprego em nossa economia se dá sem intervenção governamental. Anúncios em jornais, *sites* de emprego na internet, escritórios de colocação das universidades, *headhunters* e o boca a boca ajudam a divulgar informações sobre aberturas de vagas e candidatos a empregos. De forma similar, grande parte do treinamento dos trabalhadores é feita pela iniciativa privada, seja em escolas, seja no emprego. Esses críticos dizem que o governo não é melhor – e, mais provavelmente, seja pior – na disseminação das informações corretas aos trabalhadores certos nem na decisão de quais tipos de treinamento para os trabalhadores seriam mais valiosos. Afirmam que essas decisões devem ser tomadas particularmente por trabalhadores e empregadores.

28_2C Seguro-desemprego

seguro--desemprego um programa governamental que protege parcialmente a renda dos trabalhadores quando eles ficam desempregados

Um programa governamental que aumenta a quantidade de desemprego friccional, sem ter intenção de fazê-lo, é o **seguro-desemprego**. Esse programa foi concebido para oferecer aos trabalhadores uma proteção parcial contra a perda do emprego. Os desempregados que deixaram o emprego voluntariamente, foram demitidos por justa causa ou acabaram de ingressar na força de trabalho não podem usufruir desse benefício. Os benefícios são pagos apenas aos desempregados que foram demitidos porque seus antigos empregadores não necessitavam mais de seus serviços. Embora os termos do programa variem ao longo do tempo e de estado para estado, um trabalhador norte-americano típico coberto pelo seguro-desemprego recebe 50% de seu último salário por um prazo de 26 semanas.

Embora o seguro-desemprego reduza as dificuldades impostas pelo desemprego, ele também aumenta a quantidade de desempregados. A explicação se baseia em um dos *Dez princípios de economia* no Capítulo 1: as pessoas reagem a incentivos. Como os benefícios do seguro-desemprego cessam quando o trabalhador arruma um novo emprego, os desempregados dedicam menos esforços à procura de emprego e têm maior probabilidade de recusar ofertas de emprego pouco atraentes. Além disso, como o seguro-desemprego torna o desemprego menos oneroso, é menos provável que os trabalhadores procurem garantias de estabilidade no emprego ao negociar as condições de contratação com os empregadores.

Muitos estudos realizados por economistas do trabalho examinaram os efeitos do incentivo do seguro-desemprego. Um deles examinou um experimento realizado pelo estado de Illinóis, em 1985. Quando os trabalhadores desempregados solicitavam os benefícios do seguro-desemprego, o estado escolhia aleatoriamente alguns deles e lhes oferecia uma bonificação de $ 500 se encontrassem um novo emprego no prazo de 11 semanas. Esse grupo foi, então, comparado com um grupo de controle, que não recebera a oferta do incentivo. A duração média do desemprego para o grupo que receberia a bonificação foi 7% menor que a do grupo de controle. Esse experimento mostra que as características do sistema de seguro-desemprego influenciam o esforço que o desempregado dedica à procura de emprego.

Outros estudos examinaram o esforço na procura de emprego acompanhando um grupo de trabalhadores ao longo do tempo. Os benefícios do seguro-desemprego não duram para sempre; em geral, terminam em seis meses ou um ano. Esses estudos concluíram que, quando o desempregado deixa de ter direito ao seguro-desemprego, a probabilidade de que encontre um novo emprego aumenta acentuadamente. Portanto, receber os benefícios do seguro-desemprego reduz o esforço do desempregado na busca de emprego.

Embora o seguro-desemprego reduza o esforço na procura de emprego e aumente o desemprego, não devemos concluir que a política necessariamente seja ruim. O programa atinge seu objetivo primário de reduzir a incerteza quanto à renda com a qual os trabalhadores se deparam. Além disso, quando os trabalhadores rejeitam ofertas de emprego pouco atraentes, têm a oportunidade de procurar empregos que melhor se adaptem às suas preferências e habilidades. Alguns economistas argumentam que o seguro-desemprego melhora a capacidade que a economia tem de combinar cada trabalhador com o emprego que lhe é mais adequado.

O estudo do seguro-desemprego mostra que a taxa de desemprego é uma medida imperfeita do nível de bem-estar econômico geral de uma nação. A maioria dos economistas concorda que eliminar o seguro-desemprego reduziria o desemprego na economia; todavia, discordam quanto à questão de o bem-estar econômico ser aumentado ou diminuído por essa alteração na política.

Teste rápido Como um aumento do preço mundial do petróleo afetaria o nível de desemprego friccional? Esse desemprego é indesejável? Que políticas públicas poderiam afetar o nível de desemprego causado por esse aumento de preço?

28_3 LEGISLAÇÃO DO SALÁRIO-MÍNIMO

Como visto, o desemprego friccional resulta do processo de combinação entre trabalhadores e empregos. Agora, examinaremos como o desemprego estrutural resulta do número de empregos insuficiente em relação ao número de trabalhadores.

Para entender o desemprego estrutural, começaremos analisando como as leis do salário-mínimo podem causar desemprego. Embora o salário-mínimo não seja a razão predominante do desemprego em nossa economia, ele tem um efeito importante sobre certos grupos em que as taxas de desemprego são particularmente elevadas. Além disso, a análise do salário-mínimo é um ponto de partida natural, porque, como veremos, ela pode ser usada para entender algumas das outras razões do desemprego estrutural.

A Figura 3 revê a economia básica do salário-mínimo. Quando a legislação do salário-mínimo força o salário a se manter acima do nível que equilibra oferta e demanda, ela aumenta a quantidade de mão de obra ofertada e reduz a quantidade de mão de obra demandada, em comparação com o nível de equilíbrio. Ou seja, há um excesso de mão de obra. Como há mais trabalhadores dispostos a trabalhar do que empregos, alguns ficam desempregados.

Embora certas leis relacionadas ao salário-mínimo sejam um motivo pelo qual existe desemprego na economia dos Estados Unidos, elas não afetam todas as pessoas. Muitos trabalhadores recebem salários muito acima do valor mínimo, portanto a lei não evita que o salário seja ajustado para equilibrar oferta e demanda. A legislação do salário-mínimo é mais importante para os membros menos qualificados e menos experientes da força de trabalho, como os adolescentes. Seus salários de equilíbrio tendem a ser baixos e, portanto, mais propensos a cair abaixo do mínimo legal. É somente entre esses trabalhadores que a legislação do salário-mínimo explica a existência do desemprego.

Figura 3

Desemprego causado por um salário acima do nível de equilíbrio

Neste mercado de trabalho, o salário em que oferta e demanda se equilibram é S_E. A esse salário de equilíbrio, a quantidade ofertada e a quantidade demandada de mão de obra são, ambas, iguais a T_E. No entanto, se o salário for forçado a permanecer acima do nível de equilíbrio, talvez por causa da legislação do salário-mínimo, a quantidade ofertada de mão de obra aumentará para T_O e a quantidade demandada de mão de obra cairá para T_D. O excesso de mão de obra resultante, $T_O - T_D$, representa o desemprego.

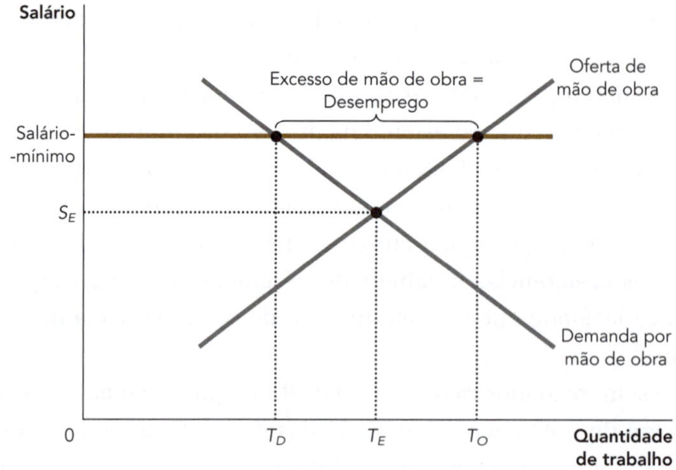

A Figura 3 demonstra os efeitos da lei do salário-mínimo e ilustra uma lição mais geral: *se o salário se mantiver acima do nível de equilíbrio por qualquer razão, o resultado será o desemprego.* A legislação do salário-mínimo é apenas uma das razões pelas quais os salários podem ficar "excessivamente altos". Nas duas últimas seções deste capítulo, trataremos de duas outras razões pelas quais os salários podem ser mantidos acima do nível de equilíbrio: os sindicatos e os salários de eficiência. Nestes dois casos, a economia básica do desemprego é a mesma mostrada na Figura 3, mas essas explicações sobre o desemprego se aplicam a um número maior de trabalhadores na economia.

Nesse ponto, contudo, devemos parar e observar que o desemprego estrutural, decorrente de um salário acima do equilíbrio, é, por uma importante razão, diferente do desemprego friccional, resultante do processo de procura de emprego. A necessidade de procurar emprego não é causada pela incapacidade dos salários de equilibrar oferta e demanda de mão de obra. Quando a procura de emprego é a explicação para o desemprego, isso quer dizer que os trabalhadores estão *procurando* empregos que melhor se adaptem às suas preferências e habilidades. No entanto, quando o salário está acima do nível de equilíbrio, a quantidade ofertada de mão de obra excede a quantidade demandada e os trabalhadores ficam desempregados, porque estão *esperando* pelo surgimento de vagas.

Teste rápido Represente graficamente as curvas de oferta e demanda de mão de obra para um mercado em que o salário esteja fixado acima do nível de equilíbrio. Indique a quantidade ofertada de mão de obra, a quantidade demandada e o nível de desemprego.

28_4 SINDICATOS E NEGOCIAÇÃO COLETIVA

Um **sindicato** é uma associação de trabalhadores que negocia salários, benefícios e condições de trabalho com os empregadores. Embora, hoje, apenas 11% dos trabalhadores norte-americanos sejam sindicalizados, os sindicatos já tiveram, no passado, grande influência no mercado de trabalho dos Estados Unidos. Nas décadas de 1940 e 1950, quando os sindicatos atingiram seu auge, cerca de um terço da força de trabalho norte-americana era sindicalizada.

sindicato
uma associação de trabalhadores que negocia salários e condições de trabalho com os empregadores

Além disso, por várias razões históricas, os sindicatos continuam a ter papel importante em muitos países europeus. Na Bélgica, na Noruega e na Suécia, por exemplo, mais da metade dos trabalhadores é sindicalizada. Na França e na Alemanha, o salário da maioria dos trabalhadores é determinado por acordos coletivos estabelecidos legalmente, mesmo que apenas alguns desses trabalhadores sejam sindicalizados. Nesses casos, os salários não são determinados pelo equilíbrio entre oferta e demanda do mercado de trabalho competitivo.

28_4A A economia dos sindicatos

Um sindicato é um tipo de cartel. Como qualquer cartel, um sindicato é um grupo de vendedores que age em conjunto, na esperança de exercer seu poder de mercado. A maioria dos trabalhadores da economia norte-americana discute individualmente salários, benefícios e condições de trabalho com seus empregadores, enquanto os trabalhadores sindicalizados o fazem em grupo. O processo por meio do qual os sindicatos e as empresas chegam a um acordo em relação às condições de emprego é chamado **negociação coletiva**.

negociação coletiva
o processo por meio do qual os sindicatos e as empresas chegam a um acordo sobre as condições de emprego

greve
a paralisação organizada do trabalho de uma empresa por parte de um sindicato

Quando um sindicato negocia com uma empresa, pede maiores salários, mais benefícios e melhores condições de trabalho que a empresa ofereceria na ausência do sindicato. Se o sindicato e a empresa não chegarem a um acordo, o sindicato pode organizar uma paralisação do trabalho na empresa, a qual denominamos **greve**. Como uma paralisação reduz a produção, as vendas e o lucro, uma empresa que enfrenta uma ameaça de greve, provavelmente, concordará pagar salários mais altos do que o faria em outras condições. Os economistas que estudam os efeitos dos sindicatos costumam concluir que os trabalhadores sindicalizados ganham cerca de 10% a 20% mais do que trabalhadores semelhantes não sindicalizados.

Quando um sindicato eleva o salário acima do nível de equilíbrio, isso aumenta a quantidade ofertada de mão de obra e diminui sua quantidade demandada, resultando em desemprego. Os trabalhadores que continuam empregados com salários mais altos ficam em melhor situação, mas os que antes estavam empregados e ficaram sem emprego por causa dos salários mais elevados acabam prejudicados. De fato, considera-se que os sindicatos costumam ser a causa de conflito entre diferentes grupos de trabalhadores: entre os *insiders* (os que estão dentro), que se beneficiam dos altos salários obtidos pelos sindicatos, e os *outsiders* (os que estão fora), que não conseguem os empregos ligados aos sindicatos.

Os *outsiders* podem reagir de duas maneiras: enquanto alguns continuam desempregados e esperam pela chance de se tornar *insiders* para ganhar o salário mais alto dos sindicalizados, outros aceitam empregos em empresas não sindicalizadas. Assim, quando os sindicatos aumentam os salários em uma parte da economia, a oferta de mão de obra aumenta em outras partes. Esse aumento na oferta de mão de obra, por sua vez, reduz os salários nos setores não sindicalizados. Em outras palavras, os trabalhadores sindicalizados colhem o benefício da negociação coletiva, enquanto os não sindicalizados arcam com alguns dos custos.

O papel dos sindicatos na economia depende, em parte, das leis que regem a organização sindical e a negociação coletiva. Normalmente, acordos explícitos entre os membros de um cartel são ilegais. Se as empresas que vendem um produto similar entram em acordo para fixar um preço alto para o seu produto, esse acordo é considerado "uma conspiração para restringir o comércio". O governo, então, processa essas empresas na justiça civil e criminal por violação da legislação antitruste. Os sindicatos, por sua vez, são isentos em relação a essas leis. Os formuladores de políticas que redigiram as leis antitruste acreditavam que os trabalhadores precisavam de maior poder de mercado, porque negociavam com os empregadores. De fato, várias leis têm o propósito de incentivar a formação de sindicatos. Mais especificamente, a Lei Wagner, de 1935, impede os empregadores de interferir quando os trabalhadores tentam organizar sindicatos e exige que os empregadores negociem de boa-fé com os sindicatos. O National Labor Relations Board (NLRB) é o órgão governamental que trata do direito de sindicalização dos trabalhadores.

A legislação que afeta o poder de mercado dos sindicatos é um tópico permanente do debate político. Por vezes, os legisladores estaduais debatem as *leis do direito ao trabalho*, que dão aos trabalhadores de uma empresa sindicalizada o direito de optar entre filiar-se ou não ao sindicato. Na ausência de tais leis, os sindicatos podem insistir, durante a negociação coletiva, que as empresas façam da sindicalização um requisito obrigatório para os trabalhadores. Os legisladores de Washington já debateram um projeto de lei que impediria as empresas de contratar substitutos permanentes para trabalhadores em greve. Essa lei aumentaria o custo das greves para as empresas e, portanto, aumentaria o poder de mercado dos sindicatos. Essa decisão política e outras similares ajudarão a determinar o futuro do movimento sindical.

28_4B Os sindicatos são benéficos ou prejudiciais à economia?

Os economistas divergem sobre a questão de os sindicatos serem benéficos ou prejudiciais à economia. Vamos considerar os dois lados do debate.

Os críticos argumentam que os sindicatos são apenas um tipo de cartel. Quando eles elevam os salários acima do nível que prevaleceria em mercados competitivos, reduzem a quantidade demandada de mão de obra, fazem que alguns trabalhadores fiquem desempregados e reduzem os salários no restante da economia. A alocação da mão de obra resultante, argumentam os críticos, seria ineficiente e injusta. Ineficiente, porque os elevados salários dos trabalhadores sindicalizados reduzem o emprego nas empresas sindicalizadas abaixo do nível eficiente e competitivo. E injusta, porque alguns trabalhadores seriam beneficiados à custa de outros trabalhadores.

Os defensores argumentam que os sindicatos são um antídoto necessário para o poder de mercado das empresas que contratam trabalhadores. O caso extremo desse poder de mercado é a "cidade-empresa", em que uma única empresa contrata a maioria das pessoas em uma região geográfica. Numa cidade-empresa, se os trabalhadores não aceitarem os salários e as condições de trabalho oferecidos pela empresa, eles terão pouca escolha: ou mudam de cidade ou param de trabalhar. Portanto, na ausência de um sindicato, a empresa poderia usar seu poder de mercado para pagar salários menores e oferecer condições de trabalho inferiores às que prevaleceriam se tivesse de competir com outras empresas pelos mesmos trabalhadores. Nesse caso, um sindicato pode contrabalançar o poder de mercado da empresa e proteger os trabalhadores, impedindo que fiquem à mercê dos proprietários da empresa.

Os defensores dos sindicatos também argumentam que essas instituições são importantes para ajudar as empresas a responder com eficiência às preocupações dos trabalhadores. Sempre que um trabalhador ingressa em um emprego, ele e a empresa precisam entrar em acordo sobre muitos atributos da função, além do salário: jornada de trabalho, horas extras, férias, licença médica, planos de saúde, esquemas de promoção, segurança no emprego, e assim por diante. Ao representar a opinião dos trabalhadores sobre essas questões, os sindicatos permitem que as empresas ofereçam uma combinação de atributos mais adequada. Mesmo que tenham o efeito adverso de empurrar os salários para cima do nível de equilíbrio e de causar desemprego, os sindicatos têm a vantagem de ajudar as empresas a manter uma força de trabalho satisfeita e produtiva.

No fim das contas, não há consenso entre os economistas quanto ao fato de os sindicatos serem bons ou ruins para a economia. Como muitas instituições, sua influência, provavelmente, é positiva em alguns casos e negativa em outros.

Teste rápido Como um sindicato do setor automobilístico afeta os salários e o emprego na General Motors e na Ford? Como afeta os salários e o emprego em outros setores?

28_5 A TEORIA DOS SALÁRIOS DE EFICIÊNCIA

Uma quarta razão pela qual as economias sempre apresentam algum desemprego – além da busca de emprego, da legislação do salário-mínimo e dos sindicatos – é sugerida pela teoria dos **salários de eficiência.** De

salários de eficiência
salários acima do nível de equilíbrio pagos pelas empresas para aumentar a produtividade dos trabalhadores

acordo com esta teoria, as empresas operam de forma mais eficiente se os salários estiverem acima do nível de equilíbrio. Assim sendo, pode ser lucrativo para elas manter os salários elevados, mesmo que haja um excesso de oferta de mão de obra.

De certo modo, o desemprego decorrente dos salários de eficiência é semelhante ao que decorre da legislação do salário-mínimo e dos sindicatos. Nos três casos, o desemprego resulta de salários acima do nível que equilibra a quantidade ofertada e demandada de mão de obra. Mas há uma diferença importante. A legislação do salário-mínimo e os sindicatos impedem que as empresas reduzam os salários quando há excesso de mão de obra. A teoria dos salários de eficiência, por sua vez, afirma que, em muitos casos, tal restrição sobre as empresas é desnecessária, porque elas podem se beneficiar da manutenção dos salários acima do nível de equilíbrio.

Por que as empresas desejariam manter os salários elevados? Essa decisão pode parecer estranha à primeira vista, pois os salários são uma grande parte dos custos das empresas. Normalmente, esperaríamos que as empresas maximizadoras de lucro desejassem manter os custos - e, portanto, os salários - tão baixos quanto possível. A nova percepção da teoria dos salários de eficiência é que o pagamento de salários elevados pode ser lucrativo, porque eles podem aumentar a eficiência dos trabalhadores de uma empresa.

Há diversos tipos de teoria dos salários de eficiência, cada tipo sugerindo uma explicação diferente do motivo pelo qual as empresas podem desejar pagar salários elevados. Vamos considerar quatro desses tipos.

28_5A Saúde do trabalhador

O primeiro - e mais simples - dos tipos de teoria dos salários de eficiência enfatiza a ligação entre salários e saúde do trabalhador. Trabalhadores mais bem pagos comem alimentos mais nutritivos, e trabalhadores mais bem alimentados são saudáveis e mais produtivos. Uma empresa pode considerar mais lucrativo pagar salários elevados e ter trabalhadores saudáveis e produtivos que pagar salários baixos e ter trabalhadores menos saudáveis e menos produtivos.

Esse tipo de teoria dos salários de eficiência pode ser relevante para explicar o desemprego em países menos desenvolvidos, onde a alimentação inadequada é um problema mais comum. Nesses países, as empresas podem temer que um corte nos salários possa, de fato, atuar de maneira adversa sobre a saúde e a produtividade de seus trabalhadores. Em outras palavras, a preocupação com a alimentação pode explicar por que as empresas mantêm os salários acima do equilíbrio, apesar do excesso de mão de obra. A preocupação com a saúde é menos relevante para empresas de países ricos, como os Estados Unidos, onde os salários de equilíbrio para a maioria dos trabalhadores estão bem acima do nível necessário para proporcionar uma alimentação adequada.

28_5B Rotatividade do trabalhador

Um segundo tipo de teoria dos salários de eficiência enfatiza a ligação entre os salários e a rotatividade do trabalhador. Os trabalhadores deixam seus empregos por diversas razões: para empregar-se em outras empresas, mudar para outras partes do país, deixar a força de trabalho, e assim por diante. A frequência com a qual eles se demitem depende da totalidade do conjunto de incentivos, incluindo os benefícios da saída e da permanência. Quanto mais uma empresa paga aos seus trabalhadores, menor a frequência com que desejarão sair do emprego. Portanto, uma empresa pode reduzir a rotatividade entre seus trabalhadores pagando um salário maior a eles.

Por que as empresas se preocupam com a rotatividade? A razão é que existe um alto custo para contratar e treinar novos trabalhadores. Além disso, mesmo depois de treinados, os trabalhadores recém-contratados não são tão produtivos quanto aqueles mais experientes, de modo que as empresas com alta rotatividade tenderão a ter custos de produção mais elevados. As empresas podem considerar lucrativo pagar salários acima do nível de equilíbrio para reduzir a rotatividade dos trabalhadores.

28_5C Qualidade do trabalhador

O terceiro tipo de teoria dos salários de eficiência enfatiza a ligação entre salários e qualidade do trabalhador. Todas as empresas desejam funcionários talentosos e tentam selecionar os melhores candidatos para preencher as vagas disponíveis. Mas como não é possível avaliar precisamente a qualidade dos candidatos, o processo de contratação apresenta certo grau de incerteza. Quando uma empresa paga altos salários, atrai melhores candidatos, aumentando, portanto, a qualidade de sua força de trabalho. Se a empresa responde a um excedente de mão de obra reduzindo os salários, os candidatos mais competentes - que têm melhores oportunidades que os menos competentes - podem optar por não se candidatar à vaga. Se a influência do salário sobre a qualidade do trabalhador for grande, pode ser lucrativo para a empresa pagar um salário acima do nível de equilíbrio da oferta e da demanda.

28_5D Esforço do trabalhador

O último tipo de teoria dos salários de eficiência enfatiza a ligação entre os salários e o esforço do trabalhador. Em muitos empregos, o trabalhador é discreto com relação ao esforço aplicado ao trabalho. Assim, as empresas monitoram esse esforço, e os trabalhadores que negligenciam as responsabilidades são demitidos. Contudo, nem todos são identificados imediatamente, porque esse monitoramento é caro e imperfeito. Nesse caso, as empresas buscam continuamente formas de deter essa negligência.

Uma solução é oferecer salários acima do nível de equilíbrio. Os altos salários deixam os trabalhadores desejosos de manter o emprego, de modo que eles se esforçam cada vez mais. Se os salários estivessem no nível de equilíbrio entre oferta e demanda, os trabalhadores não teriam motivos para se esforçar, pois, se fossem demitidos, rapidamente conseguiriam encontrar outro emprego com o mesmo salário. Desse modo, as empresas pagam salários acima do nível de equilíbrio como um incentivo para que os trabalhadores não negligenciem as responsabilidades.

Teste rápido Dê quatro explicações de por que as empresas podem considerar lucrativo pagar salários acima do nível que equilibra a quantidade ofertada e demandada de mão de obra.

28_6 CONCLUSÃO

Neste capítulo, discutimos as medidas de desemprego e as razões pelas quais as economias sempre apresentam algum grau de desemprego. Vimos como a procura de emprego, a legislação do salário mínimo, os sindicatos e os salários de eficiência podem ajudar a explicar por que alguns trabalhadores não têm emprego. Dessas quatro explicações para a taxa natural de desemprego, quais são mais importantes para a economia dos Estados Unidos e para outras economias em todo o mundo? Infelizmente, não há maneira fácil de saber. Os economistas divergem sobre qual dessas explicações do desemprego eles consideram mais importantes.

A análise deste capítulo nos dá uma lição importante: embora a economia sempre apresente algum desemprego, sua taxa natural não é imutável. Muitos fatos e políticas podem alterar o nível de desemprego que a economia costuma apresentar. Enquanto a revolução da informação muda o processo de procura de emprego, enquanto o Congresso ajusta o salário-mínimo, enquanto os trabalhadores formam ou abandonam sindicatos e enquanto as empresas alteram sua confiança nos salários de eficiência, a taxa natural de desemprego se expande. O desemprego não é um problema simples com uma solução simples, mas a maneira como optamos por organizar nossa sociedade pode influenciar profundamente a abrangência do problema.

Teste rápido do capítulo

1. **A população de Ectenia é de 100 pessoas: 40 trabalham período integral; 20 trabalham meio período, mas prefeririam trabalhar em tempo integral; 10 estão procurando emprego; 10 gostariam de trabalhar, mas estão tão desalentados que desistiram de procurar emprego; 10 não estão interessados em trabalhar porque são estudantes em período integral; e 10 são aposentados. Qual é o número de desempregados?**
   a. 10
   b. 20
   c. 30
   d. 40

2. **Usando os dados da questão anterior, qual é o tamanho da força de trabalho de Ectenia?**
   a. 50
   b. 60
   c. 70
   d. 80

3. **O principal objetivo político do sistema de seguro-desemprego é reduzir:**
   a. Os esforços de busca dos desempregados.
   b. A incerteza de renda que os trabalhadores enfrentam.
   c. O papel dos sindicatos na fixação dos salários.
   d. A quantidade do desemprego friccional.

4. **Em um mercado de trabalho competitivo, quando o governo aumenta o salário-mínimo, o resultado é um(a) ______ na quantidade de mão de obra ofertada e um(a) ______ na quantidade de mão de obra demandada.**
   a. Aumento, aumento.
   b. Aumento, diminuição.
   c. Diminuição, aumento.
   d. Diminuição, diminuição.

5. **Trabalhadores sindicalizados recebem, em média, _____% a mais que trabalhadores similares não-sindicalizados.**
   a. 2
   b. 5
   c. 15
   d. 40

6. **De acordo com a teoria dos salários de eficiência,**
   a. As empresas podem achar lucrativo pagar salários acima do equilíbrio.
   b. Uma oferta excessiva de mão de obra pressiona para baixo os salários.
   c. Deslocamentos setoriais são a principal fonte de desemprego friccional.
   d. As leis do direito ao trabalho reduzem o poder de barganha dos sindicatos.

RESUMO

- A taxa de desemprego é o percentual dos que gostariam de trabalhar, mas não têm emprego. O Bureau of Labor Statistics calcula essa estatística mensalmente, com base em uma pesquisa com milhares de famílias.
- A taxa de desemprego é uma medida imperfeita do desemprego. Algumas pessoas que se dizem desempregadas podem, na verdade, não querer trabalhar, e algumas pessoas que querem trabalhar deixaram a força de trabalho após o insucesso na busca de emprego.
- Na economia norte-americana, a maioria das pessoas que ficam desempregadas encontra trabalho em um período de tempo curto. Ainda assim, a maioria do desemprego observado em qualquer período de tempo dado pode ser atribuída às poucas pessoas que ficam desempregadas por longos períodos.
- Uma razão para o desemprego é o tempo que os trabalhadores levam para encontrar o emprego que melhor se adapte às suas preferências e habilidades. O seguro-desemprego é uma política governamental que, embora proteja a renda dos trabalhadores, aumenta o nível de desemprego friccional.
- A segunda razão pela qual nossa economia sempre tem algum desemprego é a legislação do salário-mínimo. Ao elevar o salário dos trabalhadores sem qualificação e sem experiência acima do nível de equilíbrio, a legislação do salário-mínimo aumenta a quantidade ofertada de mão de obra e reduz a quantidade demandada. O excesso de oferta de mão de obra resultante representa o desemprego.
- A terceira razão para o desemprego é o poder de mercado dos sindicatos. Quando os sindicatos forçam os salários nas empresas sindicalizadas acima do nível de equilíbrio, criam um excesso de oferta de mão de obra.
- A quarta razão para o desemprego é sugerida pela teoria dos salários de eficiência. De acordo com essa teoria, as empresas consideram lucra-

tivo pagar salários acima do nível de equilíbrio. Salários elevados podem melhorar a saúde dos trabalhadores, reduzir a rotatividade da mão de obra, aumentar o esforço do trabalhador e elevar sua qualidade.

CONCEITOS-CHAVE

força de trabalho, p. 465
taxa de desemprego, p. 465
taxa de participação na força de trabalho, p. 465
taxa natural de desemprego, p. 467
desemprego cíclico, p. 467
trabalhadores desalentados, p. 468
desemprego friccional, p. 470
desemprego estrutural, p. 470
procura de emprego, p. 470
seguro-desemprego, p. 472
sindicato, p. 475
negociação coletiva, p. 475
greve, p. 475
salários de eficiência, p. 477

QUESTÕES PARA REVISÃO

1. Quais são as três categorias em que o Bureau of Labor Statistics divide a população? Como o BLS calcula a força de trabalho, a taxa de desemprego e a taxa de participação na força de trabalho?
2. O desemprego costuma ser de curto prazo ou de longo prazo? Explique.
3. Por que o desemprego friccional é inevitável? De que maneira o governo pode reduzir o nível de desemprego friccional?
4. A legislação do salário-mínimo explica melhor o desemprego estrutural entre os adolescentes ou entre os graduados? Por quê?
5. De que maneira os sindicatos afetam a taxa natural de desemprego?
6. Que argumentos os defensores dos sindicatos usam para afirmar que essas instituições são benéficas para a economia?
7. Explique quatro maneiras pelas quais uma empresa pode aumentar seus lucros elevando os salários que paga.

PROBLEMAS E APLICAÇÕES

1. Em junho de 2009, na Grande Recessão, o Bureau of Labor Statistics anunciou que, entre todos os norte-americanos adultos, 140.196.000 estavam empregados, 14.729.000 estavam desempregados e 80.729.000 não faziam parte da força de trabalho. Use essas informações para calcular:
   a. A população adulta.
   b. A força de trabalho.
   c. A taxa de participação na força de trabalho.
   d. A taxa de desemprego.
2. Explique se cada um dos eventos a seguir aumenta, diminui ou não tem efeito sobre a taxa de desemprego e a taxa de participação na força de trabalho.
   a. Depois de uma longa procura, Jon consegue um emprego.
   b. Tyrion, um estudante universitário em tempo integral, termina a faculdade e é imediatamente empregado.
   c. Após uma busca por emprego sem sucesso, Arya desiste de procurar e se aposenta.
   d. Daenerys deixa o emprego para se tornar dona de casa.
   e. Sansa faz aniversário, torna-se adulta, mas não tem interesse em trabalhar.
   f. Jaime faz aniversário, torna-se adulto e começa a procurar emprego.
   g. Cersei morre enquanto aproveitava sua aposentadoria.
   h. Jorah morre trabalhando longas horas no escritório.
3. Visite o *site* do Bureau of Labor Statistics (http://www.bls.gov). Qual é a taxa de desemprego

nacional nesta data? Encontre a taxa de desemprego do grupo demográfico que melhor o descreva (por exemplo, com base em idade, sexo e raça). Essa taxa é maior ou menor que a média nacional? Por quê?

4. Entre janeiro de 2010 e janeiro de 2016, o emprego total nos Estados Unidos aumentou em 12,1 milhões de trabalhadores, mas o número de trabalhadores desempregados diminuiu apenas 7,3 milhões. Qual é a consistência desses indicadores? Por que há a expectativa de que a redução do número de pessoas consideradas desempregadas seja menor que o aumento do número de pessoas empregadas?

5. Os economistas utilizam dados sobre a força de trabalho para avaliar o desempenho da economia por meio de seu recurso mais valioso: as pessoas. Duas estatísticas observadas com atenção são as taxas de desemprego e a razão entre emprego-população. Explique o que acontece a cada uma delas nos cenários seguintes. Em sua opinião, qual delas é o meio mais significativo para demonstrar o desempenho da economia?
   a. Uma empresa de automóveis vai à falência e demite os funcionários, que imediatamente começam a procurar emprego.
   b. Após procura infrutífera, alguns dos trabalhadores demitidos desistem de procurar emprego.
   c. Muitos universitários recém-formados não conseguem encontrar trabalho.
   d. Muitos universitários conseguem encontrar trabalho imediatamente após se formarem.
   e. Um aumento repentino no mercado de ações induz os trabalhadores de 60 anos que enriqueceram a requerer aposentadoria.
   f. Os avanços na saúde prolongam a vida de muitos aposentados.

6. Os trabalhadores a seguir têm mais probabilidades de enfrentar desemprego de curto prazo ou de longo prazo? Explique.
   a. Um trabalhador da construção civil demitido por causa do mau tempo.
   b. Um operário que perde o emprego em uma fábrica localizada numa região isolada.
   c. Um trabalhador em uma fábrica de carruagens que foi demitido por causa da concorrência representada pela estrada de ferro.
   d. Um cozinheiro de lanchonete que perde o emprego quando um novo restaurante é inaugurado do outro lado da rua.
   e. Um soldador experiente com pouca instrução que perde o emprego quando a empresa instala uma máquina de soldagem automática.

7. Usando um diagrama do mercado de trabalho, mostre o efeito de um aumento do salário-mínimo sobre o salário pago aos trabalhadores, a quantidade ofertada de mão de obra, a quantidade demandada de mão de obra e o nível de desemprego.

8. Considere uma economia com dois mercados de trabalho: um de trabalhadores de manufatura e outro de prestadores de serviços. Suponha que, inicialmente, nenhum deles seja sindicalizado.
   a. Se os operários organizarem um sindicato, que impacto você prevê sobre salários e empregos?
   b. De que maneira essas mudanças no mercado de trabalho de manufaturas afetariam a oferta de trabalho no mercado de prestadores de serviços? O que aconteceria com o salário de equilíbrio e com os empregos nesse mercado de trabalho?

9. Diz-se que o desemprego, às vezes, resulta de diferenças entre as habilidades que os empregadores desejam e as que os trabalhadores oferecem. Para explorar essa ideia, considere uma economia com duas indústrias: a de automóveis e a de aviões.
   a. Se os trabalhadores dessas indústrias exigissem quantidades semelhantes de treinamento e se os trabalhadores em início da carreira pudessem escolher em qual delas fazer treinamento, o que aconteceria com os salários nas duas indústrias? Quanto tempo levaria esse processo? Explique.
   b. Suponha que, um dia, a economia se abra para o mercado externo e, como resultado, comece a importar automóveis e a exportar

aviões. O que aconteceria com a demanda por mão de obra nas duas indústrias?

c. Suponha que os trabalhadores de uma indústria não possam ser treinados rapidamente para atuar na outra. De que maneira essas mudanças na demanda afetariam os salários de equilíbrio no curto e no longo prazos?

d. Se, por algum motivo, os salários não se ajustarem aos novos níveis de equilíbrio, o que ocorrerá?

10. Suponha que o Congresso aprove uma lei exigindo que os empregadores ofereçam algum benefício aos empregados (como assistência médica) que eleve o custo de um empregado em $ 4 por hora.

a. Que efeito essa exigência terá sobre a demanda por mão de obra? (Ao responder a essa pergunta e às demais, procure, sempre que possível, ser quantitativo.)

b. Se os empregados atribuírem a esse benefício um valor exatamente igual ao custo, que efeitos essa exigência feita aos empregadores terá sobre a oferta de mão de obra?

c. Se o salário puder se ajustar livremente, de forma a equilibrar oferta e demanda, como essa lei afetará o salário e o nível de emprego? Os empregadores ficarão em melhor ou pior situação? E os empregados ficarão em melhor ou pior situação?

d. Suponha que, antes dessa lei, os salários nesse mercado fossem $ 3 acima do salário-mínimo. Nesse caso, como a exigência afetará o salário, o nível de emprego e o nível de desemprego?

e. Suponha, agora, que os trabalhadores não atribuam nenhum valor ao benefício obrigatório. Como essa hipótese afetaria as respostas dadas aos itens (b) e (c) dessa questão?

Parte X

Moeda e preços no longo prazo

CAPÍTULO 29

O sistema monetário

Quando você entra em um restaurante para comprar uma refeição, obtém algo de valor - a barriga cheia. Para pagar por esse serviço, você pode dar ao proprietário do estabelecimento vários pedaços desgastados de papel esverdeado decorados com símbolos estranhos, prédios do governo e retratos de norte-americanos famosos já falecidos. Ou pode entregar-lhe um único pedaço de papel com o nome de um banco e a sua assinatura. Pode, ainda, mostrar a ele um cartão plástico e digitar sua senha na máquina de cartão. Independentemente de você pagar em dinheiro, cheque ou cartão de débito, o dono do restaurante fica satisfeito em trabalhar duro para satisfazer seus desejos gastronômicos em troca de pedaços de papel que, em si e por si próprios, não têm nenhum valor.

Qualquer pessoa que tenha vivido em uma economia moderna está familiarizada com esse costume social. Embora o papel-moeda não tenha valor intrínseco, o dono do restaurante confia que, no futuro, uma terceira pessoa o aceitará em troca de algo a que dê valor. E essa terceira pessoa confiará que uma quarta pessoa aceitará o dinheiro, sabendo que uma quinta pessoa o receberá... e assim por diante. Para o dono do restaurante e para as demais pessoas da nossa sociedade, seu dinheiro, cheque ou cartão de débito representa um direito a bens e serviços no futuro.

O hábito social de usar dinheiro para transações é extraordinariamente útil em uma sociedade grande e complexa. Imagine, por um momento, que não haja nenhum item na economia que seja largamente aceito em troca de bens e serviços. As pessoas teriam de recorrer ao *escambo* - a troca de um bem ou serviço por outro - para obter as coisas de que precisam. Para conseguir sua refeição em um restaurante, por exemplo, você teria de oferecer ao dono do restaurante algo de valor imediato, como oferecer-se para lavar alguns pratos, cortar a grama ou dar-lhe a receita secreta do bolo de carne da sua família. Uma economia que dependa do escambo terá dificuldades para alocar eficientemente seus recursos escassos. Numa economia desse tipo, diz-se que o comércio requer a *dupla coincidência de desejos*, ou seja, a improvável circunstância em que duas pessoas tenham, cada uma, os bens ou serviços que a outra deseja.

A existência do dinheiro torna o comércio mais fácil. O dono do restaurante não está preocupado em saber se você é capaz de produzir um bem ou serviço de valor para ele. Ele fica satisfeito em aceitar seu dinheiro, sabendo que outras pessoas farão o mesmo para ele. Essa convenção permite que o comércio seja indireto. O dono do restaurante aceita o seu dinheiro e o usa para pagar sua *chef*; a *chef* utiliza o dinheiro para pagar a creche do filho; a creche usa esse dinheiro para pagar o salário da professora; e a professora contrata você, leitor, para aparar o gramado. Ao fluir de pessoa para pessoa na economia, o dinheiro facilita a produção e o comércio, permitindo que cada pessoa se especialize naquilo que sabe fazer melhor e elevando o padrão de vida de todos.

Neste capítulo, começaremos a examinar o papel da moeda na economia. Discutiremos o que é a moeda, as diversas formas que assume, como o sistema bancário ajuda a criar moeda e como o governo controla a quantidade de moeda em circulação. Pelo fato de ser tão importante na economia, dedicaremos muito esforço no restante do livro para aprender como as variações na quantidade de moeda afetam diversas variáveis econômicas, incluindo inflação, taxas de juros, produção e emprego. Coerentemente com nosso enfoque no longo prazo, tema abordado nos três capítulos anteriores, vamos examinar, no próximo capítulo, os efeitos de longo prazo das variações na quantidade de moeda. Os efeitos das variações monetárias no curto prazo são um assunto mais complexo, que abordaremos mais adiante. Este capítulo fornece o pano de fundo para toda essa análise.

29_1 O SIGNIFICADO DA MOEDA

O que é moeda? Esta pode parecer uma pergunta estranha. Quando você lê que o bilionário Bill Gates tem muito dinheiro, sabe o que isso significa: ele é tão rico que pode comprar quase tudo que quiser. Nesse sentido, o termo *dinheiro* é usado para significar *riqueza*.

moeda
o conjunto de ativos da economia que as pessoas usam regularmente para comprar bens e serviços de outras pessoas

Os economistas, contudo, usam a palavra de um modo mais específico: **moeda** é o conjunto de ativos na economia que as pessoas usam regularmente para comprar bens e serviços de outras pessoas. O dinheiro em sua carteira é moeda, porque você pode usá-lo para comprar uma refeição em um restaurante ou uma camisa em uma loja de roupas. No entanto, se você fosse dono da maior parte do Facebook, como é o caso de Mark Zuckerberg, você seria rico, mas esse ativo não é considerado uma forma de moeda. Você não poderia comprar uma refeição ou uma camisa com essa riqueza sem, antes, obter algum tipo de dinheiro. De acordo com a definição dos economistas, a moeda inclui apenas aqueles poucos tipos de riqueza que são regularmente aceitos por vendedores em troca de bens e serviços.

29_1A As funções da moeda

A moeda tem três funções na economia: é um *meio de troca*, uma *unidade de conta* e uma *reserva de valor*. Essas três funções juntas distinguem a moeda dos demais ativos da economia, como ações, títulos, bens imóveis, obras de arte e até figurinhas de beisebol. Vamos examinar cada uma dessas funções da moeda.

meio de troca
algo que os compradores dão aos vendedores quando querem comprar bens e serviços

Um **meio de troca** é algo que os compradores dão aos vendedores quando compram bens e serviços. Quando você compra uma camisa em uma loja de roupas, a loja lhe entrega a camisa e você entrega moeda à loja. Essa transferência de moeda do comprador para o vendedor permite que a transação ocorra. Quando entra numa loja, você está confiante de que ela vai aceitar sua moeda em troca dos itens que estão à venda, porque a moeda é o meio de troca comumente aceito.

unidade de conta
o padrão de medida que as pessoas usam para estabelecer preços e registrar dívidas

Uma **unidade de conta** é um padrão de medida que as pessoas usam para anunciar preços e registrar débitos. Quando você vai às compras, pode observar que uma camisa custa $ 50, e um hambúrguer, $ 5. Embora seja correto dizer que o preço de uma camisa são dez hambúrgueres e que o preço de um hambúrguer é 1/10 do preço de uma camisa, os preços nunca são cotados dessa maneira. De forma similar, se você toma um empréstimo com um banco, o montante de suas prestações futuras será medido em dólares, não em uma quantidade de bens e serviços. Quando queremos medir e registrar valor econômico, usamos a moeda como unidade de conta.

reserva de valor
algo que as pessoas podem usar para transferir poder de compra do presente para o futuro

Uma **reserva de valor** é algo que as pessoas podem usar para transferir poder de compra do presente para o futuro. Quando um vendedor aceita moeda hoje em troca de um bem ou serviço, ele pode ficar com a moeda e tornar-se comprador de outro bem ou serviço em outro momento. É claro que a moeda não é a única reserva de valor da economia, já que uma pessoa também pode transferir poder de compra do presente para o futuro mantendo outros ativos como ações e títulos. O termo *riqueza* é usado

liquidez a facilidade com que um ativo pode ser convertido em meio de troca da economia

para fazer referência ao total de reservas de valor, incluindo tanto a moeda quanto os ativos não monetários.

Os economistas usam o termo **liquidez** para descrever a facilidade com que um ativo pode ser convertido em meio de troca da economia. Como a moeda é o meio de troca da economia, ela é o mais líquido dos ativos disponíveis. A liquidez dos demais ativos varia muito. A maioria das ações e dos títulos pode ser vendida facilmente com pequeno custo, de modo que esses são ativos relativamente líquidos. No entanto, vender uma casa, uma pintura de Rembrandt ou uma figurinha de Joe DiMaggio de 1948 exige mais tempo e esforço, de modo que esses ativos são menos líquidos.

Quando as pessoas decidem como alocar sua riqueza, elas precisam levar em consideração a liquidez de cada ativo em relação à sua utilidade como reserva de valor. A moeda é o ativo mais líquido, mas está longe de ser perfeita como reserva de valor. Quando os preços sobem, o valor da moeda cai. Em outras palavras, quando os bens e serviços se tornam mais caros, cada dólar que você tem na carteira pode comprar menos. Essa ligação entre o nível de preços e o valor da moeda se revelará importante para entender como a moeda afeta a economia, assunto que começaremos a abordar no próximo capítulo.

29_1B Tipos de moeda

Quando a moeda assume a forma de uma mercadoria com valor intrínseco, é chamada **moeda-mercadoria**. A expressão *valor intrínseco* significa que o item teria valor mesmo que não fosse usado como moeda. Um exemplo de moeda-mercadoria é o ouro. O ouro tem valor intrínseco, porque é usado na indústria e na fabricação de joias. Embora, hoje, o ouro não seja mais usado como moeda, historicamente ele era uma forma comum de moeda por ser relativamente fácil de transportar, medir e avaliar para detectar impurezas. Quando uma economia usa ouro como moeda (ou usa papel-moeda que seja conversível em ouro à vista), diz-se que opera no *padrão-ouro*.

moeda-mercadoria moeda que toma a forma de uma mercadoria com valor intrínseco

moeda de curso forçado moeda sem valor intrínseco, que é usada como moeda por decreto governamental

Outro exemplo de moeda-mercadoria são os cigarros. Nos campos de prisioneiros de guerra, durante a Segunda Guerra Mundial, os prisioneiros trocavam bens e serviços entre si fazendo uso de cigarros como reserva de valor, unidade de conta e meio de troca. De forma similar, quando a União Soviética estava em colapso, no final da década de 1980, os cigarros começaram a substituir o rublo como moeda corrente preferida em Moscou. Nos dois casos, até os não fumantes ficavam satisfeitos em aceitar cigarros em uma troca, sabendo que poderiam usá-los para comprar outros bens e serviços.

A moeda sem valor intrínseco é chamada **moeda de curso forçado** (*fiat money*). Isso significa que o instrumento utilizado é moeda por decreto governamental. Por exemplo, compare as notas de dólar (impressas pelo governo norte-americano) com as notas de um jogo de Banco Imobiliário (impressas pela fábrica de brinquedos Parker Brothers). Por que você pode usar as primeiras para pagar a conta de um restaurante, mas não as segundas? A resposta é que o governo norte-americano decretou que seus dólares são moeda válida. Em cada nota de dólar há a seguinte inscrição: "Esta nota é moeda corrente para todas as dívidas, públicas e privadas".

Embora o governo seja a figura central para estabelecer e regular um sistema de moeda de curso forçado (processando os falsificadores, por exemplo), outros fatores também são necessários para o sucesso de um sistema monetário desse tipo. Em grande medida, a aceitação da moeda de curso forçado depende tanto das expectativas e convenções sociais quanto do decreto governamental. O governo soviético da década de 1980 nunca abandonou o rublo como sua moeda oficial, mas o povo de Moscou preferia aceitar cigarros (ou mesmo dólares norte-americanos) em troca de bens e serviços, porque se sentia seguro de que essas formas alternativas de pagamento seriam aceitas por outras pessoas no futuro.

Saiba mais sobre

POR QUE OS CARTÕES DE CRÉDITO NÃO SÃO MOEDA?

Pode parecer natural incluir os cartões de crédito como parte do estoque de moeda da economia; afinal, as pessoas os utilizam para fazer muitas de suas compras. Portanto, não serão os cartões de crédito um meio de troca?

Embora esse argumento possa parecer persuasivo à primeira vista, os cartões de crédito são excluídos de todas as medidas de quantidade de moeda. A razão é que eles não são, na verdade, uma forma de pagamento, mas uma forma de *diferir* o pagamento. Quando você compra uma refeição com cartão de crédito, o banco que emitiu o cartão paga ao restaurante o que é devido e, em uma data posterior, você terá de reembolsar o banco (talvez com juros). Quando chegar a hora de pagar a fatura do seu cartão de crédito, você, provavelmente, o fará mediante a emissão de um cheque contra sua conta corrente. O saldo dessa conta corrente é parte do estoque de moeda da economia.

Observe que os cartões de crédito são bem diferentes dos cartões de débito, que automaticamente retiram fundos de uma conta bancária para pagar por itens comprados. Em vez de possibilitar que o usuário adie o pagamento de uma compra, o cartão de débito permite acesso imediato aos depósitos na conta bancária. Nesse sentido, um cartão de débito assemelha-se mais ao cheque que ao cartão de crédito. Os saldos das contas que estão por trás dos cartões de débito são incluídos nas medidas da quantidade de moeda.

Embora os cartões de crédito não sejam considerados uma forma de moeda, são importantes para a análise do sistema monetário. As pessoas que têm cartões de crédito podem pagar muitas de suas contas de uma só vez no final do mês, em vez de pagá-las esporadicamente à medida que fazem compras. Como resultado, os portadores de cartão de crédito provavelmente carregam consigo, em média, menos dinheiro que as pessoas que não possuem cartão de crédito. Portanto, a introdução e o crescimento da popularidade dos cartões de crédito podem reduzir a quantia de dinheiro que as pessoas optam por carregar consigo.

29_1C Moeda na economia norte-americana

Como veremos, a quantidade de moeda em circulação na economia, chamada *estoque de moeda*, tem forte influência sobre muitas variáveis econômicas. Mas antes de examinarmos por que isso é verdadeiro, precisamos fazer uma pergunta preliminar: o que é quantidade de moeda? Mais especificamente, suponha que você receba a tarefa de medir a quantidade de moeda na economia norte-americana. O que você incluiria em sua medida?

moeda corrente as cédulas de papel e as moedas de metal em poder do público

depósitos à vista saldos em conta corrente aos quais os depositantes têm acesso mediante a emissão de um cheque

O ativo mais óbvio para incluir é a **moeda corrente** - as notas e moedas de metal que estão nas mãos do público. A moeda corrente é, claramente, o meio de troca mais aceito em nossa economia. Não há dúvida de que é parte do estoque de moeda.

A moeda corrente, no entanto, não é o único ativo que você pode usar para comprar bens e serviços. Muitas lojas também aceitam cheques e cartões. A riqueza mantida em sua conta corrente é quase tão conveniente para comprar coisas quanto a riqueza mantida em sua carteira. Para medir o estoque de moeda, portanto, você deve incluir os **depósitos à vista**, que são os saldos em conta corrente que os depositantes podem sacar simplesmente com a emissão de um cheque.

Uma vez que considere os depósitos à vista em conta corrente como parte do estoque de moeda, você é levado a considerar a grande variedade de outras contas que as pessoas mantêm em bancos e outras instituições financeiras. Em geral, os depositantes não podem emitir cheques sobre seus depósitos em contas de poupança, mas podem transferir facilmente os saldos desta para a conta corrente. Além disso, os depositantes de fundos mútuos do mercado monetário[1] podem, frequentemente,

1. Um fundo mútuo do mercado monetário é uma instituição cujos fundos são obtidos por meio da venda de cotas. A instituição utiliza tais fundos para adquirir ativos, como títulos do Tesouro. As cotas desse tipo de fundo funcionam como depósitos bancários, e os depositantes (cotistas) podem frequentemente emitir cheques contra suas cotas no fundo. (NRT)

Figura 1
Duas medidas do estoque de moeda da economia norte--americana

As duas medidas do estoque mais extensamente acompanhadas são M1 e M2. Esta figura mostra a magnitude de cada medida em 2009.

Fonte: Federal Reserve.

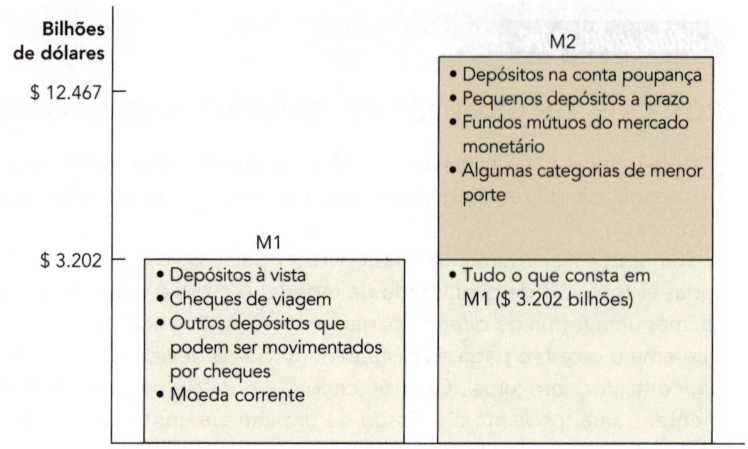

emitir cheques sobre seus depósitos. Portanto, essas outras contas deveriam fazer parte do estoque de moeda dos Estados Unidos.

Em uma economia tão complexa quanto a nossa, não é fácil estabelecer uma linha separando os ativos que podem ser chamados "moeda" dos que não podem. As moedas que temos no bolso, claramente, fazem parte do estoque de moeda, e o Edifício Empire State, claramente, não faz parte, mas há muitos ativos entre esses dois extremos para os quais a situação não é tão clara. Como os analistas discordam a respeito de onde estabelecer a linha divisória entre ativos monetários e não monetários, há diversas medidas para o estoque de moeda na economia dos Estados Unidos. A Figura 1 mostra as duas mais usadas, M1 e M2. A M2 inclui mais ativos monetários que aqueles medidos por M1.

Para os propósitos deste livro, não precisamos nos deter nas diferenças entre as diversas medidas de moeda. Nossa discussão não focará a distinção entre M1 e M2. O importante é saber que o estoque de moeda da economia norte-americana inclui não apenas a moeda corrente, mas também os depósitos efetuados em bancos e outras instituições financeiras que possam ser facilmente acessados e usados para comprar bens e serviços.

Teste rápido Indique e descreva as três funções da moeda.

29_2 O SISTEMA DO FEDERAL RESERVE

Sempre que uma economia usa moeda de curso forçado, como é o caso da economia dos Estados Unidos, deve haver um órgão responsável pela regulação do sistema. Nos Estados Unidos, esse órgão é o **Federal Reserve**, muitas vezes chamado simplesmente de **Fed**. Se você observar a parte superior de uma nota de dólar, verá que ela é denominada "Nota do Federal Reserve" (Federal Reserve Note). O Fed é um exemplo de **banco central** – uma instituição planejada para supervisionar o sistema bancário e regular a quantidade de moeda na economia. Outros grandes bancos centrais do mundo são o Banco da Inglaterra, o Banco do Japão e o Banco Central Europeu.

Federal Reserve (Fed)
o banco central dos Estados Unidos

banco central
uma instituição planejada para supervisionar o sistema bancário e regular a quantidade de moeda na economia

29_2A A organização do Fed

O Federal Reserve foi criado em 1913, depois que uma série de quebras de bancos ocorrida em 1907 convenceu o Congresso de que os Estados Unidos precisavam de um banco central para garantir a saúde do sistema bancário da nação. Hoje, o Fed é administrado por seu Conselho de Governadores (Board of Governors), que é composto de sete membros indicados pelo presidente e confirmados pelo Senado. Os governadores têm mandatos de 14 anos. Assim como os juízes federais têm mandato vitalício para que possam ficar isolados da política, os governadores do Fed têm mandatos longos, cujo objetivo é assegurar a independência de pressões políticas de curto prazo ao formularem a política monetária.

Entre os sete membros do Conselho de Governadores, o mais importante é o presidente. O presidente dirige o pessoal do Fed, preside as assembleias do conselho e depõe regularmente sobre a política do Fed perante comissões do Congresso. O presidente dos Estados Unidos nomeia o presidente do Fed para um período de quatro anos. Quando este livro estava no prelo, a presidente do Fed era Janet Yellen, ex-professora de economia que foi nomeada ao cargo pelo presidente Barack Obama, em 2014.

O Sistema do Federal Reserve é composto do Conselho do Federal Reserve (Federal Reserve Board), em Washington, e de 12 bancos regionais da reserva federal (Federal Reserve Banks) localizados nas principais cidades do país. Os presidentes dos bancos regionais são escolhidos pelo conselho diretor de cada banco, cujos membros são normalmente selecionados na comunidade bancária e empresarial regional.

O Fed tem duas tarefas relacionadas. A primeira é regular as atividades dos bancos e garantir a saúde do sistema bancário, tarefa esta que compete, basicamente, aos bancos regionais da reserva federal. Mais especificamente, o Fed monitora as condições financeiras de cada banco e facilita as transações bancárias, realizando compensação de cheques. Atua também como banco dos bancos, ou seja, o Fed concede empréstimos quando os próprios bancos precisam. Quando bancos em dificuldades financeiras se veem com pouco dinheiro em caixa, o Fed age como *emprestador de última instância* - um emprestador para aqueles que não podem emprestar de mais ninguém - a fim de manter a estabilidade do sistema bancário como um todo.

oferta de moeda
a quantidade de moeda disponível na economia

política monetária
o estabelecimento da oferta de moeda pelos formuladores de políticas do banco central

A segunda e mais importante tarefa do Fed é controlar a quantidade de moeda disponível na economia, denominada **oferta de moeda**. As decisões dos formuladores de políticas a respeito da oferta de moeda constituem a **política monetária.** No Federal Reserve, a política monetária é formulada pelo Comitê Federal de Mercado Aberto (Federal Open Market Committee - FOMC). O FOMC reúne-se a cada seis semanas, aproximadamente, em Washington, para discutir a situação da economia e estudar mudanças na política monetária.

29_2B O Comitê Federal de Mercado Aberto

O Comitê Federal de Mercado Aberto (FOMC) é composto de sete membros do Conselho de Governadores e de 5 dos 12 presidentes dos bancos regionais. Todos os 12 presidentes regionais participam das assembleias do FOMC, mas apenas 5 deles têm direito a voto. Periodicamente, há um rodízio entre os 12 presidentes regionais para determinar os 5 que terão direito a voto. Contudo, o presidente do Fed de Nova York sempre tem direito a voto, porque Nova York é o tradicional centro financeiro dos Estados Unidos e porque todas as compras e vendas de títulos do governo são conduzidas pela mesa de operações do Fed de Nova York.

Por meio das decisões do FOMC, o Fed tem o poder de aumentar ou diminuir o número de dólares na economia. Utilizando uma metáfora simples, podemos imaginar que, para aumentar, o Fed imprima notas de dólares e as despeje de helicóptero por todo o país, e, para diminuir, que o Fed use um aspirador gigante e aspire notas de dólar das carteiras das pessoas. Embora, na prática, os métodos do Fed para alterar a oferta de moeda sejam mais complexos e sutis, a metáfora do helicóptero e do aspirador serve como exemplo para entender o significado da política monetária.

Veremos mais adiante, neste capítulo, de que maneira o Fed altera, verdadeiramente, a oferta de moeda, mas vale observar aqui que o principal instrumento que ele usa são as *operações no mercado aberto* - a compra e a venda de títulos do governo dos Estados Unidos (lembre-se de que um título do governo dos Estados Unidos é um certificado de dívida do governo federal). Se o FOMC decide aumentar a oferta de moeda, o Fed emite dólares e os usa para comprar títulos do governo que estão nas mãos do público, nos mercados de títulos do país, de modo que, após a compra, os dólares passam para as mãos do público. Portanto, uma compra de títulos no mercado aberto realizada pelo Fed aumenta a oferta de moeda. Inversamente, se o

FOMC decide diminuir a oferta de moeda, o Fed vende títulos do governo de sua carteira nos mercados de títulos, de modo que, após a venda, os dólares recebidos pelos títulos saem das mãos do público. Portanto, uma venda de títulos no mercado aberto realizada pelo Fed reduz a oferta de moeda.

O banco central é uma instituição importante, porque mudanças na oferta de moeda podem afetar profundamente a economia. Um dos *Dez princípios de economia* do Capítulo 1 é que os preços aumentam quando o governo emite moeda demais. Outro dos *Dez princípios de economia* é que a sociedade enfrenta um *tradeoff* de curto prazo entre inflação e desemprego. O poder do Fed repousa nesses princípios. Por razões que discutiremos com maior profundidade nos próximos capítulos, as decisões políticas do Fed têm forte influência sobre a taxa de inflação da economia no longo prazo e sobre o emprego e a produção da economia no curto prazo. De fato, o presidente do Federal Reserve tem sido chamado de a segunda pessoa mais poderosa dos Estados Unidos.

Teste rápido Quais são as principais responsabilidades do Federal Reserve? Quando o Fed quer aumentar a oferta de moeda, o que costuma fazer?

29_3 OS BANCOS E A OFERTA DE MOEDA

Até aqui, introduzimos o conceito de "moeda" e discutimos como o Federal Reserve controla a oferta de moeda por meio da compra e venda de títulos do governo em operações do mercado aberto. Embora essa explicação da oferta de moeda seja correta, ela não é completa. Mais especificamente, ela omite o papel central desempenhado pelos bancos no sistema monetário.

Lembre-se de que a quantidade de moeda que você mantém em seu poder inclui tanto a moeda corrente (as notas em sua carteira e as moedas em seu bolso) quanto os depósitos à vista (o saldo em sua conta corrente). Como os depósitos à vista são mantidos em bancos, o comportamento dos bancos pode influenciar a quantidade de depósitos à vista na economia e, portanto, a oferta de moeda. Esta seção examina como os bancos afetam a oferta de moeda e como complicam a tarefa do Fed de controlá-la.

29_3A O caso simples do sistema de 100% de reserva bancária

Para ver como os bancos influenciam a oferta de moeda, é útil imaginar, em primeiro lugar, um mundo em que não haja bancos. Nesse mundo simples, a moeda corrente é a única forma de moeda. Em termos concretos, suponha que a quantidade total de moeda corrente seja $ 100. A oferta de moeda é, portanto, de $ 100.

Suponha, agora, que alguém abra um banco, chamado apropriadamente Primeiro Banco Nacional. Esse banco é apenas uma instituição depositária, ou seja, aceita depósitos, mas não concede empréstimos. O objetivo desse banco é proporcionar aos depositantes um lugar seguro para guardar o dinheiro. Sempre que alguém deposita algum dinheiro, o banco o guarda em seu cofre até que o depositante venha retirá-lo, emita um cheque ou use o cartão de débito para acessar seu saldo. Os depósitos que os bancos recebem, mas não emprestam, são chamados de **reservas**. Nessa economia imaginária, todos os depósitos são mantidos como reservas, de modo que esse sistema é denominado *sistema de 100% de reserva bancária*.

reservas depósitos recebidos pelos bancos, mas que não são emprestados

Podemos representar a posição financeira do Primeiro Banco Nacional com uma *conta-T*, que é um registro contábil simplificado que mostra as variações do ativo e do passivo do banco. Eis a conta-T do Primeiro Banco Nacional se todos os $ 100 em moeda da economia estiverem depositados nele.

Primeiro Banco Nacional			
Ativo		Passivo	
Reservas	$ 100,00	Depósitos	$ 100,00

Do lado esquerdo da conta-T, temos os $ 100 em ativos do banco (as reservas que ele mantém em seus cofres). Do lado direito da conta-T, temos o passivo do banco, de $ 100 (a quantia que ele deve a seus depositantes). Como o ativo e o passivo do Primeiro Banco Nacional são exatamente iguais, esse registro contábil às vezes é chamado *balanço*.

Examinemos agora a oferta de moeda nessa economia imaginária. Antes da abertura do Primeiro Banco Nacional, a oferta de moeda são os $ 100 em moeda corrente que as pessoas têm em seu poder. Após a abertura do banco, e depois de as pessoas terem depositado nele sua moeda corrente, a oferta de moeda são os $ 100 em depósitos à vista. (Não há mais moeda corrente em poder do público, porque ela está toda depositada no cofre do banco.) Cada depósito no banco reduz a moeda corrente e aumenta os depósitos à vista exatamente na mesma quantia, deixando inalterada a oferta de moeda. Portanto, *se os bancos mantêm todos os depósitos como reserva, não influenciam a oferta de moeda.*

29_3B Criação de moeda por meio do sistema de reservas bancárias fracionárias

Depois de algum tempo, os donos do Primeiro Banco Nacional podem começar a reconsiderar sua política de reservas bancárias de 100%. Parece desnecessário deixar todo aquele dinheiro ocioso nos cofres. Por que não usar parte dele para conceder empréstimos, lucrando com a cobrança de juros? As famílias que querem comprar casas, as empresas que querem construir novas fábricas e os estudantes que querem pagar seus estudos ficariam felizes em pagar juros para tomar um pouco de dinheiro emprestado por um período de tempo. É claro que o Primeiro Banco Nacional precisa manter algumas reservas para que haja moeda corrente disponível caso seus depositantes queiram fazer retiradas, mas se o fluxo de novos depósitos for aproximadamente igual ao fluxo de retiradas, o Primeiro Banco Nacional precisará manter somente uma fração de seus depósitos como reserva. Portanto, o banco adota um sistema chamado **sistema de reservas fracionárias**.

sistema de reservas fracionárias
um sistema bancário no qual os bancos mantêm apenas uma parte de seus depósitos como reserva

razão de reserva
a fração dos depósitos que os bancos mantêm como reserva

A fração dos depósitos que um banco mantém como reserva é uma razão chamada **razão de reserva**. Essa razão é determinada por uma combinação da regulamentação governamental e da política do banco. Como veremos em detalhes mais adiante, neste capítulo, o Fed estabelece um mínimo ao montante de reservas que os bancos devem manter, denominado *reservas exigidas*. Além disso, os bancos podem manter reservas acima do mínimo legal, chamadas *excesso de reservas*, de modo que possam permanecer seguros de que não ficarão sem dinheiro. Para os nossos fins, adotaremos a razão de reserva como dada e examinaremos o que o sistema de reservas fracionárias representa para a oferta de moeda.

Suponha que o Primeiro Banco Nacional tenha uma razão de reserva de 10%. Isso significa que ele mantém como reserva 10% dos depósitos e empresta o restante. Agora, vamos ver como fica a conta-T do banco:

Primeiro Banco Nacional			
Ativo		**Passivo**	
Reservas	$ 10,00	Depósitos	$ 100,00
Empréstimos	90,00		

O Primeiro Banco Nacional ainda tem passivo de $ 100, porque a concessão de empréstimos não altera as obrigações do banco para com seus depositantes. Mas o banco, agora, tem dois tipos de ativos: $ 10 como reserva em seus cofres e o montante de $ 90 como empréstimos (esses empréstimos são passivos das pessoas que os tomam, mas são ativos para o banco que os concede, porque, no futuro, os tomadores vão pagar ao banco pelo empréstimo). No total, o ativo do Primeiro Banco Nacional ainda é igual ao seu passivo.

Novamente, considere a oferta de moeda na economia. Antes que o Primeiro Banco Nacional concedesse empréstimos, a oferta de moeda era de $ 100 em depósitos no banco. Mas quando o banco começa a conceder empréstimos, a oferta de moeda aumenta. Os depositantes ainda têm depósitos à vista num total de $ 100, mas agora os tomadores de empréstimos têm $ 90 em moeda corrente. A oferta de moeda (que é igual à moeda corrente mais os depósitos à vista) é igual a $ 190. Portanto, *quando mantêm somente uma fração de depósitos como reserva, os bancos criam moeda.*

De início, essa criação de moeda por um sistema bancário de reservas fracionárias pode parecer boa demais para ser verdade, porque dá a impressão de que o banco criou moeda do ar. Para fazer essa criação de moeda parecer menos miraculosa, observe que, quando o Primeiro Banco Nacional empresta parte de suas reservas e cria moeda, ele não cria riqueza. Os empréstimos do Primeiro Banco Nacional dão aos tomadores uma quantidade de moeda corrente e, com isso, a capacidade de comprar bens e serviços. Mas os tomadores de empréstimos também estão se endividando, de modo que os empréstimos não os tornam mais ricos. Em outras palavras, quando o banco cria o ativo moeda, também cria um passivo correspondente para os tomadores de empréstimos. Ao fim desse processo de criação de moeda, a economia fica mais líquida, no sentido de que há mais meios de troca, mas não está mais rica que antes.

29_3C O multiplicador da moeda

A criação de moeda não para no Primeiro Banco Nacional. Suponha que o tomador de empréstimo do Primeiro Banco Nacional use os $ 90 para comprar algo de alguém, que deposita a moeda corrente no Segundo Banco Nacional. Eis a conta-T desse banco:

Segundo Banco Nacional			
Ativo		**Passivo**	
Reservas	$ 9,00	Depósitos	$ 90,00
Empréstimos	81,00		

Após o depósito, esse banco possui passivo de $ 90. Se o Segundo Banco Nacional também tiver uma razão de reserva de 10%, manterá $ 9 como reserva e concederá empréstimos no total de $ 81. Dessa forma, criará $ 81 em moeda adicional. Se, por fim, esses $ 81 forem depositados no Terceiro Banco Nacional, que também tem uma razão de reserva de 10%, esse banco manterá $ 8,10 de reserva e concederá empréstimos num total de $ 72,90. Eis a conta-T do Terceiro Banco Nacional:

Terceiro Banco Nacional			
Ativo		**Passivo**	
Reservas	$ 8,10	Depósitos	$ 81,00
Empréstimos	72,90		

O processo avança. A cada vez que a moeda é depositada e um empréstimo é concedido, mais moeda é criada. Afinal, quanta moeda é criada nessa economia? Vamos somar:

Depósito original	=	$ 100.00
Empréstimo do Primeiro Banco Nacional	=	$ 90,00 [= 0,9 × $ 100,00]
Empréstimo do Segundo Banco Nacional	=	$ 81,00 [= 0,9 × $ 90,00]
Empréstimo do Terceiro Banco Nacional	=	$ 72,90 [= 0,9 × $ 81,00]
...		...
Oferta total de moeda	=	$ 1.000,00

multiplicador da moeda
a quantidade de moeda que o sistema bancário gera com cada dólar de suas reservas

Embora esse processo de criação de moeda possa continuar indefinidamente, ele não cria uma quantidade infinita de moeda. Se você se der ao trabalho de somar a sequência infinita de números do exemplo anterior, verá que os $ 100 de reservas geram $ 1.000 de moeda. A quantidade de moeda que o sistema bancário gera com cada dólar de reserva é denominada **multiplicador da moeda**. Nessa economia imaginária, em que $ 100 de reservas geram $ 1.000 de moeda, o multiplicador da moeda é 10.

O que determina a magnitude do multiplicador da moeda? A resposta é simples: *o multiplicador da moeda é a recíproca da razão de reserva.* Se R é a razão de reserva de todos os bancos da economia, então cada dólar de reserva gerará $1/R$ dólares de moeda. Em nosso exemplo, $R = 1/10$, de modo que o multiplicador da moeda é 10.

A fórmula de reciprocidade do multiplicador da moeda faz sentido. Se um banco tem $ 1.000 em depósitos, então uma razão de reserva de 1/10 (10%) significa que ele deve manter $ 100 de reservas. O multiplicador da moeda simplesmente inverte essa ideia: se o sistema bancário como um todo mantém um total de $ 100 de reservas, então ele só pode ter $ 1.000 em depósitos. Em outras palavras, se R é a razão entre as reservas e os depósitos para cada banco (ou seja, a razão de reserva), então a razão entre os depósitos e as reservas no sistema bancário, ou seja, o multiplicador da moeda, deve ser $1/R$.

Essa fórmula mostra como a quantidade de moeda que os bancos criam depende da razão de reserva. Se a razão de reserva fosse de apenas 1/20 (5%), o sistema bancário teria 20 vezes mais em depósitos do que em reservas, implicando um multiplicador da moeda de 20. Cada dólar de reserva geraria $ 20 de moeda. De forma similar, se a razão de reserva fosse de 1/4 (25%), os depósitos seriam 4 vezes maiores que as reservas, o multiplicador da moeda seria 4 e cada dólar de reserva geraria $ 4 de moeda. Portanto, *quanto maior a razão de reserva, menor a parcela de cada depósito que os bancos emprestam e menor o multiplicador da moeda.* No caso especial da reserva de 100%, a razão de reserva é 1, o multiplicador da moeda é 1 e os bancos não concedem empréstimos nem criam moeda.

29_3D Capital bancário, alavancagem e a crise financeira de 2008-2009

Nas seções anteriores, vimos uma explicação bem simplificada de como os bancos funcionam. A realidade do sistema bancário moderno, no entanto, é um pouco mais complexa e, por isso, desempenhou um papel importante na crise financeira de 2008 e 2009. Antes de tratarmos da crise, precisamos aprender um pouco mais sobre como os bancos realmente funcionam.

capital bancário
os recursos que os proprietários do banco colocam na instituição

Nos balanços dos bancos que você viu até agora, um banco aceita depósitos e os utiliza para fazer empréstimos ou para a constituição de reservas. Na verdade, um banco obtém recursos financeiros não apenas da aceitação de depósitos, mas também, como outras empresas, provenientes da emissão de capital e dívidas. Os recursos que um banco obtém pela emissão de ações para seus proprietários são denominados **capital bancário**. Um banco usa esses recursos financeiros de diversas formas para gerar lucro para seus proprietários. Ele não apenas faz empréstimos e mantém reservas, mas também compra ativos financeiros, como ações e títulos.

Eis um exemplo mais realista de um balanço bancário:

Banco Nacional mais realista			
Ativo		**Passivo e patrimônio líquido**	
Reservas	$ 200	Depósitos	$ 800
Empréstimos	700	Dívidas	150
Títulos	100	Capital (patrimônio líquido)	50

No lado direito deste balanço estão o passivo e o capital bancário, também conhecidos como *patrimônio líquido*. Esse banco obteve $ 50 de recursos de seus proprietários, recebeu $ 800 de depósitos e contraiu $ 150 de dívidas. O total de $ 1.000 foi colocado em uso de três formas, que estão relacionadas no lado esquerdo do balanço, que mostra os ativos bancários. Esse banco manteve $ 200 em reservas, fez $ 700 de empréstimos bancários e usou $ 100 para comprar ativos financeiros, como títulos públicos ou privados. O banco decide como alocar seus recursos entre as classes de ativos, com base em seu risco e retorno, bem como em qualquer regulamento (como as reservas exigidas) que restrinja as escolhas do banco.

Pelas regras contábeis, as reservas, os empréstimos e os títulos no esquerdo do balanço devem ser sempre iguais, no total, aos depósitos, às dívidas e ao capital do lado direito. Não há mágica nessa igualdade. Ela ocorre porque o patrimônio líquido é, por definição, o valor dos ativos bancários (reservas, empréstimos e títulos) menos o valor de seus passivos (depósitos e dívidas). Portanto, os lados direito e esquerdo do balanço sempre têm a mesma soma total.

alavancagem o uso do dinheiro emprestado para complementar os fundos existentes para fins de investimento

Muitas empresas na economia dependem da **alavancagem**, o uso de dinheiro emprestado para complementar os fundos existentes para fins de investimento. Na verdade, sempre que alguém usa uma dívida para financiar um projeto de investimento está aplicando a alavancagem. Entretanto, a alavancagem é especialmente importante para os bancos, porque captação e empréstimos estão no coração do que eles fazem. Portanto, para compreender melhor o funcionamento dos bancos, é crucial entender como a alavancagem funciona.

grau de alavancagem a razão dos ativos para o capital bancário

O **grau de alavancagem**[2] é a razão dos ativos bancários totais para o capital bancário. Nesse exemplo, o grau de alavancagem é de $ 1.000/$ 50 ou 20. O grau de alavancagem de 20 significa que, para cada dólar do capital investido pelos proprietários na instituição, o banco tem $ 20 de ativos. Dos $ 20 de ativos, $ 19 são financiados com dinheiro emprestado, seja em depósitos realizados, ou seja pela contração de dívidas.

Você deve ter aprendido nas aulas de ciências que uma alavanca pode amplificar uma força: um pedregulho que você não possa mover apenas com os braços mover-se-á mais facilmente com o uso de uma alavanca. Um resultado semelhante ocorre com a alavancagem bancária. Para ver como isso acontece, vamos continuar com o exemplo numérico. Suponha que o valor dos ativos do banco suba 5%, porque, digamos, alguns dos títulos que o banco estava mantendo subiram de preço. Assim sendo, os $ 1.000 dos ativos passariam a valer $ 1.050. Como os depositantes e os detentores das dívidas ainda possuem patrimônio líquido de $ 950, o capital bancário subiria de $ 50 para 100. Assim, quando o grau de alavancagem é 20, um aumento de 5% no valor dos ativos aumenta o patrimônio líquido em 100%.

O mesmo princípio funciona também ao contrário, mas as consequências acarretam sérias dificuldades. Suponha que algumas pessoas que contraíram um empréstimo do banco fiquem inadimplentes e deixem de pagá-lo, reduzindo, assim, o valor dos ativos do banco em 5%, que passariam a $ 950. Como os depositantes e os detentores da dívida possuem o direito legal de serem pagos antes dos proprietários do banco, o valor do patrimônio líquido cairia para zero. Logo, quando o grau da alavancagem é 20, uma queda de 5% no valor dos ativos bancários provoca uma queda de 100% no capital do banco. Se o valor dos ativos bancários cair mais 5%, eles ficariam abaixo de seu passivo. Nesse caso, o banco estaria insolvente e ficaria incapaz de pagar os detentores das dívidas e de honrar os depósitos dos correntistas na íntegra.

exigência de capital um regulamento governamental que especifica uma quantidade mínima de capital bancário

Os reguladores bancários exigem que os bancos mantenham certa quantia de capital. O objetivo dessa **exigência de capital** é garantir que os bancos possam reembolsar os seus depositantes (sem a necessidade de recorrer aos fundos de seguro do depósito fornecido pelo governo). O montante de capital exigido depende do tipo de ativos que um banco detém. Se o banco detiver ativos seguros, como títulos públicos, os reguladores

2. O grau de alavancagem é também denominado *índice de alavancagem*. (NRT)

exigem menos capital do que se o banco mantiver ativos arriscados, como empréstimos para tomadores cujo crédito seja de qualidade duvidosa.

A turbulência econômica pode surgir quando os bancos se encontram com pouco capital para satisfazer as exigências de capital. Um exemplo desse fenômeno ocorreu em 2008 e 2009, quando muitos bancos perceberam que haviam incorrido em perdas consideráveis em alguns de seus ativos, especificamente, empréstimos hipotecários e títulos garantidos por empréstimos hipotecários. A escassez do capital, então, obrigou os bancos a reduzir seus empréstimos, caracterizando um fenômeno, às vezes, chamado *crise de crédito*, que, por sua vez, contribui para uma recessão na atividade econômica. (Esse evento será discutido de maneira mais completa no Capítulo 33.) Para resolver o problema, o Tesouro norte-americano, em parceria com o Federal Reserve, colocou muitos bilhões de dólares dos fundos públicos no sistema bancário, a fim de aumentar o capital dos bancos, e, como resultado, os contribuintes norte-americanos tornaram-se, temporariamente, proprietários de uma parte de muitos bancos. O objetivo dessa política incomum foi recapitalizar o sistema bancário, de modo que os empréstimos bancários pudessem voltar a um nível mais normal, o que de fato ocorreu no final de 2009.

Teste rápido Descreva como os bancos criam moeda.

29_4 OS INSTRUMENTOS DE CONTROLE MONETÁRIO DO FED

Como já vimos, o Federal Reserve é responsável por controlar a oferta de moeda na economia. Agora que sabemos como funciona o sistema bancário de reservas fracionárias, estamos em melhor posição para entender como o Fed executa essa tarefa. Uma vez que os bancos criam moeda em um sistema de reservas fracionárias, o controle do Fed sobre a oferta de moeda é indireto. Quando o Fed decide alterar a oferta de moeda, precisa avaliar como suas ações se refletirão no sistema bancário.

O Fed tem uma variedade de instrumentos em sua caixa de ferramentas monetária. Podemos separá-los em dois grupos: aqueles que influenciam a quantidade de reservas e aqueles que influenciam a taxa de reserva e, assim, o multiplicador de moeda.

29_4A Como o Fed influencia a quantidade de reservas

Para mudar a oferta de moeda, o Fed deve, primeiramente, alterar a quantidade de reservas na economia por meio da compra ou da venda de títulos em operações de mercado aberto ou pela concessão de empréstimos aos bancos (ou por alguma combinação desses dois procedimentos). Vamos considerar cada uma dessas alternativas.

operações no mercado aberto a compra e venda de títulos do governo norte-americano pelo Fed

Operações no mercado aberto Como já vimos anteriormente, o Fed conduz **operações no mercado aberto** quando compra ou vende títulos do governo. Para aumentar a oferta de moeda, o Fed instrui seus agentes no Fed de Nova York a comprar títulos do público nos mercados de títulos do país. Os dólares que o Fed paga pelos títulos aumentam o número de dólares em circulação. Alguns desses dólares são mantidos como moeda corrente e alguns são depositados em bancos. Cada novo dólar mantido como moeda corrente aumenta a oferta de moeda em exatamente $ 1. Cada novo dólar depositado em um banco aumenta a oferta de moeda em uma magnitude maior, porque aumenta as reservas e, consequentemente, a quantidade de moeda que o sistema bancário pode criar.

Para reduzir a oferta de moeda, o Fed faz exatamente o oposto: vende os títulos do governo ao público nos mercados do título do país. O público paga por esses títulos com suas reservas de moeda e depósitos bancários, reduzindo diretamente a quantidade de moeda em circulação. Além disso, à medida que as pessoas fazem retiradas dos bancos, estes se veem com uma quantidade de reservas cada vez menor. Como resposta, eles reduzem o volume de empréstimos, e o processo de criação de moeda se reverte.

As operações no mercado aberto são fáceis de conduzir. Na verdade, as compras e vendas de títulos do governo que o Fed executa nos mercados de títulos do país são semelhantes às transações que qualquer pessoa poderia realizar para sua própria carteira (é claro que, quando um indivíduo compra ou vende um título, a moeda muda de mão, mas a quantidade de moeda em circulação permanece a mesma). Além disso, o Fed pode usar as operações no mercado aberto para alterar a oferta de moeda em maior ou menor quantidade a qualquer momento, sem maiores alterações nas leis ou nos regulamentos bancários. Portanto, as operações no mercado aberto são o instrumento de política monetária que o Fed usa com maior frequência.

O Fed empresta aos bancos O Fed também pode aumentar a quantidade de reservas na economia ao emprestar reservas aos bancos. Os bancos pegam emprestado do Fed quando sentem que não possuem reservas suficientes disponíveis, seja para satisfazer os reguladores bancários, seja para atender às retiradas dos depositantes, fazer novos empréstimos ou por algum outro motivo financeiro.

taxa de redesconto
a taxa de juros sobre os empréstimos que o Fed concede aos bancos

Há várias formas de os bancos conseguirem empréstimos do Fed. Tradicionalmente, os bancos emprestam da *janela de descontos* do Fed e pagam uma taxa de juros sobre o empréstimo, a qual é denominada **taxa de redesconto**. Quando o Fed concede um empréstimo desse tipo a um banco, o sistema bancário fica com mais reservas, e essas reservas adicionais permitem que o sistema bancário crie mais moeda.

O Fed pode alterar a oferta de moeda mudando a taxa de redesconto. Uma taxa de redesconto mais elevada desencoraja os bancos de contrair empréstimos das reservas do Fed. Portanto, um aumento na taxa de redesconto reduz a quantidade de reservas no sistema bancário, o que, por sua vez, reduz a oferta de moeda. Inversamente, uma taxa de redesconto menor incentiva os bancos a tomar empréstimos do Fed, aumenta a quantidade de reservas e eleva a oferta de moeda.

Algumas vezes, o Fed estabeleceu outros mecanismos para os bancos obterem empréstimos. Por exemplo, de 2007 a 2010, no âmbito *Term Auction Facility*,[3] o Fed definiu uma quantidade de fundos que pretendia emprestar aos bancos, e os bancos elegíveis aceitaram esse tipo de empréstimo para, então, licitá-los. Os empréstimos foram para os licitantes mais elegíveis, ou seja, para os bancos que ofereceram garantias mais aceitáveis e se dispunham a pagar a taxa de juros mais elevada. Ao contrário da janela de descontos, em que o Fed estabelece o preço de um empréstimo e os bancos determinam a quantia a ser emprestada, o Fed, no Term Auction Facility, estabelece a quantia a ser emprestada, e os lances competitivos entre os bancos determinam o preço. Quanto mais fundos o Fed disponibilizar por meio desse e de outros programas, maiores serão a quantidade de reservas e a oferta de moeda.

O Fed usa a taxa de redesconto não apenas para controlar a oferta de moeda, mas também para ajudar instituições financeiras que estejam em dificuldades. Por exemplo, quando o mercado de ações caiu em 22%, em 19 de outubro de 1987, muitas corretoras de Wall Street viram-se temporariamente necessitadas de fundos para financiar o elevado volume de negócios com ações. Na manhã seguinte, antes da abertura da bolsa, o presidente do Fed, Alan Greenspan, anunciou a "disposição do Fed de servir como fonte de liquidez para dar sustentação ao sistema econômico e financeiro". Muitos economistas acreditam que a reação de Greenspan à queda da bolsa foi uma das principais razões para que houvesse tão pouca repercussão.

Da mesma forma, em 2008 e 2009, a queda de preços dos imóveis em todo o território norte-americano provocou o aumento violento no número de proprietários de imóveis com atraso no pagamento das hipotecas, e muitas instituições financeiras ficaram com problemas. Na tentativa de evitar que esses eventos tivessem repercussão econômica ainda maior, o Fed forneceu empréstimos a muitas instituições em dificuldades.

3. O *Term Auction Facility* (TAF) é um programa gerido pelo Fed para, mediante leilões, atuar em situações de pressão elevada nos mercados financeiros de curto prazo, atendendo instituições financeiras que disponham de garantias apropriadas. (NRT)

29_4B Como o Fed influencia a taxa de reserva

Além de influenciar a quantidade de reservas, o Fed altera a oferta de moeda ao influenciar a taxa de reserva e, assim, o multiplicador da moeda. O Fed pode influenciar a taxa de reserva ao regular a quantidade de reservas que os bancos devem manter ou por meio da taxa de juros com a qual remunera os bancos pelas suas reservas. Mais uma vez, vamos considerar cada um desses instrumentos da política monetária.

reservas exigidas regulamentação que diz respeito ao montante mínimo de reservas que os bancos devem manter sobre seus depósitos

Reservas exigidas[4] O Fed influencia a oferta de reserva por meio das **reservas exigidas**, que se referem à regulamentação sobre o montante mínimo de reservas que os bancos devem manter sobre seus depósitos. As reservas exigidas influenciam a quantidade de moeda que o sistema bancário pode criar a partir de cada dólar de reserva. Um aumento nas reservas exigidas significa que os bancos devem manter maiores reservas e, portanto, podem emprestar menos de cada dólar que é depositado. Como resultado, a taxa de reserva aumenta, o multiplicador da moeda diminui e a oferta de moeda cai. Inversamente, uma queda nas reservas exigidas reduz a taxa de reserva, aumenta o multiplicador da moeda e eleva a oferta de moeda.

O Fed usa as alterações nas reservas exigidas muito raramente, uma vez que mudanças frequentes desorganizariam a atividade bancária. Quando o Fed aumenta as reservas exigidas, por exemplo, alguns bancos podem se ver com falta de reservas, mesmo que não tenham sofrido nenhuma alteração de depósitos. Em consequência, precisam reduzir os empréstimos até que tenham elevado suas reservas ao novo nível exigido. Além do mais, nos últimos anos, esse instrumento, em particular, tornou-se menos eficaz, porque muitos bancos mantêm reservas em excesso (isto é, mais reservas que o exigido).

Pagamento de juros sobre as reservas Tradicionalmente, os bancos não ganham juros sobre as reservas que mantêm. Em outubro de 2008, contudo, o Fed começou a pagar *juros sobre as reservas*. Isto é, quando um banco mantêm as reservas sobre os depósitos no Fed, este agora paga os juros bancário sobre aqueles depósitos. Essa mudança deu ao Fed outra ferramenta para influenciar a economia, pois quanto mais alta for a taxa de juros sobre as reservas, mais reservas os bancos optarão por manter. Dessa forma, um aumento na taxa de juros sobre as reservas tenderá a aumentar a taxa de reserva, diminuir o multiplicador da moeda e diminuir a oferta de moeda.

29_4C Problemas com o controle da oferta de moeda

Os diversos instrumentos do Fed - operações no mercado aberto, empréstimo bancário, reservas exigidas e juros sobre as reservas - têm poderoso efeito sobre a oferta de moeda. Mas o controle que o Fed exerce sobre a oferta de moeda não é preciso. O FED é obrigado a lutar contra dois problemas que surgem, porque grande parte da oferta de moeda é criada pelo sistema bancário de reservas fracionárias.

O primeiro problema é que o Fed não controla a quantidade de moeda que as famílias decidem manter depositada nos bancos. Quanto mais moeda as famílias depositam, mais reservas os bancos têm e mais moeda o sistema bancário pode criar. E quanto menos moeda as famílias depositam, menos reservas os bancos têm e menos moeda o sistema bancário pode criar. Para ver por que isso é um problema, suponha que, um dia, as pessoas comecem a perder a confiança no sistema bancário e, por essa razão, decidam retirar seus depósitos e ficar com moeda corrente em seu poder. Quando isso acontecer, o sistema bancário perderá reservas e criará menos moeda. A oferta de moeda cairá, mesmo sem nenhuma ação do Fed.

O segundo problema do controle monetário é que o Fed não controla a quantidade que os bancos decidem emprestar. A partir do depósito de moeda em um banco, existe criação de mais moeda somente quando

4. Também conhecidas como *depósitos compulsórios* ou *reservas obrigatórias*. (NRT)

o banco concede empréstimos. Uma vez que os bancos podem optar por manter um excesso de reservas, o Fed pode não ter certeza de quanta moeda o sistema bancário vai criar. Por exemplo, suponha que, um dia, os bancos se tornem mais cautelosos em relação às condições da economia e decidam conceder menos empréstimos e manter reservas maiores. Nesse caso, o sistema bancário criará menos moeda que antes e, em razão da decisão dos bancos, a oferta de moeda cairá.

Assim, num sistema bancário de reservas fracionárias, a quantidade de moeda na economia depende, em parte, do comportamento dos depositantes e dos bancos. Como o Fed não pode controlar ou prever com precisão esse comportamento, não pode controlar perfeitamente a oferta de moeda. Mas se o Fed se mantiver vigilante, esses problemas não precisam ser grandes. O Fed coleta dados semanais sobre os depósitos e as reservas dos bancos, de modo que rapidamente fica a par de quaisquer mudanças no comportamento dos depositantes ou dos bancos, podendo, portanto, responder a essas alterações e manter a oferta de moeda próxima ao nível desejado.

29_4D A taxa de fundos federais

Ao ler sobre a política monetária dos Estados Unidos nos jornais, você encontrará muita discussão a respeito da taxa de fundos federais. Esse assunto levanta várias perguntas:

taxa de fundos federais
a taxa de juros que os bancos cobram por empréstimos realizados à noite entre eles

P: O que é a taxa de fundos federais?
R: A **taxa de fundos federais** é a taxa de juros no curto prazo que os bancos cobram por empréstimos realizados entre eles. Se um banco não tem reservas suficientes e outro tem excesso de reservas, o segundo pode emprestar ao primeiro. Esses empréstimos são temporários, geralmente durante a noite. O preço do empréstimo é a taxa de fundos federais.

P: Em que a taxa de fundos federais difere da taxa de redesconto?
R: A taxa de redesconto é a taxa de juros que os bancos pagam para tomar emprestado diretamente do Federal Reserve por meio da janela de desconto. Emprestar reservas de outros bancos nos mercados de fundos federais é uma alternativa para emprestar reservas do Fed, e, em geral, um banco com poucas reservas faz o que for mais barato. Na prática, a taxa de redesconto e a taxa de fundos federais andam lado a lado.

P: A taxa de fundos federais interessa apenas aos bancos?
R: De modo algum. Embora apenas os bancos façam empréstimos diretamente no mercado de fundos federais, o impacto econômico desse mercado é muito maior. Uma vez que as diferentes partes de um sistema financeiro estão altamente interligadas, as taxas de juros dos diferentes tipos de empréstimos também estão intimamente relacionadas entre si. Portanto, quando a taxa de fundos federais aumenta ou diminui, o mesmo acontece com as outras taxas de juros.

P: Qual é a relação entre o Federal Reserve e a taxa de fundos federais?
R: Nos últimos anos, o Federal Reserve estabeleceu uma meta para a taxa de fundos federais. Quando o Comitê Federal do Mercado Aberto (FOMC) se reúne, aproximadamente a cada seis semanas, decide se aumenta ou diminui a meta.

P: De que maneira o Fed consegue fazer que a taxa de fundos federais alcance a meta estabelecida?
R: Embora a taxa de fundos federais real seja estabelecida pela oferta e demanda de empréstimos entre os bancos, o Fed pode realizar operações no mercado aberto para influenciar esse mercado. Por exemplo, quando o Fed compra títulos no mercado aberto, injeta reservas no sistema bancário. Com mais reservas no sistema, um número menor de bancos precisa de empréstimos para satisfazer a reserva exigida. A queda na

demanda de reservas exigidas diminui o preço desses empréstimos, que é a taxa de fundos federais. No entanto, quando o Fed vende títulos e retira reservas do sistema bancário, um número maior de bancos fica sem reservas, o que aumenta o preço dos empréstimos de reservas. Desse modo, as compras realizadas no mercado aberto diminuem a taxa de fundos federais, enquanto as vendas aumentam essa taxa.

P: Essas operações no mercado aberto não afetam a oferta de moeda?
R: Certamente, afetam. Quando o Fed anuncia uma alteração na taxa de fundos federais, compromete-se com operações necessárias para realizar essas mudanças, e essas operações no mercado aberto alteram a oferta de moeda. As decisões tomadas pelo FOMC de alterar os valores da taxa de fundos federais também alteram a oferta monetária. São dois lados da mesma moeda. Ou seja, tudo o mais mantido constante, a diminuição do valor da taxa de fundos federais significa que há expansão na oferta de moeda, e o aumento do valor da taxa de fundos federais indica que há retração na oferta de moeda.

Teste rápido Se o Fed quisesse usar todas as suas ferramentas de política para diminuir a oferta monetária, o que faria?

29_5 CONCLUSÃO

Alguns anos atrás, um livro intitulado *Secrets of the temple: how the Federal Reserve runs the country* [*Segredos do templo: como o Federal Reserve administra o país*] fez parte da lista de *bestsellers*. Um exagero, sem dúvida, mas este título destacou o importante papel do sistema monetário em nossa vida. Sempre que compramos ou vendemos alguma coisa, confiamos na convenção social extraordinariamente útil denominada "moeda". Agora que sabemos o que é a moeda e o que determina sua oferta, podemos discutir como as variações na quantidade de moeda afetam a economia. Começaremos a tratar desse assunto no próximo capítulo.

Teste rápido do capítulo

1. A oferta de moeda inclui todas as alternativas a seguir, EXCETO:
a. Moedas de metal.
b. Papel-moeda.
c. Linhas de crédito acessíveis com cartões de crédito.
d. Saldos bancários acessíveis com cartões de débito.

2. Chloe tira uma nota de $ 100 da carteira e a deposita em sua conta corrente. Se o banco adicionar os $ 100 às reservas, a oferta de moeda ________, mas se o banco emprestar parte dos $ 100, a oferta de moeda ________.
a. Aumenta, aumenta ainda mais.
b. Aumenta, aumenta menos.
c. Não muda, aumenta.
d. Diminui, diminui menos.

3. Se a taxa de reserva for ¼ e o banco central aumentar a quantidade de reservas do sistema bancário em $ 120, a oferta de moeda aumentará:
a. $ 90
b. $ 150
c. $ 160
d. $ 480

4. Um banco tem capital de $ 200 e um grau de alavancagem de 5. Se o valor dos ativos do banco cair 10%, o capital será reduzido para:
a. $ 100
b. $ 150
c. $ 180
d. $ 185

5. Qual das seguintes ações do Fed reduziria a oferta de moeda?
a. Uma compra de títulos do governo no mercado aberto.
b. Uma redução nos depósitos compulsórios dos bancos.
c. Um aumento da taxa de juros paga sobre as reservas.
d. Uma queda na taxa de redesconto nos empréstimos do Fed.

6. Em um sistema bancário de reservas fracionárias, mesmo sem nenhuma ação do banco central, a oferta de moeda declinará se as famílias optarem por manter ________ dinheiro ou se os bancos decidirem manter ________ reservas em excesso.
a. Mais, mais.
b. Mais, menos.
c. Menos, mais.
d. Menos, menos.

RESUMO

- O termo *moeda* refere-se a ativos que as pessoas usam regularmente para comprar bens e serviços.
- A moeda tem três funções. Como meio de troca, é o item usado para realizar transações. Como unidade de conta, proporciona uma maneira pela qual preços e outros valores econômicos são registrados. Como reserva de valor, proporciona uma maneira de transferir poder de compra do presente para o futuro.
- A moeda-mercadoria, como o ouro, é a moeda que tem valor intrínseco: teria valor mesmo se não fosse usada como moeda. A moeda de curso forçado, como os dólares de papel, é a moeda sem valor intrínseco: não teria valor se não fosse usada como moeda.
- Na economia dos Estados Unidos, a moeda toma a forma de moeda corrente e de diversos tipos de depósitos bancários, como os depósitos à vista.
- O Federal Reserve, o banco central dos Estados Unidos, é responsável pela regulamentação do sistema monetário norte-americano. O presidente do Fed é nomeado pelo presidente dos Estados Unidos e confirmado pelo Congresso a cada quatro anos. O presidente é o principal membro do Comitê Federal do Mercado Aberto, que se reúne a cada seis semanas para tratar de mudanças na política monetária.
- Os depositantes bancários fornecem recursos aos bancos ao depositar seus fundos em contas bancárias. Esses depósitos são parte dos passivos do banco. Os proprietários dos bancos também fornecem recursos (chamados capital bancário) para o banco. Por causa da alavancagem (o uso dos fundos emprestados para investimento), uma pequena mudança no valor dos ativos de um banco pode levar a uma grande mudança no montante do capital do banco. Para proteger os depositantes, os reguladores bancários exigem que os bancos mantenham certa quantia mínima de capital.
- O Fed controla a oferta de moeda principalmente por meio das operações do mercado aberto: a compra de títulos do governo aumenta a oferta de moeda, e a venda de títulos do governo reduz a oferta de moeda. O Fed também usa outros instrumentos para controlar a oferta da moeda. Ele pode expandir a oferta de moeda diminuindo a taxa de redesconto, aumentando os empréstimos aos bancos, reduzindo as reservas exigidas ou diminuindo a taxa de juros sobre as reservas. Ele também pode contrair a oferta de moeda aumentando a taxa de redesconto, diminuindo os empréstimo aos bancos, elevando as reservas exigidas ou aumentando a taxa de juros sobre as reservas.
- Quando os bancos emprestam parte de seus depósitos, eles aumentam a quantidade de moeda na economia. Por causa dessa influência na determinação da oferta de moeda, o controle que o Fed exerce sobre a oferta de moeda é imperfeito.
- Nos últimos anos, o Federal Reserve estabeleceu políticas monetárias escolhendo uma meta para a taxa dos fundos federais, ou seja, uma taxa de juros de curto prazo utilizada nos empréstimos entre os bancos. À medida que o Fed alcança seu objetivo, ele ajusta a oferta monetária.

CONCEITOS-CHAVE

moeda, p. 485
meio de troca, p. 485
unidade de conta, p. 485
reserva de valor, p. 485
liquidez, p. 486
moeda-mercadoria, p. 486
moeda de curso forçado, p. 486
moeda corrente, p. 487
depósitos à vista, p. 487
Federal Reserve (Fed), p. 488
banco central, p. 488
oferta de moeda, p. 489
política monetária, p. 489
reservas, p. 490
sistema de reservas fracionárias, p. 491
razão de reserva, p. 491
multiplicador da moeda, p. 493
capital bancário, p. 493

alavancagem, p. 494
grau de alavancagem, p. 494
exigência de capital, p. 494
operações no mercado aberto, p. 495
taxa de redesconto, p. 496
reservas exigidas, p. 497
taxa de fundos federais, p. 498

QUESTÕES PARA REVISÃO

1. O que distingue a moeda de outros ativos da economia?
2. O que é moeda-mercadoria? O que é moeda de curso forçado? Que tipo de moeda usamos?
3. O que são depósitos à vista e por que devem ser incluídos no estoque de moeda?
4. Quem é responsável pelos rumos da política monetária nos Estados Unidos? Como esse grupo é escolhido?
5. Se o Fed quiser aumentar a oferta de moeda por meio de operações no mercado aberto, o que terá de fazer?
6. Por que os bancos não mantêm reservas de 100%? Como a quantidade de reservas mantidas pelos bancos se relaciona com a quantidade de moeda que o sistema bancário cria?
7. O Banco A tem um grau de alavancagem de 10, enquanto o Banco B tem um grau de alavancagem de 20. Perdas semelhantes sobre os empréstimos bancários nos dois bancos fazem o valor de seus ativos cair 7%. Qual banco mostra uma maior mudança no capital bancário? Algum desses bancos permanece solvente? Explique.
8. O que é taxa de redesconto? O que acontece com a oferta de moeda quando o Fed aumenta a taxa de redesconto?
9. O que são reservas exigidas? O que acontece com a oferta de moeda quando o Fed aumenta as reservas exigidas?
10. Por que o Fed não consegue controlar a oferta monetária perfeitamente?

PROBLEMAS E APLICAÇÕES

1. Quais dos itens a seguir são moeda na economia norte-americana? Quais não são? Explique suas respostas abordando cada uma das três funções da moeda.
   a. Um centavo de dólar.
   b. Um peso mexicano.
   c. Uma pintura de Picasso.
   d. Um cartão de crédito.

2. Explique se cada um dos seguintes eventos a seguir aumenta ou diminui a oferta de moeda.
   a. O Fed compra títulos em operações no mercado aberto.
   b. O Fed reduz as exigências de reserva.
   c. O Fed aumenta a taxa de juros que paga sobre as reservas.
   d. O Citibank paga um empréstimo que tinha tomado do Fed.
   e. Dado o aumento de furtos, as pessoas decidem andar com menos dinheiro no bolso.
   f. Temendo uma corrida aos bancos, os banqueiros decidem manter mais excesso de reservas.
   g. O FOMC aumenta sua meta para a taxa de fundos federal.

3. Seu tio liquidou um empréstimo de $ 100 do Décimo Banco Nacional com um cheque de $ 100 sobre seus depósitos em conta corrente mantida no mesmo banco. Use contas-T para demonstrar o efeito dessa transação sobre o seu tio e sobre o banco. A riqueza de seu tio mudou? Explique.

4. O Beleaguered State Bank (BSB) mantém $ 250 milhões em depósitos e uma taxa de reserva de 10%.
   a. Mostre a conta-T para o BSB.
   b. Agora, suponha que o maior depositante do banco retire $ 10 milhões em dinheiro de sua conta. Mostre a nova conta-T do BSB, caso ele decida restaurar sua taxa de reserva reduzindo a quantidade de empréstimos concedidos.
   c. Explique o efeito que a ação do BSB terá sobre os demais bancos.

d. O que poderia dificultar a ação do BSB descrita em (b)? Aponte outro meio pelo qual o BSB poderia voltar à sua razão de reserva original.

5. Você pega $ 100 que havia escondido debaixo do colchão e os deposita em sua conta corrente. Se esses $ 100 ficarem no sistema bancário como reservas e se os bancos mantiverem reservas iguais a 10% dos depósitos, em quanto aumentará o total de depósitos no sistema bancário? Em quanto a oferta de moeda aumenta?

6. O Happy Bank começa com $ 200 de capital bancário. Então recebe $ 800 em depósitos. Mantém 12,5% (1/8) dos depósitos na reserva. Utiliza o restante de seus ativos para fazer empréstimos bancários.
   a. Mostre o balanço do Happy Bank.
   b. Qual é o grau de alavancagem do Happy Bank?
   c. Suponha que 10% dos tomadores de empréstimos do Happy Bank fiquem inadimplentes e esses empréstimos bancários tornem-se incobráveis. Mostre o novo balanço do banco.
   d. Em que porcentagem os ativos totais caem? Em que porcentagem o capital do banco cai? Qual das duas variações é maior? Por quê?

7. O Federal Reserve compra $ 10 milhões em títulos do governo no mercado aberto. Se a taxa de reservas exigidas é de 10%, qual é o maior aumento possível na oferta de moeda que poderia resultar? Explique. Qual é o menor aumento possível? Explique.

8. Suponha que a reserva exigida seja de 5%. Todos os demais fatores mantidos constantes, a oferta de moeda se expandirá mais se o Fed comprar $ 2.000 em títulos ou se alguém depositar em um banco esse mesmo valor que tinha guardado em casa? Se uma opção render mais que a outra, qual será o rendimento? Explique.

9. Suponha que a reserva exigida sobre os depósitos em conta corrente seja de 10% e que os bancos não mantenham excesso de reservas.
   a. Se o Fed vender $ 1 milhão em títulos do governo, qual será o efeito sobre as reservas e sobre a oferta de moeda da economia?
   b. Suponha, agora, que o Fed reduza as reservas exigidas para 5%, mas os bancos decidam manter mais 5% dos depósitos como excesso de reservas. Por que os bancos fariam isso? Qual seria a variação total do multiplicador da moeda e da oferta de moeda por causa dessas ações?

10. Suponha que o sistema bancário tenha um total de $ 100 bilhões em reservas. Suponha também que as reservas exigidas sejam de 10% sobre os depósitos em conta corrente, que os bancos não tenham reservas em excesso e que as famílias não tenham moeda corrente em seu poder.
   a. Qual é o multiplicador da moeda? Qual é a oferta de moeda?
   b. Se o Fed elevar as reservas exigidas para 20% dos depósitos, qual será a variação nas reservas e na oferta de moeda?

11. Suponha que a reserva exigida seja de 20%. Suponha também que os bancos não mantenham excesso de reservas e que não haja moeda em poder do público. O Fed decide expandir a oferta de moeda em $ 40 milhões de dólares.
   a. Se o Fed fizer operações no mercado aberto, comprará ou venderá títulos?
   b. Que quantidade de títulos será preciso comprar ou vender para alcançar o objetivo? Explique.

12. A economia de Elmendyn tem 2 mil notas de $ 1.
   a. Se a população mantiver todo o dinheiro como moeda corrente, qual será a quantidade de moeda existente em Elmendyn?
   b. Se as pessoas mantiverem todo o dinheiro como depósitos à vista e os bancos mantiverem reservas de 100%, qual será a quantidade de moeda existente em Elmendyn?
   c. Se as pessoas mantiverem quantidades iguais de moeda corrente e de depósitos à vista e os bancos mantiverem reservas de 100%, qual será a quantidade de moeda existente em Elmendyn?

d. Se as pessoas mantiverem todo o dinheiro como depósitos à vista e os bancos mantiverem a taxa de reserva de 10%, qual será a quantidade de moeda existente em Elmendyn?

e. Se as pessoas mantiverem quantidades iguais de moeda corrente e depósitos à vista e os bancos mantiverem a taxa de reserva de 10%, qual será a quantidade de moeda existente em Elmendyn?

CAPÍTULO 30

Crescimento da moeda e inflação

Nos dias de hoje, se você quiser comprar um sorvete de casquinha precisará de alguns dólares, mas nem sempre foi assim. Na década de 1930, minha avó tinha uma loja de doces, na cidade de Trenton, em New Jersey, e vendia sorvetes em dois tamanhos. Um sorvete de casquinha pequeno custava três *cents*. Clientes mais esfomeados podiam comprar um sorvete de casquinha grande por cinco *cents*.

Você, provavelmente, não está surpreso com o aumento do preço dos sorvetes. Em nossa economia, os preços tendem a aumentar com o passar do tempo. Esse aumento do nível geral de preços é chamado *inflação*. Já vimos em um capítulo anterior como os economistas medem a taxa de inflação: pela variação percentual no índice de preços ao consumidor, pelo deflator do PIB ou por qualquer outro índice do nível geral de preços. Esses índices de preços mostram que, nos últimos 80 anos, os preços subiram, em média, 3,6% ao ano. Acumulada ao longo de muitos anos, uma inflação de 3,6% ao ano levou a um aumento de 17 vezes no nível de preços.

A inflação pode parecer natural e inevitável para alguém que tenha crescido nos Estados Unidos durante as décadas mais recentes, mas, na verdade, não é algo inevitável. No século XIX, houve longos períodos durante os quais a maioria dos preços caiu - um fenômeno chamado *deflação*. O nível médio dos preços da economia norte-americana foi 23% menor em 1896 que em 1880, e essa deflação foi assunto de grande importância na eleição presidencial de 1896. Os fazendeiros, que haviam acumulado grandes dívidas, sofreram quando a queda dos preços de suas colheitas reduziu suas rendas e, com isso, sua capacidade de pagar dívidas. Eles defendiam políticas governamentais que tivessem por objetivo reverter a deflação.

Embora a inflação tenha sido a regra durante a história recente, tem havido uma variação substancial na taxa de aumento dos preços. De 2005 a 2015, os preços subiram a uma taxa média de 1,2% ao ano. Já durante os anos 1970, subiram 7,8% ao ano, o que implicou duplicação do nível de preços durante a década. O público costuma considerar essas taxas tão elevadas de inflação como um grande problema econômico. De fato, quando o presidente Jimmy Carter concorreu à reeleição, em 1980, o desafiante Ronald Reagan apontou a inflação elevada como uma das falhas da política econômica de Carter.

Dados internacionais mostram uma extensão ainda mais ampla de experiências inflacionárias. Em 2015, enquanto a taxa de inflação nos Estados Unidos era de apenas 0,1%, a inflação era de 1,5% na China, 4,9% na Índia, 15% na Rússia e 84% na Venezuela. Mesmo as altas taxas na Rússia e na Venezuela são moderadas por certos padrões. Em fevereiro de 2008, o banco central do Zimbábue anunciou que a taxa de inflação havia alcançado 24.000%, enquanto estimativas independentes anunciavam números ainda maiores. Uma taxa de inflação tão alta é chamada de *hiperinflação*.

O que determina se uma economia apresentará inflação e, em caso positivo, de quanto? Este capítulo responde a essa pergunta desenvolvendo a *teoria quantitativa da moeda*. O Capítulo 1 resume essa teoria como um dos *Dez Princípios de Economia*: os preços aumentam quando o governo emite moeda demais.

Essa ideia tem uma longa e venerável tradição entre os economistas. A teoria quantitativa foi discutida pelo famoso filósofo e economista do século XVIII, David Hume, e, mais recentemente, defendida pelo proeminente economista Milton Friedman. Essa teoria da inflação pode explicar inflações moderadas, como aquelas ocorridas nos Estados Unidos, e também hiperinflações.

Após desenvolvermos a teoria da inflação, abordaremos uma questão correlata: por que a inflação é um problema? À primeira vista, a resposta pode parecer óbvia: a inflação é um problema porque as pessoas não gostam dela. Nos anos 1970, quando os Estados Unidos apresentavam taxas de inflação relativamente altas, as pesquisas de opinião colocavam a inflação como o maior problema enfrentado pela nação. O presidente Ford refletiu esse sentimento em 1974, quando chamou a inflação de "inimigo público número 1". Ford usava na lapela um bóton em que se lia "WIN" - *Whip inflation now* (Acabar com a inflação já).

Mas quais são, exatamente, os custos que a inflação impõe a uma sociedade? A resposta pode surpreendê-lo. Identificar os diversos custos da inflação não é tão simples e direto quanto pode parecer à primeira vista. Como resultado, embora a maioria dos economistas condene a hiperinflação, alguns deles afirmam que os custos de uma inflação moderada não são tão elevados quanto o público em geral acredita.

30_1 A TEORIA CLÁSSICA DA INFLAÇÃO

Vamos começar nosso estudo da inflação desenvolvendo a teoria quantitativa da moeda. Essa teoria é muitas vezes chamada "teoria clássica", porque foi desenvolvida por alguns dos primeiros pensadores da economia. A maioria dos economistas a utiliza para explicar os determinantes de longo prazo do nível de preços e da taxa de inflação.

30_1A O nível de preços e o valor da moeda

Vamos supor que, ao longo de determinado período, observamos o preço de um sorvete de casquinha aumentar de 5 *cents* para um dólar. Que conclusão poderíamos tirar do fato de que as pessoas estão dispostas a dar muito mais dinheiro em troca de um sorvete? É possível que as pessoas estejam gostando mais de sorvete (talvez porque algum químico tenha desenvolvido um novo e maravilhoso sabor). Mas, provavelmente, não é esse o caso. O mais provável é que as pessoas continuem apreciando o sorvete da mesma forma e que, com o passar do tempo, a moeda usada para comprá-lo tenha se tornado menos valiosa. De fato, o primeiro entendimento sobre a inflação é de que ela tem mais a ver com o valor da moeda que com o valor dos bens.

Esse entendimento nos ajuda a apontar um caminho em direção à teoria da inflação. Quando o índice de preços ao consumidor e outras medidas do nível de preços aumentam, os analistas, muitas vezes, sentem-se tentados a olhar os muitos preços individuais que compõem esses índices de preços: "o IPC aumentou 3% no mês passado, influenciado por um aumento de 20% no preço do café e um aumento de 30% no preço do óleo para aquecimento". Embora essa abordagem contenha algumas informações interessantes sobre o que está acontecendo na economia, deixa passar um ponto-chave: a inflação é um fenômeno amplo da economia que diz respeito, em primeiro lugar, ao valor do meio de troca da economia.

O nível geral de preços da economia pode ser visto de duas maneiras. Até agora, olhamos o nível de preços como o preço de uma cesta de bens e serviços. Quando o nível de preços aumenta, as pessoas precisam pagar mais pelos bens e serviços que compram. Alternativamente, podemos ver o nível de preços como uma medida do valor da moeda. Um aumento no nível de preços significa uma redução no valor da moeda, porque cada dólar que você tem na carteira compra uma quantidade menor de bens e serviços.

Pode ser útil expressar matematicamente essas ideias. Suponha que P seja o nível de preços medido, por exemplo, pelo índice de preços ao consumidor ou pelo deflator do PIB. Então, P mede o número de dólares necessário para comprar uma cesta de bens e serviços. Agora, vamos inverter essa ideia: a quantidade de bens e serviços que pode ser comprada com \$ 1 é igual a $1/P$. Em outras palavras, se P é o preço dos bens e serviços medido em termos de moeda, $1/P$ é o valor da moeda medido em termos de bens e serviços.

Essa matemática é a mais simples de entender em uma economia que produz apenas um único bem, digamos, casquinhas de sorvete. Nesse caso, P seria o preço de uma casquinha. Quando o preço de uma casquinha (P) é \$ 2, o valor de um dólar ($1/P$) equivale à metade da casquinha. Quando o preço (P) sobe para \$ 3, o valor de um dólar ($1/P$) cai para um terço de uma casquinha. A economia real produz milhares de bens e serviços, portanto, podemos usar um índice de preço em vez do preço de um único bem. Mas a lógica permanece a mesma: quando o nível geral de preços sobe, o valor da moeda diminui.

30_1B Oferta de moeda, demanda de moeda e equilíbrio monetário

O que determina o valor da moeda? A resposta a esta questão, como a muitas questões em economia, está na oferta e na demanda. Assim como a oferta e a demanda de bananas determinam o preço das bananas, a oferta e a demanda de moeda determinam o valor da moeda. Assim, nosso próximo passo no desenvolvimento da teoria quantitativa da moeda será considerar os determinantes da oferta e da demanda de moeda.

Vamos considerar, primeiro, a oferta de moeda. No capítulo anterior, discutimos como o Federal Reserve, com o sistema bancário, determina a oferta de moeda. Quando o Fed vende títulos em operações de mercado aberto, recebe dólares em troca e contrai a oferta de moeda. Quando o Fed compra títulos do governo, paga com dólares e expande a oferta de moeda. Além disso, se quaisquer desses dólares forem depositados nos bancos, que mantêm uma parte como reservas e emprestam o restante, o multiplicador da moeda entrará em ação, e as operações de mercado aberto poderão ter um efeito ainda maior sobre a oferta de moeda. Tendo em vista nossos objetivos neste capítulo, vamos ignorar as complicações introduzidas pelo sistema bancário e simplesmente tomar a quantidade de moeda ofertada como uma variável de política controlada pelo Fed.

Consideremos, agora, a demanda de moeda. Em seu aspecto mais fundamental, a demanda de moeda reflete quanta riqueza as pessoas desejam manter na forma líquida. Há muitos fatores que influenciam a quantidade de moeda demandada. A quantidade de moeda corrente que as pessoas mantêm na carteira, por exemplo, depende do seu grau de confiança em cartões de crédito e da facilidade de encontrar um caixa eletrônico. E, como veremos no Capítulo 34, a quantidade de moeda demandada depende da taxa de juros que as pessoas podem obter usando a moeda para comprar títulos em vez de deixá-la na carteira ou em uma conta corrente que pague juros baixos.

Embora a demanda de moeda seja afetada por muitas variáveis, uma delas é de especial importância: o nível médio dos preços na economia. As pessoas retêm moeda porque ela é um meio de troca. Ao contrário dos demais ativos, como títulos ou ações, as pessoas podem usar moeda para comprar os bens e serviços de sua lista de compras. A quantidade de moeda que decidirão manter para esse fim depende dos preços dos bens e serviços. Quanto mais elevados forem os preços, mais moeda será exigida em uma transação típica e mais moeda as pessoas decidirão manter em suas carteiras e contas correntes. Ou seja, um elevado nível de preços (um baixo valor da moeda) aumenta a quantidade de moeda demandada.

O que garante que a quantidade de moeda que o Fed oferta seja igual à quantidade de moeda que as pessoas demandam? A resposta depende do horizonte de tempo a ser considerado. Mais adiante, examinaremos a resposta em relação ao curto prazo e veremos que a taxa de juros desempenha um papel-chave. No longo prazo, contudo, a resposta é diferente e muito mais simples. *No longo prazo, o nível geral dos preços se ajusta para o nível em que a demanda de moeda seja igual à oferta de moeda.* Se o nível de preços estiver acima do nível de equilíbrio, as pessoas desejarão ter mais moeda do que o Fed criou, de modo que o nível de preços deve cair para equilibrar a oferta e a demanda de moeda. Se o nível de preços estiver abaixo do nível de equilíbrio, as pessoas desejarão manter menos moeda que a criada pelo Fed, e o nível de preços deve aumentar até equilibrar a oferta e a demanda de moeda. No nível de preços de equilíbrio, a quantidade de moeda que as pessoas desejam manter é exatamente igual à quantidade de moeda ofertada pelo Fed.

A Figura 1 ilustra essas ideias. O eixo horizontal do gráfico mostra a quantidade de moeda. O eixo vertical à esquerda mostra o valor da moeda $1/P$, e o eixo vertical à direita, o nível de preços P. Observe que o eixo do

Figura 1
Como a oferta e a demanda de moeda determinam o nível dos preços de equilíbrio

O eixo horizontal mostra a quantidade de moeda. O eixo vertical da esquerda mostra o valor da moeda, e o eixo vertical da direita, o nível de preços. A curva de oferta de moeda é vertical, porque a quantidade de moeda ofertada é fixada pelo Fed. A curva de demanda de moeda tem inclinação negativa, porque as pessoas desejam manter em mãos maior quantidade de moeda quando cada dólar compra menos. No equilíbrio, ponto A, o valor da moeda (no eixo da esquerda) e o nível de preços (no eixo da direita) ajustaram-se para trazer a quantidade de moeda ofertada e a quantidade de moeda demandada para o equilíbrio.

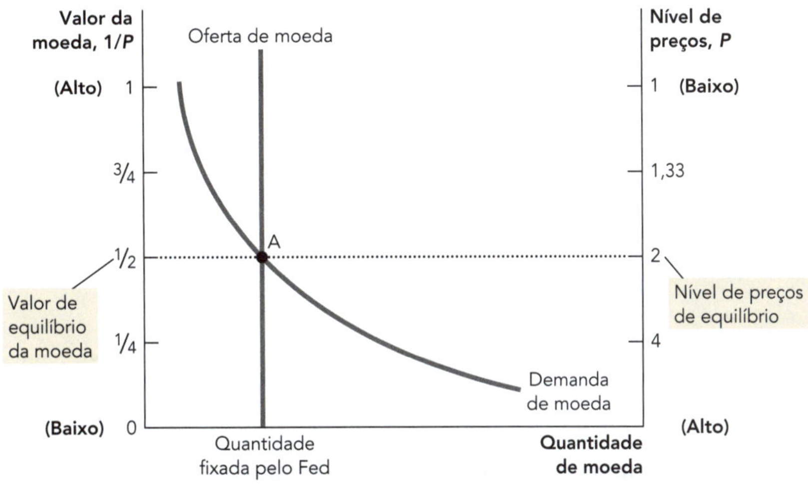

nível de preços, à direita, está invertido: um baixo nível de preços é mostrado próximo ao topo do eixo e um nível de preços elevado aparece próximo à sua parte inferior. Esse eixo invertido mostra que, quando o valor da moeda é alto (como mostrado próximo ao topo do eixo esquerdo), o nível de preços é baixo (próximo ao topo do eixo direito).

As duas curvas da figura são as curvas de oferta e demanda de moeda. A curva de oferta é vertical porque o Fed fixou a quantidade de moeda disponível. A curva de demanda de moeda tem inclinação negativa, indicando que, quando o valor da moeda é baixo (e o nível de preços é alto), as pessoas demandam uma maior quantidade de moeda para comprar bens e serviços. No equilíbrio, mostrado na figura como ponto A, a quantidade de moeda demandada é igual à quantidade de moeda ofertada. Esse equilíbrio da oferta e da demanda de moeda determina o valor da moeda e o nível de preços.

30_1C Os efeitos de uma injeção de moeda

Vamos, agora, considerar os efeitos de uma alteração na política monetária. Para tanto, imagine que a economia esteja em equilíbrio e que, subitamente, o Fed dobre a oferta de moeda, emitindo algumas notas de dólares e despejando-as de helicóptero por todo o país (ou, de maneira menos dramática e mais realista, o Fed poderia injetar moeda na economia, comprando alguns títulos do governo que estão em mãos do público, em operações de mercado aberto). O que acontece após tal injeção monetária? Como o novo equilíbrio se compara com o antigo?

A Figura 2 mostra o que acontece. A injeção monetária desloca a curva de oferta para a direita, de OM_1 para OM_2, e o equilíbrio se move do ponto A para o ponto B. Como resultado, o valor da moeda (mostrado no eixo da esquerda) diminui de ½ para ¼, e o nível de preços de equilíbrio (mostrado no eixo da direita) aumenta de 2 para 4. Em outras palavras, quando um aumento na oferta de moeda torna os dólares mais abundantes, o resultado é um aumento no nível de preços que diminui o valor de cada dólar.

Essa explicação de como o nível de preços é determinado e por que ele pode mudar com o passar do tempo se chama **teoria quantitativa da moeda**, de acordo com a qual a quantidade de moeda disponível na

Figura 2

Um aumento na oferta de moeda

Quando o Fed aumenta a oferta de moeda, a curva de oferta de moeda desloca-se de OM_1 para OM_2. O valor da moeda (no eixo esquerdo) e o nível do preço (no eixo direito) ajustam-se para trazer a oferta e a demanda de volta ao equilíbrio. O equilíbrio move-se do ponto A para o ponto B. Com isso, quando um aumento na oferta de moeda torna os dólares mais abundantes, o nível de preços aumenta, tornando cada dólar menos valioso.

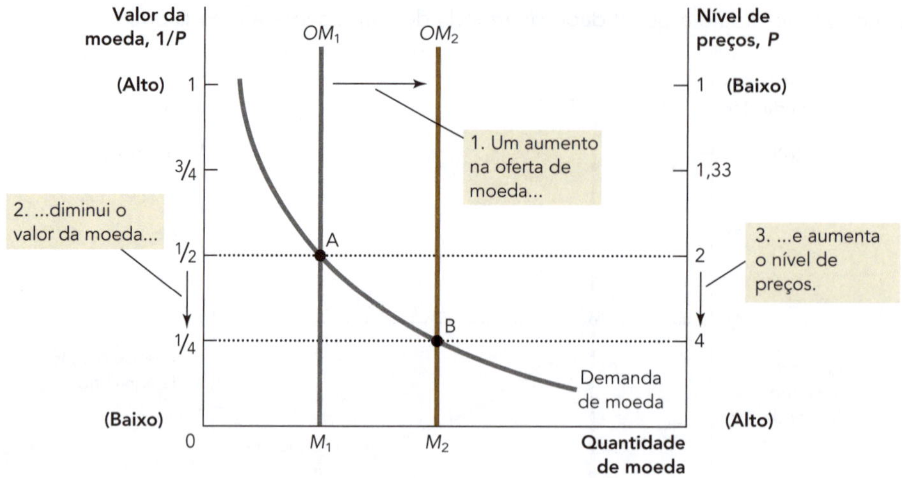

economia determina o valor da moeda, e o crescimento da quantidade de moeda é a principal causa da inflação. Como disse uma vez o economista Milton Friedman, "a inflação é sempre e em todo lugar um fenômeno monetário".

30_1D Um breve olhar sobre o processo de ajuste

Até agora, comparamos o antigo equilíbrio com o novo equilíbrio após uma injeção de moeda. De que maneira a economia vai do antigo para o novo equilíbrio? Uma resposta completa a essa questão exige um entendimento das flutuações de curto prazo da economia, que examinaremos mais adiante. Aqui, analisaremos brevemente o processo de ajustamento que ocorre depois de uma alteração na oferta de moeda.

O efeito imediato de uma injeção de moeda é criar um excesso de oferta de moeda. Antes da injeção, a economia estava em equilíbrio (ponto A da Figura 2). No nível de preços vigente, as pessoas têm exatamente a quantidade de moeda que desejam. Mas depois que o helicóptero jogou a nova moeda e as pessoas a recolheram das ruas, elas têm mais dólares do que desejam na carteira. No nível de preços vigente, a quantidade de moeda ofertada agora excede a quantidade de moeda demandada.

As pessoas tentam se livrar desse excesso de oferta de moeda de várias maneiras. Elas podem usá-lo para comprar bens e serviços ou podem usar esse dinheiro excedente para conceder empréstimos a outros, comprando títulos ou depositando esse excesso de moeda em contas de poupança. Esses empréstimos permitem que outras pessoas comprem bens e serviços. Em qualquer caso, a injeção de moeda aumenta a demanda por bens e serviços.

teoria quantitativa da moeda
teoria segundo a qual a quantidade de moeda disponível determina o nível de preços e a que taxa de crescimento na quantidade de moeda disponível determina a taxa de inflação

A capacidade que a economia tem de ofertar bens e serviços, contudo, não foi alterada. Como vimos no capítulo sobre produção e crescimento, a produção de bens e serviços da economia é determinada pela disponibilidade de trabalho, capital físico, capital humano, recursos naturais e conhecimento tecnológico. Nenhum deles é alterado com a injeção de moeda.

Portanto, a maior demanda por bens e serviços faz os preços dos bens e serviços aumentarem. O aumento no nível de preços, por sua vez, eleva a quantidade de moeda demandada, porque as pessoas necessitam de mais dólares para cada transação.

Por fim, a economia atinge um novo equilíbrio (ponto B da Figura 2), em que, novamente, a quantidade de moeda demandada é igual à quantidade de moeda ofertada. Dessa forma, o nível geral de preços dos bens e serviços ajusta-se para trazer a oferta e a demanda de moeda para o equilíbrio.

30_1E A dicotomia clássica e a neutralidade monetária

Vimos como as alterações na oferta de moeda levam a mudanças no nível geral de preços de bens e serviços. De que forma essas alterações monetárias afetam outras variáveis, como produção, emprego, salários reais e taxas de juros reais? Essa questão há muito tem intrigado os economistas, inclusive David Hume, no século XVIII.

variáveis nominais
variáveis medidas em unidades monetárias

variáveis reais
variáveis medidas em unidades físicas

dicotomia clássica
a separação teórica entre variáveis nominais e variáveis reais

Hume e seus contemporâneos sugeriram que todas as variáveis econômicas devem ser divididas em dois grupos. O primeiro grupo consiste em **variáveis nominais** - variáveis medidas em unidades monetárias; o segundo grupo, em **variáveis reais** - variáveis medidas em unidades físicas. Por exemplo, a renda dos produtores de milho é uma variável nominal, porque é medida em dólares, ao passo que a quantidade de milho que eles produzem é uma variável real, porque é medida em sacas. O PIB nominal é uma variável nominal, porque mede o valor em dólares da produção de bens e serviços da economia; o PIB real é uma variável real, porque mede a quantidade total de bens e serviços produzidos na economia e não é influenciado pelos preços correntes desses bens e serviços. Essa separação das variáveis em grupos é denominada, hoje, **dicotomia clássica** (*dicotomia*, porque é uma divisão em dois grupos, e *clássica*, porque se refere aos primeiros pensadores econômicos).

A aplicação da dicotomia clássica é um pouco complicada quando nos voltamos para os preços. Os preços na economia são normalmente cotados em termos de moeda e, portanto, são variáveis nominais. Por exemplo, quando dizemos que o preço do milho é de $ 2 por saca ou que o preço do trigo é de $ 1 por saca, os dois preços são variáveis nominais. Mas o que dizer quanto aos preços *relativos* - o preço de uma coisa comparado ao preço de outra? Em nosso exemplo, poderíamos dizer que o preço de uma saca de milho são duas sacas de trigo. Observe que o preço relativo não mais é medido em termos de moeda. Quando comparamos os preços de dois bens quaisquer, os sinais de dólar se cancelam e o número resultante é medido em unidades físicas. A lição é que os preços em dólar são variáveis nominais, ao passo que os preços relativos são variáveis reais.

Essa lição traz diversas implicações importantes. Por exemplo, o salário real (o salário em dólar corrigido pela inflação) é uma variável real, porque mede a taxa pela qual a economia troca bens e serviços por cada unidade de trabalho. De forma similar, a taxa de juros real (a taxa de juros nominal corrigida pela inflação) é uma variável real, porque mede a taxa pela qual a economia troca bens e serviços produzidos hoje por bens e serviços produzidos no futuro.

Por que nos darmos ao trabalho de dividir as variáveis nesses dois grupos? A dicotomia clássica é útil para analisar a economia, porque forças diferentes influenciam as variáveis reais e nominais. De acordo com a análise clássica, as variáveis nominais são influenciadas por acontecimentos ocorridos no sistema monetário da economia, ao passo que o sistema monetário é, em grande medida, irrelevante para explicar as variáveis reais.

Essa ideia estava implícita em nossas discussões anteriores sobre economia real no longo prazo. Nos capítulos anteriores, examinamos como o PIB real, a poupança, o investimento, as taxas de juros reais e o desemprego são determinados sem nenhuma menção à existência da moeda. Como explicamos nessa análise, a produção de bens e serviços da economia depende da produtividade e da oferta de fatores, a taxa de juros real se ajusta para equilibrar a oferta e a demanda por fundos para empréstimos, o salário real se ajusta para equilibrar a oferta e a demanda de mão de obra, e o desemprego surge quando o salário real, por alguma razão, se mantém acima do nível de equilíbrio. Essas importantes conclusões não têm nada a ver com a quantidade de moeda ofertada.

neutralidade monetária
a proposição de que alterações na oferta de moeda não afetam as variáveis reais

As alterações na oferta de moeda, segundo a análise clássica, afetam as variáveis nominais, mas não as reais. Quando o banco central dobra a oferta de moeda, o nível de preços dobra, o salário em dólares dobra e todos os demais valores em dólar dobram. As variáveis reais, como produção, emprego, salário real e taxa de juros real, mantêm-se inalteradas. Essa irrelevância das alterações monetárias para as variáveis reais é chamada **neutralidade monetária**.

Uma analogia ajuda a esclarecer o significado da neutralidade monetária. Lembre-se de que, como unidade de conta, a moeda é o padrão de medida que usamos para medir as transações econômicas. Quando um banco central dobra a oferta de moeda, todos os preços dobram e o valor da unidade de conta cai pela metade. Uma mudança semelhante aconteceria se o governo reduzisse o comprimento do quilômetro de 1 km = 1.000 metros para 1 km = 500 metros: por causa da nova unidade de medida, todas as distâncias *medidas* (variáveis nominais) dobrariam, mas as distâncias *efetivas* (variáveis reais) se manteriam idênticas. O dólar, como o quilômetro, é apenas uma unidade de medida, de modo que uma mudança em seu valor não teria efeitos reais importantes.

A neutralidade monetária é realista? A resposta é: não completamente. Uma mudança no comprimento do quilômetro de 1.000 para 500 metros não teria grandes efeitos no longo prazo, mas, no curto prazo, certamente levaria à confusão e a diversos enganos. De forma similar, a maioria dos economistas de hoje acredita que, em curtos períodos de tempo - um período de um ou dois anos -, há razões para pensar que alterações monetárias têm efeitos importantes sobre as variáveis reais. O próprio Hume também duvidava de que a neutralidade monetária se aplicasse ao curto prazo (voltaremos ao estudo da não neutralidade no curto prazo mais adiante, e esse tópico esclarecerá as razões pelas quais o Fed altera a oferta de moeda ao longo do tempo).

A análise clássica, contudo, está certa com relação à economia no longo prazo. No decorrer de uma década, por exemplo, as alterações monetárias têm efeitos importantes sobre as variáveis nominais (tais como o nível de preços), mas efeitos apenas insignificantes sobre as variáveis reais (como o PIB real). Quando estudamos as mudanças de longo prazo na economia, a neutralidade da moeda fornece uma boa descrição de como o mundo funciona.

30_1F Velocidade e equação quantitativa

velocidade da moeda
a taxa pela qual a moeda troca de mãos

Podemos obter outra perspectiva sobre a teoria quantitativa de moeda ao considerar a seguinte questão: quantas vezes por ano a nota de um dólar típica é usada para pagar por um bem ou serviço recentemente produzido? A resposta a essa pergunta é dada por uma variável chamada **velocidade da moeda**. Em física, o termo *velocidade* refere-se à rapidez com que um objeto se desloca. Em economia, a velocidade da moeda refere-se à rapidez com que a nota de dólar típica se desloca pela economia, de carteira para carteira.

Para calcularmos a velocidade da moeda, dividimos o valor nominal da produção (PIB nominal) pela quantidade de moeda. Sendo P o nível de preços (o deflator do PIB), Y a produção (PIB real) e M a quantidade de moeda, a velocidade será

$$V = (P \times Y)/M$$

Para ver por que isso faz sentido, imagine uma economia simples que produza apenas pizza. Suponha que a economia produza 100 pizzas em um ano, que cada pizza seja vendida por \$ 10 e que a quantidade de moeda na economia seja de \$ 50. A velocidade da moeda é, então, de

$$V = (\$\,10 \times 100)/\$\,50$$
$$= 20$$

Nessa economia, as pessoas gastam um total de \$ 1.000 por ano com pizza. Para que esse gasto de \$ 1.000 aconteça com apenas \$ 50 em moeda, cada nota de dólar deve mudar de mãos em média 20 vezes por ano.

Com uma pequena reorganização algébrica, a equação pode ser reescrita como

$$M \times V = P \times Y$$

equação quantitativa
a equação $M \times V = P \times Y$, que relaciona a quantidade de moeda, a velocidade da moeda e o valor em dólares (valor monetário) da produção de bens e serviços da economia

Essa equação nos diz que a quantidade de moeda (M) multiplicada pela velocidade da moeda (V) é igual ao preço da produção (P) multiplicado pela quantidade total produzida (Y). Essa equação é chamada **equação quantitativa**, porque relaciona a quantidade de moeda (M) com o valor nominal da produção ($P \times Y$). A equação quantitativa mostra que um aumento na quantidade de moeda em uma economia deve se refletir em uma das outras três variáveis: o nível do preço deve subir, a quantidade da produção deve subir ou a velocidade da moeda deve cair.

Em muitos casos, o que se constata é que a velocidade da moeda é relativamente estável. Por exemplo, a Figura 3 mostra o PIB nominal, a quantidade de moeda (medida por M2) e a velocidade da moeda para a economia norte-americana desde 1960. Durante esse período, tanto a oferta de moeda quanto o PIB nominal aumentaram mais de 30 vezes. Entretanto, a velocidade da moeda, embora nem sempre constante, não se alterou significativamente. Portanto, para alguns fins, a hipótese de uma velocidade constante pode ser uma boa aproximação.

Agora temos todos os elementos necessários para explicar o nível de preços de equilíbrio e a taxa de inflação. São eles:

Figura 3
PIB nominal, quantidade de moeda e velocidade da moeda

A figura mostra o valor nominal da produção medido pelo PIB nominal, a quantidade de moeda medida pelo M2, e a velocidade da moeda medida pela razão entre as duas variáveis. Para fins de comparação, as três séries foram fixadas com base 100 em 1960. Observe que o PIB nominal e a quantidade de moeda aumentaram drasticamente no período, enquanto a velocidade se manteve relativamente estável.

Fonte: U. S. Department of Commerce; Federal Reserve Board.

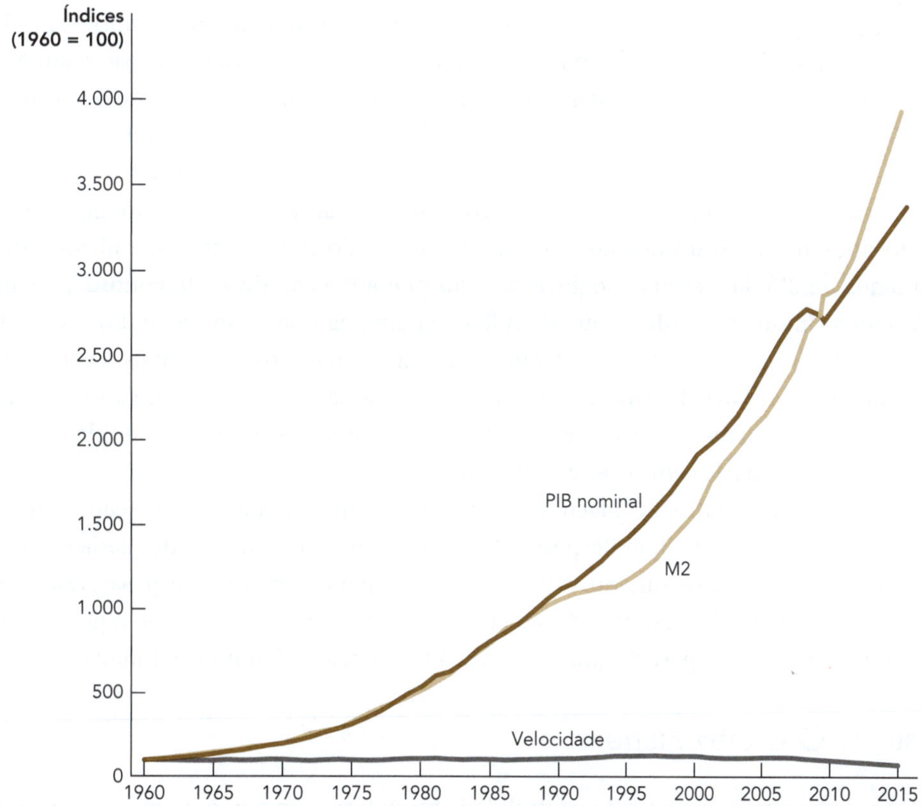

1. A velocidade da moeda é relativamente estável ao longo do tempo.
2. Como a velocidade é estável, quando o banco central altera a quantidade de moeda (*M*) causa alterações proporcionais no valor nominal da produção ($P \times Y$).
3. A produção de bens e serviços da economia (*Y*) é determinada, principalmente, pela oferta de fatores (trabalho, capital físico, capital humano e recursos naturais) e pela tecnologia de produção disponível. Em particular, como a moeda é neutra, ela não afeta a produção.
4. Sendo a produção (*Y*) determinada pela oferta de fatores e pela tecnologia, quando o banco central altera a oferta de moeda (*M*) e induz alterações proporcionais no valor nominal da produção ($P \times Y$), essas alterações se refletem em alterações no nível de preços (*P*).
5. Portanto, quando o banco central aumenta rapidamente a oferta de moeda, o resultado é uma alta taxa de inflação.

Estes cinco passos são a essência da teoria quantitativa da moeda.

30_1G O imposto inflacionário

Se é tão fácil explicar a inflação, por que alguns países passam por hiperinflação? Ou seja, por que os bancos centrais desses países decidem emitir tanta moeda que seu valor, por certo, cairá rapidamente com o tempo?

A resposta está no fato de os governos desses países estarem usando a criação de moeda como meio para pagar suas despesas. Quando o governo deseja construir estradas, pagar salários dos soldados ou fazer pagamentos de benefícios aos pobres ou idosos, precisa, antes, levantar os fundos necessários. Normalmente, o governo faz isso por meio da arrecadação de impostos, como o imposto de renda e o imposto sobre as vendas, e tomando empréstimos do público pela venda de títulos. Mas o governo também pode pagar suas despesas simplesmente emitindo a moeda de que necessita.

imposto inflacionário
a receita arrecadada pelo governo por meio da criação de moeda

Quando o governo aumenta sua receita por meio da emissão de moeda, diz-se que está arrecadando um **imposto inflacionário**. O imposto inflacionário não é como os outros, porque ninguém recebe uma cobrança governamental para pagá-lo. Em vez disso, o imposto inflacionário é mais sutil. Quando o governo emite moeda, o nível de preços se eleva e os dólares em sua carteira perdem valor. Portanto, o *imposto inflacionário é como um imposto sobre todas as pessoas que têm moeda.*

A importância do imposto inflacionário varia de país para país e ao longo do tempo. Nos Estados Unidos, em anos recentes, o imposto inflacionário tem sido uma fonte insignificante de receita: respondeu por menos de 3% das receitas do governo. Durante a década de 1770, contudo, o Congresso Continental dos Estados Unidos dependia muito da inflação para pagar as despesas militares. Como o novo governo tinha capacidade limitada de levantar recursos por meio de impostos normais ou empréstimos, emitir dólares era a maneira mais fácil de realizar o pagamento dos soldados norte-americanos. Como prevê a teoria quantitativa da moeda, o resultado foi uma elevada taxa de inflação: os preços medidos em termos do dólar continental subiram mais de cem vezes em poucos anos.

Quase todas as hiperinflações seguem o mesmo padrão da inflação ocorrida durante a Revolução Americana. O governo tem despesas elevadas, receita tributária inadequada e capacidade limitada de obter empréstimos. Como resultado, volta-se à emissão para pagar suas despesas. O aumento maciço na quantidade de moeda conduz a uma inflação elevada. A inflação acaba quando o governo institui reformas fiscais – como cortes nas despesas – que eliminam a necessidade do imposto inflacionário

30_1H O efeito Fisher

De acordo com o princípio da neutralidade monetária, um aumento na taxa de crescimento da moeda eleva a taxa de inflação, mas não afeta nenhuma variável real. Uma importante aplicação desse princípio se refere

Saiba mais sobre

HIPERINFLAÇÃO NO ZIMBÁBUE

Durante os anos 2000, o Zimbábue viveu um dos exemplos mais extremos de hiperinflação. A história é comum de muitas formas: grandes déficits orçamentários do governo levaram à emissão de grandes quantidades de moeda e a altas taxas de inflação. A hiperinflação terminou em abril de 2009, quando o banco central do Zimbábue parou de imprimir o dólar zimbabuano e o país começou a usar moedas correntes estrangeiras, como o dólar norte-americano e o rand sul-africano, como meio de troca.

As estimativas variam sobre quão alta ficou a inflação do Zimbábue, mas a grandeza do problema é bem documentada pela denominação das notas que eram emitidas pelo banco central. Antes de a hiperinflação começar, o dólar zimbabuano valia um pouco mais que um dólar norte-americano; portanto, os valores das cédulas eram parecidos com aqueles encontrados nos Estados Unidos. Uma pessoa pode portar, por exemplo, uma nota de dez dólares em sua carteira. Em janeiro de 2008, contudo, após anos de inflação elevada, o Reserve Bank of Zimbabwe emitiu uma nota valendo 10 milhões de dólares zimbabuanos, o que era equivalente a cerca de quatro dólares norte-americanos. Mas nem isso foi suficiente o bastante. Um ano depois, o banco central anunciou que emitiria notas valendo 10 trilhões de dólares zimbabuanos, algo em torno de três dólares norte-americanos.

Conforme os preços subiram e o banco central imprimia cédulas de valor cada vez maior, as notas mais antigas perderam valor e tornaram-se praticamente inúteis. Uma indicação desse fenômeno pode ser encontrada em uma placa de um banheiro público no Zimbábue, com os seguintes dizeres: "Papel higiênico para ser utilizado somente neste banheiro – não use papelão, nem roupa, nem dólares Zim, nem jornal."

ao efeito da moeda sobre as taxas de juros. Essas são importantes variáveis para os macroeconomistas, porque ligam a economia do presente com a economia do futuro por meio de seus efeitos sobre poupança e investimento.

Para entender a relação entre moeda, inflação e taxas de juros, lembre-se da distinção entre taxa de juros nominal e taxa de juros real. A *taxa de juros nominal* é a taxa de juros da qual você ouve falar no banco. Se você tem, por exemplo, uma conta de poupança, a taxa de juros nominal informa a rapidez que a quantidade de dinheiro em sua conta aumentará com o passar do tempo. A *taxa de juros real* desconta o efeito da inflação para informar a rapidez que o poder de compra de sua conta de poupança aumentará com o passar do tempo. A taxa de juros real é a taxa de juros nominal menos a taxa de inflação:

$$\text{Taxa de juros real} = \text{Taxa de juros nominal} - \text{Taxa de inflação}$$

Por exemplo, se o banco declara uma taxa de juros nominal de 7% ao ano e a taxa de inflação é de 3% ao ano, o valor real dos depósitos aumenta em 4% ao ano.

Podemos reescrever essa equação para mostrar que a taxa de juros nominal é a soma da taxa de juros real e da taxa de inflação:

$$\text{Taxa de juros nominal} = \text{Taxa de juros real} + \text{Taxa de inflação}$$

Essa maneira de ver a taxa de juros nominal é útil, porque diferentes forças econômicas determinam cada um dos dois termos do lado direito da equação. Como vimos anteriormente, a oferta e a demanda de fundos para empréstimos determinam a taxa de juros real. E, de acordo com a teoria quantitativa da moeda, o crescimento da oferta de moeda determina a taxa de inflação.

Vamos, agora, considerar como o crescimento da oferta de moeda afeta as taxas de juros. No longo prazo, quando a moeda é neutra, uma alteração no crescimento da moeda não deveria afetar a taxa de juros real. A taxa de juros real é, afinal, uma variável real. Para que a taxa de juros real não seja afetada, a taxa de juros nominal deve se ajustar na proporção de um para um às alterações na taxa de inflação.

efeito Fisher
o ajustamento na proporção de um para um da taxa de juros nominal à taxa de inflação

Portanto, *quando o Fed aumenta a taxa de crescimento da moeda, o resultado, no longo prazo, é um aumento na taxa de inflação e uma elevação na taxa de juros nominal.* Esse ajuste da taxa de juros nominal à taxa de inflação é chamado **efeito Fisher**, em homenagem ao economista Irving Fisher (1867-1947), que foi o primeiro a estudar o tema.

Lembre-se de que nossa análise do efeito Fisher manteve uma perspectiva de longo prazo. O efeito Fischer não se mantém no curto prazo na medida em que a inflação não seja antecipada. Uma taxa de juros nominal é o pagamento por um empréstimo e costuma ser fixada quando ele é concedido. Se a inflação pegar o tomador e o emprestador de surpresa, a taxa de juros nominal que eles estabeleceram deixará de refletir o aumento nos preços. Mas se a inflação permanecer alta, as pessoas passarão a esperar por esse aumento e os acordos de empréstimos refletirão essa expectativa. Para ser mais exato, o efeito Fischer estabelece que a taxa de juros nominal se ajusta à inflação esperada. E esta se move com a inflação efetiva no longo prazo, mas não necessariamente no curto prazo.

O efeito Fisher é crucial para o entendimento das variações na taxa de juros nominal ao longo do tempo. A Figura 4 mostra a taxa de juros nominal e a taxa de inflação na economia dos Estados Unidos desde 1960. A estreita associação entre essas duas variáveis fica evidente. A taxa de juros nominal subiu desde o início da década de 1960 até o fim da década de 1970 porque a inflação também estava aumentando durante o período. De forma similar, a taxa de juros nominal caiu a partir do início da década de 1980 até o final da década de 1990 porque o Fed conseguiu controlar a inflação. Nos últimos anos, com base em padrões históricos, tanto a taxa de juros nominal quanto a taxa de inflação têm sido baixas.

Teste rápido O governo de um país aumenta a taxa de crescimento da oferta de moeda de 5% ao ano para 50% ao ano. O que acontece com os preços? O que acontece com as taxas de juros nominais? Por que o governo teria feito isso?

Figura 4
A taxa de juros nominal e a taxa de inflação
Esta figura utiliza dados desde 1960 para mostrar a taxa de juros nominal sobre as notas do Tesouro dos Estados Unidos, de três meses, e a taxa de inflação medida pelo índice de preços ao consumidor. A estreita associação entre essas duas variáveis é evidência do efeito Fisher: quando a taxa de inflação aumenta, a taxa de juros nominal também aumenta.
Fonte: U. S. Department of Treasury; U. S. Department of Labor.

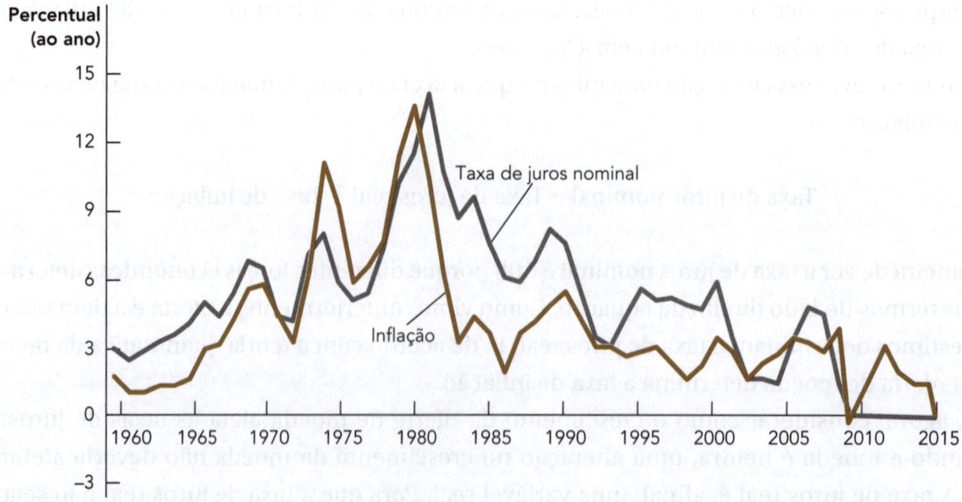

30_2 OS CUSTOS DA INFLAÇÃO

No fim da década de 1970, quando a taxa de inflação dos Estados Unidos atingiu cerca de 10% ao ano, a inflação dominava os debates sobre política econômica. E, embora a inflação tenha sido baixa nos últimos 20 anos, continuou a ser uma variável macroeconômica observada com atenção. Um determinado estudo constatou que *inflação* é o termo econômico mencionado mais frequentemente nos jornais dos Estados Unidos, muito à frente do segundo colocado, *desemprego*, e do terceiro, *produtividade*.

A inflação é observada com atenção e muito discutida porque é considerada um problema econômico sério. Mas será isso verdadeiro? E, em caso positivo, por quê?

30_2A Queda no poder aquisitivo? A falácia da inflação

Se você perguntar a uma pessoa comum por que a inflação é ruim, ela lhe dirá que a resposta óbvia: a inflação rouba o poder de compra de nossos suados dólares. Quando os preços sobem, cada dólar compra menos bens e serviços. Portanto, pode parecer que a inflação reduz diretamente os padrões de vida.

Uma reflexão adicional, no entanto, revela uma falácia nessa resposta. Quando os preços aumentam, os compradores de bens e serviços pagam mais por aquilo que compram. Ao mesmo tempo, contudo, os vendedores de bens e serviços recebem mais pelo que vendem. Como a maioria das pessoas obtém sua renda pela venda de seus serviços, como o trabalho, a inflação das rendas anda de mãos dadas com a inflação dos preços. Portanto, a *inflação não reduz, por si só, o poder aquisitivo real das pessoas*.

As pessoas acreditam na falácia da inflação porque não percebem o princípio da neutralidade monetária. Um trabalhador que receba um aumento anual de 10% tende a enxergar esse aumento como recompensa por seu talento e esforço. Quando uma taxa de inflação de 6% reduz o valor real do aumento para apenas 4%, o trabalhador pode se sentir prejudicado por ter sido despojado de algo que legitimamente lhe é devido. De fato, como vimos no capítulo sobre produção e crescimento, as rendas reais são determinadas por variáveis reais, como capital físico, capital humano, recursos naturais e tecnologia de produção disponível. As rendas nominais são determinadas por esses fatores e pelo nível geral de preços. Se o Fed reduzisse a taxa de inflação de 6% para zero, o aumento anual do trabalhador diminuiria de 10% para 4%. Ele poderia se sentir menos prejudicado pela inflação, mas sua renda real não aumentaria mais rapidamente.

Se as rendas nominais tendem a acompanhar os aumentos nos preços, por que a inflação seria um problema? Ocorre que não há uma única resposta para essa questão. Pelo contrário, os economistas identificaram diversos custos decorrentes da inflação, cada um deles mostrando alguma maneira pela qual o crescimento persistente da oferta de moeda tem, de fato, algum efeito sobre variáveis reais.

30_2B Custos de sola de sapato

Como vimos, a inflação é como um imposto sobre as pessoas que detêm moeda. O imposto em si não é um custo para a sociedade: ele é apenas uma transferência de recursos das famílias para o governo. Mas a maioria dos impostos proporciona às pessoas um incentivo para que alterem seu comportamento de maneira a evitar o pagamento de impostos, e essa distorção nos incentivos é um peso morto para a sociedade. Como os outros impostos, o imposto inflacionário também constitui um peso morto, porque as pessoas desperdiçam recursos escassos na tentativa de evitá-lo.

Como alguém pode evitar o pagamento do imposto inflacionário? Uma vez que a inflação corrói o valor real da moeda que está na sua carteira, você pode evitar o imposto inflacionário mantendo menos moeda em mãos. Uma maneira de fazer isso é ir ao banco com mais frequência. Por exemplo, em vez de retirar $ 200 a cada quatro semanas, você poderia retirar $ 50 por semana. Indo com mais frequência ao banco, você pode manter uma parcela maior de sua riqueza em sua conta de poupança, que rende juros, e ficar com menos moeda em sua carteira, onde a inflação corrói seu valor.

custo de sola de sapato os recursos desperdiçados quando a inflação incentiva as pessoas a reduzir a quantidade de moeda mantida em mãos

O custo de reduzir a quantidade de moeda na carteira é denominado **custo de sola de sapato** da inflação, porque ir ao banco com mais frequência faz que seus sapatos se desgastem mais rapidamente. É claro que essa expressão não deve ser interpretada literalmente: o custo real de reduzir a quantidade de moeda mantida em mãos não é o desgaste dos sapatos, mas o tempo e a comodidade que você precisa sacrificar para ter menos moeda em mãos que teria se não houvesse inflação.

O custo de sola de sapato da inflação pode parecer insignificante. E, de fato, o é na economia dos Estados Unidos, que tem apresentado uma inflação moderada em anos recentes. Mas, em países que passam por hiperinflação, esse custo é ampliado. Eis uma descrição da experiência de uma pessoa na Bolívia, durante seu período de hiperinflação (como publicada na edição de 13 de agosto de 1985 do *The Wall Street Journal*):

> Quando Edgar Miranda recebe seu salário mensal de professor, de 25 milhões de pesos, ele não tem um segundo a perder. A cada hora, o valor dos pesos diminui. Então, enquanto sua esposa corre ao mercado para comprar o suprimento mensal de arroz e macarrão, ele sai com o restante dos pesos para trocá-los por dólares no mercado negro.
>
> Miranda está pondo em prática a Primeira Regra de Sobrevivência em meio à inflação mais descontrolada que há no mundo de hoje. A Bolívia é um estudo de caso sobre como uma inflação excessiva enfraquece uma sociedade. Os aumentos dos preços são tão grandes, que os números se elevam para além da nossa compreensão. Em um período de seis meses, por exemplo, os preços subiram a uma taxa anual de 38.000%. Pela contagem oficial, contudo, a inflação do ano passado atingiu 2.000%, e a deste ano está prevista em 8.000% – embora outras estimativas atinjam números muitas vezes maiores. De qualquer modo, a taxa de inflação boliviana é gigantesca diante dos 370% de Israel e dos 1.100% da Argentina – outros dois casos de inflação severa.
>
> É mais fácil entender o que acontece com o salário de Miranda, de 38 anos, se ele não convertê-lo rapidamente em dólares. No dia em que recebeu seu pagamento de 25 milhões de pesos, 1 dólar valia 500 mil pesos. Então, ele recebeu $ 50. Alguns dias depois, com 1 dólar valendo 900 mil pesos, ele teria recebido $ 27.

Como essa história mostra, o custo de sola de sapato da inflação pode ser substancial. Com a elevada taxa de inflação, Miranda não pode se dar ao luxo de manter a moeda local como reserva de valor. Em vez disso, é forçado a converter rapidamente seus pesos em bens ou em dólares dos Estados Unidos, que proporcionam uma reserva de valor mais estável. O tempo e o esforço que Miranda despende para reduzir a quantidade de moeda mantida em mãos são um desperdício de recursos. Se a autoridade monetária adotasse uma política de inflação baixa, Miranda ficaria satisfeito em manter os pesos e poderia destinar seu tempo e seu esforço a um uso mais produtivo. De fato, pouco depois da publicação desse artigo, a taxa de inflação boliviana foi substancialmente reduzida por meio de uma política monetária mais restritiva.

30_2C Custos de menu

A maioria das empresas não altera os preços de seus produtos diariamente. Em vez disso, as empresas costumam anunciar seus preços e deixá-los inalterados por semanas, meses ou mesmo anos. Uma pesquisa constatou que a empresa típica nos Estados Unidos altera seus preços cerca de uma vez por ano.

custos de menu os custos da alteração de preços

As empresas modificam seus preços com pouca frequência, porque a alteração de preços tem custos. Os custos dos ajustes de preços são chamados **custos de menu**, uma expressão derivada dos custos que um restaurante tem ao imprimir um novo cardápio. Os custos de menu incluem o custo de decidir sobre os novos preços, o custo de imprimir novas listas de preços e catálogos, o custo de enviar essas novas listas de preços e catálogos aos fornecedores e clientes, o custo de anunciar os novos preços e até o custo de lidar com o aborrecimento dos clientes com a mudança de preços.

A inflação aumenta os custos de menu que as empresas precisam arcar. Na atual economia dos Estados Unidos, com sua baixa taxa de inflação, o reajuste anual dos preços é uma estratégia de negócios adequada para muitas empresas. Mas quando uma inflação elevada provoca um rápido aumento dos custos das empresas, o reajuste anual de preços é impraticável. Durante hiperinflações, por exemplo, as empresas precisam mudar seus preços diariamente ou com maior frequência, para acompanhar os demais preços da economia.

30_2D Variabilidade dos preços relativos e alocação distorcida de recursos

Suponha que o Restaurante Eatabit imprima um novo cardápio, com novos preços, a cada mês de janeiro, e então os mantenha inalterados pelo restante do ano. Se não houver inflação, os preços relativos do Eatabit - os preços de suas refeições comparados aos demais preços da economia - permaneceriam constantes durante o ano. No entanto, se a taxa de inflação fosse de 12% ao ano, os preços relativos do Eatabit se reduziriam, automaticamente, 1% a cada mês. Os preços relativos do restaurante, isto é, seus preços comparados aos outros preços da economia, seriam elevados nos primeiros meses do ano, logo após a impressão do cardápio, e mais baixos em meses posteriores. E quanto mais elevada for a taxa de inflação, maior será essa variação automática. Portanto, como os preços só são alterados de vez em quando, a inflação provoca uma maior variação nos preços relativos do que ocorreria se não houvesse inflação.

Por que isso é importante? A razão é que as economias de mercado dependem dos preços relativos para alocar os recursos escassos. Os consumidores decidem o que comprar comparando a qualidade e os preços de diversos bens e serviços. Por meio dessas decisões, eles determinam como os fatores escassos de produção são alocados entre os setores e as empresas. Quando a inflação distorce os preços relativos, as decisões dos consumidores são distorcidas e os mercados são menos capazes de alocar recursos para seu melhor uso.

30_2E Distorções tributárias induzidas pela inflação

Quase todos os impostos distorcem incentivos, fazem que as pessoas alterem seu comportamento e levam a uma alocação menos eficiente dos recursos da economia. Muitos impostos, entretanto, tornam-se ainda mais problemáticos na presença de inflação. A razão é que, frequentemente, os legisladores não levam a inflação em conta ao elaborar as leis tributárias. Economistas que estudaram o código tributário concluíram que a inflação tende a aumentar a carga tributária sobre a renda obtida da poupança.

Um exemplo de como a inflação desestimula a poupança é o tratamento tributário dos *ganhos de capital*, que são os lucros obtidos da venda de um ativo por um preço superior ao preço de compra. Suponha que, em 1988, você tenha usado parte de sua poupança para comprar ações da IBM por $ 30 e que, em 2016, as tenha vendido por $ 130. De acordo com o código tributário, você obteve um ganho de capital de $ 100, que deve ser incluído em sua renda ao calcular quanto deve de imposto de renda. Mas suponha que o nível geral de preços tenha dobrado entre 1988 e 2016. Nesse caso, os $ 30 que você investiu em 1988 equivalem (em termos de poder de compra) a $ 60 em 2016. Quando vendeu suas ações por $ 130, você obteve um ganho real (um aumento do poder aquisitivo) de apenas $ 70. O código tributário, contudo, não considera a inflação e determina que você deve o imposto sobre $ 100. Portanto, a inflação exagera o montante dos ganhos de capital e aumenta, inadvertidamente, a carga tributária sobre esse tipo de renda.

Outro exemplo é o tratamento tributário da renda sob a forma de juros. O imposto de renda trata os juros *nominais* obtidos em poupanças como renda, embora parte da taxa de juros nominal simplesmente corrija a inflação. Para ver os efeitos dessa política, considere o exemplo numérico da Tabela 1, que compara duas economias que tributam os juros em uma alíquota de 25%. Na economia A, a inflação é zero e as taxas de

Tabela 1

Como a inflação aumenta a carga tributária sobre a poupança

Na presença de inflação zero, um imposto de 25% sobre os juros reduz a taxa de juros real de 4% para 3%. Na presença da inflação de 8%, o mesmo imposto reduz a taxa de juros real de 4% para 1%.

	Economia A (estabilidade do preço)	Economia B (inflação)
Taxa de juros real	4%	4%
Taxa de inflação	0	8
Taxa de juros nominal (taxa de juros real + taxa de inflação)	4	12
Redução de juros devida à alíquota de 25% (0,25 × taxa de juros nominal)	1	3
Taxa de juros nominal após o imposto (0,75 × taxa de juros nominal)	3	9
Taxa de juros real após o imposto de renda (taxa de juros nominal após o imposto – taxa de inflação)	3	1

juros nominal e real são, ambas, de 4%. Nesse caso, o imposto de 25% sobre os juros reduz a taxa de juros real de 4% para 3%. Na economia B, a taxa de juros real é, novamente, de 4%, mas a taxa de inflação é de 8%. Como resultado do efeito Fisher, a taxa de juros nominal é de 12%. Como o imposto de renda considera a totalidade dos 12% como renda, o governo fica com 25% do total, deixando uma taxa de juros nominal após o desconto do imposto de renda de apenas 9% e uma taxa de juros real após o desconto do imposto de renda de apenas 1%. Nesse caso, a alíquota de 25% sobre os juros obtidos reduz a taxa de juros real de 4% para 1%. Como a taxa de juros real após o desconto do imposto é o que proporciona o incentivo à poupança, poupar é muito menos atraente na economia com inflação (economia B) que na economia com preços estáveis (economia A).

Os impostos sobre os ganhos de capital nominais e sobre os juros nominais são dois exemplos de como o código tributário interage com a inflação, mas há muitos outros. Por causa dessas alterações tributárias induzidas pela inflação, uma inflação mais elevada tende a desestimular a poupança. Lembre-se de que é a poupança da economia que proporciona os recursos para o investimento, que, por sua vez, é um ingrediente-chave do crescimento econômico no longo prazo. Portanto, quando a inflação eleva a carga tributária sobre a poupança, tende a deprimir a taxa de crescimento da economia de longo prazo. Mas não há entre os economistas um consenso quanto à dimensão desse efeito.

Uma solução para esse problema, que não seja a eliminação da inflação, é indexar o sistema tributário. Ou seja, a legislação tributária poderia ser refeita de maneira a levar em conta os efeitos da inflação. No caso dos ganhos de capital, por exemplo, o código tributário poderia corrigir o preço de compra usando um índice de preços e tributando somente o ganho real. No caso da renda proveniente dos juros, o governo poderia tributar apenas o juro real, excluindo a parcela que simplesmente corrige a inflação. Até certo ponto, as leis tributárias já se moveram em direção à indexação. Por exemplo, as faixas de renda que determinam as alíquotas de contribuição são corrigidas automaticamente a cada ano com base na variação do índice de preços ao consumidor. No entanto, muitos outros aspectos da legislação tributária – como o tratamento dos ganhos de capital e dos juros – não são indexados.

Em um mundo ideal, as leis tributárias seriam refeitas de tal forma que a inflação não alteraria a obrigação tributária de ninguém. Entretanto, no mundo em que vivemos, a legislação tributária está longe de ser perfeita. Uma indexação mais completa, provavelmente, seria desejável, mas complicaria ainda mais um código tributário que muitas pessoas já consideram excessivamente complexo.

30_2F Confusão e inconveniência

Imagine que fizéssemos uma pesquisa e perguntássemos às pessoas: "Este ano, um quilômetro tem 1.000 metros. Quantos metros você acha que o quilômetro deve ter no ano que vem?". Admitindo que os entrevistados nos levassem a sério, eles responderiam que o quilômetro deveria continuar com o mesmo comprimento: 1.000 metros. Qualquer outra decisão complicaria desnecessariamente a vida.

O que isso tem a ver com a inflação? Lembre-se de que a moeda, como unidade de conta da economia, é o que usamos para cotar preços e registrar dívidas. Em outras palavras, a moeda é o padrão de medida que utilizamos para avaliar transações econômicas. A tarefa do Federal Reserve é semelhante à das associações de normas técnicas: assegurar a confiabilidade de uma unidade de medida de uso comum. Quando o Fed aumenta a oferta de moeda e cria inflação, corrói o valor real da unidade de conta.

É difícil avaliar os custos da confusão e da inconveniência que surgem com a inflação. Anteriormente, vimos como o código tributário mede incorretamente as rendas reais na presença de inflação. De forma similar, os contabilistas medem incorretamente os ganhos das empresas quando os preços estão aumentando com o passar do tempo. Como a inflação faz que os dólares tenham valores reais diferentes em períodos diferentes, calcular o lucro de uma empresa - a diferença entre suas receitas e seus custos - é mais complicado em uma economia com inflação. Portanto, até certo ponto, a inflação torna os investidores menos capazes de distinguir as empresas bem-sucedidas das malsucedidas, o que, por sua vez, impede os mercados financeiros de desempenhar seu papel de alocar a poupança da economia entre tipos alternativos de investimento.

30_2G Um custo especial de inflação inesperada: redistribuições arbitrárias da riqueza

Até aqui, os custos da inflação que discutimos se verificam mesmo quando a inflação é estável e previsível. Entretanto, a inflação traz um custo adicional quando chega de maneira inesperada. A inflação inesperada redistribui riqueza entre a população de uma maneira que nada tem a ver com mérito ou necessidade. Essas redistribuições se dão porque muitos empréstimos da economia são especificados em termos da unidade de conta - a moeda.

Vamos considerar um exemplo. Suponha que Sam Student contraia um empréstimo de $ 20 mil a juros de 7%, no Bigbank, para financiar seus estudos. O empréstimo vencerá em dez anos. Com a aplicação de juros compostos de 7% ao ano, durante dez anos, Sam deverá ao Bigbank um total de $ 40 mil. O valor real dessa dívida dependerá da inflação ao longo da década. Se Sam tiver sorte, a economia terá tido uma hiperinflação. Nesse caso, os salários e os preços aumentarão tanto, que Sam poderá pagar sua dívida de $ 40 mil com os trocados que carrega no bolso. No entanto, se a economia tiver passado por uma forte deflação, então os salários e os preços terão diminuído, e Sam descobrirá que a dívida de $ 40 mil é um encargo maior do que tinha previsto.

Esse exemplo mostra que as variações não previstas nos preços redistribuem riqueza entre credores e devedores. Uma hiperinflação irá enriquecer Sam à custa do Bigbank, porque diminuirá o valor real da dívida; Sam poderá pagar o empréstimo com dólares que valem menos do que previra. A deflação enriquece o Bigbank à custa de Sam, porque aumenta o valor real da dívida; nesse caso, Sam terá de pagar o empréstimo com dólares mais valiosos do que previra. Se a inflação pudesse ser prevista, o Bigbank e Sam poderiam levar a inflação em conta ao estabelecer a taxa de juros nominal (lembre-se do efeito Fisher). Mas se a inflação for difícil de prever, ela imporá a Sam e ao Bigbank um risco que ambos prefeririam evitar.

É importante considerar esse custo da inflação inesperada com outro fator: a inflação é especialmente volátil e incerta quando a taxa média da inflação está alta. Isso pode ser visto de maneira simples ao examinarmos a experiência de diferentes países. Países com uma inflação média baixa, como a Alemanha no fim do século XX, tendem a ter uma inflação estável. Países com inflação média alta, como muitos dos países da

América Latina, tendem a ter uma inflação instável. Não há exemplos conhecidos de países com inflações altas e estáveis. Essa relação entre o nível da inflação e sua volatilidade aponta para outro de seus custos. Se um país seguir uma política monetária de alta inflação, terá de arcar não só com o custo da alta inflação esperada, mas também com as redistribuições arbitrárias de riqueza associadas à inflação não esperada.

30_2H A inflação é ruim, mas a deflação pode ser pior

Na história atual dos Estados Unidos, a inflação tem sido regra. Entretanto, o nível de preços caiu algumas vezes, como durante o final do século XIX e início dos anos 1930. De 1998 a 2012, o Japão passou por um declínio de 4% em seu nível geral de preços. Assim, à medida que concluímos nossa discussão sobre os custos da inflação, devemos também considerar brevemente os custos da deflação.

Alguns economistas sugeriram que um pequeno e previsível montante de deflação pode ser desejável. Milton Friedman apontou que a deflação diminuiria a taxa de juros nominal (lembre-se do efeito Fisher) e que uma taxa de juros nominal mais baixa reduziria o custo de manter a moeda. Os custos da sola de sapato para manter a moeda iriam, segundo Friedman, ser minimizados por uma taxa de juros nominal próxima de zero, o que, por sua vez, iria requerer uma deflação igual à taxa de juros real. Essa prescrição para a deflação moderada é chamada *regra de Friedman.*

Ainda assim, há também custos de deflação, e alguns deles espelham os custos da inflação. Por exemplo, assim como o nível de preços elevado induz os custos de menu e a variabilidade do preço relativo, o nível de preços em queda também o faz. Além do mais, na prática, a deflação raramente é tão estável e previsível como Friedman recomendava. Ela, com mais frequência, surge como uma surpresa, resultando na redistribuição da riqueza voltada para os credores e longe dos devedores. Como, muitas vezes, os devedores são mais pobres, essas redistribuições na riqueza são especialmente perversas.

O mais importante, talvez, seja o fato de que a deflação costuma surgir por causa de dificuldades macroeconômicas maiores. Como veremos nos próximos capítulos, os preços caem quando algum evento, como uma contração monetária, reduz a demanda global de bens e serviços na economia. Essa queda na demanda agregada pode levar à queda das rendas e ao aumento do desemprego. Em outras palavras, a deflação, muitas vezes, é um sintoma de problemas econômicos mais profundos.

Teste rápido Indique e descreva seis custos da inflação.

30_3 CONCLUSÃO

Este capítulo discutiu as causas e os custos da inflação. A sua principal causa é simplesmente o crescimento da quantidade de moeda. Quando o banco central cria moeda em grandes quantidades, o valor da moeda cai rapidamente. Para manter os preços estáveis, o banco central deve manter um rígido controle sobre a oferta de moeda.

Os custos da inflação são mais sutis. Incluem o custo de sola de sapato, os custos de menu, o aumento da variabilidade dos preços relativos, mudanças não intencionais nas obrigações tributárias, confusões e inconveniências e redistribuições arbitrárias de riqueza. Serão esses custos, tomados em seu conjunto, grandes ou pequenos? Todos os economistas concordam que eles se tornam enormes durante uma hiperinflação. Mas durante períodos de inflação moderada – quando os preços sobem menos de 10% ao ano – o tamanho desses custos está mais aberto ao debate.

Embora este capítulo tenha apresentado muitas das mais importantes lições sobre a inflação, a discussão ainda não está completa. Quando o banco central reduz a taxa de crescimento da moeda, os preços sobem menos rapidamente, como sugere a teoria quantitativa da moeda. No entanto, à medida que a economia faz essa transição para uma menor taxa de inflação, a mudança na política monetária, provavelmente, interromperá a produção e o emprego. Ou seja, muito embora a política monetária seja neutra no longo prazo, ela tem profundos efeitos sobre as variáveis reais no curto prazo. Mais adiante veremos as razões da não neutralidade da política monetária no curto prazo, a fim de aumentar nossa compreensão das causas e dos custos da inflação.

Teste rápido do capítulo

1. **O princípio clássico da neutralidade monetária afirma que mudanças na oferta de moeda não influenciam as variáveis ________ e são consideradas mais aplicáveis no ________ prazo.**
   a. Nominais, curto.
   b. Nominais, longo.
   c. Reais, curto.
   d. Reais, longo.

2. **Se o PIB nominal é $ 400, o PIB real é $ 200 e a oferta de moeda é $ 100, então:**
   a. O nível de preço é ½ e a velocidade é 2.
   b. O nível de preço é ½ e a velocidade é 4.
   c. O nível de preço é 2 e a velocidade é 2.
   d. O nível de preço é 2 e a velocidade é 4.

3. **De acordo com a teoria quantitativa da moeda, qual variável da equação de quantidade é mais estável durante longos períodos de tempo?**
   a. Moeda.
   b. Velocidade.
   c. Nível de preços.
   d. Produção.

4. **A hiperinflação ocorre quando o governo executa um grande ________ orçamentário, que o banco central financia com uma ________ monetária substancial.**
   a. Déficit, contração.
   b. Déficit, expansão.
   c. Superávit, contração.
   d. Superávit, expansão.

5. **De acordo com a teoria quantitativa da moeda e o efeito Fischer, se o banco central aumentar a taxa de crescimento da moeda:**
   a. As taxas de inflação e dos juros nominais aumentam.
   b. As taxas de inflação e dos juros reais aumentam.
   c. As taxas dos juros nominais e dos juros reais aumentam.
   d. A inflação, a taxa dos juros reais e a taxa dos juros nominais aumentam.

6. **Se uma economia sempre tem inflação de 10% ao ano, qual dos seguintes custos de inflação ela NÃO aguentará?**
   a. Custos de sola de sapato, por menor disponibilidade de moeda.
   b. Custos de menu, decorrentes de ajustes de preços mais frequentes.
   c. Distorções na tributação dos ganhos de capital nominal.
   d. Redistribuições arbitrárias entre devedores e credores.

RESUMO

- O nível geral de preços em uma economia ajusta-se para trazer a oferta e a demanda de moeda ao equilíbrio. Quando o banco central aumenta a oferta de moeda, provoca um aumento no nível de preços. O crescimento persistente da quantidade de moeda ofertada leva à inflação continuada.
- O princípio da neutralidade monetária afirma que variações na quantidade de moeda influenciam as variáveis nominais, mas não as variáveis reais. A maioria dos economistas acredita que a neutralidade monetária descreve aproximadamente o comportamento da economia no longo prazo.
- Um governo pode pagar parte das suas despesas simplesmente emitindo moeda. Quando os países confiam demasiadamente nesse "imposto inflacionário", o resultado é a hiperinflação.
- Uma aplicação do princípio da neutralidade monetária é o efeito Fisher. De acordo com o efeito Fisher, quando a taxa de inflação aumenta, a taxa de juros nominal aumenta no mesmo montante, de modo que a taxa de juros real se mantém constante.
- Muitas pessoas pensam que a inflação as deixa mais pobres, porque aumenta o custo daquilo que compram. Mas essa visão é uma falácia, porque a inflação também aumenta as rendas nominais.
- Os economistas identificaram seis custos de inflação: custo de sola de sapato, associado à redução da moeda mantida; custos de menu, associados a reajustes mais frequentes dos preços; maior variabilidade dos preços relativos; alterações não intencionais das responsabilida-

des tributárias decorrentes da não indexação do código tributário; confusão e inconveniência resultantes de uma mudança na unidade de conta; e redistribuições arbitrárias de riqueza entre devedores e credores. Muitos desses custos são elevados durante uma hiperinflação, mas a dimensão deles em tempos de inflação moderada não é tão clara.

CONCEITOS-CHAVE

teoria quantitativa da moeda, p. 508
variáveis nominais, p. 509
variáveis reais, p. 509
dicotomia clássica, p. 509
neutralidade monetária, p. 510
velocidade da moeda, p. 510
equação quantitativa, p. 511
imposto inflacionário, p. 512
efeito Fisher, p. 514
custo de sola de sapato, p. 516
custos de menu, p. 516

QUESTÕES PARA REVISÃO

1. Explique como um aumento no nível de preços afeta o valor real da moeda.
2. De acordo com a teoria quantitativa da moeda, qual é o efeito de um aumento na quantidade de moeda?
3. Explique a diferença entre as variáveis reais e as nominais e dê dois exemplos de cada. De acordo com o princípio da neutralidade monetária, quais variáveis são afetadas por alterações na quantidade de moeda?
4. Em que sentido a inflação é como um imposto? De que forma pensar na inflação como um tipo de imposto ajuda a explicar a hiperinflação?
5. De acordo com o efeito Fisher, de que maneira um aumento na taxa de inflação afeta a taxa de juros real e a taxa de juros nominal?
6. Quais são os custos da inflação? Em sua opinião, quais desses custos são mais importantes para a economia dos Estados Unidos?
7. Se a inflação for menor que o esperado, quem se beneficiará: devedores ou credores? Explique.

PROBLEMAS E APLICAÇÕES

1. Suponha que a oferta de moeda deste ano seja de $ 500 bilhões, o PIB nominal de $ 10 trilhões e o PIB real de $ 5 trilhões.
   a. Qual será o nível de preços? Qual será a velocidade da moeda?
   b. Suponha que a velocidade seja constante e que a produção de bens e serviços da economia aumente em 5% ao ano. O que acontecerá com o PIB nominal e com o nível de preços do ano que vem se o Fed mantiver a oferta de moeda constante?
   c. Qual oferta de moeda o Fed deveria estabelecer para o próximo ano se quiser manter o nível de preços estável?
   d. Qual oferta de moeda o Fed deveria estabelecer para o próximo ano se quiser uma inflação de 10%?
2. Suponha que mudanças na regulamentação dos bancos expandam a disponibilidade de cartões de crédito, de modo que as pessoas precisem manter menos moeda em mãos.
   a. Como esse evento afetará a demanda de moeda?
   b. Se o Fed não reagir a esse evento, o que acontecerá com o nível de preços?
   c. Se o Fed quiser manter o nível de preços estável, o que deverá fazer?
3. Frequentemente se sugere que o Federal Reserve tente atingir inflação zero. Se admitirmos que a velocidade é constante, essa meta de inflação zero exigiria que a taxa de crescimento da moeda fosse igual a zero? Em caso positivo, explique por quê. Em caso negativo, explique qual deve ser a taxa de crescimento da moeda.

4. Suponha que a taxa de inflação de um país aumente abruptamente. Qual será o efeito do imposto inflacionário sobre os que possuem moeda em mãos? Por que a riqueza mantida em contas de poupança *não* está sujeita a uma alteração no imposto inflacionário? Você consegue pensar em uma maneira pela qual os detentores de contas de poupança sejam negativamente afetados por um aumento na taxa de inflação?

5. Vamos considerar os efeitos da inflação em uma economia composta somente de duas pessoas: Bob, um agricultor que cultiva feijão, e Rita, uma agricultora que cultiva arroz. Bob e Rita sempre consomem quantidades iguais de arroz e feijão. Em 2010, o preço do feijão era $ 1, e o do arroz, $ 3.
   a. Suponha que, em 2011, o preço do feijão tenha sido $ 2, e o do arroz, $ 6. De quanto foi a inflação? Bob ficou em situação melhor, pior ou não foi afetado pela mudança de preços? O que dizer de Rita?
   b. Suponha agora que, em 2011, o preço do feijão tenha sido $ 2, e o do arroz, $ 4. De quanto foi a inflação? Bob ficou em situação melhor, pior ou não foi afetado pela mudança de preços? O que dizer de Rita?
   c. Por fim, suponha que, em 2011, o preço do feijão tenha sido $ 2, e o do arroz, $ 1,50. De quanto foi a inflação? Bob ficou em situação melhor, pior ou não foi afetado pela mudança de preços? O que dizer de Rita?
   d. O que é mais importante para Bob e Rita: a taxa de inflação geral ou o preço relativo do arroz e do feijão?

6. Se a alíquota do imposto é de 40%, calcule a taxa de juros real antes dos impostos e a taxa de juros real após os impostos em cada um dos casos a seguir.
   a. Taxa de juros nominal de 10% e taxa de inflação de 5%.
   b. Taxa de juros nominal de 6% e taxa de inflação de 2%.
   c. Taxa de juros nominal de 4% e taxa de inflação de 1%.

7. Lembre-se de que a moeda tem três funções na economia. Quais são essas funções? Como a inflação afeta a capacidade de a moeda cumprir cada uma dessas funções?

8. Suponha que as pessoas esperem inflação de 3%, mas os preços aumentem, de fato, 5%. Descreva como essa taxa de inflação inesperadamente alta pode ser favorável ou desfavorável para:
   a. O governo.
   b. Um proprietário de imóvel com hipoteca a uma taxa de juros fixa.
   c. Um trabalhador sindicalizado no segundo ano de seu contrato de trabalho.
   d. Uma faculdade que tenha investido parte de sua dotação orçamentária em títulos do governo.

9. Explique se as afirmações a seguir são verdadeiras, falsas ou incertas.
   a. "A inflação prejudica os tomadores de empréstimo e beneficia os que emprestam, porque os devedores precisam pagar taxas de juros mais altas."
   b. "Se os preços mudarem de modo a deixar o nível geral de preços inalterado, então ninguém ficará em pior ou melhor situação."
   c. "A inflação não reduz o poder aquisitivo da maioria dos trabalhadores."

Parte XI

A macroeconomia das economias abertas

CAPÍTULO 31

Macroeconomia das economias abertas: conceitos básicos

Quando você for comprar um carro, poderá comparar os modelos mais recentes oferecidos pela Ford e pela Toyota. Quando for tirar suas próximas férias, poderá optar por passá-las nas praias da Flórida ou do México. Quando começar a poupar para sua aposentadoria, poderá escolher entre um fundo mútuo, que compre ações de empresas dos Estados Unidos, e outro, que compre ações de empresas estrangeiras. Em todos esses casos, você participa não só da economia dos Estados Unidos, mas de economias de todo o mundo.

Há claros benefícios em estar aberto ao comércio internacional: o comércio permite que as pessoas se dediquem à produção daquilo que sabem fazer melhor e consumam a grande variedade de bens e serviços produzida em todo o mundo. De fato, um dos *Dez princípios de economia* destacados no Capítulo 1 é que o comércio pode melhorar a situação de todos. O comércio internacional pode elevar os padrões de vida em todos os países, permitindo que cada um se especialize na produção dos bens e serviços nos quais dispõe de vantagem comparativa.

economia fechada uma economia que não interage com outras economias do mundo

economia aberta uma economia que interage livremente com outras economias do mundo

Até aqui, nosso estudo da macroeconomia praticamente ignorou a interação da economia com outras economias do mundo. Na maioria dos assuntos macroeconômicos, os problemas internacionais são periféricos. Por exemplo, quando discutimos a taxa natural de desemprego e as causas da inflação, os efeitos do comércio internacional puderam ser ignorados sem dificuldades. De fato, para simplificar suas análises, a maioria dos macroeconomistas costuma assumir uma **economia fechada**, ou seja, uma economia que não interage com as outras economias.

Algumas novas questões macroeconômicas, contudo, surgem quando macroeconomistas estudam uma **economia aberta**, que é aquela que interage livremente com outras economias no mundo. Este capítulo e o próximo fornecem uma introdução à macroeconomia de economia aberta. Começaremos, neste capítulo, a discutir as variáveis macroeconômicas-chave que descrevem as interações de uma economia aberta nos mercados mundiais. Você talvez tenha reparado a menção a essas variáveis – exportações, importações, balança comercial e taxas de câmbio – nos noticiários. Nossa primeira tarefa será entender o que esses dados significam. No próximo capítulo, desenvolveremos um modelo para explicar como essas variáveis são determinadas e de que maneira são afetadas pelas diversas políticas governamentais.

31_1 OS FLUXOS INTERNACIONAIS DE BENS E CAPITAL

Uma economia aberta interage com outras economias de duas maneiras: comprando e vendendo bens e serviços nos mercados mundiais de produtos e comprando e vendendo ativos de capital, como ações e títulos, nos mercados financeiros mundiais. Aqui, discutiremos essas duas atividades e a estreita relação que há entre elas.

31_1A O fluxo de bens: exportações, importações e exportações líquidas

exportações bens e serviços produzidos internamente e vendidos no exterior

importações bens e serviços produzidos no exterior e vendidos internamente

exportações líquidas o valor das exportações de um país menos o valor de suas importações; também chamado balança comercial

balança comercial o valor das exportações de um país menos o valor de suas importações; também chamado exportações líquidas

superávit comercial um excesso de exportações sobre as importações

déficit comercial um excesso de importações sobre as exportações

equilíbrio comercial uma situação em que as exportações são iguais às importações

As **exportações** são bens e serviços produzidos internamente e vendidos no exterior, ao passo que as **importações** são bens e serviços produzidos no exterior e vendidos internamente. Quando a Boeing, a fabricante de aeronaves dos Estados Unidos, constrói um avião e o vende para a Air France, a venda é uma exportação dos Estados Unidos e uma importação da França. Quando a Volvo, a fabricante sueca de automóveis, produz um carro e o vende a um residente dos Estados Unidos, a venda é uma importação dos Estados Unidos e uma exportação da Suécia.

As **exportações líquidas** de qualquer país são a diferença entre o valor das exportações e o valor das importações.

$$\text{Exportações líquidas} = \text{valor das exportações} - \text{valor das importações}$$

A venda realizada pela Boeing aumenta as exportações líquidas dos Estados Unidos, e a venda realizada pela Volvo reduz as exportações líquidas dos Estados Unidos. Como as exportações líquidas nos dizem se, no total, um país é um comprador ou um vendedor nos mercados mundiais de bens e serviços, elas são também denominadas **balança comercial**. Se as exportações líquidas são positivas, as exportações são maiores que as importações, indicando que o país vende ao exterior mais bens e serviços do que compra de outros países. Nesse caso, diz-se que o país tem um **superávit comercial**. Se as exportações líquidas são negativas, as exportações são menores que as importações, indicando que o país vende menos bens e serviços ao exterior do que compra de outros países. Nesse caso, diz-se que o país tem um **déficit comercial**. Quando as exportações líquidas são iguais a zero, as exportações e importações são exatamente iguais, e diz-se que o país tem **equilíbrio comercial**.

No próximo capítulo, desenvolveremos uma teoria que explica o equilíbrio comercial de uma economia, mas, mesmo neste estágio inicial, é fácil pensar em muitos fatores que podem influenciar as exportações, as importações e as exportações líquidas de um país:

- As preferências dos consumidores por bens produzidos interna e externamente.
- Os preços dos bens internamente e no exterior.
- A taxa de câmbio à qual as pessoas podem usar moeda interna para comprar moedas estrangeiras.
- As rendas dos consumidores internamente e no exterior.
- O custo do transporte dos bens de país para país.
- As políticas do governo com relação ao comércio internacional.

À medida que essas variáveis se alteram, o volume de comércio internacional também muda.

31_1B O fluxo de recursos financeiros: fluxo líquido de capitais externos

Até aqui, discutimos como os residentes em uma economia aberta participam dos mercados mundiais de bens e serviços. Além disso, os residentes de uma economia aberta também participam dos mercados financeiros mundiais. Um residente dos Estados Unidos que tivesse $ 25 mil poderia usar esse dinheiro para comprar um carro da Toyota, mas poderia, alternativamente, usar o dinheiro para comprar ações da

fluxo líquido de capitais externos[1] a compra de ativos estrangeiros por residentes internos menos a compra de ativos internos por estrangeiros; o mesmo que investimento externo líquido

empresa Toyota. A primeira transação representaria um fluxo de bens, enquanto a segunda, um fluxo de capital.

A expressão **fluxo líquido de capitais externos**, também denominada *investimento externo líquido*, refere-se à compra de ativos estrangeiros por residentes internos menos a compra de ativos internos por estrangeiros:

Investimento externo líquido = Compra de ativos externos por residentes internos
- Compra de ativos internos por residentes no exterior

Quando um residente dos Estados Unidos compra ações da Petrobras, a companhia energética brasileira, a aquisição aumenta o primeiro termo do lado direito da equação; portanto, aumenta o investimento externo líquido dos Estados Unidos. Quando um residente do Japão compra um título emitido pelo governo norte-americano, a compra aumenta o segundo termo do lado direito da equação; portanto, reduz o investimento externo líquido dos Estados Unidos.

O investimento externo entre a economia dos Estados Unidos e o restante do mundo assume duas formas. Se o McDonald's abrir uma lanchonete na Rússia, trata-se de um exemplo de *investimento externo direto.* Alternativamente, se um norte-americano comprar ações de uma empresa russa, esse é um exemplo de *investimento externo em carteira.* No primeiro caso, o proprietário norte-americano (McDonald's) administra ativamente o investimento, ao passo que, no segundo, o proprietário norte-americano (o acionista) tem um papel mais passivo. Nos dois casos, residentes dos Estados Unidos compram ativos localizados em outro país, de modo que as duas compras aumentam o investimento externo líquido dos Estados Unidos.

O investimento externo líquido (às vezes chamado *investimento estrangeiro líquido*) pode ser positivo ou negativo. Quando é positivo, significa que o residente norte-americano compra mais ativos externos e o residente estrangeiro compra menos ativos internos - diz-se que o capital está saindo do país. Quando o investimento externo líquido é negativo, significa que o residente norte-americano compra menos ativos externos e o residente estrangeiro compra mais ativos internos - diz-se que o capital está entrando no país. Ou seja, quando o investimento externo líquido é negativo, o país recebe mais capital estrangeiro.

Vamos desenvolver, no próximo capítulo, uma teoria para explicar o investimento externo líquido. Aqui, consideraremos rapidamente algumas das principais variáveis que influenciam o investimento externo líquido:

- As taxas de juros reais pagas sobre os ativos estrangeiros.
- As taxas de juros reais pagas sobre os ativos internos.
- Riscos econômicos e políticos percebidos de manter ativos no exterior.
- As políticas governamentais que afetam a propriedade de ativos internos por estrangeiros.

Suponha que investidores norte-americanos estejam decidindo se devem comprar títulos do governo mexicano ou do governo norte-americano (lembre-se de que um título é, na prática, um IOU, ou seja, um acordo escrito para devolução de uma dívida dado pelo emitente). Para tomar essa decisão, os investidores dos Estados Unidos comparam as taxas de juros reais oferecidas pelos dois títulos. Quanto mais alta for a taxa de juros real de um título, mais atraente ele será. Porém, enquanto fazem essa comparação, os investidores dos Estados Unidos também precisam levar em conta o risco de que um desses governos possa se tornar inadimplente em relação à sua dívida (isto é, deixar de pagar os juros ou o principal no tempo devido), bem como quaisquer restrições que o governo mexicano tenha imposto ou venha a impor no futuro sobre os investidores estrangeiros no México.

1. Deste ponto em diante, passaremos a utilizar a expressão "investimento externo líquido" em lugar de "fluxo líquido de capitais externo". (NRT)

31_1c Igualdade das exportações líquidas e investimento externo líquido

Vimos que uma economia aberta interage com o restante do mundo de duas maneiras: nos mercados mundiais de bens e serviços e nos mercados financeiros mundiais. As exportações líquidas e o investimento externo líquido medem, cada um deles, um tipo de desequilíbrio nesses mercados. As exportações líquidas medem um desequilíbrio entre as exportações e as importações de um país. O investimento externo líquido mede um desequilíbrio entre o total de ativos estrangeiros comprados pelos residentes internos e o total de ativos internos comprados por estrangeiros.

Um fato importante, porém sutil, da contabilidade indica que, para uma economia como um todo, o investimento externo líquido (*IEL*) deve sempre ser igual à exportação líquida (*EL*):

$$IEL = EL$$

Essa equação é válida, porque todas as transações que afetam um lado da equação também devem afetar o outro lado pelo mesmo montante. Essa equação é uma *identidade* - uma igualdade que é mantida pela maneira como suas variáveis são definidas e medidas.

Para entender por que essa identidade contábil é verdadeira, vamos considerar um exemplo. Imagine que você é um programador de computadores que mora nos Estados Unidos. Você desenvolve um programa e o vende a um consumidor japonês por 10 mil ienes. A venda desse programa é uma exportação dos Estados Unidos; portanto, significa um aumento na exportação líquida. O que mais acontece para tornar essa identidade válida? A resposta depende do que você faz com os 10 mil ienes que recebeu.

Primeiro, suponhamos que você simplesmente guarde o dinheiro embaixo do colchão. (Podemos dizer que você tem uma queda por iene.) Nesse caso, você está usando parte da sua renda para investir na economia japonesa. Quer dizer, um residente interno (você) adquiriu um ativo externo (a moeda japonesa). O aumento nas exportações líquidas é equilibrado pelo aumento no investimento externo líquido dos Estados Unidos.

De modo mais realista, porém, se quiser investir na economia japonesa, você não ficará com o dinheiro. Mais provavelmente, você usará os 10 mil ienes para comprar ações de uma empresa japonesa ou títulos do Tesouro japonês. Ainda assim, a situação é a mesma: um residente interno que adquire um ativo externo. O aumento no investimento externo líquido (a compra de ações ou títulos japoneses) é exatamente igual ao aumento das exportações líquidas (a venda do programa).

Vejamos outro exemplo. Suponha que, em vez de usar os 10 mil ienes para comprar um ativo japonês, você compre um produto feito no Japão, um televisor da Sony, por exemplo. Como resultado, as importações dos Estados Unidos aumentam. A exportação do programa e a importação do televisor representam um equilíbrio comercial. Como importação e exportação aumentam na mesma proporção, as exportações líquidas não se alteram. Nesse caso, nenhum norte-americano acaba adquirindo ativo externo e nenhum estrangeiro adquire ativo norte-americano; portanto, também não há impacto no investimento externo líquido dos Estados Unidos.

Outra possibilidade é que você vá a um banco trocar a quantia em ienes por dólares norte-americanos. Mas isso não muda a situação, porque o banco precisa fazer alguma coisa com os 10 mil ienes. Ele pode comprar ativos japoneses (investimento externo líquido norte-americano), comprar um produto japonês (importação americana) ou vender os ienes para outro norte-americano que deseje fazer essa transação. No fim, as exportações líquidas devem ser iguais ao investimento externo líquido.

Nosso exemplo começou quando um programador norte-americano vendeu um programa no estrangeiro, mas a situação é a mesma quando um cidadão norte-americano compra bens e serviços de outros países. Por exemplo, se a rede Wal-Mart compra $ 50 milhões em roupas da China e vende para consumidores norte-americanos, algo deve acontecer com esse dinheiro. Uma possibilidade é que a China invista esse valor na economia dos Estados Unidos. A entrada de capital chinês pode ser feita por meio da compra de títulos do governo norte-americano. Nesse caso, a venda das roupas reduz as exportações líquidas dos Estados Unidos, e a venda de títulos reduz o investimento externo líquido norte-americano. Por outro lado, a China pode usar os $ 50 milhões para comprar uma aeronave da Boeing, fabricante norte-americano. Nesse caso, a importação de roupas se iguala à exportação de aeronaves, e, assim, as exportações líquidas e o investimento externo líquido não se alteram. Em todos os casos, a transação tem o mesmo efeito sobre as exportações líquidas e o investimento externo líquido.

Podemos resumir essas conclusões considerando a economia como um todo:

- Quando uma nação apresenta superávit comercial ($EL > 0$), significa que vende mais bens e serviços para residentes no exterior do que compra. O que faz com a moeda que recebe da venda líquida de bens e serviços para o estrangeiro? Talvez esteja comprando ativos externos. Então, o capital está saindo do país ($IEL > 0$).
- Quando uma nação apresenta déficit comercial ($EL < 0$), significa que compra mais bens e serviços externos do que vende. De que maneira financia a compra líquida de bens e serviços nos mercados mundiais? Deve estar vendendo ativos no mercado externo. O capital entra no país ($IEL < 0$).

O fluxo internacional de bens e serviços e o fluxo internacional de capital são dois lados da mesma moeda.

31_1D Poupança, investimento e sua relação com os fluxos internacionais

A poupança e o investimento de uma nação são cruciais para seu crescimento econômico de longo prazo. Como vimos em capítulos anteriores, poupança e investimento se igualam em uma economia fechada, mas essas questões não são tão simples em uma economia aberta. Vamos analisar de que forma a poupança e o investimento estão relacionados com o fluxo estrangeiro de produtos e de capital, medidos pelas exportações líquidas e pelo investimento externo líquido.

Como você deve se lembrar, a expressão *exportações líquidas* surgiu anteriormente neste livro, quando discutimos os componentes do produto interno bruto. O produto interno bruto da economia (Y) divide-se em quatro componentes: consumo (C), investimento (I), compras do governo (G) e exportações líquidas (EL). Isso pode ser escrito como

$$Y = C + I + G + EL$$

A despesa total na produção de bens e serviços da economia é a soma das despesas de consumo, investimento, compras do governo e exportações líquidas. Como cada dólar de despesa é classificado em um desses quatro componentes, essa equação é uma identidade contábil: deve ser verdadeira por causa da maneira como as variáveis são definidas e medidas.

Lembre-se de que a poupança nacional é a renda da nação que resta após terem sido pagos o consumo corrente e as compras do governo. A poupança nacional (S) é igual $Y - C - G$. Se reorganizarmos a equação apresentada anteriormente para refletir esse fato, vamos obter

$$Y - C - G = I + EL$$
$$S = I + EL$$

Como as exportações líquidas (EL) são também iguais ao investimento externo líquido (IEL), essa equação pode ser reescrita como

$$S \quad = \quad I \quad + \quad IEL$$
$$\text{Poupança} = \text{Investimento interno} + \text{Investimento externo líquido}$$

Essa equação mostra que a poupança de uma nação deve ser igual a seu investimento interno mais o investimento externo líquido. Em outras palavras, quando os cidadãos dos Estados Unidos poupam um dólar de sua renda para o futuro, esse dólar pode ser usado para financiar a acumulação de capital interno ou para financiar a compra de capital no exterior.

Essa equação deve parecer familiar a você. Anteriormente, quando analisamos o papel do sistema financeiro, consideramos essa identidade para o caso especial de uma economia fechada. Numa economia fechada, o investimento externo líquido é zero ($IEL = 0$), de modo que a poupança é igual ao investimento ($S = I$). Por sua vez, uma economia aberta tem dois usos para a sua economia: investimento interno e investimento externo líquido.

Como antes, podemos imaginar o sistema financeiro se situando entre os dois lados da identidade. Por exemplo, suponha que a família Smith decida poupar parte de sua renda para a aposentadoria. Essa decisão contribui para a poupança nacional, o lado esquerdo da nossa equação. Se os Smith depositarem sua poupança em um fundo mútuo, este poderá usar parte do depósito para comprar ações emitidas pela General Motors, que usa os recursos para construir uma fábrica em Ohio. Além disso, o fundo mútuo pode usar parte do depósito dos Smith para comprar ações da Toyota, que usa os recursos para construir uma fábrica em Osaka. Essas transações aparecem do lado direito da equação. Do ponto de vista da contabilidade dos Estados Unidos, a despesa da General Motors na nova fábrica é investimento interno e a compra de ações da Toyota por um residente dos Estados Unidos é investimento externo líquido. Portanto, toda a poupança da economia dos Estados Unidos aparece como investimento na economia dos Estados Unidos ou como investimento externo líquido dos Estados Unidos.

A questão é que a poupança, os investimentos e o fluxo internacional de capital são indissociáveis. Quando a poupança de um país excede os investimentos domésticos, o investimento externo líquido é positivo, o que indica que o país está usando parte da poupança para comprar ativos no estrangeiro. Quando os investimentos internos de um país excedem a poupança, o investimento externo líquido é negativo, o que indica que os residentes no exterior estão financiando parte desses investimentos por meio da compra de ativos internos.

31_1E Juntando tudo

A Tabela 1 resume muitas das ideias apresentadas até aqui, neste capítulo. Ela descreve três possibilidades para uma economia aberta: um país com déficit comercial, um país com equilíbrio comercial e um país com superávit comercial.

Vamos considerar, primeiro, um país com superávit comercial. Por definição, um superávit comercial significa que o valor das exportações excede o das importações. Como as exportações líquidas são as exportações menos as importações, as exportações líquidas (EL) são maiores que zero. Como resultado, a renda ($Y = C + I + G + EL$) deve ser maior que a despesa interna ($C + I + G$). Mas se a renda (Y) for maior que a despesa ($C + I + G$), então a poupança ($S = Y - C - G$) deve ser maior que o investimento (I). Como o país está poupando

Tabela 1

Fluxos internacionais de bens e capital: resumo

Esta tabela mostra os três resultados possíveis para uma economia aberta.

Déficit comercial	Equilíbrio comercial	Superávit comercial
Exportações < Importações	Exportações = Importações	Exportações > Importações
Exportações líquidas < 0	Exportações líquidas = 0	Exportações líquidas > 0
$Y < C + I + G$	$Y = C + I + G$	$Y > C + I + G$
Poupança < Investimento	Poupança = Investimento	Poupança > Investimento
Investimento externo líquido < 0	Investimento externo líquido = 0	Investimento externo líquido > 0

Pergunte aos especialistas

Equilíbrios comerciais e negociações comerciais

"Um país típico pode aumentar o bem-estar de seus cidadãos implantando políticas que aumentem o superávit comercial (ou diminuam o déficit comercial)."

O que os economistas dizem?

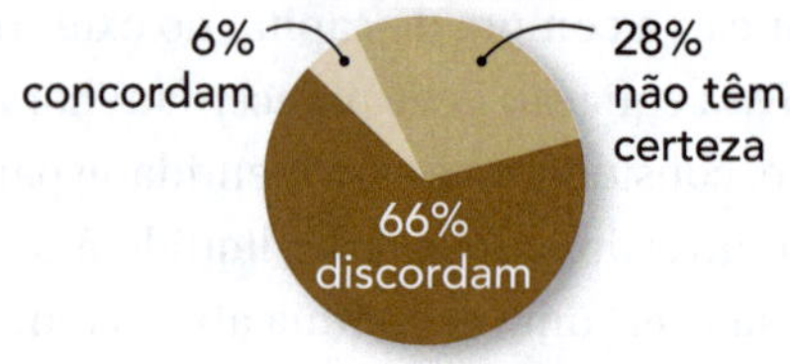

"Uma razão importante pela qual muitos trabalhadores em Michigan e Ohio perderam o emprego recentemente é porque as administrações presidenciais dos Estados Unidos, nos últimos 30 anos, não foram suficientemente rígidas nas negociações comerciais."

O que os economistas dizem?

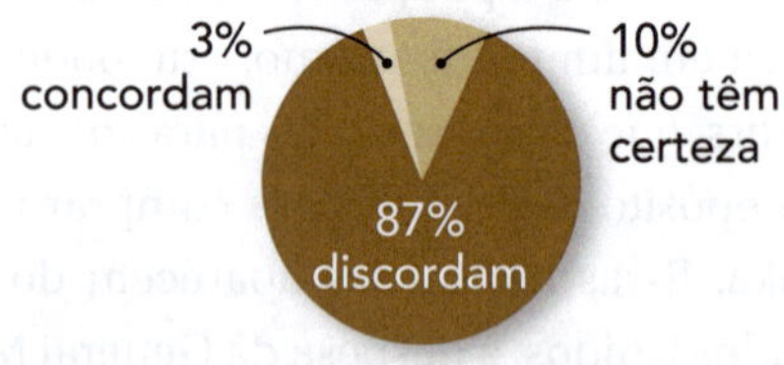

Fonte: IGM Economic Experts Panel, 9 de dezembro de 2014 e 22 de março de 2016.

mais do que está investindo, deve estar enviando para o exterior uma parte de sua poupança. Ou seja, o investimento externo líquido deve ser maior que zero.

A mesma lógica, porém invertida, aplica-se a um país com déficit comercial, como a economia dos Estados Unidos nos últimos anos. Por definição, um déficit comercial significa que o valor das exportações é menor que o valor das importações. Como as exportações líquidas são as exportações menos as importações, as exportações líquidas (EL) são negativas. Portanto, a renda ($Y = C + I + G + EL$) deve ser menor que a despesa interna ($C + I + G$). Mas, se a renda (Y) for menor que a despesa ($C + I + G$), então a poupança ($S = Y - C - G$) deve ser menor que o investimento (I). Como o país investe mais do que poupa, deve estar financiando parte do investimento interno por meio da venda de ativos no estrangeiro, ou seja, o investimento externo líquido deve ser negativo.

Um país com equilíbrio comercial está entre esses dois casos. As exportações são iguais às importações, de modo que as exportações líquidas são zero. A renda é igual à despesa interna e a poupança é igual ao investimento. O investimento externo líquido é zero.

Teste rápido Defina exportação líquida e investimento externo líquido. Explique como se relacionam.

31_2 OS PREÇOS DAS TRANSAÇÕES INTERNACIONAIS: TAXAS DE CÂMBIO REAL E NOMINAL

Até aqui, discutimos as medidas do fluxo de bens e serviços e do fluxo de capital pelas fronteiras de uma nação. Além dessas variáveis quantitativas, os macroeconomistas também estudam variáveis que medem os preços pelos quais se dão essas transações internacionais. Assim como o preço em qualquer mercado desempenha a importante função de coordenar compradores e vendedores no mercado, os preços internacionais ajudam a coordenar as decisões dos consumidores e dos produtores quando interagem nos mercados mundiais. Aqui, abordamos os dois preços internacionais mais importantes: as taxas de câmbio nominal e real.

31_2A Taxa de câmbio nominal

A **taxa de câmbio nominal** é a taxa à qual uma pessoa pode trocar a moeda de um país pela de outro. Por exemplo, se você for ao banco, pode ver anunciada uma taxa de câmbio de 80 ienes por dólar. Se você der ao

taxa de câmbio nominal
a taxa à qual uma pessoa pode trocar a moeda de um país pela de outro

apreciação
um aumento do valor de uma moeda medido pela quantidade de moeda estrangeira que ela pode comprar

depreciação
uma redução do valor de uma moeda medida pela quantidade de moeda estrangeira que ela pode comprar

banco 1 dólar, o banco lhe dará em troca 80 ienes japoneses; e se você entregar ao banco 80 ienes japoneses, ele lhe dará 1 dólar dos Estados Unidos. (Na prática, o banco cobrará preços ligeiramente diferentes para a compra e a venda de ienes. As diferenças proporcionam ao banco algum lucro por oferecer esse serviço. Para os nossos fins, podemos ignorar essas diferenças.)

Uma taxa de câmbio pode sempre ser expressa de duas maneiras. Se a taxa de câmbio for de 80 ienes por dólar, também é igual a 1/80 (= 0,0125) dólar por iene. No decorrer do livro, sempre expressaremos a taxa de câmbio nominal como unidades da moeda estrangeira por dólar dos Estados Unidos, por exemplo, 80 ienes por dólar.

Quando a taxa de câmbio muda de modo que 1 dólar compre mais moeda estrangeira, essa mudança é chamada **apreciação** do dólar. Se a taxa de câmbio muda de modo que 1 dólar compre menos moeda estrangeira, essa mudança é chamada **depreciação** do dólar. Por exemplo, quando a taxa de câmbio sobe de 80 para 90 ienes por dólar, diz-se que o dólar se apreciou. Ao mesmo tempo, como 1 iene japonês agora compra menos moeda dos Estados Unidos, diz-se que o iene se depreciou. Quando a taxa de câmbio cai de 80 para 70 ienes por dólar, dizemos que o dólar se depreciou e que o iene se apreciou.

Você talvez já tenha ouvido a mídia relatar que o dólar está "forte" ou "fraco". Essas descrições usualmente se referem a alterações recentes na taxa de câmbio nominal. Quando uma moeda se aprecia, diz-se que ela está *fortalecida* porque pode, assim, comprar mais moeda estrangeira. De forma similar, quando uma moeda se deprecia, diz-se que ela está *enfraquecida*.

Para cada país, há muitas taxas de câmbio nominais. O dólar dos Estados Unidos pode ser usado para comprar ienes japoneses, libras britânicas, pesos mexicanos, e assim por diante. Quando os economistas estudam as variações na taxa de câmbio, em geral, usam índices que representam uma média dessas diversas taxas de câmbio. Da mesma maneira que o índice de preços ao consumidor transforma os muitos preços da economia em uma medida única do nível de preços, um índice de taxa de câmbio transforma essas diversas taxas de câmbio em uma só medida do valor internacional da moeda. Desse modo, quando os economistas falam sobre apreciação ou depreciação do dólar, na maioria das vezes estão se referindo a um índice de taxa de câmbio que leva em conta diversas taxas de câmbio individuais.

31_2B Taxa de câmbio real

taxa de câmbio real
a taxa à qual uma pessoa pode negociar os bens e serviços de um país pelos bens e serviços de outro país

A **taxa de câmbio real** é a taxa à qual uma pessoa pode trocar os bens e serviços de um país pelos bens e serviços de outro país. Por exemplo, suponha que você vá às compras e descubra que 1 quilo de queijo suíço custa duas vezes mais que 1 quilo de queijo norte-americano. Poderíamos, então, dizer que a taxa de câmbio real é de ½ quilo de queijo suíço por quilo de queijo norte-americano. Observe que a taxa de câmbio real, assim como a taxa de câmbio nominal, é expressa como unidades do item estrangeiro por unidade do item nacional. Mas, nesse caso, o item é um bem e não uma moeda.

As taxas de câmbio nominal e real estão estreitamente relacionadas. Para ver por que isso acontece, consideremos um exemplo. Suponha que uma saca de arroz norte-americano custe $ 100 e que uma saca de arroz japonês custe 16 mil ienes. Qual é a taxa de câmbio real entre o arroz norte-americano e o arroz japonês? Para responder a essa pergunta, devemos primeiro usar a taxa de câmbio nominal para converter os preços em uma moeda comum. Se a taxa de câmbio nominal é de 80 ienes por dólar, então o preço do arroz norte-americano, de $ 100 por saca, é equivalente a 8 mil ienes por saca. O arroz norte-americano custa a metade do preço do arroz japonês. A taxa de câmbio real é de ½ saca de arroz japonês por saca de arroz norte-americano.

Podemos resumir esse cálculo da taxa de câmbio real com a seguinte fórmula:

$$\text{Taxa de câmbio real} = \frac{\text{Taxa de câmbio nominal x Preço interno}}{\text{Preço externo}}$$

Usando os números do nosso exemplo, a fórmula é aplicada da seguinte forma:

$$\text{Taxa de câmbio real} = \frac{\text{(80 ienes por dólar)} \times \text{(\$ 100 por saca de arroz norte-americano)}}{\text{16.000 ienes por saca de arroz japonês}}$$

$$= \frac{\text{8.000 ienes por saca de arroz norte-americano}}{\text{16.000 ienes por saca de arroz japonês}}$$

$$= \text{½ saca de arroz japonês por saca de arroz norte-americano}$$

Portanto, a taxa de câmbio real depende da taxa de câmbio nominal e dos preços dos bens nos dois países medidos em moedas locais.

Por que a taxa de câmbio real é importante? A taxa de câmbio real é um determinante-chave do quanto um país importa e exporta. Quando a Uncle Ben's Inc. decide se deve comprar arroz norte-americano ou arroz japonês para colocar em suas embalagens, por exemplo, pergunta qual dos dois é mais barato. A taxa de câmbio real oferece a resposta. Mais um exemplo: imagine que você esteja decidindo se deve passar as férias em Miami, na Flórida, ou em Cancun, no México. Você pode perguntar a seu agente de viagens o preço de um quarto de hotel em Miami (medido em dólares), o preço de um quarto em Cancun (medido em pesos) e a taxa de câmbio entre pesos e dólares. Se decidir onde passar suas férias por meio de uma comparação dos custos, sua decisão será baseada na taxa de câmbio real.

Ao estudar a economia, os macroeconomistas concentram-se no nível geral de preços, e não nos preços de itens individuais. Ou seja, para medir a taxa de câmbio real, eles usam índices de preços, como o índice de preços ao consumidor, que medem o preço de uma cesta de bens e serviços. Usando um índice de preços para uma cesta dos Estados Unidos (P), um índice de preços para uma cesta estrangeira (P^*) e a taxa de câmbio nominal entre o dólar norte-americano e as moedas estrangeiras (e), podemos calcular a taxa de câmbio real geral entre os Estados Unidos e outros países da seguinte maneira:

$$\text{Taxa de câmbio real} = (e \times P)/P^*$$

Essa taxa de câmbio real mede o preço de uma cesta de bens e serviços disponível internamente em relação a uma cesta de bens e serviços disponível no exterior.

Como veremos em detalhes no próximo capítulo, a taxa de câmbio real de um país é um determinante-chave de suas exportações líquidas de bens e serviços. Uma depreciação (queda) da taxa de câmbio real dos Estados Unidos significa que os bens norte-americanos se tornaram mais baratos em relação aos bens estrangeiros. Essa alteração incentiva os consumidores, tanto internos quanto estrangeiros, a comprar mais bens dos Estados Unidos e menos bens de outros países. Como resultado, as exportações dos Estados Unidos aumentam e suas importações caem, e essas duas alterações aumentam as exportações líquidas dos Estados Unidos. Inversamente, uma apreciação (elevação) da taxa de câmbio real dos Estados Unidos significa que os bens norte-americanos tornaram-se mais caros em relação aos bens estrangeiros, de modo que as exportações líquidas dos Estados Unidos caem.

Teste rápido Defina taxa de câmbio nominal e taxa de câmbio real, e explique como estão relacionadas. • Se a taxa de câmbio nominal aumentar de 100 a 120 ienes por dólar, o dólar terá apreciado ou depreciado?

Saiba mais sobre

O EURO

Você já deve ter ouvido falar de, ou talvez até mesmo visto, moedas como o franco francês, o marco alemão ou a lira italiana. Esses tipos de moedas não existem mais. Durante a década de 1990, muitas nações europeias decidiram abrir mão de suas moedas nacionais e usar uma moeda comum chamada *euro*. O euro entrou em circulação em 1º de janeiro de 2002, quando 12 nações começaram a usá-lo como moeda oficial. Em 2016, havia 19 países usando o euro. Várias nações europeias, como o Reino Unido, a Suécia e a Dinamarca se recusaram a participar da união monetária e mantiveram as moedas próprias. A política monetária da zona do euro é agora estabelecida pelo Banco Central Europeu (BCE), com representantes de todos os países participantes. O BCE emite o euro e controla a oferta dessa moeda, da mesma forma que o Federal Reserve controla a oferta de dólares na economia dos Estados Unidos.

Por que esses países adotaram uma moeda comum? Um benefício de uma moeda comum é que ela facilita o comércio. Imagine que cada um dos 50 estados norte-americanos tivesse uma moeda diferente. Toda vez que você cruzasse uma fronteira estadual, precisaria mudar seu dinheiro e fazer cálculos da taxa de câmbio como os que foram discutidos no texto. Isso seria inconveniente e poderia impedir que você comprasse bens e serviços fora de seu próprio estado. Os países da Europa decidiram que, como suas economias tornaram-se mais integradas, seria melhor evitar esse inconveniente.

Até certo ponto, a adoção de uma moeda comum na Europa foi uma decisão política baseada em preocupações que iam além do âmbito da economia normal. Alguns defensores do euro queriam reduzir sentimentos nacionalistas e fazer que os europeus percebessem melhor sua história e seu destino comuns. Uma só moeda para a maior parte do continente, argumentavam, ajudaria a atingir esse objetivo.

Entretanto, existem custos na opção por uma moeda comum. Se as nações da Europa tiverem apenas uma moeda, elas podem ter somente uma política monetária. Se discordarem a respeito de qual seja a melhor política monetária, terão de chegar a algum tipo de acordo, em vez de seguir cada uma por seu próprio caminho. Como adotar uma moeda comum tem tanto benefícios quanto custos, há um debate entre os economistas a respeito de se a adoção do euro foi uma boa decisão.

De 2010 a 2015, a questão do euro se destacou, à medida que várias nações europeias enfrentaram diversas dificuldades econômicas. A Grécia, em particular, estava atravessando por uma grande dívida pública e deparou com a possibilidade de uma inadimplência. Como resultado, teve de aumentar os impostos e cortar substancialmente os gastos do governo. Alguns observadores sugeriram que seria mais fácil enfrentar esses problemas se o governo grego tivesse uma ferramenta adicional – uma política monetária própria. Foi até discutida a possibilidade de a Grécia sair da zona do euro e reintroduzir sua própria moeda. No fim das contas, aquela premissa não ocorreu, mas permanece como uma possibilidade para o futuro.

31_3 UMA PRIMEIRA TEORIA DA DETERMINAÇÃO DA TAXA DE CÂMBIO: PARIDADE DO PODER DE COMPRA

As taxas de câmbio variam substancialmente com o passar do tempo. Em 1970, 1 dólar norte-americano poderia ser usado para comprar 3,65 marcos alemães ou 627 liras italianas. Em 1998, quando a Alemanha e a Itália se preparavam para adotar o euro como moeda comum, 1 dólar norte-americano comprava 1,76 marco alemão ou 1.737 liras italianas. Em outras palavras, nesse período, o valor do dólar caiu em mais da metade, se comparado ao marco, e mais que dobrou, se comparado à lira.

paridade do poder de compra teoria das taxas de câmbio segundo a qual uma unidade de qualquer moeda dada deveria ser capaz de comprar a mesma quantidade de bens em todos os países

O que explica essas grandes e diferentes mudanças? Os economistas desenvolveram muitos modelos para explicar como as taxas de câmbio são determinadas, cada um dando ênfase a apenas algumas das forças em ação. Aqui, desenvolvemos a mais simples das teorias das taxas de câmbio, chamada **paridade do poder de compra**. Essa teoria declara que uma unidade de qualquer moeda dada deveria ser capaz de comprar a mesma quantidade de bens em todos os países. Muitos economistas acreditam que a paridade do poder de compra descreve as forças que determinam as taxas de câmbio no longo prazo. Agora, vamos considerar a lógica em que essa teoria de longo prazo das taxas de câmbio está baseada e suas implicações e limitações.

31_3A A lógica fundamental da paridade do poder de compra

A teoria da paridade do poder de compra se baseia em um princípio chamado *lei do preço único*. Essa lei afirma que um bem deve ser vendido pelo mesmo preço em todas as localidades. Caso contrário, haveria oportunidades inexploradas de lucro. Por exemplo, suponha que o café em grão seja mais barato em Seattle que em Boston. Uma pessoa poderia comprar café em Seattle por, digamos, $ 4 o quilo e então vendê-lo em Boston por $ 5 o quilo, obtendo um lucro de $ 1 por quilo por causa da diferença de preço. O processo de tirar vantagem das diferenças de preço de um mesmo produto em diferentes mercados é chamado *arbitragem*. Em nosso exemplo, à medida que as pessoas tirassem vantagem dessa oportunidade de arbitragem, aumentariam a demanda por café em Seattle e a oferta de café em Boston. O preço do café aumentaria em Seattle (em resposta à maior demanda) e diminuiria em Boston (em resposta à maior oferta). O processo continuaria até que, finalmente, os preços ficassem iguais nos dois mercados.

Examinemos agora como a lei do preço único aplica-se ao mercado internacional. Se 1 dólar (ou outra moeda qualquer) pudesse comprar mais café nos Estados Unidos que no Japão, os negociantes internacionais poderiam lucrar comprando café nos Estados Unidos e vendendo-o no Japão. Essa exportação de café dos Estados Unidos para o Japão elevaria o preço do café nos Estados Unidos e o reduziria no Japão. De modo inverso, se 1 dólar pudesse comprar mais café no Japão que nos Estados Unidos, os negociantes comprariam café no Japão para vender nos Estados Unidos. Essa importação de café do Japão para os Estados Unidos reduziria o preço do café nos Estados Unidos e o aumentaria no Japão. No final, a lei do preço único nos diz que 1 dólar deve comprar a mesma quantidade de café em todos os países.

Essa lógica nos leva à teoria da paridade do poder de compra. De acordo com essa teoria, uma moeda deve ter o mesmo poder de compra em todos os países. Ou seja, 1 dólar dos Estados Unidos deve comprar a mesma quantidade de bens nos Estados Unidos e no Japão, e 1 iene japonês deve comprar a mesma quantidade de bens no Japão e nos Estados Unidos. De fato, o nome da teoria descreve-a bem. *Paridade* significa igualdade e *poder de compra* refere-se ao valor da moeda com relação à quantidade de bem que se pode adquirir. *Paridade do poder de compra* significa que uma unidade de uma moeda deve ter o mesmo valor real em qualquer país.

31_3B Implicações da paridade do poder de compra

O que a teoria da paridade do poder de compra nos diz sobre as taxas de câmbio? Ela nos diz que a taxa de câmbio nominal entre as moedas de dois países depende do nível de preços nesses países. Se 1 dólar compra a mesma quantidade de bens nos Estados Unidos (onde os preços são medidos em dólares) e no Japão (onde os preços são medidos em ienes), então o número de ienes por dólar deve refletir os preços dos bens nos Estados Unidos e no Japão. Por exemplo, se 1 quilo de café custa 500 ienes no Japão e $ 5 nos Estados Unidos, a taxa de câmbio nominal deve ser de 100 ienes por dólar (500 ienes/$ 5 = 100 ienes por dólar). Caso contrário, o poder de compra do dólar não será o mesmo nos dois países.

Para entender melhor como isso funciona, é útil usar um pouco de matemática. Suponha que P seja o preço de uma cesta de bens nos Estados Unidos (medido em dólares), P^* o preço de uma cesta de bens no Japão (medido em ienes) e e a taxa de câmbio nominal (o número de ienes que um dólar pode comprar). Considere agora a quantidade de bens que 1 dólar pode comprar nos Estados Unidos e no exterior. Nos Estados Unidos, o nível de preços é P, de modo que o poder de compra de $ 1 é $1/P$, ou seja, 1 dólar compra uma quantidade $1/P$ de produtos. No exterior, 1 dólar pode ser trocado por e unidades da moeda estrangeira, que, por sua vez, tem poder de compra de e/P^*. Para que o poder de compra do dólar seja o mesmo nos dois países, é preciso que:

$$1/P = e/P^*$$

Ao reorganizarmos a equação, obtemos:

$$1 = eP/P^*$$

Observe que o lado esquerdo dessa equação é uma constante e que seu lado direito é a taxa de câmbio real. Portanto, *se o poder de compra do dólar é sempre o mesmo, seja nos Estados Unidos, seja no exterior, então a taxa de câmbio real - o preço relativo dos bens internos e externos - não pode mudar.*

Para vermos a implicação dessa análise para a taxa de câmbio nominal, podemos reorganizar a última equação, resolvendo-a para a taxa de câmbio nominal:

$$e = P^*/P$$

Ou seja, a taxa de câmbio nominal é igual à razão entre o nível de preços externos (medido em unidades da moeda estrangeira) e o nível de preços interno (medido em unidades da moeda interna). *De acordo com a teoria da paridade do poder de compra, a taxa de câmbio nominal entre as moedas dos dois países deve refletir os diferentes níveis de preços desses dois países.*

Uma implicação-chave dessa teoria é a de que as taxas de câmbio nominais mudam quando os níveis de preços mudam. Como vimos no capítulo anterior, o nível de preços em um país qualquer se ajusta para equilibrar a quantidade de moeda ofertada e a quantidade de moeda demandada. Como a taxa de câmbio nominal depende dos níveis de preços, depende também da oferta e da demanda de moeda em cada país. Quando o banco central de um país aumenta a oferta de moeda e provoca uma elevação no nível de preços, ele também provoca a depreciação da moeda do país em relação a outras moedas do mundo. Em outras palavras, *quando o banco central emite grandes quantidades de moeda, a moeda perde valor, tanto em termos dos bens e serviços que pode comprar quanto em termos da quantidade de outras moedas que pode comprar.*

Agora podemos responder à pergunta que abriu esta seção: por que o dólar norte-americano perdeu valor comparado com o marco alemão e ganhou valor comparado com a lira italiana? A resposta é que a Alemanha seguiu uma política monetária menos inflacionária que os Estados Unidos, e a Itália seguiu uma política monetária mais inflacionária. Entre 1970 e 1998, a inflação nos Estados Unidos foi de 5,3% ao ano. Já na Alemanha a inflação foi de 3,5% ao ano e de 9,6% ao ano na Itália. Como os preços dos Estados Unidos aumentaram em relação aos da Alemanha, o valor do dólar caiu em relação ao marco. De forma similar, como os preços nos Estados Unidos caíram em relação aos preços na Itália, o valor do dólar aumentou em relação à lira.

Alemanha e Itália têm, hoje, uma moeda comum: o euro. Isso significa que os dois países compartilham uma só política monetária e que suas taxas de inflação estarão estreitamente relacionadas. Mas as lições históricas da lira e do marco se aplicarão ao euro da mesma forma. Se o dólar norte-americano daqui a 20 anos vai comprar mais ou menos euros que hoje, depende de o Banco Central Europeu produzir mais ou menos inflação na Europa que o Federal Reserve nos Estados Unidos.

31_3C Limitações da paridade do poder de compra

A paridade do poder de compra oferece um modelo simples de como as taxas de câmbio são determinadas. A teoria funciona bem para ajudar a entender muitos fenômenos econômicos. Em particular, ela pode explicar muitas tendências de longo prazo, como a depreciação do dólar em relação ao marco alemão e a apreciação do dólar em relação à lira italiana. Pode ainda explicar importantes variações das taxas de câmbio que se dão durante uma hiperinflação.

A teoria da paridade do poder de compra, todavia, não é totalmente precisa. Ou seja, as taxas de câmbio nem sempre se movem de maneira a garantir que 1 dólar tenha o mesmo valor real em todos os países o tempo todo. Existem duas razões pelas quais a teoria da paridade do poder de compra nem sempre ocorre na prática.

A primeira razão é que muitos bens não podem ser facilmente comercializados. Imagine, por exemplo, que os cortes de cabelos sejam mais caros em Paris que em Nova York. Viajantes internacionais poderiam evitar cortar os cabelos em Paris e alguns cabeleireiros poderiam mudar-se de Nova York para Paris. No entanto, essa arbitragem provavelmente seria por demais limitada para eliminar as diferenças nos preços. Desse modo, o desvio da paridade do poder de compra pode persistir e 1 dólar (ou um euro) continuaria a comprar menos de um corte de cabelo em Paris que em Nova York.

A segunda razão pela qual a paridade do poder de compra nem sempre se mantém é porque mesmo os bens comercializáveis nem sempre são substitutos perfeitos quando produzidos em países diferentes. Por exemplo, alguns consumidores preferem carros alemães, e outros, carros norte-americanos. Além disso, as preferências dos consumidores podem mudar com o passar do tempo. Se os carros alemães subitamente se tornarem mais populares, o aumento da demanda irá elevar seu preço em relação aos carros norte-americanos. Mas, apesar dessa diferença de preços nos dois mercados, pode não haver oportunidade para uma arbitragem lucrativa, porque os consumidores não consideram os dois tipos de carro como equivalentes.

Desse modo, tanto por causa dos bens que não são comercializáveis quanto por causa de alguns bens que são comercializáveis, mas não são substitutos perfeitos em relação a seus semelhantes estrangeiros, a paridade do poder de compra não é uma teoria perfeita da determinação da taxa de câmbio. Por essas razões, as taxas de câmbio reais flutuam ao longo do tempo. No entanto, a teoria da paridade do poder de compra oferece um primeiro passo útil para a compreensão das taxas de câmbio. A lógica básica é convincente: à medida que a taxa de câmbio real se afasta do nível previsto pela paridade do poder de compra, as pessoas têm maiores incentivos para transportar bens através de fronteiras nacionais. Ainda que as forças da paridade do poder de compra não fixem completamente a taxa de câmbio real, elas oferecem uma razão para esperar que as variações das taxas de câmbio reais sejam, em geral, pequenas ou temporárias. Como resultado, movimentos grandes e persistentes das taxas de câmbio nominais costumam refletir alterações nos níveis de preços internamente e no exterior.

Teste rápido Nos últimos 20 anos, o México apresentou uma inflação elevada, e o Japão, uma inflação baixa. O que você imagina que tenha acontecido com o número de pesos mexicanos que uma pessoa pode comprar com 1 iene japonês?

31_4 CONCLUSÃO

O objetivo deste capítulo foi desenvolver alguns conceitos básicos que os macroeconomistas usam para estudar economias abertas. Agora você entende como a balança comercial de um país está relacionada com o fluxo internacional de capital e como a poupança nacional difere do investimento interno em uma economia aberta. Você também entende que, quando um país apresenta superávit comercial, deve estar enviando capital para o estrangeiro, e, quando apresenta déficit comercial, deve estar recebendo investimentos externos. Você entende ainda o significado de taxas de câmbio nominal e real, assim como as implicações e limitações referentes à paridade do poder de compra como uma teoria sobre o modo de determinar as taxas de câmbio.

As variáveis macroeconômicas aqui definidas oferecem um ponto de partida para a análise das interações de uma economia aberta com o restante do mundo. No próximo capítulo, desenvolveremos um modelo capaz de explicar o que determina essas variáveis. Poderemos, então, discutir de que maneira vários eventos e políticas afetam a balança comercial de um país e a taxa à qual as nações fazem trocas nos mercados mundiais.

Teste rápido do capítulo

1. Comparando a economia atual dos Estados Unidos com a de 1950, verifica-se que na de hoje, como porcentagem do PIB,

a. As exportações e as importações são maiores.
b. As exportações e as importações são menores.
c. As exportações são maiores e as importações são menores.
d. As exportações são menores e as importações são maiores.

2. Em uma economia aberta, a poupança nacional é igual ao investimento interno

a. Mais o fluxo líquido de capitais externos.
b. Menos as exportações líquidas de bens e serviços.
c. Mais o déficit orçamentário do governo.
d. Menos o investimento externo em carteira.

3. Se o valor das importações de uma nação superar o valor de suas exportações, qual das seguintes afirmações NÃO é verdadeira?

a. As exportações líquidas são negativas.
b. O PIB é menor que a soma do consumo, dos investimentos e das compras do governo.
c. O investimento interno é maior que a poupança nacional.
d. O país está tendo um déficit no fluxo líquido de capitais externos.

4. Se a moeda de um país dobra de valor nos mercados cambiais, pode-se dizer que está passando por uma ________, refletindo uma mudança na taxa de câmbio ________.

a. Apreciação, nominal.
b. Apreciação, real.
c. Depreciação, nominal.
d. Depreciação, real.

5. Se uma xícara de café custa 2 euros em Paris e 6 dólares em Nova York, e a paridade do poder de compra se mantém, qual é a taxa de câmbio?

a. 1/4 de euro por dólar.
b. 1/3 de euro por dólar.
c. 3 euros por dólar.
d. 4 euros por dólar.

6. A teoria da paridade do poder de compra diz que uma inflação elevada em um país faz que a moeda daquele país sofra uma ________, deixando a taxa de câmbio ________ inalterada.

a. Apreciação, nominal.
b. Apreciação, real.
c. Depreciação, nominal.
d. Depreciação, real.

RESUMO

- Exportação líquida é a denominação que se dá ao valor dos bens e serviços nacionais vendidos no exterior (exportações) menos o valor dos bens e serviços estrangeiros vendidos internamente (importações). O investimento externo líquido é a aquisição de ativos estrangeiros por residentes internos (saída de capital) menos a aquisição de ativos internos por residentes no exterior (entrada de capital). Como cada transação internacional envolve uma troca de um ativo por um bem ou serviço, o investimento externo líquido de um país é sempre igual às suas exportações líquidas.
- A poupança de uma economia pode ser usada tanto para financiar o investimento interno como para comprar ativos no exterior. Portanto, a poupança nacional é igual ao investimento interno mais o investimento externo líquido.
- A taxa de câmbio nominal é o preço relativo da moeda de dois países, e a taxa de câmbio real é o preço relativo dos bens e serviços de dois países. Quando a taxa de câmbio nominal muda de maneira que cada dólar compra mais moeda estrangeira, diz-se que o dólar está *apreciado* ou *fortalecido*. Quando a taxa de câmbio nominal compra menos moeda estrangeira, diz-se que o dólar está *depreciado* ou *enfraquecido*.
- De acordo com a teoria da paridade do poder de compra, 1 dólar (ou uma unidade de outra moeda qualquer) deve ser capaz de comprar a mesma quantidade de bens em todos os países. Essa teoria implica que a taxa de câmbio nominal entre as moedas de dois países deve refletir os níveis de preços desses dois países. Como resultado, países com inflação relativamente elevada deverão ter sua moeda depreciada e países com inflação relativamente baixa deverão ter sua moeda apreciada.

CONCEITOS-CHAVE

economia fechada, p. 526
economia aberta, p. 526
exportações, p. 527
importações, p. 527
exportações líquidas, p. 527
balança comercial, p. 527
superávit comercial, p. 527
déficit comercial, p. 527
equilíbrio comercial, p. 527
fluxo líquido de capitais externos, p. 528
taxa de câmbio nominal, p. 533
apreciação, p. 533
depreciação, p. 533
taxa de câmbio real, p. 533
paridade do poder de compra, p. 535

QUESTÕES PARA REVISÃO

1. Defina *exportações líquidas* e *investimento externo líquido.* Explique como e por que estão relacionados.
2. Explique a relação entre poupança, investimento e investimento externo líquido.
3. Se um carro japonês custa 1,5 milhões de ienes, um carro norte-americano similar custa $ 30 mil e 1 dólar pode comprar 100 ienes, quais são as taxas de câmbio nominal e real?
4. Descreva a lógica econômica por trás da teoria da paridade do poder de compra.
5. Se o Fed começasse a emitir grandes quantidades de dólares norte-americanos, o que aconteceria com o número de ienes japoneses que 1 dólar pode comprar? Por quê?

PROBLEMAS E APLICAÇÕES

1. De que maneira as seguintes transações afetariam as exportações, as importações e as exportações líquidas dos Estados Unidos?
   a. Um professor de arte norte-americano passa as férias visitando museus da Europa.
   b. Estudantes em Paris vão em grande número assistir ao mais recente filme de Hollywood.
   c. Seu tio compra um Volvo novo.
   d. A livraria para estudantes da Universidade de Oxford, na Inglaterra, vende uma cópia deste livro.
   e. Um cidadão canadense faz compras em uma loja no norte do estado norte-americano de Vermont para evitar o imposto sobre vendas do Canadá.
2. Cada uma das transações descritas a seguir seria incluída nas exportações líquidas ou no investimento externo líquido? Indique se cada uma representaria um aumento ou uma diminuição naquela variável.
   a. Um norte-americano compra um televisor da marca Sony.
   b. Um norte-americano compra ações da Sony.
   c. O fundo de pensão da Sony compra títulos do governo norte-americano.
   d. Um trabalhador da fábrica da Sony no Japão compra pêssegos do estado da Geórgia de um fazendeiro norte-americano.
3. Descreva a diferença entre investimento externo direto e investimento externo em carteira. Quem tem maior probabilidade de fazer investimento externo direto: uma empresa ou um investidor individual? Quem tem maior probabilidade de fazer um investimento externo em carteira?
4. Como as transações a seguir afetariam o investimento externo líquido dos Estados Unidos? Indique ainda se cada uma envolve investimento direto ou investimento em carteira.
   a. Uma companhia de serviço de telefonia celular norte-americana abre um escritório na República Checa.
   b. A Harrod's de Londres vende ações ao fundo de pensão da General Electric.

c. A Honda expande sua fábrica em Marysville, em Ohio.
d. O fundo mútuo Fidelity vende suas ações da Volkswagen a um investidor francês.

5. Cada um dos grupos a seguir ficaria satisfeito ou insatisfeito com uma apreciação do dólar norte-americano? Explique.
a. Fundos de pensão holandeses que mantêm títulos do governo dos Estados Unidos.
b. A indústria manufatureira dos Estados Unidos.
c. Turistas australianos que planejam uma viagem aos Estados Unidos.
d. Uma empresa dos Estados Unidos que está tentando comprar propriedades no exterior.

6. O que está acontecendo com a taxa de câmbio real dos Estados Unidos em cada uma das situações a seguir? Explique.
a. A taxa de câmbio nominal dos Estados Unidos permanece inalterada, mas os preços aumentam mais rapidamente nos Estados Unidos que no exterior.
b. A taxa de câmbio nominal dos Estados Unidos permanece inalterada, mas os preços aumentam mais rapidamente no exterior que nos Estados Unidos.
c. A taxa de câmbio nominal dos Estados Unidos cai e os preços permanecem inalterados tanto nos Estados Unidos quanto no exterior.
d. A taxa de câmbio nominal dos Estados Unidos cai e os preços aumentam mais rapidamente no exterior que nos Estados Unidos.

7. Uma lata de refrigerante custa $ 1,25 nos Estados Unidos e 25 pesos no México. Qual seria a taxa de câmbio peso-dólar na vigência da paridade do poder de compra? Se uma expansão monetária fizesse que todos os preços no México dobrassem, de modo que uma lata de refrigerante aumentasse para 50 pesos, o que aconteceria com a taxa de câmbio peso-dólar?

8. A partir do preço do Big Mac, analise a paridade do poder de compra dos países cujos dados são informados a seguir.

País	Preço do Big Mac	Taxa de câmbio prevista	Taxa de câmbio real
Chile	2.100 pesos	__ pesos/$	715 pesos/$
Hungria	900 forintes	__ forintes/$	293 forintes/$
República Tcheca	75 korunas	__ korunas/$	25,1 korunas/$
Brasil	13,5 reais	__ reais/$	4,02 reais/$
Canadá	5,84 dólares canadenses	__ dólares canadenses/$	1,41 dólar canadense/$

a. Para cada país, calcule a taxa de câmbio prevista da moeda local por dólar dos Estados Unidos (lembre-se de que o preço de um Big Mac nos Estados Unidos era de $ 4,93).
b. De acordo com a paridade do poder de compra, qual é a taxa de câmbio prevista entre o forinte húngaro e o dólar canadense? E qual a taxa de câmbio vigente?
c. Até que ponto a teoria da paridade do poder de compra explica as taxas de câmbio?

9. A paridade do poder de compra se mantém entre as nações de Ectenia e Wiknam, onde a única mercadoria é o Spam.
a. Em 2015, uma lata de Spam custa 4 dólares em Ectenia e 24 pesos em Wiknam. Qual é a taxa de câmbio entre dólares ectenianos e pesos wiknamianos?
b. Ao longo dos próximos 20 anos, a inflação é de 3,5% ao ano em Ectenia e 7% ao ano em Wiknam. Se aquelas inflações permanecerem, qual será o preço do Spam e a taxa de câmbio em 2035? (*Dica:* lembre-se da regra de 70 do Capítulo 27.)
c. Qual destas duas nações, provavelmente, vai ter uma taxa de juros nominal mais alta? Por quê?
d. Um amigo seu sugere um esquema para ficar rico rapidamente: tome emprestado da nação com a menor taxa de juros nominal, invista na nação com a maior taxa de juros nominal e lucre com o diferencial da taxa de juros. Você vê algum problema potencial nessa ideia? Explique.

CAPÍTULO 32

Teoria macroeconômica da economia aberta

Nas últimas três décadas, os Estados Unidos importaram consistentemente mais bens e serviços que exportaram. Ou seja, suas exportações líquidas têm sido negativas. Embora os economistas debatam se esses déficits são um problema para a economia dos Estados Unidos, a comunidade empresarial da nação tem uma opinião sólida a respeito. Muitos líderes empresariais argumentam que os déficits comerciais refletem concorrência desleal: as empresas estrangeiras são autorizadas a vender seus produtos nos mercados dos Estados Unidos, dizem eles, enquanto os governos estrangeiros impedem que as empresas norte-americanas vendam seus produtos no exterior.

Imagine que você seja o presidente e deseje acabar com esses déficits comerciais. O que deveria fazer? Deveria tentar limitar as importações, talvez pela imposição de uma cota sobre a importação de produtos têxteis da China ou carros do Japão? Ou deveria tentar influenciar o déficit comercial da nação de outra maneira?

Para entender quais fatores determinam a balança comercial de um país e de que maneira as políticas do governo podem afetá-la, precisamos de uma teoria macroeconômica que explique como funciona a economia aberta. O capítulo anterior introduziu algumas das principais variáveis macroeconômicas que descrevem a relação de uma economia com outras economias, incluindo exportações líquidas, investimento externo líquido e taxas de câmbio real e nominal. Este capítulo desenvolve um modelo que identifica as forças que determinam essas variáveis e mostra como elas se relacionam umas com as outras.

Para desenvolver esse modelo macroeconômico da economia aberta, ampliamos nossa análise anterior de dois modos. Primeiro, o modelo toma o PIB da economia como dado. Faremos a suposição de que a produção de bens e serviços da economia, como medida pelo PIB real, é determinada pelas ofertas dos fatores de produção e pela tecnologia de produção disponível que transformam esses insumos em produto. Segundo, o modelo toma o nível de preços da economia como dado. Faremos a suposição, também, de que o nível de preços se ajusta para equilibrar a oferta e a demanda de moeda. Em outras palavras, este capítulo toma como ponto de partida as lições aprendidas nos capítulos anteriores sobre a determinação do produto e do nível de preços da economia.

O objetivo do modelo a ser desenvolvido neste capítulo é destacar as forças que determinam a balança comercial e a taxa de câmbio da economia. Em certo sentido, o modelo é simples: aplica os instrumentos da oferta e da demanda em uma economia aberta. Porém, o modelo é mais complicado que os outros que já vimos, porque envolve observar simultaneamente dois mercados relacionados: o mercado de fundos de empréstimos e o mercado de câmbio de moeda estrangeira. Uma vez desenvolvido esse modelo da economia, vamos utilizá-lo para examinar como vários eventos e políticas afetam a balança comercial e a taxa de câmbio da economia. Então, estaremos aptos a determinar as políticas do governo que são mais apropriadas para reverter os déficits comerciais que a economia dos Estados Unidos tem apresentado nas três últimas décadas.

32_1 OFERTA E DEMANDA DE FUNDOS PARA EMPRÉSTIMOS E DE CÂMBIO

Para entender as forças que operam em uma economia aberta, devemos nos concentrar na oferta e demanda em dois mercados. O primeiro é o mercado de fundos de empréstimos, que coordena a poupança da economia, o investimento e o fluxo de fundos para empréstimos do exterior (chamado investimento externo líquido). O segundo é o mercado de câmbio de moeda estrangeira, que coordena as pessoas que querem trocar a moeda interna pela moeda de outros países. Nesta seção, discutiremos a oferta e a demanda em cada um desses mercados. Na próxima seção, juntaremos esses dois mercados para explicar o equilíbrio geral para uma economia aberta.

32_1A O mercado de fundos de empréstimos

Quando analisamos pela primeira vez o papel do sistema financeiro, no Capítulo 26, adotamos a hipótese simplificadora de que o sistema financeiro consiste em apenas um mercado chamado *mercado de fundos de empréstimos*. Todos os poupadores vão a esse mercado para depositar sua poupança e todos os tomadores de empréstimos vão a esse mercado para obter seus empréstimos. Nesse mercado há apenas uma taxa de juros, que é tanto o retorno da poupança quanto o custo dos empréstimos.

Para entender o mercado de fundos de empréstimos em uma economia aberta, o ponto de partida é a identidade discutida no capítulo anterior:

S	=	I	+	IEL
Poupança	=	Investimento interno	+	Investimento externo líquido

Sempre que uma nação poupa 1 dólar de sua renda, pode usar esse dólar para financiar a compra de capital interno ou para financiar a compra de um ativo estrangeiro. Os dois lados da identidade representam os dois lados do mercado de fundos de empréstimos. A oferta de fundos de empréstimos vem da poupança nacional (S), e a demanda por fundos de empréstimos vem do investimento interno (I) e do investimento externo líquido (IEL).

Devemos interpretar os fundos de empréstimo como o fluxo de recursos disponíveis, gerado internamente, para o acúmulo de capital. A compra de um ativo de capital se acrescenta à demanda por fundos de empréstimos, independentemente de o ativo estar localizado no país (I) ou no exterior (IEL). Como o investimento externo líquido pode ser tanto positivo quanto negativo, ele pode tanto ser somado quanto subtraído da demanda por fundos para empréstimos que decorre do investimento interno. Quando o $IEL > 0$, o país passa por um investimento externo líquido; a compra líquida de capital no estrangeiro aumenta a demanda por fundos de empréstimos gerados internamente. Quando o $IEL < 0$, o país passa por um investimento interno líquido; os recursos de capital oriundos do exterior reduzem a demanda por fundos de empréstimos gerados internamente.

Como aprendemos em nossa discussão anterior do mercado de fundos de empréstimos, a quantidade ofertada de fundos para empréstimos e a quantidade demandada de fundos para empréstimos dependem da taxa de juros real. Uma taxa de juros real mais elevada incentiva as pessoas a poupar e, portanto, aumenta a quantidade ofertada de fundos para empréstimos. Mas, uma taxa de juros mais elevada também torna os empréstimos para financiar projetos de capital mais dispendiosos, e, desse modo, desistimula o investimento e reduz a quantidade demandada de fundos de empréstimos.

Além de influenciar a poupança nacional e o investimento interno, a taxa de juros real de um país afeta o investimento externo líquido desse país. Para ver por que, considere dois fundos mútuos - um nos Estados Unidos e outro na Alemanha - decidindo entre a compra de um título do governo norte-americano e um título do governo alemão. Os fundos mútuos tomariam essa decisão, em parte, comparando as taxas de juros

Figura 1
O mercado de fundos de empréstimos

A taxa de juros, tanto em uma economia aberta quanto em uma economia fechada, é determinada pela oferta e demanda de fundos para empréstimos. A poupança nacional é a fonte de oferta de fundos para empréstimos. O investimento interno e o investimento externo líquido são as fontes de demanda por fundos para empréstimos. À taxa de juros de equilíbrio, a quantia que as pessoas desejam poupar é exatamente igual à quantia que as pessoas querem tomar emprestado para comprar capital interno e ativos estrangeiros.

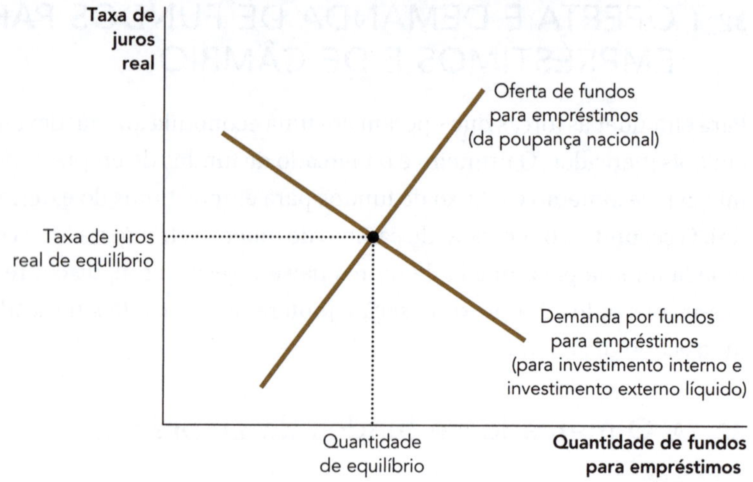

reais nos Estados Unidos e na Alemanha. Quando a taxa de juros real dos Estados Unidos sobe, o título dos Estados Unidos torna-se mais atraente para ambos os fundos mútuos. Portanto, um aumento na taxa de juros real dos Estados Unidos desestimula os norte-americanos a comprar ativos estrangeiros e estimula os estrangeiros a comprar ativos desse país. Por essas duas razões, uma taxa de juros real elevada nos Estados Unidos reduz o investimento externo líquido desse país.

Na Figura 1, representamos o mercado de fundos de empréstimos por meio do já familiar diagrama de oferta e demanda. Como em nossa análise anterior do sistema financeiro, a curva de oferta tem inclinação positiva, porque uma taxa de juros maior aumenta a quantidade ofertada de fundos para empréstimos, e a curva de demanda tem inclinação negativa, porque uma taxa de juros maior reduz a quantidade demandada de fundos para empréstimos. Ao contrário da situação em nossa discussão anterior, o lado da demanda agora representa o comportamento do investimento interno e do investimento externo líquido. Ou seja, em uma economia aberta, a demanda por fundos para empréstimos vem não só daqueles que querem fundos para empréstimos para comprar bens de capital internos, mas também daqueles que os desejam para comprar ativos estrangeiros.

A taxa de juros se ajusta para equilibrar a oferta e a demanda por fundos para empréstimos. Se a taxa de juros estiver abaixo do nível de equilíbrio, a quantidade ofertada de fundos para empréstimos será menor que a quantidade demandada. A resultante escassez de fundos para empréstimos empurrará a taxa de juros para cima. De modo inverso, se a taxa de juros estiver acima do nível de equilíbrio, a quantidade ofertada de fundos para empréstimos excederá a quantidade demandada. O excesso de fundos para empréstimos levará a taxa de juros para baixo. À taxa de juros de equilíbrio, a oferta de fundos para empréstimos é exatamente igual à demanda por fundos para empréstimos. Ou seja, *à taxa de juros de equilíbrio, a quantia que as pessoas desejam poupar é exatamente igual à quantidade desejada de investimento interno e de investimento externo líquido.*

32_1B O mercado de câmbio de moeda estrangeira

O segundo mercado em nosso modelo de uma economia aberta é o mercado de câmbio de moeda estrangeira. Seus participantes trocam dólares norte-americanos por moedas estrangeiras. Para entender o mercado de câmbio de moeda estrangeira, começaremos com outra identidade apresentada no capítulo anterior:

$$IEL = EL$$
Investimento externo líquido = Exportações líquidas

Essa identidade afirma que o desequilíbrio entre a compra e a venda de ativos de capital no exterior (*IEL*) é igual ao desequilíbrio entre exportações e importações de bens e serviços (*EL*). Por exemplo, quando a economia dos Estados Unidos tem superávit comercial ($EL > 0$), os estrangeiros estão comprando mais bens e serviços nos Estados Unidos que os norte-americanos estão comprando bens e serviços estrangeiros. O que os norte-americanos estão fazendo com a moeda estrangeira que obtêm dessa venda líquida de bens e serviços para o exterior? Eles devem estar comprando ativos estrangeiros, de modo que o capital dos Estados Unidos flui para o exterior ($IEL > 0$). No entanto, se os Estados Unidos tiverem déficit comercial ($EL < 0$), os norte-americanos gastarão mais em bens e serviços estrangeiros que ganharão com as vendas ao exterior. Parte dessa despesa deve ser financiada com a venda de ativos norte-americanos ao exterior, de modo que o capital estrangeiro flui para os Estados Unidos ($IEL < 0$).

Nosso modelo de economia aberta trata os dois lados dessa identidade como representantes dos dois lados do mercado de câmbio. O investimento externo líquido representa a quantidade de dólares ofertada para comprar ativos estrangeiros. Por exemplo, quando um fundo mútuo dos Estados Unidos deseja comprar um título do governo japonês, precisa trocar dólares por ienes, de modo que ele oferece dólares no mercado de câmbio. As exportações líquidas representam a quantidade demandada de dólares com a finalidade de comprar exportações líquidas de bens e serviços dos Estados Unidos. Por exemplo, quando uma empresa aérea japonesa deseja comprar um avião fabricado pela Boeing, precisa trocar seus ienes por dólares, de modo que demanda dólares no mercado de câmbio.

Que preço equilibra a oferta e a demanda no mercado de câmbio? A resposta é: a taxa de câmbio real. Como vimos no capítulo anterior, a taxa de câmbio real é o preço relativo dos bens internos e dos bens estrangeiros e, portanto, é um determinante-chave das exportações líquidas. Quando a taxa de câmbio real se aprecia, os bens norte-americanos ficam mais caros em relação aos estrangeiros, o que torna os bens norte-americanos menos atraentes tanto para os consumidores internos quanto para os externos. Como resultado, as exportações dos Estados Unidos diminuem e as importações aumentam. Por ambas as razões, as exportações líquidas diminuem. Consequentemente, uma apreciação da taxa de câmbio real reduz a quantidade demandada de dólares no mercado de câmbio.

A Figura 2 mostra a oferta e a demanda no mercado de câmbio de moeda estrangeira. A curva de demanda tem inclinação negativa pela razão que acabamos de apresentar: uma taxa de câmbio real mais elevada torna os bens norte-americanos mais caros e reduz a quantidade demandada de dólares para comprar esses bens. A curva de oferta é vertical porque a quantidade ofertada de dólares destinados ao investimento externo líquido não depende da taxa de câmbio real. Como vimos anteriormente, o investimento externo líquido depende da taxa de juros real. Ao tratarmos do mercado de câmbio, tomamos a taxa de juros real e o investimento externo líquido como dados.

À primeira vista, pode parecer estranho que o investimento externo líquido não dependa da taxa de câmbio. Afinal, o maior valor cambial do dólar torna os produtos externos mais baratos para o consumidor norte-americano e também diminui o preço dos ativos externos. Pode se supor que isso tornaria os ativos externos mais atraentes. Mas lembre-se de que um investidor norte-americano, por fim, vai transformar o ativo externo, assim como qualquer ganho obtido, em dólares novamente. Por exemplo, a alta do dólar torna mais barata a compra de ações de uma companhia japonesa, mas os dividendos recebidos serão em ienes. Ao trocar os ienes por dólares, o investidor comprará menos dólares, pois o valor cambial do dólar é maior. Portanto, a variação cambial influencia tanto o custo da compra de ativos estrangeiros quanto o benefício de possuí-los, e esses dois efeitos se compensam mutuamente. Dessa forma, nosso modelo de economia aberta estabelece que o investimento externo líquido não depende da taxa de câmbio, como representa a linha vertical da oferta na Figura 2.

A taxa de câmbio real se altera para garantir o equilíbrio nesse mercado, ou seja, ela se ajusta para equilibrar a oferta e a demanda real de dólares, da mesma forma que o preço de qualquer bem se ajusta para

Figura 2

O mercado de câmbio de moeda estrangeira

A taxa de câmbio real é determinada pela oferta e demanda de câmbio. A oferta de dólares a serem trocados por moeda estrangeira é determinada pelos investimentos externos líquidos. Como o investimento externo líquido não depende da taxa de câmbio real, a curva de oferta é vertical. A demanda por dólares vem das exportações líquidas. Como uma taxa de câmbio real mais baixa estimula as exportações líquidas (e, assim, aumenta a quantidade de dólares demandada para pagar por essas exportações líquidas), a curva de demanda tem inclinação negativa. À taxa de câmbio real de equilíbrio, a quantidade de dólares que as pessoas ofertam para comprar ativos estrangeiros é igual à quantidade de dólares que as pessoas demandam para comprar exportações líquidas.

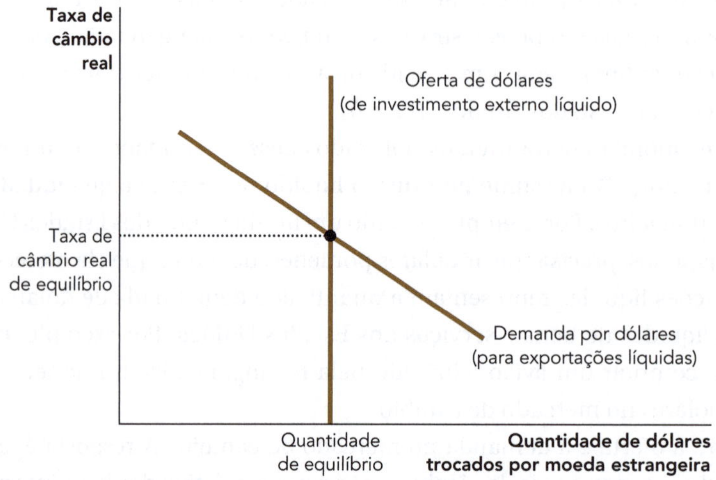

Saiba mais sobre

PARIDADE DO PODER DE COMPRA COMO UM CASO ESPECIAL

Um leitor atento deste livro poderia perguntar: por que estamos desenvolvendo uma teoria de taxa de câmbio aqui? Não acabamos de fazer isso no capítulo anterior?

Como você talvez se recorde, o capítulo anterior desenvolveu uma teoria da taxa de câmbio chamada *paridade do poder de compra*. Esta teoria afirma que 1 dólar (ou qualquer outra moeda) deve comprar a mesma quantidade de mercadoria e serviços em todos os países. Como resultado, a taxa de câmbio real é fixa, e todas as alterações na taxa de câmbio nominal entre dois países refletem mudanças nos níveis de preços dos dois países.

O modelo de taxa de câmbio desenvolvido aqui está relacionado com a teoria da paridade do poder de compra. De acordo com esta teoria, o comércio internacional reage rapidamente às diferenças internacionais de preços. Se os bens forem mais baratos em um país que em outro, serão exportados pelo primeiro país e importados pelo segundo, até que a diferença de preços desapareça. Em outras palavras, a teoria da paridade do poder de compra assume que as exportações líquidas reajam com presteza a pequenas variações na taxa de câmbio real. Se as exportações líquidas reagissem, de fato, com tanta presteza, a curva de demanda da Figura 2 seria horizontal.

Portanto, a teoria da paridade do poder de compra pode ser vista como um caso especial do modelo aqui considerado. Nesse caso especial, a curva de demanda por câmbio, em vez de ter inclinação negativa, é horizontal no nível da taxa de câmbio real que assegura a paridade do poder de compra interna e externamente.

Embora esse caso especial seja um bom ponto de partida para o estudo das taxas de câmbio, ele está longe do final da história. Na prática, bens estrangeiros e produzidos internamente nem sempre são substitutos perfeitos e sempre há custos que impedem o comércio. Este capítulo, portanto, pressupõe que a curva de demanda por câmbio de moeda estrangeira tem inclinação negativa. Isso permite que a taxa de câmbio real mude ao longo do tempo, como de fato ocorre no mundo real.

equilibrar a oferta e a demanda do bem em questão. Se a taxa de câmbio real estivesse abaixo do nível de equilíbrio, a quantidade de dólares ofertada seria menor que a quantidade demandada. A escassez resultante de dólares empurraria o valor do dólar para cima. No entanto, se a taxa de câmbio real estivesse acima do nível de equilíbrio, a quantidade ofertada de dólares excederia a quantidade demandada. O excesso de dólares levaria o valor do dólar para baixo. *À taxa de câmbio real de equilíbrio, a demanda de dólares por estrangeiros para comprar exportações líquidas de bens e serviços dos Estados Unidos é exatamente igual à oferta de dólares de norte-americanos destinados à compra líquida de ativos no exterior.*

Teste rápido Descreva as fontes de oferta e demanda no mercado de fundos de empréstimos e no mercado de câmbio de moeda estrangeira.

32_2 EQUILÍBRIO NA ECONOMIA ABERTA

Até aqui, discutimos a oferta e a demanda em dois mercados: o mercado de fundos para empréstimos e o mercado de câmbio de moeda estrangeira. Veremos, agora, como esses mercados se relacionam um com o outro.

32_2A Investimento externo líquido: o elo entre os dois mercados

Começaremos recapitulando o que aprendemos até aqui neste capítulo. Estivemos discutindo como a economia coordena quatro importantes variáveis macroeconômicas: poupança nacional (*S*), investimento interno (*I*), investimento externo líquido (*IEL*) e exportações líquidas (*EL*). Tenha em mente as seguintes identidades:

$$S = I + IEL$$

e

$$IEL = EL$$

No mercado de fundos de empréstimos, a oferta vem da poupança nacional (*S*), a demanda vem do investimento interno (*I*) e do investimento externo líquido (*IEL*), e a taxa de juros real equilibra a oferta e a demanda. No mercado de câmbio, a oferta vem do investimento externo líquido (*IEL*), a demanda vem das exportações líquidas (*EL*) e a taxa de câmbio real equilibra a oferta e a demanda.

O investimento externo líquido é a variável que liga esses dois mercados. No mercado de fundos de empréstimos, o investimento externo líquido é uma parte da demanda. Uma pessoa que deseje comprar um ativo estrangeiro deve financiar essa compra obtendo recursos no mercado de fundos de empréstimos. No mercado de câmbio, o investimento externo líquido é a fonte da oferta. Uma pessoa que deseje comprar um ativo em outro país deve ofertar dólares a fim de trocá-los pela moeda daquele país.

O determinante-chave do investimento externo líquido, como vimos anteriormente, é a taxa de juros real. Quando a taxa de juros dos Estados Unidos está elevada, a posse de ativos norte-americanos é mais atraente e o investimento externo líquido dos Estados Unidos é baixo. A Figura 3 mostra essa relação negativa entre a taxa de juros e o investimento externo líquido. Essa curva de investimento externo líquido é o elo entre o mercado de fundos para empréstimos e o mercado de câmbio.

32_2B Equilíbrio simultâneo nos dois mercados

Podemos, agora, reunir todas as partes do nosso modelo na Figura 4. Essa figura mostra como o mercado de fundos de empréstimos e o mercado de câmbio determinam, conjuntamente, as importantes variáveis macroeconômicas de uma economia aberta.

Figura 3

Como o investimento externo líquido depende da taxa de juros

Como uma taxa de juros real interna mais elevada torna os ativos nacionais mais atraentes, ela reduz o investimento externo líquido. Observe a posição de zero no eixo horizontal: o investimento externo líquido pode ser tanto positivo quanto negativo. Um valor negativo no investimento externo líquido significa que a economia passa por um investimento interno líquido.

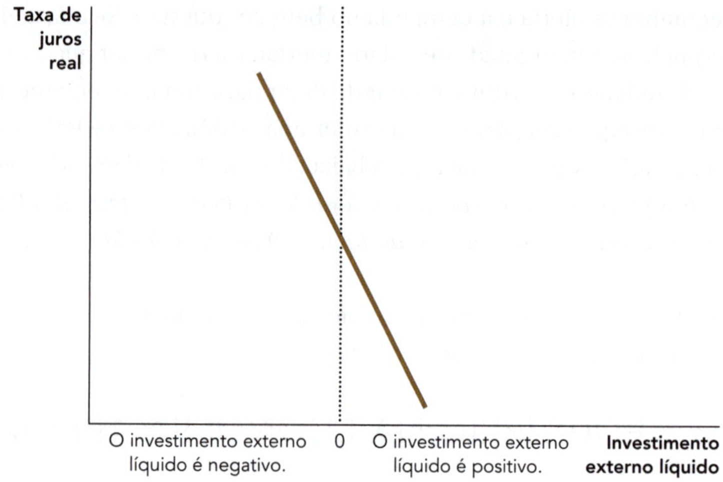

O painel (a) da figura mostra o mercado de fundos de empréstimos (extraído da Figura 1). Como antes, a poupança nacional é a fonte de oferta de fundos para empréstimos. O investimento interno e o investimento externo líquido são as fontes de demanda por fundos para empréstimos. A taxa de juros real de equilíbrio (r_1) conduz a quantidade ofertada e a quantidade demandada de fundos para empréstimos ao equilíbrio.

O painel (b) da figura mostra o investimento externo líquido (extraído da Figura 3). Ele mostra como a taxa de juros do painel (a) determina o investimento externo líquido. Uma taxa de juros interna mais elevada torna os ativos internos mais atraentes, e isso, por sua vez, reduz o investimento externo líquido. Portanto, a curva de investimento externo líquido no painel (b) tem inclinação negativa.

O painel (c) da figura mostra o mercado de câmbio de moeda estrangeira (extraído da Figura 2). Como os ativos estrangeiros devem ser comprados com moeda estrangeira, a quantidade de investimento externo líquido do painel (b) determina a oferta de dólares a serem trocados por moedas estrangeiras. A taxa de câmbio real não afeta o investimento externo líquido, de modo que a curva de oferta é vertical. A demanda por dólares vem das exportações líquidas. Como a depreciação da taxa de câmbio real aumenta as exportações líquidas, a curva de demanda por moeda estrangeira tem inclinação negativa. A taxa de câmbio real de equilíbrio (E_1) conduz ao equilíbrio a quantidade ofertada e a quantidade demandada de dólares no mercado de câmbio.

Os dois mercados representados na Figura 4 determinam dois preços relativos: a taxa de juros real e a taxa de câmbio real. A taxa de juros real determinada no painel (a) é o preço dos bens e serviços no presente em relação ao preço dos bens e serviços no futuro. A taxa de câmbio real determinada no painel (c) é o preço dos bens e serviços internos em relação ao preço dos bens e serviços estrangeiros. Esses dois preços relativos ajustam-se simultaneamente para equilibrar a oferta e a demanda nesses dois mercados. Quando o fazem, eles determinam a poupança nacional, o investimento interno, o investimento externo líquido e as exportações líquidas. Em breve usaremos esse modelo para verificar como todas essas variáveis se alteram quando alguma política ou algum acontecimento leva uma dessas curvas a se deslocar.

Teste rápido No modelo de economia aberta que acabamos de desenvolver, dois mercados determinam dois preços relativos. Quais são os dois mercados? Quais são os dois preços relativos?

32_3 COMO POLÍTICAS E EVENTOS AFETAM UMA ECONOMIA ABERTA

Tendo desenvolvido um modelo para explicar como variáveis macroeconômicas-chave são determinadas em uma economia aberta, podemos agora usá-lo para analisar como mudanças de política econômica e outros eventos alteram o equilíbrio da economia. Enquanto avançamos, tenha em mente que nosso modelo

Figura 4

O equilíbrio real em uma economia aberta

No painel (a), a oferta e a demanda por fundos para empréstimos determinam a taxa de juros real. No painel (b), a taxa de juros determina o investimento externo líquido, que provê a oferta de dólares no mercado de câmbio. No painel (c), a oferta e a demanda de dólares no mercado de câmbio determinam a taxa de câmbio real.

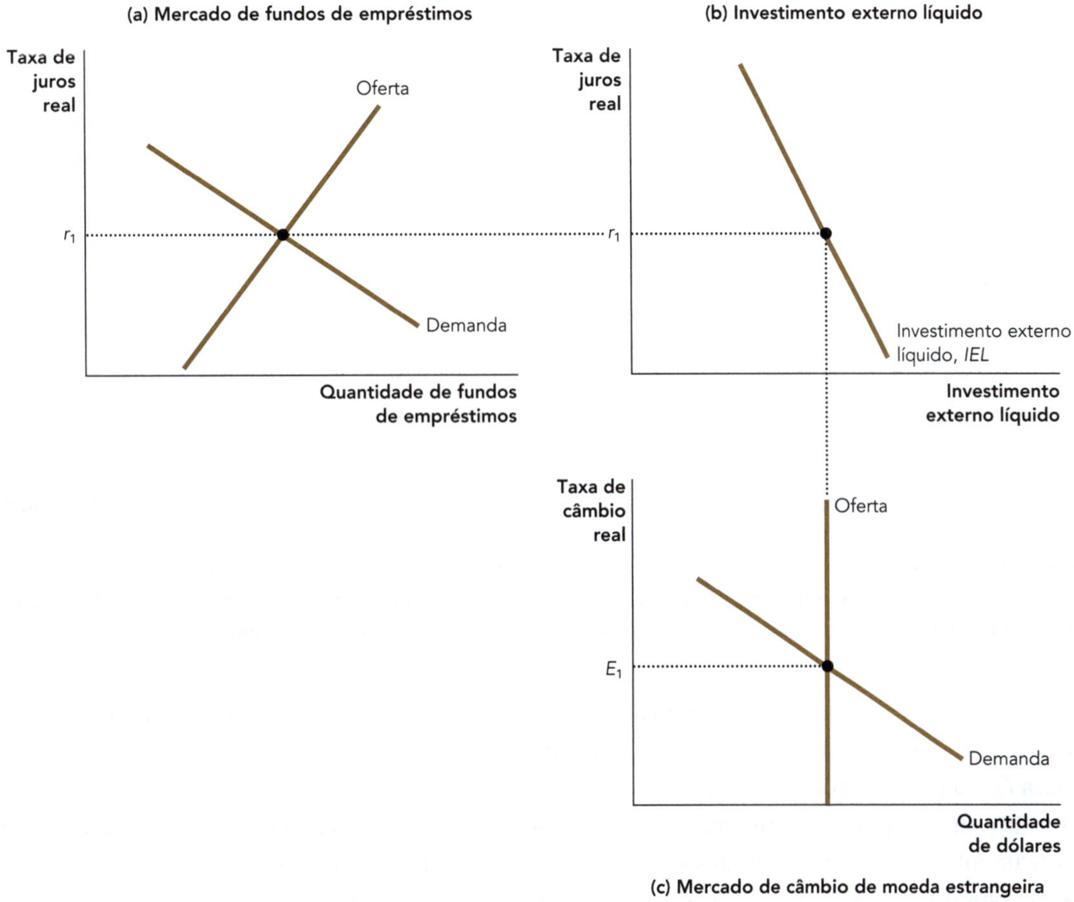

é apenas oferta e demanda em dois mercados: o mercado de fundos de empréstimos e o de câmbio. Quando usamos o modelo para analisar qualquer evento, podemos aplicar os três passos delineados no Capítulo 4. Primeiro, determinamos qual das curvas - a de oferta ou a de demanda - o evento afeta. Segundo, determinamos em que direção as curvas se deslocam. Terceiro, usamos os gráficos de oferta e demanda para examinar como esses deslocamentos alteram o equilíbrio da economia.

32_3A Déficits orçamentários do governo

Quando discutimos pela primeira vez a oferta e a demanda por fundos para empréstimos, examinamos os efeitos dos déficits orçamentários do governo, que ocorrem quando a despesa do governo excede sua receita. Como o déficit orçamentário do governo representa uma poupança pública *negativa*, ele reduz a poupança nacional (a soma da poupança pública e privada). Portanto, um déficit orçamentário do governo reduz a oferta de fundos para empréstimos, aumenta a taxa de juros e desloca o investimento.

Agora, vamos considerar os efeitos de um déficit orçamentário em uma economia aberta. Primeiro, qual das curvas em nosso modelo se desloca? Assim como em uma economia fechada, o impacto inicial do déficit orçamentário se dá sobre a poupança nacional e, portanto, sobre a curva de oferta de fundos para empréstimos. Segundo, em que direção se desloca essa curva de oferta? Novamente, como numa economia fechada,

Saiba mais sobre

DESEMBARAÇANDO OFERTA E DEMANDA

Suponha que o proprietário de uma plantação de maçãs decida consumir uma parte delas. Essa decisão representa um aumento na demanda ou uma diminuição da oferta de maçãs? Qualquer resposta é aceitável, e, desde que se faça uma análise cuidadosa, nada importante dependerá da resposta escolhida. Às vezes, a forma como se dividem as coisas entre oferta e demanda é bem arbitrária.

No modelo macroeconômico da economia aberta desenvolvido neste capítulo, a divisão de transações entre "oferta" e "demanda" também é um pouco arbitrária. Isso acontece tanto no mercado de fundos para empréstimos quanto no de câmbio.

Considere o mercado de fundos para empréstimos. O modelo estabelece o investimento externo líquido como parte da demanda de fundos para empréstimos. Contudo, em vez de $S = I + IEL$, poderíamos ter simplesmente usado $S - IEL = I$. Quando se reescreve a equação desse modo, o investimento externo parece uma redução da oferta de fundos para empréstimos. Na verdade funciona das duas formas. A primeira interpretação ($S = I + IEL$) enfatiza os fundos para empréstimos gerados internamente, usados no mercado interno ou no externo. A segunda interpretação ($S - IEL = I$) enfatiza os fundos para empréstimos disponíveis para investimento interno, gerados no mercado interno ou no externo. A diferença é apenas uma questão semântica.

Da mesma forma, considere o mercado de câmbio. Em nosso modelo, as exportações líquidas são a origem para a demanda por dólares, e o investimento externo líquido, a origem da oferta. Assim, quando um cidadão norte-americano importa um carro fabricado no Japão, o modelo considera a transação como uma diminuição na quantidade da demanda de dólares (porque as exportações líquidas diminuem), não um aumento na oferta da quantidade de dólares. Do mesmo modo, quando um cidadão japonês compra títulos do governo norte-americano, o modelo considera a transação uma diminuição na quantidade da oferta de dólares (porque o investimento externo líquido diminui), não um aumento na demanda da quantidade de dólares. A princípio, talvez essa definição não pareça natural, mas ela será útil na análise dos efeitos das diversas políticas.

um déficit orçamentário representa poupança pública *negativa*, de modo que ele reduz a poupança nacional e desloca a curva de oferta de fundos para empréstimos para a esquerda. Isso é mostrado como a mudança de O_1 para O_2 no painel (a) da Figura 5.

O terceiro e último passo é comparar o novo equilíbrio com o antigo. O painel (a) mostra o impacto de um déficit orçamentário dos Estados Unidos sobre o mercado norte-americano de fundos de empréstimos. Com menos recursos disponíveis para os tomadores nos mercados financeiros norte-americanos, a taxa de juros se eleva de r_1 para r_2 a fim de equilibrar oferta e demanda. Em face de uma taxa de juros mais elevada, os tomadores de empréstimos no mercado de fundos de empréstimos optam por tomar menos empréstimos. Essa mudança é representada na figura pelo movimento do ponto A para o ponto B ao longo da curva de demanda por fundos para empréstimos. Mais especificamente, famílias e empresas reduzem suas compras de bens de capital. Como em uma economia fechada, os déficits orçamentários deslocam o investimento interno.

Em uma economia aberta, contudo, a redução na oferta de fundos para empréstimos tem efeitos adicionais. O painel (b) mostra que o aumento da taxa de juros de r_1 para r_2 reduz o investimento externo líquido. Essa queda no investimento externo líquido é, também, parte da diminuição na quantidade demandada de fundos para empréstimos que se observa no movimento do ponto A para o ponto B no painel (a). Como a poupança mantida internamente agora obtém taxas de retorno mais elevadas, o investimento no exterior passa a ser menos atraente e os residentes internos compram menos ativos externos. Taxas de juros mais elevadas também atraem investidores estrangeiros, que desejam obter retornos mais elevados oferecidos pelos ativos norte-americanos. Portanto, quando um déficit orçamentário eleva as taxas de juros, o comportamento, tanto dos investidores residentes quanto dos investidores estrangeiros, faz que o investimento externo líquido dos Estados Unidos diminua.

O painel (c) mostra como os déficits orçamentários afetam o mercado de câmbio. Como o investimento externo líquido se reduz, as pessoas precisam de menos moeda estrangeira para comprar ativos estrangeiros e, então, oferecem menos dólares no mercado para trocar por moeda estrangeira. Isso induz um deslocamento da

Figura 5

Os efeitos de um déficit orçamentário do governo

Quando o governo apresenta déficit orçamentário, a oferta de fundos para empréstimos se reduz de O_1 para O_2 no painel (a). A taxa de juros aumenta de r_1 para r_2 para equilibrar a oferta e a demanda por fundos para empréstimos. No painel (b), a taxa de juros mais elevada reduz o investimento externo líquido. A redução no investimento externo líquido reduzido, por sua vez, reduz a oferta de dólares no mercado de câmbio, de O_1 para O_2, no painel (c). Essa queda na oferta de dólares provoca uma apreciação da taxa de câmbio real, de E_1 para E_2. A apreciação da taxa de câmbio empurra a balança comercial em direção ao déficit.

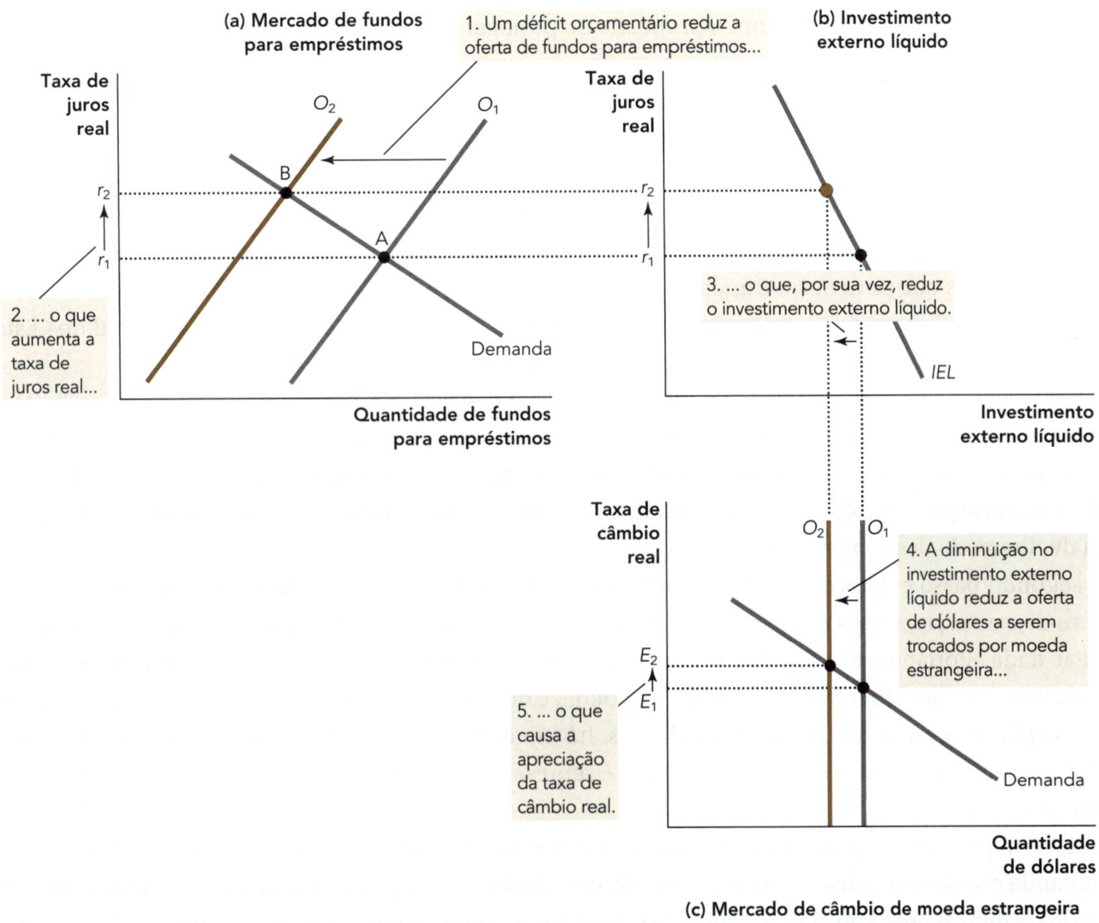

curva de oferta de dólares para a esquerda, de O_1 para O_2. A redução na oferta de dólares causa uma apreciação na taxa de câmbio real, de E_1 para E_2, ou seja, o dólar se valoriza quando comparado às moedas estrangeiras. Essa apreciação, por sua vez, torna os bens norte-americanos mais caros quando comparados aos bens estrangeiros. Como as pessoas, tanto interna quanto externamente, passam a comprar menos dos caros produtos norte-americanos, as exportações dos Estados Unidos diminuem e as importações dos Estados Unidos aumentam. Por ambas as razões, as exportações líquidas dos Estados Unidos diminuem. Portanto, *em uma economia aberta, os déficits orçamentários governamentais elevam as taxas de juros reais, deslocam o investimento interno, causam apreciação do dólar e empurram a balança comercial em direção ao déficit.*

Um exemplo importante dessa lição ocorreu nos Estados Unidos, na década de 1980. Pouco depois da eleição de Ronald Reagan para a presidência, em 1980, a política fiscal do governo federal norte-americano mudou drasticamente. O presidente e o Congresso aprovaram grandes cortes de impostos, mas os cortes nos gastos do governo não ficaram sequer próximo disso, de modo que o resultado foi um grande déficit orçamentário. Nosso modelo da economia aberta prevê que tal política leve a um déficit comercial. O déficit orçamentário e o déficit comercial estavam tão estreitamente relacionados nesse período, tanto na teoria quanto na prática, que receberam o apelido de *déficits gêmeos*. Não devemos, contudo, enxergar esses gêmeos como idênticos, porque há muitos fatores além da política fiscal que podem influenciar o déficit comercial.

32_3B Política comercial

política comercial uma política do governo que influencia diretamente a quantidade de bens e serviços que um país importa ou exporta

Uma **política comercial** é uma política do governo que influencia diretamente a quantidade de bens e serviços que um país importa ou exporta. Ela assume diversas formas, geralmente com o propósito de proteger uma indústria interna particular. Uma política comercial comum é a *tarifa*, um imposto sobre bens importados. Outra é a *cota de importação*, um limite sobre a quantidade de um bem que pode ser produzido no exterior e vendido internamente.

Vamos considerar o impacto macroeconômico da política comercial. Suponha que os fabricantes de carros dos Estados Unidos, preocupados com a competição dos fabricantes japoneses, convençam o governo norte-americano a impor uma cota sobre o número de carros que podem ser importados do Japão. Ao defender seu ponto de vista, os lobistas do setor automobilístico afirmam que a restrição comercial reduziria a magnitude do déficit comercial dos Estados Unidos. Estarão certos? Nosso modelo, ilustrado na Figura 6, oferece uma resposta.

O primeiro passo para a análise da política comercial consiste em determinar qual curva se desloca. O impacto inicial da restrição à importação se dá, naturalmente, sobre as importações. Como as exportações líquidas são iguais às exportações menos as importações, a política também afeta as exportações líquidas. E, como as exportações líquidas são a fonte da demanda por dólares no mercado de câmbio, a política afeta a curva de demanda desse mercado.

O segundo passo é determinar em que direção a curva de demanda se desloca. Como a cota restringe o número de carros japoneses vendidos nos Estados Unidos, ela reduz as importações a qualquer taxa de câmbio real dada. Portanto, as exportações líquidas, que são iguais às exportações menos as importações, *aumentarão* para qualquer taxa de câmbio real dada. Como os estrangeiros precisam de dólares para comprar as exportações líquidas dos Estados Unidos, há um aumento na demanda por dólares no mercado de câmbio. Esse aumento na demanda por dólares é representado no painel (c) da Figura 6 como um deslocamento de D_1 para D_2.

O terceiro passo é comparar o novo equilíbrio com o antigo. Como podemos ver no painel (c), o aumento na demanda por dólares causa uma apreciação da taxa de câmbio real, de E_1 para E_2. Como nada aconteceu no mercado de fundos de empréstimos, painel (a), não há nenhuma alteração na taxa de juros real. Não havendo nenhuma alteração da taxa de juros real, também não há alteração no investimento externo líquido, representado no painel (b). E, como não há alteração no investimento externo líquido, não pode haver nenhuma mudança nas exportações líquidas, muito embora a cota de importação tenha reduzido as importações.

Pode parecer estranho que as exportações líquidas permaneçam inalteradas enquanto as importações caem. Mas esse enigma é explicado pela variação na taxa de câmbio real: quando o dólar se aprecia no mercado de câmbio de moeda estrangeira, os bens internos tornam-se mais caros em relação aos bens estrangeiros. Essa apreciação estimula as importações e desestimula as exportações – e essas duas alterações operam para contrabalançar o aumento direto das exportações líquidas em decorrência da cota de importação. No fim, uma cota de importação reduz tanto a importação quanto a exportação, mas as exportações líquidas (exportações menos importações) permanecem inalteradas.

Chegamos, portanto, a uma conclusão surpreendente: *políticas comerciais não afetam a balança comercial.* Ou seja, políticas que influenciam diretamente as exportações ou as importações não alteram as exportações líquidas. Essa conclusão parecerá menos surpreendente se nos recordarmos da identidade contábil:

$$EL = IEL = S - I$$

Figura 6

Os efeitos de uma cota de importação

Quando o governo norte-americano impõe uma cota de importação de carros japoneses, nada acontece no mercado de fundos emprestáveis, no painel (a), ou com o investimento externo líquido, no painel (b). O único efeito é um aumento das exportações líquidas (exportações menos importações) para qualquer taxa de câmbio real dada. Como resultado, a demanda por dólares no mercado de câmbio aumenta, conforme mostra o deslocamento de D_1 para D_2, no painel (c). Esse aumento da demanda por dólares faz que o valor do dólar tenha uma apreciação de E_1 para E_2. Essa apreciação do dólar tende a reduzir as exportações líquidas, deslocando o efeito direto da cota de importação sobre o balança comercial.

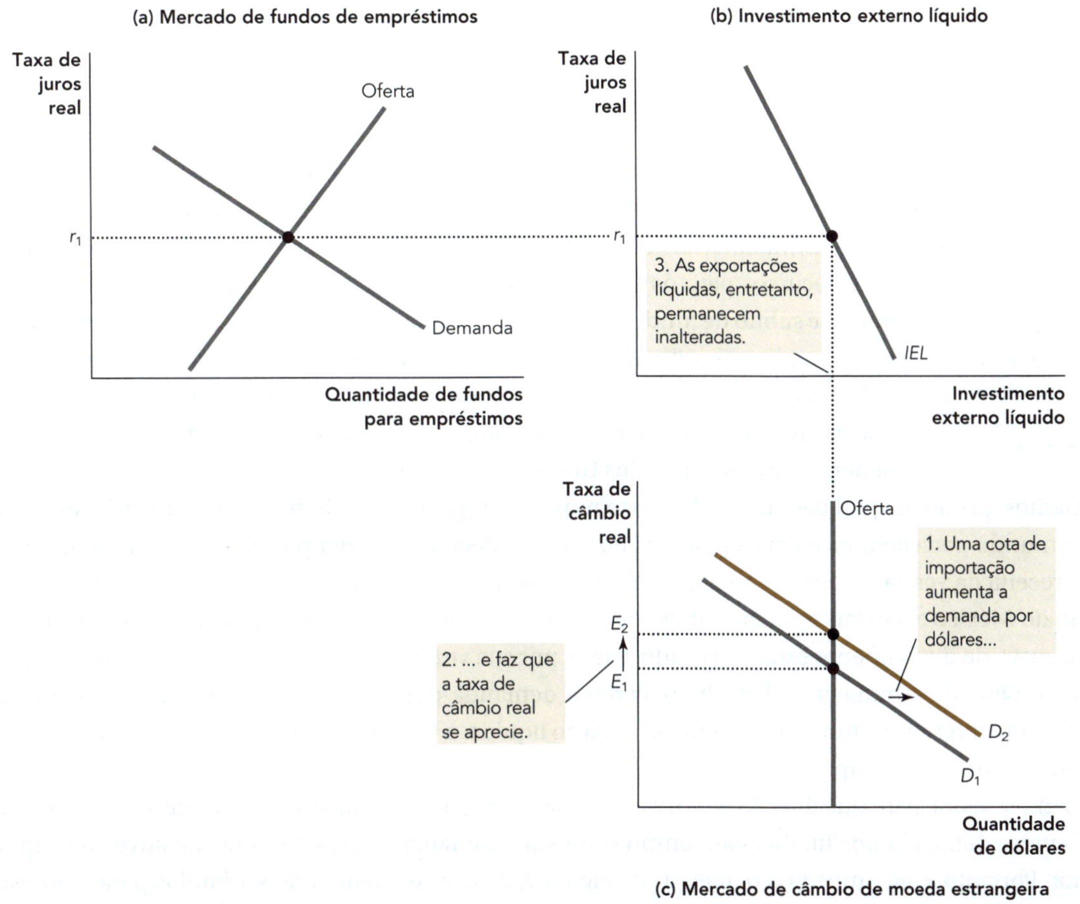

As exportações líquidas são iguais ao investimento externo líquido, que é igual à poupança nacional menos o investimento interno. As políticas comerciais não afetam a balança comercial, porque não alteram a poupança nacional ou o investimento interno. Para quaisquer níveis dados de poupança nacional e de investimento interno, a taxa de câmbio real se ajusta para manter o mesmo equilíbrio comercial, independentemente das políticas comerciais que o governo adote.

Embora as políticas comerciais não afetem a balança comercial total de um país, elas atingem empresas, indústrias e países específicos. Quando o governo norte-americano impõe uma cota de importação sobre os carros japoneses, a General Motors enfrenta menos competição estrangeira e venderá mais carros. Ao mesmo tempo, como o dólar se apreciou, a Boeing, a fabricante norte-americana de aeronaves, terá maior dificuldade em competir com a Airbus, a fabricante europeia de aeronaves. As exportações de aeronaves dos Estados Unidos diminuirão e as importações de aeronaves dos Estados Unidos aumentarão. Nesse caso, a cota de importação de carros japoneses aumentará as exportações líquidas de carros e diminuirá as exportações líquidas de aviões. Além disso, aumentarão as exportações líquidas dos Estados Unidos para o Japão e diminuirão as exportações líquidas dos Estados Unidos para a Europa. A balança comercial total da economia dos Estados Unidos, contudo, permanecerá inalterada.

Os efeitos das políticas comerciais são, portanto, mais microeconômicos que macroeconômicos. Embora os defensores das políticas comerciais costumem afirmar (incorretamente) que essas políticas são capazes de alterar a balança comercial do país, eles, em geral, estão mais motivados por preocupações a respeito de empresas ou indústrias específicas. Não devemos nos surpreender, por exemplo, se ouvirmos um executivo da General Motors defender cotas de importação para os carros japoneses. Os economistas, geralmente, se opõem a tais políticas comerciais. O livre comércio permite que as economias se especializem naquilo que fazem melhor, tornando melhor a vida dos residentes de todos os países. As restrições ao comércio interferem com esses ganhos do comércio e, portanto, reduzem o bem-estar econômico geral.

32_3C Instabilidade política e fuga de capitais

Em 1994, a instabilidade política no México, incluindo o assassinato de um proeminente líder político, deixou os mercados financeiros do mundo nervosos. As pessoas começaram a ver o México como um país menos estável do que se pensava anteriormente. Decidiram retirar alguns de seus ativos do país e remeter esses recursos para os Estados Unidos e outros "portos seguros". Um movimento tão grande e súbito de fundos para fora de um país é chamado **fuga de capitais**. Para entender as implicações da fuga de capitais para a economia mexicana, seguiremos novamente as três etapas da análise de uma mudança no equilíbrio, mas, dessa vez, aplicaremos nosso modelo da economia aberta do ponto de vista do México em lugar da perspectiva dos Estados Unidos.

fuga de capitais
uma grande e súbita redução da demanda pelos ativos localizados em um país

Vejamos, primeiro, qual das curvas do nosso modelo a fuga de capitais afeta. Quando os investidores de todo o mundo percebem problemas políticos no México, decidem vender parte de seus ativos mexicanos e usar a receita da venda para comprar ativos dos Estados Unidos. Essa ação aumenta o investimento externo líquido do México e, portanto, afeta os dois mercados do nosso modelo. De modo mais evidente, essa ação afeta a curva de investimento externo líquido, e isso, por sua vez, influencia a oferta de pesos no mercado de câmbio de moeda estrangeira. Além disso, como a demanda por fundos para empréstimos vem tanto do investimento interno quanto do investimento externo líquido, a fuga de capitais afeta a curva de demanda no mercado de fundos de empréstimos.

Vejamos, agora, para que direção as curvas se deslocam. Quando o investimento externo líquido aumenta, há maior demanda por fundos para empréstimos para financiar essas compras de ativos de capital no exterior. Portanto, como mostra o painel (a) da Figura 7, a curva de demanda por fundos para empréstimos desloca-se para a direita, de D_1 para D_2. Além disso, uma vez que o investimento externo líquido é maior para qualquer taxa de juros dada, a curva de investimento externo líquido também se desloca para a direita, de IEL_1 para IEL_2, como podemos observar no painel (b).

Para entender os efeitos da fuga de capitais sobre a economia mexicana, vamos comparar o novo equilíbrio com o antigo. O painel (a) da Figura 7 mostra que o aumento da demanda por fundos para empréstimos faz que a taxa de juros do México aumente de r_1 para r_2. O painel (b) mostra que o investimento externo líquido do México aumenta, e, embora o aumento na taxa de juros torne os ativos mexicanos mais atraentes, isso compensa apenas parcialmente o impacto da fuga de capitais sobre o investimento externo líquido. O painel (c) mostra que o aumento do investimento externo líquido aumenta a oferta de pesos no mercado de câmbio de O_1 para O_2. Ou seja, conforme as pessoas tentam se livrar de seus ativos mexicanos, há uma grande oferta de pesos para serem convertidos em dólares. Esse aumento da oferta faz que o peso se deprecie de E_1 a E_2. Portanto, a *fuga de capitais do México aumenta a taxa de juros mexicana e diminui o valor do peso mexicano no mercado de câmbio.* Foi exatamente o que observamos em 1994. De novembro de 1994 a março de 1995, a taxa de juros dos títulos de curto prazo do governo mexicano aumentou de 14% para 70%, e o peso depreciou-se de 29 para 15 centavos de dólar por peso.

Figura 7

Os efeitos de uma fuga de capitais

Se as pessoas concluírem que o México é um lugar de risco para manter suas poupanças, deslocarão seu capital para portos seguros, como os Estados Unidos, resultando em um aumento do investimento externo líquido mexicano. Consequentemente, a demanda por fundos para empréstimos no México aumentará de D_1 para D_2, como mostra o painel (a), e isso levará para cima a taxa de juros real mexicana, de r_1 para r_2. Como o investimento externo líquido é maior para qualquer taxa de juros, essa curva também se deslocará para a direita de IEL_1 para IEL_2 no painel (b). Ao mesmo tempo, no mercado de câmbio, a oferta de pesos aumentará de O_1 para O_2, como mostra o painel (c). Esse aumento da oferta de pesos causará uma depreciação do peso de E_1 para E_2, de modo que o peso se tornará menos valioso se comparado a outras moedas.

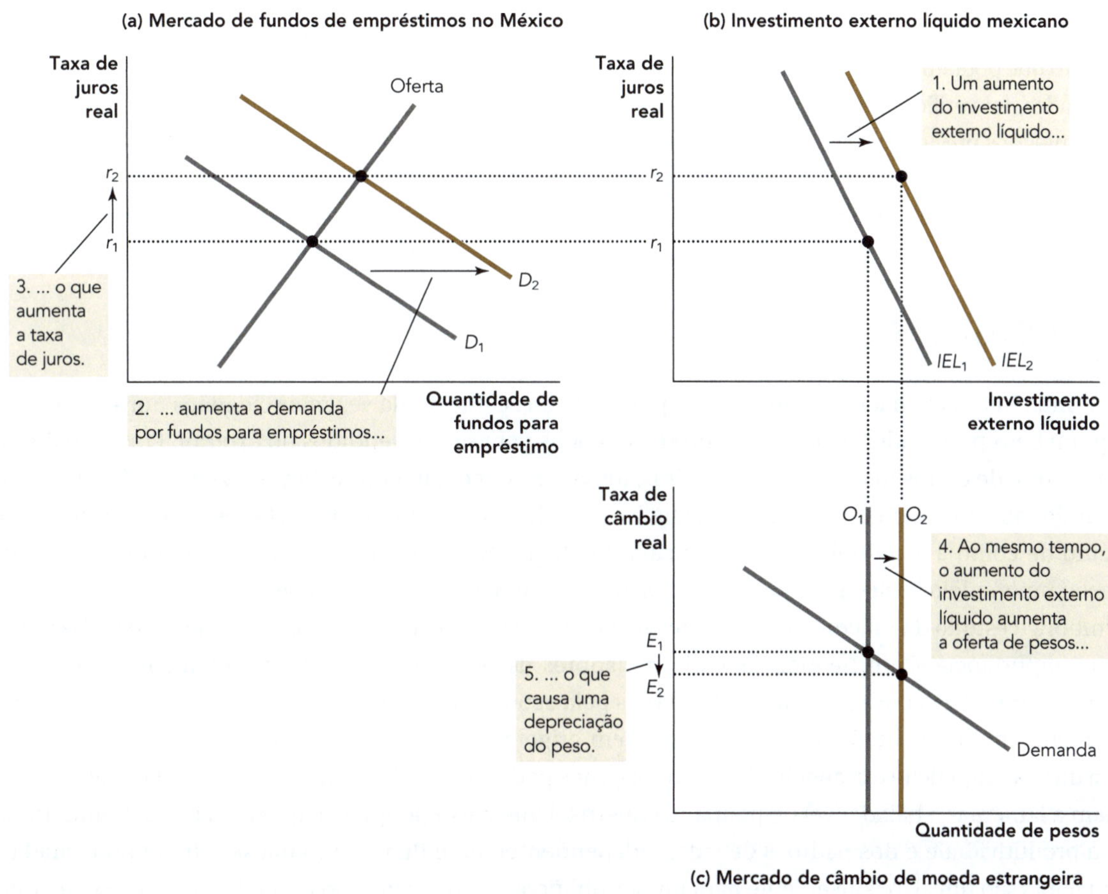

Essas variações de preço que resultam da fuga de capitais influenciam algumas variáveis macroeconômicas-chave. A depreciação da moeda torna as exportações mais baratas e as importações mais caras, empurrando a balança comercial em direção ao superávit. Ao mesmo tempo, o aumento na taxa de juros reduz o investimento interno, o que desacelera a acumulação de capital e o crescimento econômico.

Embora a fuga de capitais tenha seu maior impacto sobre o país de onde o capital está fugindo, ela também afeta outros países. Quando o capital sai do México para os Estados Unidos, por exemplo, ele tem, sobre a economia norte-americana, efeito oposto ao que exerceu sobre a economia mexicana. Mais especificamente, o aumento do investimento externo líquido mexicano coincide com uma queda do investimento externo líquido norte-americano. À medida que o peso se deprecia e as taxas de juros mexicanas sobem, o dólar se aprecia e as taxas de juros norte-americanas caem. A magnitude desse impacto sobre a economia dos Estados Unidos é, contudo, pequena, porque sua economia é muito grande se comparada à do México.

Os eventos que descrevemos poderiam ocorrer em qualquer economia do mundo, e, de fato, ocorrem de tempos em tempos. Em 1997, o mundo descobriu que os sistemas bancários de diversas economias asiáticas, inclusive da

Pergunte aos especialistas

Manipulação de moeda

"A análise econômica pode identificar se os países estão utilizando suas taxas de câmbio para beneficiar a própria população às custas do bem-estar de seus parceiros comerciais."

Fonte: IGM Economic Experts Panel, 16 de junho de 2015.

Tailândia, da Coreia do Sul e da Indonésia, estavam perto da bancarrota, e essa notícia induziu fugas de capital dessas nações. Em 1998, o governo russo deixou de pagar sua dívida, induzindo os investidores internacionais a pegar todo o dinheiro que podiam e promover uma fuga de capitais. Um conjunto de acontecimentos semelhantes, porém mais complicados, foi verificado na Argentina, em 2002. Em todos esses casos de fuga de capitais, os resultados foram semelhantes aos previstos por nosso modelo: aumento de taxas de juros e depreciação da moeda.

Teste rápido Suponha que os norte-americanos decidam gastar uma parcela menor de suas rendas. Qual seria o efeito sobre a poupança, o investimento, as taxas de juros, a taxa de câmbio real e a balança comercial?

32_4 CONCLUSÃO

A economia internacional é um tópico de importância crescente. Cada vez mais cidadãos norte-americanos compram bens produzidos no exterior e produzem bens para serem vendidos no exterior. Por meio dos fundos mútuos e de outras instituições financeiras, tomam e concedem empréstimos nos mercados financeiros do mundo todo. Consequentemente, uma análise completa da economia dos Estados Unidos exige o entendimento de como a economia norte-americana interage com outras economias do mundo. Este capítulo ofereceu um modelo básico para pensar na macroeconomia das economias abertas.

Embora o estudo da macroeconomia internacional seja valioso, devemos ser cuidadosos para não exagerar sua importância. Com frequência, os formuladores de políticas e os analistas políticos se apressam a culpar os estrangeiros por problemas enfrentados pela economia norte-americana. Os economistas, por sua vez, entendem que, em geral, esses problemas têm origem interna. Por exemplo, os políticos muitas vezes dizem que a competição estrangeira é uma ameaça aos padrões de vida norte-americanos. Já os economistas tendem a lamentar o baixo nível de poupança interna. Uma baixa poupança impede o crescimento do capital, da produtividade e dos padrões de vida, independentemente de a economia ser aberta ou fechada. Os estrangeiros são um alvo conveniente para nossos políticos, porque culpá-los é um bom jeito de se eximir de responsabilidades sem ofender quaisquer eleitores do país. Portanto, sempre que ouvir discussões populares sobre o comércio e as finanças internacionais, é especialmente importante tentar separar o mito da realidade. As ferramentas apresentadas nos dois últimos capítulos devem ser úteis para isso.

Teste rápido do capítulo

1. **Mantidos todos os demais fatores constantes[1], um aumento na taxa de juros de um país reduz:**
   a. A poupança nacional e o investimento interno.
   b. A poupança nacional e o investimento externo líquido.
   c. O investimento interno e o investimento externo líquido.
   d. Somente a poupança nacional.

2. **Mantidos todos os demais fatores constantes, uma apreciação da moeda de uma nação faz que:**
   a. As exportações aumentem e as importações diminuam.
   b. As exportações diminuam e as importações aumentem.
   c. As exportações e as importações aumentem.
   d. As exportações e as importações diminuam.

1. Trata-se de condição científica equivalente em português à expressão latina *ceteris paribus* ou *coeteris paribus.* (NRT)

3. O governo de uma economia aberta corta gastos para reduzir o déficit orçamentário. Como resultado, a taxa de juros ______, levando a uma ______ de capital e a uma ______ da taxa de câmbio real.

a. Cai, saída, apreciação.
b. Cai, saída, depreciação.
c. Cai, entrada, apreciação.
d. Sobe, entrada, apreciação.

4. A nação de Ectenia baniu, por muito tempo, a exportação de suas altamente valorizadas conchas puka. O presidente recém-eleito, no entanto, removeu a proibição da exportação. Essa mudança política fará que a moeda do país sofra uma ______, tornando os bens que Ectenia importa ______.

a. Apreciação, mais baratos.
b. Apreciação, mais caros.
c. Depreciação, mais baratos.
d. Depreciação, mais caros.

5. Uma guerra civil no exterior leva os investidores estrangeiros a buscar um refúgio seguro para seus fundos nos Estados Unidos, resultando daí uma taxa de juros ______ nos Estados Unidos e um dólar americano ______.

a. Mais alta, mais fraco.
b. Mais alta, mais forte.
c. Mais baixa, mais fraco.
d. Mais baixa, mais forte.

6. Se os líderes empresariais da Grã-Bretanha se tornarem mais confiantes em sua economia, o otimismo os induzirá a aumentar o investimento, o que fará a libra esterlina ter uma ______ e pressionará a balança comercial britânica em direção a um ______.

a. Apreciação, déficit.
b. Apreciação, superávit.
c. Depreciação, déficit.
d. Depreciação, superávit.

RESUMO

- Para a macroeconomia das economias abertas, dois mercados são centrais: o de fundos de empréstimos e o mercado de câmbio de moeda estrangeira. No mercado de fundos de empréstimos, a taxa de juros real se ajusta para equilibrar a oferta de fundos para empréstimos (provenientes da poupança nacional) e a demanda por fundos para empréstimos (provenientes do investimento interno e do investimento externo líquido). No mercado de câmbio, a taxa de câmbio real se ajusta para equilibrar a oferta de dólares (proveniente do investimento externo líquido) e a demanda por dólares (proveniente das exportações líquidas). Como o investimento externo líquido é parte da demanda por fundos para empréstimos e provê a oferta de dólares para o câmbio, ele é a variável que liga esses dois mercados.
- Uma política que reduza a poupança nacional, como um déficit orçamentário do governo, reduz a oferta de fundos para empréstimos e eleva a taxa de juros. Uma taxa de juros mais elevada reduz o investimento externo líquido, o que reduz a oferta de dólares no mercado de câmbio. O dólar se aprecia e as exportações líquidas caem.
- Embora as políticas comerciais restritivas, como as tarifas ou as cotas de importação, sejam por vezes defendidas como meio de alterar o equilíbrio comercial, elas não têm, necessariamente, esse efeito. Uma restrição ao comércio aumenta as exportações líquidas para dada taxa de câmbio e, assim, aumenta a demanda por dólares no mercado de câmbio. Como resultado, o dólar se aprecia, tornando os bens produzidos internamente mais caros em relação a bens estrangeiros. Essa apreciação contrabalança o impacto inicial da restrição ao comércio sobre as exportações líquidas.
- Quando os investidores mudam de atitude em relação à posse de ativos de um país, os efeitos disso para a economia do país podem ser profundos. Mais especificamente, a instabilidade política pode induzir a fuga de capitais, que tende a aumentar as taxas de juros e provocar a depreciação da moeda.

CONCEITOS-CHAVE

política comercial, p. 552

fuga de capitais, p. 554

QUESTÕES PARA REVISÃO

1. Descreva a oferta e a demanda no mercado de fundos de empréstimos e no mercado de câmbio de moeda estrangeira. Como esses mercados estão ligados um ao outro?
2. Por que os déficits orçamentários e os déficits comerciais são, às vezes, chamados déficits gêmeos?
3. Suponha que um sindicato de trabalhadores na indústria têxtil incentive as pessoas a comprar apenas roupas fabricadas nos Estados Unidos. Qual é o impacto dessa política sobre a balança comercial e a taxa de câmbio real? Qual é o impacto sobre a indústria têxtil? Qual é o impacto sobre a indústria automobilística?
4. O que é fuga de capitais? Quando um país apresenta fuga de capitais, qual é o efeito desse evento sobre sua taxa de juros e sobre sua taxa de câmbio?

PROBLEMAS E APLICAÇÕES

1. O Japão, em geral, apresenta um superávit comercial significativo. Em sua opinião, isso se relaciona mais à elevada demanda externa por produtos japoneses, à baixa demanda japonesa por produtos estrangeiros, à alta taxa de poupança em relação ao investimento do país ou a barreiras estruturais contra as importações para o Japão? Explique sua resposta.

2. Suponha que o Congresso aprove um crédito tributário para investimento que subsidie o investimento interno.
   a. Como essa política afeta a poupança nacional, o investimento interno, o investimento externo líquido, a taxa de juros, a taxa de câmbio e a balança comercial?
   b. Representantes de vários grandes exportadores se opõem a essa política. Por quê?

3. Este capítulo observa que o aumento do déficit comercial dos Estados Unidos durante a década de 1980 deu-se, em grande parte, em razão do aumento do déficit orçamentário norte-americano. Por sua vez, a imprensa popular, algumas vezes, afirma que o aumento do déficit comercial resultou de uma queda da qualidade dos produtos norte-americanos em relação aos estrangeiros.
   a. Suponha que a qualidade dos produtos norte-americanos tenha, de fato, caído durante a década de 1980. Como isso afetaria as exportações líquidas *para qualquer taxa de câmbio dada*?
   b. Use um diagrama de três painéis para mostrar o efeito desse deslocamento das exportações líquidas sobre a taxa de câmbio real e a balança comercial dos Estados Unidos.
   c. A afirmação da imprensa popular é coerente com o modelo apresentado neste capítulo? Uma queda da qualidade dos produtos norte-americanos teria algum efeito sobre o padrão de vida nos Estados Unidos? (*Dica:* quando os Estados Unidos vendem seus produtos a estrangeiros, o que recebem como retorno?).

4. Ao abordar a política comercial na revista *The New Republic*, um economista escreveu: "Um dos benefícios da remoção das restrições comerciais dos Estados Unidos [é] o ganho das indústrias norte-americanas que produzem bens para exportação. As indústrias exportadoras terão mais facilidade para vender seus produtos no exterior, mesmo se os outros países não seguirem o nosso exemplo e reduzirem suas barreiras comerciais". Explique, dissertativamente, por que as indústrias *exportadoras* norte-americanas se beneficiariam de uma redução das restrições às *importações* dos Estados Unidos.

5. Suponha que, de repente, a França passasse a gostar muito de vinho da Califórnia. Responda às questões de modo dissertativo e também por meio de um diagrama.
   a. O que aconteceria com a demanda por dólares no mercado de câmbio?
   b. O que aconteceria com o valor do dólar no mercado de câmbio?
   c. O que aconteceria com a quantidade de exportações líquidas?

6. Uma senadora renuncia ao apoio que dera ao protecionismo no passado: "O déficit comercial norte-americano deve ser reduzido, mas as cotas de importação apenas irritam nossos parceiros comerciais. Se, em vez disso, subsidiarmos as exportações norte-americanas, poderemos reduzir o déficit por meio do aumento da nossa competitividade". Usando um diagrama em três painéis, mostre o efeito de um subsídio às exportações sobre as exportações líquidas e sobre a taxa de câmbio real. Você concorda com a senadora?

7. Suponha que os Estados Unidos decidam subsidiar a exportação de produtos agrícolas, mas não aumentem os impostos nem diminuam qualquer outro gasto do governo para cobrir essa despesa. Por meio de um diagrama com três painéis, mostre o que acontece com a poupança nacional, o investimento interno, o investimento externo líquido, a taxa de juros, a taxa de câmbio e a balança comercial. Explique também, dissertativamente, como essa política afeta a quantidade de importações, de exportações e de exportações líquidas.

8. Suponha que as taxas de juros aumentem em toda a Europa. Explique como isso afetará o investimento externo líquido dos Estados Unidos. Explique também como afetará as exportações líquidas dos Estados Unidos, empregando as fórmulas estudadas e fazendo um diagrama. O que acontecerá com a taxa de juros real e a taxa de câmbio real?

9. Suponha que os norte-americanos decidam aumentar a poupança.
   a. Se a elasticidade do investimento externo líquido com relação à taxa de juros real for muito elevada, o aumento da poupança pessoal terá maior ou menor efeito sobre o investimento interno?
   b. Se a elasticidade das exportações com relação à taxa de juros real for muito baixa, o aumento da poupança pessoal terá maior ou menor efeito sobre a taxa de câmbio real?

Parte XII

Flutuações econômicas no curto prazo

CAPÍTULO 33

Demanda agregada e oferta agregada

A atividade econômica flutua de ano para ano. Na maioria dos anos, a produção de bens e serviços aumenta. Em razão de aumentos na força de trabalho e no estoque de capital, e de avanços no conhecimento tecnológico, a economia é capaz de produzir cada vez mais com o passar do tempo. E esse crescimento permite que todos desfrutem de um padrão de vida mais alto. Na média dos últimos 50 anos, a produção da economia norte-americana, medida pelo PIB real, cresceu cerca de 3% ao ano.

recessão
um período de queda da renda real e aumento do desemprego

depressão
uma recessão grave

Em alguns anos, contudo, em vez de crescer, a economia se contrai. As empresas se descobrem incapazes de vender todos os bens e serviços que têm a oferecer, de modo que reduzem a produção. Trabalhadores são demitidos, o desemprego aumenta e as fábricas ficam ociosas. Quando a economia produz menos bens e serviços, o PIB real e as demais medidas de renda caem. Um período como esse, de queda na renda e aumento do desemprego, é chamado de **recessão**, se for relativamente brando, e de **depressão**, se for mais severo.

Um exemplo de tal crise ocorreu em 2008 e 2009. Do quarto trimestre de 2007 ao segundo trimestre de 2009, o PIB real da economia dos Estados Unidos caiu 4,2%. A taxa de desemprego subiu de 4,4% em maio de 2007 para 10,1% em outubro de 2009 - o nível mais alto em mais de 25 anos. Não surpreendentemente, estudantes que se graduavam durante essa época achavam que era difícil encontrar empregos desejáveis.

O que provoca as flutuações de curto prazo na atividade econômica? O que as políticas públicas podem fazer para impedir períodos de queda da renda e aumento do desemprego, se é que, de fato, é possível fazer algo? Quando ocorrem recessões e depressões, o que os formuladores de políticas podem fazer para reduzir a duração e a severidade desses períodos? Essas são as perguntas que abordaremos agora.

As variáveis que estudaremos são, em grande parte, as mesmas que vimos em capítulos anteriores. Elas incluem o PIB, o desemprego, as taxas de juros e o nível de preços. Igualmente familiares são os instrumentos políticos, que incluem as despesas do governo, impostos e oferta de moeda. O que difere em relação à análise que fizemos anteriormente é o horizonte de tempo. Até aqui, nosso objetivo foi explicar o comportamento dessas variáveis no longo prazo. Nosso foco, agora, será as variações no curto prazo com relação às tendências de longo prazo. Em outras palavras, em vez de nos concentrarmos nas forças que explicam o crescimento econômico geração após geração, nosso interesse residirá em explicar as flutuações econômicas ano após ano.

Alguns economistas ainda debatem a respeito de como analisar melhor as flutuações de curto prazo, mas a maioria deles utiliza o *modelo de demanda agregada e oferta agregada*. Nossa principal tarefa aqui será aprender a usar esse modelo para analisar os efeitos de curto prazo de vários eventos e políticas. Este capítulo introduz as duas peças-chave do modelo: a curva de demanda agregada e a curva de oferta agregada. Mas, antes de tratar do modelo, vamos examinar os fatos principais que descrevem os altos e baixos da economia.

33_1 TRÊS FATOS-CHAVE SOBRE AS FLUTUAÇÕES ECONÔMICAS

As flutuações de curto prazo na atividade econômica ocorreram em todos os países e em todos os períodos da história. Como ponto de partida para a compreensão dessas flutuações de ano para ano, vamos abordar algumas de suas principais propriedades.

33_1A Fato 1: As flutuações econômicas são irregulares e imprevisíveis

As flutuações na economia costumam ser chamadas de *ciclo de negócios*. Como sugere a expressão, as flutuações econômicas correspondem a mudanças nas condições dos negócios. Quando o PIB real cresce rapidamente, os negócios vão bem. Durante tais períodos de expansão econômica, as empresas descobrem que os clientes são abundantes e que seus lucros são crescentes. No entanto, quando o PIB real cai durante as recessões, os negócios passam a ter problemas. Durante esses períodos de contração econômica, a maioria das empresas apresenta queda nas vendas e diminuição nos lucros.

A expressão *ciclo de negócios*, no entanto, pode dar uma ideia enganosa, porque sugere que as flutuações econômicas seguem um padrão regular e previsível. Na verdade, as flutuações econômicas não são nada regulares e é praticamente impossível prevê-las com grande precisão. O painel (a) da Figura 1 mostra o PIB real dos Estados Unidos desde 1972. A área sombreada representa períodos de recessão. Como vemos na figura, as recessões não ocorrem em intervalos regulares. Às vezes, as recessões ocorrem próximas umas das outras, como as de 1980 e 1982, e, outras vezes, a economia passa muitos anos sem entrar em recessão. O maior período da história sem recessão foi a expansão econômica de 1991 a 2001.

33_1B Fato 2: A maioria das variáveis macroeconômicas flutua conjuntamente

O PIB real é a variável mais comumente usada para monitorar variações de curto prazo na economia, porque é a medida mais abrangente da atividade econômica. O PIB real mede o valor de todos os bens e serviços produzidos em um dado período. Mede, também, a renda total (corrigida pela inflação) de todas as pessoas na economia.

Ocorre que, para monitorar as flutuações de curto prazo, não importa realmente a medida de atividade econômica que utilizamos. A maioria das variáveis macroeconômicas que medem algum tipo de renda, despesa ou produção flutua de maneira bastante próxima. Quando o PIB real cai durante uma recessão, caem também a renda pessoal, os lucros das empresas, as despesas de consumo, as despesas de investimento, a produção industrial, as vendas no varejo, as vendas de imóveis residenciais, as vendas de carros, e assim por diante. Como as recessões são fenômenos que afetam a economia, elas aparecem em muitas fontes de dados macroeconômicos.

Embora muitas variáveis macroeconômicas flutuem juntas, as flutuações se dão em medidas diferentes. Mais especificamente, como mostra o painel (b) da Figura 1, a despesa de investimento varia muito durante o ciclo de negócios. Embora o investimento seja aproximadamente um sétimo do PIB, os declínios no investimento respondem por cerca de dois terços do declínio no PIB durante as recessões. Em outras palavras, quando as condições econômicas se deterioram, grande parte do declínio pode ser atribuída à redução nas despesas em novas fábricas, empresas e estoques.

33_1C Fato 3: Com a queda na produção, o desemprego cresce

As variações na produção de bens e serviços da economia são estreitamente correlacionadas com variações na utilização da força de trabalho na economia. Em outras palavras, quando o PIB real cai, a taxa de desemprego aumenta. Esse fato não surpreende: quando as empresas decidem produzir uma quantidade menor de bens e serviços, demitem trabalhadores, aumentando o número de pessoas desempregadas.

Figura 1
Um panorama das flutuações econômicas de curto prazo
A figura mostra o PIB real no painel (a), as despesas de investimento no painel (b) e o desemprego no painel (c), todos para a economia dos Estados Unidos. As recessões são representadas pelas áreas sombreadas. Observe que o PIB real e as despesas de investimento declinam durante as recessões, enquanto o desemprego aumenta.
Fonte: U. S. Department of Commerce; U. S. Department of Labor.

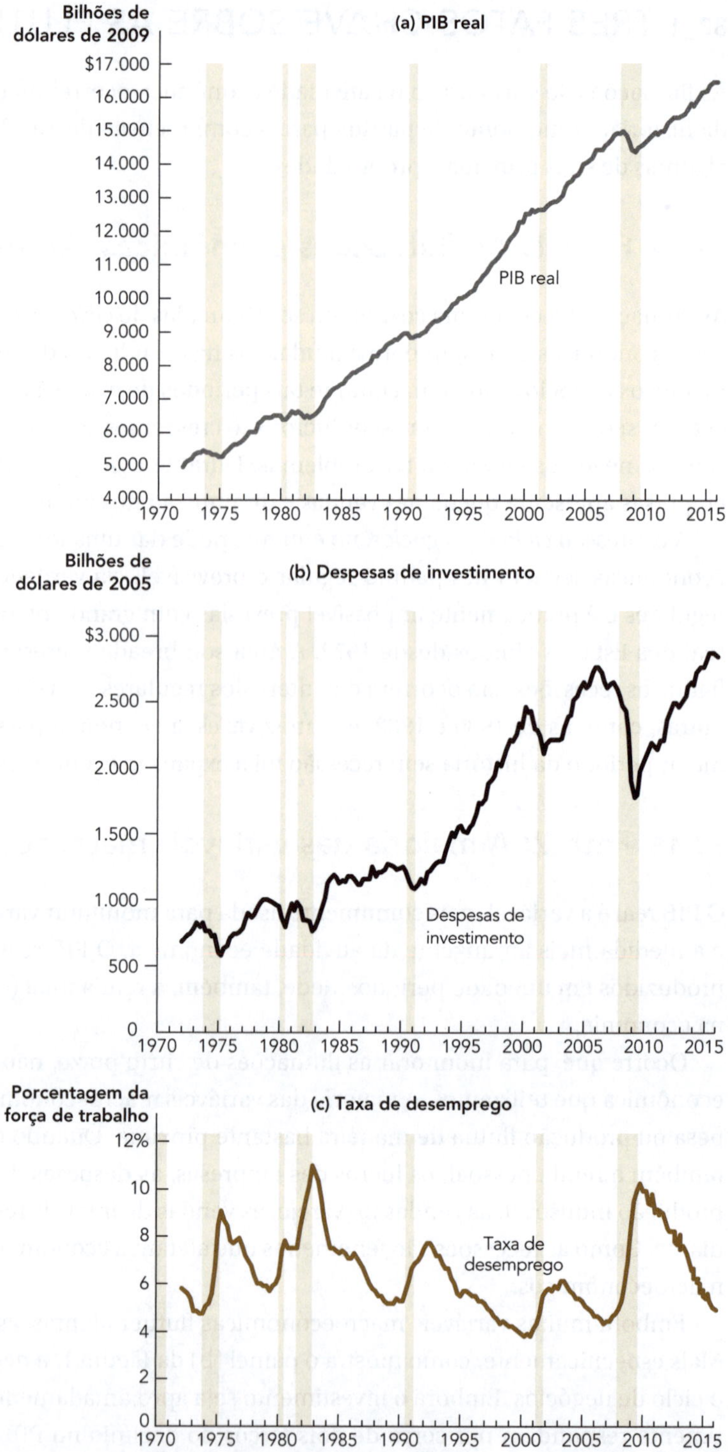

O painel (c) da Figura 1 mostra a taxa de desemprego da economia dos Estados Unidos desde 1972. Novamente, as áreas sombreadas da figura indicam períodos de recessão. A figura mostra claramente o impacto das recessões sobre o desemprego. Em cada uma das recessões, a taxa de desemprego aumentou substancialmente. Quando a recessão termina e o PIB real começa a se expandir, a taxa de desemprego declina gradualmente. A taxa de desemprego nunca se aproxima de zero; pelo contrário, ela flutua em torno de sua taxa natural, cerca de 5% ou 6%.

Teste rápido Liste e discuta os três fatos-chave sobre as flutuações econômicas.

33_2 A EXPLICAÇÃO DAS FLUTUAÇÕES ECONÔMICAS NO CURTO PRAZO

Descrever os padrões apresentados pelas economias enquanto elas flutuam com o passar do tempo é fácil. Explicar o que causa essas flutuações é mais difícil. De fato, se comparada aos tópicos que estudamos nos capítulos anteriores, a teoria das flutuações econômicas continua controvertida. Neste capítulo, começaremos a desenvolver o modelo que a maioria dos economistas usa para explicar as flutuações de curto prazo da atividade econômica.

33_2A Pressupostos da economia clássica

Nos capítulos anteriores, desenvolvemos teorias para explicar o que determina a maioria das variáveis macroeconômicas mais importantes no longo prazo. O Capítulo 25 abordou o nível e o crescimento da produtividade e do PIB real. Os capítulos 26 e 27 explicaram como o sistema financeiro funciona e como a taxa de juros real se ajusta para equilibrar poupança e investimento. O Capítulo 28 explicou por que sempre há algum desemprego na economia. Os capítulos 29 e 30 abordaram o sistema monetário e a maneira como as alterações na oferta de moeda afetam o nível de preços, a taxa de inflação e a taxa de juros nominal.

Todas as análises anteriores basearam-se em duas ideias relacionadas: a dicotomia clássica e a neutralidade monetária. Lembre-se de que a dicotomia clássica é a separação das variáveis entre variáveis reais (aquelas que medem quantidades ou preços relativos) e nominais (aquelas medidas em termos de moeda). De acordo com a teoria macroeconômica clássica, as variações na oferta de moeda afetam as variáveis nominais, mas não as reais. Como resultado dessa neutralidade monetária, os capítulos 25 a 28 puderam examinar os determinantes das variáveis reais (PIB real, taxa de juros real e desemprego) sem introduzir variáveis nominais (a oferta de moeda e nível de preços).

De certo modo, a moeda não tem importância no mundo clássico. Se a quantidade de moeda da economia fosse o dobro, tudo custaria o dobro, e a renda de todos também seria duas vezes maior. E então? A mudança seria *nominal* (conforme o significado padrão de "quase insignificante"). As coisas que *realmente* importam para as pessoas, como o emprego, os bens e serviços que conseguem obter, e assim por diante, seriam exatamente as mesmas.

"O dinheiro é um véu" é um ditado por vezes utilizado para descrever essa visão clássica. Isso quer dizer que as variáveis nominais podem ser a primeira coisa que vemos ao observar uma economia, pois as variáveis econômicas costumam ser expressas em unidades monetárias. Mas o que importa são as variáveis reais e as forças econômicas que as determinam. Segundo a teoria clássica, para entender essas variáveis é preciso olhar por trás desse véu.

33_2B A realidade das flutuações no curto prazo

Essas hipóteses da teoria macroeconômica clássica aplicam-se ao mundo em que vivemos? A resposta a essa questão é de importância central para o entendimento de como a economia funciona: *a maioria dos economistas acredita que a teoria clássica descreve o mundo no longo prazo, mas não no curto prazo.*

Considere novamente o impacto da moeda sobre a economia. Muitos economistas acreditam que, além de um período de diversos anos, as variações na oferta de moeda afetam os preços e outras variáveis nominais, mas não o PIB real, o desemprego ou outras variáveis reais, como afirma a teoria clássica. Mas quando estudamos as mudanças na economia de ano para ano, a hipótese da neutralidade monetária não é mais apropriada. No curto prazo, as variáveis reais e nominais estão fortemente ligadas, e as variações na oferta de moeda podem afastar temporariamente o PIB real de sua tendência de longo prazo.

Mesmo economistas clássicos, como David Hume, perceberam que a teoria da economia clássica não se sustentava no curto prazo. Com esse ponto de vista, na Inglaterra do século XVIII, Hume observou que, quando a oferta de moeda se expandia, após a descoberta de ouro, era preciso algum tempo até que os preços aumentassem; enquanto isso, a economia se beneficiava com maior número de empregos e de produção.

Para entender como a economia funciona no curto prazo, precisamos de um modelo novo, que pode ser elaborado com as muitas ferramentas desenvolvidas nos capítulos anteriores. No entanto é preciso abandonar a dicotomia clássica e a neutralidade da moeda. Não podemos mais separar nossa análise de variáveis reais, como produção e emprego, da análise de variáveis nominais, como moeda e níveis de preço. Nosso novo modelo se concentra na interação das variáveis reais e nominais.

33_2C O modelo de demanda agregada e oferta agregada

modelo de demanda agregada e oferta agregada o modelo que a maioria dos economistas usa para explicar as flutuações de curto prazo na atividade econômica em torno de sua tendência de longo prazo

curva de demanda agregada uma curva que mostra a quantidade de bens e serviços que as famílias, as empresas, o governo e os clientes estrangeiros desejam comprar a cada nível de preços

curva de oferta agregada uma curva que mostra a quantidade de bens e serviços que as empresas decidem produzir e vender a cada nível de preços

Nosso modelo de flutuações econômicas no curto prazo concentra-se no comportamento de duas variáveis. A primeira é a produção de bens e serviços da economia, medida pelo PIB real. A segunda é o nível geral de preços, medido pelo IPC ou pelo deflator do PIB. Observe que a produção é uma variável real, ao passo que o nível de preços é uma variável nominal. Ao nos concentrarmos no relacionamento entre essas duas variáveis, estamos nos afastando da suposição clássica de que as variáveis reais e nominais podem ser estudadas separadamente.

Analisaremos as flutuações na economia por meio do **modelo de demanda agregada e oferta agregada**, que é ilustrado na Figura 2. No eixo vertical está o nível geral de preços da economia, e no horizontal, a quantidade geral de bens e serviços. A **curva de demanda agregada** mostra a quantidade de bens e serviços que as famílias, as empresas, o governo e os clientes estrangeiros desejam comprar a cada nível de preços. A **curva de oferta agregada** mostra a quantidade de bens e serviços que as empresas produzem e vendem a cada nível de preços. De acordo com esse modelo, o nível de preços e a quantidade produzida se ajustam para equilibrar a demanda agregada e a oferta agregada.

Pode parecer tentador enxergar o modelo de demanda agregada e oferta agregada como nada mais que uma versão ampliada do modelo da demanda e da oferta de mercado, que apresentamos no Capítulo 4. Todavia, esse modelo é, de fato, bem diferente. Quando consideramos a oferta e a demanda em um mercado específico, como o de sorvetes, o comportamento dos compradores e dos vendedores depende da capacidade de os recursos se moverem de um mercado para outro. Quando o preço do sorvete aumenta, a quantidade demandada diminui, porque os compradores usam sua renda para comprar outros bens em substituição ao sorvete. De forma similar, o preço mais elevado do sorvete aumenta a quantidade ofertada, porque as empresas que produzem sorvete podem aumentar a produção contratando trabalhadores de outros setores da economia. Essa substituição *microeconômica* de um mercado por outro é impossível quando analisamos a economia como um todo. Afinal de contas, a quantidade que nosso modelo procura explicar – o PIB real – mede a quantidade *total* de bens e serviços produzida por *todas* as empresas em *todos* os mercados. Para entender por que a curva de demanda agregada tem inclinação negativa e a curva de oferta agregada tem inclinação positiva, precisamos de uma teoria *macroeconômica* que explique a quantidade total de bens e serviços demandados e ofertados. Nossa próxima tarefa será desenvolver essa teoria.

Teste rápido Como o comportamento da economia no curto prazo difere de seu comportamento no longo prazo? • Represente graficamente o modelo de demanda agregada e oferta agregada. Quais variáveis são representadas em cada eixo?

Figura 2
Demanda agregada e oferta agregada
Os economistas usam o modelo de demanda agregada e oferta agregada para analisar as flutuações econômicas. No eixo vertical está o nível geral de preços. No eixo horizontal está a produção total de bens e serviços da economia. A produção e o nível de preços se ajustam até chegar ao ponto em que as curvas de oferta agregada e de demanda agregada se cruzam.

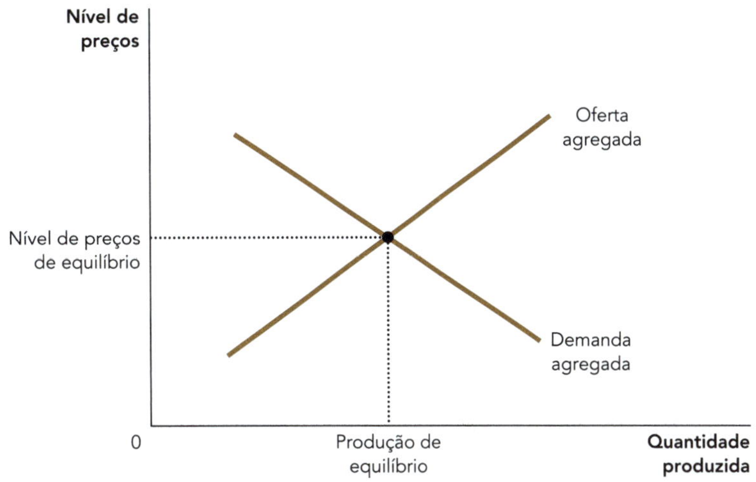

33_3 A CURVA DE DEMANDA AGREGADA

A curva de demanda agregada nos diz a quantidade de todos os bens e serviços demandados na economia a qualquer nível de preço dado. Como ilustra a Figura 3, a curva de demanda agregada tem inclinação negativa. Isso significa que, tudo o mais permanecendo constante, uma queda no nível geral de preços da economia (de P_1 para P_2, digamos) tende a aumentar a quantidade demandada de bens e serviços (de Y_1 para Y_2). No entanto, o aumento do nível de preços reduz a quantidade de bens e serviços demandados.

33_3A Por que a curva de demanda agregada tem inclinação negativa

Por que uma alteração no nível de preços move a quantidade demandada de bens e serviços na direção oposta? Para responder a essa questão, é útil lembrar que o PIB (que chamamos Y) é a soma do consumo (C), do investimento (I), das compras do governo (G) e das exportações líquidas (EL):

$$Y = C + I + G + EL$$

Cada um desses quatro componentes contribui para a demanda agregada por bens e serviços. Por enquanto, admitiremos que as despesas do governo sejam fixadas pela política. Os outros três componentes

Figura 3
A curva de demanda agregada
Uma queda no nível de preço de P_1 para P_2 aumenta a quantidade demandada de bens e serviços de Y_1 para Y_2. Há três razões para essa relação negativa. Quando o nível de preço cai, a riqueza real aumenta, as taxas de juros caem e a taxa de câmbio se deprecia. Esses efeitos estimulam as despesas de consumo, o investimento e as exportações líquidas. Uma maior despesa nesses três componentes da produção significa que uma maior quantidade de bens e serviços é demandada.

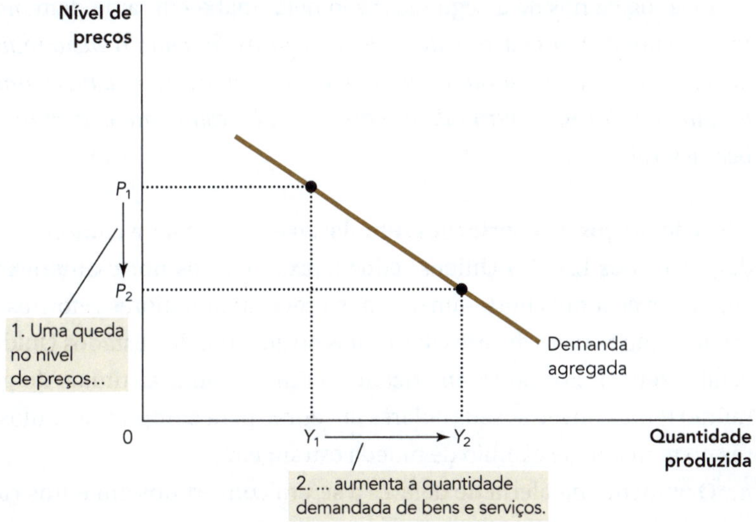

do dispêndio - consumo, investimento e exportações líquidas - dependem das condições econômicas e, mais especificamente, do nível de preços. Para entender a inclinação negativa da curva de demanda agregada, devemos examinar de que maneira o nível de preços afeta a quantidade demandada de bens e serviços para consumo, investimento e exportações líquidas.

Nível de preço e consumo: o efeito riqueza Considere o dinheiro que você tem em sua carteira e em sua conta bancária. O valor nominal desse dinheiro é fixo, mas seu valor real não é. Um dólar sempre vale um dólar. Ainda assim, o valor *real* de 1 dólar não é fixo. Se um doce custa 1 dólar, então seu valor equivale a um doce. Se o preço desse doce cai para $ 0,50 centavos, então 1 dólar equivale a dois doces. Portanto, quando o nível de preços cai, o valor do dólar sobe, o que aumenta a riqueza real das pessoas e a capacidade de comprar bens e serviços.

Essa lógica nos dá a primeira razão pela qual a curva de demanda agregada tem inclinação negativa. *A diminuição no nível de preços aumenta o valor real da moeda, tornando os consumidores mais ricos; isso, por sua vez, os encoraja a gastar mais. O aumento nas despesas do consumidor significa maior quantidade demandada de bens e serviços. Inversamente, o aumento no nível de preços reduz o valor real da moeda, tornando os consumidores mais pobres, o que reduz as despesas do consumidor e a quantidade demandada de bens e serviços.*

Nível de preços e investimento: o efeito taxa de juros O nível de preços é um dos determinantes da quantidade demandada de moeda. Quanto menor for o nível de preços, menos moeda as famílias necessitarão manter para comprar os bens e serviços que desejam. Quando o nível de preços cai, portanto, as famílias podem tentar diminuir a retenção de moeda mediante concessão de empréstimos. Por exemplo, uma família poderia usar seu excedente de moeda para comprar títulos que rendem juros. Ou poderia depositar seu excedente de moeda em uma conta de poupança, que rende juros, e o banco usaria esses fundos para conceder mais empréstimos. Em qualquer dos dois casos, à medida que as famílias tentam converter parte de sua moeda em ativos que rendem juros, empurram a taxa de juros para baixo. (O próximo capítulo analisa esse processo mais detalhadamente.)

As taxas de juros, por sua vez, afetam as despesas com bens e serviços. Como a taxa de juros baixa torna os empréstimos mais baratos, ela incentiva as empresas a pedir mais empréstimos para investir em novas fábricas e equipamentos, assim como incentiva as famílias a fazer empréstimos para investir em novas moradias. (Uma taxa de juros mais baixa também pode estimular o consumo, especialmente com bens duráveis de maior porte, como carros, que geralmente são adquiridos por meio de crédito). Dessa forma, uma taxa de juros mais baixa aumenta a quantidade demandada de bens e serviços.

Essa lógica nos dá a segunda razão pela qual a curva de demanda agregada tem inclinação negativa. *O nível de preços mais baixo reduz a taxa de juros, fomenta o gasto maior com bens de investimento e, por meio disso, aumenta a quantidade demandada de bens e serviços. Inversamente, o nível de preços mais alto aumenta a taxa de juros, desestimula os gastos com investimento e, portanto, diminui a quantidade demandada de bens e serviços.*

Nível de preços e exportações líquidas: o efeito taxa de câmbio Como acabamos de ver, um menor nível de preços nos Estados Unidos reduz a taxa de juros norte-americana. Em resposta à menor taxa de juros, alguns investidores norte-americanos procurarão maiores retornos, investindo no exterior. Por exemplo, à medida que as taxas de juros dos títulos do governo dos Estados Unidos diminuem, um fundo mútuo poderia vender seus títulos norte-americanos a fim de comprar títulos do governo alemão. À medida que o fundo mútuo tenta converter seus dólares em euros para comprar os títulos alemães, ele aumenta a oferta de dólares no mercado de câmbio de moeda estrangeira.

O aumento na oferta de dólares a serem convertidos em euros causa a depreciação do dólar em relação ao euro. Isso provoca a alteração da taxa de câmbio real - o preço relativo de bens internos e externos. Como cada dólar compra menos unidades de moedas estrangeiras, os bens externos se tornam mais caros em relação aos bens internos.

A alteração dos preços afeta tanto o consumo interno quanto o externo. Como os produtos estrangeiros são agora mais caros, os norte-americanos compram menos de outros países, diminuindo a importação de bens e serviços. Ao mesmo tempo, como os produtos norte-americanos agora estão mais baratos, os estrangeiros compram mais dos Estados Unidos, aumentando as exportações. As exportações líquidas correspondem às exportações menos as importações; portanto, ambas as mudanças provocam o aumento das exportações líquidas dos Estados Unidos. Assim, a queda no valor de câmbio real do dólar provoca o aumento da quantidade demandada de bens e serviços.

Essa lógica nos dá a terceira razão pela qual a curva de demanda agregada tem inclinação negativa. *Quando uma queda no nível de preços nos Estados Unidos provoca a queda das taxas de juros, o valor real do dólar diminui nos mercados de câmbio estrangeiros. Essa depreciação estimula as exportações líquidas e aumenta a quantidade demandada de bens e serviços. Inversamente, quando um aumento no nível de preços nos Estados Unidos provoca a alta das taxas de juros, o valor real do dólar aumenta, e essa apreciação reduz as exportações líquidas dos Estados Unidos e a quantidade demandada de bens e serviços.*

Resumo Há, portanto, três razões distintas, porém correlacionadas, pelas quais uma queda no nível de preços aumenta a quantidade demandada de bens e serviços:

1. Os consumidores se sentem mais ricos, o que estimula a demanda por bens de consumo.
2. A taxa de juros cai, o que estimula a demanda por bens de investimento.
3. A taxa de câmbio se deprecia, o que estimula a demanda por exportações líquidas.

Os mesmos três efeitos funcionam de modo inverso: quando o nível de preços sobe, a diminuição da riqueza afeta o gasto do consumidor, as taxas de juros mais altas diminuem as despesas de investimento e a apreciação da moeda diminui as exportações líquidas.

Eis uma ideia experimental para direcionar sua intuição sobre esses efeitos. Imagine que, certo dia, você acorde e perceba que, por algum motivo misterioso, os preços de todos os bens e serviços caíram pela metade; portanto, os dólares que você tem estão valendo o dobro. Em termos reais, você tem, agora, o dobro do que tinha quando foi dormir. O que você faria com esse dinheiro extra? Poderia ir a seu restaurante favorito, aumentando o gasto do consumidor. Poderia emprestar (comprando títulos ou depositando no banco), reduzindo as taxas de juros e aumentando os gastos com investimentos. Ou poderia fazer investimentos externos (comprando ações de um fundo mútuo internacional), reduzindo o valor real de câmbio do dólar e aumentando as exportações líquidas. Qualquer que seja sua opção, a queda no nível de preços provoca um aumento na quantidade demandada de bens e serviços. Isso é o que representa a inclinação negativa da curva de demanda agregada.

É importante ter em mente que a curva de demanda agregada (como todas as curvas de demanda) é construída "com tudo o mais permanecendo constante". Mais especificamente, nossas três explicações da inclinação negativa da curva de demanda agregada presumem que a oferta de moeda é fixa. Ou seja, estamos considerando de que maneira uma alteração no nível de preços afeta a demanda por bens e serviços mantendo a quantidade de moeda na economia constante. Como veremos, uma alteração na quantidade de moeda desloca a curva de demanda agregada. Por enquanto, basta lembrar-se de que a curva de demanda agregada é construída para uma dada quantidade de oferta de moeda.

33_3B Por que a curva de demanda agregada se desloca

A inclinação negativa da curva de demanda agregada mostra que uma queda no nível de preços eleva a quantidade total demandada de bens e serviços. Mas há muitos outros fatores que afetam a quantidade demandada de bens e serviços para um nível de preços dado. Quando um desses outros fatores muda, a quantidade demandada de bens e serviços em cada nível de preços se altera e a curva de demanda agregada se desloca.

Consideremos alguns exemplos de eventos que deslocam a demanda agregada. Podemos classificá-los de acordo com o componente de dispêndio que é mais diretamente afetado.

Deslocamentos decorrentes de alterações do consumo Suponha que os norte-americanos, subitamente, passem a se preocupar mais com a poupança para a aposentadoria e, como resultado, reduzam seu consumo corrente. Como a quantidade demandada de bens e serviços é menor a qualquer nível de preços, a curva de demanda agregada se desloca para a esquerda. De maneira inversa, imagine que um *boom* do mercado de ações deixe as pessoas mais ricas e menos preocupadas com a poupança. O aumento resultante nas despesas de consumo significa maior quantidade demandada de bens e serviços para qualquer nível de preços dado, de modo que a curva de demanda agregada se desloca para a direita.

Portanto, qualquer acontecimento que altere o quanto as pessoas desejam consumir para qualquer nível de preços dado desloca a curva de demanda agregada. Uma variável política que tem esse efeito é o nível de tributação. Quando o governo reduz os impostos, incentiva as pessoas a gastar mais, de modo que a curva de demanda agregada se desloca para a direita. Quando o governo aumenta os impostos, as pessoas reduzem suas despesas e a curva de demanda agregada desloca-se para a esquerda.

Deslocamentos decorrentes de alterações do investimento Qualquer acontecimento que altere o quanto as empresas desejam investir para um nível de preços dado também desloca a curva de demanda agregada. Por exemplo, imagine que a indústria de computadores introduza uma linha mais veloz de computadores e que muitas empresas decidam investir em novos sistemas de computadores. Como a quantidade demandada de bens e serviços a qualquer nível de preços é maior, a curva de demanda agregada desloca-se para a direita. Inversamente, se houver pessimismo entre as empresas sobre as condições dos negócios no futuro, elas poderão reduzir suas despesas de investimento, deslocando a curva de demanda agregada para a esquerda.

A política fiscal também pode influenciar a demanda agregada por meio do investimento. Por exemplo, um crédito fiscal de investimento (uma redução dos impostos vinculada à despesa de investimento de uma empresa) aumenta a quantidade de bens de investimento que as empresas demandam a qualquer taxa de juros dada e, portanto, desloca a curva de demanda agregada para a direita. Uma revogação de um crédito fiscal de investimento reduz o investimento e desloca a curva de demanda agregada para a esquerda.

Outra variável política que pode afetar o investimento e a demanda agregada é a oferta de moeda. Como veremos em detalhes no próximo capítulo, um aumento na oferta de moeda reduz a taxa de juros no curto prazo. Essa diminuição da taxa de juros reduz o custo da tomada de empréstimos, o que estimula as despesas de investimento e, com isso, desloca a curva de demanda agregada para a direita. De maneira inversa, uma diminuição na oferta de moeda aumenta a taxa de juros, desestimula as despesas de investimento e, com isso, desloca a curva de demanda agregada para a esquerda. Muitos economistas acreditam que, no decorrer da história dos Estados Unidos, as alterações na política monetária foram uma fonte importante de deslocamentos da demanda agregada.

Deslocamentos decorrentes de alterações das compras do governo A maneira mais direta pela qual os formuladores de políticas deslocam a curva de demanda agregada é por meio das compras do governo. Por exemplo, suponha que o Congresso decida reduzir as compras de novos sistemas de armamentos. Uma vez que a quantidade demandada de bens e serviços é menor a qualquer nível de preços, a curva de demanda agregada se desloca para a esquerda. De modo inverso, se os governos estaduais começarem a construir mais estradas, o resultado será uma maior quantidade demandada de bens e serviços a qualquer nível de preços, deslocando a curva de demanda agregada para a direita.

Deslocamentos decorrentes de alterações das exportações líquidas Qualquer acontecimento que altere as exportações líquidas a dado nível de preços também desloca a demanda agregada. Por exemplo, quando a Europa passa por uma recessão, compra menos bens dos Estados Unidos. Isso reduz as exportações líquidas norte-americanas em todos os níveis de preços e desloca a curva de demanda agregada da economia dos Estados Unidos para a esquerda. Quando a Europa se recupera da recessão, começa a comprar bens norte-americanos novamente, deslocando a curva de demanda agregada para a direita.

As exportações líquidas também podem mudar quando especuladores internacionais provocam movimentos na taxa de câmbio. Suponha, por exemplo, que esses especuladores percam a confiança nas economias estrangeiras e desejem transferir parte de sua riqueza para a economia norte-americana. Ao fazer isso, eles elevam o valor do dólar norte-americano no mercado de câmbio. Essa apreciação do dólar torna os bens norte-americanos mais caros se comparados aos estrangeiros, o que deprime as exportações líquidas e desloca a curva de demanda agregada para a esquerda. De modo inverso, a especulação que provoca a depreciação do dólar estimula as exportações líquidas e desloca a curva de demanda agregada para a direita.

Resumo No próximo capítulo, analisaremos a curva de demanda agregada em mais detalhes. Lá, examinaremos com mais precisão como os instrumentos das políticas monetária e fiscal podem deslocar a demanda agregada e se os formuladores de políticas deveriam ou não usar esses instrumentos para tal propósito. Até aqui, porém, você já sabe por que a curva de demanda agregada tem inclinação negativa e conhece os tipos de eventos e políticas que podem deslocar essa curva. A Tabela 1 resume o que aprendemos até este ponto.

Tabela 1
A curva de demanda agregada: resumo

Por que a curva de demanda agregada tem inclinação negativa?

1. *O efeito riqueza*: um menor nível de preços aumenta a riqueza real, o que incentiva as despesas de consumo.
2. *O efeito taxa de juros*: um menor nível de preços reduz a taxa de juros, o que incentiva os gastos de investimento.
3. *O efeito taxa de câmbio*: um nível menor de preços faz que a taxa de câmbio real se deprecie, o que incentiva os gastos em exportações líquidas.

Por que a curva de demanda agregada pode se deslocar?

1. *Deslocamentos decorrentes de alterações do consumo*: um evento que leve os consumidores a gastar mais a um nível de preço dado (um corte de impostos, um *boom* do mercado de ações) desloca a curva de demanda agregada para a direita. Um evento que leve os consumidores a gastar menos a um nível de preços dado (um aumento de impostos, uma queda no mercado de ações) desloca a curva de demanda agregada para a esquerda.
2. *Deslocamentos decorrentes de alterações do investimento*: um evento que leve as empresas a investir mais a um nível de preço dado (otimismo sobre o futuro, queda na taxa de juros em decorrência do aumento da oferta de moeda) desloca a curva de demanda agregada para a direita. Um evento que leve as empresas a investir menos a um nível de preços dado (pessimismo sobre o futuro, um aumento das taxas de juros devido à queda da oferta de moeda) desloca a curva de demanda agregada para a esquerda.
3. *Deslocamentos decorrentes de alterações das compras do governo*: um aumento nas compras de bens e serviços feitas pelo governo (maiores gastos com defesa ou construção de estradas) desloca a curva de demanda agregada para a direita. Uma queda nas compras de bens e serviços feitas pelo governo (corte de gastos com defesa ou estradas) desloca a curva de demanda agregada para a esquerda.
4. *Deslocamentos decorrentes de alterações das exportações líquidas*: um acontecimento que aumente a despesa em exportações líquidas a um nível de preços dado (*boom* no exterior, uma depreciação da taxa de câmbio) desloca a curva de demanda agregada para a direita. Um evento que reduza os gastos em exportações líquidas a um nível de preços dado (recessão no exterior, apreciação da taxa de câmbio) desloca a curva de demanda agregada para a esquerda.

Teste rápido Explique as três razões pelas quais a curva de demanda agregada tem inclinação negativa • Dê um exemplo de evento que deslocaria a curva de demanda agregada. De que maneira esse evento deslocaria a curva?

33_4 A CURVA DE OFERTA AGREGADA

A curva de oferta agregada nos diz a quantidade total de bens e serviços que as empresas produzem e vendem a um nível de preços dado. Ao contrário da curva de demanda agregada, que sempre tem inclinação negativa, a curva de oferta agregada apresenta uma relação que depende fundamentalmente do horizonte de tempo em questão. *No longo prazo, a curva de oferta agregada é vertical, ao passo que, no curto prazo, a curva de oferta agregada tem inclinação positiva.* Para entender as flutuações econômicas de curto prazo e de que maneira o comportamento de curto prazo da economia se desvia do comportamento de longo prazo, precisamos examinar tanto a curva de oferta agregada de longo prazo quanto a curva de oferta agregada de curto prazo.

33_4A Por que a curva de oferta agregada é vertical no longo prazo

O que determina a quantidade ofertada de bens e serviços no longo prazo? Essa questão foi respondida de maneira implícita no início deste livro, quando analisamos o processo de crescimento econômico. *No longo prazo, a produção de bens e serviços de uma economia (seu PIB real) depende de suas ofertas de trabalho, capital e recursos naturais e da tecnologia disponível usada para transformar esses fatores de produção em bens e serviços.*

Ao analisar as forças que governam o crescimento no longo prazo, não é necessário fazer nenhuma referência ao nível geral de preços. Quando esse aspecto foi examinado, em outro capítulo, vimos que é determinado pela quantidade de moeda. Aprendemos que, se duas economias são idênticas, mas uma tem o dobro de moeda em circulação que a outra, o nível de preços também é o dobro na economia que tem mais moeda. Entretanto, uma vez que a quantidade de moeda não afeta a tecnologia ou a oferta de mão de obra, o capital e os recursos naturais, a produção de bens e serviços nas duas economias é a mesma.

Como o nível de preços não afeta esses determinantes de longo prazo do PIB real, a curva de oferta agregada de longo prazo é vertical, como mostra a Figura 4. Em outras palavras, no longo prazo, o trabalho, o capital, os recursos naturais e a tecnologia da economia determinam a quantidade ofertada de bens e serviços, e essa quantidade ofertada é a mesma, independentemente de qual seja o nível de preços.

A curva de oferta agregada de longo prazo vertical é, em essência, somente uma representação gráfica da dicotomia clássica e da neutralidade monetária. Como já discutimos, a teoria macroeconômica clássica se baseia na hipótese de que as variáveis reais não dependem das variáveis nominais. A curva de oferta agregada de longo prazo é consistente com essa ideia, porque implica que a quantidade produzida (uma variável real) não depende do nível de preços (uma variável nominal). Como observamos anteriormente, a maioria dos economistas acredita que esse princípio funciona bem quando se estuda a economia em um período de muitos anos, mas não quando se estudam variações de ano para ano. Portanto, a curva de oferta agregada é vertical somente no longo prazo.

33_4B Por que a curva de oferta agregada de longo prazo se desloca

Como a teoria macroeconômica clássica prevê a quantidade de bens e serviços produzidos por uma economia no longo prazo, ela também explica a posição da curva de oferta agregada de longo prazo. Esse nível de produção de longo prazo é, por vezes, chamado *produto potencial* ou *produto de pleno emprego*. Para sermos mais precisos, nós o denominaremos **taxa natural de produção**, porque ele mostra o que a economia produz quando o desemprego está em sua taxa natural ou normal. A taxa natural de produção é o nível de produção em direção ao qual a economia gravita no longo prazo.

Figura 4
A curva de oferta agregada de longo prazo

No longo prazo, a quantidade ofertada depende das quantidades de trabalho, capital e recursos naturais da economia e da tecnologia para transformar esses insumos em produção. Uma vez que a quantidade ofertada não depende do nível geral de preços, a curva de oferta agregada de longo prazo é vertical à taxa natural de produção.

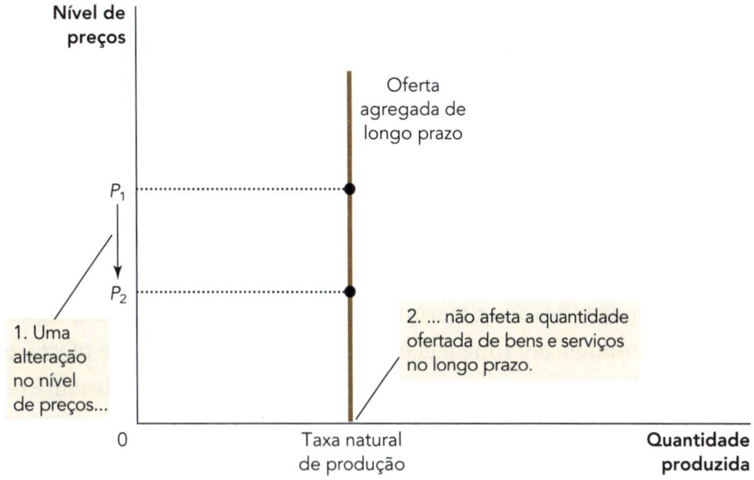

taxa natural de produção
a produção de bens e serviços que uma economia realiza no longo prazo, quando o desemprego está em sua taxa normal

Qualquer mudança na economia que altere a taxa natural de produção desloca a curva de oferta agregada de longo prazo. Como, no modelo clássico, a produção depende de trabalho, capital, recursos naturais e tecnologia, podemos classificar os deslocamentos na curva de oferta agregada de longo prazo como decorrentes dessas fontes.

Deslocamentos decorrentes de alterações do trabalho Imagine que uma economia registre aumento na imigração de estrangeiros. Como haveria um maior número de trabalhadores, a quantidade de bens e serviços ofertada aumentaria. Como resultado, a curva de oferta agregada de longo prazo se deslocaria para a direita. De maneira inversa, se muitos dos trabalhadores deixassem a economia para ir para o exterior, a curva de oferta agregada de longo prazo se deslocaria para a esquerda.

A posição da curva de oferta agregada de longo prazo também depende da taxa natural de desemprego, de modo que qualquer alteração nessa taxa desloca a curva de oferta agregada de longo prazo. Por exemplo, se o Congresso aumentasse substancialmente o salário-mínimo, a taxa natural de desemprego aumentaria e a economia produziria uma quantidade menor de bens e serviços. Como resultado, a curva de oferta agregada de longo prazo se deslocaria para a esquerda. De maneira inversa, se uma reforma do sistema de seguro-desemprego incentivasse os trabalhadores desempregados a procurar por novos empregos com mais empenho, a taxa natural de desemprego diminuiria e a curva de oferta agregada de longo prazo se deslocaria para a direita.

Deslocamentos de alterações decorrentes do capital Um aumento no estoque de capital da economia eleva a produtividade e, portanto, a quantidade ofertada de bens e serviços. Como resultado, a curva de oferta agregada de longo prazo se desloca para a direita. De maneira inversa, uma queda no estoque de capital da economia diminui a produtividade e a quantidade ofertada de bens e serviços, deslocando a curva de oferta agregada de longo prazo para a esquerda.

Observe que o mesmo raciocínio se aplica, independentemente de estarmos discutindo o capital físico, como máquinas e fábricas, ou o humano, como diplomas universitários. O aumento de qualquer tipo de capital elevará a capacidade de a economia produzir bens e serviços. Portanto, tanto um quanto outro deslocariam a curva de oferta agregada de longo prazo para a direita.

Deslocamentos de alterações decorrentes dos recursos naturais A produção de uma economia depende de seus recursos naturais, incluindo terra, minerais e clima. A descoberta de um novo depósito de minerais desloca a curva de oferta agregada de longo prazo para a direita. Uma alteração nos padrões climáticos que dificulte a agricultura desloca a curva de oferta agregada de longo prazo para a esquerda.

Em muitos países, recursos naturais importantes são importados do exterior. Uma alteração na disponibilidade desses recursos também pode deslocar a curva de oferta agregada. Como veremos mais adiante, neste capítulo, eventos que ocorrem no mercado mundial de petróleo são historicamente uma fonte importante de deslocamentos na oferta agregada para os Estados Unidos e outros países que importam petróleo.

Deslocamentos decorrentes de alterações do conhecimento tecnológico A razão mais importante pela qual a economia, hoje, produz mais do que produzia há uma geração talvez seja o fato de que nosso conhecimento tecnológico avançou. A invenção do computador, por exemplo, permitiu-nos produzir mais bens e serviços a partir de uma determinada quantidade de trabalho, capital e recursos naturais. A disseminação do uso da tecnologia em toda a economia deslocou a curva de oferta agregada de longo prazo para a direita.

Há muitos outros eventos que, embora não sejam literalmente tecnológicos, produzem efeitos semelhantes aos de mudanças na tecnologia. A abertura para o comércio internacional, por exemplo, tem efeitos similares aos da invenção de novos processos industriais, pois leva um país a se especializar em indústrias de alta produtividade, de modo que isso também desloca a curva de oferta agregada de longo prazo para a direita. Inversamente, se o governo aprovasse novas regras, impedindo que as empresas usassem alguns métodos de produção por questões de segurança do trabalho ou ambientais, o resultado seria um deslocamento da curva de oferta agregada de longo prazo para a esquerda.

Resumo Como a curva de oferta agregada de longo prazo reflete o modelo clássico da economia que desenvolvemos nos capítulos anteriores, ela apresenta uma nova maneira de descrever nossa análise anterior. Qualquer política ou evento que, nos capítulos anteriores, tenha elevado o PIB real, pode agora ser descrito como responsável pelo aumento da quantidade de bens e serviços ofertados, o que desloca a curva de oferta agregada de longo prazo para a direita. Qualquer política ou evento que, nos capítulos anteriores, tenha reduzido o PIB, pode agora ser descrito como tendo diminuído a quantidade ofertada de bens e serviços, o que desloca a curva de oferta agregada de longo prazo para a esquerda.

33_4C O uso da demanda agregada e da oferta agregada para representar o crescimento de longo prazo e a inflação

Tendo introduzido a curva de demanda agregada e a curva de oferta agregada de longo prazo da economia, agora temos uma nova maneira de descrever as tendências de longo prazo da economia. A Figura 5 ilustra as mudanças que ocorrem na economia de década para década. Observe que as duas curvas estão se deslocando. Embora sejam muitas as forças que regem a economia no longo prazo e que podem, em tese, causar essas mudanças, na prática, as duas mais importantes são a tecnologia e a política monetária. O avanço tecnológico aumenta a capacidade de a economia produzir bens e serviços, e isso desloca continuamente a curva de oferta agregada de longo prazo para a direita. Ao mesmo tempo, como o Fed aumenta a oferta de moeda ao longo do tempo, a curva de demanda agregada também se desloca para a direita. Como ilustra a figura, o resultado é uma tendência de crescimento contínuo da produção (como indica o aumento de Y) e de inflação continuada (como indica o aumento de P). Essa é apenas mais uma maneira de representar a análise clássica do crescimento e da inflação que realizamos nos capítulos anteriores.

O objetivo do desenvolvimento do modelo de demanda agregada e oferta agregada, contudo, não é colocar trajes novos em nossas conclusões de longo prazo. Pelo contrário, é fornecer uma estrutura para a análise de curto prazo, como veremos em breve. Ao desenvolver esse modelo de curto prazo, manteremos a simplicidade da análise, deixando de mostrar o crescimento e a inflação contínuos representados na Figura 5. Mas lembre-se sempre de que as tendências do longo prazo fornecem o pano de fundo sobre o qual as flutuações no curto prazo são sobrepostas. *As flutuações no curto prazo da produção e do nível de preços deveriam ser vistas como desvios em relação às tendências contínuas de longo prazo de crescimento da produção e da inflação.*

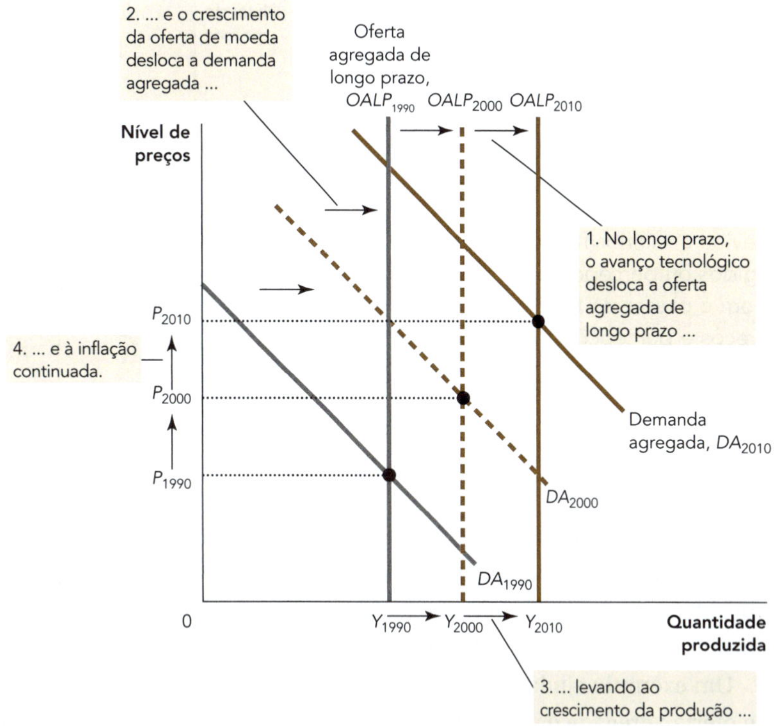

Figura 5
Crescimento e inflação no longo prazo no modelo de demanda agregada e oferta agregada

À medida que a economia se torna mais capacitada a produzir bens e serviços com o passar do tempo, principalmente por causa dos avanços tecnológicos, a curva de oferta agregada de longo prazo se desloca para a direita. Ao mesmo tempo, como o Fed aumenta a oferta de moeda, a curva de demanda agregada também se desloca para a direita. Nesta figura, a produção aumenta de Y_{1990} para Y_{2000} e depois para Y_{2010}, e o nível de preços aumenta de P_{1990} para P_{2000} e depois para P_{2010}. Portanto, o modelo de demanda agregada e oferta agregada oferece uma nova maneira de descrever a análise clássica do crescimento e da inflação.

33_4D Por que a curva de oferta agregada tem inclinação positiva no curto prazo

A diferença-chave entre a economia no curto e no longo prazo é o comportamento da oferta agregada. A curva de oferta agregada de longo prazo é vertical, porque, no longo prazo, o nível geral de preços não afeta a capacidade de a economia produzir bens e serviços. No entanto, no curto prazo, o nível geral de preços *afeta* a capacidade de produção da economia. Isto é, em um período de um ou dois anos, um aumento no nível geral de preços da economia tende a elevar a quantidade ofertada de bens e serviços, e uma queda no nível de preços tende a reduzir a quantidade ofertada de bens e serviços. Como resultado, a curva de oferta agregada tem inclinação positiva no curto prazo, como mostra a Figura 6.

Por que as mudanças no nível de preços afetam a produção no curto prazo? Os macroeconomistas propuseram três teorias para explicar a inclinação positiva da curva de oferta agregada de curto prazo. Em cada teoria, uma imperfeição específica de mercado faz que o lado da oferta da economia se comporte de maneira diferente no curto e no longo prazo. As teorias apresentadas a seguir diferem em seus detalhes, mas compartilham um tema comum: *a quantidade ofertada se desvia de seu nível de longo prazo, ou "natural", quando o nível real de preços se desvia do nível de preços que as pessoas esperavam que prevalecesse.* Quando o nível de preços fica acima do esperado, a produção aumenta acima de sua taxa natural, e quando o nível de preços cai para um nível abaixo do esperado, a produção fica abaixo de sua taxa natural.

Teoria dos salários rígidos A primeira explicação para a inclinação positiva da curva de oferta agregada de curto prazo é a teoria dos salários rígidos. Essa teoria é a mais simples das três abordagens da oferta agregada, e alguns economistas acreditam que ela destaca a razão mais importante pela qual a economia no curto prazo difere da economia no longo prazo. Portanto, é a teoria da oferta agregada de curto prazo que enfatizamos neste livro.

De acordo com essa teoria, a curva de oferta agregada de curto prazo tem inclinação positiva porque os salários nominais ajustam-se lentamente às mudanças das condições econômicas. Em outras palavras, são

Figura 6

A curva de oferta agregada de curto prazo

No curto prazo, uma queda no nível de preços de P_1 para P_2 reduz a quantidade ofertada de Y_1 para Y_2. Essa relação positiva pode ser devida a salários rígidos, preços rígidos ou percepções equivocadas. Com o passar do tempo, salários, preços e percepções se ajustam, de modo que essa relação positiva é apenas temporária.

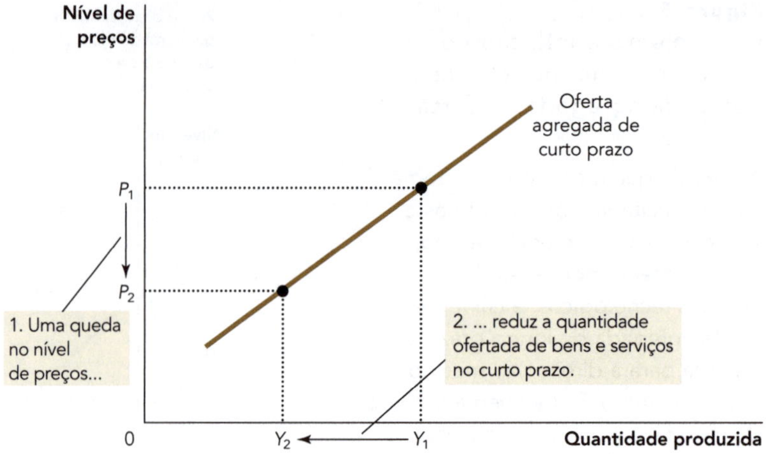

"rígidos" no curto prazo. Em certa medida, o lento ajustamento dos salários nominais pode ser atribuído aos contratos de longo prazo entre os trabalhadores e as empresas, que fixam os salários nominais por períodos que, algumas vezes, podem chegar a até três anos. Além disso, esse ajuste prolongado pode ser atribuído a normas sociais que se modificam lentamente e a noções de justiça que influenciam a fixação dos salários.

Um exemplo ajuda a explicar de que maneira os salários nominais rígidos podem resultar em uma curva de oferta agregada de curto prazo com inclinação positiva. Imagine que, há um ano, uma empresa esperava que o nível de preços hoje fosse 100 e, com base nessa expectativa, assinou um contrato com os empregados para pagar, digamos, $ 20 por hora. De fato, o nível de preços, *P*, acaba sendo apenas 95. Como os preços caíram abaixo das expectativas, a empresa recebe 5% a menos que o esperado para cada unidade de produto que vende. O custo da mão de obra da produção, porém, permanece $ 20 por hora. A produção, agora, dá menos lucro, então a empresa contrata menos trabalhadores e reduz a quantidade de produtos ofertados. Com o tempo, o contrato de trabalho expira e a empresa pode renegociar um salário mais baixo com os trabalhadores (que podem aceitar, pois os preços estão mais baixos), mas, enquanto isso, emprego e produção permanecerão abaixo de seu nível no longo prazo.

A mesma lógica pode ser empregada de modo contrário. Suponha que o nível de preço seja 105 e o salário permaneça $ 20 por hora. A empresa percebe que o valor pago por unidade vendida aumentou 5%, enquanto o valor de mão de obra permanece o mesmo. Assim, ela contrata mais trabalhadores e aumenta a quantidade ofertada. Por fim, os trabalhadores exigirão salários nominais mais altos para compensar a alta no nível de preços, mas, durante algum tempo, a empresa pode aproveitar a vantagem da oportunidade de lucro, aumentando o emprego e a quantidade ofertada acima de seu nível no longo prazo.

Resumindo, segundo a teoria dos salários rígidos, a curva de oferta agregada de curto prazo tem inclinação positiva porque os salários nominais se baseiam na expectativa de preços e não respondem imediatamente quando o nível real de preços é diferente do esperado. Essa rigidez de salários dá às empresas um incentivo para produzir menos quando o nível de preços é menor que o esperado e para produzir mais quando o nível de preços é maior que o esperado.

Teoria dos preços rígidos Alguns economistas propuseram outra abordagem para explicar a inclinação positiva da curva de oferta agregada de curto prazo, chamada *teoria dos preços rígidos*. Como acabamos de ver, a teoria dos salários rígidos enfatiza que os salários nominais se ajustam lentamente. A teoria dos preços rígidos enfatiza que os preços de alguns bens e serviços também se ajustam lentamente em resposta às mudanças nas condições econômicas. Esse lento ajustamento dos preços ocorre, em parte, porque ajustar preços implica custos, chamados *custos de menu*. Esses custos de menu incluem o custo de imprimir e distribuir catálogos e o tempo necessário para trocar as etiquetas de preço. Por causa desses custos, os preços, assim como os salários, podem ser rígidos no curto prazo.

Para entender como os preços rígidos explicam a inclinação positiva da curva de oferta agregada, suponha que cada empresa da economia anuncie seus preços antecipadamente, com base nas expectativas em relação às condições econômicas para o ano seguinte. Então, depois de os preços terem sido anunciados, a economia passa por uma contração inesperada na oferta de moeda, que, como vimos, reduzirá o nível geral de preços no longo prazo. Embora algumas empresas reduzam seus preços imediatamente em resposta à mudança inesperada nas condições econômicas, outras podem não desejar incorrer em custos adicionais de menu e, portanto, podem ficar para trás temporariamente. Uma vez que os preços dessas empresas ficam excessivamente altos, suas vendas declinam. O declínio nas vendas, por sua vez, leva essas empresas a fazer cortes na produção e no emprego. Em outras palavras, como nem todos os preços se ajustam imediatamente a mudanças das condições econômicas, uma queda inesperada no nível de preços deixa algumas empresas com preços mais altos que o desejado, e estes deprimem as vendas e induzem as empresas a reduzir a quantidade de bens e serviços que produzem.

O mesmo raciocínio se aplica quando a oferta de moeda e o nível de preços ficam acima do que as empresas esperavam, quando originalmente estabeleceram os preços. Enquanto algumas empresas aumentam os preços imediatamente, em resposta ao novo ambiente econômico, outras ficam para trás, mantendo-os em níveis mais baixos que o esperado. Esses preços atraem os consumidores, o que induz as empresas a aumentar o número de vagas e a produção. Assim, durante o período em que essas empresas operam com preços defasados, existe uma associação positiva entre o nível geral de preços e a quantidade produzida. Essa associação positiva é representada pela inclinação positiva da curva de oferta agregada no curto prazo.

Teoria das percepções equivocadas Uma terceira abordagem para explicar a inclinação positiva da curva de oferta agregada de curto prazo é a teoria das percepções equivocadas. Segundo essa teoria, alterações no nível geral de preços podem, temporariamente, confundir os ofertantes a respeito do que está acontecendo nos mercados em que vendem sua produção. No curto prazo, como resultado dessas percepções equivocadas, os ofertantes reagem a alterações no nível de preços, e essa reação leva a uma curva de oferta agregada de inclinação positiva.

Para entender como isso pode funcionar, suponha que o nível geral de preços fique abaixo do nível que os ofertantes esperam. Quando eles veem os preços de seus produtos caírem, podem pensar, erroneamente, que os preços *relativos* é que caíram, ou seja, eles podem acreditar que os preços caíram se comparados a outros preços na economia. Por exemplo, os triticultores podem perceber uma queda no preço do trigo antes de notar a queda nos preços de muitos itens que eles compram, na qualidade de consumidores. Dessa observação, eles podem inferir que o rendimento da produção de trigo está temporariamente baixo e reagir, reduzindo a quantidade de trigo ofertada. De forma similar, os trabalhadores podem perceber uma queda em seus salários nominais antes de notar uma queda nos preços dos bens e serviços que compram. Eles podem inferir que a remuneração pelo trabalho está temporariamente baixa e reagir, reduzindo a quantidade de trabalho que oferecem. Nos dois casos, um nível de preços menor causa percepções equivocadas a respeito dos preços relativos, e esses erros de percepção induzem os ofertantes a reagir ao nível de preços menor pela redução da quantidade ofertada de bens e serviços.

Percepções equivocadas semelhantes surgem quando o nível de preços está acima do esperado. Os ofertantes de bens e serviços podem observar o aumento nos preços dos seus produtos e inferir, erroneamente, que os preços relativos estão subindo; então, podem concluir que é um bom período para produzir. Enquanto essas percepções equivocadas não forem corrigidas, os ofertantes de bens e serviços respondem ao nível de preços mais alto com o aumento da quantidade de bens e serviços ofertados. Esse comportamento resulta uma curva de oferta agregada de curto prazo com inclinação positiva.

Resumo Há três explicações alternativas para a inclinação positiva da curva de oferta agregada de curto prazo: (1) salários rígidos, (2) preços rígidos e (3) percepções equivocadas sobre os preços relativos. Os economistas discutem qual dessas teorias é correta, e é muito possível que cada uma delas contenha um elemento de verdade. Para os propósitos deste livro, as semelhanças entre as três são mais importantes do que as diferenças. Todas sugerem que, no curto prazo, a produção se desvia do nível do longo prazo (a taxa natural) quando o nível de preços real se desvia do nível de preços esperado pelas pessoas. Isso pode ser expresso matematicamente da seguinte maneira:

$$\begin{matrix}\text{Quantidade} \\ \text{ofertada de} \\ \text{produto}\end{matrix} = \begin{matrix}\text{Taxa} \\ \text{natural de} \\ \text{produção}\end{matrix} + a\left(\begin{matrix}\text{Nível de} \\ \text{preços} \\ \text{vigente}\end{matrix} - \begin{matrix}\text{Nível de} \\ \text{preços} \\ \text{esperado}\end{matrix}\right)$$

onde a é um número que determina o quanto a produção reage a variações inesperadas no nível de preços.

Observe que cada uma das três teorias da curva de oferta agregada de curto prazo enfatiza um problema que, provavelmente, é apenas temporário. Quer se atribua a inclinação positiva da curva de oferta agregada aos salários rígidos, aos preços rígidos ou a erros de percepção, essas condições não persistirão indefinidamente. Mais cedo ou mais tarde, os salários nominais serão ajustados, os preços mudarão e as percepções equivocadas sobre preços relativos serão corrigidas. No longo prazo, é razoável supor que preços e salários serão flexíveis, em vez de rígidos, e que as pessoas não se confundirão com os preços relativos. Portanto, enquanto temos várias teorias para explicar por que a curva de oferta agregada de curto prazo tem inclinação positiva, todas concordam que a curva de oferta agregada de longo prazo será vertical.

33_4E Por que a curva de oferta agregada de curto prazo se desloca

A curva de oferta agregada de curto prazo nos diz a quantidade de bens e serviços ofertada no curto prazo para qualquer nível de preços dado. Essa curva é similar à curva de oferta agregada de longo prazo, mas com inclinação positiva, em vez de vertical, por causa da ocorrência de salários rígidos, preços rígidos e percepções equivocadas. Portanto, ao pensar no que desloca a curva de oferta agregada de curto prazo, temos de, além de todas as variáveis que deslocam a curva de oferta agregada de longo prazo, considerar também mais uma nova variável – o nível de preços esperado –, que influencia os salários rígidos, os preços rígidos e as percepções equivocadas sobre preços relativos.

Vamos começar pelo que sabemos a respeito da curva de oferta agregada de longo prazo. Como vimos anteriormente, deslocamentos na curva de oferta agregada de longo prazo costumam ser o resultado de alterações no trabalho, no capital, nos recursos naturais ou no conhecimento tecnológico. Essas mesmas variáveis deslocam a curva de oferta agregada de curto prazo. Por exemplo, quando um aumento no estoque de capital da economia aumenta a produtividade, a economia consegue produzir mais bens; de modo que, tanto a curva de oferta agregada de longo quanto a de curto prazo se deslocam para a direita. Quando um aumento no salário-mínimo eleva a taxa natural de desemprego, a economia tem menos trabalhadores empregados, então produz menos bens; assim, tanto a curva de oferta agregada de longo quanto a de curto prazo se deslocam para a esquerda.

A nova variável importante que afeta a posição da curva de oferta agregada de curto prazo é a expectativa das pessoas quanto ao nível de preços. Como vimos, a quantidade ofertada de bens e serviços depende, no curto prazo, dos salários rígidos, dos preços rígidos e das percepções equivocadas. Contudo, salários, preços e percepções são estabelecidos com base nas expectativas quanto ao nível de preços. Assim, quando as expectativas sobre o nível de preços mudam, a curva de oferta agregada de curto prazo se desloca.

Para colocarmos essa ideia em termos mais concretos, consideremos uma teoria específica da oferta agregada: a teoria dos salários rígidos. De acordo com essa teoria, quando os trabalhadores e as empresas esperam que o nível de preços seja elevado, é mais provável que negociem salários nominais mais altos. Salários mais altos aumentam os custos das empresas e, para qualquer nível de preços vigente, reduzem a quantidade de bens e serviços ofertados. Portanto, quando o nível de preços esperado se eleva, os salários e os custos aumentam e as empresas reduzem a quantidade ofertada de bens e serviços. Dessa forma, a curva de oferta agregada de curto prazo desloca-se para a esquerda. Inversamente, para um nível esperado de preços menor, os salários e os custos diminuem, as empresas aumentam a produção para qualquer nível de preços dado, e a curva de oferta agregada de curto prazo desloca-se para a direita.

Um raciocínio semelhante aplica-se a cada uma das teorias da oferta agregada. A lição geral é a seguinte: *um aumento no nível de preços esperado reduz a quantidade ofertada de bens e serviços e desloca a curva de oferta agregada de curto prazo para a esquerda. Uma redução no nível de preços esperado eleva a quantidade ofertada de bens e serviços e desloca a curva de oferta agregada de curto prazo para a direita.* Como veremos na próxima seção, essa influência das expectativas sobre a posição da curva de oferta agregada de curto prazo representa um papel-chave na conciliação do comportamento da economia no curto prazo com seu comportamento no longo prazo. No curto prazo, as expectativas são fixas, e a economia se encontra na intersecção das curvas de demanda agregada e de oferta agregada de curto prazo. No longo prazo, se as pessoas observarem que o nível de preço está diferente do que elas esperaram, suas expectativas se ajustam e a curva de oferta agregada de curto prazo se desloca. Esse deslocamento garante que a economia, por fim, se encontre na intersecção das curvas de demanda e de oferta agregadas de longo prazo.

Agora você já deve entender as razões pelas quais a curva de oferta agregada de curto prazo tem inclinação positiva e quais acontecimentos e políticas podem levá-la a se deslocar. A Tabela 2 resume nossa discussão.

Teste rápido Explique por que a curva de oferta agregada de longo prazo é vertical. • Explique três teorias que justificam a inclinação positiva da curva de oferta agregada de curto prazo. • Que variáveis deslocam ambas as curvas de oferta agregada de longo e de curto prazo? • Que variáveis deslocam a curva de oferta agregada de curto prazo, mas não a curva de oferta agregada de longo prazo?

TABELA 2
A curva de oferta agregada de curto prazo: resumo

Por que a curva de oferta de curto prazo tem inclinação positiva?

1. *A teoria dos salários rígidos*: um nível de preços inesperadamente baixo eleva o salário real, o que leva as empresas a empregar menos trabalhadores e produzir uma quantidade menor de bens e serviços.
2. *A teoria dos preços rígidos*: um nível de preços inesperadamente baixo deixa algumas empresas com preços acima do desejado, deprimindo suas vendas, o que as leva a reduzir a produção.
3. *A teoria das percepções equivocadas*: um nível de preços inesperadamente baixo leva alguns ofertantes a pensar que seus preços relativos caíram, o que induz a uma diminuição na produção.

Por que a curva de oferta agregada de curto prazo poderia se deslocar?

1. *Deslocamentos decorrentes de alterações do trabalho*: um aumento da quantidade de mão de obra disponível (talvez em razão de uma queda na taxa natural de desemprego) desloca a curva de oferta agregada para a direita. Uma redução da quantidade de mão de obra disponível (talvez por causa de um aumento na taxa natural de desemprego) desloca a curva de oferta agregada para a esquerda.
2. *Deslocamentos decorrentes de alterações do capital*: um aumento do capital físico ou humano desloca a curva de oferta agregada para a direita. Uma redução no capital físico ou humano desloca a curva de oferta agregada para a esquerda.
3. *Deslocamentos decorrentes de alterações dos recursos naturais*: um aumento na disponibilidade de recursos naturais desloca a curva de oferta agregada para a direita. Uma redução na disponibilidade de recursos naturais desloca a curva de oferta agregada para a esquerda.
4. *Deslocamentos decorrentes de alterações da tecnologia*: um avanço no conhecimento tecnológico desloca a curva de oferta agregada para a direita. Uma redução na tecnologia disponível (talvez em razão da regulamentação governamental) desloca a curva de oferta agregada para a esquerda.
5. *Deslocamentos decorrentes de alterações no nível de preços esperado*: uma redução no nível de preços esperado desloca a curva de oferta agregada de curto prazo para a direita. Um aumento no nível de preços esperado desloca a curva de oferta agregada de curto prazo para a esquerda.

33_5 DUAS CAUSAS DAS FLUTUAÇÕES ECONÔMICAS

Agora que apresentamos o modelo de demanda agregada e oferta agregada, dispomos das ferramentas básicas de que necessitamos para analisar as flutuações na atividade econômica. Mais especificamente, podemos usar o que aprendemos sobre a demanda agregada e a oferta agregada para examinar as duas causas básicas das flutuações no curto prazo: deslocamentos na demanda agregada e deslocamentos na oferta agregada.

Para simplificar, vamos supor que a economia parta do equilíbrio de longo prazo, como mostra a Figura 7. A produção e o nível de preços de equilíbrio são determinados, no longo prazo, pela intersecção das curvas de demanda agregada e de oferta agregada de longo prazo, representada pelo ponto A na figura. Nesse ponto, a produção está em sua taxa natural. Uma vez que a economia está sempre em equilíbrio no curto prazo, a curva de oferta agregada de curto prazo também passa por esse ponto, indicando que o nível de preços esperado ajustou-se plenamente a esse equilíbrio de longo prazo. Isto é, quando a economia está em seu equilíbrio de longo prazo, o nível esperado de preços deve ser igual ao nível real de preços, de maneira que a intersecção da curva de demanda agregada com a curva de oferta agregada de curto prazo seja a mesma que a intersecção da curva de demanda agregada com a curva de oferta agregada de longo prazo.

33_5A Os efeitos de um deslocamento na demanda agregada

Suponha que uma onda de pessimismo subitamente tome conta da economia. A razão pode ser um escândalo na Casa Branca, um *crash* da bolsa de valores ou a eclosão de uma guerra no exterior. Por causa desse evento, muitas pessoas perdem a confiança no futuro e alteram seus planos. As famílias reduzem suas despesas e adiam grandes compras, e as empresas deixam de comprar novos equipamentos.

Qual será o impacto macroeconômico dessa onda de pessimismo? Para responder a essa pergunta, podemos seguir as três etapas que usamos no Capítulo 4 para analisar a oferta e a demanda em mercados específicos. Primeiro, determinamos se os efeitos afetam a demanda agregada ou a oferta agregada. Segundo, decidimos qual a direção do deslocamento da curva. Terceiro, usamos o diagrama da demanda agregada e da oferta agregada para comparar o equilíbrio inicial e o novo. O único porém é que precisamos acrescentar uma quarta etapa: será necessário acompanhar um novo equilíbrio de curto prazo, um novo equilíbrio de longo prazo e a transição entre eles. A Tabela 3 resume as quatro etapas para se analisar as flutuações econômicas.

As duas primeiras etapas são simples. Primeiro, como a onda de pessimismo afeta os planos de consumo, também afeta a curva de demanda agregada. Segundo, como as famílias e as empresas agora desejam adquirir menor quantidade de bens e serviços a qualquer nível de preços, o evento reduz a demanda agregada. Como mostra a Figura 8, a curva de demanda agregada se desloca para a esquerda, de DA_1 para DA_2.

Figura 7

O equilíbrio de longo prazo

O equilíbrio de longo prazo da economia se encontra no ponto em que a curva de demanda agregada cruza a curva de oferta agregada de longo prazo (ponto A). Quando a economia atinge esse equilíbrio de longo prazo, o nível esperado de preços terá se ajustado ao nível real de tal modo que a curva de oferta agregada de curto prazo também cruza esse ponto.

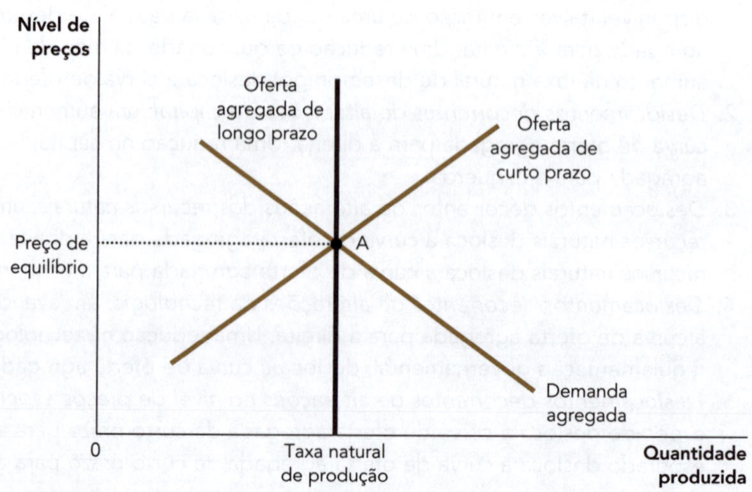

Tabela 3
Quatro etapas para analisar as flutuações macroeconômicas

1. Decidir se o evento desloca a curva de demanda agregada ou a curva de oferta agregada (ou talvez ambas).
2. Decidir a direção de deslocamento da curva.
3. Usar o diagrama de demanda agregada e o de oferta agregada para determinar o impacto sobre a produção e o nível de preço no curto prazo.
4. Usar o diagrama de demanda agregada e o de oferta agregada para analisar como a economia se movimenta nesse novo equilíbrio de curto prazo para o de longo prazo.

Figura 8
Uma contração na demanda agregada

Uma queda na demanda agregada é representada pelo deslocamento na curva de demanda agregada para a esquerda, de DA_1 para DA_2. No curto prazo, a economia se move do ponto A para o ponto B. A produção cai de Y_1 para Y_2 e o nível de preços cai de P_1 para P_2. Com o passar do tempo, à medida que o nível de preços esperado se ajusta, a curva de oferta agregada de curto prazo desloca-se para a direita, de OA_1 para OA_2, e a economia atinge o ponto C, em que a nova curva de demanda agregada cruza a curva de oferta agregada de longo prazo. No longo prazo, o nível de preços cai para P_3 e a produção retorna à sua taxa natural, Y_1.

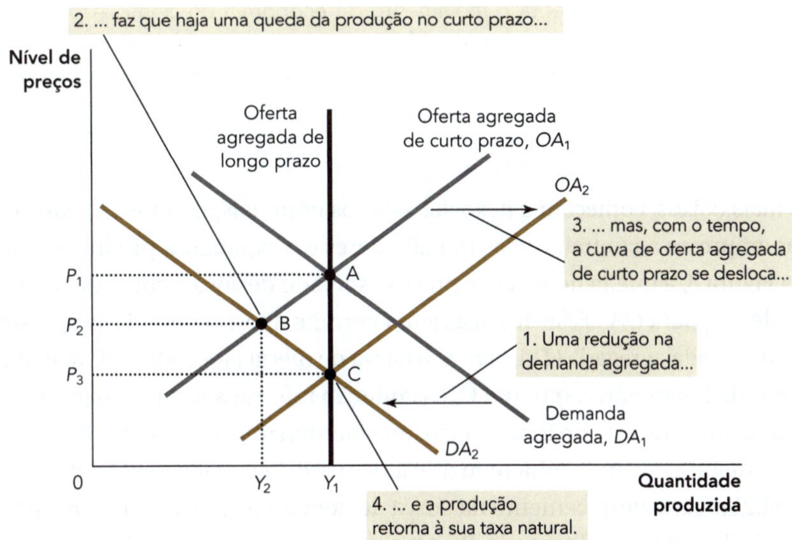

Com a Figura 8, podemos executar a terceira etapa: ao se comparar o equilíbrio inicial com o novo, podemos observar os efeitos da queda na demanda agregada. No curto prazo, a economia move-se ao longo da curva de oferta agregada de curto prazo inicial, OA_1, indo do ponto A para o ponto B. À medida que a economia se move entre esses dois pontos, a produção cai de Y_1 para Y_2, e o nível de preços se reduz de P_1 para P_2. A queda no nível de produção indica que a economia está em recessão. Embora a figura não mostre, as empresas reagem às vendas e à produção menores reduzindo o emprego. Portanto, o pessimismo que causou o deslocamento da demanda agregada é, em certa medida, autorrealizável: pessimismo com relação ao futuro leva a uma queda na renda e a um aumento do desemprego.

Agora é hora de realizar a quarta etapa: a transição do equilíbrio de curto prazo para o de longo prazo. Em razão da redução da demanda agregada, inicialmente, o nível de preços cai de P_1 para P_2; portanto, abaixo do nível esperado pelas pessoas (P_1) antes da queda repentina na demanda agregada. As pessoas poderão ficar surpresas no curto prazo, mas não por um longo período. Com o tempo, as expectativas se ajustam com a nova realidade e o nível esperado de preços também cai. Essa queda no nível esperado de preços altera os salários, os preços e a percepção das pessoas, o que, por sua vez, influencia a posição da curva de oferta agregada de curto prazo. Por exemplo, segundo a teoria de salários rígidos, depois que trabalhadores e empresas esperam

Saiba mais sobre

A NEUTRALIDADE MONETÁRIA REVISADA

Segundo a teoria econômica clássica, a moeda é neutra. Isto é, mudanças na quantidade de moeda afetam as variáveis nominais, como o nível de preços, mas não as variáveis reais, como a produção. Neste capítulo, observamos que a maioria dos economistas aceita essa conclusão como uma descrição de como a economia funciona no longo prazo, mas não no curto prazo. Com o modelo de demanda agregada e oferta agregada, podemos ilustrar essa conclusão e explicá-la melhor.

Suponha que o Federal Reserve reduza a quantidade de moeda na economia. Qual será o efeito dessa mudança? Como discutimos, a oferta de moeda é um determinante da demanda agregada. A redução da oferta de moeda desloca a curva de demanda agregada para a esquerda.

A análise se parece com a Figura 8. Embora a causa do deslocamento na demanda agregada seja diferente, observamos os mesmos efeitos na produção e no nível de preços. No curto prazo, a produção e o nível de preços caem. A economia passa por uma recessão. Com o tempo, o nível de preços esperado também cai. As empresas e os trabalhadores respondem às novas expectativas, por exemplo, concordando com salários nominais menores. Com isso, a curva de oferta agregada de curto prazo se desloca para a direita. Por fim, a economia se encontra novamente na curva de oferta agregada de longo prazo.

A Figura 8 mostra quando a moeda tem importância para as variáveis reais e quando não tem. No longo prazo, a moeda é neutra, como representa o movimento da economia do ponto A para o ponto C. Mas no curto prazo, uma mudança na oferta de moeda tem efeitos reais, como representa o movimento da economia do ponto A para o ponto B. Um antigo ditado resume a análise: "A moeda é um véu, mas quando ele é removido, a verdade aparece".

um nível de preços mais baixos, começam a negociar salários nominais menores; a redução de custos de mão de obra incentiva as empresas a contratar mais trabalhadores e a expandir a produção, em qualquer nível de preços. Portanto, na Figura 8, a queda no nível de preços esperado desloca a curva de oferta agregada de curto prazo para a direita, de OA_1 para OA_2. Esse deslocamento permite que a economia se aproxime do ponto C, em que a nova curva de demanda agregada (DA_2) cruza a curva de oferta agregada de longo prazo.

No novo equilíbrio de longo prazo, o ponto C, a produção retorna à sua taxa natural. A economia se corrigiu: a queda da produção se reverte no longo prazo, mesmo sem intervenção dos formuladores de políticas. Muito embora a onda de pessimismo tenha reduzido a demanda agregada, o nível de preços cai o suficiente (para P_3) para contrabalançar o deslocamento na curva de demanda agregada, e as pessoas também passam a esperar esse novo nível mais baixo de preços. Portanto, no longo prazo, o deslocamento na demanda agregada se reflete plenamente no nível de preços e não no nível de produção. Em outras palavras, o efeito de longo prazo de um deslocamento na demanda agregada é uma mudança nominal (o nível de preços é menor), mas não uma alteração real (a produção é a mesma).

O que os formuladores de políticas devem fazer quando se deparam com uma queda repentina na demanda agregada? Nessa análise, supomos que não devem fazer nada. Outra possibilidade é que, assim que a economia se dirija para uma recessão (movendo-se do ponto A para o ponto B), os formuladores de políticas adotem medidas para aumentar a demanda agregada. Como vimos anteriormente, aumentar os gastos do governo ou a oferta de moeda aumentaria a quantidade de bens e serviços demandada a qualquer preço e, portanto, deslocaria a curva de demanda agregada para a direita. Se os formuladores de políticas puderem agir com velocidade e precisão suficientes, poderão contrabalançar o deslocamento inicial da demanda agregada, trazer a curva de demanda agregada de volta para DA_1 e conduzir a economia de volta para o ponto A. Se as medidas adotadas funcionarem, o período difícil da diminuição de produção e empregos poderá ser mais curto e menos severo. O próximo capítulo discute em detalhes de que maneira as políticas monetária e fiscal influenciam a demanda agregada, bem como algumas das dificuldades práticas no uso desses instrumentos de política.

Resumindo, essa história sobre os deslocamentos na demanda agregada tem três lições importantes:

- No curto prazo, os deslocamentos na demanda agregada causam flutuações na produção de bens e serviços da economia.
- No longo prazo, os deslocamentos na demanda agregada afetam o nível geral de preços, mas não afetam a produção.
- Os formuladores de políticas que influenciam a demanda agregada podem amenizar potencialmente a severidade das flutuações econômicas.

33_5B Os efeitos de um deslocamento na oferta agregada

Imagine, novamente, uma economia em seu equilíbrio de longo prazo. Suponha que, subitamente, algumas empresas registrem um aumento em seus custos de produção por causa, por exemplo, do mau tempo nos estados agrícolas, o que pode destruir parte das safras, elevando o custo de produção de produtos alimentícios, ou de uma guerra no Oriente Médio, o que pode interromper o transporte de petróleo cru, elevando o custo de produção de seus derivados.

Para analisar o impacto macroeconômico desse aumento nos custos de produção, seguiremos as mesmas quatro etapas como fizemos anteriormente. Primeira: qual curva é afetada? Como os custos de produção afetam as empresas que ofertam bens e serviços, as mudanças nos custos de produção alteram a posição da curva de oferta agregada. Segunda: qual é a direção do deslocamento da curva? Como os custos de produção mais altos diminuem os lucros da venda de bens e serviços, as empresas ofertam menor quantidade de produtos para qualquer nível de preços. Portanto, como mostra a Figura 9, a curva de oferta agregada de curto prazo desloca-se para a esquerda, de OA_1 para OA_2. (Dependendo do evento, a curva de oferta agregada de longo prazo também pode se deslocar. Para simplificar, contudo, vamos supor que isso não ocorra.)

estagflação
um período de queda na produção e elevação nos preços

A figura nos permite realizar a terceira etapa: comparar o equilíbrio inicial e o novo. No curto prazo, a economia se move do ponto A para o B, ao longo da curva de demanda agregada existente. A produção da economia cai de Y_1 para Y_2, e o nível de preços se eleva de P_1 para P_2. Uma vez que a economia está passando tanto por uma *estagnação* (queda na produção) quanto por uma *inflação* (elevação nos preços), um evento desse tipo é, por vezes, chamado **estagflação**.

Agora, consideremos a quarta etapa: a transição do equilíbrio de curto prazo para o de longo prazo. Conforme a teoria dos salários rígidos, o aspecto mais importante é a maneira como a estagflação afeta os salários nominais. As empresas e os trabalhadores podem, primeiro, responder ao nível de preços mais

Figura 9
Um deslocamento adverso na oferta agregada

Quando algum evento aumenta os custos das empresas, a curva da oferta agregada de curto prazo se desloca para a esquerda, de OA_1 para OA_2. A economia se move do ponto A para o B. O resultado é estagflação: a produção cai de Y_1 para Y_2, e o nível de preços aumenta de P_1 para P_2.

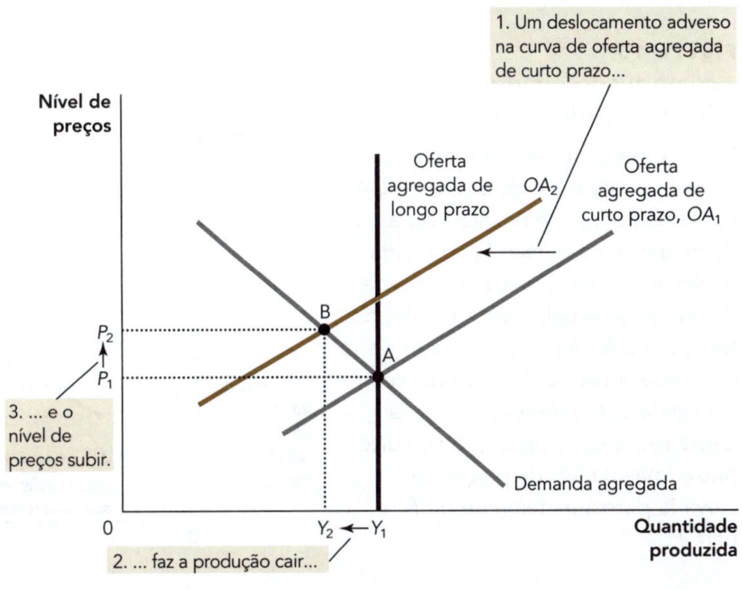

alto aumentando as expectativas com relação ao nível de preços e estabelecendo salários nominais maiores. Nesse caso, os custos das empresas aumentarão ainda mais, e a curva de oferta agregada de curto prazo se deslocará mais para a esquerda, piorando o problema da estagflação. Por vezes, esse fenômeno de preços mais altos que provocam salários maiores e aumentam ainda mais os preços recebe o nome de *espiral de preços e salários.*

Em certo momento, essa espiral de salários e preços sempre crescentes se desacelera. Os baixos níveis de produção e de empregos pressionam negativamente os salários dos trabalhadores, pois eles têm menor poder de barganha quando o desemprego é alto. Com a queda dos salários nominais, a produção de bens e serviços se torna mais lucrativa, e a curva de oferta agregada de curto prazo se desloca para a direita. Esse deslocamento em direção a OA_1 provoca a queda no nível de preços, e a quantidade de produção se aproxima de sua taxa natural. No longo prazo, a economia retorna ao ponto A, em que a curva de demanda agregada cruza a de oferta agregada de longo prazo.

Essa transição de volta ao equilíbrio inicial pressupõe, entretanto, que a demanda agregada permanece constante durante todo o processo. Na prática, esse pode não ser o caso. Os formuladores de políticas que controlam as políticas monetárias e fiscais podem tentar contrabalançar alguns dos efeitos do deslocamento na curva de oferta agregada de curto prazo, deslocando a curva de demanda agregada. Essa possibilidade é mostrada na Figura 10. Nesse caso, as mudanças na política deslocam a curva de demanda agregada para a direita, de DA_1 para DA_2, na medida exata para impedir que o deslocamento na oferta agregada afete a produção. A economia move-se diretamente do ponto A para o ponto C. A produção permanece em sua taxa natural e o nível de preços sobe de P_1 para P_3. Nesse caso, diz-se que os formuladores de políticas *acomodam* o deslocamento na oferta agregada. Uma política de acomodação aceita um nível de preços permanentemente mais alto para manter um nível maior de produção e de empregos.

Em resumo, essa história sobre os deslocamentos na curva de oferta agregada traz duas lições importantes:

- Os deslocamentos na oferta agregada podem causar estagflação – uma combinação de recessão (produção em queda) e inflação (aumento dos preços).
- Os formuladores de políticas capazes de influenciar a demanda agregada podem amenizar potencialmente o impacto adverso sobre a produção, mas somente com o agravamento do problema da inflação.

Teste rápido Suponha que a eleição de um candidato popular à presidência aumente subitamente a confiança das pessoas no futuro. Use o modelo de demanda agregada e oferta agregada para analisar o efeito desse acontecimento sobre a economia.

Figura 10

Acomodando um deslocamento adverso na oferta agregada

Em face de um deslocamento adverso na oferta agregada, de OA_1 para OA_2, os formuladores de políticas capazes de influenciar a demanda agregada poderiam tentar deslocar a curva de demanda agregada para a direita, de DA_1 para DA_2. A economia se moveria do ponto A para o C. Esta política impediria que o deslocamento da oferta reduzisse a produção no curto prazo, mas o nível de preços se elevaria permanentemente de P_1 para P_3.

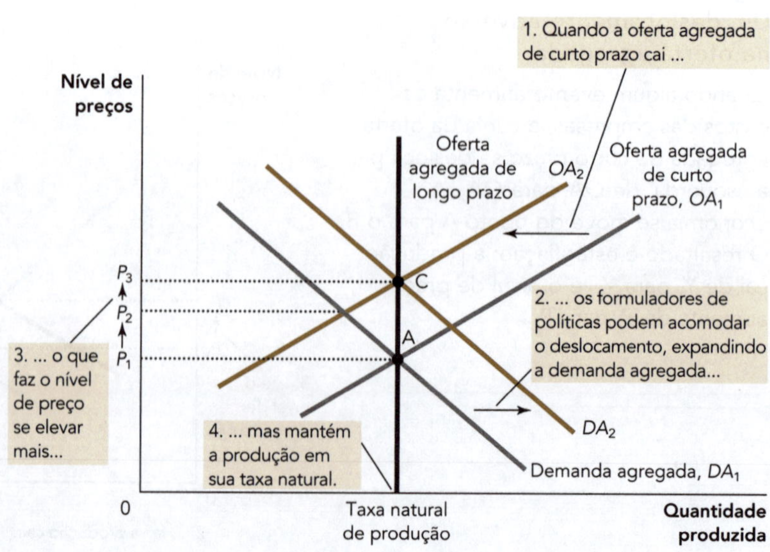

Saiba mais sobre

AS ORIGENS DO MODELO DE DEMANDA AGREGADA E OFERTA AGREGADA

Agora que temos uma compreensão preliminar do modelo de demanda agregada e oferta agregada, vale a pena dar um passo atrás e considerar sua história. Como se desenvolveu esse modelo de flutuações no curto prazo? A resposta é que o modelo, em grande medida, é um subproduto da Grande Depressão da década de 1930. Economistas e formuladores de políticas da época ficaram confusos a respeito do que causara tal calamidade e indecisos sobre como lidar com ela.

Em 1936, o economista John Maynard Keynes publicou um livro intitulado *Teoria geral do emprego, dos juros e da moeda*, no qual procurou explicar as flutuações econômicas de curto prazo em geral e, mais especificamente, a Grande Depressão. A principal mensagem de Keynes era que as recessões e depressões podem ocorrer por causa de uma demanda agregada inadequada por bens e serviços.

Keynes era um crítico da teoria econômica clássica – a teoria que examinamos anteriormente, neste livro – porque ela só era capaz de explicar os efeitos de longo prazo das políticas. Alguns anos antes de publicar sua *Teoria geral*, Keynes escrevera o seguinte sobre a economia clássica:

"O longo prazo é um guia enganoso para as situações presentes. No longo prazo estaremos todos mortos. Os economistas se propõem uma tarefa muito fácil e inútil se, em épocas de tempestades, eles apenas puderem dizer que quando o temporal tiver passado, o oceano estará calmo."

A mensagem de Keynes era dirigida aos formuladores de políticas e também aos economistas. Enquanto as economias do mundo sofriam com o elevado desemprego, Keynes defendia políticas para aumentar a demanda agregada, incluindo os gastos do governo em obras públicas.

No próximo capítulo, examinaremos em detalhes de que forma os formuladores de políticas podem usar os instrumentos de política monetária e fiscal para influenciar a demanda agregada. A análise apresentada no próximo capítulo, assim como neste, deve muito ao legado de John Maynard Keynes.

33_6 CONCLUSÃO

Este capítulo atingiu dois objetivos. Primeiro, discutimos alguns fatos importantes acerca das flutuações de curto prazo na atividade econômica. Segundo, apresentamos um modelo básico para explicar essas flutuações, chamado modelo da demanda agregada e da oferta agregada. Continuaremos nosso estudo desse modelo no próximo capítulo, a fim de entender mais plenamente as causas das flutuações na atividade econômica e de que modo os formuladores de políticas podem reagir a essas flutuações.

Teste rápido do capítulo

1. Quando a economia entra em recessão, o PIB real _______ e o desemprego _______.

a. Aumenta, aumenta.
b. Aumenta, diminui.
c. Diminui, aumenta.
d. Diminui, diminui.

2. Um colapso repentino do mercado de ações desloca:

a. A curva de demanda agregada.
b. A curva de oferta agregada de curto prazo, mas não a curva de oferta agregada de longo prazo.
c. A curva de oferta agregada de longo prazo, mas não a curva de oferta agregada de curto prazo.
d. As curvas de oferta agregada de curto e de longo prazo.

3. Uma mudança no nível de preço esperado desloca:

a. A curva de demanda agregada.
b. A curva de oferta agregada de curto prazo, mas não a curva de oferta agregada de longo prazo.
c. A curva de oferta agregada de longo prazo, mas não a curva de oferta agregada de curto prazo.
d. As curvas de oferta agregada de curto e de longo prazo.

4. Um aumento da demanda agregada por bens e serviços tem um impacto maior sobre a produção _______ e um impacto maior sobre o nível de preços _______.

a. No curto prazo, no longo prazo.
b. No longo prazo, no curto prazo.
c. No curto prazo, também no curto prazo.
d. No longo prazo, também no longo prazo.

5. A estagflação é causada por:

a. Um deslocamento da curva de demanda agregada para a esquerda.

b. Um deslocamento da curva de demanda agregada para a direita.
c. Um deslocamento da curva de oferta agregada para a esquerda.
d. Um deslocamento da curva de oferta agregada para a direita.

6. **A ideia de que as recessões econômicas resultam de demanda agregada insuficiente por bens e serviços é derivada do trabalho de qual economista?**
a. Adam Smith.
b. David Hume.
c. David Ricardo.
d. John Maynard Keynes.

RESUMO

- Todas as sociedades registram flutuações econômicas de curto prazo em torno das tendências de longo prazo. Essas flutuações são irregulares e, na maioria dos casos, imprevisíveis. Quando ocorrem as recessões, o PIB real e as demais medidas de renda, despesa e produção caem e o desemprego aumenta.
- A teoria econômica clássica baseia-se no pressuposto de que variáveis nominais, como a oferta de moeda e o nível de preços, não influenciam variáveis reais, como a produção e o emprego. A maioria dos economistas acredita que essa suposição é válida para o longo prazo, mas não para o curto prazo. Os economistas analisam as flutuações econômicas de curto prazo usando o modelo da demanda agregada e da oferta agregada. Segundo esse modelo, a produção de bens e serviços e o nível geral de preços se ajustam para equilibrar a demanda agregada e a oferta agregada.
- A curva de demanda agregada tem inclinação negativa por três motivos. O primeiro é o efeito riqueza: um nível de preços menor eleva o valor real da moeda mantida em mãos pelas famílias, o que estimula as despesas de consumo. O segundo é o efeito taxa de juros: um nível de preços menor reduz a quantidade de moeda demandada pelas famílias; à medida que as famílias tentam converter moeda em ativos que rendem juros, as taxas de juros caem, estimulando os gastos de investimento. O terceiro é o efeito taxa de câmbio: à medida que um nível de preços menor reduz as taxas de juro, o dólar se deprecia no mercado de câmbio de moeda estrangeira, o que estimula as exportações líquidas.
- Qualquer acontecimento ou política que eleve o consumo, o investimento, as compras do governo ou as exportações líquidas para um nível de preços dado aumenta a demanda agregada. Qualquer acontecimento ou política que reduza o consumo, o investimento, as compras do governo ou as exportações líquidas a um nível de preços dado diminui a demanda agregada.
- A curva de oferta agregada de longo prazo é vertical. No longo prazo, a quantidade ofertada de bens e serviços depende da disponibilidade de trabalho, capital, recursos naturais e tecnologia da economia, mas não depende do nível geral de preços.
- Foram propostas três teorias para explicar a inclinação positiva da curva de oferta agregada de curto prazo. De acordo com a teoria dos salários rígidos, uma queda inesperada no nível de preços eleva temporariamente os salários reais, induzindo as empresas a reduzir o emprego e a produção. De acordo com a teoria dos preços rígidos, uma queda inesperada do nível de preços deixa algumas empresas com preços temporariamente muito elevados, o que reduz suas vendas e as leva a reduzir a produção. De acordo com a teoria das percepções equivocadas, uma queda inesperada no nível de preços leva os ofertantes a acreditar, erroneamente, que seus preços relativos caíram, o que os induz a reduzir a produção. Todas as três teorias implicam que a produção se desvia de sua taxa natural quando o nível de preços real se desvia do nível de preços esperado.
- Acontecimentos que alteram a capacidade de produção da economia, como variações de trabalho, capital, recursos naturais ou tecnologia, deslocam a curva de oferta agregada de curto prazo (e podem deslocar também a curva de oferta agregada de longo prazo). Além disso, a posição da curva de oferta agregada de curto prazo depende do nível de preços esperado.
- Uma possível causa das flutuações econômicas é um deslocamento na demanda agregada. Quando a curva de demanda agregada se desloca para a esquerda, por exemplo, a produção e os preços caem no curto prazo. Com o tempo, à

medida que uma mudança no nível de preços esperado faz os salários, os preços e as percepções se ajustarem, a curva de oferta agregada de curto prazo se desloca para a direita. Esse deslocamento faz a economia retornar à sua taxa natural de produção, com um nível de preços novo e menor.

- Uma segunda possível causa das flutuações econômicas é um deslocamento na oferta agregada. Quando a curva de oferta agregada de curto prazo se desloca para a esquerda, o efeito é a queda na produção e o aumento nos preços – uma combinação chamada estagflação. Com o tempo, à medida que salários, preços e percepções se ajustam, a curva de oferta agregada de curto prazo se desloca novamente para a direita, fazendo o nível de preços e a produção voltarem para os níveis originais.

CONCEITOS-CHAVE

recessão, p. 562
depressão, p. 562
modelo de demanda agregada e oferta agregada, p. 566
curva de demanda agregada, p. 566
curva de oferta agregada, p. 566
taxa natural de produção, p. 573
estagflação, p. 583

QUESTÕES PARA REVISÃO

1. Indique duas variáveis macroeconômicas que se reduzem quando a economia entra em recessão. Indique uma variável macroeconômica que aumenta durante uma recessão.
2. Represente graficamente a demanda agregada, a oferta agregada de curto prazo e a oferta agregada de longo prazo. Preste atenção para legendar corretamente os eixos.
3. Relacione e explique as três razões pelas quais a curva de demanda agregada tem inclinação negativa.
4. Explique por que a curva de oferta agregada de longo prazo é vertical.
5. Relacione e explique as três teorias que justificam a inclinação positiva da curva de oferta agregada de curto prazo.
6. O que poderia deslocar a curva de demanda agregada para a esquerda? Use o modelo da demanda agregada e oferta agregada para indicar os efeitos de curto e de longo prazo de tal deslocamento sobre a produção e o nível de preços.
7. O que poderia deslocar a curva de oferta agregada para a esquerda? Use o modelo da demanda agregada e oferta agregada para indicar os efeitos de curto e de longo prazo de tal deslocamento sobre a produção e o nível de preços.

PROBLEMAS E APLICAÇÕES

1. Suponha que a economia esteja em equilíbrio de longo prazo.
   a. Represente graficamente o estado da economia. Certifique-se de mostrar a demanda agregada, a oferta agregada de curto prazo e a oferta agregada de longo prazo.
   b. Suponha, agora, que uma queda na bolsa de valores faça a demanda agregada cair. Represente graficamente o que acontece com a produção e com o nível de preços no curto prazo. O que acontece com a taxa de desemprego?
   c. Use a teoria dos salários rígidos da oferta agregada para explicar o que acontecerá com a produção e com o nível de preços no longo prazo, supondo que não haja mudanças na política. Que papel o nível de preços esperado representa nesse ajuste? Não se esqueça de ilustrar sua resposta com um gráfico.
2. Explique se cada um dos eventos a seguir irá aumentar, diminuir ou deixar de ter efeito sobre a oferta agregada de longo prazo.
   a. Os Estados Unidos registram uma onda de imigração.
   b. O Congresso eleva o salário mínimo para $ 15 a hora.

c. A Intel inventa um *chip* de computador novo e mais poderoso.
d. Um forte furacão causa danos a fábricas ao longo da Costa Leste.

3. Suponha que uma economia esteja em equilíbrio de longo prazo.
   a. Use o modelo da demanda agregada e oferta agregada para ilustrar o equilíbrio inicial (denominado ponto A). Inclua também a oferta agregada de curto e longo prazo.
   b. O banco central aumenta a oferta de moeda em 5%. Empregue um diagrama para mostrar o que acontece com a produção e com o nível de preços à medida que a economia se move do equilíbrio inicial para o novo equilíbrio de curto prazo (denominado ponto B).
   c. Mostre, agora, o novo equilíbrio de longo prazo (denominado ponto C). O que faz a economia se movimentar do ponto B para o C?
   d. De acordo com a teoria de salários rígidos da oferta agregada, de que modo os salários nominais no ponto A se comparam aos salários nominais no ponto B? De que modo os salários nominais no ponto A se comparam aos salários nominais no ponto C?
   e. De acordo com a teoria de salários rígidos da oferta agregada, de que modo os salários reais no ponto A se comparam aos salários reais no ponto B? De que modo os salários reais no ponto A se comparam aos salários reais no ponto C?
   f. Considerando o impacto da oferta de moeda sobre os salários reais e nominais, essa análise está consistente com a proposição de que a moeda tem efeitos reais no curto prazo, mas é neutra no longo prazo?

4. Em 1939, quando a economia norte-americana ainda não estava plenamente recuperada da Grande Depressão, o presidente Roosevelt proclamou que o feriado de Ação de Graças seria antecipado em uma semana, a fim de que o período de compras que antecede o Natal pudesse ser mais longo. Explique, usando o modelo da demanda agregada e oferta agregada, o que o presidente Roosevelt estava tentando realizar.

5. Explique por que as declarações a seguir são falsas.
   a. "A curva de demanda agregada tem inclinação negativa, porque é a soma horizontal das curvas de demanda de bens individuais."
   b. "A curva de oferta agregada de longo prazo é vertical, porque as forças econômicas não afetam a oferta agregada no longo prazo."
   c. "Se as empresas ajustassem seus preços todos os dias, então a curva de oferta agregada de curto prazo seria horizontal."
   d. "Sempre que a economia entra em recessão, sua curva de oferta agregada de longo prazo se desloca para a esquerda."

6. Para cada uma das três teorias que procuram esclarecer a inclinação positiva da curva de oferta agregada de curto prazo, explique cuidadosamente o seguinte:
   a. Como a economia se recupera de uma recessão e retorna ao equilíbrio de longo prazo sem nenhuma intervenção política.
   b. O que determina a velocidade de tal recuperação.

7. A economia começa com equilíbrio no longo prazo. Certo dia, o presidente indica um novo presidente para o Federal Reserve. Ele é bem conhecido por considerar que a inflação não é o maior problema para uma economia.
   a. De que modo essa notícia afetaria o nível de preços que as pessoas esperam que prevaleça?
   b. De que modo essa mudança na expectativa do nível de preços afetaria os salários nominais acordados por trabalhadores e empresas nos contratos de trabalho?
   c. De que modo essa mudança nos salários nominais afetaria a lucratividade da produção de bens e serviços em qualquer nível de preços determinado?
   d. De que modo essa mudança nos lucros afetaria a curva de oferta agregada de curto prazo?
   e. Se a demanda agregada permanecer constante, de que modo o deslocamento da curva de oferta agregada afetará os níveis de preço e a quantidade de bens produzidos?
   f. Você acha que este presidente do Fed foi uma boa indicação?

8. Explique se cada um dos eventos a seguir desloca a curva de oferta agregada de curto prazo, a curva de demanda agregada, ambas ou nenhuma delas. Para cada evento que desloque a curva, faça um diagrama para ilustrar o efeito sobre a economia.
   a. As famílias decidem poupar uma parte maior de sua renda.
   b. As plantações de laranja da Flórida sofrem um período prolongado de temperaturas abaixo de zero.
   c. A quantidade maior de oportunidades de trabalho no exterior leva muitas pessoas a saírem do país.

9. Para cada um dos eventos a seguir, explique os efeitos de curto e de longo prazo sobre a produção e o nível de preços, supondo que os formuladores de políticas não tomem nenhuma atitude.
   a. O mercado de ações cai abruptamente, reduzindo a riqueza dos consumidores.
   b. O governo federal aumenta suas despesas em defesa nacional.
   c. Um avanço tecnológico aumenta a produtividade.
   d. Uma recessão no exterior leva os estrangeiros a comprar menos bens norte-americanos.

10. Suponha que as empresas fiquem muito otimistas em relação às condições de negócios futuras e invistam pesadamente em novos equipamentos de capital.
    a. Use um gráfico de demanda agregada/oferta agregada para mostrar os efeitos de curto prazo desse otimismo sobre a economia. Legende com atenção os novos níveis de preços e a nova produção real. Descreva por que a quantidade agregada da produção *ofertada* muda.
    b. Agora, use o diagrama da parte (a) para mostrar o novo equilíbrio da economia no longo prazo (por enquanto, suponha que não haja mudança na curva de oferta agregada de longo prazo). Descreva por que a quantidade agregada da produção *demandada* muda entre o curto e o longo prazo.
    c. Como o aumento de investimento poderia afetar a curva de oferta agregada de longo prazo? Explique.

CAPÍTULO 34

A influência das políticas monetária e fiscal sobre a demanda agregada

Imagine que você seja membro do Comitê Federal de Mercado Aberto (Federal Open Market Committee - FOMC), o grupo do Federal Reserve que estabelece a política monetária, e, como tal, você observa que o presidente e o Congresso concordaram em aumentar os impostos. Como o Fed deveria reagir a essa mudança na política fiscal? O Fed deve expandir a oferta de moeda, contraí-la ou mantê-la inalterada?

Para responder a essa pergunta, você precisa considerar o impacto das políticas monetária e fiscal sobre a economia. No capítulo anterior, usamos o modelo de demanda agregada e oferta agregada para explicar as flutuações econômicas de curto prazo. Vimos que os deslocamentos nas curvas de oferta agregada e de demanda agregada provocam flutuações na produção geral de bens e serviços da economia e no nível geral de preços. Como observamos no capítulo anterior, as políticas monetária e fiscal podem, cada uma delas, influenciar a demanda agregada. Portanto, uma alteração em uma dessas políticas pode levar a flutuações de curto prazo na produção e nos preços. Os formuladores de políticas procuram antecipar esse efeito e, se possível, ajustar a outra política.

Neste capítulo, examinaremos com mais detalhes de que maneira os instrumentos das políticas monetária e fiscal do governo influenciam a posição da curva de demanda agregada. Esses instrumentos incluem a política monetária (a oferta de moeda estabelecida pelo banco central) e a política fiscal (os níveis de gastos do governo e a tributação estabelecidos pelo presidente e pelo Congresso). Já discutimos, anteriormente, os efeitos de longo prazo dessas políticas. Nos capítulos 25 e 26, vimos como a política fiscal afeta a poupança, o investimento e o crescimento econômico no longo prazo. Nos capítulos 29 e 30, vimos como a política monetária influencia o nível de preços no longo prazo. Agora, veremos como esses instrumentos de política podem deslocar a curva de demanda agregada e, ao fazê-lo, afetar as variáveis macroeconômicas no curto prazo.

Como já aprendemos, são muitos os fatores que influenciam a demanda agregada, além das políticas monetária e fiscal. Mais especificamente, a despesa desejada pelas famílias e empresas determina a demanda global por bens e serviços. Quando muda a despesa desejada, a demanda agregada se desloca. Se os formuladores de políticas deixarem de reagir, esses deslocamentos na demanda agregada causarão flutuações de curto prazo na produção e no emprego. Como resultado, os formuladores de políticas monetária e fiscal, às vezes, usam os instrumentos de que dispõem para tentar contrabalançar esses deslocamentos na demanda agregada e, assim, estabilizar a economia. Aqui, discutiremos a teoria por trás dessas medidas políticas e algumas das dificuldades que surgem quando se tenta colocá-las em prática.

34_1 COMO A POLÍTICA MONETÁRIA INFLUENCIA A DEMANDA AGREGADA

A curva de demanda agregada mostra a quantidade total de bens e serviços demandada na economia para qualquer nível de preços. Como vimos no capítulo anterior, a curva de demanda agregada tem inclinação negativa por três motivos:

- *O efeito riqueza*: um nível de preços menor eleva o valor real das disponibilidades monetárias pelas famílias, que compõem parte de sua riqueza. Maior riqueza estimula as despesas de consumo e, portanto, aumenta a quantidade demandada de bens e serviços.
- *O efeito taxa de juros*: um nível de preços menor reduz a taxa de juros na medida em que as pessoas tentam emprestar seu excesso de moeda, e a taxa de juros menor estimula os dispêndios de investimento e, portanto, aumenta a quantidade demandada de bens e serviços.
- *O efeito taxa de câmbio*: quando um nível de preços menor reduz a taxa de juros, os investidores transferem parte de seus fundos para o exterior em busca de maiores retornos, em um movimento de fundos que provoca a queda do valor real da moeda interna no mercado de câmbio. Os bens internos se tornam mais baratos em relação aos externos. E essa mudança na taxa real de câmbio estimula as despesas com exportações líquidas, aumentando, assim, a quantidade demandada de bens e serviços.

Esses três efeitos ocorrem simultaneamente, aumentando a quantidade demandada de bens e serviços quando o nível de preços cai e diminuindo a quantidade de bens e serviços quando o nível de preços sobe.

Embora os três efeitos operem juntos para explicar a inclinação negativa da curva de demanda agregada, eles não são igualmente importantes. Como o dinheiro disponível pelas famílias representa uma parte pequena da sua riqueza, o efeito riqueza é o menos importante dos três. Além disso, como as exportações e importações representam apenas uma pequena fração do PIB dos Estados Unidos, o efeito taxa de câmbio não é grande para a economia do país (esse efeito é muito mais relevante para países menores, porque eles, tipicamente, exportam e importam uma fração maior de seu PIB). *Para a economia norte-americana, a razão mais importante para a inclinação negativa da curva de demanda agregada é o efeito taxa de juros.*

teoria da preferência pela liquidez
a teoria de Keynes, segundo a qual a taxa de juros se ajusta para equilibrar a oferta de moeda e a demanda por moeda

Para entender melhor a demanda agregada, examinaremos com mais detalhes a determinação de curto prazo da taxa de juros. Aqui, desenvolveremos a **teoria da preferência pela liquidez**, que determina a taxa de juros e ajuda a explicar a inclinação negativa da curva de demanda agregada e como as políticas monetária e fiscal deslocam essa curva. Ao lançar uma nova luz sobre a curva de demanda agregada, a teoria da preferência pela liquidez amplia nosso entendimento sobre o que provoca flutuações econômicas no curto prazo e o que os formuladores de políticas podem realmente fazer.

34_1A Teoria da preferência pela liquidez

Em seu clássico livro *Teoria geral do emprego, dos juros e da moeda*, John Maynard Keynes propôs a teoria da preferência pela liquidez para explicar os fatores que determinam a taxa de juros da economia. A teoria é, essencialmente, apenas uma aplicação da oferta e da demanda. De acordo com Keynes, a taxa de juros se ajusta para equilibrar a oferta de moeda e a demanda por moeda.

Você talvez se lembre de que os economistas estabelecem uma distinção entre duas taxas de juros: a *taxa de juros nominal*, que é a taxa de juros tal como normalmente noticiada, e a *taxa de juros real*, que é a taxa de juros corrigida pela inflação. Quando não há inflação, as duas taxas são iguais. Porém, quando os que fazem e os que concedem empréstimos esperam que os preços aumentem durante o período do empréstimo, eles concordam com uma taxa de juros nominal que exceda a taxa de juros real por meio da taxa esperada de inflação. A taxa de juros nominal maior compensa o fato de esperarem que o empréstimo seja pago em dólares com menor valor.

Que taxa de juros tentaremos explicar, agora, com a teoria da preferência pela liquidez? A resposta é: ambas. Na análise que se segue, mantemos constante a taxa de inflação esperada. Essa hipótese é razoável para o estudo da economia no curto prazo, porque a inflação esperada é tipicamente estável em períodos curtos. Nesse caso, as taxas de juros nominal e real diferem por uma constante. Quando a taxa de juros nominal aumenta ou diminui, a taxa de juros real que as pessoas esperam obter também aumenta ou diminui. No restante do capítulo, quando nos referirmos a alterações na taxa de juros, devemos visualizar as taxas nominal e real movendo-se na mesma direção.

Agora, vamos desenvolver a teoria da preferência pela liquidez, considerando a oferta e a demanda por moeda e como cada uma delas depende da taxa de juros.

Oferta de moeda A primeira parte da teoria da preferência pela liquidez é a oferta de moeda. Como vimos no Capítulo 29, a oferta de moeda na economia norte-americana é controlada pelo Federal Reserve. O Fed altera a oferta de moeda, principalmente, alterando a quantidade de reservas no sistema bancário, pela compra e venda de títulos do governo em operações no mercado aberto. Quando o Fed compra títulos do governo, os dólares que ele paga pelos títulos são tipicamente depositados nos bancos e, assim, somados às reservas bancárias. Quando o Fed vende títulos do governo, os dólares que recebe pelos títulos são retirados do sistema bancário e as reservas bancárias diminuem. Essas alterações nas reservas bancárias, por sua vez, levam a mudanças na capacidade de os bancos concederem empréstimos e criarem moeda. Assim, ao comprar e vender títulos em operações de mercado aberto, o Fed altera a quantidade de moeda na economia.

Além dessas operações no mercado aberto, o Fed pode influenciar a oferta de moeda usando uma variedade de outros instrumentos. Uma opção é a mudança da quantia que o Fed empresta aos bancos. Por exemplo, uma redução na taxa de redesconto (a taxa de juros com a qual os bancos podem tomar empréstimos do Fed) incentiva mais empréstimos para os bancos, o que aumenta as reservas bancárias e, assim, a oferta de moeda. Em contrapartida, um aumento na taxa de redesconto desestimula o empréstimo aos bancos, o que diminui as reservas bancárias e a oferta de moeda. O Fed também pode alterar a oferta de moeda, alterando o depósito compulsório (o montante de reservas que os bancos devem manter contra os depósitos recebidos) e, ainda, alterando a taxa de juros que paga aos bancos sobre as reservas que eles mantêm.

Esses detalhes do controle monetário são importantes para a implementação da política do Fed, mas não são cruciais para este capítulo. Nosso objetivo é examinar como as alterações na oferta de moeda afetam a demanda agregada por bens e serviços. Para tanto, podemos ignorar os detalhes de como a política do Fed é implementada e, simplesmente, fazer a suposição de que o Fed controle diretamente a oferta de moeda. Em outras palavras, a quantidade de moeda ofertada na economia é fixada no nível desejado pelo Fed.

Como a quantidade de moeda ofertada é fixada pela política do Fed, ela independe de outras variáveis econômicas. Mais especificamente, independe da taxa de juros. Uma vez que o Fed tenha tomado uma decisão política, a quantidade de moeda ofertada é a mesma, qualquer que seja a taxa de juros vigente. Representamos uma oferta de moeda fixa por meio de uma curva de oferta vertical, como a da Figura 1.

Demanda por moeda A segunda parte da teoria da preferência pela liquidez é a demanda por moeda. Como ponto de partida para entender a demanda por moeda, lembre-se de que a *liquidez* de um ativo refere-se à facilidade com a qual esse ativo pode ser convertido no meio de troca da economia. A moeda é o meio de troca da economia, de modo que é, por definição, o ativo mais líquido disponível. A liquidez de moeda explica a demanda que há por ela: as pessoas optam por reter moeda, em vez de outros ativos que oferecem taxas de retorno mais elevadas, porque ela pode ser usada para comprar bens e serviços.

Embora muitos fatores determinem a quantidade de moeda demandada, o que é enfatizado pela teoria da preferência pela liquidez é a taxa de juros. A razão é que a taxa de juros é o custo de oportunidade de se reter moeda. Ou seja, quando você mantém riqueza na forma de moeda no bolso, em lugar de um título que

Figura 1

Equilíbrio no mercado de moeda

De acordo com a teoria da preferência pela liquidez, a taxa de juros se ajusta para equilibrar a quantidade de moeda ofertada e a quantidade de moeda demandada. Se a taxa de juros estiver acima do nível de equilíbrio (como em r_1), a quantidade de moeda que as pessoas desejarão manter consigo (M^d_1) será menor que a quantidade criada pelo Fed, e esse excesso de moeda pressionará a taxa de juros para baixo. Inversamente, se a taxa de juros estiver abaixo do nível de equilíbrio (como em r_2), a quantidade de moeda que as pessoas desejarão manter (M^d_2) será maior que a quantidade criada pelo Fed, e essa escassez de moeda pressionará a taxa de juros para cima. Portanto, as forças de oferta e demanda no mercado de moeda levam a taxa de juros para o nível de equilíbrio, em que as pessoas estão satisfeitas em manter a quantidade de moeda criada pelo Fed.

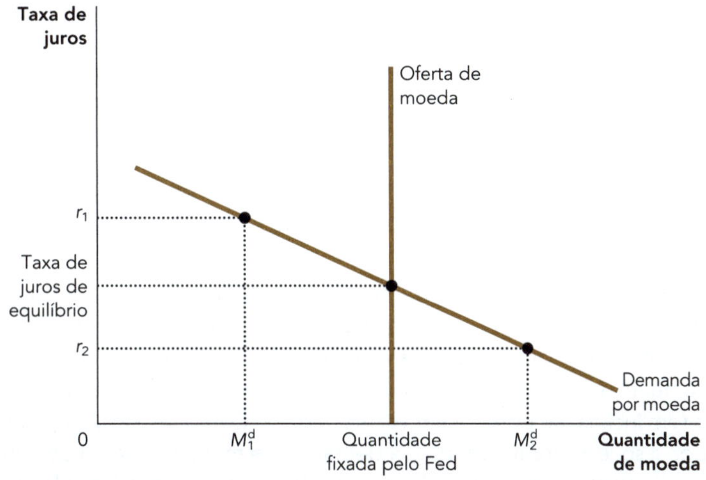

rende juros, perde os juros que poderia ter ganho. Um aumento na taxa de juros eleva o custo de se reter moeda e, como consequência, reduz a quantidade de moeda demandada. Uma queda na taxa de juros reduz o custo de se reter moeda e aumenta a quantidade demandada. Portanto, como mostra a Figura 1, a curva de demanda por moeda tem inclinação negativa.

Equilíbrio no mercado monetário De acordo com a teoria da preferência pela liquidez, a taxa de juros se ajusta para equilibrar a oferta de moeda e a demanda por moeda. Há uma taxa de juros, chamada *taxa de juros de equilíbrio*, na qual a quantidade de moeda demandada equilibra exatamente a quantidade de moeda ofertada. Se a taxa de juros estiver em qualquer outro nível, as pessoas tentarão ajustar suas carteiras de ativos e, como resultado, levarão a taxa de juros em direção ao equilíbrio.

Suponha que a taxa de juros esteja acima do nível de equilíbrio, como em r_1, na Figura 1. Nesse caso, a quantidade de moeda que as pessoas desejarão reter, M^d_1, é menor que a quantidade de moeda ofertada pelo Fed. As pessoas que mantêm o excesso de oferta de moeda tentarão se livrar dele, comprando títulos que rendem juros ou depositando-o em contas bancárias que rendem juros. Como os emissores de títulos e os bancos preferem pagar taxas de juros mais baixas, eles reagem a esse excesso de moeda reduzindo as taxas de juros que oferecem. À medida que a taxa de juros cai, as pessoas ficam mais dispostas a reter a moeda, até que, à taxa de juros de equilíbrio, elas ficam satisfeitas em reter exatamente a quantidade de moeda que o Fed ofertou.

Inversamente, a taxas de juros inferiores ao nível de equilíbrio, como r_2, na Figura 1, a quantidade de moeda que as pessoas desejam reter, M^d_2, é maior que a quantidade ofertada pelo Fed. Como resultado, as pessoas tentam aumentar a quantidade de moeda retida, reduzindo suas posses de títulos e outros ativos que rendem juros. À medida que as pessoas reduzem suas posses de títulos, os emissores de títulos percebem que precisam oferecer taxas de juros mais elevadas para atrair compradores. Portanto, a taxa de juros aumenta e se aproxima do nível de equilíbrio.

Saiba mais sobre

TAXAS DE JUROS NO LONGO E CURTO PRAZO

Em um capítulo anterior, dissemos que a taxa de juros se ajusta para equilibrar a oferta e a demanda de fundos de empréstimos, ou seja, poupança nacional e investimento desejado. Agora, acabamos de estabelecer que a taxa de juros se ajusta para equilibrar a oferta e a demanda de moeda. Como conciliar as duas teorias?

Para respondermos a esta pergunta, precisamos considerar três variáveis macroeconômicas: a produção de bens e serviços da economia, a taxa de juros e o nível de preços. Segundo a teoria macroeconômica clássica, que desenvolvemos anteriormente, essas variáveis são determinadas da seguinte maneira:

1. A *produção* é determinada pela oferta de capital e de trabalho e pela tecnologia de produção disponível para converter capital e trabalho em produção (a isso chamamos taxa natural de produção).
2. Para qualquer nível de produção, a *taxa de juros* se ajusta para equilibrar a oferta e a demanda por fundos de empréstimo.
3. Dados o produto e a taxa de juros, o *nível de preços* se ajusta para equilibrar a oferta e a demanda por moeda. As variações na oferta de moeda levam a mudanças proporcionais no nível de preços.

Essas são três das proposições essenciais da teoria econômica clássica. A maioria dos economistas acredita que essas proposições descrevem bem o funcionamento da economia *no longo prazo.*

Essas proposições, no entanto, não se sustentam no curto prazo. Como vimos no capítulo anterior, muitos preços se ajustam lentamente a variações na oferta de moeda; isso se reflete em uma curva de oferta agregada de curto prazo, que tem inclinação positiva em vez de vertical. Como resultado, *no curto prazo*, o nível geral de preços não pode, por si só, equilibrar a oferta e a demanda de moeda. Essa rigidez do nível de preços força a taxa de juros a se mover para trazer o mercado de moeda ao equilíbrio. Essas alterações na taxa de juros, por sua vez, afetam a demanda agregada para bens e serviços. Como a demanda agregada flutua, a produção de bens e serviços da economia se afasta do nível determinado pela oferta de fatores pela tecnologia.

Para raciocinar sobre as operações da economia no curto prazo (um dia, uma semana, um mês ou um trimestre, um após o outro), é melhor ter em mente a seguinte lógica:

1. O *nível de preços* está fixado em algum ponto (baseado em expectativas previamente formadas) e, no curto prazo, reage relativamente pouco a mudanças das condições econômicas.
2. Para qualquer dado nível de preços, a *taxa de juros* se ajusta para equilibrar a oferta e a demanda por moeda.
3. A taxa de juros que equilibra o mercado monetário influencia a quantidade de bens e serviços demandados e, assim, o nível de *produção.*

Observe que isso inverte precisamente a ordem da análise usada para estudar a economia no longo prazo.

As duas teorias diferentes da taxa de juros são úteis para diferentes fins. Quando se pensa nos determinantes de longo prazo das taxas de juros, é melhor lembrar-se da teoria dos fundos de empréstimo, a qual enfatiza a importância da propensão à poupança e das oportunidades de investimento da economia. Por outro lado, quando se pensa nos determinantes das taxas de juros no curto prazo, é melhor ter em mente a teoria da preferência pela liquidez, a qual enfatiza a importância da política monetária.

34_1B A inclinação negativa da curva de demanda agregada

Tendo visto como a teoria da preferência pela liquidez explica a taxa de juros de equilíbrio da economia, vamos agora considerar as implicações da teoria para a demanda agregada por bens e serviços. Como exercício de aquecimento, começaremos usando a teoria para reexaminar um tópico que já conhecemos: o efeito taxa de juros e a inclinação negativa da curva de demanda agregada. Mais especificamente, suponha que o nível geral de preços da economia aumente. O que acontecerá com a taxa de juros que equilibra oferta e demanda por moeda e como essa mudança afeta a quantidade de bens e serviços demandada?

Como vimos no Capítulo 30, o nível de preços é um determinante da quantidade de moeda demandada. A preços mais elevados, mais moeda é trocada cada vez que um bem ou serviço é vendido. Como resultado, as pessoas optam por reter maior quantidade de moeda. Isto é, um nível de preços maior eleva a quantidade de moeda demandada para qualquer taxa de juros dada. Assim, um aumento no nível de preços de P_1 para P_2 desloca a curva de demanda de moeda para a direita, de DM_1 para DM_2, como mostra o painel (a) da Figura 2.

Observe como esse deslocamento na demanda por moeda afeta o equilíbrio no mercado de moeda. Para uma oferta fixa de moeda, a taxa de juros precisa se elevar para equilibrar a oferta e a demanda por moeda. O maior nível de preços aumentou a quantidade de moeda que as pessoas desejam reter e deslocou a curva de demanda por moeda para a direita. Mas a quantidade de moeda ofertada permanece a mesma, de modo que a taxa de juros precisa aumentar de r_1 para r_2, a fim de desestimular a demanda adicional.

Esse aumento na taxa de juros tem consequências não só para o mercado de moeda, mas também para a quantidade demandada de bens e serviços, como mostra o painel (b). A uma taxa de juros mais elevada, o custo de tomar empréstimos e o rendimento da poupança são maiores. Menos famílias optam por tomar empréstimos para comprar uma nova moradia, e aquelas que o fazem compram residências menores, de modo que a demanda por investimento residencial diminui. Menos empresas optam por construir novas fábricas e comprar novos equipamentos, de modo que o investimento das empresas diminui. Portanto, quando o nível de preços se eleva de P_1 para P_2, aumentando a demanda por moeda de DM_1 para DM_2 e elevando a taxa de juros de r_1 para r_2, a quantidade de bens e serviços demandada cai de Y_1 para Y_2.

Essa análise do efeito taxa de juros pode ser resumida em três etapas: (1) um nível de preços mais elevado aumenta a demanda por moeda, (2) a maior demanda por moeda leva a uma maior taxa de juros e (3) uma taxa de juros mais alta reduz a quantidade demandada de bens e serviços. A mesma lógica também trabalha no sentido inverso: um nível de preços mais baixo reduz a demanda por moeda; a menor demanda por moeda leva a uma taxa de juros menor que, por sua vez, aumenta a quantidade demandada de bens e serviços. O resultado final dessa análise é uma relação negativa entre o nível de preços e a quantidade demandada de bens e serviços, ilustrada por uma curva de demanda agregada de inclinação negativa.

Figura 2

O mercado de moeda e a inclinação da curva de demanda agregada

Um aumento no nível de preços de P_1 para P_2 desloca a curva de demanda por moeda para a direita, como no painel (a). Esse aumento na demanda por moeda faz a taxa de juros subir de r_1 para r_2. Como a taxa de juros é o custo dos empréstimos, o aumento na taxa de juros reduz a quantidade demandada de bens e serviços de Y_1 para Y_2. Essa relação negativa entre o nível de preços e a quantidade demandada é representada por uma curva de demanda agregada com inclinação negativa, como a do painel (b).

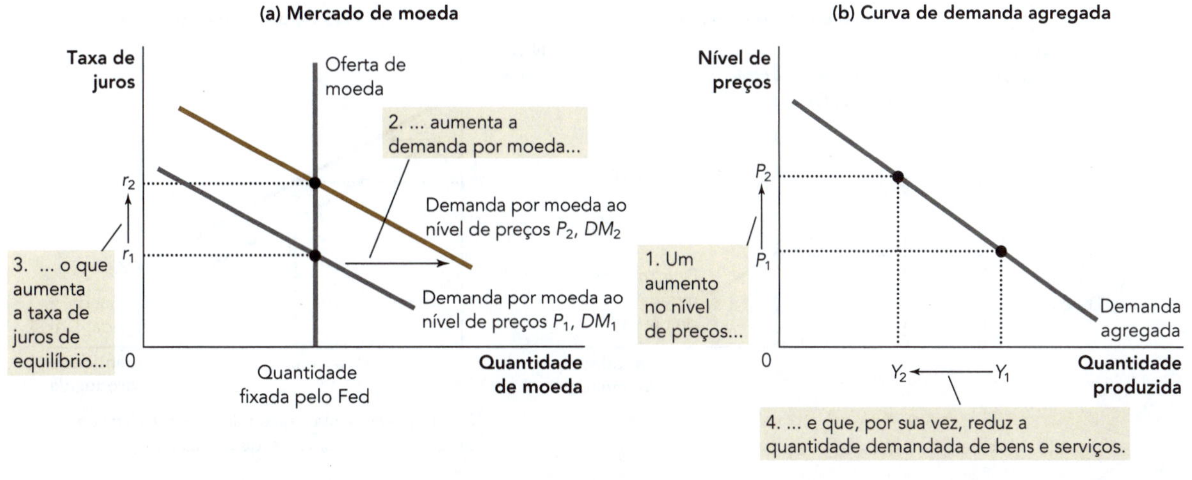

34_1C Variações na oferta de moeda

Até aqui, usamos a teoria da preferência pela liquidez para explicar mais completamente como a quantidade demandada total de bens e serviços da economia muda à medida que o nível de preços se altera. Isto é, examinamos movimentos ao longo da curva de demanda agregada de inclinação negativa. A teoria também lança luz, contudo, sobre alguns dos outros eventos que alteram a quantidade demandada de bens e serviços. Sempre que a quantidade demandada de bens e serviços muda *para qualquer nível de preços dado,* a curva de demanda agregada se desloca.

Uma variável importante que desloca a curva de demanda agregada é a política monetária. Para ver como a política monetária afeta a economia no curto prazo, suponha que o Fed aumente a oferta de moeda comprando títulos do governo em operações de mercado aberto (a razão pela qual o Fed poderia fazer isso ficará clara depois de entendermos os efeitos de tal movimento). Consideremos de que maneira essa injeção monetária influencia o equilíbrio da taxa de juros para um nível de preço dado. Isso nos dirá o que a injeção faz com a posição da curva de demanda agregada.

Como mostra o painel (a) da Figura 3, um aumento na oferta de moeda desloca a curva de oferta de moeda para a direita, de OM_1 para OM_2. Uma vez que a curva de demanda de moeda não se altera, a taxa de juros cai de r_1 para r_2, para equilibrar a oferta de moeda e a demanda por moeda. Ou seja, a taxa de juros precisa cair para induzir as pessoas a reter a moeda adicional criada pelo Fed, restaurando, assim, o equilíbrio no mercado monetário.

Novamente, a taxa de juros influencia a quantidade demandada de bens e serviços, como mostra o painel (b) da Figura 3. A taxa de juros menor reduz o custo dos empréstimos e o retorno da poupança. As famílias compram mais casas e de maior tamanho, estimulando a demanda por investimento residencial. As empresas gastam mais em novas fábricas e equipamentos, estimulando o investimento empresarial. Como resultado, a quantidade demandada de bens e serviços a um dado nível de preços *P*- aumenta de Y_1 para Y_2. Naturalmente, não há nada de especial a respeito de $\overline{P}$: a injeção monetária eleva a quantidade de bens e serviços demandada para todos os níveis de preços. Portanto, toda a curva de demanda agregada desloca-se para a direita.

Em resumo: *Quando o Fed aumenta a oferta de moeda, reduz a taxa de juros e aumenta a quantidade demandada de bens e serviços para qualquer nível de preços dado, deslocando a curva de demanda agregada*

Figura 3

Uma injeção de moeda

No painel (a), um aumento da oferta de moeda de OM_1 para OM_2 reduz a taxa de juros de equilíbrio de r_1 para r_2. Como a taxa de juros é o custo dos empréstimos, a queda na taxa de juros aumenta a quantidade demandada de bens e serviços a um nível de preços dado, de Y_1 para Y_2. Portanto, no painel (b), a curva de demanda agregada desloca-se para a direita, de DA_1 para DA_2.

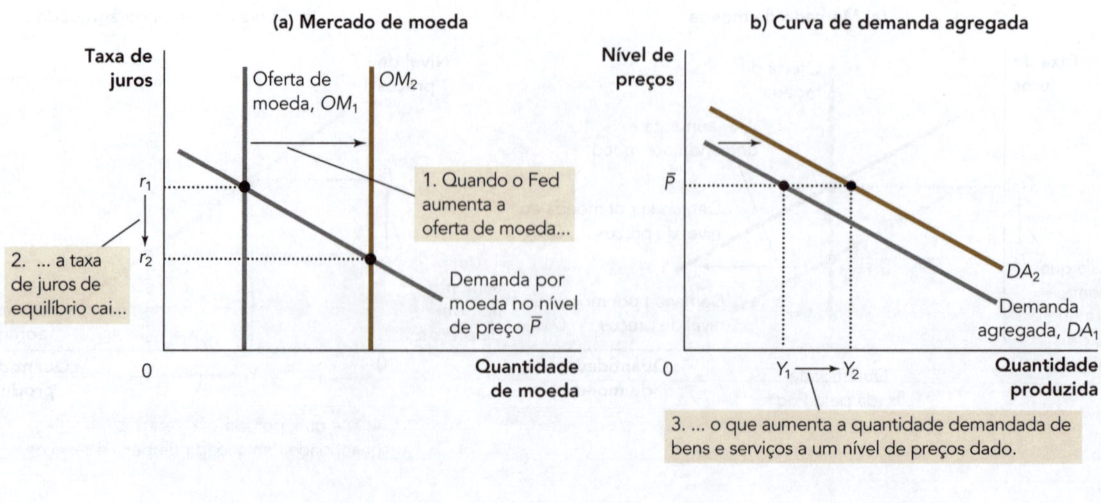

para a direita. De maneira inversa, quando o Fed contrai a oferta de moeda, aumenta a taxa de juros e reduz a quantidade demandada de bens e serviços para qualquer nível de preços dado, deslocando a curva de demanda agregada para a esquerda.

34_1D O papel das metas de taxas de juros na política do Fed

Como o Federal Reserve afeta a economia? Nossa discussão aqui e em pontos anteriores do livro tratou a oferta de moeda como o instrumento de política do Fed. Quando o Fed compra títulos do governo em operações de mercado aberto, aumenta a oferta de moeda e expande a demanda agregada. Quando o Fed vende títulos do governo em operações de mercado aberto, diminui a oferta de moeda e contrai a demanda agregada.

De modo geral, as discussões sobre a política do Fed tratam da taxa de juros, e não da oferta de moeda, como o instrumento de política do Fed. De fato, nos últimos anos, o Federal Reserve vem conduzindo sua política por meio do estabelecimento de metas para a *taxa de fundos federais* - a taxa de juros que os bancos cobram uns dos outros por empréstimos de curto prazo. Essa meta é reavaliada a cada seis semanas nas reuniões do Comitê Federal de Mercado Aberto (Federal Open Market Committee, FOMC). O FOMC optou por estabelecer uma meta para a taxa de fundos federais e não para a oferta de moeda, como fez muitas vezes no passado.

Há várias razões para que o Fed use a taxa de fundos federais como meta. Uma delas é que é difícil medir a oferta de moeda com precisão. Outra é que a demanda por moeda flutua com o tempo. Para cada oferta de moeda, as flutuações na demanda por moeda poderiam provocar flutuações nas taxas de juros, na demanda agregada e na produção. Inversamente, quando o Fed anuncia uma meta para a taxa de fundos federais, ele, essencialmente, acomoda as mudanças diárias na demanda por moeda, ajustando, da mesma forma, a oferta monetária.

A decisão do Fed de estabelecer uma meta para a taxa de juros não altera fundamentalmente nossa análise da política monetária. A teoria da preferência pela liquidez ilustra um princípio importante: *a política monetária pode ser descrita tanto em termos de oferta de moeda quanto de taxa de juros.* Quando o FOMC estabelece uma meta para a taxa de fundos federais de, digamos, 6%, os negociadores de títulos do Fed recebem a seguinte instrução: "Façam todas as operações de mercado aberto necessárias para garantir que a taxa de juros de equilíbrio seja igual a 6%". Em outras palavras, quando o Fed estabelece uma meta para a taxa de juros, compromete-se em ajustar a oferta de moeda de maneira a fazer o equilíbrio no mercado de moeda atingir a meta desejada.

Como resultado, as mudanças na política monetária podem ser vistas ou em termos de uma mudança na meta para a taxa de juros ou em termos de variações na oferta de moeda. Quando se lê no jornal que "o Fed reduziu a taxa de fundos federais de 6% para 5%", devemos entender que isso só acontece porque os negociadores de títulos do Fed estão fazendo com que isso aconteça. Para reduzir a taxa de fundos federais, os negociadores do Fed compram títulos do governo, e essa compra aumenta a oferta de moeda e reduz a taxa de juros de equilíbrio (como na Figura 3). Similarmente, quando o FOMC eleva a meta da taxa de fundos federais, os negociadores vendem títulos do governo, e essa venda diminui a oferta de moeda, elevando a taxa de juros de equilíbrio.

As lições que podemos tirar são bem simples: *uma alteração na política monetária que tenha o propósito de expandir a demanda agregada pode ser descrita como um aumento da oferta de moeda ou como uma redução da taxa de juros. Uma alteração na política monetária que tenha por objetivo contrair a demanda agregada pode ser descrita como uma redução da oferta de moeda ou como um aumento da taxa de juros.*

34_1E O limite inferior a zero

Como acabamos de ver, a política monetária funciona por meio de taxas de juros. Essa conclusão levanta a seguinte questão: e se a meta da taxa de juros do Fed cair o máximo possível? Na recessão de 2008 e 2009, a taxa de fundos federais quase chegou a zero. Nessa situação, se é que há alguma, o que a política monetária pode fazer para estimular a economia?

Alguns economistas descrevem essa situação como uma *armadilha de liquidez.* De acordo com a teoria da preferência pela liquidez, a política monetária expansionista funciona ao reduzir as taxas de juros e estimular os gastos de investimento. No entanto, se as taxas de juros já tiverem chegado a quase zero, então, talvez, a política monetária não seja mais eficaz. As taxas de juros nominais não podem cair abaixo de zero: em vez de fazer um empréstimo a uma taxa de juros nominal negativa, uma pessoa apenas manteria o dinheiro. Nesse ambiente, a política monetária expansionista eleva a oferta de moeda, tornando a carteira de ativos públicos mais líquida. No entanto, como as taxas de juros não podem cair ainda mais, a liquidez extra pode não ter nenhum efeito. A demanda agregada, a produção e o emprego podem ficar "presos" em níveis baixos.

Outros economistas são céticos sobre as relevâncias das armadilhas de liquidez e acreditam que o banco central continue a ter ferramentas para expandir a economia, até mesmo após a meta da taxa de juros atingir seu limite inferior igual a zero. Uma possibilidade é que o banco central possa elevar as expectativas de inflação ao comprometer-se com a futura expansão monetária. Mesmo que as taxas de juros nominais não possam cair mais do que isso, a inflação esperada mais alta pode diminuir as taxas de juros reais, tornando-as negativas, o que poderia estimular os gastos de investimento.

Uma segunda possibilidade é que o banco central possa conduzir as operações expansionistas de mercado aberto com uma variedade maior de instrumentos financeiros. Normalmente, o Fed conduz operações expansionistas de mercado aberto comprando títulos do governo de curto prazo. Mas poderia comprar hipotecas, dívidas corporativas e títulos do governo de longo prazo, reduzindo, assim, as taxas de juros desses tipos de empréstimos. O Federal Reserve adotou ativamente esta última opção durante o rescaldo da crise financeira de 2008 e 2009. Às vezes, esse tipo de política monetária não convencional recebe o nome de *flexibilização quantitativa*[1], porque aumenta as reservas dos bancos.

Alguns economistas sugeriram que a possibilidade de atingir o limite inferior zero das taxas de juros justifica o estabelecimento da meta da inflação bem acima de zero. Sob inflação zero, a taxa de juros real, como a de juros nominais, nunca pode cair abaixo de zero. Mas se a taxa normal de inflação for, digamos, 4%, então o banco central poderá facilmente empurrar a taxa de juros real para 4% negativo, reduzindo a taxa de juros nominal para zero. Portanto, a inflação moderada dá mais espaço aos formuladores de políticas para estimular a economia, quando necessário, reduzindo o risco de atingir o limite inferior a zero e fazer a economia cair em uma armadilha de liquidez.

Teste rápido Use a teoria da preferência pela liquidez para explicar como uma queda na oferta de moeda afeta a taxa de juros de equilíbrio. Como essa mudança na política monetária afeta a curva de demanda agregada?

34_2 COMO A POLÍTICA FISCAL INFLUENCIA A DEMANDA AGREGADA

política fiscal o estabelecimento dos níveis de gastos do governo e dos impostos pelos formuladores de políticas

O governo pode influenciar o comportamento da economia não apenas com a política monetária, mas também com a política fiscal. A **política fiscal** compreende as escolhas do governo quanto ao nível geral de compras governamentais ou aos impostos. Já vimos de que maneira a política fiscal influencia a poupança, o investimento e o crescimento no longo prazo. No curto prazo, contudo, o principal efeito da política fiscal se dá sobre a demanda agregada de bens e serviços.

34_2A Alterações nas compras do governo

Quando os formuladores de políticas alteram a oferta de moeda ou o nível dos impostos, deslocam indiretamente a curva de demanda agregada, influenciando as decisões de despesas das famílias e das empresas. Por outro lado, quando o governo altera suas próprias compras de bens e serviços, desloca diretamente a curva de demanda agregada.

1. Também conhecida como *afrouxamento monetário, afrouxamento quantitativo* e, até mesmo, pela denominação em inglês: *quantitative easing.* (NRT)

Suponha, por exemplo, que o Departamento de Defesa dos Estados Unidos faça à Boeing, a grande fabricante de aeronaves, uma encomenda de $ 20 bilhões em novos aviões de combate. Essa encomenda eleva a demanda pela produção da Boeing, induzindo a empresa a contratar mais empregados e a aumentar a produção. Como a Boeing é parte da economia, o aumento na demanda por seus aviões significa um aumento na quantidade total de bens e serviços demandada a qualquer nível de preços. Como resultado, a curva de demanda agregada desloca-se para a direita.

Em que medida essa encomenda de $ 20 bilhões do governo desloca a curva de demanda agregada? À primeira vista, pode parecer que a curva de demanda agregada se deslocaria para a direita em, exatamente, $ 20 bilhões. Ocorre, contudo, que isso não está correto. Há dois efeitos macroeconômicos que fazem a magnitude do deslocamento na demanda agregada diferir da variação nas compras do governo. O primeiro - o efeito multiplicador - sugere que o deslocamento na demanda agregada poderia ser *maior* que $ 20 bilhões. O segundo - o efeito deslocamento - sugere que o deslocamento na demanda agregada poderia ser *menor* que $ 20 bilhões. Iremos, agora, discutir cada um desses efeitos.

34_2B O efeito multiplicador

efeito multiplicador os deslocamentos adicionais na demanda agregada que ocorrem quando uma política fiscal expansionista aumenta a renda e, portanto, as despesas de consumo

Quando o governo gasta $ 20 bilhões em bens da Boeing, essa compra tem repercussões. O impacto imediato da maior demanda do governo é o aumento do emprego e dos lucros na Boeing. Então, como os trabalhadores passam a ter maiores salários e os proprietários da empresa maiores lucros, eles respondem a esse aumento na renda aumentando suas despesas de bens de consumo. Como resultado, a compra que o governo faz da Boeing eleva a demanda por produtos de muitas outras empresas da economia. Uma vez que cada dólar gasto pelo governo pode aumentar a demanda agregada por bens e serviços em mais de um dólar, diz-se que as compras do governo têm um **efeito multiplicador** sobre a demanda agregada.

Esse efeito multiplicador continua mesmo depois dessa primeira rodada. Quando as despesas de consumo aumentam, as empresas que produzem esses bens contratam mais pessoas e registram maiores lucros. Os maiores salários e lucros estimulam novamente as despesas de consumo, e assim por diante. Portanto, há uma resposta positiva, na medida em que maior demanda leva a maior renda, que, por sua vez, leva a uma demanda ainda mais elevada. Uma vez somados todos esses efeitos, o impacto total sobre a quantidade de bens e serviços demandada pode ser muito maior que o impulso inicial decorrente das maiores despesas do governo.

A Figura 4 ilustra o efeito multiplicador. Inicialmente, o aumento de $ 20 bilhões nas compras do governo desloca a curva de demanda agregada para a direita, de DA_1 para DA_2, em exatos $ 20 bilhões. Mas quando os consumidores reagem, elevando suas despesas, a curva de demanda agregada desloca-se, ainda mais, para DA_3.

Esse efeito multiplicador decorrente da reação das despesas de consumo pode ser reforçado pela reação do investimento aos níveis mais elevados de demanda. Por exemplo, a Boeing poderia reagir à maior demanda por aviões decidindo comprar mais equipamentos ou construindo uma nova fábrica. Nesse caso, a maior demanda do governo impulsionaria uma maior demanda por bens de investimento. Essa resposta positiva da demanda por investimento é, por vezes, chamada *acelerador do investimento*.

34_2C Uma fórmula para o multiplicador de despesas

Um pouco de simples álgebra nos permite derivar uma fórmula para o tamanho do efeito multiplicador que surge quando um aumento nas compras do governo induz o aumento das despesas de consumo. Um número importante dessa fórmula é a *propensão marginal a consumir (PMgC)* - a fração da renda adicional que uma família consome em vez de poupar. Suponha, por exemplo, que a propensão marginal a consumir seja

Figura 4
O efeito multiplicador

Um aumento de $ 20 bilhões nas compras do governo pode deslocar a curva de demanda agregada para a direita em mais de $ 20 bilhões. Esse efeito multiplicador surge porque os aumentos na renda agregada estimulam despesas adicionais por parte dos consumidores.

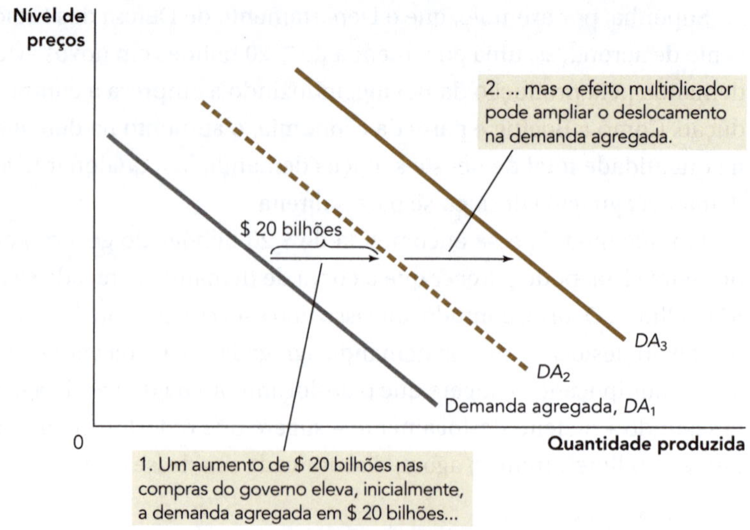

de ¾. Isto significa que, para cada dólar extra que uma família ganha, ela gasta $ 0,75 (¾ de dólar) e poupa $ 0,25. Com uma *PMgC* de ¾, quando os trabalhadores e proprietários do Boeing ganham $ 20 bilhões do contrato com o governo, eles aumentam sua despesa de consumo em ¾ × $ 20 bilhões, ou $ 15 bilhões.

Para avaliar o impacto de uma mudança sobre a demanda agregada de uma variação nas compras do governo, seguimos seus efeitos passo a passo. O processo se inicia quando o governo gasta $ 20 bilhões, o que implica que a renda nacional (salários e lucros) também aumenta nesse montante. Esse aumento na renda, por sua vez, aumenta as despesas de consumo em *PMgC* × $ 20 bilhões, o que aumenta a renda dos trabalhadores e proprietários das empresas que produzem bens de consumo. Esse segundo aumento na renda, novamente, eleva as despesas de consumo, dessa vez em *PMgC* × (*PMgC* × $ 20 bilhões), e esses efeitos de realimentação continuam se repetindo.

Para chegar ao impacto total sobre a demanda por bens e serviços, somamos todos esses efeitos:

Variação nas compras do governo	=	$ 20 bilhões
Primeira variação no consumo	=	$PMgC \times \$\ 20$ bilhões
Segunda variação no consumo	=	$PMgC^2 \times \$\ 20$ bilhões
Terceira variação no consumo	=	$PMgC^3 \times \$\ 20$ bilhões
...		...

Variação total na demanda

$$= (1 + PMgC + PMgC^2 + PMgC^3 + \ldots) \times \$\ 20 \text{ bilhões}$$

Aqui, "..." representa um número infinito de termos semelhantes. Portanto, podemos escrever o multiplicador da seguinte maneira:

$$\text{Multiplicador} = 1 + PMgC + PMgC^2 + PMgC^3 + \ldots$$

Esse multiplicador nos diz a demanda por bens e serviços que cada dólar de compras do governo gera. Para simplificar a equação do multiplicador, lembre-se de que, nas aulas de matemática, você aprendeu que essa expressão é uma série geométrica infinita. Para x entre –1 e +1,

$$1 + x + x^2 + x^3 + \ldots = 1/(1 - x)$$

Em nosso caso, $x = PMgC$. Assim,

Multiplicador = 1/(1 - *PMgC*)

Por exemplo, se a *PMgC* é ¾, o multiplicador é 1/(1 - ¾), ou 4. Nesse caso, os $ 20 bilhões de compras do governo geram $ 80 bilhões em demanda por bens e serviços.

Essa fórmula para o multiplicador mostra uma importante conclusão: o tamanho do multiplicador depende da propensão marginal a consumir. Enquanto uma *PMgC* de ¾ leva a um multiplicador de 4, uma *PMgC* de ½ leva a um multiplicador de apenas 2. Portanto, uma maior *PMgC* significa um multiplicador maior. Para entender por que isso é verdadeiro, lembre-se de que o multiplicador surge porque uma renda maior induz a maiores despesas de consumo. Com a *PMgC* maior, o consumo responde de melhor forma a uma mudança na renda, portanto o multiplicador é maior.

34_2D Outras aplicações do efeito multiplicador

Por causa do efeito multiplicador, 1 dólar de compras do governo é capaz de gerar mais que 1 dólar de demanda agregada. A lógica do efeito multiplicador, contudo, não se restringe a variações nas compras do governo. Pelo contrário, aplica-se a qualquer evento que altere as despesas em qualquer componente do PIB, como consumo, investimento, compras do governo ou exportações líquidas.

Por exemplo, suponha que uma recessão no exterior reduza a demanda por exportações líquidas dos Estados Unidos em $ 10 bilhões. Essa redução da despesa com bens e serviços norte-americanos deprime a renda nacional dos Estados Unidos, o que reduz a despesa dos consumidores norte-americanos. Se a propensão marginal a consumir for de ¾ e o multiplicador for 4, então a queda de $ 10 bilhões nas exportações líquidas significará uma contração de $ 40 bilhões na demanda agregada.

Como outro exemplo, suponha que um *boom* do mercado de ações aumente a renda das famílias e estimule suas despesas em bens e serviços em $ 20 bilhões. Essa despesa de consumo adicional aumenta a renda nacional, o que, por sua vez, gera ainda mais despesas de consumo. Se a propensão marginal a consumir for de ¾ e o multiplicador for 4, então o impulso inicial de $ 20 bilhões em despesas de consumo se traduzirá em um aumento de $ 80 bilhões na demanda agregada.

O multiplicador é um conceito importante em macroeconomia, porque mostra como a economia pode ampliar o impacto de variações nas despesas. Uma pequena variação inicial no consumo, no investimento, nas compras do governo ou nas exportações líquidas pode acabar tendo um grande efeito sobre a demanda agregada e, portanto, sobre a produção de bens e serviços da economia.

34_2E O efeito deslocamento

O efeito multiplicador parece sugerir que, quando o governo compra $ 20 bilhões em aviões da Boeing, a expansão resultante na demanda agregada é, necessariamente, maior que $ 20 bilhões. Mas outro efeito opera na direção oposta. Enquanto um aumento das compras do governo estimula a demanda agregada por bens e serviços, ele também provoca um aumento na taxa de juros, e uma taxa de juros mais elevada reduz as despesas de investimento e provoca pressão negativa sobre a demanda agregada. A redução na demanda agregada que resulta quando uma expansão fiscal aumenta a taxa de juros é chamada **efeito deslocamento**.

efeito deslocamento
a queda na demanda agregada que ocorre quando uma política fiscal expansionista eleva a taxa de juros e, portanto, reduz as despesas de investimento

Para entender por que o efeito deslocamento acontece, consideremos o que ocorre no mercado de moeda quando o governo compra aviões da Boeing. Como vimos, esse aumento na demanda eleva a renda dos trabalhadores e dos proprietários dessa empresa (e, por causa do efeito multiplicador, também de outras empresas). Como a renda aumenta, as famílias planejam comprar mais bens e serviços e, como resultado, optam por manter uma parcela maior de sua riqueza na forma líquida. Isto é, o aumento na renda causado pela expansão fiscal eleva a demanda por moeda.

Figura 5
O efeito deslocamento

O painel (a) mostra o mercado de moeda. Quando o governo aumenta suas compras de bens e serviços, o aumento na renda resultante eleva a demanda por moeda de DM_1 para DM_2, e isso faz a taxa de juros de equilíbrio se elevar de r_1 para r_2. O painel (b) mostra os efeitos sobre a demanda agregada. O impacto inicial do aumento nas compras do governo desloca a curva de demanda agregada de DA_1 para DA_2. Contudo, como a taxa de juros é o custo dos empréstimos, o aumento na taxa de juros tende a reduzir a quantidade de bens e serviços demandada, especialmente para bens de investimento. Esse deslocamento do investimento contrabalança parcialmente o impacto da expansão fiscal sobre a demanda agregada. No fim, a curva de demanda agregada desloca-se apenas até DA_3.

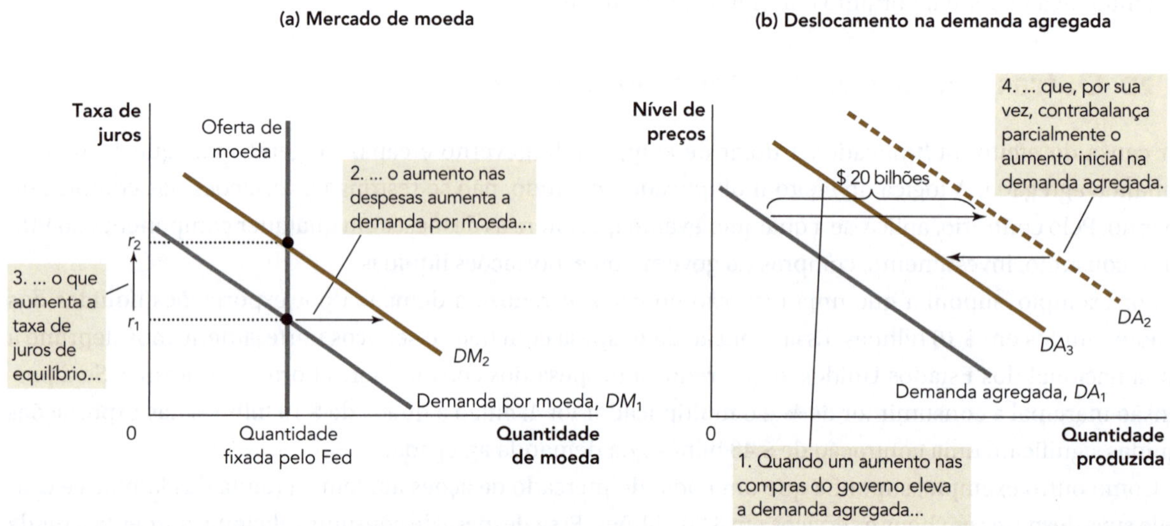

O efeito desse aumento na demanda por moeda é mostrado no painel (a) da Figura 5. Como o Fed não alterou a oferta de moeda, a curva de oferta vertical permanece a mesma. Quando o maior nível de renda desloca a curva de demanda por moeda para a direita, de DM_1 para DM_2, a taxa de juros precisa se elevar de r_1 para r_2 para manter oferta e demanda equilibradas.

O aumento na taxa de juros, por sua vez, reduz a quantidade demandada de bens e serviços. Mais especificamente, como os empréstimos estão mais custosos, a demanda por bens de investimento empresariais ou residenciais diminui. Ou seja, quando um aumento nas compras do governo eleva a demanda por bens e serviços, também pode deslocar o investimento. Esse efeito deslocamento compensa parcialmente o impacto das compras do governo sobre a demanda agregada, como ilustra o painel (b) da Figura 5. O impacto inicial do aumento nas compras do governo é deslocar a curva de demanda agregada, de DA_1 para DA_2, mas, uma vez que ocorra o efeito deslocamento, a demanda agregada volta até DA_3.

Em resumo: *Quando o governo eleva suas compras em $ 20 bilhões, a demanda agregada por bens e serviços pode aumentar mais ou menos $ 20 bilhões, dependendo do tamanho do efeito multiplicador e do efeito deslocamento.* O efeito multiplicador, por si só, provoca um deslocamento na demanda agregada maior que $ 20 bilhões. O efeito deslocamento empurra a curva de demanda agregada para a direção oposta e, se for grande o bastante, pode resultar em um deslocamento na demanda agregada de menos de $ 20 bilhões.

34_2F Alterações nos impostos

Outro instrumento importante da política fiscal, além do nível das compras do governo, é o nível de tributação. Quando o governo reduz o imposto de renda das pessoas físicas, por exemplo, ele aumenta a renda disponível das famílias, que pouparão parte dessa renda adicional, mas também gastarão parte dela em bens de consumo. Como os cortes dos impostos aumentam as despesas de consumo, deslocam a curva de demanda agregada para a direita. Similarmente, um aumento nos impostos deprime as despesas de consumo e desloca a curva de demanda agregada para a esquerda.

O tamanho do deslocamento na curva de demanda agregada decorrente de uma alteração nos impostos também é afetado pelos efeitos multiplicador e deslocamento. Quando o governo reduz impostos e estimula as despesas de consumo, os salários e os lucros aumentam, o que estimula ainda mais as despesas de consumo – esse é o efeito multiplicador. Ao mesmo tempo, uma renda mais elevada leva a uma maior demanda por moeda, o que tende a elevar as taxas de juros. Taxas de juros mais elevadas aumentam o custo dos empréstimos, o que reduz as despesas de investimento – esse é o efeito deslocamento. Dependendo da magnitude de cada um dos efeitos, o deslocamento na demanda agregada pode ser maior ou menor que a variação nos impostos que o causou.

Além dos efeitos multiplicador e deslocamento, há outro importante determinante da magnitude do deslocamento na demanda agregada resultante de uma variação nos impostos: a percepção das famílias quanto à duração na redução nos impostos: se permanente ou temporária. Por exemplo, suponha que o governo anuncie um corte de impostos de $ 1.000 por família. Ao decidir quanto gastar desses $ 1.000, as famílias devem se perguntar quanto tempo durará essa renda extra. Se elas esperam que o corte de impostos seja permanente, concluirão que ele resultará em um acréscimo substancial a seus recursos financeiros e, portanto, aumentarão suas despesas de consumo em grande medida. Nesse caso, o corte dos impostos terá forte impacto sobre a demanda agregada. No entanto, se as famílias acharem que o corte de impostos será temporário, concluirão que haverá pouco aumento em seus recursos financeiros e, portanto, aumentarão pouco suas despesas. Nesse caso, um corte dos impostos terá pequeno impacto sobre a demanda agregada.

Saiba mais sobre

COMO A POLÍTICA FISCAL PODE AFETAR A OFERTA AGREGADA

Até este ponto, nossa discussão sobre política fiscal destacou como as alterações nas compras do governo e nos impostos influenciam a quantidade demandada de bens e serviços. A maioria dos economistas acredita que os efeitos macroeconômicos da política fiscal no curto prazo operam principalmente por meio da demanda agregada. Contudo, a política fiscal também pode influenciar potencialmente a quantidade ofertada de bens e serviços.

Por exemplo, considere os efeitos de alterações nos impostos sobre a oferta agregada. Um dos *Dez princípios de economia* do Capítulo 1 é o de que as pessoas reagem a incentivos. Quando os formuladores de políticas do governo reduzem os impostos, os trabalhadores ficam com uma parcela maior de cada dólar que ganham, de modo que têm um maior incentivo para trabalhar e produzir bens e serviços. Se reagirem a esse incentivo, a quantidade de bens e serviços ofertada será maior para cada nível de preços, e a curva de oferta agregada se deslocará para a direita.

Alguns economistas, chamados economistas do *lado da oferta*, argumentam que a influência dos cortes de impostos sobre a oferta agregada é muito forte. Segundo alguns deles, essa influência é tão grande, que a redução de impostos estimularia produção e renda adicionais suficientes para que a arrecadação de imposto, na verdade, aumentasse. Certamente, isso é uma possibilidade teórica; contudo, muitos economistas não a consideram normal. Embora seja importante considerar os efeitos do lado da oferta dos impostos, eles não são grandes o bastante para provocar o aumento da arrecadação quando as taxas de impostos diminuem.

Da mesma forma que as alterações nos impostos, as alterações nas compras do governo também podem, potencialmente, afetar a oferta agregada. Suponha, por exemplo, que o governo aumente seus gastos na forma de capital fornecido por ele, como as estradas. As estradas são usadas pelas empresas privadas para fazer entregas a seus clientes; um aumento na quantidade de estradas eleva a produtividade dessas empresas. Portanto, quando o governo gasta mais em estradas, aumenta a quantidade de bens e serviços ofertada a qualquer nível de preços dado e, como resultado, desloca a curva de oferta agregada para a direita. Esse efeito sobre a oferta agregada é, provavelmente, mais importante no longo prazo que no curto, já que levaria algum tempo para que o governo construísse novas estradas e as colocasse em uso.

Um exemplo extremo de corte temporário de impostos foi o anunciado em 1992. Nesse ano, o presidente George H. W. Bush enfrentou uma recessão duradoura e uma campanha para a reeleição. Ele reagiu a essas circunstâncias com o anúncio de uma redução no montante do imposto de renda que o governo federal descontava dos contracheques de pagamento dos trabalhadores. Todavia, como as alíquotas do imposto determinadas por lei não foram alteradas, cada dólar de redução em 1992 significou um dólar extra a pagar em 15 de abril de 1993, a data de entrega da declaração do imposto de renda. Portanto, esse "corte de impostos", na verdade, representou apenas um empréstimo de curto prazo concedido pelo governo. Não surpreendentemente, o impacto da política sobre as despesas de consumo e a demanda agregada foi relativamente pequeno.

Teste rápido Suponha que o governo reduza suas despesas em construção de autoestradas em $ 10 bilhões. Em que direção se deslocaria a curva de demanda agregada? Explique por que o deslocamento pode ser maior que $ 10 bilhões. Explique por que o deslocamento pode ser menor que $ 10 bilhões.

34_3 O USO DA POLÍTICA PARA ESTABILIZAR A ECONOMIA

Vimos como as políticas monetária e fiscal podem afetar a demanda agregada da economia por bens e serviços. Esses aspectos teóricos suscitam algumas importantes questões políticas: os formuladores de políticas devem usar esses instrumentos para controlar a demanda agregada e estabilizar a economia? Em caso positivo, quando devem usá-los? Em caso negativo, por que não devem usá-los?

34_3A A favor da política ativa de estabilização

Voltemos à questão que inicia este capítulo: quando o presidente e o Congresso aumentam os impostos, como o Federal Reserve deve reagir? Como vimos, o nível de tributação é um dos determinantes da posição da curva de demanda agregada. Quando o governo aumenta os impostos, a demanda agregada cai, deprimindo a produção e o emprego no curto prazo. Se o Federal Reserve deseja impedir esse efeito adverso da política fiscal, ele pode agir para expandir a demanda agregada por meio do aumento na oferta de moeda. Uma expansão monetária reduziria as taxas de juros, estimulando as despesas de investimento e expandindo a demanda agregada. Se a política monetária reagir de maneira adequada, as alterações combinadas nas políticas fiscal e monetária podem deixar inalterada a demanda agregada por bens e serviços.

É exatamente esse o tipo de análise seguida pelos membros do FOMC. Eles sabem que a política monetária é um importante determinante da demanda agregada, bem como sabem que há outros determinantes importantes, incluindo aí a política fiscal estabelecida pelo presidente e pelo Congresso. Como resultado, o FOMC observa atentamente os debates sobre política fiscal.

A reação da política monetária a alterações na política fiscal é um exemplo de um fenômeno mais geral: o uso dos instrumentos de política econômica para estabilizar a demanda agregada e, por decorrência, a produção e o emprego. A estabilização econômica tem sido um objetivo explícito da política norte-americana desde a Lei do Emprego de 1946. Essa lei declara que "é política e responsabilidade permanentes do governo federal [...] promover o pleno emprego e a produção". Essencialmente, o governo optou por se responsabilizar pelo desempenho macroeconômico no curto prazo.

A Lei do Emprego tem duas implicações. A primeira, mais modesta, é a de que o governo deve evitar ser a causa de flutuações econômicas. Portanto, a maioria dos economistas adverte contra mudanças amplas e súbitas nas políticas monetária e fiscal, porque tais mudanças, provavelmente, irão causar flutuações na demanda agregada. Além disso, quando ocorrem grandes mudanças, é importante que os formuladores das políticas monetária e fiscal estejam cientes das ações uns dos outros e reajam a elas.

A segunda implicação, mais ambiciosa, da Lei do Emprego é que o governo deve reagir a mudanças na economia privada de maneira que estabilize a demanda agregada. A lei foi aprovada pouco depois da publicação da *Teoria geral do emprego, dos juros e da moeda*, de Keynes, um dos mais influentes livros de economia já escritos. Nele, Keynes enfatizou o papel da demanda agregada na explicação das flutuações econômicas de curto prazo. Keynes afirmava que o governo deveria estimular ativamente a demanda agregada quando ela parecesse insuficiente para manter a produção em seu nível de pleno emprego.

Keynes (e muitos de seus seguidores) argumentou que a demanda agregada flutua em ondas, bastante irracionais, de otimismo e pessimismo. Ele usou a expressão "espírito animal" para se referir a essas mudanças arbitrárias de atitude. Quando reina o pessimismo, as famílias reduzem suas despesas de consumo, e as empresas, suas despesas de investimento. O resultado é uma redução na demanda agregada, menor produção e maior desemprego. Inversamente, quando reina o otimismo, as famílias e as empresas aumentam suas despesas. O resultado é maior demanda agregada, maior produção e pressão inflacionária. Observe que essas mudanças de atitude são, até certo ponto, autorrealizáveis.

Em princípio, o governo pode ajustar suas políticas monetária e fiscal em resposta a essas ondas de otimismo e pessimismo e, com isso, estabilizar a economia. Por exemplo, quando as pessoas estão excessivamente pessimistas, o Fed pode expandir a oferta de moeda para reduzir as taxas de juros e aumentar a demanda agregada. Quando as pessoas estão excessivamente otimistas, ele pode contrair a oferta de moeda para elevar as taxas de juros e deprimir a demanda agregada. O ex-presidente do Fed, William McChesney Martin, descreveu essa visão da política monetária de uma maneira bem simples: "A função do Federal Reserve é levar as bebidas embora assim que a festa começa a ficar animada".

34_3B O caso contra uma política ativa de estabilização

Alguns economistas argumentam que o governo deveria abster-se do uso ativo das políticas monetária e fiscal para tentar estabilizar a economia. Afirmam que tais instrumentos de política devem ser usados para atingir objetivos de longo prazo, como um rápido crescimento econômico e baixa inflação, e que a economia deve ser deixada livre para lidar por si própria com as flutuações de curto prazo. Embora esses economistas possam admitir que as políticas monetária e fiscal sejam, teoricamente, capazes de estabilizar a economia, duvidam que isso possa ocorrer na prática.

O principal argumento contra as políticas monetária e fiscal ativas é o de que essas políticas afetam a economia com um grande atraso. Como vimos, a política monetária funciona pela alteração das taxas de juros que, por sua vez, influenciam as despesas de investimento. Mas muitas empresas planejam seus investimentos

Pergunte aos especialistas

Estímulos econômicos

"Por causa do American Recovery and Reinvestment Act (ARRA)[2], de 2009, a taxa de desemprego nos Estados Unidos foi menor no final de 2010 do que teria sido sem a lei de incentivo."

"Levando em conta todas as consequências econômicas da ARRA – incluindo os custos econômicos de se aumentar os impostos para cobrir os gastos decorrentes, seus efeitos sobre os dispêndios futuros e quaisquer outros efeitos prováveis advindos –, os benefícios do estímulo acabarão excedendo os custos."

Fonte: IGM Economic Experts Panel, 29 de julho de 2014.

2. ARRA - lei americana de recuperação e reinvestimento, de 2009, conhecida como lei de recuperação econômica. Foi um pacote de estímulo econômico sancionado pelo presidente Barack Obama.

com grande antecedência. Portanto, a maioria dos economistas acredita que leva pelo menos seis meses até que os efeitos das mudanças na política monetária se façam sentir sobre a produção e o emprego. Além disso, uma vez verificados os efeitos, eles podem perdurar por diversos anos. Os críticos da política de estabilização argumentam que, por causa desse atraso, o Fed não deve tentar fazer a sintonia fina da economia. Afirmam que o Fed costuma reagir tarde demais a mudanças nas condições econômicas e que, como resultado, acaba sendo mais a causa das flutuações econômicas que a cura para elas. Esses críticos defendem uma política monetária passiva, como crescimento lento e regular da oferta de moeda.

A política fiscal também age com atraso, mas, ao contrário do atraso da política monetária, o atraso da política fiscal pode ser atribuído, em grande parte, ao processo político. Nos Estados Unidos, a maioria das alterações das despesas do governo e nos impostos precisa ser apreciada por comissões da Câmara e do Senado, ser aprovada por ambos os órgãos do Legislativo e, por fim, sancionada pelo presidente. O processo todo pode levar meses e, em alguns casos, anos. Quando, por fim, a mudança na política fiscal é aprovada e fica pronta para ser implementada, as condições da economia podem ter mudado.

Esses atrasos nas políticas monetária e fiscal são um problema, em parte, porque as previsões econômicas são altamente imprecisas. Se os que fazem as previsões pudessem prever com precisão as condições da economia com um ano de antecedência, então os formuladores de políticas monetárias e fiscais poderiam tomar suas decisões com base em um futuro esperado. Nesse caso, os formuladores de política poderiam estabilizar a economia, apesar dos atrasos enfrentados. Na prática, contudo, as grandes recessões e depressões chegam sem muito aviso. O melhor que os formuladores de políticas podem fazer, a qualquer tempo, é reagir às mudanças econômicas à medida que elas ocorrem.

34_3C Estabilizadores automáticos

Todos os economistas - tanto os favoráveis à política de estabilização quanto os contrários a ela - concordam que as defasagens na implementação dessas políticas reduzem a sua eficácia como ferramenta de estabilização no curto prazo. A economia seria mais estável, portanto, se os formuladores de políticas pudessem encontrar uma maneira de evitar parte dessa defasagem. E, de fato, eles encontraram. **Estabilizadores automáticos** são mudanças na política fiscal que estimulam a demanda agregada quando a economia entra em recessão, sem que os formuladores de políticas precisem tomar qualquer ação deliberada.

estabilizadores automáticos alterações da política fiscal que estimulam a demanda agregada quando a economia entra em recessão, sem que os formuladores de políticas tenham de fazer qualquer ação deliberada

O estabilizador automático mais importante é o sistema tributário. Quando a economia entra em recessão, o montante de impostos arrecadados pelo governo cai automaticamente, porque quase todos os impostos estão estreitamente ligados à atividade econômica. O imposto de renda das pessoas físicas depende da renda das famílias, os impostos sobre a folha de pagamentos dependem dos ganhos dos trabalhadores e o imposto de renda das pessoas jurídicas depende dos lucros das empresas. Como rendas, ganhos e lucros caem durante uma recessão, a receita tributária do governo também cai. Esse corte automático dos impostos estimula a demanda agregada e, portanto, reduz a magnitude das flutuações econômicas.

As despesas do governo também agem como estabilizador automático. Mais especificamente, quando a economia entra em recessão e trabalhadores são demitidos, mais pessoas solicitam os benefícios do seguro-desemprego, da previdência social e outras formas de sustentação da renda. Esse aumento automático das despesas do governo estimula a demanda agregada exatamente no momento em que ela é insuficiente para garantir o pleno emprego. De fato, quando o sistema de seguro-desemprego foi implantado, na década de 1930, os economistas que defendiam essa política o fizeram, em parte, por causa de seu poder como estabilizador automático.

Os estabilizadores automáticos da economia norte-americana não são suficientemente poderosos para impedir totalmente as recessões. No entanto, sem esses estabilizadores automáticos, a produção e o emprego provavelmente seriam mais voláteis do que são. Por isso, muitos economistas são contrários a uma emenda constitucional que exigiria que o governo mantivesse sempre seu orçamento equilibrado. Quando a economia entra em recessão, os impostos caem, as despesas do governo aumentam e o orçamento do governo caminha em direção ao déficit. Se o governo estivesse sujeito a uma regra de rígido orçamento equilibrado, seria obrigado a encontrar maneiras de aumentar os impostos ou cortar despesas durante uma recessão. Em outras palavras, uma regra de equilíbrio orçamentário rígido eliminaria os estabilizadores automáticos inerentes ao atual sistema de impostos e despesas do governo.

Teste rápido Suponha que uma onda de "espíritos animais" negativos atinja a economia e as pessoas fiquem pessimistas em relação ao futuro. O que aconteceria com a demanda agregada? Se o Fed quisesse estabilizar a demanda agregada, como alteraria a oferta de moeda? Se o fizesse, o que aconteceria com a taxa de juros? Por que o Fed poderia optar por não reagir dessa maneira?

34_4 CONCLUSÃO

Antes de fazer qualquer alteração na política, os formuladores de políticas precisam considerar todos os efeitos de suas decisões. Examinamos, em capítulos anteriores, modelos clássicos da economia que descrevem os efeitos de longo prazo das políticas monetária e fiscal. Vimos como a política fiscal afeta a poupança, o investimento e o crescimento de longo prazo, e como a política monetária influencia o nível de preços e a taxa de inflação.

Neste capítulo, examinamos os efeitos de curto prazo das políticas monetária e fiscal. Vimos como esses instrumentos de política podem mudar a demanda agregada por bens e serviços e, portanto, alterar a produção e o emprego da economia no curto prazo. Quando o Congresso reduz as despesas do governo para equilibrar o orçamento, precisa considerar tanto os efeitos de longo prazo sobre a poupança e o crescimento quanto os efeitos de curto prazo sobre a demanda agregada e o emprego. Quando o Fed reduz a taxa de crescimento da oferta de moeda precisa levar em conta tanto o efeito de longo prazo sobre a inflação quanto o efeito de curto prazo sobre a produção. Em todas as esferas governamentais, os formuladores de políticas devem ter em mente os objetivos de longo prazo e os de curto prazo.

Teste rápido do capítulo

1. Se o banco central quiser expandir a demanda agregada, ele pode ________ a oferta de moeda, o que ________ a taxa de juros.

a. Aumentar, aumentaria.
b. Aumentar, diminuiria.
c. Diminuir, aumentaria.
d. Diminuir, diminuiria.

2. Se o governo quiser contrair a demanda agregada, ele pode ________ as compras do governo ou ________ os impostos.

a. Aumentar, aumentar.
b. Aumentar, diminuir.
c. Diminuir, aumentar.
d. Diminuir, diminuir.

3. A meta do Federal Reserve para a taxa de fundos federais:

a. É um instrumento político suplementar do banco central, independentemente da oferta de moeda.
b. Obriga o Fed a determinar uma oferta monetária específica, de modo a atingir a meta estabelecida.
c. É uma meta raramente alcançada, porque o Fed pode determinar apenas a oferta de moeda.
d. É importante para os bancos que requisitam e concedem empréstimos de fundos federais, mas não influencia a demanda agregada.

4. Com a economia em recessão em razão de uma demanda agregada insuficiente, o governo aumenta suas compras em $ 1.200. Suponha que o banco central ajuste a oferta monetária para manter a taxa de juros constante, os gastos com investimentos sejam fixos e a propensão marginal ao consumo seja $^2/_3$. Qual será o incremento da demanda agregada?

a. $ 400
b. $ 800
c. $ 1.800
d. $ 3.600

5. Se o banco central da questão anterior mantiver a oferta monetária constante e permitir que a taxa de juros se ajuste, a mudança na demanda

agregada resultante do aumento das compras do governo será:

a. Maior.
b. A mesma.
c. Menor, mas ainda positiva.
d. Negativa.

6. **Indique a alternativa que completa a frase a seguir, constituindo um exemplo de estabilizador automático. Quando a economia passa por uma recessão, _____:**

a. Mais pessoas passam a ter direito a benefícios do seguro-desemprego.
b. Os preços de ações caem, especialmente os de empresas de setores cíclicos.
c. O Congresso começa a promover audiências sobre um possível pacote de estímulo econômico.
d. O Federal Reserve muda a meta da taxa de fundos federais.

RESUMO

- Ao desenvolver uma teoria das flutuações econômicas no curto prazo, Keynes propôs a teoria da preferência pela liquidez para explicar os determinantes da taxa de juros. De acordo com essa teoria, a taxa de juros se ajusta para equilibrar a oferta e a demanda por moeda.
- Um aumento no nível de preços aumenta a demanda por moeda e aumenta a taxa de juros que equilibra o mercado de moeda. Como a taxa de juros representa o custo dos empréstimos, taxas de juros mais elevadas reduzem o investimento e, portanto, a quantidade demandada de bens e serviços. A curva de demanda agregada, com inclinação negativa, expressa essa relação negativa entre o nível de preços e a quantidade demandada.
- Os formuladores de políticas podem influenciar a demanda agregada por meio da política monetária. Um aumento na oferta de moeda reduz a taxa de juros de equilíbrio para qualquer nível de preços dado. Como uma taxa de juros menor estimula as despesas de investimento, a curva de demanda agregada desloca-se para a direita. Inversamente, uma diminuição na oferta de moeda eleva a taxa de juros de equilíbrio para qualquer nível de preços dado e desloca a curva de demanda agregada para a esquerda.
- Os formuladores de políticas também podem influenciar a demanda agregada por meio da política fiscal. Um aumento nas compras do governo ou uma redução nos impostos desloca a curva de demanda agregada para a direita. Uma redução nas compras do governo ou um aumento nos impostos desloca a curva de demanda agregada para a esquerda.
- Quando o governo altera gastos ou impostos, o deslocamento da demanda agregada resultante pode ser maior ou menor que a alteração fiscal. O efeito multiplicador tende a amplificar os efeitos da política fiscal sobre a demanda agregada. O efeito deslocamento tende a amortecer os efeitos da política fiscal sobre a demanda agregada.
- Como as políticas monetária e fiscal podem influenciar a demanda agregada, o governo, por vezes, usa esses instrumentos de política para tentar estabilizar a economia. Os economistas divergem sobre quão ativo o governo deve ser nesse esforço. Segundo os defensores da política de estabilização ativa, as variações nas atitudes das famílias e das empresas deslocam a demanda agregada; se o governo não reagir, isso trará como resultado flutuações indesejáveis e desnecessárias na produção e no emprego. De acordo com os críticos da política ativa de estabilização, as políticas monetária e fiscal funcionam com tal atraso, que, muitas vezes, tentativas de estabilizar a economia acabam sendo desestabilizadoras.

CONCEITOS-CHAVE

teoria da preferência pela liquidez, p. 591
política fiscal, p. 598
efeito multiplicador, p. 599
efeito deslocamento, p. 601
estabilizadores automáticos, p. 606

QUESTÕES PARA REVISÃO

1. O que é a teoria da preferência pela liquidez? Como ela ajuda a explicar a inclinação negativa da curva de demanda agregada?
2. Use a teoria da preferência pela liquidez para explicar como uma redução na oferta de moeda afeta a curva de demanda agregada.
3. O governo gasta $ 3 bilhões para comprar carros de polícia. Explique por que a demanda agregada pode aumentar em mais de $ 3 bilhões. Explique por que a demanda agregada pode aumentar em menos de $ 3 bilhões.
4. Suponha que pesquisas que medem a confiança do consumidor indiquem que uma onda de pessimismo está varrendo o país. Se os formuladores de políticas nada fizerem, o que acontecerá com a demanda agregada? O que o Fed deveria fazer para estabilizar a demanda agregada? Se o Fed nada fizer, o que o Congresso poderá fazer para estabilizar a demanda agregada?
5. Dê um exemplo de política governamental que aja como estabilizador automático. Explique por que essa política tem esse efeito.

PROBLEMAS E APLICAÇÕES

1. Explique como cada um dos seguintes acontecimentos afetaria a oferta de moeda, a demanda por moeda e a taxa de juros. Ilustre suas respostas com gráficos.
   a. Os corretores do Fed compram títulos em operações no mercado aberto.
   b. Um aumento na disponibilidade de cartões de crédito diminui a quantidade de moeda em espécie que as pessoas levam consigo.
   c. O Federal Reserve reduz as exigências de reservas bancárias.
   d. As famílias decidem ficar com mais moeda para as compras de Natal.
   e. Uma onda de otimismo alavanca os investimentos em negócios e expande a demanda agregada.

2. O Federal Reserve aumenta a oferta de moeda em 5%.
   a. Empregue a teoria da preferência pela liquidez para mostrar, por meio de um gráfico, o impacto dessa política sobre a taxa de juros.
   b. Empregue o modelo de demanda agregada e oferta agregada para ilustrar o impacto dessa mudança na taxa de juros sobre a produção e o nível de preços no curto prazo.
   c. Quando a economia faz a transição do equilíbrio de curto prazo para o de longo prazo, o que acontece com o nível de preços?
   d. De que modo essa mudança no nível de preços afeta a demanda por moeda e a taxa de juros de equilíbrio?
   e. Essa análise está consistente com o pressuposto de que a moeda tem efeitos reais no curto prazo, mas é neutra no longo prazo?

3. Suponha que um vírus de computador desabilite os caixas eletrônicos do país, tornando menos conveniente os saques de contas bancárias. Como resultado, as pessoas querem manter mais dinheiro em mãos, aumentando a demanda por moeda.
   a. Suponha que o Fed não modifique a oferta de moeda. De acordo com a teoria da preferência pela liquidez, o que acontece com a taxa de juros? O que acontece com a demanda agregada?
   b. Se o Fed quisesse estabilizar a demanda agregada, como alteraria a oferta de moeda?
   c. Se o Fed quiser realizar essa mudança na oferta de moeda usando as operações de mercado aberto, o que deve ser feito?

4. Considere duas políticas: um corte de impostos que dure apenas um ano e um corte de impostos que, se espera, seja permanente. Qual das duas estimulará mais as despesas de consumo? Qual terá maior impacto sobre a demanda agregada? Explique.

5. A economia está em recessão, com alto desemprego e baixa produção.
   a. Use um gráfico de demanda agregada e oferta agregada para ilustrar a situação do

momento. Lembre-se de incluir a curva de demanda agregada, a curva de oferta agregada de curto prazo e a curva de oferta agregada de longo prazo.

b. Identifique uma operação de mercado aberto que possa trazer a economia de volta à sua taxa natural.

c. Use um gráfico do mercado de moeda para ilustrar o efeito dessa operação de mercado aberto. Mostre a mudança resultante na taxa de juros.

d. Use um gráfico similar ao da parte (a) para mostrar o efeito da operação de mercado aberto sobre a produção e o nível de preços. Descreva por que a política tem o efeito que você indicou no gráfico.

6. No início da década de 1980, uma nova legislação permitiu que os bancos pagassem antecipadamente juros sobre depósitos à vista, o que antes era proibido.

a. Se definirmos moeda de maneira que inclua os depósitos à vista, que efeito essa legislação teve sobre a demanda de moeda? Explique.

b. Se o Federal Reserve tivesse mantido uma oferta de moeda constante diante dessa mudança, o que teria acontecido com a taxa de juros? O que teria acontecido com a demanda agregada e com a produção agregada?

c. Se o Federal Reserve tivesse mantido uma taxa de juros de mercado (a taxa de juros sobre ativos não monetários) constante diante dessa alteração, que mudança na oferta de moeda teria sido necessária? O que teria acontecido com a demanda agregada e com a produção agregada?

7. Suponha que os economistas observem que um aumento de $ 10 bilhões nas despesas do governo elevará a demanda agregada total por bens e serviços em $ 30 bilhões.

a. Se esses economistas ignorarem a possibilidade do efeito deslocamento, qual será a propensão marginal a consumir (*PMgC*) que eles encontrarão?

b. Suponha, agora, que os economistas admitam o efeito deslocamento. Sua nova estimativa da *PMgC* será maior ou menor que a inicial?

8. Uma economia opera com produção de $ 400 bilhões abaixo de sua taxa natural, e os formuladores de políticas fiscais querem preencher essa lacuna recessiva. O banco central concorda em ajustar a oferta de moeda para manter a taxa de juros constante, de modo que não haja nenhum deslocamento. A propensão marginal a consumir é de $^4/_5$, e o nível de preços está completamente fixo no curto prazo. Em que direção e em que valor o gasto do governo precisaria ser modificado para preencher essa lacuna recessiva? Explique.

9. Suponha que os gastos do governo aumentem. O efeito sobre a demanda agregada seria maior se o Federal Reserve não reagisse ou se o Fed estivesse comprometido com a manutenção de uma taxa fixa de juros? Explique.

10. Em cada alternativa a seguir, identifique a circunstância em que uma política fiscal expansionista teria maior probabilidade de levar a um aumento no investimento no curto prazo. Explique.

a. Quando o acelerador do investimento é grande ou pequeno?

b. Quando a sensibilidade do investimento em relação à taxa de juros é grande ou pequena?

11. Considere uma economia descrita pelas seguintes equações:

$$Y = C + I + G$$
$$C = 100 + 0{,}75(Y - T)$$
$$I = 500 - 50\,r$$
$$G = 125$$
$$T = 100$$

onde *Y* é o PIB, *C* é o consumo, *I* é o investimento, *G* são as compras do governo, *T* são os impostos e *r* é a taxa de juros. Se a economia estiver com pleno emprego (ou seja, em sua taxa natural), o PIB será 2.000.

a. Explique o significado de cada uma das equações acima.

b. Qual é a propensão marginal a consumir nesta economia?
c. Suponha que a política do banco central seja ajustar a oferta monetária para manter a taxa de juros em 4%, então, $r = 4$. Calcule o PIB. Como isso se compara ao nível de pleno emprego?
d. Supondo que não haja alterações na política monetária, qual mudança nas compras do governo restauraria o pleno emprego?
e. Supondo que não haja alterações na política fiscal, qual mudança na taxa de juros restauraria o pleno emprego?

CAPÍTULO 35

O *tradeoff* entre inflação e desemprego no curto prazo

Dois indicadores do desempenho econômico acompanhados atentamente são a inflação e o desemprego. Quando, a cada mês, o Bureau of Labor Statistics divulga dados sobre essas variáveis, os formuladores de políticas aguardam com ansiedade por essas notícias. Alguns comentaristas somaram a taxa de inflação e a taxa de desemprego para produzir um *índice de miséria,* que se propõe a medir a saúde da economia.

De que maneira essas duas medidas do desempenho econômico estão ligadas uma à outra? Abordamos, anteriormente, os determinantes do desemprego no longo prazo e os determinantes da inflação no longo prazo. Vimos que a taxa natural de desemprego depende de diversas características do mercado de trabalho, como a legislação do salário-mínimo, o poder de mercado dos sindicatos, o papel dos salários de eficiência e a eficácia da busca de empregos. Por sua vez, a taxa de inflação depende principalmente do crescimento na oferta de moeda, que é controlado pelo banco central de cada nação. No longo prazo, portanto, a inflação e o desemprego são problemas com pouca coisa em comum.

No curto prazo, ocorre exatamente o contrário. De acordo com um dos *Dez princípios de economia* abordados no Capítulo 1, a sociedade se depara, no curto prazo, com um *tradeoff* entre inflação e desemprego. Se os formuladores de políticas monetária e fiscal expandirem a demanda agregada e moverem a economia para cima, ao longo da curva de oferta agregada de curto prazo, podem expandir a produção e reduzir o desemprego por algum tempo, mas apenas à custa do aumento mais rápido do nível de preços. Se os formuladores de políticas contraírem a demanda agregada e moverem a economia para baixo, ao longo da curva de oferta agregada de curto prazo, podem reduzir a inflação, mas apenas à custa temporária de menor produção e desemprego mais elevado.

Neste capítulo, examinaremos mais atentamente esse *tradeoff* entre inflação e desemprego. A relação entre inflação e desemprego é um tópico que atraiu a atenção de alguns dos economistas mais importantes dos últimos 50 anos. A melhor maneira de entender essa relação é ver como o pensamento a seu respeito evoluiu com o passar do tempo. Como veremos, a história do pensamento relativo à inflação e ao desemprego desde os anos de 1950 está fortemente ligada à história da economia dos Estados Unidos. Essas duas histórias mostrarão por que o *tradeoff* entre inflação e desemprego se mantém no curto prazo, mas não se sustenta no longo prazo, e quais são as questões que ele levanta para os formuladores de políticas econômicas.

35_1 A CURVA DE PHILLIPS

curva de Phillips a curva que mostra o *tradeoff* entre inflação e desemprego no curto prazo

"Provavelmente, a relação macroeconômica mais importante seja a curva de Phillips." Essas foram as palavras do economista George Akerlof, durante o discurso que fez ao receber o Prêmio Nobel, em 2001. A **curva de Phillips** é a relação de curto prazo entre inflação e desemprego. Começamos nossa história com a descoberta da curva de Phillips e sua migração para a América.

35_1A Origens da curva de Phillips

Em 1958, o economista A. W. Phillips publicou um artigo no jornal britânico *Economica* que o tornaria famoso. O artigo, intitulado "A relação entre o desemprego e a taxa de variação dos salários no Reino Unido, 1861--1957", mostrava a existência de uma correlação negativa entre a taxa de desemprego e a taxa de inflação. Ou seja, Phillips mostrou que anos com baixo desemprego tendem a apresentar inflação elevada e anos com desemprego elevado tendem a apresentar inflação baixa. (Phillips examinou a inflação dos salários nominais em vez da inflação de preços, mas, para os nossos objetivos, essa distinção não é importante, dado que essas duas medidas de inflação costumam se mover juntas.) Phillips concluiu que duas importantes variáveis macroeconômicas - inflação e desemprego - estavam ligadas de maneira que ainda não havia sido percebida anteriormente pelos economistas.

Embora a descoberta de Phillips se baseasse em dados do Reino Unido, os pesquisadores logo estenderam sua descoberta a outros países. Dois anos depois de ele ter publicado seu artigo, os economistas Paul Samuelson e Robert Solow publicaram um artigo na *American Economic Review*, intitulado "Análise da política anti--inflacionária", no qual mostravam uma correlação negativa semelhante entre os dados de inflação e desemprego nos Estados Unidos. Segundo eles, essa correlação surgia porque o baixo desemprego estava associado a uma alta demanda agregada que, por sua vez, pressionava para cima os salários e os preços em toda a economia. Samuelson e Solow chamaram a associação negativa entre inflação e desemprego de *curva de Phillips.* A Figura 1 mostra um exemplo de curva de Phillips semelhante àquela observada por Samuelson e Solow.

Como sugere o título do artigo, Samuelson e Solow estavam interessados na curva de Phillips porque acreditavam que ela continha importantes lições para os formuladores de políticas. Mais especificamente, eles sugeriram que a curva de Phillips oferece aos formuladores de políticas uma gama de possíveis resultados econômicos. Que ao alterar as políticas monetária e fiscal para influenciar a demanda agregada, os formuladores de políticas poderiam escolher qualquer ponto da curva. Sendo que o ponto A oferece alto desemprego e baixa inflação, e o ponto B oferece baixo desemprego e alta inflação. Assim, os formuladores de políticas podem preferir ter tanto baixa inflação quanto baixo desemprego, mas os dados históricos resumidos na curva de Phillips indicam que essa combinação é impossível. De acordo com Samuelson e Solow, os formuladores de políticas deparam com um *tradeoff* entre inflação e desemprego, e a curva de Phillips ilustra esse *tradeoff.*

35_1B Demanda agregada, oferta agregada e a curva de Phillips

O modelo de demanda agregada e de oferta agregada oferece uma explicação simples para a gama de resultados possíveis descrita pela curva de Phillips. *A curva de Phillips simplesmente mostra as combinações de inflação e desemprego que surgem no curto prazo à medida que deslocamentos na curva de demanda agregada*

Figura 1
A curva de Phillips

A curva de Phillips ilustra a relação negativa entre a taxa de inflação e a taxa de desemprego. No ponto A, a inflação é baixa, e o desemprego, alto. No ponto B, a inflação é alta, e o desemprego, baixo.

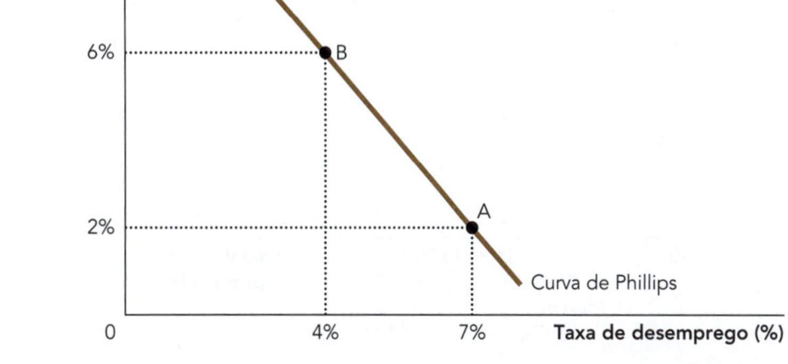

movem a economia ao longo da curva de oferta agregada de curto prazo. Como vimos nos dois capítulos anteriores, um aumento na demanda agregada por bens e serviços leva, no curto prazo, a uma maior produção de bens e serviços e a um nível de preços mais elevado. Maior produção significa maior emprego e, portanto, uma taxa de desemprego menor. Além disso, quanto mais elevado for o nível de preços, mais elevada será a taxa de inflação. Portanto, deslocamentos na demanda agregada pressionam a inflação e o desemprego em direções opostas no curto prazo - uma relação que é ilustrada pela curva de Phillips.

Para entender melhor como isso funciona, vamos considerar um exemplo. Para simplificar, imagine que o nível do preço (como medido, por exemplo, pelo índice de preços ao consumidor) seja igual a 100 no ano 2020. A Figura 2 mostra dois possíveis resultados que podem ocorrer em 2021, dependendo da força da demanda agregada. Um resultado ocorre se a demanda agregada for alta, e o outro, se a demanda agregada for baixa. O painel (a) mostra esses dois resultados usando o modelo de demanda agregada e oferta agregada. O painel (b) ilustra os mesmos resultados usando a curva de Phillips.

No painel (a) da figura, podemos ver as implicações para a produção e o nível de preços para 2021. Se a demanda agregada por bens e serviços for relativamente baixa, a economia registrará o resultado A. A produção é de 15.000 e o nível de preços é de 102. Se a demanda agregada for relativamente alta, a economia registrará o resultado B. A produção é de 16.000 e o nível do preço é de 106. Isso é apenas um exemplo de uma conclusão simples: a demanda agregada mais elevada move a economia para um equilíbrio com maior produção e maior nível de preços.

No painel (b) da figura, podemos ver o que esses dois resultados possíveis significam para o desemprego e a inflação. Como as empresas precisam de mais trabalhadores quando produzem maior quantidade de bens e serviços, o desemprego é menor com o resultado B que com o resultado A. Neste exemplo, quando a produção aumenta de 15.000 para 16.000, o desemprego cai de 7% para 4%. Além disso, como o nível de preços é mais elevado no resultado B que no A, a taxa de inflação (variação percentual no nível de preços em relação ao ano anterior) também é mais elevada. Mais especificamente, como o nível de preços era de 100 em 2020, o resultado A tem taxa de inflação de 2% e o resultado B tem taxa de inflação de 6%. Portanto, podemos comparar os dois resultados possíveis para a economia, tanto em termos de produção e nível de preços

Figura 2

Como a curva de Phillips se relaciona com o modelo de demanda agregada e oferta agregada

Esta figura parte de um nível de preços igual a 100 para o ano 2020 e representa graficamente possíveis resultados para o ano 2021. O painel (a) mostra o modelo de demanda agregada e da oferta agregada. Se a demanda agregada é baixa, a economia está no ponto A; a produção é baixa (15.000) e o nível de preços é baixo (102). Se a demanda agregada é alta, a economia está no ponto B; a produção é alta (16.000) e o nível de preço é alto (106). O painel (b) mostra as implicações para a curva de Phillips. O ponto A, que surge quando a demanda agregada é baixa, tem um desemprego alto (7%) e inflação baixa (2%). O ponto B, que surge quando a demanda agregada é elevada, tem baixo desemprego (4%) e inflação alta (6%).

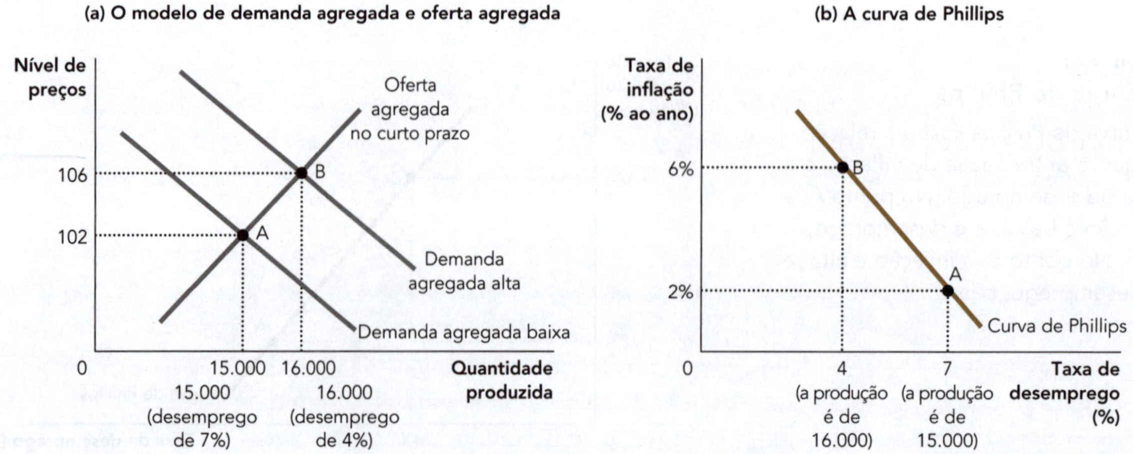

(usando o modelo de demanda agregada e de oferta agregada) quanto em termos de desemprego e inflação (usando a curva de Phillips).

Como as políticas monetária e fiscal podem deslocar a curva de demanda agregada, elas podem mover a economia ao longo da curva de Phillips. Aumentos na oferta de moeda e nos gastos do governo ou cortes de impostos expandem a demanda agregada e movem a economia para um ponto da curva de Phillips com menor desemprego e maior inflação. Reduções na oferta de moeda, cortes nas despesas do governo ou aumentos nos impostos contraem a demanda agregada e movem a economia para um ponto da curva de Phillips com inflação menor e desemprego maior. Nesse sentido, a curva de Phillips oferece aos formuladores de políticas uma gama de combinações entre inflação e desemprego.

Teste rápido Represente graficamente a curva de Phillips. Use o modelo de demanda agregada e oferta agregada para mostrar como a política pode mover a economia, ao longo da curva, de um ponto com alta inflação para um ponto com baixa inflação.

35_2 DESLOCAMENTOS NA CURVA DE PHILLIPS: O PAPEL DAS EXPECTATIVAS

A curva de Phillips parece oferecer aos formuladores de políticas uma gama de possíveis resultados de inflação-desemprego. Mas será que essa gama se mantém estável ao longo do tempo? A curva de Phillips com inclinação negativa é uma relação estável, em que os formuladores de políticas podem confiar? Os economistas enfrentaram essa questão no fim da década de 1960, pouco depois de Samuelson e Solow terem introduzido a curva de Phillips no debate macroeconômico.

35_2A A curva de Phillips no longo prazo

Em 1968, o economista Milton Friedman publicou um artigo na *American Economic Review* com base em seu pronunciamento, à época, como presidente da American Economic Association. O artigo, intitulado "O papel da política monetária", continha seções sobre "O que a política monetária pode fazer" e "O que a política monetária não pode fazer". Friedman argumentava que uma coisa que a política monetária não podia fazer, a não ser por um período curto, era diminuir o desemprego por meio do aumento da inflação. Mais ou menos ao mesmo tempo, outro economista, Edmund Phelps, também publicou um artigo negando que, no longo prazo, existisse um *tradeoff* entre inflação e desemprego.

Friedman e Phelps basearam suas conclusões nos princípios clássicos de macroeconomia. A teoria clássica aponta para o crescimento na oferta de moeda como principal determinante da inflação, mas essa mesma teoria também afirma que o crescimento monetário não afeta as variáveis reais, como produção e emprego, limitando-se a alterar proporcionalmente os preços e as rendas nominais. Em particular, o crescimento monetário não influencia os fatores que determinam a taxa de desemprego da economia, como o poder de mercado dos sindicatos, o papel dos salários de eficiência ou o processo de busca de empregos. Friedman e Phelps concluíram que não havia razão para pensar que a taxa de inflação estivesse, no longo prazo, relacionada com a taxa de desemprego.

Eis, em suas próprias palavras, a opinião de Friedman sobre o que o Federal Reserve pode esperar realizar na economia no longo prazo:

> A autoridade monetária controla quantidades nominais - diretamente, a quantidade de suas obrigações [moeda mais reservas bancárias]. Em princípio, pode usar esse controle para fixar uma quantidade nominal - a taxa de câmbio, o nível de preços, o nível nominal de renda nacional, a quantidade de moeda sob qualquer definição - ou a variação de uma quantidade nominal - a taxa de inflação ou de deflação, a taxa de crescimento ou declínio da renda nacional nominal, a taxa de crescimento

da quantidade de moeda. Não pode usar seu controle sobre as quantidades nominais para fixar uma quantidade real - a taxa de juros real, a taxa de desemprego, o nível de renda nacional real, a quantidade real de moeda, a taxa de crescimento da renda nacional real ou a taxa de crescimento da quantidade real de moeda.

Essas opiniões trazem importantes implicações para a curva de Phillips. Mais especificamente, implicam que os formuladores de políticas monetárias se deparam com uma curva de Phillips vertical, como a da Figura 3. Se o Fed aumentar a oferta de moeda lentamente, a taxa de inflação será baixa e a economia se encontrará no ponto A. Se o Fed aumentar a oferta de moeda rapidamente, a taxa de inflação será alta e a economia se encontrará no ponto B. Em qualquer caso, a taxa de desemprego tenderá para o seu nível normal, denominado *taxa natural de desemprego*. A curva de Phillips vertical no longo prazo ilustra a conclusão de que o desemprego não depende do crescimento da moeda e da inflação no longo prazo.

A curva de Phillips vertical no longo prazo é, essencialmente, uma expressão da ideia clássica da neutralidade monetária. Essa ideia foi apresentada com uma curva de oferta agregada de longo prazo vertical. De fato, como ilustra a Figura 4, a curva de Phillips vertical no longo prazo e a curva de oferta agregada de longo prazo vertical são dois lados da mesma moeda. No painel (a) dessa figura, um aumento na oferta de moeda desloca a curva de demanda agregada para a direita, de DA_1 para DA_2. Como resultado desse deslocamento, o equilíbrio de longo prazo move-se do ponto A para o B. O nível de preços aumenta de P_1 para P_2, mas como a curva de oferta agregada é vertical, a produção permanece a mesma. No painel (b), um crescimento mais rápido na oferta de moeda eleva a taxa de inflação, movendo a economia do ponto A para o B. Mas como a curva de Phillips é vertical, a taxa de desemprego é a mesma nesses dois pontos. Portanto, tanto a curva de oferta agregada de longo prazo vertical quanto a curva de Phillips vertical no longo prazo implicam que a política monetária influencia as variáveis nominais (nível de preços e taxa de inflação), mas não as reais (produção e desemprego). Independentemente da política monetária adotada pelo Fed, a produção e o desemprego permanecem, no longo prazo, em suas taxas naturais.

35_2B O significado de "natural"

O que há de tão "natural" na taxa natural de desemprego? Friedman e Phelps usaram esse adjetivo para descrever a taxa de desemprego em direção à qual a economia tende a gravitar no longo prazo. Todavia, a taxa natural de desemprego não é necessariamente a taxa de desemprego socialmente desejável. Nem é constante ao longo do tempo.

Por exemplo, suponha que um sindicato recém-formado use seu poder de mercado para elevar os salários reais de alguns trabalhadores para cima do nível de equilíbrio. O resultado será um excesso de oferta de mão de obra e, portanto, uma taxa natural de desemprego mais elevada. Esse desemprego é "natural"

Figura 3
A curva de Phillips no longo prazo
De acordo com Friedman e Phelps, não há *tradeoff* entre inflação e desemprego no longo prazo. O crescimento na oferta de moeda determina a taxa de inflação. Independentemente da taxa de inflação, a taxa de desemprego gravita em torno de sua taxa natural. Como resultado, a curva de Phillips no longo prazo é vertical.

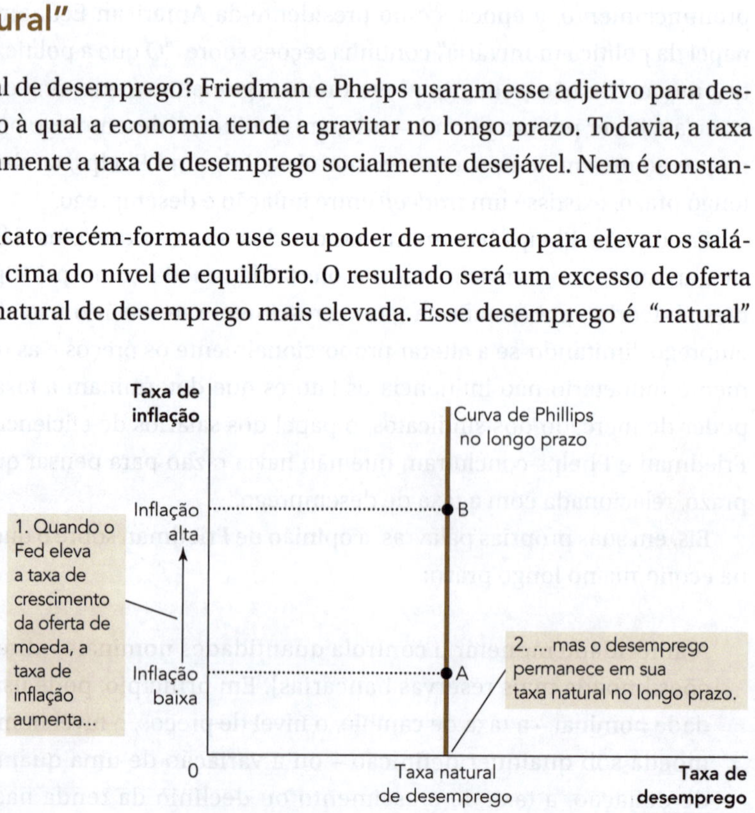

Figura 4

Como a curva de Phillips de longo prazo se relaciona com o modelo de demanda agregada e oferta agregada

O painel (a) mostra o modelo de demanda agregada e de oferta agregada com uma curva de oferta agregada vertical. Quando a política monetária expansionista desloca a curva de demanda agregada para a direita, de DA_1 para DA_2, o equilíbrio move-se do ponto A para o B. O nível de preço aumenta de P_1 para P_2 e a produção permanece a mesma. O painel (b) mostra a curva de Phillips no longo prazo, que é vertical à taxa natural de desemprego. Uma política monetária expansionista move a economia de uma inflação baixa (ponto A) para uma inflação alta (ponto B) sem alterar a taxa de desemprego.

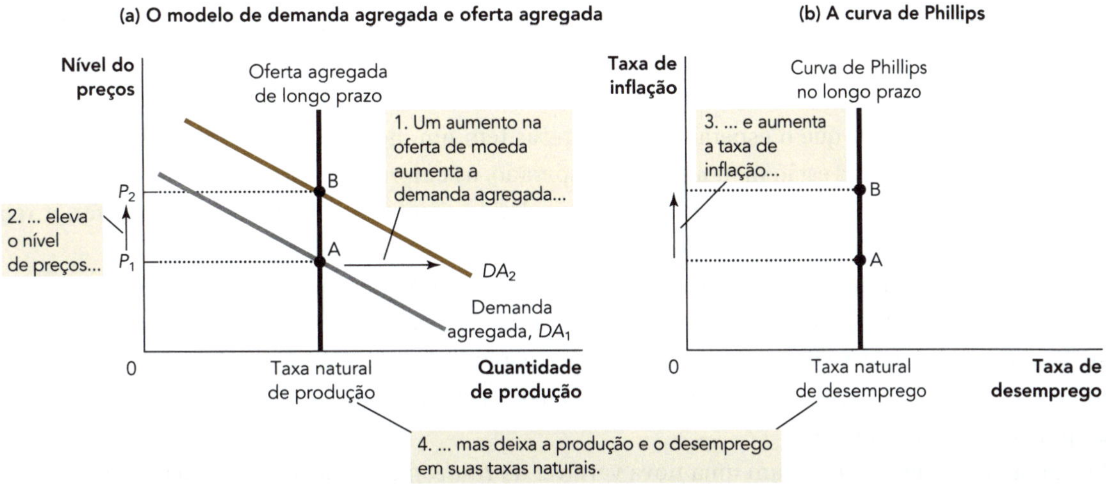

não porque seja bom, mas porque está além da influência da política monetária. Um crescimento mais rápido da moeda não reduziria o poder de mercado do sindicato ou o nível de desemprego; isso somente conduziria a mais inflação.

Embora a política monetária não possa influenciar a taxa natural de desemprego, outros tipos de política podem fazê-lo. Para reduzir a taxa natural de desemprego, os formuladores de políticas devem buscar políticas que melhorem o funcionamento do mercado de trabalho. Vimos, anteriormente, como diversas políticas voltadas ao mercado de trabalho, como a legislação do salário-mínimo, a legislação relativa à negociação salarial, o seguro-desemprego e os programas de treinamento, afetam a taxa natural de desemprego. Uma mudança política que reduzisse a taxa natural de desemprego deslocaria a curva de Phillips no longo prazo para a esquerda. Além disso, como um menor desemprego significa que mais trabalhadores estão produzindo bens e serviços, a quantidade ofertada de bens e serviços seria maior para cada nível de preços dado e a curva de oferta agregada de longo prazo se deslocaria para a direita. A economia, então, poderia desfrutar de um menor desemprego e maior produção para qualquer taxa de crescimento da moeda e de inflação dada.

35_2C Reconciliando teoria e evidência

À primeira vista, a conclusão de Friedman e Phelps de que não existe um *tradeoff*, no longo prazo, entre inflação e desemprego pode não parecer convincente. O argumento se baseava em um recurso à *teoria*, especificamente à previsão da teoria clássica sobre a neutralidade da moeda. Já a correlação negativa entre inflação e desemprego documentada por Phillips, Samuelson e Solow baseou-se em *dados* do mundo real. Por que alguém deveria acreditar que os formuladores de políticas se deparam com uma curva de Phillips vertical quando o mundo real parece oferecer uma curva com inclinação negativa? As descobertas de Phillips, Samuelson e Solow não deveriam nos levar a rejeitar a conclusão clássica da neutralidade monetária?

Friedman e Phelps estavam cientes dessas questões e ofereceram uma maneira de conciliar a teoria macroeconômica clássica com a identificação de uma curva de Phillips de inclinação negativa com dados do

Reino Unido e dos Estados Unidos. Eles afirmaram que uma relação negativa entre inflação e desemprego existe no curto prazo, mas não pode ser usada pelos formuladores de políticas como um menu de resultados no longo prazo. Os formuladores de políticas podem adotar políticas monetárias expansionistas para reduzir o desemprego por algum tempo, mas o desemprego acaba por voltar para a sua taxa natural, e a continuidade da política monetária expansionista provoca somente maior inflação.

O trabalho de Friedman e Phelps foi a base da nossa discussão a respeito da diferença entre as curvas de oferta agregada de curto e de longo prazo no Capítulo 33. Como você talvez se recorde, a curva de oferta agregada de longo prazo é vertical, indicando que o nível de preços não influencia a quantidade ofertada no longo prazo. Contudo, a curva de oferta agregada de curto prazo tem inclinação positiva, indicando que um aumento no nível de preços aumenta a quantidade de bens e serviços que as empresas ofertam. De acordo com a teoria da rigidez de salários da oferta agregada, por exemplo, os salários nominais são estabelecidos antecipadamente, com base no nível de preços que trabalhadores e empresas esperam prevalecer. Quando os preços estão mais altos que o esperado, as empresas têm um incentivo para aumentar a produção e o emprego; quando os preços estão menores que o esperado, as empresas reduzem a produção e o emprego. No entanto, como o nível de preços esperado e os salários nominais, por fim, irão se ajustar, a relação positiva entre o nível de preço real e a quantidade ofertada existe apenas no curto prazo.

Friedman e Phelps aplicaram a mesma lógica à curva de Phillips. Assim como a curva de oferta agregada só tem inclinação positiva no curto prazo, o *tradeoff* entre inflação e desemprego só se sustenta no curto prazo. E, assim como a curva de oferta agregada de longo prazo é vertical, a curva de Phillips no longo prazo também é vertical. Mais uma vez, a expectativa é a chave para entender de que maneira o curto prazo e o longo prazo estão relacionados.

Friedman e Phelps introduziram uma nova variável do *tradeoff* da relação entre inflação e desemprego: *inflação esperada*. A inflação esperada mede o quanto as pessoas esperam que o nível geral de preços varie. Como o nível de preços esperado afeta os salários nominais, a inflação esperada é um dos fatores que determinam a posição da curva de oferta agregada de curto prazo. No curto prazo, o Fed pode tomar a inflação esperada (e, portanto, a curva de oferta agregada de curto prazo) como dada. Quando a oferta de moeda muda, a curva de demanda agregada se desloca e a economia se move ao longo de uma curva de oferta agregada de curto prazo dada. No curto prazo, portanto, as alterações monetárias levam a flutuações inesperadas na produção, nos preços, no desemprego e na inflação. Dessa forma, Friedman e Phelps explicaram a curva de Phillips com inclinação negativa que Phillips, Samuelson e Solow haviam documentado.

Contudo, a capacidade do Fed para criar inflação inesperada por meio do aumento na oferta de moeda só existe no curto prazo. No longo prazo, as pessoas passam a esperar qualquer taxa de inflação que o Fed determine, e salários nominais acabarão por se ajustar à taxa de inflação. Como resultado, a curva de oferta agregada de longo prazo é vertical. Nesse caso, as variações na demanda agregada, como aquelas devidas a alterações na oferta de moeda, não afetam nem a produção de bens e serviços da economia nem o número de trabalhadores que as empresas precisam contratar para produzi-los. Friedman e Phelps concluíram que o desemprego retorna à sua taxa natural no longo prazo.

35_2D A curva de Phillips de curto prazo

A análise de Friedman e Phelps pode ser resumida na equação a seguir:

$$\text{Taxa de desemprego} = \text{Taxa natural de desemprego} - a\left(\text{inflação vigente} - \text{inflação esperada}\right)$$

Essa equação (que é, essencialmente, outra expressão da equação de oferta agregada que vimos anteriormente) relaciona a taxa de desemprego à taxa natural de desemprego, à inflação vigente e à inflação esperada. No curto prazo, a inflação esperada é dada. Em consequência, uma inflação vigente maior está associada a um desemprego menor (a variável *a* é um parâmetro que mede o quanto o desemprego reage à inflação inesperada). No longo prazo, porém, as pessoas passam a esperar qualquer inflação que o Fed determine. Portanto, a inflação vigente será igual à inflação esperada, e o desemprego estará em sua taxa natural.

Essa equação implica a não existência de uma curva de Phillips estável no curto prazo. Cada curva de Phillips no curto prazo reflete uma taxa particular de inflação esperada (para ser mais exato, se você representar graficamente a equação, verificará que a curva de Phillips com inclinação negativa no curto prazo intercepta a curva de Phillips vertical no longo prazo à taxa de inflação esperada). Sempre que a inflação esperada mudar, a curva de Phillips no curto prazo se desloca.

De acordo com Friedman e Phelps, é perigoso considerar a curva de Phillips como uma gama de opções disponíveis para os formuladores de políticas. Para entender o motivo disso, imagine uma economia que comece com inflação baixa, com uma taxa de inflação esperada igualmente baixa e com o desemprego em sua taxa natural. Na Figura 5, a economia está no ponto A. Agora, suponha que os formuladores de políticas tentem tirar vantagem do *tradeoff* entre inflação e desemprego usando a política monetária ou a política fiscal para expandir a demanda agregada. No curto prazo, quando a inflação esperada é dada, a economia vai do ponto A para o ponto B, o desemprego cai abaixo de sua taxa natural e a taxa de inflação real fica acima da inflação esperada. À medida que a economia se move do ponto A para o B, os formuladores de políticas podem achar que conseguiram desemprego permanentemente menor à custa de inflação maior, uma barganha que, se fosse possível, valeria a pena.

Essa situação, no entanto, não se mantém. Com o passar do tempo, as pessoas se acostumam à taxa de inflação mais alta e aumentam as expectativas com relação a ela. Quando a inflação esperada aumenta, empresas e trabalhadores começam a levar essa inflação mais elevada em consideração ao estabelecer salários e preços. A curva de Phillips no curto prazo, então, se desloca para a direita, como mostra a figura. A economia termina no ponto C, com inflação mais elevada que no ponto A, mas com o mesmo nível de desemprego. Portanto, Friedman e Phelps concluíram que os formuladores de políticas enfrentam apenas um *tradeoff* temporário entre inflação e desemprego. No longo prazo, expandir a demanda agregada com mais rapidez promoverá inflação mais alta sem redução de desemprego.

Figura 5

Como a inflação esperada desloca a curva de Phillips no curto prazo

Quanto mais elevada a taxa de inflação esperada, maior o *tradeoff* entre inflação e desemprego no curto prazo. No ponto A, a inflação esperada e a inflação vigente são baixas, e o desemprego está em sua taxa natural. Se o Fed adotar uma política monetária expansionista, a economia se moverá do ponto A para o B no curto prazo. No ponto B, a inflação esperada ainda será baixa, mas a inflação vigente será alta. O desemprego estará abaixo de sua taxa natural. No longo prazo, a inflação esperada aumentará e a economia se moverá para o ponto C. No ponto C, a inflação esperada e a inflação vigente serão, ambas, elevadas, e o desemprego retornará à sua taxa natural.

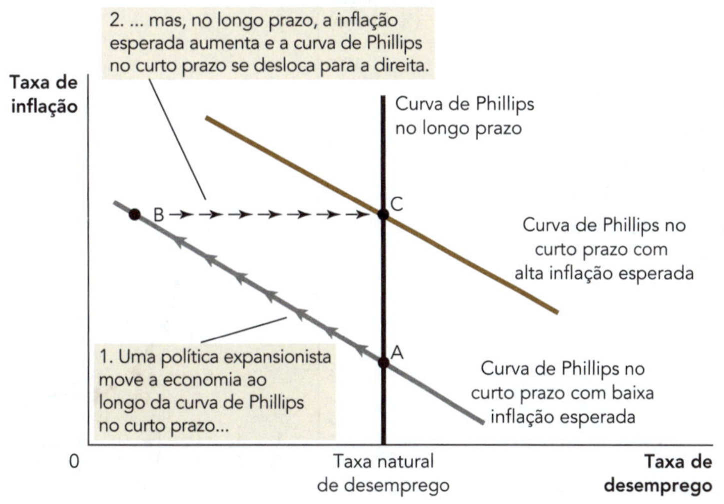

35_2E O experimento natural para a hipótese da taxa natural

Friedman e Phelps fizeram uma previsão audaciosa em 1968: se os formuladores de políticas tentassem obter vantagem da curva de Phillips, escolhendo uma inflação mais alta a fim de reduzir o desemprego, eles só conseguiriam fazê-lo temporariamente. A visão de que o desemprego acaba por voltar à sua taxa natural, independentemente da taxa de inflação, é chamada **hipótese da taxa natural**. Poucos anos depois de Friedman e Phelps terem proposto essa hipótese, os formuladores de políticas monetária e fiscal criaram um experimento natural para testá-la. Seu laboratório foi a economia norte-americana.

hipótese da taxa natural
a afirmação de que o desemprego retorna à sua taxa normal, ou natural, independentemente da taxa de inflação

Antes de ver o resultado do teste, vamos analisar os dados de que Friedamn e Phelps dispunham quando fizeram sua previsão em 1968. A Figura 6 mostra as taxas de desemprego e de inflação para o período de 1961 a 1968. Esses dados definem uma curva de Phillips quase perfeita. Nesses oito anos, à medida que a inflação aumentava, o desemprego diminuía. Os dados econômicos da época pareciam confirmar que os formuladores de política enfrentavam um *tradeoff* entre inflação e desemprego.

O aparente sucesso da curva de Phillips nos anos 1960 tornou a previsão de Friedman e Phelps ainda mais audaciosa. Em 1958, Phillips tinha sugerido uma associação negativa entre a inflação e o desemprego. Em 1960, baseando-se em dados da economia dos Estados Unidos, Samuelson e Solow mostraram que essa associação existia. Outra década dos dados confirmou a relação. Para alguns economistas da época, parecia ridículo afirmar que a curva de Phillips, historicamente confiável, desmoronaria assim que os formuladores de políticas tentassem fazer uso dela.

De fato, foi exatamente isso o que aconteceu. A partir do fim dos anos 1960, o governo guiou-se por políticas que expandiram a demanda agregada por bens e serviços. Em parte, essa expansão ocorreu em função da política fiscal: as despesas do governo aumentaram com o aprofundamento da guerra do Vietnã. E foi devida, em parte, à política monetária: como o Fed estava tentando manter baixas as taxas de inflação, em face da política fiscal expansionista, a oferta de moeda (medida por M2) aumentou cerca de 13% ao ano, durante o período de 1970 a 1972, comparados aos 7% ao ano, no início dos anos 1960. Como resultado, a inflação se manteve elevada (entre 5% e 6% em fins dos anos 1960 e início dos anos 1970, em comparação com os 1% a 2% ao ano no início dos anos 1960). Mas, como Friedman e Phelps haviam previsto, o desemprego não permaneceu baixo.

A Figura 7 mostra a história da inflação e do desemprego de 1961 a 1973. Ela mostra que a relação negativa simples entre essas suas variáveis começou a declinar por volta de 1970. Mais especificamente, como a inflação permaneceu elevada no início dos anos 1970, as expectativas das pessoas em relação à inflação

Figura 6
A curva de Phillips na década de 1960

Esta figura usa dados anuais de 1961 a 1968 sobre a taxa de desemprego e a taxa de inflação (medida pelo deflator do PIB) para mostrar a relação negativa entre inflação e desemprego.

Fonte: U.S. Department of Labor; U.S. Department of Commerce.

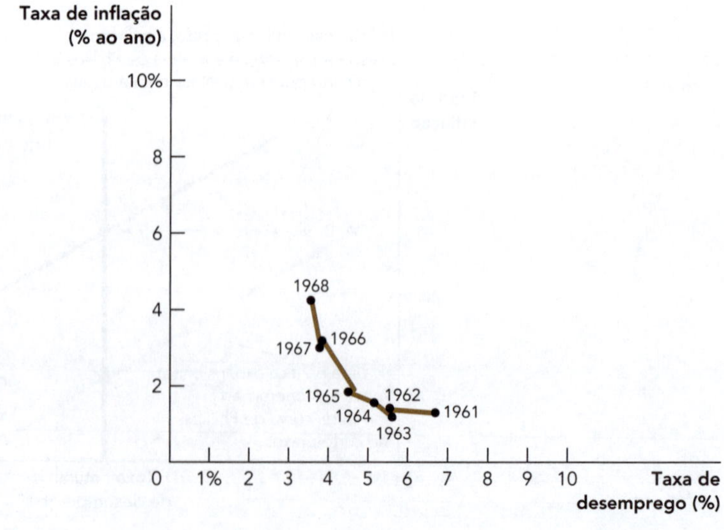

Figura 7
O colapso da curva de Phillips

A figura mostra dados anuais de 1961 a 1973 relativos às taxas de desemprego e de inflação (medida pelo deflator do PIB). Observe que a curva de Phillips dos anos 1960 se quebra no início dos anos 1970, como Friedman e Phelps haviam previsto. Note que os pontos A, B e C nesta figura correspondem praticamente aos pontos da Figura 5.

Fonte: U. S. Department of Labor; U.S. Department of Commerce.

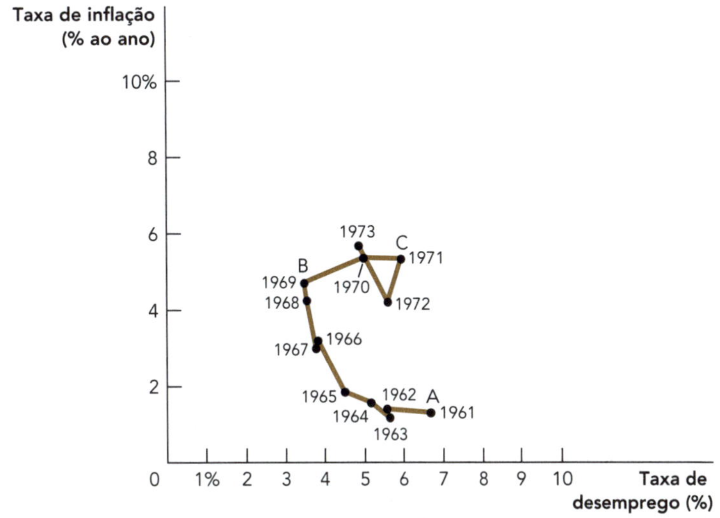

se aproximaram da realidade e a taxa de desemprego voltou à faixa entre 5% e 6% que prevalecera no início da década de 1960. Observe que a história ilustrada na Figura 7 se assemelha à teoria de uma curva de Phillips no curto prazo apresentada na Figura 5. Por volta de 1973, os formuladores de políticas já tinham conhecimento de que Friedman e Phelps estavam certos: não há *tradeoff* entre inflação e desemprego no longo prazo.

Teste rápido Represente graficamente a curva de Phillips no curto prazo e no longo prazo. Explique por que elas são diferentes.

35_3 DESLOCAMENTOS NA CURVA DE PHILLIPS: O PAPEL DOS CHOQUES DE OFERTA

Em 1968, Friedman e Phelps sugeriram que mudanças na inflação esperada deslocam a curva de Phillips, e a experiência do início dos anos 1970 convenceu a maioria dos economistas de que eles estavam certos. Em poucos anos, contudo, a classe dos economistas voltaria sua atenção para uma fonte diferente de deslocamentos na curva de Phillips no curto prazo: os choques na oferta agregada.

Dessa vez, a mudança de foco não veio de dois professores de economia norte-americanos, mas de um grupo de xeiques árabes. Em 1974, a Organização de Países Exportadores de Petróleo (Opep) começou a exercer seu poder de mercado como cartel no mercado mundial de petróleo, a fim de aumentar os lucros de seus membros. Os países da Opep, como a Arábia Saudita, o Kuwait e o Iraque, restringiram a quantidade de petróleo extraída e vendida nos mercados mundiais. Em poucos anos, essa redução na oferta fez o preço mundial do petróleo quase dobrar.

choque de oferta um acontecimento que afeta diretamente os custos e os preços das empresas, deslocando a curva de oferta agregada da economia e, portanto, a curva de Phillips

Um grande aumento no preço mundial do petróleo é um exemplo de choque de oferta. Um **choque de oferta** é um acontecimento que afeta diretamente os custos de produção das empresas e, com isso, os preços que elas cobram; ele desloca a curva de oferta agregada da economia e, com isso, a curva de Phillips. Por exemplo, quando o preço do petróleo sobe, aumenta o custo de produção da gasolina, do óleo para aquecimento, dos pneus e de muitos outros produtos, e reduz a quantidade ofertada de bens e serviços para qualquer nível de preços dado. Como mostra o painel (a) da Figura 8, essa redução na oferta é representada pelo deslocamento para a esquerda na curva de oferta agregada, de OA_1 para OA_2. A produção cai de Y_1 para Y_2, e o nível de preços se eleva de P_1 para P_2. A combinação da produção em queda (estagnação) com preços crescentes (inflação) é, por vezes, chamada *estagflação*.

Figura 8

Um choque adverso na oferta agregada

O painel (a) mostra o modelo de demanda agregada e de oferta agregada. Quando a curva de oferta agregada se desloca para a esquerda, de OA_1 para OA_2, o equilíbrio se move do ponto A para o B. A produção se reduz de Y_1 para Y_2, e o nível de preços aumenta de P_1 para P_2. O painel (b) mostra o *tradeoff* entre inflação e desemprego no curto prazo. O deslocamento adverso na oferta agregada move a economia de um ponto com menor desemprego e menor inflação (ponto A) para um ponto com maior desemprego e maior inflação (ponto B). A curva de Phillips no curto prazo desloca-se para a direita, de CP_1 para CP_2. Os formuladores de políticas, agora, deparam-se com um *tradeoff* pior entre inflação e desemprego.

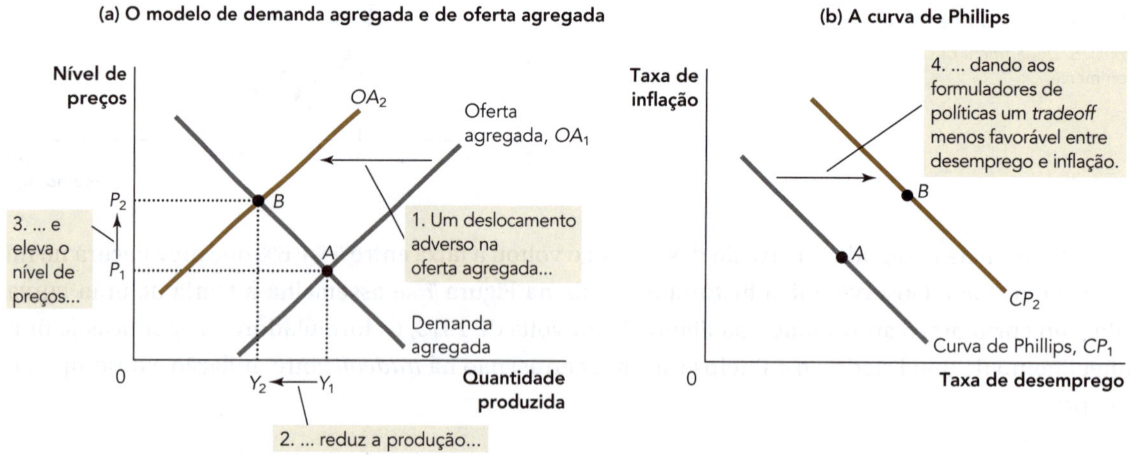

Esse deslocamento na oferta agregada está associado a um deslocamento semelhante na curva de Phillips no curto prazo, mostrado no painel (b). Como as empresas precisam de menos trabalhadores para gerar uma produção menor, o emprego cai e o desemprego aumenta. Como o nível de preços é mais elevado, a taxa de inflação - a variação percentual do nível de preços em relação ao ano anterior - também aumenta. Portanto, o deslocamento na oferta agregada leva a um desemprego maior e a uma inflação mais alta. O *tradeoff* entre inflação e desemprego no curto prazo desloca-se para a direita, de CP_1 para CP_2.

Em face de um deslocamento adverso na oferta agregada, os formuladores de políticas se deparam com uma escolha difícil entre o combate à inflação e o combate ao desemprego. Se contraírem a demanda agregada para combater a inflação, aumentarão ainda mais o desemprego. Se expandirem a demanda agregada para combater o desemprego, aumentarão ainda mais a inflação. Em outras palavras, os formuladores de políticas se deparam com um *tradeoff* menos favorável entre a inflação e o desemprego que antes do deslocamento da oferta agregada: eles têm de conviver com uma maior taxa de inflação para qualquer taxa de desemprego dada, uma taxa de desemprego mais elevada para uma taxa de inflação dada ou alguma combinação de maior desemprego e maior inflação.

Ao enfrentar um deslocamento tão adverso na curva de Phillips, os formuladores de políticas questionam se ele é temporário ou permanente. A resposta depende de como as pessoas ajustam suas expectativas de inflação. Se elas considerarem o aumento da inflação devido ao choque de oferta como uma aberração temporária, a inflação esperada não se altera e a curva de Phillips logo volta à sua posição original. Mas se as pessoas acharem que o choque levará a uma nova era de alta inflação, então a inflação esperada aumenta e a curva de Phillips permanece em sua nova e menos desejável posição.

Nos Estados Unidos, durante os anos 1970, a inflação esperada aumentou substancialmente. Essa elevação na inflação esperada pode ser atribuída, em parte, à decisão do Fed de acomodar o choque de oferta com um maior crescimento da moeda (como vimos, diz-se que os formuladores de políticas *acomodam* um choque de oferta adverso quando reagem a ele, aumentando a demanda agregada para tentar evitar a queda da produção). Por causa dessa decisão de política, a recessão resultante do choque de oferta foi menor que poderia ter sido de outra forma, mas a economia dos Estados Unidos enfrentou um *tradeoff* desfavorável

Figura 9
Os choques de oferta na década de 1970

Esta figura mostra dados anuais de 1972 a 1981 sobre a taxa de desemprego e a taxa de inflação (medida pelo deflator do PIB). Nos períodos 1973-1975 e 1978-1981, os aumentos nos preços mundiais do petróleo provocaram maior inflação e maior desemprego.

Fonte: U. S. Department of Labor; U. S. Department of Commerce.

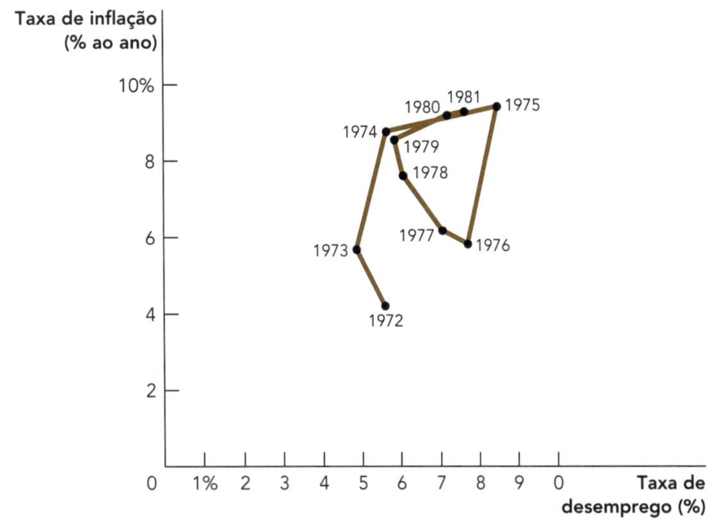

entre inflação e desemprego durante muitos anos. O problema aumentou em 1979, quando a Opep, mais uma vez, começou a exercer seu poder de mercado, mais que dobrando o preço do petróleo. A Figura 9 mostra a inflação e o desemprego na economia dos Estados Unidos nesse período.

Em 1980, depois de dois choques de oferta da Opep, a economia dos Estados Unidos apresentava taxa de inflação de mais de 9% e taxa de desemprego de aproximadamente 7%. Essa combinação de inflação e desemprego não chegou nem perto do *tradeoff* que parecia possível nos anos 1960. (Nessa época, a curva de Phillips dava a entender que uma taxa de desemprego de 7% estaria associada a uma taxa de inflação de apenas 1%. Uma taxa de inflação de mais de 9% era inimaginável.) Com o índice de miséria em 1980 próximo de uma alta histórica, o povo estava muito insatisfeito com o desempenho da economia. Em grande parte por causa dessa insatisfação, o presidente Jimmy Carter deixou de ser reeleito em novembro de 1980 e foi substituído por Ronald Reagan. Algo precisava ser feito, e logo seria.

Teste rápido Dê um exemplo de choque favorável na oferta agregada. Use o modelo de demanda agregada e de oferta agregada para explicar os efeitos desse choque. Como ele afeta a curva de Phillips?

35_4 O CUSTO DE REDUZIR A INFLAÇÃO

Em outubro de 1979, quando a Opep impunha choques de oferta adversos às economias do mundo todo, pela segunda vez, em dez anos, o presidente do Fed, Paul Volcker, decidiu que chegara o momento de agir. Volcker fora nomeado presidente do Fed pelo presidente Carter apenas dois meses antes e assumira o posto sabendo que a inflação havia atingido níveis inaceitáveis. Como guardião do sistema monetário da nação, ele achava que não tinha muitas alternativas, a não ser adotar uma política de desinflação. *Desinflação* é uma redução na taxa de inflação e não deve ser confundida com *deflação*, que é uma redução no nível do preço. Para fazer uma analogia ao movimento de um carro, a desinflação é como a desaceleração da velocidade, ao passo que a deflação é como dar marcha a ré. Volcker, e muitos norte-americanos, queria que o nível crescente de preços da economia diminuísse.

Ele não tinha dúvidas de que o Fed seria capaz de reduzir a inflação por meio de sua capacidade para controlar a quantidade de moeda. Mas qual seria o custo da desinflação no curto prazo? A resposta a essa pergunta era muito menos clara.

35_4A A taxa de sacrifício

Para reduzir a taxa de inflação, o Fed precisava adotar uma política monetária contracionista. A Figura 10 mostra alguns dos efeitos de tal decisão. Quando o Fed reduz a taxa de crescimento da oferta de moeda, ele

Figura 10

Política monetária desinflacionária no curto e longo prazo

Quando o Fed adota uma política monetária contracionista para reduzir a inflação, a economia se move ao longo da curva de Phillips no curto prazo, do ponto A para o ponto B. Com o passar do tempo, a inflação esperada cai e a curva de Phillips no curto prazo se desloca para baixo. Quando a economia atinge o ponto C, o desemprego volta à sua taxa natural.

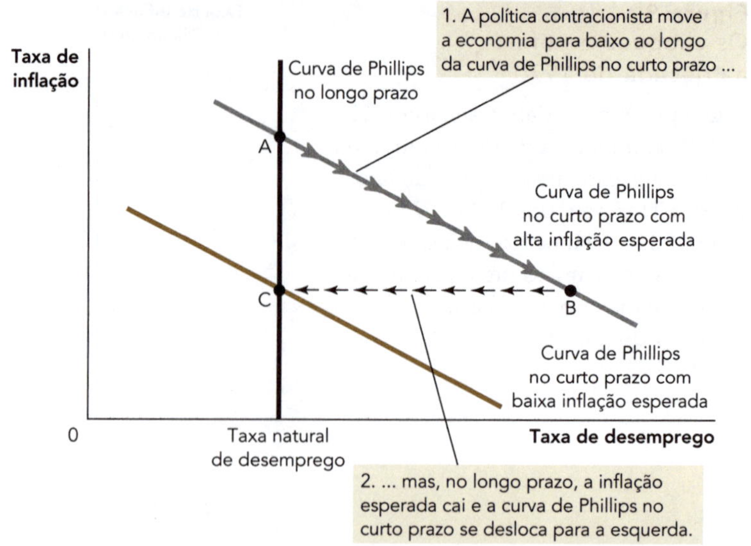

contrai a demanda agregada. A queda na demanda agregada, por sua vez, reduz a quantidade de bens e serviços que as empresas produzem, e essa queda na produção leva ao aumento no nível de desemprego. A economia parte do ponto A da figura e se move ao longo da curva de Phillips no curto prazo para o ponto B, em que há menor inflação e maior desemprego. Com o passar do tempo, à medida que as pessoas passam a perceber que os preços estão aumentando mais lentamente, a inflação esperada cai e a curva de Phillips no curto prazo desloca-se para baixo. A economia move-se do ponto B para o C. A inflação é menor que era inicialmente no ponto A, e o desemprego volta à sua taxa natural.

Portanto, se uma nação quiser reduzir a inflação, precisará suportar um período de alto desemprego e baixa produção. Na Figura 10, esse custo é representado pela passagem da economia através do ponto B, à medida que passa do ponto A para o C. A magnitude desse custo depende da inclinação da curva de Phillips e da velocidade com a qual as expectativas de inflação se ajustam à nova política monetária.

taxa de sacrifício
a perda de produção anual, em pontos percentuais, medida no processo de redução da inflação em 1 ponto percentual

Muitos estudos examinaram dados sobre inflação e desemprego a fim de estimar o custo da redução da inflação. As conclusões desses estudos costumam ser sumarizadas em uma estatística denominada **taxa de sacrifício**. A taxa de sacrifício é a perda de produção anual, em pontos percentuais, medida no processo de redução da inflação em 1 ponto percentual. Uma estimativa típica da taxa de sacrifício é 5. Isto é, para cada ponto percentual de redução da inflação, devem ser sacrificados 5 pontos percentuais da produção anual durante a transição.

Essas estimativas, certamente, deixaram Paul Volcker apreensivo ao encarar a tarefa de reduzir a inflação, que atingia quase 10% ao ano. Atingir uma inflação moderada de, digamos, 4% ao ano, significaria reduzir a inflação em 6 pontos percentuais. Se cada ponto percentual custasse 5% da produção anual da economia, então reduzir a inflação em 6 pontos percentuais exigiria o sacrifício de 30% da produção anual.

De acordo com os estudos a respeito da curva de Phillips e do custo da desinflação, esse sacrifício poderia ser pago de várias maneiras. Uma redução imediata na inflação deprimiria a produção em 30% em um único ano, mas esse resultado seria certamente muito duro, mesmo para alguém que se opunha tanto à inflação quanto Paul Volcker. Seria melhor, argumentavam muitos, distribuir o custo ao longo de diversos anos. Se a redução na inflação se desse ao longo de cinco anos, por exemplo, então a produção ficaria, em média, apenas 6% abaixo da tendência durante o período para somar um sacrifício de 30%. Uma abordagem ainda mais gradual poderia reduzir lentamente a inflação ao longo de uma década, de modo que a produção ficasse somente 3% abaixo da tendência. Qualquer que fosse o caminho escolhido, contudo, parecia que reduzir a inflação não seria nada fácil.

35_4B Expectativas racionais e a possibilidade de desinflação sem custo

Enquanto Paul Volcker ponderava a respeito do custo da redução da inflação, um grupo de professores de economia liderava uma revolução intelectual que iria desafiar a sabedoria convencional no que tange à taxa de sacrifício. Esse grupo incluía economistas proeminentes, como Robert Lucas, Thomas Sargent e Robert Barro. Sua revolução baseava-se em uma nova abordagem da teoria e da política econômicas, denominada **expectativas racionais**. De acordo com a teoria das expectativas racionais, as pessoas, ao prever o futuro, usam de maneira ótima todas as informações de que dispõem, até mesmo aquelas sobre as políticas governamentais.

expectativas racionais
teoria segundo a qual as pessoas, ao prever o futuro, usam otimamente todas as informações de que dispõem, inclusive aquelas sobre as políticas governamentais

Essa nova abordagem trouxe implicações profundas para muitas áreas da macroeconomia, mas nenhuma tão importante quanto sua aplicação ao *tradeoff* entre inflação e desemprego. Como Friedman e Phelps haviam enfatizado, a inflação esperada é uma variável importante que explica por que há um *tradeoff* entre inflação e desemprego no curto prazo, mas não no longo prazo. A rapidez com que o *tradeoff* de curto prazo desaparece depende da rapidez com que as pessoas ajustam suas expectativas de inflação.

Os proponentes das expectativas racionais partiram da análise de Friedman e Phelps para argumentar que, quando as políticas econômicas mudam, as pessoas ajustam suas expectativas em relação à inflação. Estudos sobre inflação e desemprego que tentaram estimar a taxa de sacrifício deixaram de levar em consideração o efeito direto das normas das políticas adotadas sobre as expectativas. Como resultado, as estimativas da taxa de sacrifício eram, de acordo com os teóricos das expectativas racionais, guias pouco confiáveis para a política econômica.

Em um artigo de 1981 intitulado "O fim de quatro grandes inflações", Thomas Sargent descreveu da seguinte maneira essa nova visão:

> Uma visão alternativa, as "expectativas racionais", nega que haja qualquer impulso intrínseco no presente processo inflacionário. Essa corrente afirma que as empresas e os trabalhadores passam a esperar maiores taxas de inflação no futuro e realizam negociações à luz dessas expectativas. Contudo, supõe-se que as pessoas esperam altas taxas de inflação no futuro justamente porque as políticas monetária e fiscal do governo, atuais e previstas, justificam tais expectativas. [...] Uma implicação dessa opinião é a de que a inflação pode ser combatida mais rapidamente do que os defensores do *momentum* sugerem e de que suas estimativas da duração e do custo de interromper a inflação em termos de produção perdida são equivocadas. [...] Isto não quer dizer que será fácil erradicar a inflação. Pelo contrário, exigirá mais do que algumas ações restritivas e temporárias de política fiscal e monetária. Exigirá uma alteração no regime de formulação de políticas. [...] Quanto tal alteração custaria em termos de produção não obtida e qual seria a sua duração são aspectos que dependem, em parte, de quão firme e evidente for a disposição do governo.

De acordo com Sargent, a taxa de sacrifício poderia ser muito menor que o sugerido pelas estimativas anteriores. De fato, no caso mais extremo, poderia ser zero. Se o governo assumisse um compromisso digno de crédito com uma política de inflação baixa, as pessoas seriam racionais o bastante para reduzir imediatamente suas expectativas de inflação. A curva de Phillips no curto prazo se deslocaria para baixo e a economia atingiria inflação baixa rapidamente, sem o custo temporário de alto desemprego e de baixa produção.

35_4C A desinflação de Volcker

Como vimos, quando Paul Volcker se deparou com a perspectiva de reduzir a inflação, à época com um pico de 10%, a classe dos economistas ofereceu duas previsões contraditórias. Um grupo apresentou estimativas da taxa de sacrifício e concluiu que reduzir a inflação teria um grande custo em termos de perda de produção e elevado desemprego. Outro grupo apresentou a teoria das expectativas racionais e concluiu que a redução da inflação seria muito menos custosa e poderia, talvez, não ter custo nenhum. Quem estava certo?

A Figura 11 mostra a inflação e o desemprego de 1979 a 1987. Como se pode ver, Volcker obteve sucesso no combate à inflação. Ela decresceu de quase 10%, em 1981 e 1982, para cerca de 4%, em 1983 e 1984. O crédito por essa redução na inflação é todo da política monetária. A política fiscal, nessa época, agia na direção oposta: os aumentos no déficit orçamentário durante o governo Reagan estavam expandindo a demanda agregada, o que tende a aumentar a inflação. A queda na inflação de 1981 a 1984 é atribuída às duras políticas anti-inflacionárias do presidente do Fed, Paul Volcker.

A figura mostra que a desinflação de Volcker se deu, realmente, à custa de um alto desemprego. Em 1982 e 1983, a taxa de desemprego foi de cerca de 10% – quase quatro pontos percentuais acima de seu nível quando Volcker foi nomeado presidente do Fed. Ao mesmo tempo, a produção de bens e serviços medida pelo PIB real ficou bem abaixo de seu nível de tendência. A desinflação de Volcker produziu a mais profunda recessão vivida pelos Estados Unidos desde a Grande Depressão da década de 1930.

Essa experiência refuta a possibilidade de desinflação livre de custos, como sugerida pelos teóricos das expectativas racionais? Alguns economistas afirmam que a resposta a essa pergunta é um retumbante "sim". De fato, o padrão de desinflação apresentado na Figura 11 é muito semelhante ao previsto na Figura 10. Para fazer a transição de uma alta inflação (ponto A nas duas figuras) para uma inflação baixa (ponto C), a economia precisou passar por um doloroso período de desemprego elevado (ponto B).

Contudo, há duas razões para não rejeitar tão rapidamente as conclusões dos teóricos das expectativas racionais. Primeira, muito embora a desinflação de Volcker tenha imposto o custo de um desemprego temporariamente elevado, esse custo não foi tão grande quanto o previsto por muitos economistas. A maioria das estimativas da taxa de sacrifício baseadas na desinflação de Volcker é menor que as estimativas obtidas a partir de dados anteriores. Talvez, a posição firme de Volcker quanto à inflação tenha tido algum efeito direto sobre as expectativas, como afirmam os teóricos das expectativas racionais.

Segunda, e mais importante, muito embora Volcker tivesse anunciado que tencionava usar a política monetária para reduzir a inflação, grande parte do público não acreditou. Como poucas pessoas acreditaram que Volcker reduziria a inflação tão rapidamente quanto o fez, a inflação esperada não caiu, e a curva de Phillips no curto prazo não se deslocou para baixo tão rapidamente quanto poderia ter se deslocado. Algumas evidências dessa hipótese vêm das projeções feitas por empresas comerciais de previsões econômicas: suas previsões da inflação caíram mais lentamente nos anos 1980 que a inflação registrada. Portanto, a desinflação de Volcker não refuta, necessariamente, a visão das expectativas racionais de que uma desinflação confiável pode não ter custos. Contudo, mostra que os formuladores de políticas não podem confiar que as pessoas acreditem neles imediatamente quando anunciam uma política de desinflação.

Figura 11
A desinflação de Volcker

Esta figura mostra dados anuais de 1979 a 1987 sobre a taxa de desemprego e a taxa de inflação (medida pelo deflator do PIB). A redução na inflação durante esse período se deu ao custo de um altíssimo desemprego em 1982 e 1983. Observe que os pontos indicados por A, B e C nesta figura correspondem aproximadamente aos pontos da Figura 10.

Fonte: U.S. Department of Labor; U.S. Department of Commerce.

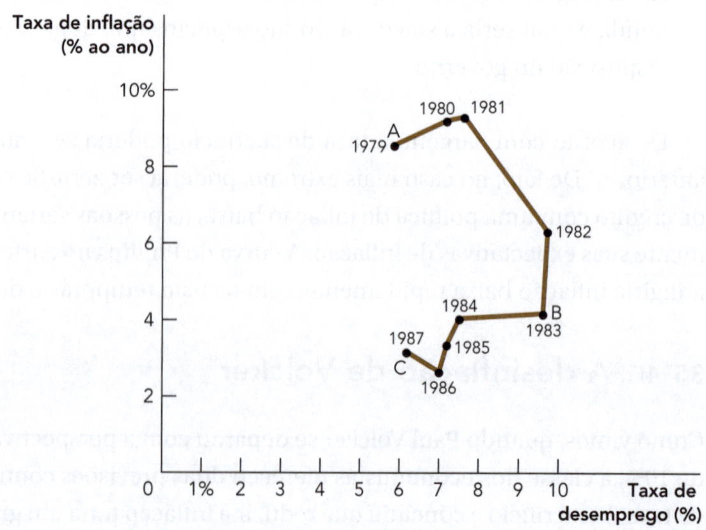

35_4D A era Greenspan

Desde a inflação provocada pela Opep na década de 1970 e a desinflação de Volcker nos anos 1980, a economia dos Estados Unidos tem passado por flutuações relativamente brandas de inflação e desemprego. A Figura 12 mostra a inflação e o desemprego de 1984 a 2005. Esse período é chamado era Greenspan, por causa de Alan Greenspan, que, em 1987, sucedeu Paul Volcker na presidência do Federal Reserve.

O período começou com um choque de oferta favorável. Em 1986, os membros da Opep começaram a discutir a respeito dos níveis de produção, e seu duradouro acordo de restrição da oferta se desfez. Os preços do petróleo caíram aproximadamente pela metade. Como mostra a figura, esse choque de oferta favorável levou a uma queda na inflação e no desemprego, de 1984 a 1986.

Desde então, o Fed tem tido cuidado para evitar a repetição dos erros de política da década de 1960, quando uma demanda agregada excessiva pressionou o desemprego para baixo da taxa natural e elevou a inflação. Quando o desemprego caiu e a inflação aumentou em 1989 e 1990, o Fed elevou as taxas de juros e contraiu a demanda agregada, levando a uma pequena recessão em 1991 e 1992. O desemprego, então, se elevou acima da sua taxa natural e a inflação caiu novamente.

O restante dos anos 1990 testemunhou um período de prosperidade econômica. A inflação caiu gradualmente, aproximando-se de zero ao fim da década. O desemprego também caiu, levando muitos observadores a crer que a taxa natural de desemprego havia diminuído. Parte do crédito por esse bom desempenho econômico cabe a Alan Greenspan e seus colegas do Federal Reserve, pois a inflação baixa só pôde ser atingida com uma política monetária prudente. Mas a boa sorte, na forma de choques de oferta favoráveis, também faz parte da história.

A economia, entretanto, enfrentou problemas em 2001. O fim da bolha das empresas ponto.com no mercado de ações, os ataques terroristas de 11 de setembro e os escândalos contábeis em grandes empresas contribuíram para deprimir a demanda agregada. O desemprego aumentou, enquanto a economia registrou sua primeira recessão em uma década. No entanto, a combinação das políticas monetárias expansionistas e fiscais ajudou a encerrar essa queda, e, no início de 2005, a taxa de desemprego estava próxima da maioria das estimativas da taxa natural.

Em 2005, o presidente George W. Bush nomeou Ben Bernanke como sucessor de Alan Greenspan na presidência do Fed. Bernanke foi empossado em 1º de fevereiro de 2006. Em 2009, ele foi renomeado pelo presidente Obama. Na época de sua nomeação, Ben Bernanke disse: "Minha primeira prioridade será dar continuidade às políticas e às estratégias estabelecidas durante o período de Greenspan".

Figura 12
A era Greenspan

A figura mostra dados anuais de 1984 a 2005 sobre a taxa de desemprego e a taxa de inflação (medida pelo deflator do PIB). Durante a maior parte do período, Alan Greenspan foi o presidente do Federal Reserve. As flutuações da inflação e do desemprego foram relativamente pequenas.

Fonte: U. S. Department of Labor; U. S. Department of Commerce.

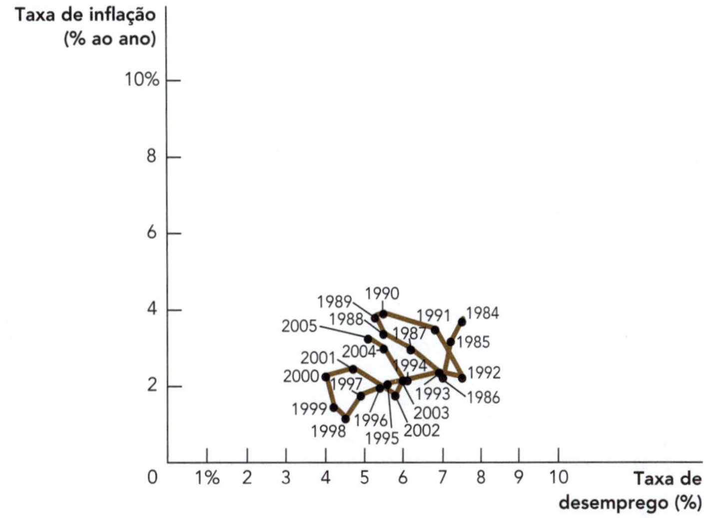

35_4E A curva de Phillips durante a crise financeira

A expectativa de Ben Bernanke talvez fosse continuar com as políticas da era Greenspan e desfrutar da calma relativa daqueles anos, mas seus desejos não se realizaram. Durante os primeiros anos no cargo, o novo presidente do Fed enfrentou alguns dos mais significativos e assustadores desafios econômicos.

Como vimos nos capítulos anteriores, o principal desafio decorreu de problemas no mercado imobiliário e no sistema financeiro. De 1995 a 2006, houve um *boom* no mercado habitacional norte-americano, e os preços médios dos imóveis mais que duplicaram. Porém, o crescimento imobiliário tornou-se insustentável, e, de 2006 a 2009, os preços das casas caíram cerca de um terço. A grande queda de preços dos imóveis ocasionou o declínio do patrimônio das famílias e trouxe dificuldades para muitas instituições financeiras que, mediante a aquisição de títulos imobiliários lastreados em hipotecas, apostaram que os preços das casas continuariam a subir indefinidamente. A crise financeira trouxe como resultado um grande declínio da demanda agregada e um aumento acentuado no desemprego.

Em capítulos anteriores, estudamos o histórico das crises e as respostas políticas dadas. Nesse sentido, a Figura 13 mostra as implicações daqueles eventos para a inflação e o desemprego. De 2007 a 2010, à medida que a queda da demanda agregada aumentou o desemprego de menos de 5% para cerca de 10%, ela também reduziu a taxa de inflação, de cerca de 3% para 1%. Em suma, a economia mergulhou na curva de Phillips de curto prazo.

De 2010 a 2015, a economia se recuperou lentamente. O desemprego voltou para cerca de 5%, enquanto a taxa de inflação permaneceu entre 1% e 2%. Uma característica notável desse período é que a inflação muito baixa de 2009 e 2010 não parece ter reduzido substancialmente a inflação esperada e ter deslocado a curva de Phillips de curto prazo para baixo. Em vez disso, a inflação esperada parece ter permanecido constante em cerca de 2%, o que deixa a curva de Phillips de curto prazo relativamente estável. Uma explicação comum para esse fenômeno é que, ao longo dos últimos 20 anos, o Federal Reserve angariou muita credibilidade em seu compromisso de manter a inflação em cerca de 2%. Como resultado, a inflação esperada e a posição da curva de Phillips de curto prazo reagiram menos aos dramáticos acontecimentos no curto prazo.

Teste rápido O que é a taxa de sacrifício? Como a credibilidade do comprometimento do Fed com a redução da inflação pode afetar a taxa de sacrifício?

Figura 13
A curva de Phillips durante a recessão de 2008-2009

Esta figura mostra dados anuais de 2006 a 2015 sobre a taxa de desemprego e a taxa de inflação (medida pelo deflator do PIB). Uma crise financeira fez que a demanda agregada despencasse, levando a um desemprego muito mais alto e empurrando a inflação para baixo, a um nível bem mais baixo.

Fonte: U. S. Department of Labor; U. S. Department of Commerce.

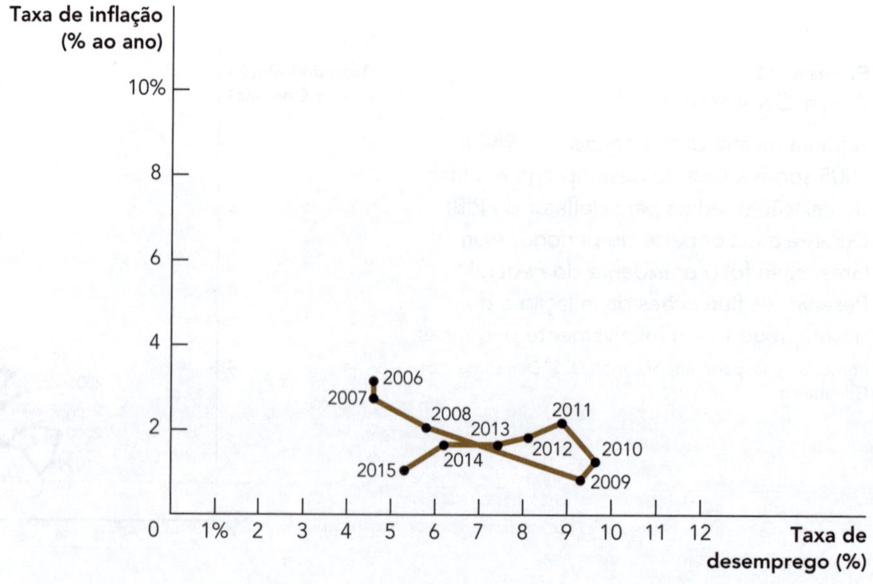

35_5 CONCLUSÃO

Este capítulo examinou como o pensamento dos economistas sobre a inflação e o desemprego evoluiu ao longo do tempo. Discutimos as ideias de muitos dos melhores economistas do século XX: da curva de Phillips, Samuelson e Solow, passando pela hipótese da taxa natural de Friedman e Phelps e pela teoria das expectativas racionais de Lucas, Sargent e Barro. Seis membros desse grupo já ganharam o Prêmio Nobel por suas contribuições para a ciência econômica e muitos, provavelmente, serão agraciados com a mesma honraria nos próximos anos.

Embora o *tradeoff* entre inflação e desemprego tenha gerado grande tumulto intelectual, foram desenvolvidos certos princípios que, atualmente, são consenso. Eis como Milton Friedman expressou a relação entre inflação e desemprego em 1968:

> Há sempre um *tradeoff* temporário entre inflação e desemprego; não há *tradeoff* permanente. O *tradeoff* temporário vem não da inflação em si, mas da inflação não esperada, o que geralmente significa um aumento na taxa de inflação. A crença difundida de que existe um *tradeoff* permanente é uma versão sofisticada da confusão entre "alta" e "crescente" que todos reconhecemos em formas mais simples. Uma taxa de inflação crescente pode reduzir o desemprego, ao passo que uma taxa de inflação alta não o fará.
>
> Mas, pode-se perguntar, qual é a duração de "temporário"? [...] Posso, no máximo, aventurar-me a um julgamento pessoal, baseado em exame da evidência histórica, de que os efeitos iniciais de uma taxa de inflação mais elevada e não esperada duram algo entre dois e cinco anos.

Hoje, quase meio século depois, essa declaração ainda resume a opinião da maioria dos macroeconomistas.

Teste rápido do capítulo

1. Quando o Federal Reserve aumenta a oferta monetária e expande a demanda agregada, ele move a economia ao longo da curva de Phillips para um ponto com inflação ________ e desemprego ________.

a. Mais alta, mais alto.
b. Mais alta, mais baixo.
c. Mais baixa, mais alto.
d. Mais baixa, mais baixo.

2. Se o Federal Reserve aumentar a taxa de crescimento da moeda e a mantiver em seu novo nível mais alto, com o tempo, a inflação esperada vai ________ e a curva de Phillips de curto prazo se deslocará ________.

a. Diminuir, para baixo.
b. Diminuir, para cima.
c. Aumentar, para baixo.
d. Aumentar, para cima.

3. Quando um choque adverso de oferta desloca a curva de oferta agregada de curto prazo para a esquerda, ele também:

a. Move a economia ao longo da curva de Phillips de curto prazo até um ponto com maior inflação e menor desemprego.
b. Move a economia ao longo da curva de Phillips de curto prazo até um ponto com menor inflação e maior desemprego.
c. Desloca a curva de Phillips de curto prazo para a direita.
d. Desloca a curva de Phillips de curto prazo para a esquerda.

4. Defensores da teoria das expectativas racionais acreditam que:

a. A taxa de sacrifício poderia ser muito menor se os formuladores de políticas firmassem um compromisso confiável para baixar a inflação.
b. Se a desinflação pegar as pessoas de surpresa, ela terá um impacto mínimo sobre o desemprego.
c. Os formadores de preços e de salários nunca esperam que o banco central cumpra seus comunicados.
d. A inflação esperada depende das taxas de inflação que as pessoas observaram recentemente.

5. De um ano para o outro, a inflação cai de 5% para 4%, enquanto o desemprego sobe de 6% para 7%. Qual dos seguintes eventos pode ser o responsável por essa mudança?

a. O banco central aumentou a taxa de crescimento da oferta de moeda.
b. O governo cortou os gastos e aumentou os impostos para reduzir o déficit orçamentário.
c. Reservas de petróleo recém-descobertas fizeram o preço mundial do petróleo despencar.
d. A nomeação de um novo presidente do Fed aumentou a inflação esperada.

6. De um ano para o outro, a inflação aumenta de 4% para 5%, enquanto o desemprego sobe de 6% para 7%. Qual dos seguintes eventos pode ser o responsável por essa mudança?

a. O banco central aumentou a taxa de crescimento da oferta de moeda.

b. O governo cortou os gastos e aumentou os impostos para reduzir o déficit orçamentário.

c. Reservas de petróleo recém-descobertas fizeram o preço mundial do petróleo despencar.

d. A nomeação de um novo presidente do Fed aumentou a inflação esperada.

RESUMO

- A curva de Phillips descreve uma relação negativa entre inflação e desemprego. Ao expandir a demanda agregada, os formuladores de políticas podem escolher um ponto na curva de Phillips com maior inflação e menor desemprego. Ao contrair a demanda agregada, eles podem escolher um ponto na curva de Phillips com menor inflação e maior desemprego.
- O *tradeoff* entre inflação e desemprego descrito pela curva de Phillips só se sustenta no curto prazo. No longo prazo, a inflação esperada se ajusta às mudanças na inflação vigente e a curva de Phillips no curto prazo se desloca. Como resultado, a curva de Phillips no longo prazo é vertical à taxa natural de desemprego.
- A curva de Phillips no curto prazo também se desloca por causa de choques na oferta agregada. Um choque de oferta adverso, como o aumento nos preços mundiais do petróleo, dá aos formuladores de políticas um *tradeoff* menos favorável entre inflação e desemprego. Isto é, após um choque de oferta adverso, os formuladores de políticas precisam aceitar uma taxa de inflação mais elevada para qualquer taxa de desemprego dada ou uma taxa de desemprego mais elevada para qualquer taxa de inflação dada.
- Quando o Fed contrai o crescimento na oferta de moeda para reduzir a inflação, ele move a economia ao longo da curva de Phillips no curto prazo, o que resulta em um desemprego temporariamente elevado. O custo da desinflação depende da rapidez com a qual as expectativas de inflação caem. Alguns economistas argumentam que um compromisso com a inflação baixa, desde que tenha credibilidade, pode reduzir o custo da desinflação ao induzir um rápido ajustamento das expectativas.

CONCEITOS-CHAVE

curva de Phillips, p. 612
hipótese da taxa natural, p. 620
choque de oferta, p. 621
taxa de sacrifício, p. 624
expectativas racionais, p. 625

QUESTÕES PARA REVISÃO

1. Represente graficamente o *tradeoff* entre inflação e desemprego no curto prazo. Como o Fed poderia mover a economia de um ponto dessa curva para outro?
2. Represente graficamente o *tradeoff* entre inflação e desemprego no longo prazo. Explique como os *tradeoffs* de curto e de longo prazos se relacionam.
3. O que é tão natural na taxa natural de desemprego? Por que a taxa natural de desemprego pode variar de país para país?
4. Suponha que uma seca destrua as lavouras e eleve o preço dos alimentos. Qual será o efeito disso sobre o *tradeoff* entre inflação e desemprego no curto prazo?
5. O Fed decide reduzir a inflação. Use a curva de Phillips para mostrar os efeitos de curto e de longo prazo dessa política. Como os custos de curto prazo poderiam ser reduzidos?

PROBLEMAS E APLICAÇÕES

1. Suponha que a taxa natural de desemprego seja de 6%. Represente graficamente duas curvas de Phillips que possam ser usadas para descrever as quatro situações a seguir. Em cada caso, indique o ponto que mostra a posição da economia.
   a. A inflação vigente é de 5% e a inflação esperada é de 3%.
   b. A inflação vigente é de 3% e a inflação esperada é de 5%.
   c. A inflação vigente é de 5% e a inflação esperada é de 5%.
   d. A inflação vigente é de 3% e a inflação esperada é de 3%.

2. Ilustre os efeitos dos eventos a seguir sobre as curvas de Phillips no curto e no longo prazo. Indique o raciocínio econômico que fundamenta cada uma das suas respostas.
   a. Um aumento na taxa natural de desemprego.
   b. Uma diminuição no preço do petróleo importado.
   c. Um aumento nos gastos do governo.
   d. Um declínio na inflação esperada.

3. Suponha que uma queda nas despesas de consumo provoque uma recessão.
   a. Ilustre as mudanças imediatas na economia usando um gráfico de oferta agregada/demanda agregada e um gráfico da curva de Phillips. Determine, nos dois gráficos, o equilíbrio inicial de longo prazo como ponto A, e o equilíbrio resultante de curto prazo como ponto B. O que acontece com a inflação e o desemprego no curto prazo?
   b. Suponha agora que, com o passar do tempo, a inflação esperada varie na mesma direção que a inflação vigente varia. O que acontece com a posição da curva de Phillips no curto prazo? Após o fim da recessão, a economia se depara com um conjunto melhor ou pior de combinações de inflação e desemprego?

4. Suponha que a economia esteja em equilíbrio de longo prazo.
   a. Represente graficamente as curvas de Phillips no curto e no longo prazo da economia.
   b. Suponha que uma onda de pessimismo entre as empresas reduza a demanda agregada. Mostre o efeito desse choque em seus gráficos do item (a). Se o Fed adotar uma política monetária expansionista, poderá fazer a economia retornar às taxas de inflação e de desemprego originais?
   c. Suponha, agora, que a economia esteja de volta ao seu equilíbrio de longo prazo e que o preço do petróleo importado aumente. Mostre o efeito desse choque em um novo gráfico similar ao do item (a). Se o Fed adotar uma política monetária expansionista, poderá fazer a economia retornar às taxas de inflação e de desemprego originais? Se adotar uma política monetária contracionista, poderá fazer a economia retornar às taxas de inflação e de desemprego originais? Explique por que essa situação difere da situação descrita no item (b).

5. A taxa de inflação é de 10% e o banco central pensa em desacelerar a taxa de crescimento de moeda, a fim de reduzir a inflação para 5%. O economista Milton acredita que a expectativa de inflação se modifique rapidamente em resposta às novas políticas, enquanto o economista James acredita que essa modificação seja mais lenta. A opinião de qual economista tem maior probabilidade de favorecer a mudança proposta na política monetária? Por quê?

6. Suponha que a política do Federal Reserve seja a de manter a inflação baixa e estável, mantendo o desemprego em sua taxa natural. Porém, o Fed acredita que a taxa natural de desemprego é de 4%, quando a taxa vigente é de 5%. Se o Fed basear suas decisões políticas nessa crença, o que acontecerá com a economia? De que modo o Fed pode perceber que essa crença sobre a taxa natural está errada?

7. Suponha que o Federal Reserve anuncie que irá adotar uma política monetária contracionista, a fim de reduzir a taxa de inflação. As condições a

seguir resultariam em uma recessão mais ou menos grave? Explique.

a. Os contratos salariais são de curta duração.
b. Há pouca confiança na determinação do Fed de reduzir a inflação.
c. As expectativas de inflação ajustam-se rapidamente à inflação vigente.

8. Como descreve este capítulo, em 2008, o Federal Reserve enfrentou uma queda na demanda agregada, que foi provocada pelas crises financeira e imobiliária, e uma queda na oferta agregada de curto prazo, provocada pelo aumento do preço das *commodities*.

a. Começando com um equilíbrio no longo prazo, represente os efeitos dessas duas mudanças usando tanto um gráfico de oferta agregada/demanda agregada quanto um gráfico da curva de Phillips. Nos dois gráficos, indique o equilíbrio inicial de longo prazo como ponto A e o equilíbrio resultante de curto prazo como o ponto B. Considere as variáveis produção, desemprego, o nível de preços e a taxa de inflação e, em relação a cada uma delas, indique se aumenta, diminui, ou se o impacto é ambíguo.
b. Suponha que o Fed responda rapidamente a esses choques e ajuste a política monetária de modo a manter o desemprego e a produção em suas taxas naturais. Que medidas seriam tomadas? Mostre os resultados nos mesmos gráficos do item (a). Determine o novo equilíbrio como o ponto C.
c. Por que o Fed poderia optar por não tomar as medidas descritas no item (b)?

Parte XIII

Considerações finais

CAPÍTULO 36

Seis debates sobre a política macroeconômica

É difícil abrir um jornal sem encontrar algum político ou editorialista defendendo uma mudança na política econômica. O presidente deveria elevar os impostos para reduzir o déficit orçamentário ou parar de se preocupar com o déficit orçamentário. O Federal Reserve deveria cortar as taxas de juros para estimular uma economia debilitada ou evitar tal movimento para não correr o risco de aumentar a inflação. O Congresso deveria reformar o sistema tributário para promover um crescimento econômico mais acelerado ou para alcançar uma distribuição de renda mais justa. Questões econômicas como essas são centrais para o contínuo debate político nos Estados Unidos e em outros países do mundo.

Os capítulos anteriores desenvolveram os instrumentos que os economistas usam para analisar o comportamento da economia como um todo e o impacto das políticas públicas na economia. Este capítulo final considera seis questões clássicas da política macroeconômica. Os economistas debatem essas questões há muito tempo e, provavelmente, continuarão a fazê-lo. O conhecimento que você acumulou durante o curso fornece as informações básicas a partir das quais poderemos discutir essas importantes questões. Esse conhecimento deve ajudá-lo a escolher um dos lados dos debates ou, pelo menos, ajudá-lo a ver por que é tão difícil escolher um lado.

36_1 OS FORMULADORES DE POLÍTICAS MONETÁRIA E FISCAL DEVERIAM TENTAR ESTABILIZAR A ECONOMIA?

Nos três últimos capítulos, vimos como mudanças na demanda e na oferta agregadas podem levar a flutuações de curto prazo na produção e no emprego. Vimos também como as políticas monetária e fiscal podem deslocar a demanda agregada e, portanto, influenciar essas flutuações. Mas, mesmo que os formuladores de políticas públicas *possam* influenciar as flutuações econômicas de curto prazo, isso significa que eles *deveriam fazê-lo*? Nosso primeiro debate diz respeito a se os formuladores de políticas monetária e fiscal deveriam usar os instrumentos à sua disposição para tentar aplainar os altos e baixos do ciclo econômico.

36_1A A favor: os formuladores de políticas deveriam tentar estabilizar a economia

Deixadas por conta própria, as economias tendem a flutuar. Quando as famílias e as empresas se tornam pessimistas, por exemplo, reduzem suas despesas, e isso diminui a demanda agregada por bens e serviços. A queda na demanda agregada, por sua vez, reduz a produção de bens e serviços. As empresas demitem trabalhadores e a taxa de desemprego aumenta. O PIB real e as outras medidas de renda caem. O desemprego crescente e a renda em queda ajudam a confirmar o pessimismo que deu início ao declínio da atividade econômica.

Uma recessão como essa não traz nenhum benefício para a sociedade - ela representa um enorme desperdício de recursos. Os trabalhadores que ficam desempregados por causa da diminuição da demanda agregada prefeririam estar trabalhando. Os proprietários de empresas cujas fábricas ficam ociosas durante uma recessão prefeririam estar produzindo bens e serviços valiosos e vendendo-os com lucro.

Não há razão para que a sociedade sofra com os altos e baixos do ciclo econômico. O desenvolvimento da teoria macroeconômica mostrou aos formuladores de políticas como reduzir a gravidade das flutuações econômicas. Ao "firmar-se contra o vento" das mudanças econômicas, as políticas monetária e fiscal podem estabilizar a demanda agregada e, portanto, a produção e o emprego. Quando a diminuição da demanda agregada é inadequada para garantir o pleno emprego, os formuladores de políticas deveriam aumentar os gastos do governo, reduzir os impostos e expandir a oferta de moeda. Quando a demanda agregada é excessiva, com riscos de aumentar a inflação, os formuladores de políticas deveriam reduzir as despesas do governo, elevar os impostos e reduzir a oferta de moeda. Tais ações políticas expressam o melhor uso da teoria macroeconômica ao levar a economia para uma situação mais estável, o que beneficia a todos.

36_1B Contra: os formuladores de políticas não deveriam tentar estabilizar a economia

As políticas monetária e fiscal podem, teoricamente, ser usadas para estabilizar a economia, porém, na prática, há obstáculos substanciais ao seu uso.

Um problema é o fato de que as políticas monetária e fiscal não afetam a economia de imediato, mas com um considerável atraso. A política monetária afeta a demanda agregada por meio de mudanças nas taxas de juros, que, por sua vez, afetam as despesas, principalmente os investimentos residenciais e empresariais. Porém, muitas famílias e empresas estabelecem seus planos de despesas com antecedência. Consequentemente, leva tempo para que as alterações nas taxas de juros afetem a demanda agregada por bens e serviços. Muitos estudos indicam que as mudanças na política monetária têm poucos efeitos sobre a demanda agregada antes que tenham passado seis meses de sua implementação.

A política fiscal opera com atraso por causa do longo processo político que rege as mudanças nas despesas do governo e nos impostos. Para fazer qualquer alteração na política fiscal, um projeto de lei precisa passar pelas comissões do Congresso, ser aprovado na Câmara e no Senado e ser sancionado pelo presidente. Pode levar anos para propor, aprovar e implementar uma grande mudança na política fiscal.

Por causa dessas longas demoras, os formuladores de políticas que desejam estabilizar a economia precisam olhar para o futuro e prever as condições econômicas que irão prevalecer quando suas ações entrarem em vigor. Infelizmente, a previsão econômica é muito imprecisa, em parte porque a macroeconomia é uma ciência primitiva e, em parte, porque os choques que causam as flutuações macroeconômicas são intrinsecamente imprevisíveis. Portanto, quando os formuladores de políticas alteram a política monetária ou a fiscal, têm de confiar em conjecturas imperfeitas sobre as condições econômicas futuras.

Muito frequentemente, os formuladores de políticas que tentam estabilizar a economia fazem exatamente o oposto. As condições econômicas podem, facilmente, mudar entre o momento em que uma ação política é concebida e o momento em que ela entra em vigor. Por essa razão, os formuladores de políticas econômicas podem, por descuido, exacerbar, em vez de atenuar, a magnitude das flutuações econômicas. Alguns economistas afirmam que muitas das grandes flutuações econômicas da história, até mesmo a Grande Depressão dos anos 1930, podem ter suas raízes em ações políticas desestabilizadoras.

Uma das primeiras regras ensinadas aos médicos é "não cause nenhum dano". O corpo humano tem uma capacidade de restabelecimento natural. Diante de um paciente doente e de um diagnóstico incerto, muitas vezes o médico não deveria fazer nada, a não ser deixar que o corpo do paciente procurasse se restabelecer por conta própria. Intervir, na ausência de conhecimento confiável, apenas pode tornar as coisas piores.

O mesmo pode se dizer a respeito de uma economia doente. Seria desejável que os formuladores de políticas fossem capazes de eliminar todas as flutuações econômicas, mas este não é um objetivo realista, em razão dos limites do conhecimento macroeconômico e da imprevisibilidade inerente aos eventos mundiais. Os formuladores de políticas econômicas deveriam abster-se de intervir frequentemente com suas políticas monetária e fiscal e dar-se por satisfeitos em não causar danos.

Teste rápido Explique por que as políticas monetária e fiscal operam com atraso. Por que esses atrasos importam na escolha entre uma política ativa e uma política passiva?

36_2 O GOVERNO DEVERIA COMBATER AS RECESSÕES COM O AUMENTO DOS GASTOS EM VEZ DO CORTE DOS IMPOSTOS?

Quando George W. Bush tornou-se presidente em 2001, a economia estava entrando em recessão. Ele reagiu, cortando as taxas dos impostos. Quando Barack Obama se tornou presidente em 2009, a economia estava novamente em recessão, a pior em muitas décadas. Ele reagiu com um pacote de estímulos que utilizou algumas reduções de impostos, mas também incluía aumentos substanciais nos gastos do governo. O contraste entre estas duas políticas ilustra uma segunda questão clássica da macroeconomia: qual instrumento da política fiscal - gastos do governo ou impostos - é melhor para reduzir a gravidade das recessões econômicas?

36_2A A favor: o governo deveria combater as recessões com o aumento dos gastos

John Maynard Keynes transformou a economia quando escreveu *A teoria geral do emprego, dos juros e da moeda* em meio à Grande Depressão da década de 1930, a pior crise econômica da história dos Estados Unidos. Desde então, os economistas entenderam que o problema fundamental em períodos de recessão é a demanda agregada inadequada. Quando as empresas não conseguem vender uma quantidade suficiente de bens e serviços, elas reduzem a produção e o emprego. A chave para acabar com a recessão é restaurar a demanda agregada a um nível consistente com o pleno emprego da força de trabalho da economia.

Certamente, a política monetária é a primeira linha de defesa contra as crises econômicas. Ao aumentar a oferta de moeda, o banco central reduz as taxas de juros. Taxas de juros mais baixas, por sua vez, reduzem o custo dos empréstimos para financiar projetos de investimento, como novas fábricas e novas moradias. O aumento dos gastos com investimento incrementa a demanda agregada e ajuda a restaurar os níveis normais de produção e emprego.

A política fiscal, no entanto, pode oferecer uma ferramenta adicional para combater as recessões. Quando o governo corta impostos, aumenta a renda disponível das famílias, o que as encoraja a aumentar os gastos com consumo. Quando o governo compra bens e serviços, incrementa diretamente a demanda agregada. Além disso, essas ações fiscais podem ter efeitos multiplicadores: maior demanda agregada propicia rendimentos mais elevados para as famílias, os quais, por sua vez, induzem gastos adicionais em consumo e maiores aumentos na demanda agregada.

A política fiscal é particularmente útil quando os instrumentos da política monetária perdem eficácia. Durante a recessão econômica de 2008 e 2009, por exemplo, o Federal Reserve cortou a taxa de juros básicos para quase zero. O Fed não pode reduzir a taxa de juros abaixo de zero, porque as pessoas manteriam seu dinheiro em vez de emprestá-lo a uma taxa de juros negativa. Assim, quando as taxas de juros chegam a zero, o Fed perde sua ferramenta mais poderosa para estimular a economia. Nessa circunstância, é natural que o governo mude a política fiscal - impostos e gastos do governo - para incrementar a demanda agregada.

A análise keynesiana tradicional indica que os aumentos nas compras do governo são uma ferramenta mais potente que as reduções dos impostos. Quando o governo disponibiliza 1 dólar para uma família mediante um corte de impostos, uma parte desse dólar pode ser economizado em vez de ser gasto. (Isto será especialmente verdadeiro se as famílias visualizarem a redução de impostos como um evento temporário e não permanente.) A parte do dólar que foi economizada não contribui para a demanda agregada por bens e serviços. Por outro lado, quando o governo gasta 1 dólar na compra de um bem ou serviço, esse dólar é imediata e completamente acrescido à demanda agregada.

Em 2009, os economistas do governo Obama usaram um modelo macroeconômico convencional para calcular a magnitude desses efeitos. De acordo com as simulações de computador, cada dólar oriundo dos cortes de impostos aumenta o PIB em $ 0,99, ao passo que cada dólar gasto nas compras do governo aumenta o PIB em $ 1,59. Assim, os aumentos nos gastos do governo propiciam uma relação maior de custo-benefício que as reduções de impostos. Por essa razão, a resposta política em 2009 contou com menos cortes de impostos federais e com mais aumentos nos gastos federais.

Os formuladores de políticas concentraram-se em três tipos de gastos. Primeiro, houve gastos com projetos *vapt-vupt* (*shovel-ready*: "pá-pronto"), ou seja: projetos de aplicação imediata. Tratava-se de projetos de obras públicas, como reparos em autoestradas e pontes, cuja construção podia começar imediatamente, colocando os desempregados de volta ao trabalho. Segundo, estendeu-se o auxílio federal aos governos estaduais e locais. Como, em decorrência de exigência constitucional, muitos desses governos devem executar orçamentos equilibrados, a queda das receitas tributárias durante as recessões poderia obrigá-los a demitir professores, policiais e outros funcionários públicos; a ajuda federal evitou esse resultado ou, pelo menos, reduziu sua gravidade. Por último, houve aumento dos pagamentos aos desempregados por meio do sistema de seguro-desemprego. Como os desempregados, muitas vezes, têm uma situação financeira difícil, eles são suscetíveis de gastar em vez de economizar sua renda extra. Assim, supõe-se que esses subsídios governamentais contribuam mais para a demanda agregada - e, por meio dela, para a produção e o emprego - do que os corte de impostos fariam. De acordo com o modelo macroeconômico usado pela administração Obama, o pacote de estímulo de $ 800 bilhões criaria ou pouparia mais de 3 milhões de empregos até o final do segundo ano de exercício do presidente.

É impossível saber ao certo qual o efeito que o estímulo, de fato, teve. Como temos apenas uma apreciação unilateral da história, não podemos observar o contrafactual - a mesma economia sem o pacote de estímulo. Uma coisa é certa, a crise econômica de 2008-2009 foi grave, mas poderia ter sido pior. Na Grande Depressão dos anos 1930, o PIB real caiu 27% e o desemprego chegou a 25%. Na Grande Recessão, o PIB real caiu apenas 4% e o desemprego atingiu apenas 10%. Considerando o PIB ou o desemprego, a Grande Recessão não se aproximou da magnitude da Grande Depressão.

36_2B Contra: o governo deveria combater as recessões com o corte de impostos

Há uma longa tradição de uso da política fiscal para estimular uma economia moribunda. O presidente Kennedy propôs uma redução de impostos como uma das suas principais iniciativas econômicas, o que, no final das contas, aconteceu em 1964, durante o mandato do presidente Johnson. O presidente Reagan também assinou uma lei para cortes significativos de impostos quando se tornou presidente, em 1981. Ambas as reduções de impostos logo foram seguidas por crescimento econômico vigoroso.

Os cortes de impostos têm importante influência na demanda agregada e na oferta agregada. Eles aumentam a demanda agregada ao elevar a renda disponível das famílias, como enfatizado pela análise keynesiana tradicional, mas também podem aumentar a demanda agregada ao alterar os incentivos. Por exemplo, se as reduções de impostos assumirem a forma de uma expansão do crédito fiscal do investimento, elas podem induzir o aumento dos gastos com bens de investimento. Como as despesas com investimentos são o componente mais volátil do PIB no ciclo econômico, estimular o investimento é a chave para acabar com as recessões. Os formuladores de políticas podem visá-los especificamente com a política fiscal apropriadamente projetada.

Ao mesmo tempo que os cortes de impostos aumentam a demanda agregada, também podem aumentar a oferta agregada. Quando o governo reduz taxas marginais de impostos, os trabalhadores mantêm uma fração maior de qualquer renda que aufiram. Como resultado, os desempregados têm um incentivo maior para procurar empregos e os empregados, um incentivo maior para trabalhar adicionalmente. O aumento da oferta agregada, juntamente com o aumento da demanda agregada, implica que a produção de bens e serviços pode se expandir sem pressionar a taxa de inflação.

Há vários problemas com o aumento dos gastos do governo durante as recessões. Antes de tudo, os consumidores entendem que o aumento dos gastos públicos, juntamente com o endividamento do governo necessário para financiá-los, provavelmente implicará impostos mais elevados no futuro. A antecipação de impostos futuros induzirá os consumidores a fazer cortes nas despesas de hoje. Além do mais, como a maioria dos impostos, os futuros provavelmente causarão uma série de pesos mortos. À medida que as empresas consigam antever uma economia futura altamente mais distorcida, elas podem reduzir suas expectativas de lucros futuros e reduzir os gastos atuais com investimento. Em razão desses diversos efeitos, os multiplicadores de gastos do governo podem ser menores que aqueles usualmente concebidos.

Também está longe de ficar esclarecido se o governo pode gastar sábia e rapidamente. Os grandes projetos despendidos pelo governo costumam exigir anos de planejamento, à medida que os formuladores de políticas e os eleitores avaliam os custos e os benefícios dos muitos meios alternativos de ação. Entretanto, quando o desemprego aumenta durante as recessões, a necessidade de demanda agregada adicional é premente. Se o governo aumentar os gastos rapidamente, poderá adquirir coisas de reduzido valor público. No entanto, se tentar ser cuidadoso e deliberar o planejamento dos gastos, poderá falhar em elevar a demanda agregada em tempo hábil.

Os cortes dos impostos têm a vantagem de descentralizar as decisões dos dispêndios, em vez de depender de um processo altamente centralizado e politicamente imperfeito. As famílias gastam sua renda disponível nas coisas que valorizam. As empresas gastam seus dólares para investimento em projetos que esperam sejam rentáveis. Todavia, quando o governo tenta gastar grandes quantias rapidamente, sujeito a diversas pressões políticas, pode acabar construindo "pontes para lugar nenhum". Os projetos públicos mal concebidos podem empregar alguns trabalhadores, mas geram pouco valor permanente. Além do mais, deixam as futuras gerações de contribuintes com dívidas adicionais significativas. No final, os benefícios de curto prazo propiciados pela demanda agregada adicional, advinda dos gastos adicionais do governo, podem não compensar os custos de longo prazo.

Teste rápido De acordo com a análise keynesiana, o que tem um impacto maior sobre o PIB: um dólar dos cortes de impostos ou um dólar das despesas adicionais do governo? Por quê?

36_3 A POLÍTICA MONETÁRIA DEVERIA SER FEITA POR REGRAS, E NÃO DISCRICIONARIAMENTE?

Como já vimos no capítulo sobre o sistema monetário, o Comitê Federal de Mercado Aberto (Federal Open Market Committee – FOMC) estabelece a política monetária dos Estados Unidos. Esse comitê reúne-se a cada seis semanas, aproximadamente, para avaliar o estado da economia. Com base nessa avaliação e em previsões das condições econômicas futuras, ele decide se aumenta, diminui ou mantém inalterado o nível das taxas de juros de curto prazo. O Fed, então, ajusta a oferta de moeda para atingir a meta de taxa de juros, que geralmente permanece inalterada até a próxima reunião.

O FOMC opera com arbítrio quase total no que diz respeito à condução da política monetária. As leis que criaram o Fed dão à instituição somente vagas recomendações quanto aos objetivos que deveria atingir. Uma emenda de 1977 à lei do Federal Reserve, de 1913, diz que o Fed "deve manter o crescimento de longo prazo dos agregados monetário e de crédito proporcional ao potencial de longo prazo da economia para aumentar a produção, assim como promover de modo eficaz os objetivos de pleno emprego, preços estáveis e taxas de juros de longo prazo moderadas". Mas essa lei não especifica de que maneira determinar a importância desses objetivos, tampouco diz ao Fed como alcançar os objetivos que possam ser determinados.

Alguns economistas criticam esse desenho institucional. Nosso terceiro debate sobre a política macroeconômica, portanto, concentra-se em saber se o Federal Reserve deveria ter seus poderes discricionários reduzidos ou, em vez disso, se comprometer a seguir alguma regra de condução da política monetária.

36_3A A favor: a política monetária deveria ser feita por regras

O arbítrio na condução da política monetária tem dois problemas. O primeiro é que não limita a incompetência e o abuso de poder. Quando o governo envia a polícia a uma comunidade para manter a ordem, dá-lhe rigorosas diretrizes sobre como exercer sua tarefa. Como a polícia tem grande poder, deixá-la à vontade para que o exerça a seu exclusivo critério seria perigoso. No entanto, quando o governo confere aos banqueiros centrais a autoridade para manter a ordem econômica, dá-lhes poucas diretrizes. Os formuladores de políticas monetárias têm permissão para agir com arbítrio, sem nenhum controle.

Como exemplo de abuso de poder, os diretores de bancos centrais, algumas vezes, se sentem tentados a usar a política monetária para afetar o resultado de eleições. Suponha que o voto para o candidato à eleição presidencial esteja baseado nas condições econômicas do momento e que o atual presidente concorra à reeleição. Um banqueiro central que simpatize com o candidato à reeleição pode ser tentado a adotar políticas expansionistas às vésperas da eleição para estimular a produção e o emprego, sabendo que a inflação resultante surgirá apenas depois da eleição. Portanto, à medida que os banqueiros centrais se aliam a políticos, a política discricionária pode levar a flutuações econômicas que refletem o calendário eleitoral. Os economistas se referem a essas flutuações como o *ciclo político de negócios*. Antes da eleição de 1972, por exemplo, o presidente Richard Nixon pressionou o presidente do Federal Reserve, Arthur Burns, a praticar uma política monetária mais expansionista, presumivelmente para reforçar suas chances de ser reeleito.

O segundo problema da política monetária discricionária, mais sutil, é que ela pode levar a uma inflação maior que o desejado. Os banqueiros centrais, sabedores de que não há um *tradeoff* entre inflação e desemprego no longo prazo, muitas vezes anunciam que sua meta é a inflação zero. Porém, raramente, atingem a estabilidade de preços. Por quê? Talvez porque, uma vez que o público forme expectativas de inflação, os formuladores de políticas se deparam com um *tradeoff* entre inflação e desemprego no curto prazo. Eles ficam tentados a renegar seu anúncio de estabilidade de preços a fim de obter um desemprego menor. Essa discrepância entre anúncios (o que os formuladores de políticas *dizem* que irão fazer) e suas ações (o que eles subsequentemente fazem, de fato) é chamada *inconsistência temporal de políticas*. Como os formuladores de políticas costumam praticar a inconsistência temporal, as pessoas são céticas quando os banqueiros centrais anunciam suas intenções de reduzir a taxa de inflação e, como resultado, sempre esperam mais inflação que os formuladores de políticas monetárias estão tentando atingir. Maiores expectativas de inflação, por sua vez, deslocam a curva de Phillips no curto prazo para cima, tornando o *tradeoff* entre inflação e desemprego no curto prazo menos favorável que poderia ser em outra circunstância.

Uma maneira de evitar esses dois problemas da política discricionária é comprometer o banco central com uma regra política. Por exemplo, suponha que o Congresso aprove uma lei exigindo que o Fed aumente a oferta de moeda em exatamente 3% ao ano. (Por que 3%? Como o PIB real cresce, em média, cerca de 3% ao ano e a demanda por moeda cresce com o PIB real, um crescimento na oferta de moeda de 3% ao ano é aproximadamente a taxa necessária para produzir estabilidade de preços no longo prazo.) Uma lei como essa eliminaria a incompetência e o abuso de poder da parte do Fed e impossibilitaria o ciclo político de negócios. Além disso, a política não teria mais inconsistência temporal. As pessoas, então, acreditariam no anúncio de baixa inflação do Fed, porque ele seria obrigado, por lei, a seguir uma política monetária com o objetivo de baixa inflação. Com uma expectativa de inflação mais baixa, a economia se depararia com um *tradeoff* entre inflação e desemprego de curto prazo mais favorável.

Também são possíveis outras regras de política monetária. Uma regra mais ativa poderia permitir algum *feedback* do estado da economia para mudanças na política monetária. Por exemplo, uma regra mais ativa poderia exigir que o Fed aumentasse a oferta de moeda em 1 ponto percentual para cada ponto percentual de crescimento do desemprego acima de sua taxa natural. Independentemente da forma exata da regra, comprometer o Fed com alguma regra traria vantagens por limitar a incompetência, os abusos de poder e a inconsistência temporal na condução da política monetária.

36_3B Contra: a política monetária não deveria ser feita por regras

Pode haver armadilhas na política monetária discricionária, no entanto, ela também tem uma grande vantagem: a flexibilidade. O Fed se confronta com diferentes circunstâncias, e nem todas podem ser previstas. Na década de 1930, as quebras de bancos atingiram um número recorde. Nos anos 1970, o preço do petróleo subiu muito e rapidamente em todo o mundo. Em outubro de 1987, o mercado de ações caiu 22% em um só dia. De 2007 a 2009, os preços dos imóveis despencaram, as execuções de hipotecas aumentaram muito e o sistema financeiro teve problemas significativos. O Fed precisa decidir como reagir a esses choques contra a economia. Um formulador de regras políticas não poderia, possivelmente, considerar todas as contingências e especificar antecipadamente a resposta política correta. É melhor indicar pessoas capacitadas para conduzir a política monetária e dar-lhes liberdade para fazer o melhor que puderem.

Além disso, os alegados problemas de arbítrio são predominantemente teóricos. A importância prática do ciclo político de negócios, por exemplo, está longe de ser clara. Embora seja verdade que Nixon tentou pressionar Burns em 1972, não está claro se foi ou não bem-sucedido: as taxas de juros aumentaram significativamente durante o ano eleitoral. Em alguns casos, parece ocorrer justamente o contrário. Por exemplo, o presidente Jimmy Carter nomeou Paul Volcker para presidir o Federal Reserve em 1979. Ainda assim, em outubro daquele ano Volcker adotou uma política de contração monetária para combater a elevada taxa de inflação que herdara de seu antecessor. O resultado previsível da decisão de Volcker foi uma recessão, e o resultado previsível da recessão foi um declínio na popularidade de Carter. Em vez de usar a política monetária para ajudar o presidente que o indicara, Volcker tomou medidas que considerou de interesse nacional, muito embora elas tenham ajudado a garantir a derrota de Carter para Ronald Reagan na eleição de novembro de 1980.

A importância prática da inconsistência temporal também não está clara. Embora a maioria das pessoas seja cética em relação aos anúncios do banco central, os banqueiros centrais podem obter credibilidade com o passar do tempo, apoiando suas palavras com ações. Nos anos 1990, o Fed atingiu e manteve uma baixa taxa de inflação, apesar da constante tentação de tirar proveito do *tradeoff* entre inflação e desemprego no curto prazo. Essa experiência mostra que a baixa inflação não exige que o Fed esteja comprometido com uma regra política.

Qualquer tentativa de substituir o arbítrio por uma regra precisará enfrentar a difícil tarefa de especificar a regra com precisão. Apesar de muitas pesquisas sobre o custo e o benefício de regras alternativas, os economistas não atingiram um consenso sobre o que seria uma boa regra. Até que haja consenso, a sociedade não tem muita escolha, a não ser dar aos banqueiros centrais o arbítrio para conduzir a política monetária da maneira que lhes parecer mais adequada.

Teste rápido Dê um exemplo de regra de política monetária. Por que sua regra poderia ser melhor que a política discricionária? E por que poderia ser pior?

36_4 O BANCO CENTRAL DEVERIA BUSCAR A INFLAÇÃO ZERO?

Um dos *Dez princípios de economia* discutidos no Capítulo 1 e desenvolvido de modo mais amplo no Capítulo 30, que trata de crescimento monetário e inflação, é que os preços sobem quando o governo emite moeda demais. Outro dos *Dez princípios de economia* do Capítulo 1, desenvolvido de modo mais amplo no capítulo anterior, é o de que a sociedade enfrenta, no curto prazo, um *tradeoff* entre inflação e desemprego. Reunidos, esses dois princípios levantam uma questão para os formuladores de políticas: quanto de inflação o banco central está disposto a tolerar? Nosso quarto debate é se a meta correta da taxa de inflação deveria ou não ser zero.

Saiba mais sobre

METAS DE INFLAÇÃO

Nas últimas décadas, muitos bancos centrais têm adotado uma política chamada *metas de inflação*. Por vezes, essa política assume a forma de um banco central ao anunciar suas intenções com relação à taxa de inflação para os próximos anos. Em outros momentos, assume a forma de uma lei nacional que especifica uma meta de inflação para o banco central.

Metas de inflação não são um compromisso com uma regra rígida. Em todos os países que as adotaram, os bancos centrais dispõem de uma margem de tolerância apropriada. Metas de inflação são normalmente definidas como um intervalo – uma taxa de inflação de 1% a 3%, por exemplo – em vez de um número específico. Portanto, o banco central pode escolher em que lugar do intervalo deseja estar. Além do mais, permite-se, às vezes, que o banco central ajuste a meta de inflação, ao menos temporariamente, se algum evento (como um choque nos preços mundiais do petróleo) impulsionar a inflação para fora do intervalo da meta.

Embora as metas de inflação deixem o banco central com alguma liberdade de ação, a política restringe a maneira como esse arbítrio é usado. Quando se diz a um banco central para simplesmente "fazer a coisa certa", é difícil responsabilizá-lo, pois as pessoas podem argumentar eternamente sobre o que seja a coisa certa. Em contrapartida, quando um banco central possui uma meta de inflação, o público pode julgar mais facilmente se as metas estão sendo atingidas. As metas de inflação não amarram as mãos do banco central, mas aumentam a transparência e a responsabilidade da política monetária. De certo modo, as metas de inflação são um compromisso no debate sobre regras *versus* arbítrio.

Comparado com outros bancos centrais ao redor do mundo, o Federal Reserve (Fed) demorou para adotar uma política de metas de inflação, embora alguns analistas sugiram há tempos que o Fed tinha uma meta implícita de inflação de cerca de 2%. Em janeiro de 2012, o Comitê Federal de Mercado Aberto (FOMC)[1] tornou essa política mais explícita. O comunicado divulgado para a imprensa dizia o seguinte:

> A taxa de inflação no longo prazo é determinada, principalmente, pela política monetária e, portanto, o Comitê tem a capacidade de especificar uma meta de longo prazo para a inflação. O Comitê considera que a inflação à taxa de 2%, medida pela alteração anual do índice de preços para gastos pessoais de consumo, é mais consistente com o mandato estatutário do Federal Reserve no longo prazo. A comunicação clara da meta de inflação ao público ajuda a manter as expectativas de inflação de longo prazo ancoradas firmemente, estimulando, assim, a estabilidade de preços e moderando as taxas de juros de longo prazo, além de aprimorar a capacidade do Comitê para promover o pleno emprego diante de perturbações econômicas significativas.

36_4A A favor: o banco central deveria buscar a inflação zero

A inflação não confere nenhum benefício à sociedade, mas impõe-lhe vários custos reais. Como já foi discutido, os economistas identificaram seis custos da inflação:

- Custos de sola de sapato, associados à redução da moeda mantida em mãos.
- Custos de menu, associados a um ajuste dos preços mais frequente.
- Maior variação dos preços relativos.
- Mudanças não intencionais nas obrigações tributárias devidas à não indexação do código tributário.
- Confusão e inconvenientes provocados por uma unidade de conta instável.
- Redistribuições de riqueza arbitrárias associadas às dívidas contratadas em dólar.

Alguns economistas argumentam que esses custos são pequenos, pelo menos para taxas de inflação moderadas, como a inflação de 3% registrada nos Estados Unidos durante os anos 1990 e início dos anos 2000. Mas outros economistas afirmam que esses custos podem ser substanciais, mesmo com inflação moderada. Além disso, não resta dúvida de que o público não gosta da inflação. Quando a inflação se aquece, as pesquisas de opinião a identificam como um dos principais problemas da nação.

1. Comitê Federal de Mercado Aberto – órgão do Fed responsável pelas operações de mercado aberto. (NRT)

Os benefícios da inflação zero precisam ser comparados com o custo de se alcançar esse resultado. Em geral, a redução da inflação exige um período de desemprego elevado e produção baixa, como ilustra a curva de Phillips no curto prazo. Mas essa recessão desinflacionária é apenas temporária, porque, uma vez que as pessoas entendam que os formuladores de políticas estão visando à inflação zero, as expectativas de inflação cairão e o *tradeoff* no curto prazo melhorará. Como as expectativas se ajustam, não há *tradeoff* entre inflação e desemprego no longo prazo.

Reduzir a inflação é, portanto, uma política com custos temporários e benefícios permanentes. Uma vez passada a recessão desinflacionária, os benefícios da inflação zero persistem no futuro. Se os formuladores de políticas forem perspicazes e tiverem uma visão de longo prazo, estarão dispostos a incorrer nos custos temporários em troca dos benefícios permanentes. Foi exatamente esse o cálculo feito por Paul Volcker no início dos anos 1980, quando ele apertou a política monetária e reduziu a inflação de cerca de 10%, em 1980, para cerca de 4%, em 1983. Embora, em 1982, o desemprego tenha atingido seu nível mais elevado desde a Grande Depressão, a economia finalmente se recuperou da recessão, deixando um legado de inflação baixa. Hoje, Volcker é considerado um herói entre os banqueiros centrais.

Além do mais, os custos da redução da inflação não precisam ser tão altos quanto afirmam alguns economistas. Se o Fed anunciar um compromisso confiável com a inflação zero, ele pode influenciar diretamente as expectativas de inflação. Tal mudança das expectativas pode melhorar o *tradeoff* entre inflação e desemprego no curto prazo, permitindo que a economia atinja a inflação mais baixa a um custo reduzido. A chave para essa estratégia é a credibilidade: as pessoas precisam acreditar que o Fed irá, realmente, levar adiante a política anunciada. O Congresso poderia ajudar a esse respeito, aprovando leis que fizessem da estabilidade de preços o principal objetivo do Fed. Uma lei desse tipo tornaria menos custoso alcançar a inflação zero sem reduzir quaisquer dos benefícios resultantes.

Uma vantagem da meta de inflação zero é o fato do zero oferecer um ponto de foco mais natural para os formuladores de políticas que qualquer outro número. Suponha que o Fed anunciasse que manteria a inflação em 3% – a taxa registrada durante grande parte das duas últimas décadas. Será que o Fed realmente se fixaria nessa meta de 3%? Se algum evento, inadvertidamente, levasse a inflação para 4% ou 5%, por que o Fed não elevaria a meta? Afinal, não há nada de especial no número 3. No entanto, o zero é o único número para a taxa de inflação com o qual o Fed pode afirmar ter atingido a estabilidade de preços e eliminado completamente os custos da inflação.

36_4B Contra: o banco central não deveria buscar a inflação zero

A estabilidade de preços pode ser desejável, mas os benefícios da inflação zero são pequenos, quando comparados aos da inflação moderada, ao passo que os custos de atingir a inflação zero são grandes. Estimativas da taxa de sacrifício sugerem que reduzir a inflação em 1 ponto percentual exige abrir mão de 5% da produção de um ano. Reduzir a inflação de, digamos, 4% para 0 exige a perda de 20% da produção de um ano. As pessoas podem não gostar da inflação de 4%; contudo, não está totalmente claro se elas poderiam (ou deveriam) estar dispostas a pagar 20% da renda de um ano para se livrar dela.

Os custos sociais da desinflação são ainda maiores do que sugere esse valor de 20%, porque a renda perdida não se distribui equitativamente pela população. Quando a economia entra em recessão, as rendas não caem todas proporcionalmente. Em vez disso, a queda na renda agregada se concentra nos trabalhadores que perdem o emprego. Os trabalhadores mais vulneráveis são, frequentemente, os que têm menos qualificação e experiência. Portanto, grande parte do custo de redução da inflação recai sobre as pessoas com menos condições de arcar com ele.

Os economistas podem relacionar diversos custos da inflação, porém não há consenso profissional de que tais custos sejam substanciais. Os custos de sola de sapato, de menu e os outros que os economistas identificaram não parecem ser grandes, pelo menos para taxas de inflação moderadas. É verdade que a inflação desagrada ao povo, mas também pode ser que o povo seja levado a acreditar na falácia da inflação – a visão de que a inflação corrói os padrões de vida. Os economistas entendem que os padrões de vida dependem da produtividade, não da política monetária. Como a inflação das rendas nominais caminha com a inflação dos preços, a redução da inflação não causaria um aumento mais rápido da renda real.

Além disso, os formuladores de políticas podem reduzir muitos dos custos da inflação sem reduzir verdadeiramente a inflação. Podem eliminar os problemas associados ao sistema tributário não indexado, reformulando a legislação tributária para que leve em consideração os efeitos da inflação. Também podem reduzir as redistribuições arbitrárias de riqueza entre credores e devedores causadas pela inflação não esperada, emitindo títulos públicos indexados, como fez a administração Clinton, em 1997. Tal iniciativa isola os detentores da dívida pública da inflação. Além disso, ao dar o exemplo, a política pode incentivar os tomadores de empréstimos e emprestadores a elaborar contratos de dívida indexados pela inflação.

Reduzir a inflação pode ser desejável se isso puder ser feito sem nenhum custo, como alguns economistas argumentam ser possível, mas esse truque parece difícil de ser executado na prática. Quando as economias reduzem suas taxas de inflação, quase sempre registram um período de elevado desemprego e baixa produção. É arriscado acreditar que o banco central possa adquirir credibilidade tão rapidamente, que torne possível a desinflação indolor.

Na verdade, uma recessão desinflacionária pode deixar cicatrizes permanentes na economia. Durante as recessões, empresas de todos os setores reduzem substancialmente seus gastos em novas fábricas e equipamentos, fazendo do investimento o componente mais volátil do PIB. Mesmo depois de terminada a recessão, o menor estoque de capital reduz a produtividade, as rendas e os padrões de vida para baixo dos níveis que, de outra forma, poderiam ter atingido. Além disso, quando os trabalhadores ficam desempregados durante as recessões, perdem qualificações valiosas, reduzindo permanentemente seu valor como trabalhadores.

Um pouco de inflação pode até ser positivo. Alguns economistas acreditam que a inflação "engraxa os mecanismos" do mercado de trabalho. Como os trabalhadores resistem a cortes nos salários nominais, é mais fácil conseguir uma queda nos salários reais com o aumento de preços. A inflação, portanto, facilita o ajuste dos salários reais às mudanças nas condições do mercado de trabalho.

Além disso, a inflação permite a possibilidade de taxas de juros reais negativos. As taxas de juros nominais nunca podem ser menores que zero, pois os emprestadores podem preferir ficar com o dinheiro a emprestá-lo a um retorno negativo. Se a inflação for zero, as taxas de juros reais também nunca poderão ser negativas. No entanto, se a inflação for positiva, então um corte nas taxas de juros nominais abaixo da taxa de inflação produzirá taxas de juros reais negativas. Às vezes, a economia precisa de taxas de juros reais negativas para dar estímulos suficientes à demanda agregada, uma opção que é eliminada pela inflação zero.

Tendo em vista todos esses argumentos, por que os formuladores de políticas deveriam levar a economia a uma recessão desinflacionária custosa e desigual para alcançar inflação zero? O economista Alan Blinder, que já foi vice-presidente do Federal Reserve, argumentou, em seu livro intitulado *Hard heads, soft hearts*, que os formuladores de políticas não deveriam fazer essa escolha:

> Os custos que acompanham as taxas de inflação baixas e moderadas registradas nos Estados Unidos e em outros países industrializados parecem ser bastante modestos - mais como um resfriado forte do que como um câncer para a sociedade. [...] Como indivíduos racionais, não nos apresentamos voluntariamente para uma lobotomia a fim de curar um resfriado. Contudo, como coletividade, prescrevemos rotineiramente o equivalente econômico da lobotomia (desemprego elevado) como cura para o resfriado inflacionário.

Blinder conclui que é melhor aprender a viver com uma inflação moderada.

Teste rápido Explique os custos e os benefícios de se reduzir a inflação para zero. Quais são temporários e quais são permanentes?

36_5 O GOVERNO DEVERIA EQUILIBRAR SEU ORÇAMENTO?

Um debate macroeconômico persistente refere-se às finanças do governo. Sempre que o governo gasta mais do que coleta de arrecadação tributária, ele cobre seu déficit orçamentário emitindo títulos públicos. No estudo sobre mercados financeiros, vimos como o déficit orçamentário afeta a poupança, o investimento e as taxas de juros. Mas o déficit orçamentário é um problema muito grande? Nosso quinto debate discute se os formuladores de política fiscal deveriam dar alta prioridade ao equilíbrio do orçamento do governo.

36_5A A favor: o governo deveria equilibrar seu orçamento

O governo federal dos Estados Unidos está muito mais endividado hoje que há 20 anos. Em 1980, a dívida federal era de $ 710 bilhões; em 2015, era de $ 13,1 trilhões. Se dividirmos a dívida de hoje pela população, veremos que a parcela da dívida pública que cabe a cada pessoa é de aproximadamente $ 41 mil.

O efeito mais direto da dívida pública é a imposição de um ônus às futuras gerações de contribuintes. Quando essas dívidas e os juros se acumularem e chegarem ao vencimento, os futuros contribuintes se verão diante de uma difícil escolha. Poderão escolher uma combinação de impostos mais altos e menores gastos do governo para disponibilizar recursos para pagar a dívida e os juros acumulados. Ou podem postergar o dia do ajuste de contas e aumentar ainda mais a dívida, tomando novos empréstimos para pagar a dívida antiga e os juros. Essencialmente, quando o governo incorre em um déficit orçamentário e emite títulos públicos, permite que os contribuintes de hoje repassem parte dos pagamentos das despesas correntes aos futuros contribuintes. Herdar uma dívida tão grande só pode reduzir o padrão de vida das gerações futuras.

Além desse efeito direto, os déficits orçamentários também têm vários efeitos macroeconômicos. Como os déficits orçamentários representam poupança pública *negativa*, eles reduzem a poupança nacional (a soma das poupanças pública e privada). Uma poupança nacional menor faz as taxas de juros aumentar e o investimento cair. Uma redução no investimento conduz, com o passar do tempo, a um menor estoque de capital, e isso reduz a produtividade do trabalho, os salários reais e a produção de bens e serviços da economia. Portanto, quando o governo aumenta sua dívida, faz que as gerações futuras nasçam em uma economia com rendas mais baixas e impostos mais elevados.

Ainda assim, há situações em que um déficit público é justificável. Ao longo da história, a causa mais comum do crescimento da dívida do governo é a guerra. Quando um conflito militar aumenta temporariamente as despesas do governo, é razoável financiar essa despesa extraordinária por meio de empréstimos. Caso contrário, os impostos teriam de aumentar vertiginosamente durante a guerra. Impostos tão altos distorceriam profundamente os incentivos com que se defrontam as pessoas que são tributadas, levando a maiores perdas por causa do peso morto. Além disso, esses impostos seriam injustos para com as gerações atuais de contribuintes, as quais já precisam fazer o sacrifício de enfrentar a guerra.

Similarmente, é razoável permitir um déficit orçamentário durante quedas temporárias na atividade econômica. Quando a economia entra em recessão, a receita tributária cai automaticamente, porque o imposto de renda e os impostos sobre a folha de pagamentos são cobrados sobre medidas de renda. Se o governo tentasse equilibrar seu orçamento durante uma recessão, teria de aumentar os impostos ou cortar despesas em tempos de desemprego elevado. Tal política tenderia a deprimir a demanda agregada justamente quando ela mais precisa ser estimulada e, portanto, tenderia a aumentar a magnitude das flutuações econômicas.

Entretanto, nem todos os déficits orçamentários podem ser justificados pelo apelo à guerra ou à recessão. A dívida do governo norte-americano como uma porcentagem do PIB aumentou de 26%, em 1980, para 50%, em 1995. Durante esse período, os Estados Unidos não tiveram grandes conflitos militares nem grandes quedas na atividade econômica. Ainda assim, o governo apresentou persistentemente um grande déficit orçamentário, em grande parte porque o presidente e o Congresso acharam ser mais fácil aumentar as despesas do governo que elevar os impostos.

Os déficits orçamentários da primeira década de 2000 podem, talvez, ser racionalizados pelas guerras do Iraque e do Afeganistão e pelos efeitos das recessões de 2001 e 2008-2009. Mas é imperativo que esse déficit não sinalize um retorno à política fiscal insustentável de uma era anterior. À medida que a economia se recupera de sua recessão mais recente e o desemprego volta para sua taxa natural, o governo deve alinhar as despesas com a receita tributária. Se comparado à alternativa de déficits orçamentários constantes, um orçamento equilibrado significa maior poupança nacional, maior investimento e maior crescimento econômico. Significa que os universitários que se formam hoje estarão entrando em uma economia mais próspera.

36_5B Contra: o governo não deveria equilibrar seu orçamento

O problema da dívida pública costuma ser exagerado. Embora a dívida pública represente uma carga tributária para as gerações mais jovens, não é grande, se comparada à renda média de uma pessoa no decorrer de sua vida. A dívida do governo federal norte-americano é de aproximadamente $ 41 mil por pessoa. Uma pessoa que trabalhe 40 anos por $ 50 mil ao ano receberá $ 2 milhões ao longo de sua vida. Sua parte na dívida pública representa aproximadamente 2% de sua renda ao longo da vida.

Além disso, é enganoso enxergar isoladamente os efeitos dos déficits orçamentários. O déficit orçamentário é só uma parte de um grande quadro de como o governo opta por arrecadar e gastar o dinheiro. Ao tomar tais decisões de política fiscal, os formuladores de políticas afetam diferentes gerações de contribuintes de muitas maneiras. O déficit ou o superávit orçamentário do governo deveria ser considerado com as demais políticas.

Por exemplo, suponha que o governo reduza o déficit orçamentário cortando gastos com investimentos públicos, como a educação. Essa política deixaria as gerações mais jovens em melhor situação? A dívida do governo será menor quando elas entrarem para a força de trabalho, o que significa uma menor carga tributária. Mas se elas tiverem menos instrução do que poderiam ter, sua produtividade e sua renda serão menores. Muitas estimativas do retorno à escolaridade (o aumento no salário de um trabalhador resultante de um ano a mais de instrução) concluem que ele é muito alto. Reduzir o déficit orçamentário em vez de financiar maiores despesas em educação poderia, no fim, deixar as gerações futuras em pior situação.

A preocupação obsessiva com o déficit orçamentário também é perigosa, porque desvia a atenção de diversas outras políticas que redistribuem a renda entre gerações. Por exemplo, nos anos 1960 e 1970, o governo federal dos Estados Unidos aumentou os benefícios da seguridade social para os idosos. Essas despesas foram financiadas com o aumento dos impostos sobre a folha de pagamento da população em idade de trabalhar. Essa política redistribuiu renda das gerações mais jovens para as mais velhas, muito embora não tenha afetado a dívida pública. Portanto, o déficit orçamentário é apenas uma pequena parte de uma questão mais ampla, ou seja, a questão de como a política governamental afeta o bem-estar de diferentes gerações.

Em certa medida, os efeitos adversos da dívida pública podem ser revertidos por pais previdentes. Suponha que um pai esteja preocupado com o impacto da dívida pública sobre os filhos. Ele pode contrabalançar esse impacto simplesmente poupando e deixando uma herança maior, herança essa que aumentaria a capacidade de os filhos arcarem com o ônus de impostos futuros. Alguns economistas afirmam que, na realidade, as pessoas não se comportam dessa maneira. Se isso fosse verdade, uma maior poupança privada dos pais contrabalançaria a diminuição da poupança nacional decorrente dos déficits orçamentários, e estes não afetariam a economia. A maioria dos economistas duvida de que os pais sejam tão previdentes, mas algumas pessoas provavelmente agem assim e qualquer um poderia fazer isso. Os déficits dão às pessoas a oportunidade de consumir à custa dos filhos, mas não exigem que o façam. Se a dívida pública fosse, realmente, um grande problema a ser enfrentado pelas gerações futuras, alguns pais ajudariam a resolver esse problema.

Às vezes, os críticos dos déficits orçamentários argumentam que a dívida pública não pode continuar a crescer indefinidamente, mas, de fato, ela pode. Assim como um banco que avalia um pedido de empréstimo compara as dívidas de uma pessoa com sua renda, deveríamos julgar o ônus da dívida pública em relação à renda nacional. O crescimento populacional e os avanços tecnológicos fizeram que a renda total da economia dos Estados Unidos crescesse ao longo do tempo. Como resultado, a capacidade que o país tem de pagar os juros da dívida pública também cresce ao longo do tempo. Desde que a dívida pública cresça mais lentamente que a renda nacional, não há nada que impeça a dívida pública de crescer para sempre.

Alguns números ajudam a colocar tudo isso em perspectiva. A produção real da economia norte-americana cresce, em média, 3% ao ano. Se a taxa de inflação é de 2% ao ano, então a renda nominal cresce a uma taxa de 5% ao ano. A dívida pública pode, portanto, aumentar 5% ao ano sem aumentar a razão entre dívida e renda. Em 2015, a dívida do governo federal era de $ 13,1 trilhões; 5% desse valor são $ 655 bilhões. Desde que o déficit orçamentário federal seja menor que $ 655 bilhões, a política é sustentável.

Para ter certeza, os déficits orçamentários muito grandes não podem persistir para sempre. Entre 2009 e 2012, o déficit orçamentário federal estava acima de $ 1 trilhão por ano, mas esse número impressionante foi decorrente de circunstâncias extraordinárias: uma grave crise financeira, uma profunda crise econômica e as respostas políticas a esses eventos. Ninguém sugere que um déficit dessa magnitude possa continuar. Mas zero é a meta errada para os formuladores de políticas fiscais. Contanto que o déficit tenha um tamanho apenas moderado, nunca haverá um dia de ajuste de contas que force os déficits orçamentários a acabar ou a economia a entrar em colapso.

Teste rápido Explique de que maneira a redução de um déficit orçamentário do governo pode deixar as gerações futuras em melhor situação. Que política fiscal poderia melhorar a vida das gerações futuras mais que uma redução do déficit orçamentário?

36_6 A LEGISLAÇÃO TRIBUTÁRIA DEVERIA SER REFORMADA PARA ESTIMULAR A POUPANÇA?

O padrão de vida de uma nação depende de sua capacidade de produzir bens e serviços. Esse foi um dos *Dez princípios de economia* do Capítulo 1. Como vimos no capítulo sobre produção e crescimento, a capacidade produtiva de uma nação, por sua vez, é determinada, em grande parte, pela quantidade de poupança e de investimentos para o futuro. Nosso último debate discute se os formuladores de políticas deveriam reformar a legislação tributária para incentivar maiores poupança e investimento.

36_6A A favor: a legislação tributária deveria ser reformada para estimular a poupança

A taxa de poupança de um país é um dos determinantes-chave de sua prosperidade econômica no longo prazo. Quando a taxa de poupança é elevada, há mais recursos disponíveis para investimento em novas fábricas e equipamentos. Um maior estoque de fábricas e equipamentos, por sua vez, aumenta a produtividade do trabalho, os salários e a renda. Portanto, não é de surpreender que dados internacionais mostrem uma forte correlação entre as taxas de poupança nacional e as medidas de bem-estar econômico.

Outro dos *Dez princípios de economia* apresentados no Capítulo 1 é o de que as pessoas reagem a incentivos. Esta lição deveria se aplicar às decisões das pessoas a respeito de quanto poupar. Se as leis de uma nação tornarem a poupança mais atraente, as pessoas irão poupar uma fração maior de suas rendas, e essa maior poupança levará a um futuro mais próspero.

Infelizmente, o sistema tributário dos Estados Unidos desencoraja a poupança, tributando pesadamente o retorno dela. Por exemplo, considere uma trabalhadora de 25 anos de idade que poupe $ 1.000 de sua renda para ter uma aposentadoria mais confortável aos 70 anos. Se ela comprar um título que pague uma taxa de juros de 10%, ao fim de 45 anos os $ 1.000 terão rendido $ 72.900, se não houver impostos sobre os juros. Mas suponha que ela esteja sujeita a uma alíquota marginal de 40% sobre os juros ganhos, o que seria comum uma vez somados os impostos federais e estaduais sobre a renda. Nesse caso, sua taxa de juros após o imposto seria de apenas 6%, e os $ 1.000 terão, ao final de 45 anos, acumulado apenas $ 13.800. Ou seja, acumulada pelo decorrer desse longo período, a alíquota sobre os juros reduz a renda obtida por meio da poupança de $ 72.900 para $ 13.800 – ou cerca de 80%).

O código tributário desencoraja ainda mais a poupança ao taxar duas vezes algumas formas de ganhos de capital. Suponha que uma pessoa use parte de sua poupança para comprar ações de uma empresa. Quando a empresa obtém lucro com seus investimentos de capital, primeiro paga impostos sobre esse lucro na forma de imposto de renda das pessoas jurídicas. Se a empresa distribuir o restante do lucro a seus acionistas na forma de dividendos, eles pagarão um novo imposto sobre essa renda, na forma de imposto de renda das pessoas físicas. Essa dupla tributação reduz substancialmente o retorno para o acionista, reduzindo, portanto, o incentivo à poupança.

A legislação tributária também desestimula a poupança se uma pessoa deseja deixar sua riqueza acumulada para seus filhos (ou para qualquer outro) em vez de consumi-la durante a vida. Os pais podem legar algum dinheiro a seus filhos sem incidência de impostos, mas quando os legados são grandes, a alíquota do imposto sobre a herança pode chegar a 40%. Em grande medida, a preocupação com a poupança nacional é motivada por um desejo de garantir a prosperidade econômica das gerações futuras. É estranho, portanto, que a legislação tributária desestimule a maneira mais direta pela qual uma geração pode ajudar a seguinte.

Além do código tributário, há muitas outras políticas e instituições em nossa sociedade que reduzem o incentivo à poupança das famílias. Alguns benefícios dados pelo governo têm, por meio de um exame de carência de recursos, a renda como parâmetro de concessão, ou seja, os benefícios são reduzidos para aqueles que no passado foram prudentes o bastante para poupar parte de suas rendas. As faculdades e universidades concedem auxílio financeiro em função da riqueza dos estudantes e de seus pais. Políticas assim são como um imposto sobre a riqueza e, como tal, desencorajam a poupança por parte dos alunos e de seus pais.

Há diversas maneiras pelas quais o código tributário poderia fornecer um incentivo à poupança ou, pelo menos, reduzir o desincentivo que as famílias enfrentam hoje. A legislação tributária já concede tratamento preferencial a alguns tipos de poupança para a aposentadoria. Quando um contribuinte deposita renda em sua Individual Retirement Account (IRA)[1], por exemplo, essa renda e os juros auferidos não são tributados até que os fundos sejam retirados, no momento da aposentadoria. O código tributário oferece uma vantagem semelhante a outros planos de aposentadoria, como o 401(k), 403(b) e Keogh, e aos planos de participação nos lucros. Há, contudo, limites quanto a quem pode ou não fazer jus a esses planos e, no caso dos que são elegíveis, sobre o montante que pode ser depositado. Além disso, como há multas pela retirada antes da idade de aposentadoria, esses planos oferecem pouco incentivo a outros tipos de poupança, como a poupança para a compra de uma casa ou para financiar o curso universitário. Um pequeno passo para incentivar uma maior poupança seria expandir a capacidade das famílias para usar contas de poupança com vantagens tributárias.

Uma abordagem mais abrangente seria reconsiderar toda a base tributária por meio da qual o governo arrecada seus impostos. A peça central do sistema tributário norte-americano é o imposto de renda. Um dólar ganho é tributado da mesma maneira, seja ele gasto ou poupado. Uma alternativa defendida por muitos economistas é um imposto sobre o consumo. Com um imposto sobre o consumo, as famílias só pagam impostos com base no que gastam. A renda que é poupada fica livre de tributação até que a poupança seja retirada e gasta em bens de consumo. Essencialmente, um imposto sobre o consumo coloca automaticamente todas as poupanças em contas com vantagens tributárias semelhantes à IRA. Trocar o imposto de renda pelo imposto sobre o consumo aumentaria muito o incentivo à poupança.

36_6B Contra: a legislação tributária não deveria ser alterada para estimular a poupança

Aumentar a poupança pode ser desejável, mas não é o único objetivo da política tributária. Os formuladores de políticas também devem ter a certeza de distribuir a carga tributária de maneira justa. O problema das propostas de aumentar o incentivo à poupança é que elas aumentam a carga das pessoas que menos podem arcar com ela.

1. Este é um exemplo de planos de previdência privada complementar disponíveis nos Estados Unidos, assim como o 401(k), 403(b) e Keogh. (NE)

Pergunte aos especialistas

A tributação do capital e do trabalho

"Uma desvantagem de se tributar a renda do capital a uma alíquota inferior à da renda do trabalho é que isso incentiva as pessoas a reclassificar a renda que os formuladores de política acham difícil de classificar como 'capital' em vez de 'trabalho'."

"Apesar das preocupações com a reclassificação, a tributação da renda do capital a uma alíquota permanentemente menor que a da renda do trabalho poderia resultar em maior prosperidade média no longo prazo, em relação a uma alternativa que gerasse a mesma quantia de receita tributária ao tributar permanentemente a renda do capital e do trabalho aplicando as mesmas alíquotas para ambas."

"Embora eles nem sempre concordem sobre os prováveis efeitos das diferentes políticas fiscais, outro motivo para os economistas darem conselhos diferentes sobre a política tributária é porque eles têm visões diferentes sobre a escolha entre aumentar a prosperidade média e redistribuir renda."

Fonte: IGM Economic Experts Panel, 9 de outubro de 2012.

É inegável que famílias de alta renda poupam uma parcela maior de suas rendas que as famílias de baixa renda. Como resultado, qualquer mudança tributária que favoreça as pessoas que poupam também tenderá a favorecer as pessoas com alta renda. Políticas como as contas de aposentadoria com vantagens tributárias podem parecer atraentes, mas levam a uma sociedade menos igualitária. Ao reduzir a carga tributária sobre os ricos que podem tirar vantagem dessas contas, essas políticas forçam o governo a elevar a carga tributária dos pobres.

Além disso, as políticas tributárias voltadas para incentivar a poupança podem não ser tão eficazes para alcançar esse objetivo. A teoria econômica não oferece uma previsão clara quanto à possibilidade de uma maior taxa de retorno aumentar a poupança. O resultado depende da magnitude relativa de dois efeitos conflitantes, chamados *efeito substituição* e *efeito renda*. Por um lado, uma taxa de retorno maior eleva o benefício da poupança: cada dólar poupado hoje produz mais consumo no futuro. Esse efeito substituição tende a aumentar a poupança. Por outro lado, uma taxa de retorno maior reduz a necessidade de poupar: uma família precisará poupar menos para atingir qualquer nível de consumo que tenha como meta no futuro. Esse efeito renda tende a diminuir a poupança. Se os efeitos substituição e renda quase se anulam, como alguns estudos sugerem, então a poupança não mudará quando uma tributação menor dos ganhos de capital elevar a taxa de retorno.

Há muitas outras maneiras de aumentar a poupança nacional, além de dar concessões tributárias aos ricos. A poupança nacional é a soma das poupanças privada e pública. Em vez de tentar alterar o código tributário para incentivar maior poupança privada, os formuladores de políticas podem simplesmente aumentar a poupança pública, reduzindo o déficit orçamentário, talvez pelo aumento dos impostos sobre os ricos. Isso oferece uma maneira direta de aumentar a poupança nacional e a prosperidade das gerações futuras.

De fato, uma vez que a poupança pública seja levada em consideração, os dispositivos tributários de incentivo à poupança podem ter efeito contrário ao desejado. Alterações que reduzem a tributação da renda de capital diminuem a receita do governo e, portanto, levam a um déficit orçamentário. Para aumentar a poupança nacional, a alteração do código tributário deve estimular a poupança privada mais do que diminuir a poupança pública. Se esse não for o caso, os chamados incentivos à poupança podem, potencialmente, tornar as coisas piores.

Teste rápido Dê três exemplos de como a nossa sociedade desestimula a poupança. Quais são as desvantagens de se eliminar esses desincentivos?

36_7 CONCLUSÃO

Este capítulo considerou seis debates sobre política macroeconômica. Em cada caso, partiu de uma proposição controvertida e, em seguida, ofereceu argumentos a favor e contra. Se você achar difícil escolher um dos lados nesses debates, pode encontrar algum consolo no fato de não estar sozinho. O estudo da economia nem sempre torna fácil a escolha entre políticas alternativas. De fato, ao esclarecer os inevitáveis *tradeoffs* com os quais se deparam os formuladores de políticas públicas, pode tornar as escolhas mais difíceis.

Escolhas difíceis, no entanto, não têm o direito de parecer fáceis. Quando você ouve políticos ou comentaristas propondo algo que pareça bom demais para ser verdade, provavelmente é mesmo. Se parecer que estão oferecendo algo como um almoço grátis, você deveria procurar pela etiqueta de preço escondida. Poucas políticas - ou nenhuma - trazem benefícios sem custos. Ao ajudá-lo a enxergar através da névoa da retórica, tão comum no discurso político, o estudo da economia deve torná-lo um participante melhor em nossos debates nacionais.

Teste rápido do capítulo

1. Quanto tempo, aproximadamente, é necessário para que uma mudança na política monetária influencie a demanda agregada?
a. 1 mês.
b. 6 meses.
c. 2 anos.
d. 5 anos.

2. De acordo com a análise keynesiana tradicional, qual das alternativas a seguir aumentará mais a demanda agregada?
a. Aumento de $ 100 bilhões nos impostos.
b. Redução de $ 100 bilhões nos impostos.
c. Aumento de $ 100 bilhões nos gastos do governo.
d. Redução de $ 100 bilhões nos gastos do governo.

3. Os defensores do estabelecimento da política monetária mediante regras estabelecidas em vez de discricionaridade costumam afirmar que:
a. Os banqueiros centrais discricionários são tentados a voltar atrás em seus compromissos de baixar a inflação.
b. Os banqueiros centrais que seguem uma regra serão mais responsivos às necessidades do processo político.
c. A política fiscal é uma ferramenta muito melhor para a estabilização econômica do que a política monetária.
d. Às vezes, é útil dar à economia uma explosão de inflação surpresa.

4. Qual das alternativas a seguir NÃO é um argumento para que se mantenha uma taxa positiva de inflação?
a. A inflação permite que as taxas de juros reais sejam negativas.
b. A inflação permite que os salários reais diminuam sem cortes nos salários nominais.
c. A inflação aumenta a variabilidade dos preços relativos.
d. Seria caro reduzir a inflação a zero.

5. Ao longo da história dos Estados Unidos, qual foi a causa mais comum de aumentos substanciais na dívida do governo?
a. Recessões.
b. Guerras.
c. Crises financeiras.
d. Cortes de impostos.

6. Os defensores da tributação do consumo em vez da renda argumentam que:
a. Um imposto sobre o consumo é um estabilizador automático melhor.
b. A tributação do consumo não causa nenhum peso morto.
c. Os ricos consomem uma fração maior da renda do que os pobres.
d. O código tributário atual desencoraja as pessoas a economizar.

RESUMO

- Os defensores de políticas monetária e fiscal ativas enxergam a economia como inerentemente instável e acreditam que políticas podem administrar a demanda agregada de maneira que contrabalance essa instabilidade inerente. Os críticos das políticas monetária e fiscal ativas enfatizam que a política afeta a economia com algum atraso e que nossa capacidade de prever as condições econômicas futuras é insatisfatória. Como resultado, as tentativas de estabilizar a economia podem acabar sendo desestabilizadoras.
- Os defensores do aumento dos gastos do governo para combater recessões alegam que, pelo fato de cortes nos impostos poderem ser economizados em vez de despendidos, os gastos diretos do governo contribuem mais para aumentar a demanda agregada, que é fundamental para promover a produção e o emprego. Os críticos dos aumentos dos gastos argumentam que cortes nos impostos podem expandir tanto a demanda agregada quanto a oferta agregada, e que aumentos precipitados nos gastos do governo podem levar a projetos públicos perdulários.
- Os defensores de regras para a política monetária argumentam que a política discricionária pode ser afetada por incompetência, abuso de poder e inconsistência temporal. Os críticos das regras para a política monetária argumentam que a política discricionária é mais flexível em sua reação às condições econômicas em transformação.
- Os defensores da meta de inflação zero enfatizam que a inflação tem muitos custos e poucos benefícios, se é que os tem. Além do mais, o custo de eliminação da inflação - depressão da produção e do emprego - é apenas temporário. E até mesmo esse custo pode ser reduzido se o banco central anunciar um plano de redução da inflação digno de crédito, baixando diretamente as expectativas de inflação. Os críticos da meta de inflação zero afirmam que uma inflação moderada impõe somente pequenos custos à sociedade, ao passo que a recessão necessária para reduzir a inflação tem alto custo. Também enfatizam várias maneiras pelas quais a inflação moderada pode ser útil para a economia.
- Os defensores de um orçamento governamental equilibrado argumentam que os déficits orçamentários impõem um ônus injustificável às gerações futuras ao aumentar seus impostos e reduzir suas rendas. Os críticos de um orçamento governamental equilibrado argumentam que o déficit é apenas uma pequena peça da política fiscal. A preocupação obsessiva com o déficit orçamentário pode ocultar as diversas maneiras pelas quais a política fiscal, incluindo vários programas de despesas, afeta diferentes gerações.
- Os defensores de incentivos tributários à poupança indicam que a sociedade norte-americana desestimula a poupança de muitas maneiras, como taxando pesadamente a renda do capital e reduzindo os benefícios para aqueles que acumularam riqueza. Eles endossam a reforma da legislação tributária para incentivar a poupança, talvez passando de um imposto sobre a renda para um imposto sobre o consumo. Os críticos dos incentivos tributários à poupança argumentam que muitas das mudanças propostas para estimular a poupança beneficiariam principalmente os ricos, que não precisam de cortes de impostos. Eles também argumentam que essas mudanças poderiam ter somente um pequeno efeito sobre a poupança privada. Aumentar a poupança pública por meio da redução do déficit orçamentário do governo seria uma maneira mais direta e equitativa de aumentar a poupança nacional.

QUESTÕES PARA REVISÃO

1. O que causa a defasagem no efeito das política monetária e fiscal sobre a demanda agregada? Quais são as implicações desses atrasos para o debate sobre política ativa *versus* política passiva?
2. De acordo com a análise keynesiana tradicional, por que um corte nos impostos tem um efeito menor sobre o PIB do que um aumento de tamanho similar nos gastos do governo? Por que o oposto poderia ser o caso?

3. O que poderia motivar um banqueiro central a provocar um ciclo político de negócios? Que implicações o ciclo político de negócios traz para o debate sobre as regras para a política monetária?
4. Explique como a credibilidade poderia afetar o custo da redução da inflação.
5. Por que alguns economistas são contra a meta de inflação zero?
6. Explique duas maneiras pelas quais um déficit orçamentário do governo prejudica um futuro trabalhador.
7. Quais as duas situações em que a maioria dos economistas considera os déficits orçamentários justificáveis?
8. Alguns economistas dizem que o governo pode continuar a apresentar um déficit orçamentário ininterruptamente. Como isso é possível?
9. Algumas rendas de capital são tributada duas vezes. Explique.
10. Que efeito adverso pode ser causado por incentivos tributários para aumentar a poupança?

PROBLEMAS E APLICAÇÕES

1. O capítulo sugere que a economia, assim como o corpo humano, tem "uma capacidade de restabelecimento natural".
   a. Ilustre o efeito de curto prazo de uma queda na demanda agregada usando um gráfico de demanda agregada/oferta agregada. O que acontece com a produção total, a renda e o emprego?
   b. Se o governo não empregar uma política de estabilização, o que acontecerá com a economia com o passar do tempo? Ilustre esse ajuste em seu gráfico. Em geral, isso acontece em questão de meses ou de anos?
   c. Em sua opinião, a "capacidade de restabelecimento natural" da economia significa que os formuladores de políticas devem ser passivos em suas reações ao ciclo econômico?

2. Os formuladores de políticas que desejam estabilizar a economia precisam decidir em quanto alterar a oferta de moeda, as despesas do governo ou os impostos. Por que é difícil para eles escolher a intensidade apropriada de suas ações?

3. O problema da inconsistência temporal se aplica tanto à política fiscal quanto à política monetária. Suponha que o governo tenha anunciado uma redução dos impostos sobre a renda obtida por meio de investimentos em capital, como novas fábricas.
   a. Se os investidores acreditarem que os impostos sobre o capital continuarão baixos, como a atitude do governo afetará o nível de investimento?
   b. Depois de os investidores terem reagido ao anúncio de redução dos impostos, o governo terá um incentivo para renegar sua política? Explique.
   c. Dada sua resposta ao item (b), os investidores acreditariam no anúncio do governo? O que o governo pode fazer para aumentar a credibilidade de seus anúncios de mudanças na política econômica?
   d. Explique por que essa situação é semelhante ao problema de inconsistência temporal enfrentado pelos formuladores de políticas monetárias.

4. O Capítulo 2 explica a diferença entre a análise positiva e a análise normativa. No debate sobre se o banco central deve ter por meta a inflação zero, quais áreas de discordância envolvem declarações positivas e quais envolvem julgamentos normativos?

5. Por que os benefícios da redução da inflação são permanentes e seus custos são temporários? Por que os custos de um aumento da inflação são permanentes e seus benefícios são temporários? Use gráficos da curva de Phillips em sua resposta.

6. Suponha que o governo federal corte os impostos e aumente as despesas, elevando o déficit orçamentário para 12% do PIB. Se o PIB nominal estiver aumentando à taxa de 5% ao ano,

tais déficits orçamentários serão sustentáveis indefinidamente? Explique. Se déficits orçamentários dessa magnitude forem mantidos durante 20 anos, o que, provavelmente, acontecerá com seus impostos e com os impostos que seus filhos pagarão no futuro? Há algo que você possa fazer hoje para contrabalançar esses efeitos futuros?

7. Explique como cada uma das políticas a seguir redistribui renda entre gerações. A redistribuição se dá dos jovens para os idosos ou dos idosos para os jovens?
   a. Um aumento no déficit orçamentário.
   b. Subsídios mais generosos para empréstimos educacionais.
   c. Maior investimento em estradas e pontes.
   d. Aumento dos benefícios da Seguridade Social.

8. Qual é o *tradeoff* fundamental que a sociedade enfrenta se optar por poupar mais? Como o governo pode aumentar a poupança nacional?

Glossário

A

ações direito a uma parte da propriedade de uma empresa

agente alguém que pratica um ato em nome de outra pessoa, chamada principal

alavancagem o uso do dinheiro emprestado para complementar os fundos existentes para fins de investimento

alíquota marginal imposto adicional pago sobre um dólar de renda adicional

alíquota média total de impostos pagos dividido pela renda total

análise de custo-benefício um estudo que compara os custos e os benefícios de um bem público para a sociedade

análise fundamentalista o estudo das demonstrações contábeis e das expectativas futuras de uma empresa para determinar seu valor

apreciação um aumento no valor de uma moeda medido pela quantidade de moeda estrangeira que ela comprar

aversão ao risco uma antipatia à incerteza

B

balança comercial o valor das exportações de um país menos o valor de suas importações; também chamado exportações líquidas

banco central uma instituição planejada para supervisionar o sistema bancário e regular a quantidade de moeda na economia

bem de Giffen um bem para o qual um aumento no preço provoca um aumento na quantidade demandada

bem-estar social programas governamentais que suplementam a renda dos necessitados

bem inferior um bem para o qual, tudo o mais mantido constante, um aumento na renda leva a uma diminuição da demanda

bem normal um bem para o qual, tudo o mais mantido constante, um aumento na renda leva a uma diminuição da demanda

bens artificialmente escassos bens que são excludentes, mas não rivais no consumo. O mesmo que *bens de clube*

bens de clube bens que são excludentes, mas não rivais no consumo. O mesmo que *bens artificialmente escassos*

bens privados bens que são tanto excludentes quanto rivais no consumo

bens públicos bens que não são nem excludentes nem rivais

C

capital os equipamentos e as estruturas usados para produzir bens e serviços

capital bancário os recursos que os proprietários do banco colocam na instituição

capital físico o estoque de equipamentos e estruturas usado para produzir bens e serviços

capital humano o acúmulo de investimento nas pessoas, tais como educação e treinamento no emprego

carona alguém que recebe um benefício de um bem, mas evita pagar por ele

cartel um grupo de empresas agindo conforme um acordo

choque de oferta um acontecimento que afeta diretamente os custos e os preços das empresas, deslocando a curva de oferta agregada da economia e, portanto, a curva de Phillips

ciclo de negócios flutuações da atividade econômica, medidas pelo número de pessoas empregadas ou pela produção de bens e serviços. O mesmo que *ciclo econômico*

ciclo de vida o padrão regular de variação da renda ao longo da vida de uma pessoa

ciclo econômico flutuações da atividade econômica, medidas pelo número de pessoas empregadas ou pela produção de bens e serviços. O mesmo que *ciclo de negócios*

competição monopolística estrutura de mercado em que muitas empresas vendem produtos similares, mas não idênticos

complementares dois bens para os quais o aumento do preço de um leva a uma redução da demanda pelo outro

complementos perfeitos dois bens cujas curvas de indiferença formam um ângulo reto

composição a acumulação de uma soma de dinheiro em uma conta bancária, em que os juros ganhos permanecem na conta para ganhar juros adicionais no futuro

compras do governo gastos em bens e serviços pelos governos municipais, estaduais e federal

conhecimento tecnológico o conhecimento que a sociedade tem das melhores maneiras de produzir bens e serviços

conluio um acordo entre as empresas de um mercado a respeito das quantidades a serem produzidas ou dos preços a serem cobrados

consumo as despesas das famílias em bens e serviços, excetuando-se a compra de imóveis residenciais novos

critério maximin a afirmação de que o governo deveria ter por objetivo maximizar o bem-estar da pessoa em pior situação na sociedade

curva de demanda um gráfico da relação entre o preço de um bem e a quantidade demandada

curva de demanda agregada uma curva que mostra a quantidade de bens e serviços que as famílias, as empresas, o governo e os clientes estrangeiros desejam comprar a cada nível de preços

curva de indiferença uma curva que mostra as combinações de consumo que proporcionam ao consumidor o mesmo nível de satisfação

curva de oferta um gráfico da relação entre o preço de um bem e a quantidade ofertada

curva de oferta agregada uma curva que mostra a quantidade de bens e serviços que as empresas decidem produzir e vender a cada nível de preços

curva de Phillips a curva que mostra o *tradeoff* entre inflação e desemprego no curto prazo

custo o valor de tudo aquilo de que um vendedor precisa abrir mão para produzir um bem

custo de oportunidade aquilo de que devemos abrir mão para obter algum item

custo de sola de sapato os recursos desperdiçados quando a inflação incentiva as pessoas a reduzir a quantidade de moeda mantida em mãos

custo fixo médio custos fixos divididos pela quantidade produzida

custo irrecuperável um custo que já ocorreu e que não pode ser recuperado

custo marginal o aumento do custo total decorrente da produção de uma unidade adicional

custo total o valor de mercado dos insumos que uma empresa usa na produção

custo total médio custo total dividido pela quantidade produzida

custo variável médio custos variáveis divididos pela quantidade produzida

custos de menu os custos da alteração de preços

custos de transação custos em que as partes incorrem no processo de efetivação de uma negociação

custos explícitos custos dos insumos que requerem um desembolso de dinheiro pela empresa

custos fixos custos que não variam com a quantidade produzida

custos implícitos custos dos insumos que não requerem um desembolso de dinheiro pela empresa

custos variáveis custos que variam com a quantidade produzida

D

declarações normativas declarações que tentam prescrever como o mundo deveria ser

declarações positivas declarações que tentam descrever o mundo como ele é

déficit comercial um excesso de importações sobre as exportações

déficit orçamentário arrecadação tributária menor que os gastos do governo

deflator do PIB uma medida do nível de preços calculada como a razão entre o PIB nominal e o PIB real multiplicada por 100

depósitos à vista saldos em conta corrente aos quais os depositantes têm acesso mediante a emissão de um cheque

depreciação uma redução do valor de uma moeda medida pela quantidade de moeda estrangeira que ela pode comprar

depressão uma recessão grave

deseconomias de escala a propriedade segundo a qual o custo total médio de longo prazo sobe com o aumento da quantidade produzida

desemprego cíclico o desvio do desemprego em relação à sua taxa natural

desemprego estrutural o desemprego que surge porque o número de empregos disponíveis em alguns mercados de trabalho é insuficiente para proporcionar emprego a todos que o desejam

desemprego friccional o desemprego que surge porque leva algum tempo para que os trabalhadores encontrem empregos que melhor se adaptem a suas preferências e habilidades

deslocamento uma diminuição do investimento que resulta da tomada de empréstimos pelo governo

diagrama do fluxo circular um modelo visual da economia que mostra como os dólares circulam pelos mercados entre as famílias e as empresas

dicotomia clássica a separação teórica entre variáveis nominais e variáveis reais

diferencial compensatório a diferença nos salários que surge para compensar as características não monetárias de diferentes empregos

dilema dos prisioneiros um "jogo" entre dois prisioneiros que ilustra como é manter a cooperação, mesmo quando ela é mutuamente benéfica

direito de propriedade habilidade de um indivíduo para possuir e exercer controle sobre recursos escassos

discriminação a oferta de oportunidades diferentes a indivíduos semelhantes que diferem entre si apenas por raça, grupo étnico, sexo, idade ou outras características pessoais

discriminação de preços a prática comercial de vender o mesmo bem por diferentes preços a diferentes clientes

disposição para pagar a quantia máxima que um comprador pagará por um bem

diversificação a redução do risco obtida por meio da substituição de um único risco por um grande número de riscos menores e não correlacionados

E

economia o estudo de como a sociedade administra seus recursos escassos

economia aberta uma economia que interage livremente com outras economias do mundo

economia comportamental área da economia que integra conhecimentos da psicologia

economia de mercado uma economia que aloca recursos por meio das decisões descentralizadas de muitas empresas e famílias quando estas interagem nos mercados de bens e serviços

economia do bem-estar o estudo de como a alocação de recursos afeta o bem-estar econômico

economia fechada uma economia que não interage com outras economias do mundo

economia política estudo do governo que emprega os métodos analíticos da economia

economias de escala a propriedade segundo a qual o custo total médio de longo prazo cai com o aumento da quantidade produzida

efeito de alcance a propriedade pela qual países que partem de um patamar pobre tendem a crescer mais rapidamente do que países que partem de um patamar rico

efeito deslocamento a queda na demanda agregada que ocorre quando uma política fiscal expansionista eleva a taxa de juros e, portanto, reduz as despesas de investimento

efeito Fisher o ajustamento, na proporção de um para um, da taxa de juros nominal à taxa de inflação

efeito multiplicador os deslocamentos adicionais na demanda agregada que ocorrem quando uma política fiscal expansionista aumenta a renda e, portanto, as despesas de consumo

efeito renda a variação de consumo que ocorre quando uma mudança de preço move o consumidor para uma curva de indiferença mais elevada ou menos elevada

efeito substituição a variação de consumo que ocorre quando uma mudança de preço move o consumidor ao longo de uma dada curva de indiferença até um ponto com uma nova taxa marginal de substituição

eficiência a propriedade que a sociedade tem de obter o máximo possível a partir de seus recursos escassos

eficiência informativa a descrição dos preços de um ativo que refletem racionalmente toda a informação disponível

elasticidade uma medida da resposta da quantidade demandada ou da quantidade ofertada a variações em seus determinantes

elasticidade-preço cruzada da demanda uma medida do quanto a quantidade demandada de um bem responde a uma variação no preço de outro, calculada como a variação percentual da quantidade demandada do primeiro bem dividida pela variação percentual do preço do segundo bem

elasticidade-preço da demanda uma medida do quanto a quantidade demandada de um bem reage a uma mudança no preço do bem em questão, calculada como a variação percentual da quantidade demandada dividida pela variação percentual do preço

elasticidade-preço da oferta uma medida do quanto a quantidade ofertada de um bem responde a uma variação do seu preço, calculada como a variação percentual da quantidade ofertada dividida pela variação percentual do preço

elasticidade-renda da demanda uma medida do quanto a quantidade demandada de um bem responde a uma variação na renda dos consumidores, calculada como a variação percentual da quantidade demandada dividida pela variação percentual da renda

equação quantitativa a equação $M \times V = P \times Y$, que relaciona a quantidade de moeda, a velocidade da moeda e o valor em dólares (valor monetário) da produção de bens e serviços da economia

equidade horizontal a ideia de que os contribuintes com capacidade de pagamento de impostos deveriam pagar a mesma quantia

equidade vertical a ideia de que contribuintes com maior capacidade de pagamento de impostos deveriam pagar maiores quantias

equilíbrio uma situação na qual o preço de mercado atingiu o nível em que a quantidade ofertada é igual à quantidade demandada

equilíbrio comercial uma situação em que as exportações são iguais às importações

equilíbrio de Nash uma situação em que os agentes econômicos que estão interagindo uns com os outros escolhem sua melhor estratégia, dadas as estratégias escolhidas pelos demais agentes

escala de demanda uma tabela que mostra a relação entre o preço de um bem e a quantidade demandada

escala de oferta uma tabela que mostra a relação entre o preço e a quantidade ofertada de um bem

escala eficiente a quantidade de produção que minimiza o custo total médio

escassez a natureza limitada dos recursos da sociedade

estabilizadores automáticos alterações da política fiscal que estimulam a demanda agregada quando a economia entra em recessão, sem que os formuladores de políticas tenham de fazer qualquer ação deliberada

estagflação um período de queda na produção e elevação nos preços

estratégia dominante em um jogo, é a melhor estratégia para um jogador, independentemente das estratégias escolhidas pelos demais jogadores

excedente do consumidor a quantia que um comprador está disposto a pagar por um bem menos a quantia que realmente paga por ele

excedente do produtor a quantia que um vendedor recebe por um bem menos o custo do vendedor para produzi-lo

excesso de demanda uma situação em que a quantidade demandada é maior do que a quantidade ofertada

excesso de oferta uma situação em que a quantidade ofertada é maior do que a quantidade demandada

exigência de capital um regulamento governamental que especifica um montante mínimo de capital bancário

expectativas racionais teoria segundo a qual as pessoas, ao prever o futuro, usam otimamente todas as informações de que dispõem, inclusive aquelas sobre as políticas governamentais

exportações bens e serviços produzidos internamente e vendidos no exterior

exportações líquidas gastos com bens produzidos internamente por parte de estrangeiros (exportações) menos gastos com bens estrangeiros por parte de residentes internos (importações)

externalidade o impacto das ações de uma pessoa sobre o bem-estar de outras que não tomam parte da ação

F

falha de mercado uma situação em que o mercado, por si só, fracassa ao alocar recursos eficientemente

fatores de produção os insumos usados para produzir bens e serviços

Federal Reserve (Fed) o banco central dos Estados Unidos

finanças o campo que estuda como as pessoas tomam decisões sobre a alocação de recursos ao longo do tempo e como lidam com o risco

fluxo líquido de capitais externos a compra de ativos estrangeiros por residentes internos menos a compra de ativos internos por estrangeiros. O mesmo que *investimento externo líquido*

força de trabalho o número total de trabalhadores, incluindo tanto os empregados quanto os desempregados

fronteira de possibilidades de produção um gráfico que mostra as combinações de produto que a economia tem possibilidade de produzir dados os fatores de produção e a tecnologia de produção disponíveis

fuga de capitais uma grande e súbita redução da demanda pelos ativos localizados em um país

função de produção a relação entre a quantidade de insumos usados na produção de um bem e a quantidade produzida desse bem

fundo mútuo instituição que vende cotas ao público e usa o resultado das vendas para comprar uma carteira de ações e títulos

G

grau de alavancagem a razão dos ativos para o capital bancário. O mesmo que *índice de alavancagem*

greve a paralisação organizada do trabalho de uma empresa por parte de um sindicato

H

hipótese da taxa natural a afirmação de que o desemprego retorna à sua taxa normal, ou natural, independentemente da taxa de inflação

hipótese dos mercados eficientes a teoria de que os preços dos ativos refletem todas as informações públicas disponíveis sobre o valor de um ativo

I

igualdade a propriedade de distribuir prosperidade econômica de maneira uniforme entre os membros da sociedade

importações bens e serviços produzidos no exterior e vendidos internamente

imposto corretivo um imposto destinado a induzir decisores privados a considerar os custos sociais que surgem a partir de uma externalidade negativa

imposto de renda negativo um sistema tributário que arrecada receita das famílias de alta renda e concede subsídios àquelas de baixa renda

imposto inflacionário a receita arrecadada pelo governo por meio da criação de moeda

imposto fixo um imposto com o mesmo montante para todas as pessoas. O mesmo que *tributação por montante único*

imposto progressivo um imposto segundo o qual os contribuintes com alta renda pagam uma fração maior de sua renda do que aqueles com baixa renda

imposto proporcional um imposto segundo o qual os contribuintes com alta renda e aqueles com baixa renda pagam a mesma fração de sua renda

imposto regressivo um imposto segundo o qual os contribuintes com alta renda pagam uma fração menor de sua renda do que os contribuintes com baixa renda

incentivo algo que induz a pessoa a agir

incidência tributária a maneira como o ônus de um imposto é dividido entre os participantes de um mercado

indexação a correção automática, por força de lei ou de contrato, de uma quantia pela inflação

índice de alavancagem a razão dos ativos para o capital bancário. O mesmo que *grau de alavancagem*

índice de preços ao consumidor (IPC) uma medida do custo total dos bens e serviços comprados por um consumidor típico

índice de preços ao produtor (IPP) uma medida do custo de uma cesta de bens e serviços comprados pelas empresas

inflação um aumento do nível geral de preços da economia

intermediários financeiros instituições financeiras por meio das quais os poupadores podem, indiretamente, ofertar fundos aos tomadores de empréstimos

internalização de uma externalidade alteração dos incentivos, de maneira que as pessoas levem em consideração os efeitos externos de suas ações

investimento os dispêndios em equipamento de capital, estoques e estruturas, incluindo a compra de novos imóveis residenciais pelas famílias

investimento externo líquido a compra de ativos estrangeiros por residentes menos a compra de ativos internos por estrangeiros. O mesmo que *fluxo líquido de capitais externos*

L

lei da demanda a afirmação de que, com tudo o mais mantido constante, a quantidade demandada de um bem diminui quando o preço dele aumenta

lei da oferta a afirmação de que, com tudo o mais mantido constante, a quantidade ofertada de um bem aumenta quando seu preço aumenta

lei da oferta e da demanda a afirmação de que o preço de qualquer bem se ajusta para trazer a quantidade ofertada e a quantidade demandada desse bem para o equilíbrio

liberalismo a filosofia política segundo a qual o governo deveria escolher políticas consideradas justas, como avaliadas por um observador imparcial que esteja encoberto por trás de um "véu de ignorância"

libertarismo a filosofia política segundo a qual o governo deveria punir os crimes e fazer valer os acordos voluntários, mas não redistribuir a renda

linha de pobreza um nível absoluto de renda fixado pelo governo federal para cada tamanho de família, abaixo do qual a família é considerada em estado de pobreza

liquidez a facilidade com que um ativo pode ser convertido em meio de troca da economia

lucro receita total menos custo total

lucro contábil receita total menos custo explícito total

lucro econômico receita total menos custo total, incluindo tanto os custos explícitos e quanto os implícitos

M

macroeconomia o estudo dos fenômenos da economia como um todo, incluindo inflação, desemprego e crescimento econômico

meio de troca algo que os compradores dão aos vendedores quando querem comprar bens e serviços

mercado um grupo de compradores e vendedores de um bem ou serviço particular

mercado competitivo um mercado com muitos compradores e vendedores negociando produtos idênticos, de modo que cada comprador e vendedor é um tomador de preço

mercado de fundos para empréstimos o mercado em que aqueles que querem poupar ofertam fundos e aqueles que querem tomar empréstimos para investir demandam fundos

mercados financeiros instituições financeiras por meio das quais os poupadores podem fornecer fundos diretamente aos tomadores de empréstimos

microeconomia o estudo de como famílias e empresas tomam decisões e de como interagem nos mercados

modelo de demanda agregada e oferta agregada o modelo que a maioria dos economistas usa para explicar as flutuações de curto prazo na atividade econômica em torno de sua tendência de longo prazo

moeda o conjunto de ativos da economia que as pessoas usam regularmente para comprar bens e serviços de outras pessoas

moeda corrente as cédulas de papel e as moedas de metal em poder do público

moeda de curso forçado moeda sem valor intrínseco, que é usada como moeda por decreto governamental

moeda-mercadoria moeda que toma a forma de uma mercadoria com valor intrínseco

monopólio uma empresa que é a única vendedora de um produto que não tem substitutos próximos

monopólio natural um monopólio que surge porque uma única empresa consegue ofertar um bem ou serviço a um mercado inteiro a um custo menor do que ocorreria se existissem duas ou mais empresas no mercado

mudança marginal um pequeno ajuste incremental em um plano de ação

multiplicador da moeda a quantidade de moeda que o sistema bancário gera com cada dólar de suas reservas

N

negociação coletiva o processo por meio do qual os sindicatos e as empresas chegam a um acordo sobre as condições de emprego

neutralidade monetária a proposição de que alterações na oferta de moeda não afetam as variáveis reais

núcleo do IPC medida do custo geral de bens de consumo e serviços, exceto alimentos e energia.

O

oferta de moeda a quantidade de moeda disponível na economia

oligopólio uma estrutura de mercado em que apenas poucos vendedores oferecem produtos similares ou idênticos

operações no mercado aberto[1] a compra e venda de títulos do governo norte-americano pelo Fed

P

paradoxo de Condorcet o fracasso da regra da maioria para produzir preferências transitivas para a sociedade

paridade do poder de compra teoria das taxas de câmbio segundo a qual uma unidade de qualquer moeda dada deveria ser capaz de comprar a mesma quantidade de bens em todos os países

passeio aleatório a trajetória de uma variável cujas variações são impossíveis de prever

peso morto a queda no excedente total que resulta de uma distorção de mercado, como um imposto

pessoa racional aquela que, sistemática e objetivamente, faz o máximo para alcançar seus objetivos

PIB nominal a produção de bens e serviços avaliada a preços correntes

PIB real a produção de bens e serviços avaliada a preços constantes

poder de mercado a capacidade que um único agente econômico (ou um pequeno grupo de agentes) tem de influenciar significativamente os preços do mercado

política comercial uma política do governo que influencia diretamente a quantidade de bens e serviços que um país importa ou exporta

política fiscal o estabelecimento dos níveis de gastos do governo e dos impostos pelos formuladores de políticas

política monetária o estabelecimento da oferta de moeda pelos formuladores de políticas do banco central

poupança nacional (poupança) o que resta da renda total da economia após o pagamento dos gastos de consumo e das compras do governo

poupança privada a renda que fica com as famílias após o pagamento de impostos e de despesas de consumo

poupança pública a receita tributária que fica com o governo após o pagamento de suas despesas

preço de equilíbrio o preço que iguala a quantidade ofertada e a quantidade demandada

preço máximo um limite máximo legal para o preço pelo qual um bem pode ser vendido

preço mínimo um limite mínimo legal para o preço pelo qual um bem pode ser vendido

preço mundial o preço de um bem que prevalece no mercado mundial desse bem

principal alguém em cujo nome outra pessoa, chamada agente, pratica algum ato

princípio da capacidade de pagamento a ideia de que os impostos deveriam ser cobrados da pessoa com base na sua capacidade de suportar o ônus do imposto

princípio dos benefícios a ideia de que as pessoas deveriam pagar os impostos com base nos benefícios que recebem dos serviços do governo

procura de emprego o processo por meio do qual os trabalhadores encontram empregos apropriados, dadas suas preferências e habilidades

produtividade a quantidade de bens e serviços produzidos por unidade de insumo de mão de obra

produto interno bruto (PIB) o valor de mercado de todos os bens e serviços finais produzidos em um país em um dado período de tempo

produto marginal o aumento na produção que surge de uma unidade adicional de insumo

produto marginal decrescente a propriedade segundo a qual o produto marginal de um insumo diminui à medida que a quantidade do insumo aumenta

produto marginal do trabalho o aumento da quantidade produzida em decorrência do uso de uma unidade adicional de mão de obra

propriedade da exclusão a propriedade de um bem segundo a qual uma pessoa pode ser impedida de usá-lo

Q

quantidade de equilíbrio a quantidade ofertada e a quantidade demandada ao preço de equilíbrio

1. As operações de mercado aberto (regularmente denominadas de Open Market), praticadas mediante a compra e venda de títulos públicos, é um dos instrumentos de Política Monetária dos bancos centrais para equilibrar a oferta de moeda e regular a taxa de juros no curto prazo. (NRT)

quantidade demandada a quantidade de um bem que os compradores desejam e podem comprar

quantidade ofertada a quantidade de um bem que os vendedores estão dispostos e aptos a vender

R

razão de reserva a fração dos depósitos que os bancos mantêm como reserva

receita marginal a variação da receita total decorrente da venda de uma unidade adicional

receita média receita total dividida pela quantidade vendida

receita total (no mercado) a quantia paga pelos compradores e recebida pelos vendedores de um bem, calculada como o preço do bem multiplicado pela quantidade vendida

receita total (para empresa) o montante que uma empresa recebe pela venda da sua produção

recessão um período de queda da renda real e aumento do desemprego

recursos comuns bens que são rivais, mas não são excludentes

recursos naturais os insumos para a produção de bens e serviços que são fornecidos pela natureza, como terra, rios e depósitos minerais

renda permanente a renda normal de uma pessoa

rendimentos decrescentes a propriedade segundo a qual o benefício de uma unidade adicional de um insumo diminui à medida que a quantidade do insumo aumenta

reserva de valor algo que as pessoas podem usar para transferir poder de compra do presente para o futuro

reservas depósitos recebidos pelos bancos, mas que não são emprestados

reservas exigidas regulamentação que diz respeito ao montante mínimo de reservas que os bancos devem manter sobre seus depósitos

restrição orçamentária o limite das combinações de consumo de bens que o consumidor pode adquirir

retornos constantes de escala a propriedade segundo a qual o custo total médio de longo prazo se mantém constante enquanto a quantidade produzida varia

risco de mercado risco que afeta todas as empresas no mercado de ações

risco específico da empresa risco que afeta apenas uma única empresa

risco moral a tendência que alguém, inadequadamente monitorado, tem de apresentar comportamento desonesto ou indesejável

rivalidade no consumo a propriedade de um bem segundo a qual sua utilização por uma pessoa reduz a possibilidade de outras pessoas utilizá-lo

S

salários de eficiência salários acima do nível de equilíbrio pagos pelas empresas, objetivando aumentar a produtividade dos trabalhadores

seguro-desemprego um programa governamental que protege parcialmente a renda dos trabalhadores quando eles ficam desempregados

seguro social política do governo para proteger as pessoas contra o risco de adversidades

seleção uma ação praticada por uma parte desinformada para induzir a parte informada a revelar informações

seleção adversa a tendência de que o *mix* de atributos não observados se torne indesejável do ponto de vista de uma parte desinformada

sinalização uma ação praticada por uma parte informada para revelar informações particulares à parte desinformada

sindicato uma associação de trabalhadores que negocia salários e condições de trabalho com os empregadores

sistema de reservas fracionárias um sistema bancário no qual os bancos mantêm apenas uma parte de seus depósitos como reserva

sistema financeiro o grupo de instituições da economia que ajuda a promover o encontro da poupança de uma pessoa com o investimento de outra pessoa

substitutos dois bens para os quais o aumento do preço de um leva a um aumento da demanda pelo outro

substitutos perfeitos dois bens cujas curvas de indiferença são retas

superávit comercial um excesso de exportações sobre as importações

superávit orçamentário quando as receitas do governo são maiores que suas despesas

T

tarifa imposto sobre bens produzidos no exterior e vendidos internamente

taxa de câmbio nominal a taxa à qual uma pessoa pode trocar a moeda de um país pela de outro

taxa de câmbio real a taxa à qual uma pessoa pode negociar os bens e serviços de um país pelos bens e serviços de outro país

taxa de desemprego o percentual da força de trabalho que está sem emprego

taxa de fundos federais taxa de juros que os bancos cobram por empréstimos realizados à noite entre eles

taxa de inflação a variação percentual do índice de preços em relação a um período anterior

taxa de juros nominal a taxa de juros tal como normalmente cotada, sem a correção dos efeitos da inflação

taxa de juros real a taxa de juros após o desconto da taxa de inflação

taxa de participação na força de trabalho o percentual da população adulta que está na força de trabalho

taxa de pobreza o percentual da população cuja renda familiar se encontra abaixo de um nível absoluto denominado linha de pobreza

taxa de redesconto a taxa de juros sobre os empréstimos que o Fed concede aos bancos

taxa de reserva a fração dos depósitos que os bancos mantêm como reserva

taxa de sacrifício a perda de produção anual, em pontos percentuais, medida no processo de redução da inflação em 1 ponto percentual

taxa marginal de substituição a taxa à qual um consumidor está disposto a trocar um bem por outro

taxa natural de desemprego a taxa normal de desemprego em torno da qual a taxa de desemprego flutua

taxa natural de produção produção de bens e serviços que uma economia realiza no longo prazo, quando o desemprego está em sua taxa normal

teorema da impossibilidade de Arrow um resultado matemático que mostra que, sob certas condições assumidas, não há sistema que permita agregar as preferências individuais em um conjunto válido de preferências sociais

teorema de Coase a proposição de que, se os agentes econômicos privados puderem negociar sem custo a alocação de recursos, poderão resolver por si sós o problema das externalidades

teorema do eleitor mediano um resultado matemático que mostra que, se os eleitores estão escolhendo um ponto ao longo de uma linha e cada eleitor desejar o ponto mais próximo de seu preferido, então a regra da maioria levará à escolha do ponto preferido do eleitor mediano

teoria da preferência pela liquidez a teoria de Keynes, segundo a qual a taxa de juros se ajusta para equilibrar a oferta de moeda e a demanda por moeda

teoria dos jogos o estudo de como as pessoas se comportam em situações estratégicas

teoria quantitativa da moeda teoria segundo a qual a quantidade de moeda disponível determina o nível de preços e a que taxa de crescimento na quantidade de moeda disponível determina a taxa de inflação

título um certificado de dívida

trabalhadores desalentados pessoas que gostariam de trabalhar, mas desistiram de procurar emprego

Tragédia dos comuns uma parábola que ilustra por que os recursos comuns são mais utilizados do que o desejável do ponto de vista de toda a sociedade

transferências em espécie transferências aos pobres dadas em forma de bens e serviços, em vez de dinheiro

tributação por montante único um imposto com o mesmo montante para todas as pessoas. O mesmo que *imposto fixo*

U

unidade de conta o padrão de medida que as pessoas usam para estabelecer preços e registrar débitos

utilidade uma medida da felicidade ou satisfação

utilitarismo a filosofia política segundo a qual o governo deve escolher políticas que maximizem a utilidade total de todos na sociedade

V

valor do produto marginal o produto marginal de um insumo multiplicado pelo preço do produto

valor futuro o montante de dinheiro no futuro que um montante de dinheiro de hoje irá render, dada a atual taxa de juros

valor presente o montante de dinheiro que seria necessário hoje para produzir, à taxa de juros atual, certo montante de dinheiro futuro

vantagem absoluta habilidade para produzir um bem empregando menor quantidade de insumos que outro produtor

vantagem comparativa habilidade para produzir um bem com menor custo de oportunidade que outro produtor

variáveis nominais variáveis medidas em unidades monetárias

variáveis reais variáveis medidas em unidade físicas

velocidade da moeda a taxa pela qual a moeda troca de mãos

Índice remissivo

Os números em negrito referem-se às páginas em que os termos são definidos.

A

Ação corretamente valorizada, 458
Ação subvalorizada, 458
Ação supervalorizada, 458
Ações, **434**
  Análise fundamentalista, 458
  Diversificação de um risco específico da empresa, 455-456
  Hipótese dos mercados eficientes, 458-459
  Irracionalidade do mercado, 459-460
  Moeda, 487-488
Acelerador de investimentos, 599
África do Sul, desigualdade de renda na, 326
Agência de Proteção Ambiental (EPA), 160
Agentes, **365**, 365-366
Agricultura, aplicações de oferta, demanda e elasticidade, 86-87
Água e ar puros como recursos comuns, 178
Ajuda financeira, discriminação de preços e, 250
Ajustamento sazonal, 386
Alavancagem, **494**
Alemanha
  Crescimento econômico da, 413
  Desigualdade de renda na, 326
  Inflação não, 11
  Renda média na, 413
Alíquota marginal, 185, **189**
  Versus alíquota média, 189
Alíquota média, **189**
American Economic Review, 613, 615
American Heritage, 416
"Análise da Política Anti-inflacionária" (Samuelson & Solow), 613
Análise da discriminação de preços, 248-249
Análise de custo-benefício, 176-177, **176**
Análise fundamentalista, **458**
Angrist, Joshua, 303
A noviça rebelde, 405
Animais como recursos comuns, 179
Ano-base, 390
Anuidade, 455
Apreciação, **533**
Arbitragem, 248, 536
Argentina
  Crescimento econômico da, 425
  PIB, 413, 425
  Políticas comerciais voltadas para dentro, 425
Argumento da competição desleal a favor das restrições ao comércio, 148-149
Argumento da indústria nascente a favor das restrições ao comércio, 148
Argumento da proteção como instrumento de barganha a favor das restrições ao comércio, 149
Argumento de segurança nacional a favor das restrições ao comércio, 148
Arrow, Kenneth, 370-371
Associação Nacional de Consumidores de Sorvete, 98
AT&T, 251
Avaliação de ativos, 458-460
Avatar, 405
Aversão ao risco, **454**

B

Balança comercial, **527**
Balanço, 491
Banco central, **488**. *Ver também* Federal Reserve (Fed)
  Debate da inflação zero, 640-643
Banco Central Europeu (BCE), 535
Banco Mundial, 422
Bangladesh
  Crescimento econômico em, 413-416
  Desigualdade de renda em, 326
Bancos. *Ver também* Banco Central; Banco Central Europeu
  100% de reserva bancária, 490-491
  Capital bancário, alavancagem e crise financeira de 2008-2009, 493-495
  Como intermediários financeiros, 435-436
  Criação de moeda com reservas bancárias fracionárias, 491-492
  Fed emprestando para, 496-497
  Multiplicador de moeda, 492-493
  Oferta de moeda e, 490-495
Barreiras comerciais, 28
Barro, Robert, 625
BCE. *Ver* Banco Central Europeu
BEA. *Ver* Bureau of Economic Analysis

Bem intermediário, 385
Bem-estar da sociedade
Competição monopolística e, 267-268
Dilema dos prisioneiros e, 283-284
Bem-estar econômico
Excedente total e, 118
Bem-estar social, **333**, 333-334
Efeitos das tarifas, 143-143
Efeitos do livre comércio, 140
Impostos afetam o, 128-130
Políticas para reduzir a pobreza, 333-334
Benefícios marginais, 5
Bens, 58-59
Artificialmente escassos, 173, 237
Atualmente produzidos, o PIB inclui, 386
Cesta do IPC, 401
Complementares, 58-59
Diferentes tipos de, 172-174
Finais, 385
Fluxos internacionais de, 526-532
Inferiores, 58-59, 82, 350
Intermediários, 385
Mercados de, 18-20
Normais, 58-59, 82, 350
Privados, 173
Propriedade de exclusão, 172, 173, 175, 176
Públicos, 172, 173, 174-177, 426
Relacionados, 58-59
Rivalidade no consumo, 172-173
Substitutos, 58-59
Tangíveis, 385
Tipos de, 172-173
Bens artificialmente escassos, **173**, 237
Bens de Giffen, **355**
Bens inferiores, **58, 350**
Elasticidade-renda da demanda e, 81-82
Bens normais, **58, 350**
Elasticidade-renda da demanda e, 81-82
Bens privados, **173**
Bens públicos, **173**, 426
Análise custo-benefício, 176-177
Defesa nacional, 175
Importância dos direitos de propriedade, 179-180
Pesquisa básica, 175-176
Problema do carona, 174-175
Programas de combate à pobreza, 176
Bens tangíveis, o PIB inclui, 385
Bentham, Jeremy, 329
Bernanke, Ben S., 628
Berra, Yogi, 407
Blinder, Alan, 643
BLS. *Ver* Bureau of Labor Statistics
BMW, 279
Bolha especulativa, 459-460
Bolívia, hiperinflação na, 516
Bolsa de valores de Nova York, 434
Brasil
Crescimento econômico do, 416
Desigualdade de renda no, 326
Bureau of Labor Statistics (BLS), 465, 471, 612
Cálculo do IPC, 399, 401, 403
Busca por empregos, **470**
Políticas públicas e, 472
Seguro desemprego, 472-473
Um pouco de desemprego friccional é inevitável, 470-471
Bush, George H. W., 604
Bush, George W., 193, 627
Cortes de impostos, 193, 636

C

Câmbio de moeda estrangeira
Mercado de, 544-547
Oferta e demanda, 542-547
Canadá
Crescimento econômico do, 416
Desigualdade de renda no, 326
Capacidade ociosa, 266
Capital, 294, 305
Custo do, 200
Definido, 294
Deslocamentos da curva de oferta agregada e, 573
Equilíbrio nos mercados de, 305-306
Fator de produção, 305-307
Físico, 417-418
Fluxos internacionais de, 526-532
Humano, 313, 417, 418, 419, 422-423
Capital bancário, 493
Capital físico, 417-**418**
Como um determinante da produtividade, 417-419
Capital humano, **313**, 417, **418**, 423
Como determinante da produtividade, 418
Crescimento econômico e, 418
Educação como, 422-423
Papel do, 317-318
Saúde e nutrição como investimentos em, 423-424
Carona, 174
Carteira, fundos mútuos, 436
Cartel, **276**. *Ver também* Organização dos Países Exportadores de Petróleo (Opep)
Concorrência e, 276-277
Monopólios, 276-277
Sindicatos como um tipo de, 474-476
Carter, Jimmy, 504, 640
Cartões de crédito, 487
Causa e efeito, 37-39
Causalidade reversa, 38-39
CBO. *Ver* Congressional Budget Office

Cesta de bens e serviços, 401
Chamberlin, Edward, 270
China
  Crescimento econômico da, 413-416
  Desigualdade de renda na, 326
  Padrões de vida na, 10
  Política de um filho por família, 427-428
  Taxa de crescimento econômico da, 413
Choques de oferta, **621**
  Acomodando choques de oferta adversos, 622
  Choques adversos na oferta agregada, 622
  Curva de Phillips e, 621-623
  Dos anos 1970, 623
  Papel dos, 621-623
Ciclo de negócios, 12, 563
Ciclo de negócios político, 639-640
Ciclo de vida, **328**
Ciclo de vida econômico, 328
Cingapura, adota políticas voltadas para fora, 425
Clean Air Act, 164
Clientes, discriminação por, 319
Clinton, Bill, 193
CMg. *Ver* Custo marginal
Coase, Ronald, 165-166
Coca-Cola Company, 251, 419
Coeficiente de concentração, 262
Collins, Suzanne, 261
Colombo, Cristóvão, 428
Comércio. *Ver também* Livre comércio; Ganhos do comércio; Comércio Internacional
  Benefícios do, 7
  Equilíbrio sem comércio internacional, 138-139
  Especialização e, 42-44
  Interdependência e ganhos do, 40-49
  Peso morto r ganhos do, 130-131
  Preço do, 46
  Restrições (Ver Restrições ao comércio)
  Restrições ao, 285
  Vantagem comparativa e, 45-46
Comitê Federal do Mercado Aberto (FOMC), 489-490, 597, 638-639
Comércio internacional, 138-151
  Benefícios do, 146-147
  Cotas de importação comparadas com tarifas, 145
  Determinantes do, 138-139
  Dos Estados Unidos, 48-49
  Efeitos das tarifas, 143-145
  Equilíbrio sem, 138-139
  Ganhadores e perdedores do, 140-147
  Ganhos e perdas de um país exportador, 139-142
  Ganhos e perdas de um país importador, 142-143
  Lições para a política de, 145-146
  Preço mundial, 139
  Restrições do, 145
  Vantagem comparativa, 139-140
Competição monopolística, 261-271, **262**
  Capacidade ociosa, 266
  Concorrência com produtos diferenciados, 263-268
  Diferenciação de produtos, 262
  E bem-estar da sociedade, 267-268
  Entrada e saída livre de empresas, 262
  Entre monopólio e competição perfeita, 261-263
  Equilíbrio em longo prazo, 264-265
  Markup sobre custo marginal, 266-267
  Muitos vendedores, 262
  Publicidade, 268-271
  Versus competição perfeita, 265-267
Competição perfeita, 261-263
  Capacidade ociosa, 266
  Markup sobre o custo marginal, 266-267
  Versus competição monopolística, 265-267
Competidores monopolistas em curto prazo, 263-264
Complementares, **59**
  Elasticidade-preço cruzada da demanda, 82
Complementos perfeitos, 346-**347**
Composição, **452**
  Mágica da, 453
  Regra de 70, 453
Compradores
  Disposição para pagar, 111
  Impostos sobre, afetam os resultados do mercado, 100-101
  Marginais, 112-113
  Número de, e deslocamentos na demanda, 59
  Variáveis que influenciam, 59
Compradores marginais, 112-113
Compras do governo, **388**
  Como um componente do PIB, 277
  Deslocamentos da curva de demanda agregada devido a mudanças nas, 570, 571
  Mudanças da política fiscal nas, 598-599
Comunismo, colapso da União Soviética e Leste Europeu, 7-8
Concorrência, 54-55
  Cartéis e, 276-277
  Com produtos diferenciados, 263-268
  Comércio internacional aumenta, 147
  Crescente com leis antitruste, 251

Diferenças de gêneros e, 314, 317
Mercados e, 55
Monopólio *versus*, 328-329, 254
Monopolística *versus* perfeita, 265-267
Concorrência imperfeita, 261-262
Condorcet, Marquês de, 369
Congestionamento
Determinação de preços, 178
Recursos comuns e, 178-179
Congressional Budget Office (CBO), 24, 468
Conhecimento tecnológico, **418**, 418-419
Deslocamento da curva de oferta agregada e, 574
Específico, 175-176
Conluio, **276**
Consumo, **387**
Comércio expande o conjunto de oportunidades, 43
Como componente do PIB, 387
Deslocamentos da curva de demanda agregada devido a mudanças no, 570, 571
Nível de preços e, 568
Rivalidade no, 173
Contabilidade, 437
Contadores, economistas *versus*, 199-200
Contagem de Borda, 370-371
Conta-T, 490-491
Controle de aluguéis, 27
Avaliando controles de preços, 97-98
Controles de preços, avaliando, 97-98
Cooperação, economia da, 280--284
Coordenada x, 33
Coordenada y, 33
Coreia do Sul
Adota políticas voltadas para fora, 425
Consumo calórico e altura da população, 423-424
PIB para investimentos, 421
Taxa de crescimento econômico na, 420-421, 423-424
Cornwell, Patricia, 261
Correlação negativa, 33
Correlação positiva, 33
Correlação, positiva e negativa, 33
Corrida armamentista como exemplo do dilema dos prisioneiros, 282
Cortes de impostos
Sob o governo de George H. W. Bush, 604
Sob o governo de George W. Bush, 636
Cota de importação, 28, 553
Comparada com tarifa, 145
Cotas, importações, 28, 145
Council of Economic Advisers (CEA), 24
Crédito de imposto de renda, 98, 334
Crédito tributário para investimentos, 443
Crescimento econômico
Ao redor do mundo, 413-416
Crescimento populacional e, 426-428
Direitos de propriedade e estabilidade política, 424--425
Educação e, 422-423
Experiências, variedade de, 413
Fronteira de possibilidades de produção e, 20-22
Importância do crescimento em longo prazo, 428-429
Investimentos do exterior, 422
Livre comércio e, 425
Pesquisa e desenvolvimento, 426
Políticas públicas e, 420-421
Poupança e investimentos, 420
Produtividade e, 416-419
Rendimentos decrescentes e efeito de alcance, 420-421
Saúde e nutrição, 423-424
Crescimento populacional
Crescimento econômico e, 426-428
Diluindo o estoque de capital, 426-427
Expandindo os recursos naturais, 427
Promovendo progresso tecnológico, 428
Crescimento, produção e, 412--429
Crise de crédito, 495
Critério maximin, **331**
Cupons de desconto, discriminação de preços e, 250
Curto prazo
Aumento na demanda, 229
Competidores monopolistas em, 263-264
Curva de oferta agregada, 576
Curva de Phillips, 618-619
Custos em, 209-211
Deslocamento na demanda, 228
Empresa monopolisticamente competitiva em, 263-264
Flutuações econômicas, 565--567
Oferta de mercado com um número fixo de empresas, 225
Política monetária desinflacionária, 624
Taxas de juros, 594
Curva de custo marginal (CMg)
Decisão de oferta da empresa e, 219-221
E curvas de custo médio, 207
Curva de custo médio fixo, 207
Curva de custo total, 202-203
Curva de custo total médio, 206, 219-221
Curva de custo variável médio, 206, 208

Curva de demanda agregada, **566**, 567-572. *Ver também* Demanda agregada; Modelo de demanda agregada e oferta agregada
Deslocamentos da, 569-571
Efeito riqueza, 568-571
Efeito taxa de câmbio, 568--569, 571
Efeito taxa de juros, 568, 571
Inclinação para baixo da, 567--569, 571, 594-595
Curva de demanda por mão de obra
Mudança tecnológica, 299--300
Oferta de outros fatores, 300
Preço do produto, 298
Curva de indiferença, **344**
Complementos perfeitos, 346-348
Efeito renda, 344-348
Exemplos extremos, 346-348
Propriedades da, 345-346
Substitutos perfeitos, 346
Substitutos perfeitos, 346-348
Curva de Laffer e economia do lado da oferta, 133
Curva de oferta agregada, **567**, 572-579. *Ver também* Oferta agregada; Modelo de demanda agregada e oferta agregada
Custos de menu, 576
Deslocamentos da, 572-574, 578-579
Em curto prazo, 576
Inclinação para cima em curto prazo, 575-578
Taxa natural de produção, 572-573
Teoria das percepções equivocadas, 577
Teoria dos preços rígidos, 576-577
Teoria dos salários rígidos, 575-576
Vertical em longo prazo, 572
Curva de oferta de mão de obra
Deslocamentos da, 301-302
Imigração, 301
Mudança de preferências, 301
Mudanças em oportunidades alternativas, 301
Curva de Phillips, 612
Choques de oferta e, 621-623
Colapso, 621
De curto prazo, 618-619
De longo prazo, 615-616
Demanda agregada, oferta agregada e, 613-615
Deslocamentos da, 615-623
Durante a crise financeira, 628
Expectativas racionais, 625
Hipótese da taxa natural, 620--621
Nos anos 1960, 620
Origens da, 613
Reconciliando teoria e evidências, 617-618
Taxa de sacrifício, 623-624
Curva(s) de demanda, 33-34, 56
De empresas competitivas, 239
Derivando, 353-354
Deslocamentos na, 35-36, 58-60
Elasticidade de lineares, 81
Elasticidade-preço da demanda e, 76, 77, 79
Escala de demanda e, 112
Medindo o excedente do consumidor com, 112-113
Para empresas monopolistas, 239
Variedade da, 77-78
Curvas, 33-36
Deslocamento de, 35-36
Inclinação de, 36-37
Movimentos ao longo das, 35-36
Curvas de custo
E sua forma, 206-208
Típicas, 208-209
Curvas de oferta, **60**
Deslocamentos da, 61-63
Deslocamentos *versus* movimentos ao longo da, 66-67
Elasticidade-preço da oferta, 84-85
Escala de oferta e, 60, 116
No mercado competitivo, 225-230
Usadas para medir o excedente do produtor, 116-117
Variedade de, 84-85
Custo(s), **115**, 198-201
Da inflação, 515-520
Da tributação, 127-135
De menu, 516-517, 576
De oportunidade (Ver Custos de Oportunidade)
De possíveis vendedores, 115
De sola de sapato, 515-516
De transação, 167
Do capital, 200
Economias de escala e, 146
Em curto e longo prazo, 209--211
Explícitos, 199, 201, 211
Fixo médio, 205, 211
Fixos, 205, 211
Implícitos, 199, 211
Irrecuperáveis, 221, 222-223
Lucro econômico *versus* lucro contábil, 200-201
Marginal (Ver Custo Marginal)
Produção e, 201-203
Sociais, 158-159
Totais, 199
Total médio, 205, 211, 219--221
Várias medidas de, 204-209
Variáveis, 205, 211
Variável médio, 205, 211
Custo de bem-estar dos monopólios, 244-246
Custo de se reduzir a inflação, 623
Desinflação de Volcker, 625--626

Desinflação sem custos, possibilidade, 625
Era Greenspan, 627
Expectativas racionais, 625
Recessão de 2008-2009, 628
Taxa de sacrifício, 623-624
Custo de vida
Índice de preços ao consumidor, 399-404
Medindo o, 398-410
Problemas na mensuração, 401-403
Reajuste pelo (COLA), 406
Custo marginal (CMg), 5, **205**, 211, 299
Crescente, 206
Markup sobre, 266-267
Relacionado com o custo total médio, 207-208
Custo médio, 4-5
E curvas de custo marginal, 207
Custo médio fixo, **205**, 211
Custo social, 158-159
Lucro de um monopólio como um, 246
Custo total médio, 205, 211, 219-221
Em forma de U, 206-207
Relação com curto e longo prazo, 209-210
Relação entre custo marginal e, 207
Custo total médio em forma de U, 206-207
Custo variável médio, 205, 211
Custos de menu, **516**-517, 576
Custos de oportunidade, **4, 44**, 44-45, 199-200
Custos como, 199-200
Custos de capital como, 200
Custos explícitos e implícitos, 199-200, 211
Economistas *versus* contadores, 199-200
Fronteira de possibilidades de produção e, 20-21
Vantagem comparativa e, 44-45
Custos de sola de sapato, 515-516, **516**
Custos de transação, 167
Custos explícitos, **199**, 200, 211
Custos implícitos, **199**, 211
Custos irrecuperáveis, 221, **222**, 222-223
Custos fixos, **205**, 211
Médio, 205, 211
Custos totais, **199**
Médio, 205, 211
Custos variáveis, **205**, 211
Médio, 205, 211

D

Data de vencimento, títulos, 433
Debate do orçamento equilibrado, 644-646
Debate sobre legislação tributária, 646-649
DeBeers, 236
Decisão consumo-poupança, 358
Decisão entre trabalho e lazer, 355-356
Decisões de precificação
Em monopólios, 238-244
Decisões de produção
Em monopólios, 238-244
Declarações normativas, **23**, 23-24
Declarações positivas, **23**, 23-24
Defesa nacional
Bens públicos importantes, 175
Déficit comercial, **527**
Medindo a renda de uma nação, 382
Déficits
Comerciais, 527
Lidando com, 644-646
Orçamentários (ver Déficits orçamentários)
Déficits orçamentários, 439
Deslocamento, 445
Mercado de fundos de empréstimo, 444-446
Déficits orçamentários do governo, 549-552
Deflação, 504, 623
Medindo a renda de uma nação, 382
Deflator do PIB, **391**, 391-392
Calculando a taxa de inflação, 391
Versus índice de preços ao consumidor, 403
Defoe, Daniel, 417
Demanda, 56-60. *Ver também* Modelo de demanda agregada e oferta agregada
Aplicações da, 85-90
Aumento na, 58, 66-67, 229
Derivada, 295
Desembaraçando oferta e, 550
Diminuição da, 58
Elástica, 75, 77, 79, 81
Elasticidade da (Ver Elasticidade da demanda)
Elasticidade-preço cruzada da, 82
Elasticidade-preço da, 79
Equilíbrio entre oferta e, 64-65
Excesso de, 64, 65
Expectativas e, 59
Forças do mercado da oferta e, 54-70
Individual, 56-58
Inelástica, 75, 77, 79, 81
Lei da, 56
Mercado, 56-58
Mudança na, 67
Mudanças na renda, 58
Número de compradores e, 59
Oferta e, 64-69, 94, 295, 299
Perfeitamente inelástica, 77, 78
Por mão de obra, 295-300
Preços de bens relacionados, 59
Preferências e, 59
Relação entre preço e quantidade demandada, 56

Demanda agregada. *Ver também* Modelo de demanda agregada e oferta agregada
Alterações nas compras do governo, 598-599
Contração na, 581
Curva de Phillips e, 613-615
Efeito de deslocamento, 601-602
Efeito multiplicador, 599
Efeitos das alterações na, 580-583
Estabilizadores automáticos, 606-607
Flutuações econômicas, 563-567
Mudanças nos impostos, 602-604
Multiplicador de despesas, fórmula para, 599-601
Política de estabilização, 604-605
Política fiscal e, 598-607
Política monetária e, 591-598
Representar crescimento em longo prazo e inflação, 574
Teoria da preferência pela liquidez, 591-593
Demanda de insumos e oferta de produtos, 299
Demanda de mercado, 56-58
Demanda derivada, 295
Demanda elástica, 75, 77, 79, 81
Demanda individual, 56-58
Demanda inelástica, 75, 77, 79, 81
Demanda perfeitamente inelástica, 78, 79
Demanda por mão de obra
Deslocamentos da, 305-306
Demanda por moeda, 506-507
Teoria da preferência pela liquidez, 592-593
Departamento de Justiça, 24, 236, 251, 285
Departamento do Tesouro, 24
Departamento do Trabalho, 24, 399, 465
Depósitos à vista, **487**
Curva de demanda e, 57, 112
Depreciação, 387, 533
Depressão, **562**
Descontos, 452
Descontos por quantidade, discriminação de preços e, 250
Deseconomias de escala, **210**, 210-211
Desemprego
Benefícios, 472-473
Cíclico, 464, 467
Estrutural, 470
Friccional, 470-471
Identificando, 465-470
Legislação do salário mínimo e, 473-474
Medida do, 465-468
Medindo a renda de uma nação, 382
Por que algumas pessoas sempre vivenciam o, 468-469
Procura por emprego e, 470-473
Quanto tempo sem trabalho, 468-469
Salários de eficiência e, 476-478
Seguro, 472-473
Seguro, 473-474
Taxa natural de, 464, 467, 616
Tradeoff de curto prazo entre inflação e, 11-12, 612-630
Desemprego cíclico, 464, **467**
Desemprego estrutural, **470**
Desemprego friccional, 470, 471
Desigualdade
Ao redor do mundo, 325-326
Desigualdade de renda
Ao redor do mundo, 325-326
Medindo a, 324-329
Mobilidade econômica, 329
Nos EUA, 324-325
Pobreza e, 326-327
Despesas do governo, 637. *Ver também* Política fiscal
Desinflação, 623
De Volcker, 625-626
Expectativas racionais e possibilidade de não ter custos, 625
Deslocamento, **445**
Despesas, economia geral de uma nação e, 383-384
Determinação de preços
Congestionamento, 178
Em monopólios, 247
Predatória, 286-287
Determinação de preços predatória, 286-287
Determinantes da produtividade
Capital físico por trabalhador, 417-418
Capital humano por trabalhador, 418
Conhecimento tecnológico, 418-419
Recursos naturais por trabalhador, 418
Diagrama de fluxo circular, **18**, 18-20, 383
Dicotomia clássica, **509**, 509-510
Diferenciação de produto, 262
Diferenciais compensatórios, 312-313
Diferenças salariais e, 312-313
Dilema dos prisioneiros, **280**, 280-281
Corrida armamentista, 282
E o bem-estar da sociedade, 283-284
Exemplos de, 282-283
Oligopólios como, 281-282
Recursos comuns, 283
Direitos de propriedade, **9**, 9-10
Crescimento econômico e, 424-425
Importância dos, 179-180
Discrepância estatística, 386
Discriminação, **317**
Economia da, 316-319
Ganhos e, 312-320
Medindo a discriminação no mercado de trabalho, 316-318

No mercado de trabalho, 316-318
Por parte de consumidores e governos, 319
Por parte de empregadores, 318-319
Discriminação de preços, 246-**247**
Ajuda financeira, 250
Análise da, 248-249
Bem-estar com e sem, 249
Cupons de desconto, 250
Descontos por quantidade, 250
Exemplos de, 249-250
Ingressos para o cinema, 249
Monopólios e, 246-250
Preços de companhias aéreas, 249-250
Discriminação de preços perfeita, 248-249
Disposição para pagar, 111
Disposição para vender, custo e, 115-116
Distorções tributárias induzidas pela inflação, 517-518
Distribuição
De renda nos EUA, 324-325
Teoria neoclássica da, 307
Distribuição de renda, visão mundial, 326
Diversificação, **455**, 460
Redução de risco, 457
Dívida(s)
Contratados em dólar, 641
Do governo, 444, 342, 644-646
Lidando com, 644-646
Dívidas do governo, 444-446
Deslocamento, 445
Dividendos, 436, 458
Dow Jones Industrial Average, 434
Downey, Robert, Jr., 315
Duopólio, 276-277
Dupla coincidência dos desejos, 484

E

Economia, **2**. *Ver também* Economia do bem-estar
Aberta, 437, 526
Centralmente planejada, 8
Comportamental, 373-376
Da cooperação, 280-284
Da discriminação, 316-319
Dez princípios da, 2-12
Dos sindicatos, 475-476
Fechada, 437, 526
Inflação e, 504
Mercado, 7-9
Moeda nos EUA, 487-488
Parábola para a moderna, 40-44
Política, 369-373
Pressupostos da, 565
Profunda crise econômica dos EUA, 11-12
Sindicatos, bons ou maus para a, 476
Usando a política para estabilizar, 634-636
Economia aberta, 437-438, **526**
Como políticas e eventos afetam, 548-556
Déficits orçamentários do governo, 549-552
Equilíbrio real, 547-549
Equilíbrio, 547-548
Euro, 535
Fluxo de recursos financeiros, 527-528
Fluxos internacionais de bens e capital, 526-532
Igualdade de exportações líquidas e fluxo líquido de capital, 529-530
Instabilidade política e fuga de capital, 554-556
Mercado de câmbio de moeda estrangeira, 544-547
Mercado de fundos para empréstimos, 543-544
Paridade do poder de compra, 535-538
Política comercial, 552-554
Preços de transações internacionais, 532-535
Taxas de câmbio nominais, 532-533
Taxas de câmbio reais, 533-534
Economia clássica, pressupostos da, 565
Economia comportamental, **373**, 373-376
Inconsistência e, 375-376
Justiça e, 375
Racionalidade e, 373-375
Economia de mercado, **8**, 7-9
Economia do bem-estar, **110**, 110-121, 128-130
Economia fechada, 437, **526**
Economia política, **369**, 369-373
Comportamento dos políticos, 372-373
Paradoxo eleitoral de Condorcet, 369-370
Teorema das impossibilidades de Arrow, 370-371
Teorema do eleitor mediano, 371-372
Economias de escala, **210**, 210-211
Como causa de monopólio, 237
Custos mais baixos através de, 146
Especialização e, 210-211
Economias planejadas centralmente, 7-8
Economic Report of the President, 24
Economica, 613
Economistas
Como cientistas, 16-23
Como conselheiros políticos, 23-25
Discordâncias entre, 25-28
Em Washington, 24-25
Pensando como, 16-29
Proposições com as quais a maioria concorda, 27

Seguindo conselhos dos, 25
Versus contadores, 199-200
Economistas do lado da oferta, 603
Educação
Como uma externalidade positiva, 159, 422-423
Crescimento econômico e, 422-423
Custo de universidades, 4-5
Ótimo social e, 159
Políticas públicas e, 422-423
Salários e, 314-315
Teoria da sinalização da, 314-315
Tipo de capital humano, 313
Visão alternativa, 314-315
Educação universitária, custos da, 313, 314-315, 317
Efeito de alcance, 420-421, **421**
Efeito de deslocamento, 601-602, **601**
Efeito Fisher, **514**, 512-514
Efeito multiplicador, **599**, 636
Demanda agregada, 599
Fórmula para despesas, 599-601
Outras aplicações, 601
Efeito preço, 240, 279
Efeito quantidade, 240, 279
Efeito renda, 352-353, 648
Efeito substituição, 352-353, **648**
Efeito taxa de câmbio, 568-569, 571, 591
Efeito taxa de juros, 568, 571, 591
Eficiência, **3, 119**
Da quantidade de equilíbrio, 121
Do mercado (Ver Eficiência do Mercado)
Excedente total e, 119
Fronteiras de possibilidades de produção e, 21
Impostos e, 187-190
Informativa, 459
Intervenção do governo e, 9-10
Tradeoff entre equidade e, 193
Eficiência de mercado, 118-122
Excedente de consumidor e, 118-121
Excedente do produtor e, 118-121
Falha de mercado e, 121-122
Eficiência informativa, **459**
Einstein, Albert, 16
EITC. *Ver* Crédito do imposto de renda
Elasticidade, **75**
Ao longo de uma curva de demanda linear, 79-81
Aplicações da, 74-90
Da demanda (Ver Elasticidade da demanda)
Da oferta, 82-85
Elasticidade-renda da demanda, 81-82
Incidência tributária e, 101-103
Mundo real, 77
Peso morto e, 131-132
Elasticidade da demanda, 74-82
Preço, 75
Renda, 82
Elasticidade-preço cruzada da demanda, **82**
Elasticidade-preço da demanda, **75**
Calculando, 76
Determinantes da, 75
Elasticidade e receita total ao longo de uma curva de demanda linear, 79-81
Método do ponto médio, 76-77
Receita total e, 78-79
Variedade de curvas de demanda, 77-78
Elasticidade-preço da oferta, **83**
Calculando, 83
Determinantes, 83
Variedade de curvas de oferta, 84-85
Elasticidade-renda da demanda, **82**-83
Empregadores, discriminação por parte de, 318-319
Emprego(s)
Argumento a favor da restrição ao comércio, 147-149
Características dos, 313-314
Número de, 471
Empresa(s). *Ver também* Empresa competitiva
Em um diagrama de fluxo circular, 18-20
Escala eficiente de uma, 266
Marginal, 230
Maximizadora de lucros, 295
Oferta de mercado com um número fixo de, 255-256
Empresa marginal, 230
Empresas competitivas
Curva de custo marginal e decisão de oferta de, 219-221
Curva de custo marginal, 219-221
Curva de oferta de curto prazo, 222
Curva de oferta em longo prazo, 224, 228-230
Curva de oferta, custo marginal como, 219-221
Curvas de demanda de, 239
Custos irrecuperáveis e, 221, 222-223
Decisão de oferta, 219-221
Decisão de suspender as atividades em curto prazo, 221-222
Decisões em longo prazo para entrar ou sair de um mercado, 223-224
Demanda por mão de obra, 295-300
Deslocamento da demanda em curto e longo prazo, 228
Lucro zero e, 227-228
Maximização de lucros e, 218-225, 295

Medindo o lucro em um gráfico, 224-225
Oferta de mercado com entrada e saída, 226-227
Oferta de mercado com um número fixo de, 225
Receita de, 217-218
Empresas monopolistas, curvas de demanda, 239
Empresas monopolisticamente competitivas em curto prazo, 591-593
Emprestador de última instância, 489
Ensaio sobre o princípio da população (Malthus), 427
Entrada/saída de um mercado
Decisão de uma empresa em longo prazo, 223-224
Oferta de mercado em longo prazo com, 226-227
E o vento levou, 405
EPA. *Ver* Agência de Proteção Ambiental
Equação de quantidade, 510-512, **511**
Equidade
Horizontal, 192
Impostos e, 190-193
Tradeoff entre eficiência e, 193
Vertical, 191-192
Equidade de impostos, 192-193
Equidade horizontal, 192
Equidade vertical, **191**, 191-192
Equilíbrio, **64,** 64-65
Analisando mudanças no, 65-69
Aumento na demanda afeta o, 67
De mercado e deslocamento da oferta, 66
De oferta e demanda, 64-65
De um oligopólio, 277-278
Diminuição da oferta afeta o, 68
Em economias abertas, 547-548
Em longo prazo, 264-265, 580
Excedente do consumidor e do produtor em um mercado, 120
Lucro zero, 227-228
Mercado de moeda, 593
Mercados em desequilíbrio, 65
Monetário, 506-507
No mercado de trabalho, 302-305
Nos mercados de terra e capital, 305-306
Sem comércio internacional, 138-139
Taxa de juros, 593
Equilíbrio comercial, 527
Equilíbrio de mercado, avaliando, 119-121
Equilíbrio de Nash, **278**
Equilíbrio em longo prazo, 264-265, 580
Equilíbrio monetário, 506-507
Era Greenspan, 672
Escala de demanda, **56**
Escala eficiente, **207**, 221, 266
Escalas de oferta, **60**
Curva de oferta e, 60, 116
Escambo, 484
Escassez, **2**
Escolha. *Ver* Escolha do consumidor; Otimização
Escolha do consumidor
Bem inferior, 350
Bem normal, 350
Bens de Giffen, 355
Complementos perfeitos, 346-348
Curva de indiferença, 344-348
Derivando a curva de demanda, 353-354
Efeito renda, 352-353
Efeito substituição, 352-353
Escolhas ótimas do consumidor, 348-349
Mudanças de preço e, 351-352
Mudanças de renda e, 350-351
Otimização, 348-354
Preferências, 344-346
Restrição orçamentária, 343-344
Salários afetam a oferta de mão de obra, 355-357
Substitutos perfeitos, 346
Taxa marginal de substituição, 344
Taxas de juros e economia doméstica, 357-359
Teoria da, 354-359
Escolha social e valores individuais (Arrow), 370
Esforço
Do trabalhador, 478
Salários e, 313-314
Especialização
Comércio e, 42-44
Economias de escala e, 210-211
Força motriz da, 44-49
Espiral de preços e salários, 584
Estabilidade política, crescimento econômico e, 424-425
Estabilização
Argumentos políticos, 604-607
Debate, 634-636
Estabilizadores automáticos, 606-607
Estabilizadores automáticos, 606-607
Estados Unidos
Comércio internacional com os, 48
Crescimento econômico dos, 413
Desigualdade de renda nos, 324-326
Desnutrição nos, 423-424
Dinheiro nos, 487-488
Distribuição de renda nos, 324-325
Inflação nos, 11-12
Padrões de vida no, 10-11
PIB para investimento, 420-421

Renda média nos, 412, 413-416
Taxa de inflação, 504-505
Várias leis para administrar o uso de peixes e outros seres marinhos, 179
Estagflação, **583**, 621
Estoque de capital, crescimento populacional diluindo, 426-428
Estoque, PIB e, 388
Estratégia dominante, 280
Estrutura de mercado, tipos de, 263
Etiópia, desigualdade de renda na, 326
Euro, 535
Excedente do consumidor, 110-114, **111**, 244
Avaliando o equilíbrio do mercado, 119-121
Disposição para pagar, 111
Eficiência de mercado e, 118-121
Medida do, 114
Preço afeta o, 114
Preços mais baixos aumentam o, 113
Usando a curva de demanda para medir, 112-113
Excedente do produtor, **115**, 115-118, 244
Avaliando o equilíbrio do mercado, 119-121
Custo e disposição para vender, 115-116
Eficiência de mercado e, 118-121
Preços mais altos aumentam o, 117
Usando a curva de oferta para medir, 116-117
Excedente total, 118, 121, 244
Excesso de demanda, **64**
Preços máximos e, 95-96
Excesso de oferta, **64**. *Ver também* Superávit orçamentário; Excedente do consumidor; Excedente total; Superávit comercial
Comercial, 526
Déficits orçamentários do governo e, 444-446
Produtor (Ver Excedente do produtor)
Excesso de oferta e demanda, 64
Exigência de capital, 494
Expectativas
Deslocamento da curva de Phillips, 615-616
Deslocamentos na curva de demanda, 58-60
Deslocamentos na curva de oferta, 61-63
Papel das, 615-621
Racionais, 625
Expectativas racionais, **625**
E possibilidade de desinflação sem custos, 625
Exportações, **48, 527**. *Ver também* Comércio internacional
Ganhos e perdas de um país exportador, 140-142
Líquidas, 388-389, 527
Exportações líquidas, **389**, 388-389, **527**
Como um componente do PIB, 388-389
Deslocamento da curva de demanda agregada devido a mudanças nas, 571
Igualdade das, 529-530
Nível de preços e, inclinação para baixo da curva de demanda agregada, 568-569
Política comercial, 552-554
Externalidade da variedade de produtos, 267
Externalidade do roubo de negócios, 267
Externalidades, **9**, 122, **156**, 156-167, 423
Custos de transação, 167
Do roubo de negócios, 267
Educação como uma, 159
Impostos corretivos e subsídios, 161-162
Ineficiência do mercado e, 157-160
Internalizando, 158
Licenças de poluição negociáveis, 162-164
Negativas, 156, 158-159
Políticas de comando e controle, 160-161
Políticas públicas voltadas para, 160-165
Positivas, 156, 159-160
Soluções privadas para, 165-167
Teorema de Coase, 165-166
Variedade de produto, 267
Externalidades negativas, 156, 158-159
Externalidades positivas, 156, 159-160
Exxon, 283

F

Fábrica de alfinetes, 210
Falácia da inflação, 515
Falha de mercado, **9**, 121-122. *Ver também* Externalidades
Famílias
Decisões enfrentadas pelas, 3
No diagrama de fluxo circular, 18-20
Fatores de produção, 18-20, **294**, 418
Demanda por mão de obra, 294-300
Deslocando a curva de demanda por mão de obra, 298-300
Empresa competitiva maximizadora de lucros, 295-296
Equilíbrio no mercado de trabalho, 302-305
Função de produção e produto marginal do trabalho, 296-297

Ligações entre, 306-307
Mercados de, 18-20, 294-307
Oferta de mão de obra, 300
Terra e capital, 305-306
Valor do produto marginal, 297-298
Federal Reserve (Fed), 24, **488**
100% de reservas bancárias, 490-491
Curva de Phillips durante uma crise financeira, 628
Custo de reduzir a inflação, 623-628
Debate da inflação zero, 641-642
Emprestando a bancos, 496
Ferramentas de controle monetário, 495-499
FOMC, 489-490
Organização do, 488-489
Papel das metas de taxas de juros no, 597
Política monetária e, 638-640
Problemas para controlar a oferta de moeda, 497-498
Quantidade de reservas, 495-496
Sistema, 488-490
Taxa de fundos federais, 498-499
Taxa de reserva, 491, 497
Fenômeno dos superastros, 315
Ferramentas para controle monetário, 495-499
Filipinas, desigualdade de renda nas, 326
Finanças, **451**
Financiamento patrimonial, ações, 434
Financiamento por endividamento, 435
Fisher, Irving, 514
Flexibilização quantitativa, 598
Flutuações econômicas
À medida que a produção diminui, o desemprego aumenta, 563-564
Causas das, 580-585
Em curto prazo, 565-567
Fatos sobre, 563-564
Irregulares e imprevisíveis, 563-564
Fluxo líquido de capital, 527-**528**
Fluxo de recursos financeiros, 527-528
Igualdade de exportações líquidas, 529-530
Ligação entre dois mercados, 547
Taxas de juros, 548
Fogel, Robert, 423-424
FOMC. *Ver* Comitê de Operações no Mercado Aberto
Força de trabalho, **465**
Ford Motor Company, 209, 279, 422
Ford, Gerald, 11
Ford, Henry, 419, 505
Formador de preços, 235
Formuladores de políticas públicas, **6**
França, desigualdade de renda na, 326
Franklin, Bem, 183
Friedman, Milton, 505, 520, 615
Fronteira de possibilidades de produção, **20**, 20-22
Crescimento econômico e, 20-22
Custos de oportunidade e, 20-22
Eficiência e, 21
Ganhos do comércio, 41-42
Tradeoffs e, 21-22
Fuga de capital, **554**
Efeitos da, 555
Instabilidade política e, 554-556
Fuga de cérebros, 423
Função de produção, **201**, **296**, 419
A partir da função de produção até a curva de custo total, 203-204
Custo total e, 201-202
Ilustração, 421
Produto marginal do trabalho e, 296-297
Fundo Monetário Internacional (FMI), 422
Fundos de índice, 436
Fundos para empréstimos, 439
Mercado para, 543-544
Oferta e demanda, 543-547
Fundos mútuos, **435**
Carteira, 435
Como intermediários financeiros, 435-436
Fundos de índice, 436

G

Ganhos de capital, 517
Ganhos do comércio
De um país exportador, 140-142
De um país importador, 142-143
Especialização, 42-44
Peso morto e, 130-131
Possibilidades de produção, 41-42
Vantagem comparativa, 44-49
Gates, Bill, 416
General Mills, 269
General Motors, 279
Gênero, 317-318. *Ver também* Mulheres
Giffen, Robert, 355
Google, 236
Governo estadual
Impostos coletados pelo, 186-187
Governo federal
Impostos coletados pelo, 184-186
Receita do, 185
Governo local, impostos coletados pelo, 186-187
Governo. *Ver também* Governo Federal
Benefícios do, 9-10

Debate sobre aumento dos gastos, 636-638
Debate sobre equilíbrio orçamentário, 644-646
Discriminação por parte do, 319
Grã-Bretanha
Consumo calórico e altura da população, 423-424
Desnutrição e, 423-424
Gráfico de barras, 32, 33
Gráfico de dispersão, 33
Gráfico de pizza, 32
Gráfico de série temporal, 32
Gráfico(s), 32-39
Causa e efeito, 37-39
Curvas em, 33-36
De duas variáveis, 33
De uma única variável, 32
Inclinação de, 36-37
Medindo o lucro em, 224-225
Grande depressão, 389, 635, 636, 637, 642
Grande recessão, 637
Grau de alavancagem, **494**
Greenspan, Alan, 459, 496, 627
Greve, **316, 475**
Guerra Fria, 282

H

Hamlet, 287
Hiperinflação, 504
Hipótese da taxa natural, **620**
Experimento natural para a, 620-621
Hipótese dos mercados eficientes, **458**, 458-459
Holmes, Oliver Wendell, Jr., 127
Homo economicus, 373
Homo sapiens, 373
Honda, 279
Hoover, Herbert, 398, 405
Horizonte de tempo, elasticidade-preço da demanda, 75
Hume, David, 505

I

Igualdade, **3, 119**
De exportações líquidas e fluxo de capital, 529-530
Intervenção do governo e, 9-10
Imigração, 301
Importações, **48, 527**. *Ver também* Comércio internacional
Ganhos e perdas de um país importador, 142-143
Imposto de renda de pessoa física, 185
Imposto de renda de pessoa jurídica, 186
Imposto de renda negativo, **334**
Imposto inflacionário, **512**
Imposto progressivo, **192**
Imposto proporcional, **192**, 191-192
Imposto regressivo, **192**
Impostos, 98-103
Alíquotas marginais *versus* alíquotas médias, 189
Alterações na política fiscal, 602-604
Coletados pelo governo federal, 185-186
Coletados por governos estaduais e locais, 186-187
Corretivos, 161-162
Custos dos, 127-135
De Pigou, 161
De renda de pessoa física, 185
De renda de pessoa jurídica, 186
De renda negativos, 334
E eficiência, 187-190
E equidade, 190-193
Efeitos dos impostos sobre os participantes do mercado, 128-130
Equidade tributária, 192-193
Incidência de impostos, 192-193
Incidência, 98
Inflacionário, 512
Ônus administrativo, 188-189
Para a seguridade social, 185-186
Peso morto da tributação, 127-131, 133-134
Peso morto, 187-188
Por montante único, 190
Princípio da capacidade de pagamento, 191-192
Princípio dos benefícios, 190-191
Progressivos, 192
Proporcionais, 192
Regressivos, 192
Seletivos, 186
Sobre a folha de pagamento, 185-186
Sobre a propriedade, 186-187
Sobre compradores, resultados do mercado e, 100-101
Sobre vendas, 186-187
Sobre vendedores, resultados do mercado e, 99-100
Impostos corretivos, **161**, 161-162
Impostos de Pigou, 161
Impostos para a seguridade social, 186
Impostos seletivos, 186
Impostos sobre a folha de pagamento, 185-186
Impostos sobre a gasolina, 191
Impostos sobre propriedade, 186-187
Impostos sobre vendas, 186-187
Inadimplência, títulos, 434
Incentivos, **6**, 6-7
Incentivos ao trabalho, programas de combate à pobreza e, 335-336
Incidência de impostos, **98**, 192-193
Elasticidade e, 101-103
Inclinação, 36-37
Inconsistência de tempo da política, 639-640
Importância prática da, 640

Inconsistência, economia comportamental e, 375-376
Indexação, 405-**406**
Índia
Crescimento econômico da, 413
Desigualdade de renda na, 326
Renda média na, 412
Índice de ações, 434
Índice de miséria, 612
Índice de Preços ao Consumidor (IPC), **399**, 399-404
Calculando o, 399-401
Cesta do, 401
Definido, 399
Deflator do PIB *versus*, 403
Núcleo do, 401
Índice de preços ao produtor (IPP), **401**
Índice preço-lucro, **436**
Individual retirement account (IRA), 647
Indonésia
Crescimento econômico da, 413
Desigualdade de renda na, 198
Renda média na, 413
Indústria de laticínios, 217, 218
Ineficiência, externalidades e, 157-160
Inflação, **11**, 391, 398, 504-505
Aumenta os encargos tributários da poupança, 518
Breve olhar sobre o processo de ajuste, 508-509
Confusão e inconveniência, 519
Corrigindo variáveis econômicas dos efeitos da, 404-407
Crescimento da moeda e, 504-505
Custos da, 515-520
Custos de menu, 516-517
Custos de reduzir a, 623-628
Custos de sola de sapato, 515-516
Custos especiais da inflação inesperada, 519-520
Dicotomia clássica, 509-510
Distorções tributárias induzidas pela inflação, 517-518
Economia e, 504-505
Efeito Fisher, 512-514
Efeitos da injeção monetária, 507-508
Efeitos dos rendimentos de bilheterias, 405
Equação de quantidade, 510-512
Esperada, 618
Imposto inflacionário, 512
Medidas da, 403-404
Medindo a renda de uma nação, 383
Neutralidade monetária, 509-510
Nível de preços e valor do dinheiro, 505-506
Oferta de moeda e, 11
Oferta, demanda e equilíbrio monetário, 506-507
Queda no poder de compra, 515
Redistribuições arbitrárias de riquezas, 519-520
Seis custos da, 641-642
Teoria da, 505-514
Tradeoff de curto prazo entre desemprego e, 11-12, 612-630
Variabilidade do preço relativo e alocação inadequada de recursos, 517
Velocidade da moeda, 510-512
Zero, 640-643
Inflação esperada, 618
Curva de Phillips de curto prazo e, 619
Inflação zero, 640-643
Informação, assimetria. *Ver* Informações assimétricas
Informação assimétrica, 364-369
Agentes, 365-366
E políticas públicas, 368-369
Principais, 365-366
Problema dos abacaxis, 366-367
Risco moral, 365-366
Seleção adversa, 366-367
Seleção para descobrir informações privadas, 368
Sinalização, 367-368
Ingressos para o cinema, discriminação de preços e, 249-250
Injeção de moeda, 596
Insolvência, 494
Instabilidade política, fuga de capital e, 554-556
Instituições filantrópicas, solução privada para externalidades, 165
Intermediários financeiros, **435**
Bancos, 435
Fundos mútuos, 435-436
Internalização de uma externalidade, **158**
Intuit, 236
Investimento estrangeiro
Crescimento econômico e, 422
De portfólio, 422
Direto, 422
Investimento estrangeiro líquido, 527-528
Investimentos, **388**
Como demanda por fundos para empréstimos, 440
Como um componente do PIB, 388
Contas de renda nacional, 437-439
Crescimento econômico e, 420
Curva de demanda agregada se desloca devido a mudanças nos, 570, 571

Do exterior, 422
Estrangeiros, 422
Incentivos, 443
Nas pessoas, 313
Nível de preços e, inclinação para baixo da curva de demanda agregada, 568-569
Poupança e sua relação com fluxos internacionais, 530-531
Poupança e, 439
IPC. *Ver* Índice de preços ao consumidor
IRA. Ver *Individual retirement account*
Irracionalidade do mercado, 459-460
Israel, deslocamentos da oferta de mão de obra e, 303
Itália, desigualdade de renda na, 326

J

Janela de desconto, 496
Japão
Crescimento econômico no, 413
Desigualdade de renda no, 326
Inflação no, 520
Renda média no, 412
Jogo do ultimato, 375
Julgamentos científicos, diferenças entre economistas, 26
Justiça, economia comportamental e, 375

K

Kellogg, 269
Kennedy, Robert, 392-393
Kershaw, Clayton, 398
Keynes, John Maynard, 24-25, 28-29, 459, 585, 591, 636
King, Stephen, 261
Kremer, Michael, 428

L

Laissez faire, 120
Lazer, *tradeoff* entre trabalho e, 300
Legislação do salário mínimo, 473-474
Avaliando controles de preços, 97-98
Determinante dos salários de equilíbrio, 316
Políticas para reduzir a pobreza, 332-333
Lei Antitruste Clayton, 251, 285
Lei Antitruste Sherman, 251, 285
Lei da demanda, **56**, 354
Lei da oferta e da demanda, **65**
Lei da oferta, **60**
Lei do preço único, 536
Lei Wagner, 475
Leis antitruste
Aumento da concorrência com, 251
Restrição ao comércio e, 285
Leis de direito ao trabalho, 476
Liberalismo, **330**-331
Libertarismo, **332**
Licenças de poluição negociáveis, 162-164
Limite inferior a zero, 597-598
Linha de pobreza, **327**
Liquidez, **486**
Da moeda, 481
Dos ativos, 592
Presa, 598
Teoria da preferência pela liquidez, 591-593
Livre comércio, 138-150
Crescimento econômico e, 425
Longo prazo
Curva de oferta, 224, 228-230
Curva de Phillips, 615-616
Custos em, 209-211
Decisão de entrar ou sair de um mercado, 223-224
Deslocamento na demanda, 228
Oferta de mercado, 226-227
Política monetária desinflacionária, 624
Taxas de juros, 594
Long, Russell, 190
Los Angeles Dodgers, 398
Lucas, Robert, 412-625
Lucro, **199**
Como a região entre preço e custo total médio, 225
Contábil, 200-201
Econômico, 200-201
Em um monopólio, 242-244
Medido em um gráfico para uma empresa competitiva, 224-225
Lucro contábil, **200**, 200-201
Lucro econômico, **200**, 200-201
Lucro zero
Empresas competitivas continuam nos negócios com, 227-228
Equilíbrio, 228
Lucros retidos, 387, 436

M

Macroeconomia, **22,** 22-23, **382**
Quantidades flutuam juntas na, 563
Seis debates sobre políticas para, 634-649
Mali, país pobre, 414, 415
Malthus, Thomas Robert, 427
Manipulação de moeda, 556
Manipulação de preços, 69
Manutenção do preço de revenda, 285-286
Mão de obra
Argumento dos empregos a favor das restrições ao comércio, 147-149
Demanda por, 295-300
Deslocamentos da curva de demanda agregada e, 573
Medidas da subutilização, 469

Oferta de, 300-302
Produto marginal do trabalho, 296-297
Mão invisível, 8, 9
Marcas, 270-271
Mares, recursos comuns, 179
Margem, definição, 4-5
Markup sobre o custo marginal, 266-267
Martin, William McChesney, 605
Maximização de lucros
Curva de oferta de uma empresa competitiva e, 218-225
Em um monopólio, 241-242
Exemplo de, 218-219
McDonald's, 270-271
Medicaid, 187, 335
Medicare, 186
Meio de troca, 435, **485**
Mercado de ações, 434-435
Mercado competitivo, **55**, **216-217**, 216-218
Características do, 216-217
Curva de oferta em longo prazo, 228-230
Curva de oferta em um, 225-230
Deslocamento da demanda em curto e longo prazo, 228
Empresas no, 216-230
Lucro zero e, 227-228
Oferta de mercado com entrada e saída, 226-227
Oferta de mercado com um número fixo de empresas, 225-226
Receita de uma empresa competitiva, 217-218
Significado de, 216-217
Mercado de fundos para empréstimos, **439**, 543-544
Déficits orçamentários do governo e excedentes, 444-446
Incentivos à poupança, 441-443
Incentivos aos investimentos, 443
Oferta e demanda por fundos para empréstimos, 440-441
Mercado de moeda
Equilíbrio no, 593
Inclinação da curva de demanda agregada, 594-595
Mercado de títulos, 433
Mercado de trabalho
Discriminação, medindo, 317-318
Equilíbrio do, 302-305
Mercado têxtil, 138-149
Mercados, **54**. *Ver também* Mercado competitivo
Com apenas alguns vendedores, 275-280
Concorrência e, 54-55
De ações, 434-435
De bens e serviços, 18-20
De câmbio de moeda estrangeira, 544-547
De fundos para empréstimos, 543-547
De seguros, 455
De terra e capital, equilíbrio, 305-306
De títulos, 433
Decisão em longo prazo de uma empresa sair ou entrar em um, 223-224
Definição de, 75
Eficiência dos, 110-121
Financeiros, 433
Perfeitamente competitivos, 55
Risco de, 456
Tamanho do oligopólio afeta, 279-280
Mercados financeiros, **433**
Mercado de ações, 434-435
Mercado de títulos, 433
Mercados perfeitamente competitivos, 55, 216
Metas de inflação, 641
Método científico, 17
Método de pagamento diferenciado, 487
Método do ponto médio, 76-77
México
Crescimento econômico do, 413
Desigualdade de renda no, 326
Efeito da fuga de capitais sobre a economia do, 554-556
Instabilidade política, 554
Padrões de vida no, 10-11
País de renda média, 414, 415
Microeconomia, **22**, 22-23, **382**
Economia comportamental, 373-376
Economia política, 369-373
Informações assimétricas, 364-369
Microsoft Corporation, 235-236, 251
Mil, John Stuart, 329
Mobilidade econômica, 329
Modelo de demanda agregada e oferta agregada, 562, **566**
Curva de demanda agregada, 567-572
Curva de oferta agregada, 572-579
Curva de Phillips em longo prazo, 616
Curva de Phillips, 614
Modelos econômicos, 18-22
Moeda, **485**
Cartões de crédito e, 487
Criação com reservas bancárias fracionárias, 491-492
De curso forçado, 486
Estoque, 487
Funções da, 485-486
Liquidez da, 592-593
Medindo o valor no tempo, 451-454
Mercadoria, 486
Na economia dos EUA, 487-488

Teoria da quantidade da, 504-505, 507-508
Tipos de, 486
Valor da, 505-506
Valor futuro, 451-454
Valor presente, 451-454
Velocidade da, 510-512
Moeda corrente, **487**
Moeda de curso forçado, **486**
Moeda mercadoria, **486**
Monopólios, 55, 235-254, **263**, 261-263
Cartéis e, 276-277
Criados pelo governo, 237
Curva de oferta, 244-246
Curvas de demanda e receita marginal de, 241
Determinação de preço pelo custo marginal em um monopólio natural, 252
Discriminação de preços e, 246-250
Economias de escala como uma causa para, 238
Ineficiência de, 245
Lucro como um custo social, 246
Lucro, 242-244
Maximização de lucros em, 241-242
Maximização de lucros para, 242
Natural, 173, 237-238
Parábola sobre determinação de preços, 247
Peso morto em, 244-246
Políticas públicas voltadas para, 250-253
Prevalência de, 253-254
Produção e decisões de precificação em, 238-244
Propriedade pública e, 253
Receita, 239-241
Recursos, 236-237
Regulamentação, 252
Surgimento de, 236-238
Versus competição, 254
Monopólios criados pelo governo, 237
Monopólios naturais, 173, **237**, 237-238
Determinação de preços a partir do custo marginal para, 252
Monopsônio, 304
Moradia
Na cesta de bens do IPC, 401
Mudança de qualidade não medida, 402
Mudança marginal, **5**
Mudança tecnológica, 299-300
Mudanças setoriais, 471
Mulheres
Diferenças de gênero na concorrência, 317
Multiplicador de despesas, fórmula do, 599-601
Multiplicador de moeda, **493**, 492-493
Muskie, Edmund, 164

N

Nader, Ralph, 6
Nafta. *Ver* Tratado Norte-americano de Livre Comércio
Nasa, 426
Nasdaq. *Ver* National Association of Securities Dealers Automated Quotations
Nash, John, 278
National Association of Securities Dealers Automated Quotations (Nasdaq), 434
National Institutes of Health (NIH), 175, 426
National Labor Relations Board (NLRB), 475
National Science Foundation, 175, 426
Negociação coletiva, **475**
Negros, economia da discriminação, 316-319
Neutralidade monetária, 509-510, **510**
Efeito Fisher, 512-514
Revisada, 582
New York Yankees, 398
Newton, Isaac, 17
Nigéria
Desigualdade de renda na, 326
Padrões de vida na, 10
Renda média na, 412
Nível de preços, 594
Consumo e, 568
Efeito taxa de câmbio, 568-569
Exportações líquidas e, 568-569
Investimentos e, 568
NLRB. *Ver National Labor Relations Board*
Nozick, Robert, 332
Núcleo do IPC, 401
Nutrição, saúde e, 423-424

O

Obama, Barack, 12-13, 193, 489, 636-637
Observação, 17
Oferta, 60-63. *Ver também* Modelo de demanda agregada e oferta agregada
Aplicações da, 85-90
Aumento da, 62, 86
De mão de obra, 301-302
De mercado *versus* individual, 61
Desembaraçando demanda e, 550
Deslocamento e equilíbrio de mercado, 67
Diminuição da, 61, 68
Elasticidade da, 82-85
Elasticidade-preço da, 84-85
Equilíbrio entre demanda e, 64-65
Excesso de, 64
Individual, 61
Inelástica, 83
Lei da, 60

Mudanças na, 67
Número de vendedores e, 63
Perfeitamente elástica, 84-85
Perfeitamente inelástica, 84-85
Preço dos insumos e, 62-63
Relação entre preço e quantidade ofertada, 60-61
Tecnologia e, 63
Oferta agregada. *Ver também* Modelo de demanda agregada e oferta agregada
Choque adverso, 622
Curva de Phillips e, 613-615
Efeitos do deslocamento na, 583-584
Espiral de preços-salários, 584
Estagflação, 583
Flutuações econômicas, 563
Política fiscal e, 603
Representando crescimento em longo prazo e inflação, 574
Oferta de mão de obra
Mudanças na, 302-303
Oferta de mercado
Com entrada e saída, longo prazo, 226-227
Com um número fixo de empresas, curto prazo, 225
Como uma soma de ofertas individuais, 62
Versus oferta individual, 61
Oferta de moeda, **490**, 506-507
Bancos e, 490-495
Capital bancário, alavancagem e crise financeira de 2008-2009, 493-495
Criação com reservas bancárias fracionárias, 491-492
Excesso de reservas, 491
Ferramentas do Fed para controle monetário, 491-492
Inflação e, 11
Multiplicador de moeda, 492-493
Neutralidade monetária, 510
Operações no mercado aberto, 489, 495
Pagamento de juros sobre reservas, 497
Problemas para controlar, 497-498
Requisitos de reserva, 490, 497
Taxa de redesconto, 496
Teoria da preferência pela liquidez, 591-593
Oferta e demanda, 64-69, 94
De fundos para empréstimos, 543-547
De moeda estrangeira, 543-547
Desembaraçando, 550
Deslocamentos na, 67-68
Equilíbrio entre, 64-65
Forças de mercado da, 54-70
Lei da, 65
Versatilidade da, 295
Oferta individual *versus* oferta do mercado, 61
Oferta inelástica, 82-83
Oferta perfeitamente elástica, 84-85
Oferta perfeitamente inelástica, 84-85
Office of Management and Budget, 24
Oikonomos, 2
Oligopólio, **262, 275**
Como um dilema dos prisioneiros, 281-282
Economia da cooperação, 280-284
Equilíbrio de, 277-278
Mercados com apenas alguns vendedores, 275-280
Políticas públicas voltadas para, 284-287
Tamanho dos, afetando o resultado do mercado, 279-280
Ônus administrativo, 188-189
"O papel da política monetária" (Friedman), 615
Opep. *Ver* Organização dos Países Exportadores de Petróleo
Operações no mercado aberto, 489, **495**, 591-593, 597
Orçamento, 644-646
Restrição, 343, 343-344
Orçamento equilibrado, 444
Organização dos Países Exportadores de Petróleo (Opep)
Choques de oferta e, 621-623
E preço do petróleo, 87-88
Inflação, 627
Órgãos humanos, mercado de, 121
Origem, de um gráfico, 33
Os Vingadores, 287
Otimização
Derivando a curva de demanda, 353-354
Efeito renda, 352-353
Efeito substituição, 352-353
Escolha ótima do consumidor, 348-349
Mudanças na renda e, 350-351
Mudanças nos preços e, 351-352
Utilidade da, 349
Ótimo, 159, 348

P

Padrão de vida
Determinantes do, 10-11
Relação entre produtividade e, 10-11
Padrão do ouro, 486
Pagamentos de transferência, 388
Países
Aplicação de oferta, demanda e elasticidade, 87-88
Aumento no preço do petróleo bruto, 87-88

Incapacidade de manter o preço do petróleo alto, 87-88
Palestina, deslocamentos da oferta de mão de obra e, 303
Paquistão
Crescimento econômico do, 413
Desigualdade de renda no, 326
Paradoxo de Condorcet, **370**
Paridade, 536
Paridade do poder de compra, **535**, 535-538
Como um caso especial, 546
Implicações da, 536-537
Limitações da, 537-538
Lógica básica da, 536
Par ordenado, 33
Passeio aleatório, **459**
Patrimônio líquido, 494
Peltzman, Sam, 6
PepsiCo, 251
Percepções *versus* realidade, 27-28
Perdas. *Ver também* peso morto
De um país exportador, 140-142
De um país importador, 142-143
Perpetuidade, títulos, 433
Peso morto, **130**, 193, 188
Da tributação, 127-131
Determinantes do, 131-132
Elasticidade e, 131-132
Fonte de, 131
Ganhos do comércio e, 130-131
Mudanças no bem-estar, 130
No monopólio, 244-246
Receita tributária e, 133-134
Tarifas e, 144-145
Pesquisa da População Atual, 465
Pesquisa e desenvolvimento, crescimento econômico e, 426
Pessoa jurídica, definição, 186
Pessoas racionais, **4**, 4-5
Philbrick, Nathaniel, 261
Phillips, A. W., 613
PIB nominal, **389**, 509
Equação de velocidade e quantidade, 511
Exemplo numérico do PIB real *versus*, 389-391
PIB real *versus*, 389-392
PIB. *Ver* Produto Interno Bruto
PIB real, **389**, 389-390
Exemplo numérico do PIB real *versus* PIB nominal, 389-391
Versus PIB nominal, 389-392
Pigou, Arthur, 161, 162
Planejador social benevolente, 118-119
Planos 401(k), 647
Planos 403(b), 647
PMgC. *Ver* Propensão marginal a consumir
PMgT. *Ver* Produto marginal do trabalho
PNB. *Ver* Produto Nacional Bruto
PNL. *Ver* Produto Nacional Líquido
Pobreza
Correlacionada com idade, raça e composição familiar, 327
Desigualdade de renda e, 326-327
Luta contra, como um bem público, 176
Políticas para reduzir a, 332-336
Transferências em espécie, 335
Poder de compra, 536
Inflação e, 515
Poder de mercado, **10**, 121-122, 216-217
Política antitruste
Controvérsias sobre a, 285-287
Determinação de preços predatória, 286-287
Fixação do preço de revenda, 285-286
Venda casada, 287
Política comercial, **552**, 552-554
Cota de importações, 553
Tarifa, 553
Política fiscal, **598**. *Ver também* Despesas do governo
Demanda agregada e, 598-607
Efeito deslocamento, 601-602
Efeito multiplicador, 599
Estabilização, 604-606, 634-636
Estabilizadores automáticos, 606-607
Mudanças nas compras do governo, 598-599
Mudanças nos impostos, 602-604
Multiplicador de despesas, fórmula do, 599-601
Oferta agregada e, 603
Poupança e, 445
Política monetária, **489**
Argumentos a favor da política de estabilização, 634-636
Debate, política feita por normas ou discricionariamente, 638-640
Demanda agregada e, 591-598
Desinflacionária, 624
Efeitos da injeção de moeda, 507-508
Expansionista, 598-599
Injeção de moeda, 596
Limite inferior a zero, 597-598
Metas de inflação, 641
Mudanças na oferta de moeda, 596-597
Papel das metas de inflação na política do Fed, 597
Teoria da preferência pela liquidez, 591-594
Política monetária desinflacionária, 624

Política monetária
expansionista, 597-598
Políticas de comando e controle, 160-161
Políticas do governo
Controle de preços e, 95-98
Impostos e, 98-103
Oferta, demanda e, 94
Políticas públicas, 9-10, 368-369. *Ver também* Leis antitruste; Política fiscal; Política Monetária
Busca por empregos e, 470-472
Crescimento econômico e, 420-428
Crescimento populacional e, 426-428
Direitos de propriedade e estabilidade política, 424-425
Educação e, 422-423
Investimentos do exterior, 422
Livre comércio e, 425
Pesquisa e desenvolvimento, 426
Poupança e investimentos, 420
Retornos decrescentes e efeito de alcance, 420-421
Saúde e nutrição, 423-424
Voltadas para externalidades, 160-165
Voltadas para monopólios, 250-253
Voltadas para oligopólios, 284-287
Políticas voltadas para dentro, 425
Políticas voltadas para fora, 425
Políticos, comportamento dos, 372-373
Poluição
Agência de Proteção Ambiental (EPA), 162
Água e ar puros como um recurso comum, 178
Como uma externalidade negativa, 178
Impostos corretivos e, 161-162
Licenças de poluição negociáveis, 162-164
Objeções para a análise econômica da, 164-165
Ótimo social e, 159
Regulamentação e, 161-162
Poupança, **438**, 646-649
Como oferta de fundos para empréstimos, 440-441
Contas de renda nacional, 437-439
Crescimento econômico e, 420
Debate da reforma da legislação tributária para encorajar a poupança, 646-649
Incentivos, 441-443
Inflação aumenta a carga tributária sobre a, 518
Investimentos e sua relação com fluxos internacionais, 530-531
Investimentos e, 439
Nacional, 438, 644, 646-649
Política fiscal e, 445
Privada, 438
Pública negativa, 644
Pública, 438, 644-649
Poupança nacional, **438**, 644, 646-649
Bem-estar econômico e, 646
Formas de aumentar, 648
Poupança privada, **438**
Poupança pública, **438**, 645-649
Déficit orçamentário e, 648
Incentivos à poupança e, 648
Negativa, 645
Poupança pública negativa, 644
Prazo, títulos, 433
Preço de compra, 305-306
Preço de equilíbrio, **64**
Preço de passagens aéreas, discriminação de preços e o, 249-250
Preço do arrendamento, 305-306
Preço do produto, 298
Preço máximo, **95**
Não obrigatório, 95
Restrição obrigatória, 96
Resultados do mercado e, 95-96
Preço mínimo, **95**
Resultados do mercado e, 96-97
Preço mundial, **139**
Preço relativo
Alocação inadequada de recursos e, 517
Variabilidade, 517
Preço(s). *Ver também* Índice de preços ao consumidor (IPC)
Ajustamento do mercado, 64
Alocação de recursos e, 69-70
Aluguel, de terra ou capital, 305-306
Compra, de terra ou capital, 305-306
Controle sobre, 94-98
De bens relacionados e demanda, 59
Disposição para pagar, 111
Do comércio, 46
Equilíbrio, 64
Excesso de demanda e, 64
Excesso de oferta e, 64
Mudanças nas escolhas do consumidor, 351-352
Mundial, 139-140
Nível de, 505-506
Preços de insumos e oferta, 63-64
Preços mais altos aumentam o excedente do produtor, 117
Preços mais baixos aumentam o excedente do consumidor, 113
Produção, 298-299
Quando oferta e demanda se deslocam, 67-68
Quantidade demandada e, 56
Quantidade ofertada e, 60
Relativo, 517

Transações internacionais, 532-535
Preços da gasolina, efeitos de incentivo dos, 6
Preços de insumos e oferta, 62-63
Preferências
Deslocamentos na curva de demanda e, 59
Escolhas do consumidor, 344-348
Mudanças nas, 301
Representando com curvas de indiferença, 344-345
Taxa marginal de substituição, 344
Utilidade e, 349
Presentes como sinais, 367-368
Pressupostos, 17-18, 565
Prevalência de monopólios, 254-255
Principais, **365**, 365-366
Principal, títulos, 433
Princípio da capacidade de pagamento, **191**, 191-192
Equidade horizontal, 191
Equidade vertical, 191
Princípio dos benefícios, **191**, 191-192
Princípios de economia política e tributação (Ricardo), 47
Problema dos abacaxis, 366-367
Problemas de coordenação, 210-211
Processo de ajuste, 508-509
Produção, 594
Crescimento e, 416-429
Custos de, 198
Dentro de um intervalo específico de tempo, o PIB mede o valor da, 386
Dentro de um país, o PIB mede o valor da, 385
E custos, 201-204
Em economias de mercado, 424-425
Fatores de, 19-21, 294-307, 418
Recursos, quantidades limitadas de, 228
Produtividade, **10, 417**
Determinantes da, 417-419
Função de produção, 419
Importância da, 417
Padrões de vida e, 417
Papel da, 416-419
Relação entre padrões de vida e, 10
Saúde e nutrição afetam a, 423-424
Produto da receita marginal, 297-298
Produto final, o PIB inclui o valor do, 385
Produto Interno Bruto (PIB), 383, **384**, 412, 417-418, 422, 437-439
Como medida do bem-estar econômico, 392-393
Como renda e gastos da economia, 383-384
Componentes do, 386-389
Compras do governo, 388
Consumo, 387
Deflator do PIB, 391-392
Exportações líquidas, 388-389
Investimentos, 388
Medindo o, 384-386
Nominal (Ver PIB nominal)
Produto marginal, **202**
Decrescente, 202, 297
Demanda por mão de obra e valor do, 297-298
Produto marginal decrescente, **202, 297**
Produto marginal do trabalho, **297**
Função de produção e, 296-297
Valor do, 297-298
Produto Nacional Bruto (PNB), 387, 422
Produto Nacional Líquido (PNL), 387
Produtos diferenciados
Concorrência com, 263-268
Programa de seguro social, 176
Programas de combate à pobreza
Bem-estar social, 333-334
Imposto de renda negativo, 334
Incentivos ao trabalho, 335-336
Legislação do salário mínimo, 333
Luta contra a pobreza é um bem público, 176
Proibição das drogas, aplicações de oferta, demanda e elasticidade, 89-90
Propensão marginal a consumir (PMgC), 599-601
Propriedade da exclusão, **173**, 174, 175-176
Propriedade pública, monopólios e, 253
Publicidade, 268-271
Como sinal de qualidade, 269-270
Críticas à, 268-269
Debate sobre, 268-269
Defesa da, 269
Marcas e, 270-271
Teoria da sinalização e, 314

Q

Qualidade
Mudanças na, e IPC, 401-403
Publicidade como um sinal de, 269-270
Teoria dos salários de eficiência e qualidade do trabalhador, 478
Quantidade
De equilíbrio, 64
De reservas, influências do Fed, 495-496
Quantidade de equilíbrio, **64**, 120
Quantidade demandada, **56**
Mudanças na, 67
Relação entre preço e, 56

Quantidade ofertada, **60**, 66
Quarterly Journal of Economics, 428
Quintis, 324

R

Raça
  Discriminação no mercado de trabalho, 318-319
Racionalidade, economia comportamental e, 373-375
Rawls, John, 330-331
Razão de reserva, **491**, 497
Razão dos quintis, 325
Reagan, Ronald, 25, 193, 504, 637, 640
Realidade, percepção *versus*, 27-28
Receita. *Ver também* Receita total
  De uma empresa competitiva, 217-218
  Marginal, 217-218, 240
  Média, 218, 239-241
  Monopólio, 239-241
  Total, 239
  Tributária, 129
Receita marginal (RMg), **218**, 240
  De uma empresa competitiva, 217-218
Receita média, **218**, 240
Receita total, **78, 199**
  Ao longo de uma curva de demanda linear, 79-81
  De uma empresa competitiva, 217-218
  Elasticidade-preço da demanda e, 78-79
  Muda com mudanças de preço, 80
Receita tributária, 129, 133-134
Recessão, 562
  Debate do governo sobre aumento de despesas ou corte de impostos, 636-638
  Decisão de Volvker, 640
Recessão (2008-2009)
  Curva de Phillips durante e depois, 628
Reconciliando a teoria, 617-618
Recursos
  Comuns, 173, 177-179, 283
  Escassez de, 2
  Fluxo de recursos financeiros, 527-528
  Monopólio, 236-237
  Naturais, 418, 427
  Preços e alocação de, 69-70
  Quantidades limitadas de produção, 228-230
  Variabilidade de preço relativo e alocação inadequada de, 517
Recursos comuns, **173**, 177-179
  Animais como, 179
  Ar e água puros, 178
  Como um exemplo do dilema dos prisioneiros, 283
  Importância dos direitos de propriedade, 179-180
  Mar, menos regulamentados, 179
  Peixe, baleias e outros animais selvagens, 179
  Ruas congestionadas, 178-179
  Tragédia dos Comuns, 177-178
Recursos naturais, **418**
  Como determinantes da produtividade, 418
  Crescimento populacional expande os, 427
  Deslocamentos da curva de oferta agregada e, 574-575
Regra de 70, 453
Regra de Friedman, 520
Regulação de externalidades, 160
Regulamentações ambientais, 160
Reino Unido
  Crescimento econômico no, 413
  Desigualdade de renda no, 326
  Economia avançada, 414
  PIB real per capita, 413
"Relação entre desemprego e taxa de variação dos salários no Reino Unido, 1861-1957" (Phillips), 613
Renda. *Ver também* Salários
  Ciclo de vida econômico, 328
  De capital, 307
  Deslocamentos na demanda e, 58
  Distribuição nos EUA, 324-325
  Economia geral de uma nação e, 383-384
  Efeito, 352-353, 648
  Filosofia política da redistribuição, 329-332
  Medindo a renda de uma nação, 382-393
  Mudanças afetam as escolhas dos consumidores, 350-351
  Nacional, 387
  Outras medidas de, 387
  Permanente, 328
  Pessoal disponível, 387
  Pessoal, 387
  Transferências em espécie, 328
  Transitória *versus* permanente, 328
Renda de capital, 307
Renda de Segurança Suplementar (SSI), 333
Renda nacional, 294, 387
Renda pecuniária, 328
Renda permanente, **328**
Renda pessoal, 387
Renda pessoal disponível, 387
Renda transitória, 328
Rendimentos decrescentes, **420**, 420-421
Reserva de valor, 435, **485**
Reservas, **491**
Reservas bancárias fracionárias, **491**, 491-492
Reservas exigidas, 491, **497**
Restrições ao comércio, 285

Argumento da competição desleal, 148-149
Argumento da indústria nascente, 148
Argumento da proteção como instrumento de barganha, 149
Argumento da segurança nacional, 148
Argumento dos empregos, 147
Argumentos a favor, 147-149
Tarifas, 28
Retornos constantes de escala, **210-211**, 419
Rhodes, Cecil, 237
Ricardo, David, 47
Riqueza
Efeito, 568, 571, 591
Redistribuições arbitrárias de, 519-520
Risco
Administrando o, 454-457
De mercado, 456
Diversificação reduz, 457
E lucro, tradeoff entre, 459--457
Específico da empresa, 455
Risco de crédito, títulos, 433-434
Risco de mercado, **456**
Risco específico de empresas, **456**
Diversificação do, 455-456
Riscos morais, **365**, 365-366
Seguro, 455
Rivalidade no consumo, 172--173, **173**
RMg. *Ver* Receita marginal
Robinson Crusoe (Defoe), 417
Rockefeller, John D., 416
Rotatividade, salários de eficiência e, 477
Rússia
Desigualdade de renda na, 326
Taxa de inflação na, 504-505
Ruth, Babe, 398, 404-405

S

Salários. *Ver também* Renda
Acima do equilíbrio, 316
Capital humano, 313
De eficiência, 316, 476-478
Determinantes do equilíbrio, 312-316
Diferenciais compensatórios, 312-313
Educação e, 314-315
Fenômeno dos superastros, 315
Imigração e, 301
Legislação do salário mínimo, 473-474
Legislação do salário mínimo, sindicatos e salários de eficiência, 316
Oferta de mão de obra e, 355--357
Seguro desemprego, 473-474
Sinalização, 314-315
Talento, esforço e sorte, 313--314
Salários de eficiência, **316**, **477**, 476-478
Salários de equilíbrio, 316
Capital humano, 313
Determinantes dos, 312-316
Diferenciais compensatórios, 312-313
Fenômeno dos superastros, 315
Salários acima do equilíbrio, 316
Sinalização, 314-315
Talento, esforço e sorte, 313--314
Samsung, 236
Samuelson, Paul, 613
Sargento, Thomas, 625
Satisficers, 373Saúde
Crescimento econômico e, 423-424
Salários de eficiência e, 477
Segunda Guerra Mundial, 282, 422
Seguro
Desemprego, 472-473
Mercado de, 455
Saúde, 455
Seleção adversa, 455
Social (Ver Impostos de Seguro Social)
Seguro saúde, 455
Seguro social, 330-331, **331**
Seguridade Social, 186
Indexação de benefícios sob a, 405-406
Seleção, **368**
Seleção adversa, **366**, 455
Serviços
Cesta do IPC, 401
Intangíveis, 385
Mercados de, 18-20
Produzidos atualmente, o PIB inclui, 385
Serviços intangíveis, o PIB inclui, 385
Setor automotivo, leis de segurança, 6
Sexo, ganhos anuais médios por, 317
Sharapova, Maria, 315
Shaw, George Bernard, 25, 414
Sierra Club, 165
Simon, Herbert, 373
Sinalização, **367**, 367-368
Educação, 314-315
Sindicatos, **316,** 474-475, **475**
Bons ou maus para a economia, 476
Determinante de salários de equilíbrio, 316
Economia dos, 475-476
Greve, 475
Negociação coletiva e, 475
Tipo de cartel, 475-476
Sinergias, 251
Sistema de coordenadas, 33
Sistema financeiro, **432**
Sistema monetário, 484
Bancos e a oferta de moeda, 490-495
Significado da moeda, 485-488
Sistema do Federal Reserve, 488-490, 495-499

Sistemas eleitorais
Paradoxo eleitoral de Condorcet, 369-370
Teorema da impossibilidade de Arrow, 370-371
Teorema do eleitor mediano, 371-372Smith, Adam, 8-9, 47, 210
Sistemas tributários, projeto de, 183-193
Sociedade
Decisões enfrentadas pela, 3
Enfrenta tradeoffs de curto prazo entre inflação e desemprego, 11-12
Solow, Robert, 613
Sorte, salários e, 314-315
Standard & Poor's, 435
Star Wars: o despertar da força, 405
Starbucks, 19
Stigler, George, 253
Subsídios
Aluguel, 97-98
Política baseada no mercado, 161-162
Salário, 97-98
Subsídios para o aluguel, 98
Subsídios salariais, 97-98
Substitutos, **59**
Elasticidade-preço cruzada da demanda, 82
Elasticidade-preço da demanda, 75
Substitutos perfeitos, **346**
Suécia
Desigualdade de renda na, 326
Superávit comercial, **527**
Superávit orçamentário, **439**, 444
Mercado de fundos de empréstimo, 444-446
Supérfluos
Elasticidade-preço da demanda e, 75
Elasticidade-renda da demanda e, 82
Suspensão das atividades
Decisão de uma empresa competitiva em curto prazo, 221-222

T

Taiwan
Adota uma política voltada para fora, 425
Taxa de crescimento econômico, 425
Talento, salários e, 313-314
Tarifas, 28, **143**, 552
Comparadas com cotas de importação, 145
Efeitos no comércio internacional, 143-145
Peso morto e, 144-145
Taxa de desemprego, **465**
Desde 1960, 467
Medidas, 468
Taxa de fundos federais, **498**, 498-499, 597
Taxa de inflação, 391, **398**, 400
Alta, 406
Calculando, 399-401
Nível de preço de equilíbrio e, 511-512
Taxa de juros nominal e, 514
Taxa de participação da força de trabalho, **465**
Taxa de pobreza, **327**
Taxa de redesconto, **496**
Taxa de sacrifício, 623-624, **624**
Taxa marginal de substituição (TMgS), **344**
Taxa natural de desemprego, 464, **467**, 616
Hipótese da taxa natural, 620-621
Taxa natural de produção, 572-**573**
Taxas de câmbio nominais, 532-**533**
Taxas de câmbio reais, **533**, 533-534
Taxas de juros, 406-407, **407**
Em curto prazo, 594
Em longo prazo, 594
Equilíbrio, 593
Fluxo líquido de capital, 547
Mercado de fundos para empréstimos, 441
Metas da política do Fed, papel das, 597
Nominal, 406-407, 441, 513, 591
Oferta e demanda de fundos para empréstimos, 440-441
Real, 441, 513, 591
Taxa de fundos federais, 498, 597
Taxas de juros nominais, 406-407, **407**, 440, 512-514, 591
Efeito Fisher, 512-514
Taxa de inflação e, 514
Taxas de juros reais, 406-407, **407**, 441, 513, 591
Efeito Fisher, 512-514
Tecnologia
Crescimento populacional promovendo a, 428
Demanda por trabalhadores qualificados e não qualificados, 314
Deslocamentos da curva de oferta e, 63
Temporary Assistance for Needy Families (TANF), 176, 333
Tendência à substituição, 402
Teorema da impossibilidade de Arrow, 370-371, **371**
Teorema de Coase, **165**, 165-166
Teorema do eleitor mediano, **371**, 371-372
Teoria, 17
Teoria da inflação, 505-514
Teoria da preferência pela liquidez, **591**
Demanda por moeda, 592-593
Equilíbrio, mercado de moeda, 593
Oferta de moeda, 592

Teoria das percepções equivocadas, 577
Teoria do capital humano, 314-315
Teoria do papel mata-moscas da incidência tributária, 192-193
Teoria dos jogos, **275**
Teoria dos preços rígidos, 576-577
Teoria dos salários de eficiência, 476-478
Teoria dos salários rígidos, 575-576
Teoria geral do emprego, dos juros e da moeda (Keynes), 591, 604, 636
Teoria neoclássica da distribuição, 307
Teoria quantitativa da moeda, 504-505, 507-508
Term auction facility, 496
Terra
  Equilíbrio nos mercados de fatores de produção, 305-307
Texaco, 283
Titanic, 405
Títulos, 433
Títulos municipais, 434
Títulos podres, 434
TMgS. *Ver* Taxa marginal de substituição
T-Mobile, 251
Tomador de preços, 55, 140 ,217, 235
Toyota, 279
Trabalhadores
  Capital físico, 417-418
  Capital humano, 418
  Desalentados, 468
  Esforços, 478
  Qualidade, 478
  Recursos naturais, 418
  Rotatividade, 477
  Saúde, 477
Trabalhadores desalentados, 468
Trabalhadores marginalizados, 469
Trabalho, *tradeoff* entre lazer e, 300
Tradeoff entre "armas e manteiga", 3
Tradeoffs
  Entre equidade e eficiência, 193
  Decisões políticas e, 23-24
  Fronteira de possibilidades de produção e, 20-22
  Entre risco e retorno, 456-457
  Entre trabalho e lazer, 300
  Entre inflação e desemprego, 11-12
Tragédia dos Comuns, **177**, 177-178
Transações internacionais, preços das, 532-535
Transferências em espécie, **328**
  Políticas para reduzir a pobreza, 335
  Problemas ao medir a desigualdade, 328
Transitividade, 370
Transportes, 401
Tratamento tributário, títulos, 434
Tributação por montante único, 190
Truman, Harry, 24

U

UE. *Ver* União Europeia
Uma investigação sobre a natureza e as causas da riqueza das nações (Smith), 8, 9, 47, 210
Uma mente brilhante, 278
União Soviética, colapso do comunismo na, 7
Unidade de conta, **485**
United States Postal Service, 253
Unsafe at any speed (Nader), 6
Utilidade, **330**
  Função da, 454
  Preferências e, 349
Utilidade marginal decrescente, 330
Utilitarismo, **329**, 329-330

V

Valor absoluto, 76-77
Valor do dinheiro no tempo, medindo, 451-454
Valor do produto marginal, **297**, 297-298
Valor futuro, **452**
Valor intrínseco, 486
Valor presente, **452**, 451-454
Valores, diferenças entre economistas, 26
Vantagem absoluta, **44**
Vantagem comparativa, 45
  Aplicações da, 47-49
  Comércio e, 45-46
  Custo de oportunidade e, 44-45
  Preço mundial e, 139-140
  Vantagem absoluta, 44
Variáveis
  Gráficos com duas, 33
  Gráficos com uma única, 32
  Nominais, 509
  Omitidas, 38
  Que influenciam compradores, 60
  Que influenciam vendedores, 63
  Reais, 509
Variáveis econômicas, 404-407
Variáveis nominais, **509**
Variáveis reais, **509**
Variável omitida, **38**
Velocidade da moeda, **510**, 510-512
Venda casada, 287
Vendedor marginal, 116
Vendedores
  Impostos sobre, afetam os resultados do mercado, 99-100

Número de, e deslocamentos da curva de oferta, 63
Variáveis que influenciam, 63
Venezuela, taxa de inflação, 504--505
Volcker, Paul, A., 623, 626
Decisão levou à recessão, 640
Desinflação, 625-626
Volkswagen, 275

Y

Yellen, Janet L., 489

Z

Zimbábue
Renda per capita no, 412
Taxa de inflação no, 504,513